PANORAMA DE LA LITTÉRATURE QUÉBÉCOISE CONTEMPORAINE

sous la
direction de
Réginald Hamel
professeur titulaire
Université de Montréal

GUÉRIN

4501, rue Drolet
Montréal (Québec) H2T 2G2 Canada
Tél.: (514) 842-3481
Téléc.: (514) 842-4923

4501, rue Drolet
Montréal (Québec)
H2T 2G2

Dépôt légal

ISBN 2-7601-4606-5

Bibliothèque nationale du Québec, 1997
Bibliothèque nationale du Canada, 1997

IMPRIMÉ AU CANADA

En page couverture: Marcelle Ferron, sans titre. Technique mixte.
Œuvre reproduite grâce à l'aimable autorisation de l'artiste.
Collection Marc-Aimé Guérin

PRÉSENTATION

Un autre panorama! Voyons cela de plus près. En ce qui a trait aux lettres d'ici, il n'y a pas une pléthore de panoramas. L'on peut évoquer celui de Guy Sylvestre (1964), qui insiste sur les lettres canadiennes-françaises; *celui de Paul Gay (1973-1974), qui explore le roman et la poésie du* Canada français. *À ces deux exemples, s'ajoutent encore quelques ouvrages sous-titrés «panorama». Il nous a semblé que notre panorama devait être axé tout particulièrement sur la notion de québécitude. Évidemment, il faut aborder la littérature au sens large du terme, c'est-à-dire dans tous les cas où l'écriture est nécessaire, et où elle peut traiter d'études littéraires: un scénario, une bande dessinée, une chanson.*

Parlant de littérature québécoise, nous voulions tenir compte de la rupture, au moins relative que marque, au Québec, la Crise d'Octobre (1970). Nos prédécesseurs évoquaient la langue française du Québec *(Pierre de Grandpré),* canadienne-française, Canada français[1] *et* Amérique française *(Roy, Viatte, Baillargeon, Bessette, Lortie). Notre* Panorama *recensant les ouvrages publiés après 1970, il nous a apparu nécessaire de le souligner dans le titre même:* littérature québécoise de 1970 à nos jours. *Autre remarque générale. Notre* Panorama *n'a pas été subventionné. L'on pourra scruter cet ouvrage à la loupe, il ne comporte aucun règlement de compte et aucune école de pensée n'a été favorisée. Les collaborateurs, toutefois, ont eu tout le loisir de s'exprimer comme ils l'entendaient. Ils sont les seuls responsables de leurs textes, de leur choix de textes, des illustrations. L'éditeur a laissé*

(1) Il n'y a pas de doute que les 3 tomes classiques de *l'Est, du centre* et *de l'Ouest du Canada français* (Beauchemin) ont eu une influence importante sur l'utilisation «Canada français». Pour le géographe Raoul Blanchard, qui aimait les noms français de l'Ouest américain, rapetisser le Canada français au Québec, ça le gênait émotivement et historiquement. Il est vrai qu'un géographe a la vie facile: ses régions sont naturelles et se fichent des frontières politiques.

au coordonnateur, de cet ouvrage, carte blanche dans le choix des collaborateurs.

Nous croyons avoir réussi à réunir des auteurs dont l'originalité, la créativité, sont généralement reconnues, qui ont amplement démontré leurs qualités de chercheurs, et sont capables de travailler en équipe. Nos collaborateurs(trices), croyons-nous, sont des maîtres dans leurs disciplines respectives, et capables au surplus, de rédiger un ouvrage dont la pédagogie simple et efficace peut rejoindre un public éclairé, dans l'enseignement comme hors de l'école. Notre équipe groupe des personnes œuvrant dans le milieu littéraire depuis plus ou moins longtemps. Elle comprend des théoriciens et des praticiens dans l'enseignement et la recherche. Ces collaborateurs, comme pourra le noter le lectorat, ont su livrer une honnête synthèse de ce que furent les lettres québécoises au cours du dernier tiers du XXe siècle. Ce n'est cependant qu'avec du recul, comme le note Maurice Lemire dans son introduction, qu'on pourra juger de la justesse de leurs approches et de leurs analyses.

Le coordonnateur est entièrement responsable du plan de cet ouvrage. Bien que dénoncée par un certain nombre d'auteurs, la méthode lansonnienne s'est maintenue jusqu'à la fin des années 70: la poésie, le roman, le théâtre, la critique *et* les essais *étaient les principales catégories traitées par les historiens de la littérature. En cela, ce plan n'a rien de révolutionnaire, puisqu'on retrouve dans cet ouvrage, toutes les catégories. Les Québécois, toutefois, sont beaucoup plus nord-américains qu'européens: ils se sont fait un nouveau lit dans l'audio-visuel, à la manière des Américains. Pour tenir compte de ce phénomène, il est apparu nécessaire de placer au début de cet ouvrage, tout ce qui a trait à l'audio-visuel.*

Lors de la fondation du premier centre de documentation à l'Université de Montréal, il y a trente ans, le coordonnateur de cet ouvrage, s'était efforcé de fixer et de conserver tout ce pan de la culture québécoise qui était qualifiée alors de volatil ou d'éphémère et dont il ne restait à peu près rien après quelques heures, quelques jours. Comment les chercheurs, les générations de l'avenir, auraient-ils pu comprendre tous les paramètres de la société québécoise, si notre coordonnateur ne s'était attardé à engranger cette forme d'expression? En d'autres mots, il lui fallait placer en état de synchronie la voix, l'image et l'écrit (i.e. les journaux, les revues et les livres). Malheureusement, on ne comprit pas à l'époque, l'importance de cette démarche, et encore moins, lorsqu'il fut question de faire appel à l'ordinateur pour constituer des bibliographies.

Certes, il ne pouvait s'agir, ici, d'imposer le carcan lansonnien: il fallait tenir compte dans le plan de l'ouvrage, des réalités et des tendances observables au Québec, au cours des trente dernières années. Il nous est apparu clairement que nous devions placer en tête de cet ouvrage la radio, la télévision, le cinéma, tout l'audio-visuel. Comme l'écrivait si justement Georges-André Vachon, les revues devaient suivre immédiatement «parce que c'est là où s'élabore la littérature». Ensuite devait venir le théâtre, la science-fiction, la bande dessinée, (cette dernière ayant acquis ses lettres de noblesse grâce à l'audio-visuel), ce qui amènerait naturellement les catégories traditionnelles. Là, il fallait tenir compte de la prédominance de la prose romanesque sur la poésie (hélas?) durant le dernier tiers du siècle, qui avait pourtant débuté sous le règne de la poésie et de la chanson. La bibliographie d'Aurélien Boivin montre bien ce changement. Au chapitre des essais, il faut constater que la philosophie (la pensée) au Québec a marqué des points, au cours de la dernière génération. De plus, le développement de la francophonie ne s'est pas fait sans les Québécois; bien plus, l'importance des Néo-Québécois a modifié le tissu social (des pures laines). Les conséquences de ces trois dernières données? Elles s'évaluent en démolinguistique, en histoire et en sociopolitique. Il aurait été possible, bien sûr, d'élargir la grille des essais, mais il nous fallait tenir compte du nombre de pages qui étaient allouées.

Une dernière question a retenu notre attention: l'avenir du livre et de l'édition en Amérique du Nord. Il faut se demander si une petite collectivité comme la nôtre, perdue dans une mer anglosaxonne, a un avenir à travers ses moyens de communication, dont le livre? Si l'immense bibliographie de Boivin portant sur les derniers trente ans, a de quoi nous encourager, est-elle garante de l'avenir? La question se pose.

Marc-Aimé Guérin
Éditeur

INTRODUCTION

La littérature québécoise de 1960 à 1990

Maurice Lemire

Brosser un tableau de la littérature québécoise des années 1960-1990 peut sembler téméraire, puisque nous ne disposons pas de la distance nécessaire pour voir où et comment les ruptures significatives interviennent. L'équipe du *Dictionnaire des œuvres littéraires du Québec*, dont je me réclame, a toujours pris soin de laisser s'écouler au moins une quinzaine d'années entre la production courante et ses analyses. Aussi entends-je, même si je prends en compte certaines des plus récentes recherches, me fonder sur celles des années 1970 et 1980 qui ont déjà pris une valeur significative.

En effet, il n'est pas question de dresser un palmarès des meilleures œuvres, ni même de séparer l'ivraie du bon grain. Je laisse au temps le soin d'opérer son œuvre. Je me bornerai à indiquer les grandes tendances pour montrer comment la production récente se situe par rapport à l'ensemble. Pour ce faire, j'insisterai sur la mise en contexte en esquissant le cadre politique, économique et culturel dans lequel cette littérature progresse. Je tâcherai d'évaluer l'intervention de l'État tant dans la création littéraire et artistique, l'enseignement et la recherche et sur ses répercussions sur la littérature. Dans un second volet, j'esquisserai une typologie des acteurs de la vie littéraire et dans un dernier volet, j'établirai un rapprochement avec la production littéraire dans les différents genres en m'appuyant surtout sur les œuvres annonciatrices d'un renouveau, ce qui ne veut pas dire que je les préférerai à certaines autres, souvent supérieures par la qualité de leur texte. Je suis bien conscient de la part d'arbitraire que comporte cette démarche et j'admets qu'elle ne recueillera nécessairement pas tous les suffrages. Voilà les risques du métier.

(Page de gauche) *Québec: une fenêtre sur l'Europe.*
(Photo: Pierrette Méthé)

LES CONDITIONS GÉNÉRALES

Pour bien comprendre l'évolution de la littérature québécoise, il importe de restituer le contexte dans lequel elle s'est développée. Les écrivains ont été présents dans la cité plus que jamais au cours des trente dernières années, soit par leur implication politique, soit par leur contestation de quelque nature qu'elle soit. D'autre part, les conditions d'épanouissement de la littérature ont été grandement affectées par l'économie et par l'intervention de l'État.

a) La politique

La période s'ouvre avec la Crise d'octobre 1970. Pour juguler la montée du mouvement séparatiste, le gouvernement fédéral ordonne les mesures de guerre et fait emprisonner sans mobile précis un nombre important d'intellectuels présumément sympathiques au FLQ. Ce geste, largement dénoncé par la suite, aura des répercussions durables. Pour la première fois, des poètes, des professeurs, des chefs syndicaux sont clairement identifiés comme membres d'un même groupe et, partant, solidaires les uns des autres. En restreignant les libertés démocratiques, le gouvernement de Pierre Elliott Trudeau s'aliénait les vrais démocrates et encourageait les dissidents. La paix semblait à peine rétablie qu'un autre conflit majeur éclatait à propos de la langue. Suite à la commission Gendron en 1969, le gouvernement de Jean-Jacques Bertrand avait voté une première loi linguistique qui ne préconisait que des mesures incitatives pour assurer la prédominance du français. La loi 22 que propose le gouvernement de Robert Bourassa déclare le français langue officielle du Québec, mais sans l'accompagner de mesures appropriées. Le Mouvement Québec français, avec l'appui des syndicats, descend dans la rue pour manifester contre le gouvernement. Pour une seconde fois, les écrivains prennent une part active à l'événement avec un esprit de corps nouveau. Malgré une forte opposition, le Parti libéral est cependant reporté au pouvoir en 1973. Le Parti québécois, avec 30 % des voix, n'obtient que 7 sièges. La majorité silencieuse ne veut évidemment pas de l'indépendance. La prise du pouvoir par le Parti québécois en 1976 couronne le mouvement inauguré par les poètes.

La victoire de Gérald Godin sur Robert Bourassa dans la circonscription de Mercier paraît emblématique: les poètes passent le flambeau aux politiques. C'est en se limitant à promettre d'être un bon gouvernement que le Parti Québécois peut prendre le pouvoir en 1976. Il ne fera l'indépendance qu'après avoir obtenu l'aval de l'électorat après un référendum. L'année suivante, le gouvernement passe la Charte de la langue française, faisant du français la langue commune au Québec. Le Québec affirme de plus en plus sa souveraineté dans les domaines de sa compétence. Il ouvre des délégations dans les principales villes du monde, avec mission de faire reconnaître la spécificité de la culture québécoise. Aux sommets de la francophonie, il exige d'être représenté comme un État souverain. Il se dote d'une fonction publique en conséquence. Toutes ces mesures réconfortent les angoissés et provoquent une certaine démobilisation.

L'échec du référendum du 20 mai 1980 a un effet dévastateur sur les esprits: un Paul Chamberland ou un Daniel Latouche perd toute confiance en la politique. Il justifiera plusieurs jeunes écrivains dans leur réclamation d'une autonomie complète de la littérature. Sa victoire autorise Pierre Elliott Trudeau à rapatrier unilatéralement la constitution et à l'assortir d'une charte des droits qui découragera toute nouvelle tentative de sécession. Le Parti québécois sort amoindri de cet exercice, mais il n'en remporte pas moins les élections de 1981. Il prend sa revanche aux élections fédérales de 1984, en contribuant à la victoire des conservateurs de Brian Mulroney. Au contraire de ses prédécesseurs, qui ont éludé la question constitutionnelle, Mulroney promet de réintégrer le Québec dans la Fédération «dans la dignité et l'honneur». Il convoque une conférence constitutionnelle pour réintégrer le Québec dans la fédération. Le Parti libéral du Québec qui a repris le pouvoir formule ses conditions pour signer lui aussi la nouvelle constitution. Mais, au lieu de s'en tenir à cet ordre du jour chaque premier ministre provincial cherche l'occasion pour améliorer sa position au sein de la fédération. Toute concession en faveur du Québec sera perçue comme une injustice à l'égard des autres provinces qui ne parviennent à s'entendre sur les propositions du Québec qu'après les avoir vidées de leur contenu. Même si Brian Mulroney obtient une signature de ses dix homologues, Trudeau, qui aurait tiré les ficelles en coulisses, parvient à faire échouer l'entente. Les Québécois, de quelque allégeance qu'ils soient, taxent de mauvaise foi le Canada anglais. Ils appuient la déclaration solennelle de Robert Bourassa: «Le Québec est aujourd'hui et pour toujours une société distincte et assumera son destin le temps voulu». C'est dans un climat de rare unité que la Commission Bélanger-Campeau entame ses travaux. Avec le temps, le double jeu de Bourassa transparaît: il souffle le froid et le chaud pour tenir en respect tous les partis et gagner du temps. Malgré son premier échec, Brian Mulroney entend toujours réintégrer le Québec dans la constitution. Il reprend les négociations dans un cadre légaliste qui les voue à l'échec.

Le Québec, qui prétendait négocier d'égal à égal avec le Canada anglais, doit compter avec dix-sept intervenants. Les premiers ministres de l'Ouest en profitent pour mettre de l'avant leur conception du Canada: dix provinces égales avec le même nombre de représentants au Sénat. Ce qui signifie que les francophones ne sont qu'une minorité parmi les autres. À Charlottetown, Robert Bourassa ne peut briser cette unanimité et accepte un règlement à rabais. Soumises à la population par voie de référendum en 1991, les propositions de Charlottetown sont rejetées à la fois par le Québec, parce que trop mesquines, et par le Canada anglais, parce que trop généreuses. Fort de cette victoire référendaire, le Parti québécois entend profiter de cet élan non seulement pour reprendre le pouvoir mais pour gagner un nouveau référendum. En 1994, les péquistes reprennent effectivement le pouvoir et consacrent leurs énergies à la préparation de la consultation populaire; de son côté, le parti libéral prend le pouvoir à Ottawa. Avec Jean Chrétien comme premier ministre, les discussions constitutionnelles reviennent à la case-départ. Les Québécois lui manifestent leur opposition en envoyant à Ottawa 54 députés du Bloc québécois, qui forment l'opposition officielle. Le Canada demeure plus profondément divisé que jamais. Aussi, le gouvernement de Jacques Parizeau écarte toute idée de négociation et promet le référendum dans l'année qui suit les élections.

Le choix du 31 octobre 1995 est un choc, autant pour les péquistes que pour les fédéralistes. Le non ne l'a emporté que par quelques milliers de voix. Comme Trudeau, Jean Chrétien a promis au cours de la campagne des changements sans trop préciser. Dès le lendemain du scrutin, son entourage le presse d'agir rapidement. Son émissaire consulte les divers premiers ministres et revient avec la réponse qu'aucun d'eux n'est prêt à quelque concession que ce soit pour garder le Québec à l'intérieur de la fédération. De son côté, Jacques Parizeau cède le pouvoir à Lucien Bouchard, le chef du Bloc à Ottawa. Ce dernier s'accorde une trêve pour remettre les finances publiques en état avant un nouveau référendum.

Lors de ce dernier référendum, les médias ont signalé la démobilisation des artistes et des écrivains. Plusieurs, dont Paul Piché et René-Daniel Dubois, ont réagi avec véhémence, mais sans parvenir à opposer un démenti formel. Il est vrai qu'après toutes ces tergiversations, le cœur n'y était plus, mais on devait aussi compter avec l'évolution de la notion de littérature qui, en vingt ans, a profondément changé, comme nous le verrons plus loin.

b) L'économie

Tout ce débat constitutionnel se déroulait sur fond d'économie. Depuis les années 1960, on répétait à qui mieux mieux que les Québécois ne pouvaient prétendre à l'indépendance politique sans une indépendance économique. C'est pourquoi, au cours de la période que nous considérons, des économistes comme Robert Bourassa et Jacques Parizeau occupent le devant de la scène pour élaborer un projet de société. Aux discours nationalistes succèdent les batailles de chiffres. Toujours défavorisés par leur manque de capitaux, les francophones ne pouvaient rêver d'indépendance économique sans le concours de l'État.

Voilà ce que comprennent les hommes politiques du «Maîtres chez-nous», qui créent de grandes sociétés d'État, comme l'Hydro-Québec, la Société générale de financement, la Caisse de Dépôts et de placements. Grâce à une politique résolument sociale-démocrate, le pouvoir politique intervient souvent pour favoriser la formation du grand capital québécois. SIDBEC, SOQUEM, SOQUIP, etc. sont autant de sociétés d'État chargées d'assurer aux Québécois la mainmise sur leurs richesses naturelles. Cette politique ne tarde pas à donner des résultats. Il se forme une nouvelle bourgeoisie, que Jacques Grand'Maison appelle «la nouvelle classe». Jamais auparavant avait-on vu autant de directeurs généraux, de cadres supérieurs francophones à la tête de grandes entreprises ou de sociétés d'État. Cette pyramide sociale reconfigurée favorise un nouveau rapport de force avec les syndicats. La CSN (Confédération des syndicats nationaux), la FTQ (Fédération des travailleurs du Québec) et la CEQ (Corporation des enseignants du Québec) exercent suffisamment de pression pour faire plier le gouvernement et la grande entreprise.

L'État crée un nombre inouï d'emplois dans le secteur tertiaire de l'économie: éducation, santé et bien-être social. Cette croissance soutenue provoque une surchauffe qui alimente l'inflation. Les syndicats signent des conventions collectives tellement favorables qu'elles sauvegardent le pouvoir d'achat des travailleurs. Les années 1970 sont des années de grande prospérité économique, qui mèneraient à un «Québec Inc.» solidement instauré. En fait, les Québécois ont peut-être trop misé sur l'État pour leur développement économique. Ils ont trop développé leur secteur tertiaire par rapport à leur secteur secondaire. Le Québec présente la physionomie d'un État post-industriel, sans vraiment avoir connu une période intense d'industrialisation.

La crise économique qui frappe le Québec en 1981-1982 rappelle aux dirigeants la précarité d'une économie à la merci du «continentalisme». En effet, depuis déjà quelques décennies, le développement économique a tendance à migrer vers le centre du continent. Comme le Québec, les États de la Nouvelle-Angleterre sont affectés par un ralentissement économique, l'Ontario bénéficie en tout premier lieu de cette mutation. Le départ de nombreux sièges sociaux et d'industries de Montréal font perdre à la ville son titre de métropole du Canada au profit de Toronto.

Cette société d'abondance des années 1970 provoque la contestation chez nombre de jeunes qui refusent de se laisser embrigader par le grand capital. L'idéologie marxiste-léniniste leur apparaît comme une solution de rechange. Elle infiltre les syndicats et les milieux étudiants, comme l'illustre François Charron, dans sa revue *Stratégie*. Elle favorise également l'émergence de la contreculture, qui se manifeste dans *Mainmise* et *Hobo-Québec*.

Au cours des années 1980, le grand capital met au point une stratégie pour secouer le joug des syndicats. La robotique et l'informatique enclenchent une nouvelle révolution industrielle. Restructurées en fonction de ces nouvelles technologies, les industries font de nombreuses mises à pied. D'autre part, les accords du GATT, comme corollaire à cette déréglementation générale, consacrent la mondialisation du commerce. C'est ainsi que le grand capital échappe à la tutelle des États. Dans ce contexte de libre entreprise, les industries s'implantent là où elles obtiennent le meilleur rendement au meilleur coût. Le chômage grimpe et l'économie ralentit. En conséquence, les personnes à charge du gouvernement augmentent dans la même mesure que diminuent les rentrées fiscales. C'est dans ce contexte que l'État entreprend de réduire son déficit.

Après ces années d'exaltation et de grandes espérances, la société québécoise recommence à douter d'elle-même. Les francophones peuvent-ils, par leurs propres moyens, arriver à la prospérité? La nouvelle économie qui progresse grâce à des mises à pied, exclut toute une classe qui est maintenant vouée au désespoir. C'est ce monde qui s'exprime par la plume de Mistral, de Louis Hamelin et plusieurs autres des nouveaux romanciers.

c) La politique culturelle

Dès les années 1950, le gouvernement fédéral, après avoir reçu le rapport de la Commission royale Vincent Massey, décide de fonder le Conseil des Arts du Canada pour la promotion et la consolidation des arts au pays. Comme la culture est de juridiction provinciale, le premier ministre Maurice Duplessis boycotte cet organisme et interdit aux institutions québécoises d'y recourir. Ce ne sont d'abord que les individus qui s'en prévalent. Avec l'accession des libéraux au pouvoir en 1960, les orchestres symphoniques, les troupes de théâtre, les corps de ballet y puisent allègrement. Ce sont surtout les bourses aux créateurs qui améliorent les conditions de vie dans le monde artistique. Des artistes et des écrivains peuvent consacrer une année ou deux à la création d'une œuvre originale. Ce nouveau mécénat modifie passablement les rapports de l'artiste avec son public. D'une part, il l'affranchit de la commande sociale et lui laisse une bien plus grande liberté. D'autre part, le jury, composé la plupart du temps de pairs, d'esthètes ou d'universitaires, correspond au circuit restreint décrit par le sociologue français Pierre Bourdieu. Pour obtenir des bourses, l'artiste doit s'inscrire en tête de lice des novateurs et il doit jouir de la reconnaissance de ses pairs. Cet intervention de l'État contribue à l'autonomisation d'un art élitiste la plupart du temps inaccessible au grand public.

La création du ministère des Affaires culturelles du Québec en 1961 semble se faire dans un tout autre esprit. On lui donne, outre la mission de conserver et de diffuser la culture québécoise, celle de promouvoir l'identité nationale par l'entremise de la culture. À l'origine, l'État avait l'intention de consacrer au moins un pour cent de son budget annuel à cette fin, un objectif qui n'a jamais été atteint. Les divers organismes culturels y voient plutôt une seconde porte à laquelle ils peuvent frapper pour obtenir des suppléments de subvention. Mais c'est surtout par sa politique du livre que son influence se fit sentir dans le monde littéraire. En effet, comment pouvait-on espérer produire une littérature viable sans un marché capable de la soutenir? Après un siècle d'emprise cléricale sur la culture, le Québec accusait un retard incroyable dans le domaine du livre. Ainsi, en 1977, l'Ontario possédait 2,43 livres par habitant, employait un bibliothécaire par 8 183 habitants, disposait d'un espace de 41,1 mètres carrés pour 1 000 habitants et dépensait 12,98 $ par habitant, tandis que le Québec ne possédait que 0,89 livre par habitant, employait un bibliothécaire par 44 322 habitants et occupait un espace de 10,6 mètres carrés par 1 000 habitants et dépensait 3,80 $ par Québécois[1]. Comme conséquence du petit nombre de lecteurs, plusieurs villes de taille moyenne et les petites villes étaient privées de service de librairie. Le Ministère consacre ses efforts à étendre et à consolider un réseau de bibliothèques publiques en dehors des grandes villes et à favoriser le commerce du livre.

Grâce à la prospérité économique des années 1970, le Ministère met sur pied des Bibliothèques centrales de prêt (BCP) pour desservir les régions semi-rurales. Dans les villes de moyenne importance, il accorde des subventions aux municipalités pour la construction de bibliothèques. Ainsi, dans les années 1980, plus de 90 % de la population jouit des services d'une bibliothèque. Cependant même si le rattrapage en ce domaine n'est pas encore terminé dans les années 1980, le gouvernement diminue le budget consacré à l'achat de livres, de telle sorte que les bibliothèques n'acquièrent plus toute la production courante. Le Ministère intervient également dans le commerce du livre. Par la loi des librairies agréées, il oblige tous les établissements subventionnés par le Gouvernement à acheter leurs livres chez un certain nombre de libraires désignés. L'État assure ainsi la viabilité dans les petites localités d'un commerce qui autrement serait réservé aux seuls grands centres. Il intervient également par des subventions à l'édition. Après la création de la Bibliothèque nationale du Québec en 1967, le Ministère présente la loi du dépôt légal pour obliger les éditeurs à y déposer deux exemplaires de leurs publications. Mais c'est surtout par ses bourses à la création qu'il exerce une infuence directe sur la littérature. Dans une société sans mécènes, les écrivains dépendent directement de leur public lecteur. Les subventions leur accordent une marge d'autonomie qui favorise des groupes d'avant-garde.

[1] GAGNON, Gilbert, «Bibliothèques publiques et lecture au Québec, 1960-1985», dans Maurice LEMIRE (dir.), *Le poids des politiques culturelles,* p. 29.

On peut également considérer l'influence de la Société Radio-Canada comme une intervention de l'État dans le domaine de la culture. Comme la télévision en France n'était encore qu'à ses balbutiements, les Québécois ont dû mobiliser toutes leurs ressources pour innover. Déjà, dans les années 1940, une ébullition intellectuelle préparait la Révolution tranquille, mais elle ne disposait pas de tribune pour rejoindre le grand public. Premier média à rejoindre toute la population, la télévision dispense l'information sous une forme critique. Au cours des interviews, des tables rondes, des discussions, le public devait apprendre à faire la part des choses. Des figures connues, comme André Laurendeau, Philippe Panneton, Gérard Dagenais, apparaissent régulièrement au petit écran. D'autres, comme Claude-Henri Grignon, Robert Choquette, Roger Lemelin, multiplient les épisodes de téléromans. Marcel Dubé écrit presque exclusivement pour Radio-Canada. Roger Fournier, Gilles Archambault, Fernand Ouellette, Paul Chamberland, André Major et plusieurs autres écrivains œuvrent pour la radio d'État. Tous ces gens adonnés à l'écriture forment enfin une masse critique pour mettre en branle une vie littéraire autonome. Par leurs pièces de théâtre, leurs téléromans, ils présentent au peuple une image de lui-même que la littérature s'était longtemps refusée à réfléchir.

L'intervention de l'État, comme on pouvait s'y attendre, a suscité bien des critiques. Jean Éthier-Blais avait coutume de dire que nulle part ailleurs, il n'existait de littérature plus subventionnée et que le patronage étatique favorisait la médiocrité. Reconnaissons que, livrée aux seules lois du marché, la littérature québécoise n'aurait certes pu résister à la concurrence des littératures dominantes. L'État a mis en place des infrastructures efficaces, qui ont contribué à l'autonomisation de la littérature. Libéré des contraintes du marché, l'artiste peut suivre à sa guise les codes de la modernité. Au nom du génie créateur, il réclame le droit de juger seul de sa production. Il prétend l'imposer au public sans autre discussion que celle de ses pairs qui, très souvent, sont de mèche avec lui. Plus les artistes s'éloignent du grand public, plus ils comptent sur les subventions; plus ils reçoivent de subventions, plus ils s'éloignent du public.

d) Le lectorat

Au cours d'une tournée qu'il faisait en Ontario en 1982, Denis Vaugeois, alors ministre de la culture, constatait jusqu'à quel point l'opposition du clergé à la création de bibliothèques publiques a eu des conséquences fâcheuses pour le lectorat québécois. Depuis, le réseau des bibliothèques s'est bien amélioré, comme nous l'avons vu, mais élevés dans la crainte du livre, nombre de Québécois sont passés directement de la tradition orale à la télévision sans fréquenter l'imprimé. Dans beaucoup de foyers, les médias électroniques suppléent encore aux journaux et aux livres. Les jeunes «fans» des jeux informatiques auront-ils plus d'appétence pour le livre? En revanche, la démocratisation de l'enseignement et le niveau de scolarisation ont sensiblement accru le nombre des lecteurs virtuels. Toutefois, l'abandon du cours classique au profit des cégeps a enlevé à la littérature son rôle de fondement de la formation humaniste. Les gens instruits aujourd'hui ne sont plus nécessairement des lettrés. Avec l'autonomisation des sciences humaines, le lectorat s'est fragmenté. Les scientifiques, les géographes, les historiens et les sociologues ne se réfèrent plus à la littérature comme à un patrimoine commun. Pour eux, elle est devenue maintenant un domaine de spécialité parmi d'autres. Malgré cette tendance, elle garde cependant l'avantage du divertissement sur ses concurrents des sciences humaines. Sous cet aspect, elle a gagné du terrain au cours des trente dernières années, avec la levée des interdits, l'abondance des approvisionnements et les choix quasi illimités.

Cependant, cette amélioration ne favorise pas uniquement la littérature québécoise. Pour nombre de Québécois, la littérature française est toujours la littérature de référence, la littérature québécoise leur apparaissant comme une sorte d'appendice greffé sur le tronc principal. Pour les médias, tant électroniques qu'imprimés, la vie littéraire se passe toujours en France. Aucun prix littéraire n'est autant publicisé au Québec que le Goncourt, le Fémina ou le Renaudot. Les grands écrivains que les journalistes suivent à la trace sont d'abord français. Le moindre professeur français de passage au Québec a droit au micro. Trois invités sur quatre à des émissions radiophoniques comme *Signes des temps* ou *En toutes lettres* sont français. Dans les librairies, les présentoirs de nouveautés regorgent de best-sellers français et américains. On trouve souvent les livres québécois sur les rayons de l'arrière-boutique.

Habitués par leur passé colonial à se percevoir comme marginalisés par rapport aux centres que constituaient Londres, Paris et Rome, les Québécois pouvaient croire que l'histoire s'écrivait ailleurs, les événements d'ici n'étant jamais que l'écho des crises européennes. Aussi, dès que la littérature québécoise commence à prendre forme, elle recherche la légitimation de l'extérieur. Il aura fallu le prix Montyon à Louis Fréchette en 1880 pour que les Canadiens le reconnaissent comme un grand poète. Il en a été de même pour Gabrielle Roy, Anne Hébert et Antonine Maillet. Nombre de Québécois conviennent avec Jean Larose qu'ils auraient tort de préférer leur littérature aux chefs-d'œuvre de la littérature universelle[2]. Le diagnostic posé par Octave Crémazie en 1866 reste actuel: «Ce qui manque au Canada, c'est d'avoir une langue à lui. Si nous parlions iroquois et huron, notre littérature vivrait. Malheureusement, nous parlons et nous écrivons d'une assez piteuse façon, il est vrai,

---

[2] LAROSE, Jean, chapitre «Le fantôme de la littérature», dans *L'amour du pauvre*, Montréal, Boréal, 1991.

la langue de Bossuet et de Racine. Nous aurons beau dire et faire, nous ne serons toujours, au point de vue littéraire qu'une simple colonie[3]». Les codes qui régissent la langue littéraire s'appliqueront toujours, peu importe le pays dans lequel une œuvre est produite.

Formé par la littérature française, le lettré québécois a du mal à intégrer les codes d'une nouvelle littérature. Depuis vingt ans, la commercialisation des best-sellers a fait des progrès considérables. Les grandes surfaces diffusent à des prix hors de toute concurrence les succès du jour, qu'il s'agisse d'œuvres américaines dans le texte, ou d'œuvres étrangères en traduction. Elles enlèvent ainsi aux libraires traditionnels la marge de profit qui leur permettait de garder en stock des livres qui se vendent moins bien. Pour le succès d'un roman, le cinéma et la télévision valent mieux que toute autre forme de publicité. Cette situation n'est cependant pas particulière au Québec car, dans tout le monde occidental, les petites littératures sont menacées, non seulement par la littérature internationale, mais aussi par le cinéma, qui a pris une place considérable dans la culture personnelle des gens. Dans les milieux cultivés, les conversations portent plus souvent sur les films que sur les livres. L'image apparaît maintenant comme un moyen d'expression plus approprié au présent temps que l'écriture. Aussi, les journaux lui font-ils la part belle dans les cahiers «Arts et spectacles».

Tout cela explique que le lectorat plafonne, malgré une politique agressive de la lecture. Minoritaire dans le champ qu'elle partage avec la littérature française et la littérature en traduction, la littérature québécoise s'appuie sur l'intervention de l'État pour obtenir sa juste part de marché.

e) L'enseignement universitaire

Dans tous les pays à petit marché, c'est en conjonction avec l'école que la littérature locale atteint un certain épanouissement. Par ses programmes, ses bibliothèques et ses recherches, l'enseignement lui donne une impulsion déterminante. On pourrait dater de 1876 la viabilité de la littérature québécoise, année pendant laquelle le surintendant de l'Instruction publique décide de donner en prix de fin d'année des livres canadiens plutôt que des livres français. Il permet ainsi à des éditeurs d'abandonner la publication de journaux pour se consacrer à l'impression de livres canadiens, à des libraires d'en faire le commerce et à des bibliothèques d'en acheter. Encore aujourd'hui, l'école joue un rôle primordial dans la diffusion de la littérature québécoise. Sans l'école, pourrait-elle seulement exister? Ce sont les enseignants de tous les niveaux qui inscrivent telle ou telle œuvre à leur programme, qui promeuvent les ventes. Fernand Dumont avouait: «Je sais par le rapport

---

[3] Lettre de Crémazie à Casgrain, le 29 janvier 1867, citée par Odette CONDEMINE, *Octave Crémazie, œuvres, II*, p. 90.

annuel de l'éditeur que telle année *Le lieu de l'homme* a été mis au programme». Une enquête menée par Joseph Melançon confirme l'importance de la détermination scolaire[4]. Toutefois, pour que la littérature deviennent objet de savoir, il faut plus que la décision d'un enseignant ou l'autre.

Camille Roy avait déjà effectué un premier débroussaillage avec son *Manuel d'histoire de la littérature canadienne-française*, comme l'a montré Lucie Robert[5]. Puis, dans les années 1950, le père Samuel Baillargeon adoptait la formule pédagogique de Lagarde et Michard, mais sans s'être vraiment livré à de nouvelles recherches[6]. Enfin, Pierre de Grandpré lançait avec le concours de plusieurs universitaires une grande histoire de la littérature française d'Amérique, mais sans recherches concertées. Dans le premier volume de cette histoire, Georges-André Vachon déclarait: «Des œuvres, [...] mais pas de tradition de lecture[7]». En effet, nombreux étaient les critiques qui avaient porté des jugements sans vraiment parler en connaissance de cause. Ils avaient décrété que la littérature québécoise n'existait pas, parce qu'elle ne répondait pas à leurs attentes. Cependant des pionniers s'étaient mis à l'œuvre. Luc Lacourcière à l'Université Laval avait formé un Département d'Études canadiennes. Dans les années 1950, Paul Wyczynski ouvrait un centre de recherche en civilisation canadienne, bientôt suivi par l'Université McGill. En 1965, Réginald Hamel jetait les bases d'un centre de documentation en littérature canadienne à l'Université de Montréal. Toutes ces infrastructures seraient restées lettre morte sans des subventions appropriées. À la fin des années 1960, le Conseil des Arts du Canada décidait de consacrer une partie importante de son budget à la recherche en sciences humaines. De son côté, le Québec mettait sur pied son programme d'actions concertées pour la formation des chercheurs. Ces programmes allaient subventionner des équipes de recherches et amorcer les études de 2e et 3e cycles dans nos universités. Des groupes de recherche se formaient en littérature, en histoire, en sociologie, en géographie, en anthropologie pour examiner les fondements de la culture québécoise. Les mémoires et les thèses ont contribué de diverses façons à la constitution d'un nouveau savoir. Les instruments de travail indispensables à l'étude de toute littérature se sont multipliés: *Dictionnaire des œuvres littéraires du Québec, Dictionnaire pratique des auteurs québécois, Archives des lettres canadiennes...*, des travaux qui délimitent le corpus et qui procèdent à une réévaluation des œuvres.

4 MELANÇON, Joseph, «L'enseignement littéraire et ses effets de marché», dans Maurice LEMIRE (dir.), *Le poids des politiques culturelles*, p. 105-125.

5 ROBERT, Lucie, *Le Manuel d'histoire de la littérature canadienne de Camille Roy*, Québec, IQRC, 1982, 196 p.

6 BAILLARGEON, Samuel, *Littérature canadienne-française*, Montréal, Fides, 1957, 460 p.

7 VACHON, G.-A., dans Pierre de GRANDPRÉ (dir.), *Histoire de la littérature française du Québec*, vol. I, p. 29.

Apparaissent aussi les premières éditions critiques qui devaient déboucher sur la collection de prestige, *Bibliothèque du Nouveau Monde*. À la lecture impressionniste de la critique journalistique succède une lecture de célébration, d'après des théories comme la sémiotique, le structuralisme, la mythanalyse et la sociocritique, qui placent les œuvres dans une perspective nouvelle. L'enseignement et la recherche déterminent un métadiscours qui rend maintenant possible tout comparatisme.

LES ACTEURS DE LA VIE LITTÉRAIRE

a) Le gagne-pain

Même si quelques-uns ont réussi à vivre honorablement de leur plume, la majorité des écrivains des années 1970-1990 restent préoccupés par la façon de gagner leur vie. Ni l'augmentation du public lecteur, ni les droits d'auteurs ne parviennent à faire vivre honorablement son homme. La majorité d'entre eux se cherchent un poste compatible avec leur écriture. Jadis, la fonction publique semblait le havre le plus souhaité, car elle était assimilée à une sinécure accordée «afin d'avoir le loisir de travailler à la gloire du pays[8]». Avec l'avènement de l'État technocratique, les écrivains ont diversifié leurs choix.

L'ouverture de la télévision de Radio-Canada en 1952 a injecté du sang neuf dans la vie culturelle du Québec. Des scénaristes, des metteurs en scène et des recherchistes pouvaient pour une fois exercer leur faculté créatrice tout en gagnant leur vie. Les téléthéâtres, les téléromans, les émissions de variétés, les concerts de chansonniers mobilisaient autant les artistes que les auteurs. Certains d'entre eux ont joué un rôle décisif dans des mouvements comme *Parti pris* et *Liberté*. Même si la plupart de ces écrivains sont toujours en poste, les restrictions budgétaires de la société d'État n'ont pas permis d'assurer convenablement la relève. Comme la télé produit de moins en moins d'émissions originales, elle n'assume plus le rôle de leader dans le domaine des arts. Toutefois, après les Claude-Henri Grignon et Roger Lemelin, Victor-Lévy Beaulieu, certains comme Michel Tremblay, Arlette Cousture, Louis Caron et Yves Beauchemin reçoivent des commandes intéressantes. Certes leur réputation littéraire les a imposés à la télé, mais le petit écran a décuplé leur rayonnement. Ciblant le public élargi, ils ont investi dans leur carrière, moins pour répondre aux codes de l'institution que pour ravir la faveur populaire.

La démocratisation de l'enseignement a renouvelé la classe lettrée encore plus que la venue de Radio-Canada. Avec la mise en place du Ministère de l'éducation et des réformes qui s'ensuivent, le Gouvernement redonne aux laïcs la haute main sur l'enseignement. Des

---

[8] Lettre de Louis Fréchette à Wilfrid Laurier, APC, Fonds Louis-Fréchette, le 1er février 1888.

investissements considérables multiplient universités, cégeps et écoles polyvalentes. Au début des années 1970 les *Baby boomers* ne suffisent pas à combler le nombre de postes ouverts. Des écrivains comme Gilles Marcotte, André Brochu, Georges-André Vachon, Jean-Marcel Paquette, André Berthiaume, André Vanasse, Fernant Dumont, Jacques Brault, Adrien Thériault, Pierre Châtillon concilient dans l'enseignement universitaire leur écriture avec leur gagne-pain. De plus, ils exercent une influence considérable sur l'évolution de la littérature. Majoritairement adeptes des nouvelles théories, ils s'emploient à disséquer le phénomène littéraire pour en déconstruire toutes les phases de création. À l'âge de la parole succède alors l'âge de la prose, comme l'a noté Lise Gauvin. L'écriture, multipliant les effets de miroir, se donne en spectacle à elle-même. À la foi créateur de sens et analyste, le professeur-écrivain développe une hyper-conscience du phénomène littéraire qui le place hors d'atteinte du premier venu. Ce sont eux les grands prêtres du nouveau culte qui ont pour rôle de le séparer du vulgaire en inventant un langage particulier. Aussi auront-ils maille à partir avec la critique journalistique.

La majorité des écrivains universitaires ont déjà un poste dans les années 1970. Comme les restrictions budgétaires se font déjà sentir au cours des années 1980, les postes à pourvoir diminuent et même disparaissent. Aussi, la relève n'est-elle pas aussi nombreuse qu'on aurait pu l'espérer.

Les cégeps sont également un milieu favorable à l'écriture. Moins accaparés par la recherche, ces professeurs peuvent s'adonner plus librement à l'écriture. C'est même parmi eux que se recrute plus particulièrement l'avant-garde. Philippe Haeck, Claude Beausoleil, Robert Baillie, Hugues Corriveau, François Charron, Lucien Francœur, Normand de Bellefeuille y enseignent. À cause de leur fondation plus récente, les cégeps recrutent un personnel enseignant en général plus jeune que celui de l'université. Avec un enthousiasme encore intact, ces *Baby boomers* se regroupent en chapelles pour innover. Par exemple, Beausoleil, Corriveau, Charron et de Bellefeuille militent au sein des *Herbes Rouges*.

Plusieurs autres écrivains travaillent dans des maisons d'édition. Nicole Brossard fonde sa maison d'édition en 1982 et Victor-Lévy Beaulieu, L'Aurore, puis les Éditions VLB. Gaston Miron travaille dans diverses maisons d'éditions et participe à la fondation de l'Hexagone, tout comme Michel Beaulieu pour les Éditions Esterel. Quant à Roland Giguère, il se consacre à l'édition luxueuse de la poésie (les Éditions Erta). Suzanne Jacob fonde avec Paul Paré les Éditions Le Biocreux.

Les femmes qui font pendant les années 1970 une percée remarquable sur la scène littéraire n'ont pas un profil de carrière bien différent de celui des hommes. Suzanne Lamy est professeure au cégep du

Vieux-Montréal, Yolande Villemaire à celui de Rosemont et France Théoret, à celui d'Ahuntsic. Quant à Marie-José Thériault, elle fut directrice littéraire chez HMH pendant une dizaine d'années.

Comme on le voit, la majorité des écrivains exercent une profession ou un métier en continuité avec leur écriture. À la radio et à la télévision, des écrivains occupent des postes névralgiques comme créateurs et récepteurs. Dans les collèges et les universités, des professeurs se livrent à la création tout en faisant de la critique littéraire. Enfin, très souvent dans des maisons d'édition, des écrivains jouent le rôle de première instance de consécration, comme l'évoque Villemaire dans *La vie en prose.* Il s'ensuit un effet de circularité qui accentue l'autonomie de la littérature.

b) La formation littéraire

Les écrivains de la période 1970-1990 ont en général une formation bien supérieure à celle de leurs prédécesseurs. Rares sont ceux qui sont formés sur le tas, comme Germaine Guèvremont, Gabrielle Roy, ou Roger Lemelin. Les nouvelles recrues ont au moins un DEC, généralement un baccalauréat spécialisé en littérature ou en création, souvent une maîtrise et même un doctorat. Cette nouvelle génération sait que l'écriture est un métier qui s'apprend, surtout depuis que les universités ont décidé d'en établir les normes. Elle a eu le choix entre deux types de formation: le premier, plutôt traditionnel, consiste à étudier la littérature pour s'imprégner des meilleurs modèles. C'est dans cet esprit que Northrop Frye prétend qu'on écrit des poèmes parce qu'on a lu des poèmes[9]. Le second, beaucoup plus téméraire, vise à enseigner les procédés de la création littéraire. On a longtemps cru que l'inspiration était un don que rien ne pouvait remplacer, mais cela ne veut pas dire qu'il dispense de réfléchir sur l'acte d'écriture et sur ses diverses modalités.

Par le type de formation qu'ils ont reçu, on peut distinguer deux profils d'écrivains: les plus âgés, qui ont suivi le cours classique traditionnel, et les plus jeunes, qui ont fréquenté les cégeps et l'université. La formation classique, qui cède la place aux cégeps à la fin des années 1960, favorisait une homogénéité certes trop parfaite. Les programmes d'études encadrés par les Facultés des Arts des universités Laval et de Montréal donnaient à l'étudiant une vue d'ensemble d'un certain patrimoine littéraire qui constituait la littérature. La gent littéraire disposait ainsi d'un système de références qui lui permettait un langage allusif facilement compréhensible. S'ils ne formaient pas d'abord des écrivains, les collèges classiques préparaient des lecteurs. Au contraire, les programmes des cégeps et des universités ont ouvert à la diversité. Au début des années 1970, les études s'organisent en fonction du slogan

[9] FRYE, Northrop, chapitre «Introduction polémique», *Anatomie de la critique*, Paris, Gallimard, 1969.

«l'étudiant, artisan de sa propre formation». Dans cet esprit, presque tous les cours deviennent optionnels et le futur diplômé en mal d'interdisciplinarité peut choisir dans n'importe quel programme. Sous l'emprise des théoriciens, chaque professeur tente d'initier ses étudiants à sa méthode de lecture. Aussi est-il difficile de dessiner le profil de bachelier en littérature. La théorie sollicite plus ses lectures que le corpus. S'il ignore les classiques de la littérature traditionnelle, en revanche, il connaît les productions récentes de la littérature américaine, de la littérature française, de la littérature sud-américaine et même de la littérature africaine. En fait, le corpus d'œuvres délimité par Laffont et Bompiani dans leur *Dictionnaire des œuvres littéraires de tous les temps et de tous les pays*, que tout homme cultivé devrait connaître, ne s'impose plus. L'écrivain peut avoir ses auteurs fétiches et leur vouer un culte exclusif. Victor-Lévy Beaulieu en donne un bon exemple avec sa lecture de Victor Hugo, de Jack Kerouac et de Herman Melville. La culture littéraire dispensée par les maisons d'enseignement se distingue moins par la connaissance d'un corpus plus ou moins canonique que par un approfondissement de la réflexion sur l'acte d'écrire. Il s'ensuit que la nouvelle génération, ne partageant plus le même système de référence, aura une conception entièrement différente de la littérature.

c) La recherche de la modernité

Ce nouveau type de formation ouvre la littérature québécoise à la postmodernité. Durant les années 1950, plusieurs romanciers lui avaient fait franchir au genre un pas de géant en l'amenant enfin au réalisme d'observation. Ils laissaient espérer des fresques sociales à la Tolstoï ou à la Dostoïevski. Mais la littérature québécoise évoluait à un rythme qui l'empêchait de suivre tous les méandres du cours normal des autres littératures. Depuis ses débuts, elle voulait définir ou plutôt construire une identité collective, qu'elle fondait sur le génie particulier du peuple. Le cheminement est lent pour en arriver à une prise de conscience efficace. Quand enfin la situation économique de l'après-guerre suscite une prospérité suffisante pour que le peuple puisse se regarder sans écran, les consensus se sont effrités. Depuis longtemps opposés aux régionalistes, les meilleurs poètes dénient au pays la capacité de les inspirer. Les têtes d'affiche que sont Nelligan et Saint-Denys Garneau seraient, selon Pierre Nepveu[10], emblématiques d'une littérature qui aspire à la catastrophe à plus ou moins brève échéance. La véritable prise de parole se trouverait ainsi différée dans un futur indéterminé. À l'époque où elle aurait pu arriver à l'épanouissement, la littérature se dresse contre elle-même. À peine formulé, le désir d'exprimer une originalité particulière à la face du monde apparaît caduc aux yeux des modernes.

[10] NEPVEU, Pierre, *L'écologie du réel*, Montréal, Boréal, 1988, 243 p.

Au fur et à mesure que le phénomène littéraire s'internationalise, il devient difficile de ne pas emboîter le pas aux grands courants mondiaux. Véhicule du savoir humain depuis l'invention de l'écriture, la littérature est remise en question par l'arrivée des autres modes d'expression.

D'après Ihab Hassan, les littéraires frustrés d'avoir été délogés de la première place auraient pris leur revanche sur la littérature elle-même en s'efforçant de la détruire, ce qu'il appelle «le démembrement d'Orphée». Elle devrait se limiter, d'après les postmodernistes, à l'autoreprésentation et n'avoir plus d'autres sujets qu'elle-même. Prisonnier de la page blanche, l'écrivain analyse le phénomène de l'œuvre en train de naître sous sa plume avec l'objectif d'atteindre le degré zéro de l'écriture. Une telle fermeture du champ littéraire peut menacer l'équilibre d'un petit marché comme celui du Québec. En s'aliénant un public restreint, les écrivains risquent de le perdre au profit d'autres littératures. Sans profonde tradition de lecture, le Québécois aurait pu enfin s'adonner à la lecture parce qu'il avait suffisamment d'instruction et de loisirs, mais sa littérature devient illisible. Quels qu'en soient les dommages, la littérature québécoise se doit d'entrer dans la postmodernité pour ne pas être encore accusée de retard. Comme ailleurs, elle devait accueillir une avant-garde qui ferait profession de subvertir les codes. Mais à la différence de la France, où seule une minorité forme le peloton de tête, ici, comme dans tous les milieux restreints, tout le monde voulut être de l'avant-garde, même les anciens.

d) La nouvelle fonction de l'écrivain

Quelle fonction l'écrivain remplit-il aujourd'hui dans la cité? Dans les années 1950, «les poètes du pays» ont pris la parole et formulé le rêve nationaliste qui a abouti à la fondation du Parti québécois. La poésie et la chanson étaient alors de puissants leviers pour mobiliser l'âme populaire. Des têtes d'affiche comme Gaston Miron, Gatien Lapointe, Gilles Vigneault et Félix Leclerc montraient la voie à suivre. Au fur et à mesure que le rêve s'approche de la réalité, la littérature passe le relais à la politique. La génération montante, celle des *Herbes Rouges*, aspire à libérer l'écriture de toute fonction étrangère à elle-même. Sans trop le savoir, ils épousent la position de Malherbe, qui soutenait au XVIIe siècle que le poète n'est guère plus utile à l'État que le bon joueur de quilles. Le poète arrangeur de mots a perdu foi en l'écriture et ne retient que son côté ludique, pour ne pas dire dérisoire. Une détérioration de la conjoncture économique amène certains à militer dans les rangs des marxistes, d'autres à se percevoir comme des marginaux. Depuis le début de la décennie 1990, nombre d'exclus prennent la plume, non pas pour réclamer ou pour dénoncer, mais simplement pour faire part de leurs états d'âme.

e) Les destinataires

Même s'ils le nient, les écrivains destinent leurs écrits à un public parfois virtuel, mais le plus souvent à un public réel. Au Québec, ils écrivent généralement souvent pour la «tribu», comme le révèlent les codes auxquels ils se soumettent. Il n'en est pas un qui, dans le secret de son cœur, n'espère pas recevoir un jour ou l'autre la consécration parisienne. Ils reconnaissent avec le Belge Jacques Dubois, que toute littérature d'expression française ne peut avoir qu'un lieu de consécration, Paris[11]. Plusieurs auteurs comme Anne Hébert, Jacques Poulin, Jacques Godbout et Réjean Ducharme préfèrent s'y faire publier pour avoir accès direct au marché français. Mais le succès n'est pas acquis pour autant, car peu de Québécois parviennent à se classer parmi les best-sellers. Dans un catalogue de livres de poche que la maison Hachette faisait parvenir aux enseignants pour la rentrée des classes de 1996, aucun Québécois ne figurait parmi des auteurs sélectionnés dans toutes les parties du monde. Une telle absence questionne: est-ce la valeur intrinsèque des œuvres qui est en jeu ou seulement leur mise en marché? Comment la littérature québécoise parvient-elle si difficilement à déborder les frontières du Québec? L'éditeur français Jean Piccolec, qui avait misé sur des romanciers aussi prestigieux que Jacques Poulin et Yves Beauchemin, a dû renoncer à sa tentative de publier des auteurs québécois, faute de lecteurs. Les Éditions Robert Laffont ont subi le même échec. Secondés par leur gouvernement, certains éditeurs québécois, dont l'Hexagone et Les Quinze ont tenté la même expérience française sans plus de succès. Le lectorat français, explique Piccolec, en est encore à *Maria Chapdelaine*: «Trop de Français attendent que les écrivains québécois ne parlent que de coureurs des bois et de poudrerie, dans une langue qui évoque celle des campagnes du XVIIe siècle[12]». Cependant, toute la faute n'incombe pas aux Français. Au cours des trente dernières années, même si l'activité littéraire a gagné en qualité et en quantité, l'usage du «joual» comme langue littéraire a certainement contribué à l'isolement de la littérature québécoise. Pas assez radicale pour s'affranchir des codes linguistiques français, cette subversion de la langue normée a confirmé les métropolitains dans leurs préjugés traditionnels. Sans pouvoir réel sur la langue, les poètes québécois peuvent se livrer à toutes sortes d'expériences de déconstruction, ils ne parviennent pas à imposer quoi que ce soit. La longue tradition aristocratique qui a marqué l'évolution du français en Europe depuis trois siècles accentue la distance qui sépare la langue dite littéraire de la langue modelée par les «habitants» du Canada depuis le XVIIe siècle. De telle sorte quc la langue littéraire est toujours, pour les écrivains québécois, une langue apprise. Cependant les «joualisants» qui

[11] DUBOIS, Jacques, *L'institution littéraire. Introduction à une sociologie,* Paris, Fernand Nathan / Édition Labor, 1978, p. 135.

[12] PICCOLEC, Jean, «Les écrivains québécois face aux lecteurs français», dans *Les écrivains du Québec,* actes du quatrième colloque de l'ADELF, Paris, 1995, p. 100.

s'affichent au cours des années 1970 se sont révélés incapables de créer une langue distincte, comme le souhaitait Crémazie. C'est pourquoi, à la fin des années 1980, plusieurs écrivains ont senti le danger de trop creuser l'écart entre la langue normée et la langue québécoise.

LES GENRES LITTÉRAIRES

Adopter la division des genres littéraires pour parler de la production des dernières décennies pourra paraître désuet à plusieurs, car les écrivains postmodernes ont tendance à ignorer les frontières qui séparent les genres. En effet, comment distinguer la prose poétique du vers libre? Plusieurs romans ont des allures d'autobiographies et nombre de nouvelles pourraient être des poèmes. Cependant, la distinction par genre demeure encore le meilleur moyen d'ordonner le discours sur la littérature.

a) Le roman

Au cours des années 1970, le roman supplante la poésie comme genre littéraire le plus populaire. Une surabondance relative s'explique de diverses façons. Certes, les éditeurs grassement subventionnés se montrent moins exigeants et multiplient les publications. Comme le soutiendra Yolande Villemaire, nous sommes à «l'âge de la prose», qui convient mieux à une époque de liberté. Plusieurs romanciers déjà renommés s'appliquent à moderniser leur technique. Dans *Prochain épisode*, Hubert Aquin affiche une bonne maîtrise des codes de la postmodernité, mais pas autant que dans *Trou de mémoire* qui apparaît un modèle du genre. Chez Anne Hébert, l'évolution est encore plus visible. Son roman *Kamouraska*, publié en 1970, se distingue par une rare qualité d'écriture, mais reste d'une organisation assez conventionnelle. La publication des *Fous de Bassan* en 1982 exprime une volonté de se plier au code de la pluralité des voix préconisé par le postmodernisme. La même histoire racontée par cinq narrateurs différents, avec des points de vue singuliers et des styles particuliers, témoigne d'une volonté de renouvellement. On pourrait en dire autant du parcours de Jacques Godbout depuis *Le Couteau sur la table* en 1965 jusqu'à *D'Amour P.Q.*

La publication de *L'avalée des avalées* de Réjean Ducharme marque une rupture plutôt qu'une évolution. Ce premier roman publié chez Gallimard, à grand renfort de publicité, équivalait au coup de pistolet au milieu d'un concert, dont parlait Stendhal au XIXe siècle. Par la mise en veilleuse de l'intrigue et par l'importance accordée aux dialogues, il proclamait la primauté du signifiant sur le signifié. Comme le poète, le romancier devient un arrangeur de mots, non pas pour ciseler des bijoux, comme le voulaient les Parnassiens, mais pour le plaisir de la bizarrerie. Toutefois, ces dialogues apparemment privés de référents, finissent par cerner une certaine réalité sociologique. Les héros de Ducharme se complaisent dans le monde de l'enfance et refusent d'en sortir. On peut y voir une répugnance à assumer la vie. Une réception enthousiaste de la critique française incite le romancier à continuer dans le même sens sans vraiment renouveler sa manière.

Une relève nombreuse et diversifiée qui s'annonce au début des années 1970 modifie substantiellement le panorama littéraire par l'entrée du roman québécois dans l'univers du «je». Né essentiellement de l'écriture bourgeoise, comme le remarque Jürgen Habermas, le genre coïncide avec l'apparition de l'individu dans la société libérale. Longtemps suspect parce que menaçant pour la solidarité collective, il acquiert enfin assez d'autonomie pour une prise de parole individuelle. La ville, qui prend de plus en plus de place dans la diégèse, favorise toutes les déviances, comme l'illustre bien l'univers romanesque de Marie-Claire Blais. L'affirmation de soi, malgré l'image que les autres lui renvoient, constitue une constante dans l'œuvre de cette décennie. Elle marque aussi le passage de la recherche identitaire collective à la recherche identitaire individuelle. Marginalisé par son homosexualité, Michel Tremblay tente de se faire accepter par son écriture. Sa saga, qui se déroule au sein de familles élargies ou de rapports de voisinage surdéterminés par une foule de référents, montre l'individu en interaction avec le collectif. Ce type de roman vise moins à représenter la société que la place de l'individu dans la société. Tremblay s'attaque au dernier bastion de la collectivité, la famille. Il la présente sous un jour sombre, parée de toutes les tares. L'individu se déculpabilise sur elle, mais reste isolé, situation propice à l'introspection et à la recherche de nouvelles solidarités. Pour bien marquer la saisie de ces existences au niveau du quotidien, le romancier centre son récit sur les événements répétitifs de la journée: déjeuner, promenades, retour à la maison, souper... Tremblay s'attarde à mettre en récit des existences sans histoire qui prennent tout leur intérêt dans le récit.

La fuite est une autre façon de se chercher, surtout la fuite vers des ailleurs toujours pleins de promesses. La contreculture a inauguré une nouvelle forme d'errance que la jeunesse affectionne particulièrement. En ce sens, Jack Kerouac est devenu un personnage mythique à la destinée exemplaire. À sa suite, certains se mettent en route pour échapper à la contrainte d'un lieu. Le nomadisme international invente en ces années une nouvelle culture qui abolit les frontières et les distances entre individus. Dans *Volkswagen blues*, Jacques Poulin part à la recherche de son américanité, mais pas de n'importe laquelle, l'américanité francophone. Alors qu'il paraît se départir de sa québécitude, il en recherche les racines profondes. Au lieu d'errer dans ce vaste continent, il part en une sorte de pèlerinage sur les traces des premiers aventuriers. Il retrouve en bout de piste un frère qu'il recherchait, mais c'est un frère perclus en fauteuil roulant, symbole de l'échec de l'Amérique française.

Le plus souvent, la recherche de l'identité se fait au sein de ce qu'Henri Lefebvre appelle «la quotidienneté». Le monde sérialisé a dépouillé la vie de son style. Difficile à saisir par son manque de relief et de caractéristiques, la quotidienneté attire cependant depuis Kafka des romanciers comme Louis Gauthier (*Souvenir du San Chiquita*, 1978) qui tentent de la reproduire dans son état d'incohérence. La séquence de banalités qui composent une journée ordinaire sert de prétexte à libérer une écriture qui se nourrit d'elle-même. L'acte d'écriture devient en effet le seul sujet digne de la plume. Tous les romanciers soucieux des codes de la postmodernité se cherchent dans leur écriture. Le roman spéculaire à effet de miroir comporte toujours comme personnage principal un écrivain, comme Galarneau *(Salut Galarneau)* ou Pauline Archange *(Les manuscrits de Pauline Archange)* qui tient la plume en même temps que l'auteur. La recherche de l'identité dans ce cas est très spécifique car elle porte uniquement sur l'écrivain en tant qu'il s'inscrit dans la marginalité sociale.

Cette orientation du roman résulte moins d'une influence sociologique que d'une certaine intertextualité. Les romanciers d'aujourd'hui, grâce à leurs études universitaires, imitent les grandes tendances de la littérature internationale. Certains s'entichent du «nouveau roman» français; d'autres, attirés par le postmodernisme américain et sud-américain fréquentent Samuel Beckett, Alain Robbe-Grillet, Michel Butor et Nathalie Sarraute, mais aussi Italo Calvino, Umberto Eco, Jorge Luis Borges, Gabriel Garcia Marquez, Vladimir Nabokov, John Barth, Thomas Pynchon... Hubert Aquin est certainement l'un des premiers à se réclamer de cette nouvelle esthétique. *Trou de mémoire* apparaît à Janet Paterson[13] comme un des meilleurs exemples du genre. Il obéit à tous les codes nouveaux: pluralité des voix narratives, pragmatique de lectures individuelles, accumulation des procédés d'autoreprésentation et surencodage de l'intertextualité. D'une érudition sans limite et d'un rare talent organisationnel, Aquin excelle dans le maniement de ces techniques. Des romancières, comme Madeleine Ouellette-Michalska *(La maison Trestler)*, Nicole Brossard (tous ses romans), Yolande Villemaire *(La Vie en prose)* et Francine Noël pratiquent un roman qui n'a plus d'autre sujet que l'acte d'écrire. Il se représente lui-même par la mise en abyme, sans autre signification que celle des mots qu'il utilise. D'où la fréquence des jeux de mots et des

[13] PATERSON, Janet M., *Moments postmodernes dans le roman québécois*, Ottawa, les Presses de l'Université d'Ottawa, 1993, 142 p.

calembours à la Réjean Ducharme. Victor-Lévy Beaulieu prend toutefois certaines licences. Dans la «saga des Beauchemin», son personnage principal et narrateur, Abel Beauchemin, est bien un écrivain en train d'écrire, mais sa mise en récit de la vie familiale suscite la réprobation de la part des autres membres et le récit, qui prend alors une allure de lutte, se déroule dans un contexte de surencodage: Melville finit par le hanter: «À force de vivre avec l'autre, dans le monde des mots de l'autre, on en oublie sa puissance, on la fait devenir quotidienne, on la désamorce en quelque sorte...[14]».

Au cours des années 1990, de nouvelles plumes donnent au roman une orientation différente. Les Louis Hamelin, Christian Mistral, Lise Tremblay, pour n'en nommer que quelques-uns, inventent une écriture de l'exclusion. Ces jeunes chômeurs instruits, prestataires de l'aide sociale, trouvent dans l'écriture le moyen de briser leur isolement. Au contraire des postmodernes, ils ne cherchent plus à subvertir le récit, ni à jongler avec les mots. L'intrigue leur importe peu. Ils veulent communiquer leurs états d'âme au milieu d'une vie dégradée par l'alcool, le sexe et la drogue. Pour eux, seul le «trip» intérieur compte.

Le récit fantastique, qui réjouissait les lecteurs du XIXe siècle, connaît une étonnante résurgence à partir des années 1960, comme l'a montré Michel Lord dans *La Logique de l'impossible*. Une nouvelle génération de fantastiqueurs, au nombre desquels on compte Jacques Brossard, Claudette Charbonneau-Tissot, Marie-José Thériault et André Carpentier, redonne un second souffle au genre. Bien au courant de la théorie, ils en connaissent tous les ressorts pour faire osciller leurs récits entre le magique et le maléfique. Ils affectionnent ce lieu «où foisonnent les problèmes habituels du récit fantastique, mais où l'écriture, moteur de la fantasticité, a un rôle majeur à jouer[15]». Qu'une auteure aussi reconnue qu'Anne Hébert se lance dans le fantastique (*Les enfants du sabbat*, 1975, et *Héloise*, 1980) concourt à légitimer le genre. On peut croire que plusieurs auteurs soucieux de leur reconnaissance symbolique aient hésité dans les années 1960 à s'adonner à cette pratique parce que trop assimilée au roman policier et à la littérature de grande consommation. Mais en 1980, la revue *La Nouvelle Barre du Jour* consacre un numéro à la fiction fantastique et reconnaît le genre comme une forme moderne d'écriture. Depuis, des praticiens du fantastique, comme André Carpentier, Michel Bélil, Daniel Sernine, André Berthiaume, Pierre-Paul Karch, Claude Leclerc, Gilles Pellerin publient régulièrement des nouvelles en recueil ou dans des périodiques. Le corpus semble assez considérable en 1986 pour qu'un groupe de recherche (Groupe de recherche interdisciplinaire sur les littératures

---

[14] BEAULIEU, Victor-Lévy, *Monsieur Melville*, Montréal, VLB, 1981, p. 11.
[15] LORD, Michel, *La logique de l'impossible*, p. 14.

fantastiques dans l'imaginaire québécois, GRILFIQ) se forme à l'Université Laval pour la compilation et l'étude du genre. De 1960 à 1985, il s'est publié plus de 600 récits brefs et 20 romans fantastiques. Comment expliquer cet engouement? Avec des moyens techniques capables de mystifier n'importe quel incrédule, le cinéma et la télévision ont développé chez le public un goût nouveau pour l'insolite. De plus, comme le montre Michel Lord, plusieurs théoriciens ont précisé la poétique du genre pour la rendre plus explicite. Enfin, le fantastique prend jusqu'à un certain point le relais du roman nombriliste qui, depuis le postmodernisme, s'adresse trop exclusivement à des initiés. La remise en question de la capacité de la littérature à représenter le réel a poussé les écrivains vers l'irréel.

b) La poésie

Même si elle n'occupe plus la première place dans la production, la poésie affiche encore une vitalité débordante. Par exemple de 1962 à 1965, il se publiait environ 40 recueils par année, tandis que pour la seule année de 1982 on en compte 110. Cette abondance s'explique en bonne partie par la facilité de publication: les nouveaux moyens de reproduction — ordinateurs, imprimantes, photocopieuses — permettent une qualité d'édition qui égale souvent celle des professionnels. Ainsi, les jeunes poètes peuvent-ils lancer à peu de frais des recueils à tirage restreint. De leur côté, plusieurs enseignants, qui mettent des poètes québécois au programme, obligent des éditeurs à les réimprimer, comme en témoignent les catalogues du Noroît, les Écrits des Forges, les Herbes Rouges, la Barre du Jour, Hurtubise HMH, VLB, Leméac et surtout l'Hexagone, fondée pour diffuser la poésie.

Au cours des années 1970, en réaction peut-être contre les «poètes du pays» qui ont assumé un rôle de premier plan dans la Révolution tranquille, apparaît une nouvelle relève qui se réclame d'une poétique entièrement différente. Les deux groupes, bien que non fermés, n'entretiennent guère de communication. Les nouveaux poètes offrent un profil sociologique assez homogène: nés autour de 1950, ils appartiennent à la génération des *Baby boomers* qui a grandi devant le téléviseur. Outrés par les liens que la société de consommation tisse autour d'eux, scandalisés par la guerre du Viêtnam, ils embrassent le mouvement *Peace and love*, qui glorifie la marginalité et propose des valeurs alternatives. Le rassemblement de Woodstock étale à la face des Américains l'ampleur du mouvement *underground.* Bien qu'à forte teneur idéologique, ce mouvement transcende les langues. Le *World beat* met sur la même longueur d'onde une jeunesse internationale qui réclame un affranchissement total de l'individu, le droit au sexe et à la drogue, quitte à se contenter de peu, comme l'indique le slogan populaire «*small is beautiful*». Il va sans dire qu'une bonne partie de la jeunesse québécoise partage cet idéal et répond aux appels du *flower power*. Lucien Francœur, Plume Latraverse, Claude Péloquin et Denis Vanier sont peut-être les poètes qui épousent le mieux ce profil.

Les poètes des *Herbes Rouges* revendiquent une approche plus formaliste de la poésie. Bardés de diplômes universitaires, ils connaissent bien la théorie. Professeurs de littérature au cégep, pour la plupart, ils partagent une même esthétique, rejetant tous les tabous sociaux, religieux et grammaticaux, utilisant volontiers le joual pour saccager avec allégresse la «parole assise et confortable». Leur poésie, voisine de l'oralité, questionne, invective, dénonce. Chez Charron, l'idéologie marxiste pointe l'oreille. Claude Beausoleil se livre lui aussi à l'exploration formelle, surtout dans ses premiers recueils. Il remet en cause l'efficacité poétique de la métaphore pour lui substituer la répétition des motifs. Beausoleil mêle les genres littéraires: un poème comme *Deadline* (1974) prend parfois la forme narrative, raconte le meurtre d'une vieille dame, moins pour l'événement lui-même que pour illustrer la perversion d'un récit. Alexis Lefrançois représente une autre tendance poétique des années 1970. Avec *36 petites choses pour la 51* (1972) et surtout *La belle été* (1977), il rompt avec la poésie formaliste des *Herbes Rouges* et aussi avec celle des poètes engagés de *Terre-Québec*. Il met l'accent sur le sens surprenant que provoquent les rencontres inopinées de mots. Une sorte de jeu s'instaure entre le poète et son lecteur, l'un s'amusant à déjouer l'autre. À l'instar de Ducharme et de Sol (Marc Favreau), il reste fidèle à la définition du poète arrangeur de mots.

Des femmes tiennent également une place importante au sein du groupe des *Herbes Rouges*. Mais au contraire de la plupart des hommes, elles ne répugnent pas à l'engagement. France Théoret, par exemple, aspire à exprimer l'existentiel, c'est-à-dire la subjectivité qui passe par une introspection de l'enfance pour en identifier les traces dans la vie adulte. Dans *Une voix pour Odile* (1978) elle dénonce l'aliénation langagière de la femme: «[...] une seule certitude celle de n'avoir pas de langue. D'une langue sans langue la fiction». Elle s'emploie à la débarrasser des formules toutes faites qui interdisent la féminisation. Sa réflexion débouche sur la théorie sans pourtant s'y empêtrer. L'écriture au féminin exige ses propres mécanismes et privilégie des genres plus particulièrement intimes, comme la correspondance, l'autobiographie et le journal intime. Elle déclare dans le même roman: «J'écris d'où je viens. Je parle d'où je suis. Le passé ne m'intéresse que pour agiter le devenir.» C'est dire que le référent-femme est au centre de son propos, l'organise et lui donne corps. Madeleine Gagnon, une autre militante féministe au sein du groupe des *Herbes Rouges*, tente dans *Pour les femmes et tous les autres* (1974), de transcender les ruptures de classes pour créer une solidarité entre les femmes. Elle raconte la vie de certaines femmes des milieux populaires, puis en tire une théorie pour imaginer de nouvelles formes d'écriture qui révèlent la condition des femmes.

La poésie dans sa forme la plus nouvelle se veut avant tout une affaire d'avant-garde. Elle se sert de la langue québécoise comme d'un matériau qu'elle expérimente plus pour le déconstruire que pour l'améliorer. Au fond, cette poésie se conteste elle-même et rejette les codes qui séparaient le poétique du trivial. Tout peut devenir poétique parce que rien n'est poétique. Cette acception du genre consacre son autonomisation. En effet, l'énonciation et la réception fonctionnent en parfaite circularité puisque les poètes des *Herbes Rouges* sont également leurs critiques littéraires.

c) L'essai

Parent pauvre de la littérature québécoise pendant longtemps, l'essai recueillait tous les écrits qui ne correspondaient pas aux genres canoniques. L'essai se distingue de la thèse universitaire par son allure de démarche personnelle sur un sujet à explorer avec les moyens du bord. L'essayiste recourt à son expérience, à ses lectures, à sa vision du monde pour donner cohérence et lucidité à son propos. Le caractère personnel de l'essai est donc incontournable. En ce sens, il affirme le «je» comme centre d'appropriation et d'autonomie par rapport au reste de la collectivité.

C'est peut-être cette dernière caractéristique de l'essai qui a retardé son épanouissement au Québec. Dans un pays où la dissidence a longtemps été perçue comme une trahison, l'écrivain se devait de parler au nom de la collectivité. Pourquoi, dans un contexte d'autorité mandatée, un particulier aurait-il eu droit à la parole? La multiplication des essais dans les années 1970 révèle donc la libération de l'individu et l'affirmation de sa dissidence. Par ailleurs, la porosité de plus en plus grande entre les genres littéraires a tendance à contaminer de nouveau l'essai pour lui donner une allure d'autobiographie, de mémoires ou de dialogue.

L'incertitude entretenue par la question nationale favorise l'interrogation sur l'identité. Même si la manière gagne en complexité, nombreux sont ceux qui s'interrogent encore sur l'avenir collectif. Mais la façon de le faire change: on ne prétend plus faire écho à l'opinion générale, mais donner des points de vue bien particuliers avec la distance nécessaire pour exercer un sain esprit critique. Pierre Vadeboncœur caractérise bien cette nouvelle manière. Dans *Indépendances* (1972), il dégage le sens du mouvement indépendantiste du Québec en le replaçant dans la contestation générale en Occident depuis mai 1968. Il renouvelle son engagement social avec *Un Génocide en douce* (1976) qu'il sous-titre «Écrits polémiques». Il s'agit en effet d'articles déjà parus dans des journaux dont certains sont cependant inédits. Vadeboncœur a le mérite de ne parler ni en spécialiste, ni en militant, car il livre un témoignage avec des réserves et des doutes. Son volume a toutes les caractéristiques d'une pensée à la recherche d'elle-même qui éclôt sans un ordre déterminé. Par ses répétitions au gré des circonstances, l'écriture témoigne des diverses tentatives d'une pensée qui se reformule sans cesse.

Fernand Dumont est un des rares essayistes à entreprendre l'examen d'une question dans une perspective déterminée. Dans deux essais majeurs, *Le lieu de l'homme* et *L'anthropologie en l'absence de l'homme*, il déborde la sphère nationale pour traiter de questions épistémologiques. Certes, c'est un universitaire qui écrit avec un grand souci d'objectivité, mais c'est aussi un homme qui invoque tantôt son expérience, tantôt ses lectures, pour exposer sa vision des choses. Jamais dogmatique, il invite le lecteur à l'accompagner dans une démarche qui ne le dissocie jamais du sort des siens. Dans ses essais, comme *La vigile du Québec* et surtout *La genèse de la société québécoise*, il s'affranchit des partis pris en se réclamant à la fois de la philosophie et de la sociologie. Sa mise en perspective de divers événements vise à dégager leur sens profond.

Léon Dion et Gérard Bergeron écrivent certes d'après les normes de leur discipline, mais leurs analyses les amènent souvent à s'impliquer dans leurs démonstrations. Dion, le fédéraliste fatigué, s'interroge, fait part de ses doutes et de ses hésitations et de son embarras à opter pour un parti plutôt qu'un autre. Son écriture revêt alors un caractère très personnel qui la rapproche du témoignage, de l'aveu. Bergeron, pour sa part, centre son analyse sur les hommes plutôt que sur les politiques. Tout en cherchant les causes ou les motifs qui ont amené tel homme politique à agir de telle façon, il se montre très sensible au caractère humain des gestes qui sont posés. Même s'il refuse de prendre parti, il manifeste des sympathies qui donnent un caractère personnel à ses essais.

La question du Québec n'intéresse pas seulement les universitaires. Presque tous les essayistes y ont touché avec plus ou moins de bonheur. En général, il ne s'agit pas d'essais d'une seule venue, mais d'articles déjà publiés dans des périodiques puis rassemblés en volume. Aussi ces recueils composites manquent-ils généralement d'unité, comme l'illustre bien *Du fond de mon arrière-cuisine*, de Jacques Ferron. Il va sans dire que le «je» tient toute la place dans ces textes, même si le «nous national» se profile en arrière-fond. Loin de chercher à cacher ses préjugés, Ferron les affiche comme une marque de commerce de son écriture. De là vient en bonne partie le caractère particulier de son écriture.

Mais avec le temps, la question nationale perd de sa prégnance. Paul Chamberland, le poète de *Terre Québec*, devient au début des années 1980 l'essayiste de *Terre souveraine*, un titre révélateur de son évolution. Son engagement des années 1960 s'est peu à peu mué en internationalisme. Fernand Ouellette parvient à se maintenir hors du champ politique. Collaborateur des plus fidèles de la revue *Liberté*, il rassemble périodiquement ses articles pour les publier en volume. Dans *Les Actes retrouvés* (1970), il réfléchit sur la littérature, non sans s'interroger sur la place du Québec en Amérique du Nord, ce qui l'amène à se questionner sur la pertinence de l'engagement. Les essais suivants, *Depuis Novalis* et *Journal dénoué*, marquent un certain affranchissement. Par son caractère autobiographique, le journal tout centré sur l'expérience de l'illumination rapporte sans ordre chronologique les étapes de l'apprentissage d'un homme en contact avec la vie et avec les livres. La réflexion prend parfois un caractère théorique mais, la plupart du temps, elle relève de l'aveu. Ouellette parvient à parler de lui, sans toutefois se libérer entièrement du vieux démon nationaliste. En 1979, il revient sur la question dans *Écrire en notre temps*, dans lequel il pose la question de l'engagement. Il affirme: «L'écrivain ne doit pas se sentir coupable d'être apolitique» précisément parce qu'il se sent coupable. En effet, comment rester indifférent en cette période de turbulence politique? Il n'en conclut pas moins que, pour garder sa liberté, l'écrivain ne doit pas mettre sa plume au service d'une cause. L'évolution de Ouellette marque la recherche d'autonomie à l'intérieur du genre. Peu à peu, l'écriture se déleste des sujets extérieurs pour se recentrer sur elle-même.

d) Le théâtre

Michel Tremblay est certainement celui qui marque le plus le théâtre québécois au cours des années 1970. Marcel Dubé, si prolifique au cours des années 1960, excellait à mettre en scène des situations dans lesquelles le public se reconnaissait facilement. Comme il écrivait beaucoup pour la télévision, c'est lui en quelque sorte qui a initié le public québécois à la scène et lui a fourni un horizon d'attente. On comprend donc la surprise générale, pour ne pas dire la stupeur, quand Michel Tremblay fit jouer *Les Belles-Sœurs*, en 1968, une pièce qui transgressait tous les codes. C'est d'abord la langue qui attira l'attention. Même si les Québécois ne font aucun effort pour bien parler, ils exigent que les annonceurs, les commentateurs, les conférenciers s'adressent à eux dans une langue correcte. On peut y voir une démarcation admise de part et d'autre entre la langue publique et la langue privée. Tremblay l'abolit au profit d'une langue populaire triviale. Depuis les œuvres de Félix-Antoine Savard et de Germaine Guèvremont, le parler québécois avait acquis une certaine légitimité, car il pouvait servir de fondement à une langue littéraire proprement québécoise, comme ces auteurs l'ont montré. Mais l'esthétique postmoderne ne va plus dans ce sens. En prenant la langue comme instrument de contestation, l'écrivain la perturbe pour le seul plaisir de subvertir les codes. Au lieu de s'amuser aux jeux de mots, comme le fera Ducharme, Tremblay use de la langue de tous les jours comme d'une non-langue. Dépossédés de leurs moyens d'expression, ses personnages macèrent dans la banalité quotidienne. Au cours des interminables coq-à-l'âne jaillissent les situations conflictuelles qui pourraient tenir lieu d'intrigue. Ainsi réduit au minimum, le sujet cède la place à la parole stylisée par des effets de grande théâtralité. Des changements d'éclairage introduisent des monologues, des duos, des trios ou des chœurs dans lesquels alternent banalités et révélations. Ainsi, l'unité de la pièce se construit par la mise en convergence des destins individuels qui aboutissent à un constat général d'impuissance. Ce mélange d'hyperréalisme et de théâtralité produit ce que plusieurs critiques ont appelé une «cantate au joual».

Le succès de scandale qu'obtient cette première pièce incite Tremblay à poursuivre dans le même sens avec des pièces qui dessineront les paramètres de sa saga familiale. *L'impromptu d'Outremont* (1980) se veut, selon la signification du terme, une réflexion de l'auteur sur son œuvre. À la veille du référendum, le dramaturge fait un vibrant plaidoyer pour la culture d'ici, populaire, audacieuse et présentée comme nationale et démocratique. Y a-t-il de sa part une sorte de démarche cathartique? Présente-t-il la langue dans son état d'humiliation extrême pour la guérir? Il semble bien que Tremblay ne se pose pas la question. Sans se réclamer ouvertement du postmodernisme, il pratique l'esthétique de la catastrophe. Le monde qu'il évoque lui est cher, ce qui ne l'empêche pas de le peindre sous son aspect le plus noir. Ses personnages sont des ratés, des minables frustrés et aliénés qui prouvent la faillite du système. Dans un monde où survivre est la seule préoccupation valable, les questions ontologiques deviennent superflues. Tremblay ouvre la voie à de nombreux émules qui donnent dans l'hyperréalisme joualisant.

La Sagouine (1971) d'Antonine Maillet offre certaines ressemblances avec le théâtre de Tremblay. Elle livre une vision du monde à partir du niveau le plus bas de la société, mais sans tomber dans le misérabilisme. La Sagouine expose un ordre du monde qu'elle accepte avec une certaine résignation. Elle admet implicitement qu'il fallait qu'il en soit ainsi. La distance qu'elle instaure entre la banalité de ses propos et la gravité de son message révèle une lucidité au-dessus du commun. Avec seulement le gros bon sens, elle en arrive à un niveau de conscience supérieur sur la destinée des Acadiens. L'univers de Maillet dégage un sens qui permet à la Sagouine de l'expliquer, avec une déconcertante naïveté. Maillet recourt à la langue populaire des Acadiens, mais sans lui donner le même caractère offensant que Tremblay. Au lieu de transcrire phonétiquement le «chiac», comme Tremblay le fait du joual, elle insiste sur le caractère archaïsant de la langue, qui remet à l'honneur une variété de français que personne n'a songé à traduire en parisien.

Le théâtre expérimental est particulièrement à l'honneur au cours des dernières décennies. Avec Michel Garneau, qui travaille dans le milieu des troupes de création collective, le texte perd de son importance au profit des collaborateurs comme c'est un peu le cas dans *Adidou adidouce*. *Petitpetant et le monde* fournit un bon exemple de théâtre expérimental avec ses dix-sept personnages qui représentent autant de fonctions sociales. Chacun tente de faire valoir la sienne à partir d'un simple canevas. Cette expérience d'une écriture en collaboration avec les comédiens s'avère difficile pour le spectateur qui a du mal à démêler des points de convergences. On peut y voir le désir de briser le monopole de l'auteur sur le texte au profit d'une multitude de voix.

Cet effacement du dramaturge conjugué à l'usage de la langue populaire favorisent grandement le théâtre d'improvisation. Des troupes comme celles du Grand Cirque Ordinaire, du Théâtre Euh! et du Théâtre Parminou se contentent de scénarios légèrement balisés pour laisser libre cours à l'improvisation des acteurs selon les circonstances. Cette formule donne finalement naissance à la Ligue nationale d'improvisation en 1977, un mélange de création spontanée et de compétitivité. Inspiré par la Ligue nationale de hockey, le spectacle se déroule sur une patinoire où deux équipes s'affrontent. Elles disposent chacune d'un temps limité pour traiter un sujet qui leur est imposé. C'est ainsi que l'on parvient au partage absolu de la parole au détriment de l'auteur. Cet effort de démocratisation pour abolir le texte au profit de la parole spontanée est l'aboutissement normal d'une esthétique de l'expérimentation.

Au contraire de la poésie et du roman qui évoluent vers le circuit restreint, la théâtre se tourne vers le grand public et le courtise: il adopte sa langue et ses mœurs et reproduit sa vision du monde. Il verse de moins en moins dans le nationalisme pour traiter particulièrement de l'individu dans ses rapports avec la famille et avec son environnement humain, un individu libéré des tabous religieux, mais inhibé et frustré. Aussi certaines pièces prennent-elles l'allure d'une thérapie de groupe. Comme dans *La débâcle*, de Jean Daigle, ce théâtre donne l'impression d'eaux longtemps retenues qui sont enfin libérées. Marie Laberge en particulier se concentre sur les difficultés familiales. Relations difficiles entre époux, entre mère et fille... Elle situe l'action dans un passé d'avant-guerre, comme pour restaurer une vérité que le temps a effritée. Elle exprime ainsi dans cette recherche du temps perdu, ce qui aurait dû être dit à l'époque.

Toutefois, la tentative de légitimer le joual comme langue littéraire atteint rapidement ses limites. Si *Les Belles-Sœurs* connaissent du succès à l'étranger, Marie Laberge a dû se soumettre à la «traduction» pour se faire jouer en France. À l'heure où les échanges internationaux s'intensifient, les troupes des diverses compagnies québécoises sont invitées à participer à des festivals dans diverses parties du monde. Pourquoi refuseraient-elles de s'exprimer dans une des grandes langues internationales? On voit se dessiner la nouvelle tendance. Après avoir travaillé avec diverses maisons de théâtre à travers le monde, Chaurette donne la mesure de son talent avec *Le passage de l'Indiana*, hautement acclamé au festival d'Avignon en 1996. Quant à Robert Lepage, il a rapidement manifesté sa volonté de sortir du ghetto en s'imposant au plan international avec des mises en scène et des scénarios débordants d'originalité. Ce renouveau du théâtre témoigne de la maturité d'un public maintenant mieux formé et plus exigeant.

e) L'écriture féminine

Avant 1970, plusieurs femmes ont illustré la littérature québécoise: Jovette Bernier, Rina Lasnier, Gabrielle Roy, Anne Hébert, Germaine Guèvremont, Antonine Maillet... Deux prix Fémina et un prix Goncourt. Mais aucune d'elles n'a songé à faire de l'écriture une pratique particulièrement féminine. Au cours des années 1970, un changement substantiel s'amorce sous l'influence — certainement — des Américaines. En effet, dans la république voisine, tout le monde se perçoit plus ou moins comme minoritaire par rapport à la majorité. Les femmes, les groupes ethniques, les Noirs, les homosexuels expriment leur dissidence, tout en réclamant des droit égaux. Cette nouvelle stratégie identitaire se propose de légitimer la différence et de consacrer le droit à l'altérité. L'université sanctionne cette approche, en instituant un peu partout des *Ethnic studies*. Au Québec, les féministes ne désirent pas seulement obtenir l'égalité juridique et économique, elles veulent évacuer le monde patriarcal qui habite leur imaginaire pour le remplacer par un monde conçu à leur image et ressemblance.

Pour les écrivaines, une première constatation s'impose: la femme est absente de la langue. Partout, le masculin l'emporte sur le féminin, gommant ainsi sa présence. Les féministes mènent une lutte acharnée dans les milieux de l'enseignement, de la fonction publique et des syndicats pour que les noms de profession et de métier soient féminisés, pour que le masculin ne l'emporte plus sur le féminin, pour que même les pronoms renvoient explicitement aux deux sexes. Mais cette approche linguistique n'est que l'aspect extérieur d'une démarche qui veut atteindre au cœur même de la réalité. En effet, l'imaginaire qui sert à représenter les choses et à les évoquer a été entièrement façonné par l'homme. Il doit être réinventé par les femmes, moins pour rétablir l'ordre des choses, que pour constituer un monde propre aux seules femmes. C'est par cet aspect que le mouvement féministe révèle son côté idéologique. Il s'agit moins en effet de rétablir des liens plus égalitaires avec l'homme que de regrouper les femmes en une sorte de syndicat pour la défense et la promotion de l'identité féminine. L'écriture se charge de la reconstruire. À cette fin, le mouvement se dote d'infrastructures. En 1976, il fonde un journal, *Les Têtes de pioche*, pour véhiculer l'information nécessaire à la compréhension de la situation, pour développer l'analyse théorique et pour soutenir les réclamations. Suit une maison *Les éditions du Remue-ménage*, exclusivement réservée aux publications féminines. Enfin, Yolande Villemaire lance la revue *La Vie en rose* qui servira de porte-drapeau à la ligue.

Avec une telle maîtrise des moyens de production, les femmes s'assurent d'une grande visibilité sur la scène littéraire. Dès 1976, Louky Bersianik (Lucile Durand) dénonce, dans *L'Eugélionne*, les abus, les scandales et les ridicules de la culture patriarcale. Elle tente de la déconstruire par une écriture de combat, marquée par les ardeurs militantes. Mais c'est surtout la pièce de Denise Boucher en 1978 qui ouvre le combat. *Les fées ont soif* se font refuser une subvention par le Conseil des Arts de la ville de Montréal et certains citoyens obtiennent une injonction de la cour supérieure pour en interdire la représentation. On trouve scandaleuse la proposition de la pièce pour libérer les femmes des stéréotypes imposés par des clercs mâles et machistes. On répudie le modèle de la Vierge Marie comme trop idéalisé, désincarné, image de la mère de famille coupée de ses désirs et qui n'a jamais éprouvé le plaisir. «La douce Pénélope a son voyage», elle cherche d'abord une réconciliation avec soi pour en arriver à une relation entre partenaires libres et égaux.

Ces œuvres surtout revendicatrices n'abordent pas cependant le problème de l'écriture féminine, comme le fait, par exemple Suzanne Lamy dans *D'elles* (1979). Lamy se demande pourquoi les auteures féminines ont été si longtemps marginalisées et pourquoi l'espace du bavardage que la société attribue aux femmes n'a encore rien produit. Les entretiens entre femmes marqués au sceau de la fluidité et de la spontanéité lui paraissent un modèle dont doit s'inspirer la nouvelle écriture. C'est en ce sens que reprend Yolande Villemaire dans *La Vie en prose*. Elle convoque douze femmes qui animent une maison d'édition. Ensemble, elles jugent de la valeur d'un manuscrit. Toutes ont en gestation qui un roman, qui une pièce de théâtre, qui un essai. C'est ainsi que s'instaurent une pluralité des voix et une multiplicité d'intertextes qui dialoguent sur l'acte d'écriture. Le récit s'inscrit au sein de l'institution littéraire québécoise. Par les citations, les emprunts et les transpositions, le texte s'approprie le discours des autres dans une volonté de dialogue. L'instance énonciatrice influe sur l'énoncé pour y projeter la présence des sujets féminins qui écrivent. Leur discours transgresse les conventions littéraires, sociales et discursives, tendu vers la transformation d'une poétique qui remet en question les rapports des signes et des idéologies qui les sous-tendent. Villemaire donne là un bon exemple du roman spéculaire.

C'est certainement Nicole Brossard qui a combattu le plus vaillamment pour imposer une écriture féminine. Grâce à l'abolition des frontières entre les genres, elle passe du roman à la poésie dans le même texte et sa nombreuse production au cours des deux dernières décennies témoigne de sa volonté de subvertir le langage en faveur de la cause féminine. Dès ses débuts, elle épouse une position nettement postmoderne. Pour elle, l'écriture se suffit à elle-même sans référence à la réalité. Dans *Un livre* (1970), elle avoue que son texte n'a «d'autre but que celui de raconter sa genèse au fur et à mesure que la vie apparaît». Plus tard, elle affirme dans *French Kiss* (1974): «Mais s'il fallait transcrire [la réalité], elle aussi, elle risquerait d'envahir le texte et sa charpente, de les absorber, d'y prendre trop de place, de procéder à une occupation du territoire du livre qui serait alors livré à l'encombrement verbal»[16]. Cette écriture subsistante par elle-même n'est quand même pas asexuée. Coupée de toute référence à la réalité, elle reste imprégnée par l'imaginaire mâle. Les hommes ont été incapables d'imaginer que les femmes puissent un jour réinventer le monde. Leur manque d'ouverture sur l'univers féminin a appauvri l'imaginaire des femmes. C'est à partir de l'utopie des Amazones que les femmes doivent reconstruire le monde. Sur cette question, Brossard adopte une position assez ambiguë. Tout en visant le degré zéro de l'écriture pour produire un texte qui ne signifie que lui-même, elle espère quand même transformer le monde en faveur des femmes. Ses prises de position toujours très féministes démontrent qu'elle n'a pas renoncé à l'action.

Pour sa part, France Théoret se dissocie du mouvement des *Herbes Rouges*, parce qu'elle se donne une plume militante. Dans *Une voix pour Odile* (1978), elle remet la langue en question pour la féminiser. Monique Proulx exploite avec bonheur la situation insolite d'un travesti pour faire ressortir comment l'appartenance à un sexe plutôt qu'à un autre relève plus du construit que de la nature. En 1991, Nicole Brossard et Lisette Girouard considèrent l'écriture féminine suffisamment distincte pour publier une *Anthologie de la poésie des femmes au Québec.*

CONCLUSION

Au cours des trente dernières années, la littérature québécoise s'est réellement dégagée des derniers relents du régionalisme, pour atteindre un certain universalisme comme le constate Jean Piccolec: «Tous ces ouvrages n'étant pas désincarnés, il est évident qu'ils parlent du Québec et des Québécois, mais les sujets abordés, analysés sont généraux, universels et pourraient être "adaptés" ailleurs[17]». En abandonnant le «nous» au profit du «je», les écrivains

[16] BROSSARD, Nicole, *French Kiss*, Montréal, Quinze, 1980, p. 15.
[17] PICCOLEC, Jean, *op. cit.*, p. 101.

québécois ont renoncé à étaler en public leurs problèmes collectifs, pour recentrer leur attention sur les problèmes personnels qui rejoignent plus directement l'humain. Cette transformation ne s'est pas faite spontanément, mais sous la pression des littératures paradigmatiques. Le modèle à suivre imposait la stratégie de l'avant-garde déconstructionniste et subversive de la littérature contre elle-même. Les créateurs d'ici l'ont adopté *mutatis mutandis*. Leur subversion de la langue a particulièrement consisté à recourir plus que jamais au «joual», accentuant ainsi le caractère «régionaliste» qu'ils voulaient évacuer. Ils se sont également éloignés de leur public lecteur pour satisfaire aux codes de la postmodernité. Leurs textes emmurés comme des énigmes s'adressent au circuit restreint des pairs et consacrent l'autonomie de la littérature, une autonomie peu avantageuse, car elle traduit plus un retrait qu'une offensive. Le théâtre évolue cependant différemment. Grâce au «joual», il a d'abord rejoint le grand public, mais sans verser dans la complaisance. Avec le temps, les diverses troupes se sont formé un public qui peut maintenant accueillir des pièces de qualité. Ce que l'on doit en grande partie au théâtre expérimental, qui impliquait beaucoup les spectateurs. Il est certain qu'au cours du dernier quart de siècle, la littérature québécoise a amorcé un virage majeur dont il est difficile pour le moment de prévoir les conséquences.

BIBLIOGRAPHIE

BOIVIN, Aurélien, *Pour une lecture du roman québécois. De Maria Chapdelaine à Volkswagen blues*, Québec, Nuit blanche éditeur, 1996, 365 p.

Les écrivains du Québec. Actes du quatrième colloque international francophone du Canton de Payrac, Paris, ADELF,1995, 468 p.

GALLAYS, François, Robert VIGNEAULT et Sylvain SIMARD (dir.), *Le roman contemporain au Québec (1960-1985)*, Archives des lettres canadiennes, tome VIII, Montréal, Fides, 1992, 548 p.

GAUVIN, Lise, et Franca MARCATO-FALZONI (dir.), *L'âge de la prose, romans et récits québécois des années 80*, Rome, Bulzoni Editore / VLB éditeur, 1992, 229 p.

GRAFF, Gerald, *Literature Against Itself*, Chicago, The University of Chicago Press, 1979, 260 p.

HASSAN, Ihab, *The Dismemberment of Orpheus*, Winsconsin, The University of Wisconsin Press, 1982, 297 p.

—, *The Postmodern Turn*, Cleveland, Ohio State University Press, 1987, 267 p.

LEMIRE, Maurice (dir.), *Le poids des politiques culturelles*, Québec, IQRC, 1987, 191 p.

LORD, Michel, *La logique de l'impossible: aspects du discours fantastique québécois*, Québec, Nuit blanche éditeur, 1995, 360 p.

NEPVEU, Pierre, *L'écologie du réel*, Montréal, Boréal, 1986, 243 p.

PATERSON, Janet M., *Moments postmodernes dans le roman québécois*, Ottawa, Les Presses de l'Université d'Ottawa, 1993, 142 p.

PELLETIER, Jacques (dir.), *L'avant-garde culturelle et littéraire des années 70 au Québec*, Montréal, Université du Québec à Montréal, 1986, 193 p.

PRZYCHODZE, Janusz, *Un projet de liberté. L'essai littéraire au Québec, 1970-1990*, Québec, IQRC, 1993, 213 p.

RICARD, François, *La littérature contre elle-même*, Montréal, Boréal Express, 1985, 191 p.
SMART, Patricia, *Écrire dans la maison du père*, Montréal, Éditions Québec / Amérique, 1988, 337 p.
SMITH, André (dir.) *Marie Laberge, dramaturge*, Montréal, VLB éditeur, 1989, 145 p.

Maurice Lemire, critique littéraire, historien des lettres et pédagogue, est né à Saint-Gabriel-de-Brandon. Il fait ses études classiques chez les jésuites (B. A., 1949) et ses études en théologie au Grand Séminaire de Montréal (Licence, 1954). Il poursuit ses études à Paris (L. ès L., 1957 et D.E.S., 1962) et il décroche, en 1966, son doctorat ès lettres (Laval) avec une thèse très importante sur les grands thèmes du nationalisme (Québec, P.U.L., 1970). Pédagogue de carrière, il enseigne successivement au Collège Saint-Paul, à Marie-Médiatrice, à l'École normale de l'Université de Montréal, ainsi qu'à la Faculté des lettres, de l'Université de Sherbrooke, où il est directeur du département d'études françaises, de l'U.Q.T.R. et finalement de l'Université Laval (depuis 1969), où il dirigera le département des études canadiennes. Sa carrière se déroule simultanément sur les deux continents, Europe et États-Unis. Les éditions critiques ne se comptent plus (plus d'une dizaine) et l'historiographie lui doit ce qui peut être considéré comme un apport majeur à la connaissance de nos lettres québécoises avec la direction et la parution de ce vaste *Dictionnaire des œuvres littéraires du Québec* (1971 à nos jours). Il a de plus collaboré à des dizaines de revues spécialisées dont l'*Action nationale*, la R.H.A.F., la R.S., à l'Institut québécois de recherche sur la culture, les M.S.R.C.; la critique est unanime à reconnaître que l'œuvre de Maurice Lemire est «titanesque».

LSON

Chapitre I

LITTÉRATURE DES MÉDIAS

Première partie

Les écritures fictionnelles de la radio 1969-1996

Renée Legris
avec la collaboration de Louise Blouin[1]

«Il n'y a pas de conscience sans mémoire».
Georges Duby

L'Institution littéraire québécoise a considéré, dès les débuts de la littérature radiophonique, que les productions de fiction inscrites dans le cadre des programmes commandités étaient des avatars de la littérature et plus d'un critique (dont Jean-Charles Harvey n'est pas le moindre) a dénoncé cette pratique, alors que d'autres auteurs voyaient l'écriture pour les médias — quelles que soient ses conditions de production — comme l'une des expressions de la modernité au Québec (Robert Choquette, Jovette Bernier) et comme l'occasion rêvée pour un auteur de fiction de vivre de sa plume (Claude-Henri Grignon, Guy Dufresne, Jean Despréz). C'était l'époque de la création des radioromans et des programmes humoristiques, grandement appréciés du public, mais fortement critiqués par les intellectuels.

[1] Louise Blouin a accepté de collaborer à ce chapitre et de m'assister dans la documentation concernant les auteurs Maurice Gagnon, Louise Darios, Jacques Ferron et Louis Pelland. Elle a assuré la révision du manuscrit et a établi les contacts avec les auteurs pour l'obtention des autorisations de reproduction des textes.
Je remercie Jacques Drolet et Normand Lapierre, directeurs successifs du service des Archives audio-visuelles et de la documentation de la Société Radio-Canada, qui m'ont facilité la consultation des sources sans lesquelles cette étude aurait été impossible.

(Page de gauche) *Radio-Canada: le carrefour des créateurs francophones. (Photo: Pierrette Méthé)*

En ces années, bien qu'ils aient appartenu au genre dramatique, les feuilletons radiophoniques (radioromans) québécois étaient évalués à l'aune de la littérature imprimée et du genre romanesque. Il n'est pas étonnant que ces textes radiophoniques n'aient pas trouvé grâce aux yeux des critiques[2]. Il faut dire aussi que la tradition du théâtre, comme création originale, en était encore à ses débuts au Québec. Le développement du radiothéâtre québécois à CKAC, dès la fin des années 30, et à CBF, à la fin des années 40, a quelque peu modifié cette perception négative de la critique[3]. Mais ce n'est que vers la fin des années 60 que la recherche[4] a permis de jeter un regard différent sur les oeuvres radiophoniques, les considérant alors comme un corpus *littéraire* spécifique, avec ses divers genres. Le nouveau titre de noblesse «paralittérature», attribué à la production médiatique après les années 70, a remplacé pendant vingt ans la catégorie dysphorique de «production de masse»[5], particulièrement appliquée aux radioromans et aux textes humoristiques. Aujourd'hui on emploiera selon les cas les expressions littérature médiatique, fictions ou écritures radiophoniques.

Quant au radiothéâtre, il n'a généralement pas été assimilé à la paralittérature parce qu'il n'est pas une production en série, tout au contraire. Cependant on a pu parler à ses débuts d'un théâtre populaire (*Le Théâtre de chez-nous* d'Henri Letondal, 1939-1949), assimilable au théâtre de boulevard, comédie et mélodrame[6].

La réalisation radiophonique: une écriture?

Les oeuvres littéraires de la radio s'écrivent selon une triple instance: le texte des dialogues, les didascalies et le bruitage qui s'y incorpore par la réalisation sonore. Pour ordonner ces langages, il faut un chef d'orchestre, et ce rôle est celui des réalisateurs[7]. Ils puisent dans

---

2 HARVEY, Jean-Charles, «Le Jargon de l'air», dans *Le Canada*, 23 janvier 1936, p. 2.

3 LAURENDEAU, André, «Sur trois écrivains de la radio», dans *La Revue dominicaine*, 47e année, nº 5, mai 1941, p. 255-260; Gérard Pelletier, «Faux genre ou genre nouveau?» dans *Le Devoir*, 30 octobre 1948, p. 34.

4 Les premiers ouvrages de Pierre Pagé, Renée Legris, avec la collaboration de Louise Blouin, ont été publiés chez Fides, (1975, 1976, 1979). Une thèse doctorale a été soutenue en Sorbonne par Jacques Beauchamp-Forget, «Radio et civilisation au Canada français», en 1948. Voir un chapitre publié «Radio et théâtre en 1948», dans *Le Théâtre à la radio/L'Annuaire théâtral*, nº 9, SHTQ, 1991, p. 37-52.

5 «Du point de vue de ceux qui la créent et l'organisent, la radio (comme la télévision) est effectivement un moyen de masse, c'est-à-dire non seulement un instrument d'information, de distraction, de culture et d'enseignement, mais encore un moyen d'influence...», dans Jean Tardieu, *Grandeurs et faiblesses de la radio*, UNESCO, 1969, 220 p., p. 28.

6 PAGÉ, Pierre et Renée Legris, *Le Comique et l'humour à la radio québécoise. Aperçus historiques et textes choisis, 1930-1979*, tome 2, Montréal, Fides, 1979, 735 p. Voir le chapitre: Henri Letondal, *Le Théâtre de chez-nous*, p. 13-45.

7 «L'œuvre de l'auteur demande à être réalisée, rend donc indispensable l'intervention d'un réalisateur, en radio "metteur en ondes", et fait de lui, d'une certaine manière, un coauteur». Nino Frank, «Le Théâtre radiophonique», dans Jean Tardieu, , *op. cit.*, p. 156-162.

des répertoires de bruit ou de musique, ou bien les inventent, en vue de donner sa pleine valeur à la parole (jeu des acteurs) et au contexte sonore (bruitage). On peut considérer que les réalisateurs sont, à ce titre, en quelque sorte les coauteurs[8] de l'oeuvre radiophonique.

PREMIÈRE RUPTURE DANS LA PROGRAMMATION RADIOPHONIQUE

Comme introduction à l'étude des principaux genres littéraires depuis les années 70, nous avons choisi de présenter le moment d'un passage: la fin de la Révolution tranquille et la Crise d'octobre. La création du réseau FM de la Société Radio-Canada est l'événement médiatique qui permettra de modifier la programmation. Mais nous mettrons l'accent surtout sur les genres et les séries qui ont permis une continuité significative du radiothéâtre et de la dramatisation de la prose narrative, comme centres de la production littéraire radiophonique. Dans ces créneaux, de nombreux auteurs se sont inscrits, non pas comme piliers de la production contrairement à ceux du radioroman, mais comme les étoiles qui, à chaque saison, se retrouvent dans une galaxie. Ils se sont acquis une compétence en travaillant avec des réalisateurs de métier. D'autres prendront leur essor après s'être distingués dans les Concours de dramatiques ou de nouvelles de la Société Radio-Canada. Nous essaierons de dégager les tendances de ces écritures qui ont été pratiquées entre 1969 et 1996.

La production littéraire et paralittéraire connaît, dès la fin des années 60, un tournant particulièrement significatif pour l'histoire des genres. Les programmes comme les radioromans, les dramatisations historiques, et même les sketches humoristiques et les dialogues fantaisistes prennent fin. Parmi ces genres prédominants, seul le radiothéâtre continue à se maintenir à l'antenne. Les émissions culturelles (animation, interview, chroniques, documentaires) se substitueront progressivement aux feuilletons[9]. Cependant, au cours des années 70, on note que la programmation intègre des genres littéraires peu usités auparavant, comme la nouvelle, le conte et même le journal intime.

[8] Sur la fonction de coauteur radiophonique: Collaboration (F. Baby, P.-A. Bourque, R. Legris, V. Nadeau), «Naissance et édition du texte médiatique audiovisuel», dans *La Naissance du texte,* Archives européennes et production intellectuelle, CNRS, Paris, 1987, p. 201-204.

[9] Sur ces transformations: Renée Legris, «Le Modèle théâtral dans les émissions éducatives de la radio durant les années cinquante et soixante», dans *Fréquence/Frequency*, n°s 1-2, AERTC/ ASCRT, 1994, p. 37-48; et «Un modèle d'animation radio-télé: Lizette Gervais», *ibid.*, n°s 5-6, AERTC/ASCRT, 1997, p. 19-29.

La fin des radioromans

Au début des années 70, CBF met fin à la diffusion des oeuvres feuilletonesques, dont la radio a fait pendant quarante ans son profit. Mais déjà à compter de 1965, on voit s'effriter la production des radioromans au profit d'autres programmes. *Jeunesse dorée* (1966) et *Joie de vivre* (1965) de Jean Despréz vont clore le long cycle des radioromans. Il reste à l'antenne les séries historiques, écrites par Charlotte Savary dont *Les Visages de l'amour* (1955-1970) et *Anecdotes historiques* (été 1970), ainsi qu'un feuilleton policier de Maurice Gagnon, *Marie Tellier*, avocate (1969). CKVL qui avait pris la relève de CKAC, au cours des années 50, met fin à leur diffusion avec le radioroman de Marcel Cabay, *Côte Vertu* (1970). *Grand'ville* (1974) sera une vaine tentative de reprise de cette écriture. Cette rupture avec une si longue tradition est un signe des temps. La société québécoise est en pleine mutation. L'écoute de la radio ne se fait plus aux mêmes heures, le goût des auditeurs s'est modifié. Leur culture et leur savoir se sont élargis. La radio de la Société Radio-Canada, avec ses deux réseaux AM et FM, entre dans une nouvelle phase de son histoire.

Les sketches humoristiques

À la fin des années 60 et au début de 1970, la radio produit encore un bon nombre de programmes humoristiques dans lesquels s'exprime une vision très critique de la société québécoise, de ses intérêts politiques, de ses tabous, de sa culture et des transformations sociales que connaît le Québec. La Révolution tranquille impose peu à peu ses nouvelles orientations idéologiques et socio-politiques. Et les sketches humoristiques expriment les contradictions qui s'installent dans notre société, au moment où elle tente de sortir des impasses du traditionalisme. Ainsi les écrivains humoristiques puisent-ils dans le contexte de la vie quotidienne de nombreux motifs qui leur permettent de construire sketches et dialogues, en utilisant les formes habituelles de l'écriture parodique, ironique ou humoristique: le jeu des oppositions et des allusions, le jeu de mots, l'hyperbole et la litote. Ce n'est plus l'art du sketch de Jovette Bernier, pratiqué dans *Quelles nouvelles* (1939-1959), mais un mode d'expression qui s'invente d'autres styles, d'autres personnages et d'autres objets.

Dans les genres comiques, on trouve trois catégories: les dialogues radiophoniques (sous forme de conversation), les sketches (courts développements dramatiques autour d'un incident), les monologues (expression narrative à la première personne, où la division du sujet en «Je» et «Tu», simule le dialogue). Dans ces écritures spécifiques, le parler québécois est utilisé comme ressort du rire, et souvent mis en contraste avec le français international, tout comme les thèmes de l'inculture et de la culture classique. Créer des effets comiques en jouant sur l'erreur linguistique, orthographique ou sémantique est fréquent. La langue est donc l'une des clés du comique radiophonique.

Les auteurs du comique et de l'humour à la radio
Jovette Bernier, Lionel Daunais, Albert Brie, Louis Pelland, Eugène Cloutier, Carl Dubuc, Fernand Séguin, Ovila Légaré, Jacques Languirand, Albéric Bourgeois
(Archives Fides)

À la radio, surtout *Chez Miville*, les écritures du comique sont très variées et elles ont pour modèle intégrateur le *cabaret radiophonique*[10]. Fidèles aux orientations définies par le réalisateur Paul Legendre, les auteurs de *Chez Miville* (Albert Brie, Louis-Martin Tard, Michel Dudragne, Jean Stéphane, Louis Pelland, Louis Landry) doivent pratiquer une certaine éthique dans leur critique sociale. On se moque régulièrement des théories politiques, fédéraliste et nationaliste, indépendantiste et communiste. On parodie les politiciens, on caricature les événements de la vie sociale, pour provoquer une conscience critique sur les discours socio-politiques.

Quand l'automne 70 sonne le glas de la disparition de *Chez Miville*, les auditeurs comprennent que c'est la fin d'une époque de la radio québécoise. Dès lors, l'expression littéraire du genre comique à la radio se perd, disséminée en des programmes non spécifiques. On ne retrouvera plus à la radio cette finesse de l'écriture et de la vision humoristique, même avec le *Festival de l'humour* à CKAC, plus proche de la farce, et qui n'a plus les mêmes objectifs.

[10] NIELSEN, Greg, *Le Canada de Radio-Canada*, Éditions du Gref, Toronto, 1994.

Dans la production des années 69-70, s'imposent aussi les auteurs Carl Dubuc, Louis Pelland, Eugène Cloutier, Pierre Morency[11], que l'originalité de l'écriture place au premier rang des écrivains humoristiques à la radio québécoise. C'est la culture, l'intelligence, la finesse de l'expression, la nuance de la pensée critique qui prédominent dans leurs œuvres. En 1970, Louis Pelland[12] rédige sa propre série humoristique, *Chronique de l'inactualité et chansons*, et en 1971, il écrit les textes de *Beau fixe* en alternance avec Albert Brie. Cette même année, il se distinguera comme auteur dramatique[13] avec la création de *Voltaire s'en va-t-en Canada* (1971), une pièce de théâtre qui met en scène Voltaire et Benjamin Franklin discutant de la pauvre colonie canadienne. Et cela dans une langue apparentée à celle du XVIIIe siècle. Dans ce radiothéâtre, «les valeurs que prétendait servir l'institution coloniale sont passées au crible de l'ironie mais le véritable procès qui s'instruit devant le lecteur est sans doute celui de l'inculture, qui n'est d'aucune époque»[14].

Les dialogues humoristiques

Les dialogues humoristiques des auteurs évoqués ont comme structure énonciative deux personnages qui échangent, discutent, commentent des événements ou des idées, sur le ton humoristique d'une conversation de gens cultivés et réfléchis. Il ne s'y développe pas d'action dramatique au sens fort du terme. Dans *Le plus beau de l'histoire* (1968-70), Carl Dubuc explore les possibles du dialogue humoristique autour d'une discussion sur divers événements historiques. L'humour s'exprime dans les points de vue présentés par les personnages, alors que l'évocation des situations parodiées provoque le rire[15]. Dans ces dialogues, l'originalité de la vision en fait encore aujourd'hui une lecture des plus intéressantes.

Quant à Eugène Cloutier, il écrit *D'une certaine manière* (1966-1970), une oeuvre achevée, remarquable par son art des dialogues. Le traitement des sujets de l'actualité, enrichis d'une réflexion philosophique de ses personnages, permet une lecture critique des faits de notre civilisation[16].

---

[11] Ses programmes humoristiques sont *Les Lamentations de Jérémie* (1968-69), *Les Anges gardiens* (1971-1973).

[12] Il a collaboré à la rédaction de cinq des Revues annuelles des *Fridolinons* (1939-1943).

[13] Il écrit aussi dans les années 70: *Salade russe, Tranchemontagne ou le retour du père prodigue, Les Cendres de Napoléon, Cocorico.*

[14] *Le Comique et l'humour à la radio québécoise,* tome 2, p. 87.

[15] *ibid.*, p. 400-437.

[16] *ibid.*, p. 451.

DES PROSES NARRATIVES À LA RADIO

Quelques récits d'une écriture purement narrative ont été diffusés pendant les années 70-90, bien que cette forme radiophonique ne soit pas fréquente, parce qu'elle implique une lecture à une seule *Voix*, contrairement à l'écriture théâtrale plus radiophonique. Ces récits sont découpés en feuilletons, et chaque chapitre définit une unité de diffusion (de 30 ou 60 minutes). Ces unités mises en séquence constituent une continuité comme les fragments d'une totalité narrative.

Récits de voyage

Dans ces oeuvres non dramatiques, il y a toujours une mise en situation narrative de personnages et d'événements dont l'énonciation est assurée par le narrateur. En ce sens, *Les Mensonges d'Ulysse* (1963-1965 et 1970-1973) d'Eugène Cloutier est un exemple intéressant de récits de voyages dont les péripéties se développent en deux périodes et sur plusieurs années. (On en a même tiré une publication et un film). Chaque épisode écrit à la première personne raconte une étape de ce périple qui n'en finit plus, à la façon du récit mythique d'Ulysse, qui en justifie le titre. Le comédien remarquable, Robert Gadouas, savait mettre en valeur ce récit dans ses dimensions poétique, philosophique et humoristique.

Des histoires naturelles: récits ou entretiens radiophoniques?

L'œuvre radiophonique de Pierre Morency est d'une originalité exceptionnelle, tant par le contenu de ses récits — de courts voyages initiatiques et poétiques dans l'univers de la faune et de la flore de notre nature québécoise — que par la documentation scientifique sur l'ornithologie qu'il inscrit dans cet univers de fiction. Il sait recréer la dimension sonore de ses investigations scientifiques par une réalisation radiophonique qui matérialise acoustiquement les bruits et les chants d'oiseaux enregistrés dans leur lieu naturel[17]. Il faut retenir de cette écriture radiophonique — aujourd'hui publiée[18] —, qu'elle utilise les ressources du récit et même du conte: tantôt par un monologue donné en confidence, tantôt par un dialogue du narrateur avec lui-même, mimant des tergiversations face à un désir, à une crainte ou à l'affirmation d'une conscience lucide, tantôt par une interpellation des

[17] MORENCY, Pierre, *Une journée chez les oiseaux*, Société zoologique de Québec, 1991. Disque et cassette. Il a gagné le Prix Ludger-Duvernay et le Prix François de Beaulieu-Gourdeau.

[18] MORENCY, Pierre, *Avoir l'œil américain. Histoires naturelles du Nouveau-Monde*, illustrations de Pierre Lussier, Préface de Jean-Jacques Brochier, Boréal/Seuil, 1989; *Lumière des oiseaux, Histoires naturelles du Nouveau-Monde II*, illustrations de Pierre Lussier, Préface de Yves Berger. Boréal/ Seuil, 1992. Prix France-Québec et Jean-Hamelin 1992; *La Vie entière, carnets parlés. Histoires naturelles du Nouveau-Monde III*, Boréal, 1996, illustrations de Pierre Lussier.

personnages ou de l'auditeur — les destinataires intra et extra-diégétiques —, toujours présents dans la structure discursive de ses textes. Son écriture alerte et fortement marquée par les fonctions phatiques et conatives interpelle sans cesse, ce qui confirme la connivence de l'auteur et de l'auditeur.

Parmi ses plus importantes œuvres radiophoniques, on retiendra: *Le Bestiaire de l'été*[19] (1977-1981) sur la faune indigène du Québec et les oiseaux, *Avoir l'œil américain* (1983-1984) une série de trente-neuf émissions sur la nature nord-américaine[20]: «Avoir l'œil américain c'est "avoir des yeux et des oreilles tout le tour de la tête"! ... *Avoir l'œil américain*, n'est-ce pas également se pourvoir de l'aptitude à entendre ce que nous écoutons, à voir ce qui est derrière quand on regarde devant»[21]. *À l'heure du loup* (1990-1991) comprend vingt-et-une émissions. Ces récits poétisent la vision lugubre du loup et inscrivent d'étonnantes interrogations sur l'écriture, dans les interstices des métaphores qui construisent une seconde dimension du texte.

La Vie entière (1986) explore le fleuve et ses métamorphoses selon les saisons. Le récit final se construit comme un conte (qui sert d'ailleurs de référent au personnage protagoniste, lui-même conteur et qui en connaît bien les lois). Cette fiction se fait onirisme, car rêve et réalité sont tentés de se confondre un moment dans le récit. La réalisation de ces émissions radiophoniques a mis en valeur l'art de la parole de Pierre Morency. Le timbre riche de la voix du narrateur, la qualité de sa diction et les subtilités de ses intonations ont fait de ses oeuvres radiophoniques - à *une seule Voix* - un enchantement sonore.

Confidences radiophoniques

Entre l'«entretien radiophonique», une désignation de Pierre Morency pour identifier le genre de ses émissions, et la «confidence radiophonique», il y a des lieux de passage, qui tiennent au récit de l'expérience d'un sujet qui se dit et de la mémoire des événements de sa vie qui portent à une réflexion critique. Cette qualité de programmes réalisés par Pierre Morency se retrouve dans la recherche sonore faite par la réalisatrice Cynthia Dubois, pour sa série *Une, deux, trois, nous irons au bois...*(1994-). Les contenus et la forme donnent aux entretiens radiophoniques — dont elle a fait un montage remarquable — une résonance particulière. Car il s'agit d'une littérature orale, construite avec des confidences d'enfants, mises en séquence dans un environnement sonore admirablement conçu. On pourrait y voir une suite aux expériences de Pierre Schaeffer et une application de ses ouvrages

[19] Ces émissions ont été diffusées à Radio-France, à la Radio-Télévision Belge française, à la Radio Suisse Romande, à la Radio-Télévision Marocaine et en Égypte (ERIC).
[20] Ces émissions ont été diffusées à la Radio Suisse Romande.
[21] *Avoir l'œil américain*, p. 18-19.

(1970, 1990) sur la valeur des sons[22]. Ses textes sonores s'élaborent comme les fragments autobiographiques d'une grande famille de jeunes qui disent leur vision du monde et leur expérience de la vie, en des récits qui se structurent, non pas dans l'instance narrative d'un texte à une seule voix, mais par un jeu subtil d'alternance du dialogique et du monologique. Ce genre d'*entretiens radiophoniques*[23] renouvelle l'art de la parole au «je», lucide et exigeante, sensible et respectueuse de l'intimité, mais aussi la conception qu'on peut avoir du montage sonore. Il faut signaler que les enfants ont une capacité d'expression linguistique qui donne une vérité à leur témoignage, à leur sens critique et à l'évocation de leurs émotions. Cette expérience produit une littérature radiophonique qui s'inscrit dans une esthétique de la postmodernité: formes dialoguées, fragments de parole ou de sons, évocation du passé dans sa valeur de présent, conscience d'un sujet dont la parole se fait portrait d'une intense intériorité.

Journal intime

Le journal intime n'est pas un genre habituel de la radio, pas plus que le «récit de voyage». Cependant avec l'importance qu'ont pris les écrits intimes et leur étude critique, au cours des années 70 et 80, on a créé des programmes de courte ou longue durée, qui ont permis à nos auteurs de s'exprimer dans ce genre. À CBF-FM, Pierre Morency propose deux courtes séries réalisées à Québec: *Journal intime* (17-21 juin 1977) et *La Vie entière* (1986). On trouve à compter de 1982 une autre série intitulée *Journal intime* (1982-1984), qui sera diffusée à CBF-FM, pendant trois étés consécutifs. Les réalisateurs du réseau français se partagent cependant la production: à Montréal, André Major, à Québec, Michel Gariépy, et à Ottawa, Yves Lapierre. Plusieurs écrivain(e)s ont soumis des textes qui forment une panoplie de journaux intimes radiophoniques, écrits par nos meilleurs écrivains. Il faut consulter l'interview de Lise Gauvin avec Jean-Guy Pilon, Marilù Mallet et Nicole Brossard, parue dans *Études françaises* (n°s 22-23), où sont posées les questions essentielles à ce sujet.

[22] «À partir du moment où ces portes qui grincent, ces pas dans l'obscurité, ces cris dans la nuit ne servent plus un propos dramatique, à partir du moment où ces bruits seraient honorés pour eux-mêmes, est-ce que l'on n'aurait pas une sorte de langage, absolument nouveau, qu'on n'a jamais osé, qu'on n'a jamais tenté, qui est le langage des bruits[...]. Mais à force de mettre ces bruits ensemble, est-ce qu'on ne déboucherait pas finalement sur la musique?» Pierre Schaeffer, *Propos sur la coquille. (Notes sur l'expression radiophonique)*, Arles, Éditions Phonurgia Nova, 1990, p. 109.

[23] «La Voix de son maître. L'Entretien radiophonique», dans Philippe Lejeune, *Je est un autre*, Seuil, 1980, p. 103-160.

UNE POÉSIE RADIOPHONIQUE

Le Cabaret du soir qui penche

Un autre genre d'émissions a fasciné le public québécois tout autant que *Chez Miville* et *L'Œil américain*. Il s'agit du programme *Le Cabaret du soir qui penche*, dont l'animateur-vedette était Guy Mauffette, «l'Oiseau de nuit». Il jouait tous les rôles, dans cette émission de divertissement, appuyée sur une programmation musicale exceptionnelle. Guy Mauffette a aussi alimenté son émission, non seulement de commentaires inspirés, mais de poèmes[24]. Ses poèmes se présentent comme des fragments d'une pensée articulée sur une continuité d'émotions et une vision du monde, faite d'émerveillement et de conscience critique. Parfois naïve, sa poésie remonte de l'enfance et suscite l'adhésion de l'auditoire parce qu'elle est portée par une voix profonde, unique en ses harmoniques et son timbre, sensuelle, amicale, parfaitement posée et qui donne le goût de l'art. En 1996, *Le Cabaret du soir qui penche* revient sur les ondes de CBF-FM, le samedi soir, et Guy Mauffette, à 81 ans, assure les choix des reprises et les transitions, ajoute des touches de son cru, dans le temps d'aujourd'hui, à cette animation radiophonique du passé.

Guy Mauffette, *réalisateur, animateur, comédien et poète, et* **Jacques Languirand,** *dramaturge de la radio et de la télévision, au lancement du* Répertoire des œuvres de la littérature québécoise, *en 1975, à la BNQ.*

[24] Ces poèmes ont été publiés: Guy Mauffette, *Chanson pour garçon perdu.* Éditions Beauchemin et Éditions Ici Radio-Canada, 1972, 76 p.; *Le Soir qui penche*, Éditions Les Écrits des Forges, 1989, 83 p.; *Comme au Cabaret du soir qui penche*, Stanké, 1996, 128 p.

Les programmes de poésie demeurent assez peu nombreux dans la programmation des années 70-96. Des soirées spéciales ont commencé à s'institutionnaliser avec le *Festival de la poésie à Trois-Rivières*, chaque automne. Il faut cependant signaler que la poésie, diffusée dans les séries comme *Atelier des inédits*, *La Feuillaison* (1972-1987) et *Alternances* (1978-1985), a permis de faire connaître des poètes de diverses générations et diverses maisons d'édition. L'étude n'est pas faite du corpus qu'on a diffusé. Mais certains poètes ont pu affirmer que tous leurs poèmes n'avaient pas le même intérêt pour une lecture radiophonique, ce que nous confirmait Paul Chamberland, l'un des grands poètes de cette période. La raison en est peut-être que cette poésie éclatée, plus visuelle souvent que la poésie des décennies antérieures — comme celle d'Anne Hébert, d'Alain Grandbois ou des poètes de l'Hexagone —, est moins radiophonique.

LE RADIOTHÉÂTRE

Le «radiothéâtre» est une catégorie générale qui a été employée pour désigner une production dramatique obéissant aux lois du genre théâtral, mais réalisée pour la radio. La pièce de théâtre suppose le développement d'une *action dramatique* en plusieurs actes et scènes, et partant elle doit être d'une certaine durée. Le terme d'audiodrame a été utilisé en France, dès les années 20, et «radiodrama» en Angleterre avec les débuts de la radio. Au Québec, la radio des années 50 met en place une unité de diffusion d'une durée de trente minutes pour permettre la création de radiothéâtres de jeunes auteurs québécois. C'est dans ce contexte que le terme «dramatique» devient une catégorie qui prévaut de plus en plus pour parler de théâtre à la radio. Le modèle en a été proposé par Guy Beaulne, dans *Nouveautés dramatiques* (1950-1962), qui inaugurait une sorte de laboratoire radiophonique pour les jeunes écrivains: un modèle encore pratiqué dans les années 90 et qui exige une grande collaboration entre auteur et réalisateur.

Comme dans le cadre de programmes d'une demi-heure on ne peut élaborer plusieurs actes, l'écriture dramatique s'oriente vers la mise en séquence d'une suite de scènes adéquatement choisies en fonction d'une situation dramatique. La «dramatique» radiophonique conserve donc les caractéristiques de l'écriture théâtrale, réduisant l'exposition, le développement et ses arguments, mais s'appuyant sur la multiplication de scènes d'atmosphère plutôt que dans la longue préparation de «la crise»[25]. Le «radiothéâtre» demeure tout de même l'une des catégories importantes de la production radiophonique pour les émissions d'une heure et plus, comme dans les séries *Sur toutes les scènes du monde* ou *Premières*.

[25] CORVIN, Michel, *Dictionnaire encyclopédique du théâtre*, Bordas, 1991, p. 228.

À compter de 1990, une esthétique radiophonique particulière caractérise les émissions dramatiques, qu'on a dénommées «fictions radiophoniques», à l'instigation de la réalisatrice Line Meloche. On pourrait considérer la radio-fiction comme un sous-genre du radiothéâtre. D'une durée d'une demi-heure généralement, la «fiction radiophonique» explore une situation dramatique où le conflit est très fortement chargé, soit par des sentiments de frustration ou de domination, soit par l'interpellation fracassante des personnages protagonistes. Les actions dramatiques sont rapides, autour de moments-clés peu développés — actions fragmentées, syncopées, dont le contexte est sans cesse mouvant et redéfini sensoriellement par des espaces sonores enveloppants.

DES STRUCTURES, DES MOTIFS ET DES THÈMES

Dans ses réflexions sur le langage radiophonique, Étienne Fuzellier énonçait que les grandes tendances du radiothéâtre sont fondées sur: 1) les ressources de la matière et de l'image sonore; 2) la mise en jeu du découpage, du rythme, de la construction dans le temps et dans l'espace; 3) l'accent mis sur la participation de l'auditeur en mêlant réalisme objectif et subjectif, faits et rêves, reportage et exploration d'une conscience[26]. Ces traits se retrouvent dans nos dramatiques québécoises, et nous avons tenté d'identifier des œuvres de cet immense corpus, qui représentent quelques-unes des tendances de l'écriture théâtrale. On y trouve le drame policier ou d'espionnage, le drame historique ou ethnologique, le drame parodique ou intimiste. Ces catégories ne sont pas exclusives d'autres expériences d'écriture que nous ne pouvons toutes explorer dans les limites de cette étude.

Motifs policiers ou d'espionnage

Le drame policier ou d'espionnage est l'un des créneaux de Maurice Gagnon. Cette écriture dramatique ne peut éviter les stéréotypes du genre qui repose sur le jeu de codes spécifiques et des stratégies. Ainsi en est-il de *L'Aube lente à venir*, *Miranda*, *Une dernière étape*, *Dialogue avec une morte*, *Croisière*, *La Fuite ou le spectre de Hiroshima* et *Chantage*. Ces pièces ont été écrites entre 1970 et 1980. Mais l'auteur ne se cantonne pas dans cette tendance, car il a écrit de nombreuses pièces psychologiques où le passé hante le personnage protagoniste.

Aux sources de l'ethnologie ou de l'histoire

Comme écho à l'orientation générale de la radio qui se veut plus informative, après 1970, les savoirs de l'ethnologie, de l'histoire et de la philosophie ont fasciné auteurs et réalisateurs. Louise Darios,

[26] CORVIN, Michel, *op. cit.*, p. 689 (Définition proposée par Étienne Fuzellier, dans *Le Langage radiophonique*).

ethnologue de formation, est l'auteure la plus représentative de cette tendance. En puisant dans les sources documentaires de l'ethnologie des Indiens d'Amérique du Sud, elle a créé des fictions dramatiques révélatrices de sa vision du monde. Fascinée par l'histoire, elle écrit aussi une dramatique sur l'histoire de la Nouvelle-France (*La Déportée de l'île des démons*) et un drame historique sur la conquête de l'Argentine (*Buenos Aires et la montagne d'argent*) puis des biographies (dont celle de Béthune, *La Longue marche*[27]).

La Marée rouge, réalisée par Madeleine Gérôme, est un exemple d'un traitement postmoderne de la dramatique. La structure emprunte au théâtre grec son *chœur antique* et construit les scènes comme des fragments d'un kaléidoscope dont le thème de la «violence» assure l'unité isotopique. Le motif réitéré du rouge comme symbole du sang est au centre de chacune des sept scènes qui se fondent sur une vision tragique de l'histoire. Individuelle ou collective, la violence est présente dans les motifs du cannibalisme, meurtre, accouchement, guerre, pollution, torture, martyre et suicide, qui forment la série de ces situations. L'œuvre de Louise Darios se caractérise par une quête du sens de la vie au-delà de toutes les horreurs qu'elle engendre.

Charlotte Savary, *auteure de dramatiques historiques, à CBF et CBFT.*

Les drames historiques ont régulièrement une place dans la programmation des années 70 et 90. Parmi les auteurs à retenir, Charlotte Savary, célèbre par la série historique *Les Visages de l'amour*, revient avec quelques œuvres, dont *Chiniquy, l'apostat* (1976) est un exemple spécifique de son écriture. Une œuvre d'inspiration biblique, *Jacob et Esaü* (1974) de Naïm Kattan, mais aussi des œuvres de Pierre Villon, dont *Les Nouvelles aventures de Nicholas Machiavel* (1977) et la série *Les Révélations de Marie-Hélène Chausse-Trappe* (1981), une réalisation de Gérard Binet, mettent l'accent sur la vision historique qui est toujours documentaire à sa source, même si elle s'élabore dans une fiction.

Quelques radiothéâtres ont puisé dans le répertoire des questions socio-politiques de notre histoire et réactualisé les fondements de notre critique des discours politiques. Notons cette dramatique de Jacques Ferron, *Les Cartes de crédit* (1972) qui évoque la dimension politico-sociale de la Crise d'octobre 70. Dans cette fiction historique, le récit comme histoire se construit sur une hypothèse: un complot entre l'armée, la gendarmerie royale et les autres forces policières, serait à l'origine de cet événement historique[28]. Jacques Ferron se laisse aller à une recomposition des éléments qui ont terrorisé bien des Québécois à cette époque et conduit des écrivains et des membres de l'intelligentsia québécoise en prison.

---

[27] La présence de l'historien narrateur s'inscrit dans la trame des dialogues et crée un effet de distanciation particulier.

[28] BLOUIN, Louise, *Entendre l'écriture de Jacques Ferron*, dans *Spirale*, n° 132, avril 1994, p. 26.

Les communications comme motif dramatique entre la parodie et l'absurde

Des dramatiques ont exploré les sentiments contradictoires émergés des diverses situations où l'homme se voit confiné à la solitude malgré l'environnement technologique dans lequel il évolue. Il s'agirait d'un nouveau *fatum* ou d'une forme de l'absurde: l'incommunicabilité à l'ère des communications. Ces dramatiques voient la communication comme contexte à diverses situations pour en explorer les problèmes. Les objets quotidiens (téléphone, magnétophone, radio) servent de motifs pour engendrer des visions du monde, tantôt tragique, tantôt parodique ou absurde. Quelques auteurs ont innové par leur écriture radiophonique qui puise aux modèles mêmes de ce qui se passe dans cet univers, et contrairement aux drames intimistes, ils excluent le développement analytique du discours des personnages. Jacques Languirand, Yolande Villemaire, Raymond Villeneuve et Isabelle Doré ont écrit des œuvres particulièrement significatives.

Dans une dramatisation minimaliste où les éléments dramatiques reposent sur l'appel angoissé d'une seule voix d'homme et de quelques effets sonores, Jacques Languirand imagine une situation tragique et un univers sonore très ingénieux et peu coûteux. La structure de cette dramatique, *Feed back*, illustre l'expérience de la non-communication par la mise en scène du dernier survivant d'une catastrophe nucléaire qui tente en vain, par le moyen d'une radio, d'entrer en contact avec quelque être qui pourrait répondre à son appel et briser son isolement. Les seules paroles qu'il entend sont celles de son propre message répercuté en écho (jeu d'enregistrements sonores et réverbérations multipliées). Son désespoir s'accroît alors et cet appel ne peut qu'interpeller l'auditeur, le destinataire immédiat du message. Ainsi *Feed back* (1971) interroge le destin de l'homme (terme générique) dans la nouvelle ère atomique. Les communications devraient mettre fin à la solitude, à l'incommunicabilité et aux détresses de toutes sortes, mais la guerre est plus forte. Dans le contexte de la guerre atomique et des conflits majeurs entre l'Est et l'Ouest qui étaient générateurs de cette angoisse existentielle, la pièce de Languirand proposait une problématique tout à fait percutante.

Le concept dramatique de *Belles de nuit* (1983)[29] de Yolande Villemaire voit la communication comme produit de consommation. La situation se développe dans l'unité de lieu d'une centrale téléphonique où convergent de nombreux appels interurbains — une fourmilière qui contraste avec la solitude de *Feed back*. Yolande Villemaire met en scène plusieurs personnages, des téléphonistes au travail pendant la nuit et des clients dont les divers accents identifient la voix. Les «Belles de nuit» ce

[29] Prix du concours des œuvres radiophoniques de Radio-Canada, présentée à *Premières*, dans une réalisation de Jean-Pierre Saulnier, le 27 mai 1983. Publication des Herbes Rouges, 1983, 153 p.

ne sont pas des fleurs, mais des téléphonistes qui pour tromper leur ennui, entre les appels de clients, parlent à des amis ou écoutent des conversations — malgré les interdictions. Chaque intervention téléphonique construit une série de répliques. Et ce mouvement des appels organise un effet de non sens / «none sense»/, un art américain du comique de l'absurde.

Les didascalies donnent une série d'indices concernant le sonore dont le plus important est le bruit d'une clé qui ouvre ou ferme le contact téléphonique des opératrices. Les indications sont plus nombreuses en ce qui concerne le jeu des comédien(ne)s. C'est l'un des indices que le théâtre radiophonique est aussi un jeu d'acteurs, auquel Yolande Villemaire est sensibilisée. En cela elle est proche de l'intérêt esthétique de son réalisateur Jean-Pierre Saulnier (interview, novembre 1996). Il faudrait noter que dans les didascalies pour la radio, il faut éviter les termes cinématographiques; par exemple le terme «gros plan» (p.97) se dirait plutôt «avant-plan».

Pour illustrer les procédés de cette écriture (associations libres, inversions, commutations et substitutions de mots ou de phrases) qui créent l'effet d'une dérive de la pensée ou d'une inaptitude à l'argumentation logique, la finale de la pièce est très significative. La mémoire associative du personnage ira jusqu'à utiliser la référence au sonnet de Rimbaud, *Les Voyelles*, — une sorte de clin d'œil littéraire à l'auditeur. Dans ce texte décousu, on trouve aussi des isotopies qui tissent des liens au-delà de l'apparente discontinuité des échanges. (Voir l'Anthologie).

Journalisme et contestation sociale

Des motifs relevant du domaine des communications se retrouvent aussi dans les deux dramatiques de Raymond Villeneuve, intitulées *Vos préférences* (1995) et *En manchettes aujourd'hui* (1996), ainsi que dans *Le retour de Malarii* (1995) de Normand Canac-Marquis. La visée sociopolitique de ces textes est intéressante et offre matière à une réflexion. Les situations hyperréalistes structurent leur texte. Ces situations que les auteurs font exploser dans un décor sonore très suggestif, puisent leur modèle dans un répertoire de faits journalistiques propres aux médias électroniques ou à même les situations sociales des défavorisés, des marginaux et des contestataires. On voit dans d'autres productions que l'influence des fictions policières ou de science-fiction travaille les textes. Ces dramatiques appartiennent à la production des «radio-fictions», réalisées par Line Meloche.

Drames intimistes

Parmi les œuvres de Jacques Languirand, on trouve aussi des dramatiques appartenant à la catégorie du drame intimiste. Dans *La Cloison* (1972), deux personnages articulent en dialogue ce qui se présente de fait comme les monologues intérieurs d'un homme et d'une femme, retirés dans leurs chambres d'hôtel. Le jeu du bruitage génère une série de réflexions, livrées au fur et à mesure que les personnages entendent tout de leurs gestes par la cloison non étanche du lieu. L'évolution de leur pensée, de leur émotion et de leur désir évoque l'incommunicabilité vécue par ces protagonistes, tout oreille. Leurs paroles en «hors champ» transforment ces monologues en un pseudo-dialogue où le «je» et le «tu» s'interpellent en présence de l'auditeur. Ces soliloques se développent en une rêverie légère, sans romantisme, mais plutôt attendrie.

Parmi les auteurs radiophoniques les plus prolifiques et dont les œuvres ont été marquantes entre les années 50 et 80, il faut retenir le nom d'Yves Thériault[30]. Sa production commencée avec *Nouveautés dramatiques* se poursuit dans les séries *Premières* et *La Feuillaison.* Il a écrit plus de cinquante dramatiques pour la radio dont plusieurs sont des modèles de son art. On consultera avec profit l'article spécialisé de Louise Blouin sur son œuvre radiophonique.

Ambroise Lafortune *(auteur dans Chez Miville),* **Pierre Dagenais** *et* **Jacques Languirand** *(auteurs de la radio et de la télévision),* **Paul Guévremont** *(comédien) et* **Pierre Pagé,** *auteur du* Répertoire des œuvres de la littérature québécoise 1930-1975, *à la BNQ (1975).*

[30] Consulter l'article de Louise Blouin, «Yves Thériault», dans *Études littéraires,* vol. 21, n° 1, printemps-été 1988, p. 45-58.

Naïm Kattan a aussi écrit plusieurs dramatiques d'une fine subtilité dont les dialogues expriment une intransigeante lucidité derrière le jeu des masques et des désirs, dévoilés sans compromission. C'est dans le dialogue amoureux que se définissent la révélation de l'identité et la connaissance de soi. On retiendra parmi ses œuvres, *La Discrétion, Neige, Le Trajet* (1973)[31].On parle à son propos, avec raison, d'un «art marivaudien» du dialogue qui est tout à fait adapté au théâtre radiophonique intimiste[32].

Révélation ou dévoilement de l'identité

Une autre tendance du radiothéâtre s'exprime chez divers auteurs par la mise en scène de personnages qui dévoilent leur identité profonde. C'est par le motif de la révélation que Pierre Dagenais, dans *Je suis un autre* (1973) — un rappel rimbaldien —, traite de la connaissance de soi par les autres. En réunissant d'anciens confrères de collège après une longue séparation, il prépare le moment clé de l'action qui repose sur le choc d'un aveu et la surprise d'une découverte. Les réactions des confrères et leurs commentaires soutiennent la tension dramatique qui prend sa source dans la stupéfaction. La finesse des dialogues est plus importante ici que la dimension sonore de la dramatique, conçue selon les règles du théâtre classique adapté à la radio.

Dans une structure différente, les pièces[33] de Marie-Claire Blais interpellent aussi l'auditoire sur la question de l'identité et de la conscience de soi, dans un contexte d'intimité. Les questionnements émergent dans le cadre du couple ou d'un trio. Les interactions ont pour effet de conduire les personnages dans un dédale de sentiments plutôt violents qui alimentent l'action dramatique: du désir de rompre les liens (*Un couple, Fièvre, Deux destins*) à l'aliénation (*Le Disparu*) et à la dépossession (*L'Envahisseur*). Plusieurs de ces dialogues radiophoniques ont pour objet l'écriture comme expression d'une quête de soi (je est un autre) ou comme trace d'une manifestation ou d'un désir de communication avec l'autre. La dramatique *Fantôme d'une voix*[34] est un exemple limite. Malgré le fait qu'on soit à la radio et que l'écriture d'un journal intime soit d'abord une réalité visuelle, cette pièce réussit à construire, autour de la lecture de ce journal intime, un dialogue intimiste où la poésie de Marie-Claire Blais tente de sensibiliser à l'incommunicable dans l'écriture et à l'incommunicabilité dans la parole.

---

[31] KATTAN, Naïm, *La Discrétion, La Neige*, Éditions Leméac, 1974.

[32] «Préface», *ibid.*

[33] Dans *Fièvre et autres textes dramatiques*, Éditions du Jour, 1974. On y trouve *L'Envahisseur, Le Disparu, Deux destins, Fièvre et Un couple*, pièces diffusées entre 1971 et 1974 à CBF-FM, dans une réalisation de Madeleine Gérôme.

[34] BLAIS, Marie-Claire, *Sommeil d'hiver*, Les Éditions de la pleine lune. «Théâtre et textes dramatiques», 1984. On trouve dans cet ouvrage les pièces radiophoniques *L'Exil, Fantôme d'une voix, Fièvre* et *Un couple.*

- Lui: C'était si violent de te lire, j'ai eu peur...
- Elle: Ma voix n'est plus un fantôme... écoute... écoute... C'est un chant de violence qui secoue la terre[35].

Les motifs de l'enfermement et de la folie

De nombreuses dramatiques traitent, tout au cours de cette période, de la question de la folie et de l'enfermement. Ce champ sémantique est récurrent dans notre littérature et on le retrouve à la radio. Dans *J'ai déserté Saint-Jean de Dieu* de Jacques Ferron, le thème majeur est la quête de libération d'une femme qui choisira l'enfermement dans un institut pour malades mentaux, après avoir tenté de vivre dans un monde où la vérité se meurt au profit des apparences et du mensonge. La protagoniste tente d'éclairer les distorsions de son âme à partir du motif littéraire du double — moi et surmoi — mis en situation de se confronter. Pour elle, le monde clos de l'aliénation et des internés psychiatriques se fait plus proche de la vérité de son être problématique que l'intégration sociale. La protagoniste consciente refuse de porter les masques que la société force à adopter et opte finalement pour l'enfermement.

L'œuvre de Monique Bosco, *Le Cri de la folle enfouie dans l'asile de la mort* (22/9/78)[36], est la dramatique sans doute la plus lyrique et la plus tragique de toutes celles que nous avons présentées, par son style, par sa réalisation et par la problématique qu'elle explore. C'est au coeur des images de la violence existentielle que la protagoniste, Esther, se débat. Figure médéenne qui se venge de la vie, elle est une femme adultère, meurtrière de sa fille nouvelle-née, confrontée à la folie et la mort pour avoir enfreint toujours davantage les lois d'une société patriarcale. Monique Bosco (Prix David, 1996) a choisi de construire son texte en intertextualité avec la tragédie de Racine, *Esther*, dont la célèbre imploration sert de référent à la dramatique: «Ô mon souverain Roi, / Me voici donc tremblante et seule devant Toi».

Le personnage d'Esther se construit aussi par son identification aux rôles de femmes bafouées et incomprises de la littérature occidentale, qui sont autant de figures de sa propre réalité. L'alternance des identités féminines révèle peu à peu les racines du drame de cette prisonnière et le sens de son cri. Dans un commentaire critique, Gloria Escomel explicite la portée symbolique de ce monologue.

> «Ce cri d'Esther, du fond de son exil, a une valeur d'exorcisme. Il est un cri de femmes parmi tant d'autres cris féminins exploités par la mode du féminisme. Ce cri difficile à supporter, celui d'une folle qui veut *exprimer dans son absolu le grand cri, celui par lequel on se délivre*[37].

Tous les masques levés, Esther exprime l'impossibilité pour la femme de vivre dans un monde défini par la loi des hommes (mâles). Cette

[35] BLAIS, Marie-Claire, *ibid.*, p. 98.
[36] Cette pièce a été publiée dans les *Écrits du Canada français* (1979).
[37] cf. Gloria Escomel, «Dyne Mousso interprète Monique Bosco», dans *Le Devoir*, 16/09/1978.

situation ultime est illustrée par un ordre obsédant, parole remontée de l'enfance et répétée par le personnage à la fin de la pièce: — «Esther, se taire, et se-taire». La mort est attendue comme un salut, puisque le droit à la parole (et à sa défense devant un juge) lui est refusé.

Le Cri de la folle enfouie dans l'asile de la mort se compare à un «oratorio pour une voix», dit Gloria Escomel. Mais il faut aussi retenir comme composante de la dramatique la dimension sonore, créée par Gabriel Charpentier, un de nos grands musiciens. Pour donner une couleur et des résonances musicales adéquates au cri du personnage, il a travaillé dans la Basilique de l'Oratoire Saint-Joseph, à partir d'un thème qu'il a inventé. Orgue, harmonium, clavecin, piano à queue, orgue électronique interviennent pour donner au cri de la comédienne une amplification tragique. La qualité de cette réalisation de Madeleine Gérôme explique bien que la pièce ait été choisie pour être soumise au Prix Italia.

SECONDE RUPTURE DANS LA PROGRAMMATION (1987-1992)

Un retour mitigé du feuilleton dramatique ou des séries dramatiques

La recherche de solutions à la situation nouvelle de la fin des années 80 — qui a restreint la production littéraire et mis fin à toutes les séries —, prend diverses formes. Dans le cours des années 90, la programmation propose des «fictions radiophoniques». Afin de susciter une nouvelle écoute et une esthétique différente, les émissions sont le matin et non pas le soir, aux heures des téléromans. On a tenté un retour au feuilleton radiophonique dans le cours des années 90. En 1992, Jean-Pierre Saulnier réalise *La Redécouverte de l'Amérique*[38] pour célébrer le 500e anniversaire de la découverte de l'Amérique par Christophe Colomb. Cette série, écrite par Yves Sioui-Durand et Catherine Joncas, rappelle les conséquences destructrices de la venue des Blancs en Amérique, mais aussi les symboles et les mythes des Indiens d'Amérique du Sud et d'Amérique du Nord, et des Inuits. Ces textes d'une grande poésie sont construits en partie sur des incantations, assumées par plusieurs *Voix*, tantôt imaginaires, tantôt se référant à des personnages de l'histoire ou de la mythologie. Dans le premier texte *Les Indiens Nahuas (1). La Conquête de Mexico*, le thème de la mort d'une civilisation est présent dans toutes les *Voix*.

> **Femme 1:** Mes lèvres ne connaîtront plus ta chair, mes yeux ne verront plus ta beauté. [...]
>
> **Femme 2:** Me voici, Tlaloc! Je t'offre ma chair. Je suis la fumée du pollen qui danse dans la bouche du volcan. Jamais plus ne marcheront les rêves de la pierre, les rêves de la Terre...

[38] SIOUI-DURAND, Yves et Catherine JONCAS, *La Redécouverte de l'Amérique*, LTT.10 Transcription radio, Société Radio-Canada, 1993. 66 p.

Motecuhzoma: Ô Mexicains! Arrêtez, arrêtez-vous tous, que tout ceci soit abandonné, que l'on baisse la flèche et le bouclier. Car, ils m'ont placé dans des chaînes de métal, ils ont mis des chaînes en métal à mes pieds! Qu'il daigne m'écouter, l'homme, l'Espagnol! [...] (8 septembre 1992) p. 14-15.

Le dernier texte de la série, intitulé *Les Inuit. Les Hommes par excellence*, s'écrit comme un grand récit de la rupture avec la nature et la tradition, mais que la conscience dénonce. La clôture du texte évoque le retour aux sources et la réconciliation avec la culture ancestrale des Inuits. Une merveilleuse légende des origines ouvre la dramatique où le chant et le cri engendrent l'enfant de l'homme et créent la femme!

ATOAT: Au début des temps, les deux premiers humains sont sortis de terre ici, sur l'île d'Igloolik. Ils sont sortis de terre déjà adultes, deux mâles. Ils ont connu la faim, le froid et la nuit. Puis ils se sont ennuyés tout seuls. Alors ils ont décidé de se multiplier. L'un des deux a mis l'autre enceint mais quand le terme de la grossesse est arrivée, ils ont vu qu'il n'y avait pas d'ouverture pour faire sortir l'enfant. Alors un des deux s'est mis à chanter: Cet humain, ce mâle, ce pénis / Que son passage s'agrandisse, / Qu'il devienne spacieux[...] / Passage, passage passage ... / Aaaaaaaaiiiiii! [...] (10 novembre 1992).

La finale de cette dramatique se fait cri de révolte qui génère un désir de réappropriation et une grande supplique aux Ancêtres. Le lyrisme, l'art de conter, la construction très libre de ces textes, permettent de comprendre la souplesse de l'écriture radiophonique, où la parole se découvre dans la diversité dramatique et poétique des images et où le rythme se fait enchantement. Le réalisateur Jean-Pierre Saulnier a su rendre l'ampleur dramatique et la portée symbolique des textes par l'univers sonore.

Dans ce contexte de renouveau de la programmation, Line Meloche réalise *Les Fils de la liberté* (1993), scénarisé par Annie Piérard, à partir de l'œuvre de Louis Caron. Ce feuilleton mérite d'être considéré comme une recherche nouvelle sur l'art du récit dramatisé, faisant interagir les monologues et les dialogues vibrants des personnages, dans des situations tragiques. Dans ces productions, le jeu des comédiens est très projeté et l'univers sonore accentue l'effet tragique des situations.

La «fiction radiophonique»

Nous avons déjà signalé que le terme de «radio-fiction» est utilisé à Radio-Canada pour marquer une rupture dans la conception dramatique, surtout après 1992. Nous insistons sur le fait que malgré cette dénomination, l'écriture de ces productions appartient fondamentalement au genre dramatique. Dans la fiction radiophonique, on met l'accent sur la confrontation dans les dialogues et la multiplication de situations dont l'évolution est rapide. Le découpage des scènes est fortement marqué par le bruitage. Le cadre sonore qui généralement amplifie la portée des événements, est le plus souvent à l'avant-plan du micro et il devient une sorte d'enveloppe du discours dramatique.

Nous avons retenu deux exemples de productions en direct — une pratique qui refait le pont avec la production du passé. Ces dramatiques se conçoivent comme des langages multiples où les musiciens, bruiteur(e), et comédien(ne)s, produisent une qualité exceptionnelle de son, et elles s'inscrivent dans une série de dramatiques écrites par des gens de métier pour les saisons 1996-1997. Line Meloche réalise ses dramatiques jouées devant un public sur une scène de théâtre. Une pièce de Christiane Duchesne, *Oppression* (28/10/1996), est diffusée du *Spectrum* à l'occasion de l'Halloween, et la pièce d'Isabelle Doré, *Robin ou le songe d'une vie* (12/11/1996), du *Théâtre d'Aujourd'hui*.

Christiane Duchesne structure sa dramatique *Oppression* autour de la rencontre nocturne et inattendue d'une femme et de quatre personnages, qui se révèlent être les figures symboliques d'un amant décédé (personnifiées par quatre voix d'homme)[39]. Le désir obsédé de ces hommes (fantômes de l'aimé) hante l'imaginaire de cette femme qui ne sait plus si elle est dans le réel — dont elle veut se libérer — ou dans un rêve, menacée de folie. La création d'Isabelle Doré, avec *Robin ou le songe d'une vie* (12/11/1996) est peut-être encore plus postmoderne par sa construction. Une comédienne talentueuse voit sa carrière se terminer brusquement avec l'arrivée de la télévision. Elle raconte à sa fille adoptive, Anne, comment la radio exaltait l'auditoire partout au Québec, par la voix et le jeu des comédiens dans les radioromans. La dramatique utilise des insérés d'archives sonores de la radio d'antan. Un moyen de faire revivre une époque et de faire comprendre pourquoi cette comédienne n'a jamais pu faire de la télévision. Cette réalisation ouvre donc aussi sur la perspective intéressante de jumeler le son et les voix de la radio d'aujourd'hui et d'hier.

CONCLUSION

Si la télévision a grugé dans tous les auditoires de la radio depuis les années 60, l'arrivée du réseau FM, en 1970, a cependant aidé au renforcement de la programmation culturelle à la radio de la Société Radio-Canada. Les nouveaux programmes documentaires et les séries littéraires qui n'existaient pas en aussi grand nombre avant 1970, se sont multipliés. La conception des nouveaux programmes de littérature, à CBF-FM, a été en grande partie stimulée par Jean-Guy Pilon[40], alors directeur de ces émissions, appuyé en cela par la direction

[39] Les voix des quatre comédiens sont jouées par Stéphane F. Jacques, Patrick Labbé, Jean-Louis Millette et Yvan Ponton. La comédienne est Simone Chartrand.

[40] Auteur de dramatiques, poète et réalisateur à CBF pendant les années 50 et 60, Jean-Guy Pilon — comme directeur des émissions culturelles —, a su donner une impulsion remarquable à la création littéraire et aux documentaires (André Langevin, Fernand Ouellette, Gilbert Picard). L'espace nous manque pour ces développements.

générale de la Société Radio-Canada et par les réalisateurs avec lesquels il faisait équipe. À la fin des années 60 et durant les difficiles années 70, la Société Radio-Canada s'est confirmée comme institution culturelle et d'information. Avant même d'être directeur général et vice-président adjoint de la Société Radio-Canada (1968-1982), Raymond David a réitéré sa volonté de maintenir la mission de Radio-Canada. Pour lui, le public ne se définissait pas comme une masse de consommateurs mais comme un ensemble de personnes intelligentes et responsables. Raymond David disait en parlant du Réseau français de la Société Radio-Canada: «C'est l'homme canadien-français que nous voulons servir... C'est un homme en transition, il faut refléter ce qu'il est, lui donner un moyen d'expression... engager le citoyen dans la vie collective [...]»[41].

Ce contexte historique de la radio CBF-FM a favorisé un développement exceptionnel de la vie intellectuelle et culturelle au Québec, mais aussi de sa littérature. Si la fin des années 80 marque une rupture temporaire avec les périodes précédentes, le contraste entre les périodes se confirme, depuis les années 90, en partie justifié par des coupures budgétaires majeures à la Société Radio-Canada. Les réorientations de la programmation au réseau FM, la limitation des créations littéraires et dramatiques dans la programmation, malgré les facilités technologiques et la modernisation des studios d'enregistrements, ne sont guère rassurantes, aux abords du XXIe siècle. C'est pourquoi il est essentiel de garder la mémoire de notre passé radiophonique et de l'intégrer à notre histoire culturelle pour nous donner comme Québécois un surplus de conscience. Le Québec, pendant ce quart de siècle (1970-1995), a été le producteur d'une culture radiophonique dont la littérature était l'un de ses fleurons.

LES AUTEURS DES GRANDES SÉRIES

Parmi les quelques centaines d'auteurs qui ont produit des radiothéâtres et récits divers, entre 1969 et 1996, tous n'ont pas la même expérience, et les considérer également comme écrivains de l'Institution[42] au sens fort du terme serait abusif. Nombreux cependant sont ceux qui ont construit leur carrière en écrivant pour divers médias des œuvres de qualité. Le radiothéâtre, la nouvelle, le journal intime, se sont enrichis d'œuvres non négligeables, qui ont

[41] *La Presse*, 12 mars 1966.

[42] Pour plusieurs il s'agit plutôt d'une production alimentaire, comme l'affirmait Claude Godin au Congrès international de l'Association des études sur la radio-télévision canadienne (ASCRT/AERTC), en 1986.

servi de tremplin ou d'écho à d'autres expériences. Par la diversité de ses structures, par le développement de ses thèmes et par la création d'émotions étonnantes liées à son langage sonore, une quête diversifiée de l'esthétique radiophonique a été menée dont il est possible aujourd'hui de reconnaître l'originalité. Nous présentons ici une sélection des auteurs les plus notoires par leur production.

Premières

Jean Barbeau, Michel Beaulieu, Charlotte Boisjoli, Monique Bosco, Jacques Brault, Marie-Claire Blais, Dominique Blondeau, Robert Choquette, Richard Cyr, Jean Daigle, Louise Darios, Luis de Cespedes, Anne de Coudray (pseudo. de Nini Durand), Denise Desaultels, Georges Dor, Isabelle Doré, Christiane Duchesne, Gloria Escomel, Jacques Ferron, Jean Filiatrault, Roger Gaboury, Maurice Gagnon, Jean Gagnon, Jean Galarneau, Michel Garneau, Marc F. Gélinas, Jacques Godbout, Marcel Godin, Robert Gurik, Louis-Philippe Hébert, Jean Herbiet, Jacques Jacob, Claude Jasmin, Naïm Kattan, Jacques Languirand, Monique LaRue, Jean-Marie Lelièvre, Françoise Loranger, Andrée Maillet, Robert Maltais, Hélène Ouvrard, Madeleine Ouellette-Michalska, Louise Maheux-Forcier, François Moreau, Suzanne Paradis, Louis Pelland, Jean-Guy Pilon, Raymond Plante, André Ricard, Jean-Jules Richard, Yves Thériault, Charlotte Savary, Marcel Sabourin, Claude Saint-Germain, Jean-François Somcynsky, François de Vernal, Yolande Villemaire, Pierre Villon.

Anne de Coudray
comédienne et auteure de dramatiques radiophoniques

Escales

Aux auteurs de *Premières* s'ajoutent Claire Dé, Roch Carrier, Françoise Siguret, Robert Lalonde, France Théoret, Michel Gosselin.

La Feuillaison

Parmi de nombreux autres auteurs: Victor-Lévy Beaulieu, Dominique Blondeau, Robert Choquette, Richard Cyr, Isabelle Doré, Christiane Duchesne, Roger Gaboury, Maurice Gagnon, Michel Garneau, Jacques Gagnon, Odette Gagnon, Pauline Harvey, Jacques Jacob, Yves Lacroix, Robert Lalonde, Gilbert Langlois, Louise Maheux-Forcier, Michèle Mailhot, François Moreau, Pierre Morency, Madeleine Ouellette-Michalska, Claire Richard, Jean-Jules Richard, Louis Saïa, Claude Saint-Germain, Marie Savard, Charlotte Savary, François de Vernal, Pierre Villon.

Atelier des inédits (poésie, récits, dramatiques).

Quelques auteurs: Noël Audet, Nicole Brossard, Gaétan Brûlotte, Pierre Chatillon, Cécile Cloutier, Hugues Corriveau, Denise

Desautels, Roger Fournier, Michel Gosselin, Pauline Harvey, Louis-Philippe Hébert, Marie Laberge, Gilbert Langlois, André Major, Hélène Ouvrard, Suzanne Paradis, Raymond Plante, André Roy, Hélène Rioux, Louis Saia, Larry Tremblay, Pierre Turgeon, Claude St-Germain, François Beaulieu, Marie-José Thériault.

Alternances

Monique Bosco, François Charron, Pierre Dagenais, Jean Daigle, Anne du Coudray, Madeleine Gagnon, Naïm Kattan, Isabelle Legris, André Roy, Jean-François Somcynski.

Journal intime

Jean-Marie Poupart, Pierre de Grandpré, Roger Duhamel, Jacques Godbout, Jacques Folch-Ribas, Louis Caron, Monique Bosco, Élizabeth Bourget, Madeleine Ferron, Marie-Victorin, Madeleine Monette, Marie-Claire Blais, Jean Royer, Louise Maheux-Forcier, Adrien Thério, Dominique Blondeau, Gabrielle Poulin, Hélène Ouvrard, Jean Éthier-Blais, Madeleine Ouellette-Michalska, Jean-Charles Falardeau, Michelle Mailhot et Suzanne Paradis.

Années 90

Normand Chaurette, Michel d'Astous, Michel-Marc Bouchard, Christian Mistral, Daniel Dany, Normand Canac-Marquis, Alexis Martin, Raymond Villeneuve, Jean Gagnon, Ian Lauzon.

RÉALISATEURS

Parmi les plus importants réalisateurs du domaine des dramatiques et de la fiction narrative, depuis la fin des années 60, il faut retenir: Ollivier Mercier-Gouin, Roger Citerne, Madeleine Gérôme, Jean-Guy Pilon, Gilbert Picard, Madeleine Martel, André Langevin, Raymond Fafard, André Major, Jean-Pierre Saulnier, Gérard Binet, Claude Godin, Line Meloche, et à CBV (Québec) Michel Gariépy et Jean Gagnon, à Moncton (CBAL-FM et CBA) Bertholet Charron, à Matane, Richard Labrie, à CBO et CBO-FM (Ottawa), Guy Lagacé. À l'instar de leurs prédécesseurs, Robert Choquette et Guy Mauffette, Paul Leduc et Paul Legendre, Noël Gauvin et Lorenzo Godin, Guy Beaulne, les réalisateurs des années 70-90 ont donné à la valeur sonore ses dimensions. Par leur culture et leur goût, ils ont défini des choix esthétiques et ils ont créé une instance de la signification de l'œuvre qu'on ne peut ignorer aujourd'hui dans l'étude de l'art radiophonique.

ANTHOLOGIE

I
MONIQUE BOSCO
LE CRI DE LA FOLLE ENFOUIE DANS L'ASILE DE LA MORT

Les extraits choisis sont l'introduction et la finale de la dramatique. Par sa structure, son style sobre mais vibrant, ses références littéraires et son rythme, elle est un modèle. Le long monologue d'Esther intègre la voix d'autres personnages (qu'elle interprète comme comédienne qui se joue une pièce de théâtre) par l'utilisation d'extraits de Racine, Molière, Anouilh et Sophocle, qui ont donné la parole aux femmes. On comprend que ces personnages donnent une forte résonance littéraire au cri de la folle. Deux voix ponctuent rarement ce monologue carcéral de commentaires. Les didascalies font comprendre que le contexte sonore donne au texte, déjà très tragique, sa pleine dimension de détresse.

ANNONCEUR:

PREMIÈRES ... vous présente aujourd'hui «LE CRI DE LA FOLLE ENFOUIE DANS L'ASILE DE LA MORT», un texte dramatique original de Monique Bosco.

TRANSITION MUSICALE

ESTHER: (ÉCHO)

Je suis Esther. Entendez-moi. Esther, la folle. Enfermée. Liée. Voyez, on vient tout juste de me délivrer.

V.H: (BAS) Elle est calme, enfin.

V.P: (BAS) Je ne m'y fierais pas. Non, non. Pas moi. (PLUS HAUT) Perfide, sournoise. Tu ne me tromperas pas.

(ÉCHO) (SUR UN TOUT AUTRE REGISTRE, RÊVEUSE, PERDUE).

ESTHER:

Mon souverain roi. Tremblante devant toi. Je suis Esther. Princesse. Le peuple entier dépend de moi. «Ô mon souverain Roi. Mon roi. Le roi. Le roi mon père. Le roi mon père vous fera fouetter. (VOIX D'ENFANT) Le beau livre. J'aime les livres. Il est à moi. À moi, à moi, à moi. Les belles images. La mauvaise fée. Les méchantes sœurs. Je suis la sœur la plus sage. La plus sage des trois. Celle qui reste à la maison. Celle qui lave les chaudrons. Je suis sage. Je suis bonne.

ESTHER: (VOIX D'AUJOURD'HUI)

Mais on ne m'aime pas. Qui m'aime? Aimez-moi. Aime-moi. Me-moi-me-moi-me-moi. Je suis moi. Je ne suis que moi. Qui me veut? Qui me prend? Mais il y a moi. Que me reste-t-il? «Moi, dis-je, et c'est assez». Jamais assez. J'ai faim. J'ai soif. Je me meurs. Qui m'aimera? (S'ADRESSANT À UN MÉDECIN FICTIF) Non, non docteur... Je ne parlerais plus. Menteur. Lâche. Hypocrite. Feignant de m'entendre. De me vouloir du bien. (LE MIMANT) «Je vous écoute, Esther. N'ayez pas peur. Je veux votre bien.» (HURLANT) Tous, des menteurs. Hommes durs et mauvais. Comme vous m'avez fait mal déjà. (DOUCEMENT, PUIS DE PLUS EN PLUS VIOLEMMENT) (ÉCHO) Je suis Esther. Esther. Esther la folle. Je vous maudis, je vous le dis. Esther, qui m'appellera encore, à travers les grilles? Au fin fond des forêts? Qui se souvient de moi? Moi, je me souviens. «Je me souviens». Belle devise. Je n'oublie rien, savez-vous. Vous pouvez me garder des siècles. Des siècles et des siècles. (CHANTANT) Secula. Seculorum. (PAUSE). Toujours vivante. Pleine de haine. La belle Esther. La douce. Plus jamais on ne me dira de doux mots de tendresse. Je me rappelle. Tout, vous dis-je. Mes histoires à moi. Les vôtres aussi. Ayez honte, bourreaux. Je ressortirai, quand il en sera temps. Jeune et belle. Mes cheveux tombent. À pleines poignées. Là, dans mes mains. Voyez. Si secs. Cassants. Mes dents. Mes jolies dents. Comment mordre, désormais? Je peux crier. Oui, cela, encore, je le peux. (ELLE CRIE) (FAIRE UN ÉCHO AMPLIFIANT GRADUELLEMENT)

V.H: (BAS) Ce cri. Qui me glace le sang. Tout, tout, je ferai tout pour l'étouffer.

V.F: (BAS) Que fais-tu? Rien. Elle nous tuera tous, je te le dis.

BRUIT DU SOUFFLE D'ESTHER DANS UN ÉCHO ALLANT S'AMPLIFIANT

ESTHER: (ÉCHO)
J'ai bien crié, ma mère? Tu vois, je suis bonne comédienne. Née pour la tragédie, je te l'avais promis.

COUPER ÉCHO

V.P: Du théâtre, Esther? Tu délires.

ESTHER: (ÉCHO)
Je ne délire pas. Je meurs de peur et d'angoisse. Tous ces inconnus, là, réunis, derrière ce rideau. Dans une seconde, c'est mon tour. À toi de jouer, Esther. Montre ce que tu sais faire. Esther, coucou, qui es-tu? Où es-tu? Qui suis-je? Célimène? Non, non, je ne suis pas assez coquette. Hermione? Hermione, oui. Folle de jalousie.

HERMIONE: (ANDROMAQUE, RACINE, ACTE IV, SCÈNE V)
«Je ne t'ai point aimé, cruel? Qu'ai-je donc fait? J'ai dédaigné pour toi les voeux de tous nos princes, je t'ai cherché moi-même au fond de tes provinces. Je... je... (BLANC DE MÉMOIRE ASSEZ PROLONGÉ).... Je t'aimais inconstant, qu'aurais-je fait fidèle?»

ESTHER: (ÉCHO)
Non, cela me perdra. Tous ces mots de folie furieuse et jalouse me fuient. Quelle fille es-tu donc, pauvre Esther? Antigone, oui. Petite fille encore amoureuse déjà. Moi qui n'ai pas eu de frère, je veux être cette soeur incomparable. Et me révolter contre l'ordre absurde et absolu des parents. [...]

***

COUPER ÉCHO

ESTHER: (ÉCHO)
Comme j'ai crié lorsque j'ai accouché. Toute une nuit, et toute une journée. Et la nuit d'après aussi.

HURLEMENTS D'ACCOUCHÉE DANS L'ÉCHO S'AMPLIFIANT
Pourtant comme j'avais préparé cette naissance.

V.F: Respirez. Attention. Recommencez. Attention. Respirez. Rythmez votre souffle.

RÉPÉTÉ PLUSIEURS FOIS, DE PLUS EN PLUS DOUCEMENT TANDIS QU'ESTHER ENCHAÎNE

ESTHER: (ÉCHO)
Comme j'ai été grosse et fière.
Fière d'être grosse.
Je ne suis plus un enfant.
Moi, Esther, la frêle, la fragile, me voici énorme, aujourd'hui.
Comme une tour.
Enceinte.
Enceinte sacrée.
Grosse comme une tour.
Et dans cette tour, pousse une vie.
À même moi, dans ma nuit, dans la profondeur de mon ventre, un autre être s'abreuve qui ne demande plus qu'à voir le jour.
Fruit plein de saveur qui grossit chaque jour
Je le sens qui bouge et tressaille, toujours plus fort.
[.....]

* * *

ESTHER: Endormi de drogues (SILENCE)
J'ai eu si peur
Si longtemps
Me voici à l'abri,
Dans cet asile
Asile de la mort et de la folie
Impunément, désormais, sans plus me cacher
Ô comme je crie (SILENCE)
Celle qui n'a pas osé te célébrer
Celle qui t'appelle en vain
Ô Souverain roi, tremble en l'écoutant
Redoute le hurlement de la femme éplorée
Souviens-toi de Jéricho
Par mon seul cri, je ferai s'écrouler les murailles
Ô cri aigu qui m'emporte hors de ma prison de chair et de sang. (SILENCE)
Le temps du silence, sage silence de la femme, est fini.
Il ne faut plus se taire Esther.
Plus jamais être docile comme tes pauvres soeurs, muettes et oubliées.
(PAUSE)
Jamais plus je ne serai soumise et docile.
Le temps du silence est aboli.
Il ne faut plus te taire Esther
Souviens-toi.

ESTHER: Je me suis enfuie, sans rien emporter, sans me retourner.
Je pars.
Personne ne m'aime.
Ils m'ont appelé Esther
Mais ils ne m'aiment pas.

«Il faut te taire, Esther»
Tais-toi.
Esther. Se taire. Tais-toi. Se taire.
Esther. Tais-toi, Te taire. Se taire.
Esther....... Esther...... Esther.
Et se taire. Et-se-taire-et-se-taire-et-se-taire
(AMPLIFIER ÉCHO) ESTHER! ESTHER! ESTHER!
(PAUSE)
(ÉCHO NORMAL) Tant pis. Trop tard. Je n'écoute plus.
Je me bute. Je me ferme.
Sourde et muette.
Qu'on me laisse, désormais, dans ce seul silence qui me plaise
(SILENCE)
Courage, Esther, c'est presque fini.
Crie encore de tout ton coeur. Une dernière fois.

DANS UN ÉCHO S'AMPLIFIANT : HURLEMENT SURAIGU — ET QUI S'ARRÊTE BRUSQUEMENT, COMME UN VERRE QUI SE BRISE.

V.H: C'est fini, enfin.

CRESCENDO MUSICAL

ANN: Vous venez d'entendre «LE CRI DE LA FOLLE ENFOUIE DANS L'ASILE DE LA MORT» ... un texte original de Monique Bosco.

DISTRIBUTION: DYNE MOUSSO
RÉALISATION: Madeleine Gérôme

MUSIQUE AD LIBITUM...

II
YOLANDE VILLEMAIRE
BELLES DE NUIT, Les Herbes Rouges, 1983, P. 152-153.

Le passage final de cette dramatique est un bon exemple de l'écriture de Yolande Villemaire, à cette époque. Le discours téléphonique d'une femme bizarre, égarée dans une nuit physique ou psychique, permet d'illustrer le rôle des téléphonistes auprès de personnes en difficulté, mais aussi le jeu littéraire d'un délire ou d'une dérive du sens, à la limite de l'absurde. Le développement du motif de l'aveugle couplé à celui de la nuit, prend ici une valeur symbolique intéressante.

YVELLE (DÉSESPÉRÉE): Je vois rien. Rien du tout. C'est tout noir. Parle-moi, j'ai peur.

SOPHIE: Ben, je sais pas trop quoi dire là... Mais ayez pas peur, le gérant de nuit va réussir à localiser la boîte téléphonique où vous êtes pis on va vous envoyer quelqu'un.

YVELLE (ELLE PLEURE DOUCEMENT):

À quelle heure il se lève le soleil? Je veux voir le soleil, j'en peux pus de la nuit. C'est la nuit partout. Partout la nuit. C'est noir partout, partout, toutes les couleurs sont disparues. Te rends-tu compte! Toutes les couleurs sont disparues. C'est le blanc qui est disparu d'abord. Pis ensuite le rouge. Pis l'orange est disparu aussi. Pis le jaune s'est éteint, le vert s'est éteint, le bleu s'est éteint. Tout est devenu bleu marine. Pis ça a viré au mauve. Pis là, même le mauve a disparu. Y reste rien que le noir. Rien que le noir, tu comprends? C'est l'enfer quand y reste rien que le noir. C'est rien le noir? (COMME SI ELLE VENAIT DE S'ENTENDRE DIRE ÇA.) C'est rien le noir? (ELLE PASSE DE LA PHASE DÉPRESSIVE À LA PHASE MANIAQUE ET DEVIENT ENTHOUSIASTE, SUREXCITÉE.) C'est rien le noir, le noir c'est rien, le rien c'est noir. N,o,i,r. O bleu, i rouge, le bleu pis le rouge sont revenus. C'est quoi la consonne du jaune? Faudrait que je trouve la consonne du jaune pour que le soleil se lève. La consonne du jaune. S ? Comme au pluriel? Est-ce que les ailes des anges sont jaunes comme le soleil? Je me demande si... Je vas aller voir. (Elle raccroche.)

SOPHIE (ÉBERLUÉE):

Ah ben, elle a raccroché. Tu diras au gérant de nuit de laisser faire, Martine. C'était une folle finalement. Mais elle a l'air correct là... Ah ben crime, y a un circuit outremer de libre!

SOPHIE (ELLE OUVRE UNE CLÉ): Vous êtes toujours là, madame?
[...]

SOPHIE: Je vous communique tout de suite avec les services outremer pour Varsovie.

DEUXIÈME PARTIE

LES DRAMATIQUES À LA TÉLÉVISION 1969-1996

RENÉE LEGRIS

> L'image ne peut montrer que des individus particuliers dans des contextes particuliers, non des catégories ou des types. ... n'est réel que l'individu, le reste n'existe pas.
> Régis Debray, *Vie et mort de l'image*[43]

La télévision québécoise a présenté, depuis ses origines, une production importante d'œuvres dramatiques dont la diversité des écritures manifeste la vitalité, et cela tant dans la programmation de CBFT, de CFTM qu'à Radio-Québec, devenue en 1996 Télé-Québec. Téléthéâtres, téléromans, feuilletons historiques ou biographiques, adaptations de romans pour des séries, comédies de situation, comédies policières, drames familiaux et sociaux, contes et légendes, autant de formes soumises à l'écriture audio-visuelle de la télévision et de plus en plus produites comme téléfilms, après 1985. Ces productions dites dramatiques sont souvent considérées comme des hybridations du théâtre, et si on les rattache à ce genre, c'est que les signes de l'écriture dramatique organisent la structure des discours.

[43] DEBRAY, Régis, *Vie et mort de l'image*, Paris, Éditions Gallimard, Folio Essais, p. 446.

«On doit considérer que la forme dramatique, par sa structure essentiellement dialogique, est le modèle même du discours télévisuel», note Pierre Pagé, qui a été l'un des premiers à signaler, pour le vingt-cinquième anniversaire de la télévision québécoise, en 1977, l'importance du modèle dramatique, l'originalité de la production québécoise des téléthéâtres et des téléfeuilletons comme écriture spécifique.

> La télévision répugne au monologue, qui manque de variété et qui ne donne pas l'image de la participation.[...] Par sa double dimension de texte dialogué et de jeu, le théâtre se présente comme une forme fondamentale de la communication télévisuelle.[44]

Cette référence au langage théâtral est un élément essentiel qui doit fonder toute étude des productions télévisuelles comme expression littéraire, même pour les téléromans qui relèvent de cette écriture et non du genre romanesque.

LES FEUILLETONS TÉLÉVISÉS

Dans la programmation de CBFT et CFTM, il faut constater que plusieurs catégories de feuilletons ont pris place avec les années et qu'on ne saurait réduire à la seule dénomination «téléroman» les productions de feuilletons dramatiques qui sont proposées à l'auditoire québécois. Tout comme ailleurs, aux États-Unis, en Europe et en Amérique du sud, particulièrement au Brésil[45], les feuilletons télévisés du Québec se structurent selon des modalités qui finiront par traduire des choix, parfois esthétiques, mais surtout socio-économiques en fonction des cotes d'écoute et par conséquent des goûts du public. Cependant chaque catégorie de feuilletons poursuit un objectif et met en relief des spécificités d'écriture dont cette étude explicitera les éléments les plus caractéristiques[46].

Caractéristiques des feuilletons dramatiques

Le terme de téléroman a été utilisé au Québec, au lieu de **feuilleton dramatique** (un terme générique), pour désigner un programme de **fiction**, du genre théâtral, dont l'histoire se développe dans une continuité d'épisodes reliés. Si la dénomination de **«téléroman»** (*serials* en anglais) suggère l'idée d'une narration télévisée, tel n'est pas le cas de l'écriture téléromanesque où la fonction de «narrateur» est totalement absente

[44] PAGÉ, Pierre, Renée Legris, Louise Blouin, *Répertoire des dramatiques québécoises à la télévision 1952-1977*, Fides, 1977, 220 p. Chapitre 4, «Problèmes d'esthétique sociale», p. 28-38.

[45] SOUZA, Licia Soares de, *Représentation et idéologie/Les téléromans au service de la publicité*, Montréal, Éditions Balzac, 1994, 275 p.

[46] Les catégories ici proposées ne coïncident pas parfaitement mais se rapprochent le plus possible des termes de l'important répertoire préparé par Jean-Yves Croteau, sous la direction de Pierre Véronneau.

parce que le modèle de référence est la dramatique. Dans le téléroman, ce sont les personnages qui sont «énonciateurs», prenant à leur compte une partie importante du narratif et de l'information. La construction des personnages et le développement de l'action sont donc les caractéristiques majeures de ces feuilletons dramatiques, avec les dialogues. Le téléroman conçu comme série d'épisodes, découpés selon les besoins d'une unité de 30 ou de 60 minutes, mais reliés les uns aux autres pour assurer le développement d'une histoire (*fabula*), s'appuie sur une double structure de continuité: la permanence des personnages protagonistes dans le récit et l'ordre chronologique des événements. Le téléroman établit la continuité temporelle des événements et le déroulement de l'histoire sur des séries de repères indiciels, d'un épisode à l'autre.

Il faut cependant noter que la construction de l'unité de signification d'un épisode se fait par juxtaposition de scènes (fragmentées et réparties dans l'univers spatial et social du téléroman) qui doivent former une unité de sens, malgré la multiplicité d'intrigues et d'actions qui se développent parallèlement. En effet, il faut reconnaître que le déroulement du récit se fait par la **juxtaposition des scènes/séquences**, soit par une **structure en succession**, soit par une **structure en imbrication**, et parfois avec les deux[47] en alternance. Les **dialogues** comme commentaires et ce que l'on pourrait appeler les **commérages** littéraires font de certains téléromans[48] des lieux d'échanges, de formulations d'opinions ou de points de vue plutôt que des actions dramatiques. C'est le cas des dialogues qui rapportent ce que les personnages ont vu ou vécu comme événements au lieu de «montrer» ces personnages dans l'action, ou bien les événements et leurs conséquences sur l'évolution de l'action dramatique. Les **dialogues de confrontation** sont les moments clés des actions dramatiques dont les résultats seront un point de chute ou une relance pour la suite des événements. C'est aussi dans les dialogues que s'expriment une panoplie de sentiments, une vision du monde, émergées au moment critique d'une situation ou dans les moments plus lyriques.

Dans le genre «feuilleton dramatique», il existe une deuxième catégorie — «les téléséries» —, que le terme **drame par épisodes** (*series* en anglais) permet de distinguer des **comédies de situations**. Ces feuilletons n'ont pas la contrainte stricte de l'évolution chronologique, mais ils maintiennent la continuité sérielle par la réapparition des personnages dans les mêmes espaces, par le style de jeu des comédiens et une structure analogique du modèle d'intervention d'un épisode à l'autre. Le

[47] MÉAR, Annie et collaboration, «Le Téléroman, genre hybride: réalité et fiction à la télévision», dans *Télévision et fiction. Études littéraires*, vol. 14, nº 2, août 1981, p. 293-205.

[48] BABY, François, «Téléromans: personnages et dialogues», dans *L'Annuaire théâtral*, nº 3, Société d'histoire du théâtre du Québec, automne 1987, p. 97-126.

développement de l'action dramatique est complet à chaque émission de la série.

La troisième catégorie, la **comédie de situation** (bien connue sous le nom de «sitcom», dans la production américaine) a en partage les mêmes éléments de sérialisation que la dramatique par épisodes: la permanence des personnages clés, des espaces, et l'unité dramatique d'un épisode. Mais son contenu répond à l'art du comique et non plus à l'esthétique du drame (familial, psychologique, policier et autres). Ces séries utilisent tous les ressorts du comique (situations farfelues, techniques de la «farce», personnages stéréotypés dans leur structure comportementale, humour et mots d'esprit). Les comédies tendent à se construire avec des personnages dérisoires qui incarnent des aspects sociaux propres à chaque époque (*Symphorien*, *Poivre et sel* et *La Petite Vie*).

Ces caractéristiques générales de l'écriture dramatique propres aux feuilletons télévisés permettent de saisir la dynamique des structures qui en spécifient l'écriture. Mais il faut aussi considérer l'autre volet de cette écriture télévisuelle, qui a ses exigences. Elle doit tenir compte du **découpage des séquences** (séries de plans) et **du montage** qui organisent les éléments dramatiques et permettent une lecture des **situations** et du jeu des **protagonistes**.

Quant aux séquences qui organisent les situations, dans des décors déjà restreints et limités en nombre, elles rassemblent une série de **plans spécifiques**, adaptés pour le petit écran: le gros plan met les visages en relief, le plan moyen ou le plan américain servent à situer personnages, espaces et situations. Ils sont les plus fréquents. En ce qui concerne les scènes à personnages multiples (plan général) et les mouvements panoramiques, ils sont peu nombreux parce que moins fonctionnels au petit écran. On les réserve pour les génériques, comme dans *Les Belles histoires, La Rue des Pignons*. Cependant, l'exploration thématique d'une vision de la nature québécoise et de son milieu rural, dans les téléromans des années 80, (*Le Temps d'une paix, Cormoran*, ou des téléfilms *Les Filles de Caleb, Blanche, Shehaweh*) grâce aux facilités de la nouvelle technologie.

Des écrivains et des scénaristes à l'épreuve

Peu d'écrivains sans une longue expérience d'écriture ont été appelés à se produire comme auteurs de téléroman avant les années 70[49], car il fallait appuyer la crédibilité de la production télévisée par la réputation de ses auteurs. On a misé aussi sur la compétence des comédiens[50] qui ont donné à ces productions une valeur indéniable et

[49] EDDIE, Christine, *Television Drama in French*, dans *The Canadian Encyclopedia*, Edmonton, Hurtig Publishers, 1988, p. 21-27.

[50] De nombreux artistes de la scène se retrouvent à la télévision au cours des années 50-60. Après 1970, beaucoup de jeunes comédiens jouent à la télévision presque exclusivement.

marqué un âge d'or du téléroman littéraire — voire dramatique. On doit considérer que *Les Belles histoires des pays d'en haut* de Claude-Henri Grignon et *La Pension Velder* de Robert Choquette, *14 rue de Gallais* d'André Giroux, *Joie de vivre* de Jean Despréz et *Cap-aux-sorciers*, de Guy Dufresne ont créé les modèles d'une peinture sociale diversifiée du Québec, par rapport à laquelle *La Côte de sable* de Marcel Dubé est sans doute une œuvre de transition, tant par son écriture que par la documentation filmique qui y a été intégrée.

Après 1970, la modification du statut des auteurs est notoire. Ce ne sont plus les écrivains de l'Institution littéraire qui écrivent les téléromans. On fait appel à des scénaristes. Ces auteurs viennent du théâtre, de la radio, du journalisme. Ainsi en est-il de Louis Morisset avec *La Rue des Pignons* (journaliste et auteur de radioromans), et de Mia Riddez-Morisset (comédienne) qui prend la relève de son mari, et qui écrira *Terre humaine* (1978-1984) et le *Grand remous* (1988-1991). De même en sera-t-il de Michel Faure, auteur de *La P'tite semaine*, de Janette Bertrand et Jean Lajeunesse avec *Quelle famille, Grand-papa*, ou de Réginald Boisvert avec *Montjoie, Y a pas de problème, Faut le faire*, puis d'André Dubois et Jean-Pierre Plante avec *Du tac au tac*, de Guy Fournier avec *Jamais deux sans toi*, toutes des productions de CBFT. À CFTM, Marcel Cabay (pseudo. Marcel Marin), avec *Les Berger, Le Clan Beaulieu* et Marcel Gamache avec *Symphorien, Drôle de monde*, sont des auteurs de la télévision[51].

On ne peut passer sous silence l'importance que prendront, dans la programmation des années 80-90, de nouveaux scénaristes qui se révèlent des écrivains talentueux. Victor-Lévy Beaulieu, auteur de *Race de monde* revient avec *L'Héritage* et *Montréal P.Q.*. Pierre Gauvreau, peintre et réalisateur des émissions dramatiques pour enfants, à CBFT[52], ouvre une ère importante de production des téléromans sociohistoriques (*Le Temps d'une paix, Cormoran*) pour les années 80-90. Quant à Fernand Dansereau, cinéaste et producteur privé de cinéma après plusieurs années à l'ONF, il se découvre — à l'instar de Pierre Gauvreau —, un scénariste original, inventif et d'une vision critique remarquable dans *Le Parc des Braves*. Lise Payette, animatrice à Radio-Canada entreprend *Sous un signe de feu* puis *Les Dames de cœur* et *Marilyn*. Quant à Réjean Tremblay, venu du journalisme, il pratique une autre écriture avec *Lance et Compte, Scoop, Urgence*, inspirée des

[51] Quelques rares écrivains reconnus par l'Institution littéraire se retrouveront dans la liste: Guy Dufresne (*Les Forges de Saint-Maurice*), Claude Jasmin (*La Petite Patrie*), Robert Choquette (*Quinze ans plus tard*), Victor-Lévy Beaulieu et son premier téléroman, *Les As* (1977-1978).

[52] Il aurait fallu parler des œuvres produites dans ce service qui sont des œuvres importantes de la littérature de jeunesse. Le manque d'espace obligeait à faire le choix des œuvres pour «tous».

techniques de constructions de la télévision américaine. Déjà avec cette production on entre dans le téléfilm, une autre esthétique.

FICTIONS TÉLÉROMANESQUES

Une peinture sociale des milieux populaires et régionaux

Plusieurs des téléromans se veulent une peinture sociale de la vie contemporaine, bourgeoise et non bourgeoise, lieu de reconnaissance de notre identité québécoise. Cette écriture des téléromans laisse entendre que ce sont davantage les rôles sociaux qui servent de ressort à la dramatisation que la dimension psychologique, mais aussi qu'un certain mimétisme préside à la création de ces œuvres. Il faut rappeler que si la peinture peut avoir un référent, elle est toujours aussi une «représentation» et non pas le réel même. Le téléroman combine des systèmes de signes qui figurent la réalité, mais il s'écrit toujours comme fiction[53]. On oublie parfois dans le langage courant de distinguer le fictif du réel, et l'abus d'imprécisions pervertit quelque peu la compréhension de ces productions.

Ainsi quand Mia Riddez-Morisset pousse encore plus loin l'investigation de divers milieux dans *Rue des Pignons* (1966-1977) à CBFT, c'est pour peindre un quartier montréalais typique et établir, par ses personnages féminins surtout[54], des liens entre des groupes sociaux divers (ouvriers et bourgeois, professionnels, petits commerçants et clochards), qui finissent par créer une sorte de grande famille fictive québécoise. L'évolution sociale d'une génération à l'autre, par des facteurs d'éducation, de relations humaines et du hasard des influences, sert de jalons à cette œuvre qui s'étend sur onze années dans la programmation. De même, *Terre humaine* (1978-1984), crée des figures significatives du monde rural: entre autres le grand-père compréhensif et attentif tout en contraste avec son petit-fils volontariste et ambitieux, mais plein d'affection pour sa petite-fille qui le lui rend bien. *Le Grand remous* (1988-1991), réalisé par Lorraine Pintal, et écrit avec Dominique Drouin, met en scène une panoplie de personnages jeunes qui défendent leur vision du monde et leur désir de réussir, face à l'autre mentalité, celle des parents.

Ces téléromans opposent les valeurs de la ville au monde rural «où la vie est bien meilleure». Mais ce qui caractérise la construction des personnages et leur action relève de l'isotopie «morale», un discours propre aux téléromans de Mia Riddez-Morisset. Les personnages ont comme ressort dramatique de toujours être dans la ligne du bien et du bon, généreux et compréhensifs. Leur quête, avouée ou non, est le

[53] MÉAR, Annie, et coll., «Le téléroman, genre hybride»: *op. cit.*, p. 293-306.
[54] EDDIE, Christine, *L'Évolution des personnages féminins de* Rue des Pignons, Mémoire de Maîtrise, Université Laval, 1979, 112 p.

bonheur et la paix. Le sens de toutes les expériences téléromanesques est de conduire ce troupeau de personnages à l'amélioration de sa condition sociale et économique comme métaphore d'une autre réussite, la réalisation de leur destin ou leur salut dans la charité. La conversion des marginaux ou des méchants est une démarche à long terme, et ils seront plutôt éliminés de la structure du téléroman que de se voir condamnés, s'ils n'acceptent pas les objectifs collectifs implicites de l'œuvre. L'idéologie de ces téléromans cherche plutôt à occulter les affrontements ou les conflits, et ne montre pas ou peu les luttes, préférant les récits des événements, le «commérage» sur l'un ou l'autre — ou dit autrement, les nouvelles racontées par un rapporteur.

À l'opposé de cette vision du monde, on trouve, parmi les téléromans régionaux, la peinture sociale et familiale de *L'Héritage* (1987-1989), une œuvre majeure. C'est sans doute le téléroman le plus écrit de Victor-Lévy Beaulieu, tant par la qualité des portraits de ses personnages que par l'élaboration thématique et structurelle du récit. On y découvre la précision de la langue et la tension dramatique, davantage que dans *Race de monde* (1978-1981). Les effets de style propres à chaque grande figure autour de laquelle se construisent les intrigues, sont fortement poétisés et diversifiés dans leur expression. Ses personnages, issus du milieu populaire régional (le Bas-du-fleuve, près de Trois-Pistoles) et montréalais, trouvent leur originalité dans des traits de caractère bien définis: énergiques et durs dans la famille de Xavier Galarneau, particulièrement chez Miriam, son père et l'entêté Miville. Mais ce sont les sentiments, l'émotion et l'affection qui prédominent chez Julie, Albertine Galarneau et son amoureux, le poète Philippe Couture. Fantaisistes sont cet homme-cheval, Gabriel Galarneau, et les quelques jeunes musiciens et artistes qui se greffent à Junior. Plein de componction, Eugénio Gagnon séduit, tout autant que son patron Philippe. Et la liste est longue de toutes ces qualités de la composition des personnages.

Les situations explosent dans la confrontation de personnages puissants, tant par leurs désirs que par les frustrations qui les habitent. L'amour perverti, dans l'inceste (père/fille, frère/sœur), génère une volonté de puissance et de marginalisation sociale, qui ne réussit pas à compenser la culpabilité première et la honte. Mais le ressort dramatique du caché/révélé, particulièrement dans la vie de Xavier et de Miriam Galarneau, n'a d'égal que les rivalités familiales internes, où la haine et l'amour des frères et du père, comme un oxymoron, maintiennent le suspense, refusant toute forme de pardon. Dans toutes ces combinaisons de relations humaines complexes et d'amours qui se répondent et se perdent, émergent les figures d'artistes: du musicien — Junior Galarneau et de l'écrivain — poète, Philippe Couture. Ainsi en est-il dans *Race de monde*, avec l'écrivain Abel, et dans *Montréal, P.Q.*, avec le peintre Leonardo et l'esthète, le chanoine Odile Caron. Ces personnages prennent une dimension particulière, par laquelle l'auteur vise à faire entrer, dans la trame du quotidien québécois, des aspects d'une profession qu'on commence à faire voir comme l'une des richesses de la société québécoise.

Parmi les autres auteur(e)s prolifiques de cette période, il y a Lise Payette, qui écrit seule ou avec la collaboration de Sylvie Payette, une suite de téléromans: *La Bonne aventure* (1982-1986), *Des Dames de cœur* (1986-1989), *Un signe de feu* (1989-1991), *Marilyn* (1995-1997), *Les Machos* (1995-1997). Ces téléromans sont axés sur la condition de la femme et défendent une vision féministe du monde. Les vies de couples sont les lieux où émergent les insatisfactions et où s'amorcent les conflits, familiaux ou professionnels. Marilyn (1991-1995), téléroman d'une demi-heure quotidienne, met en scène une femme de ménage qui apprend le dur métier de la politique, développe des relations avec des milieux sociaux multiples; une véritable ascension sociale par le biais de la politique pourrait se réaliser, mais l'objectif de Marilyn est davantage d'aider les autres.

Téléromans ou téléfilms

Quant aux téléromans de Réjean Tremblay, *Lance et compte* et *Scoop*, ils innovent, par leur écriture syncopée, par le rythme des scènes courtes et par une mise en scène qui présente toujours les personnages en action. Dans *Lance et compte*, la dramatisation est ainsi plus fortement accentuée. Elle ne repose plus sur les conversations

Mia Riddez-Morisset, *auteure de téléromans, et* **Raymond David,** *directeur général de la Société Radio-Canada, qui présidait le lancement chez Fides de l'ouvrage* Robert Choquette, *romancier et dramaturge de la télévision en 1977.*

statiques de certains téléromans et comédies de situations, mais sur une gestuelle beaucoup plus dynamique, souvent agressive. Si la langue se veut mimétique des expressions propres aux milieux décrits, elle charge dans les jurons et certains propos provocateurs particulièrement utilisés dans *Scoop* et *Urgence*. Encore plus exacerbé dans la description de la vie en milieu hospitalier, *Urgence* (1995-) soulève la première année un tollé de protestations auprès de Radio-Canada. Ce dernier téléroman est agressant tant par le contenu que par le traitement filmique des images: focalisations et mouvements de la caméra, rapidité des actions et des plans, jeu des comédiens. À plusieurs reprises, on a dû expliquer le choix des contenus, par des interviews spéciales à CBFT, avec les auteurs, les gens du milieu médical et autres. Les téléfilms *Lance et compte*, *Scoop*, *Urgence*, dont l'écriture se construit sur les modèles typiquement américains, sont comme l'aboutissement d'une vision du monde, affolée, agressive et encapsulée.

La bourgeoisie dans les téléromans

Les téléromans des années 70-80 ont fait une peinture sociale de la bourgeoisie dont les nombreux personnages montrent par leurs implications dans des situations économiques, culturelles et politiques tout autant que familiales, une diversité de points de vue et de valeurs. Là non plus la vision de l'imaginaire ne confine pas au monolithisme. Ce qui peut étonner c'est que la nouvelle génération de la bourgeoisie québécoise a le désir de se trouver une identité différente de celle qu'avait créée Robert Choquette, et qui reposait sur les rivalités de «snobs», nouveaux riches incarnés par Mina Latour. Dans la nouvelle bourgeoisie, des valeurs autres que la richesse et les prétentions de classe semblent animer les jeunes qui se confrontent aux générations antérieures.

Avec *Quinze ans plus tard* (1976-1977), Robert Choquette rappelle à son auditoire une autre phase des conflits de la vie bourgeoise des Latour, des Papineau et des Velder, confrontés aux valeurs de leurs adolescents. Par la distribution des comédiens dans des rôles qu'ils ont déjà joués, et par le rappel d'événements de l'œuvre antérieure, *Quinze ans plus tard* reprend les fondements structurels de *La Pension Velder* (CBFT, 1957-1960)[55]. Autour des familles, tout un monde urbain se déploie. L'esthétique de Choquette repose sur les mêmes ressorts dramatiques: ambition de classe, rivalités des femmes, domination de Mina Latour sur son mari J.B., à la retraite. *Quinze ans plus tard* traite de sentiments qui peuvent paraître aujourd'hui quelque peu passéistes, et qui l'étaient pour la mentalité des années 70. Ce sont pourtant ces valeurs dites universelles (l'amour filial, l'honneur familial, la rectitude de la conduite, la sagesse parentale et le devoir-faire des enfants) qu'il tente de défendre dans une

---

[55] LEGRIS, Renée, *Robert Choquette romancier et dramaturge de la radio-télévision*, Éditions Fides, 1977, 287 p., p. 125ss.

société déstructurée et dans un monde en changement où règnent les idéologies de la contre-culture et de l'anti-bourgeoisie. On regrette que les dialogues soient ici moins convaincants que dans ses radioromans.

Dans l'élaboration de cette thématique bourgeoise, le téléroman *La Vie promise* (1983-1985) de Marcel Dubé paraît exemplaire, particulièrement par le portrait qu'il fait des personnages parentaux confrontés eux aussi à une autre vision du monde, celle de leurs adolescents. Les jeunes amoureux obligent les parents à se poser des questions sur leurs valeurs (rapports de classe, vision bourgeoise de la richesse, art de vivre) et à accepter des compromis. Cette intrigue montre bien aussi les changements que l'âge oblige à faire, et la question du vieillissement se pose en même temps que celle de l'adaptation aux cultures des nouveaux milieux sociaux. Les qualités du style et la langue si expressive, si riche et toute en nuance des personnages de Dubé, peut-être un peu majestueuse pour les goûts du public de téléromans populaires, conviennent bien aux personnalités de ses protagonistes. Cette caractéristique s'applique aussi à *Bonjour Docteur* (1987-1989) de Roger Fournier, où le monde professionnel sert de cadre aux intrigues. Ce téléroman explore à travers les intrigues amoureuses des problèmes de la profession médicale, et oppose les valeurs et les points de vue de trois générations de médecins. Entre autres, on y thématise les questions de l'évolution de la science et de l'éthique médicale face à l'avortement, à l'euthanasie, au sida et à la maladie d'Alzheimer. L'univers familial et professionnel dans lequel évoluent les personnages et les intérêts de la conversation de cette bourgeoisie sont d'une envergure qu'on ne retrouve pas dans *Quinze ans plus tard* de Robert Choquette. *Bonjour Docteur* fait émerger une conscience de soi et des autres, qui brise le cercle étroit des habituelles investigations téléromanesques et d'une vision banalisée du quotidien des comédies de situation.

Robert Choquette, *dramaturge de la radio-télévision,* **Olivette Thibault,** *comédienne,* **Clément Saint-Germain** *(du Ministère de la culture) et* **Jacques Desbaillets**, *annonceur à CBF, à la BNQ en 1975.*

Le téléroman *L'Or du temps* (1985-1990, à CFTM), de Réal Giguère, participe de cette même exploration d'une bourgeoisie fondée sur les particularités du milieu économique. La situation des personnages est d'abord liée aux préoccupations d'un propriétaire de holding qui cherche à consolider sa succession. À la mort de Philippe Debray, des luttes entre la fille et le fils de ce dernier pour la direction des institutions financières nous introduisent dans la complexité du jeu des relations familiales et du monde économique.

La «représentation» des activités de la vie politique et de ses stratégies occupe l'essentiel des situations du téléroman *Monsieur le Ministre* (1982-1986) de Solange Chaput-Roland et Michèle Bazin. Le développement de l'action dramatique se fait par les jeux de rivalité politique entre les personnages et des luttes serrées entre les partis. Le jeu des alliances pour le pouvoir passe par les femmes. Une vision féministe éclaire les rôles de secrétaire, d'épouse et de maîtresse qui s'affrontent tout autant que la femme-ministre (Monique Mercure), vouée à sa carrière, et qui lutte de plain-pied avec les hommes pour s'imposer et faire reconnaître ses compétences comme femme. On trouvera, inscrits dans ce téléroman comme dans plusieurs autres, les problèmes de la drogue et de l'abandon des jeunes, laissés à eux-mêmes à cause des charges professionnelles souvent très lourdes des parents politiciens.

Il faut constater que la peinture de la bourgeoisie est beaucoup plus diversifiée qu'on ne le croirait dans cette panoplie de téléromans et que des spécificités propres à chaque auteur en découvrent les valeurs sous des angles différents. Les situations illustrent des comportements moraux et affectifs de personnages qui se présentent comme des modèles à imiter. Il s'ensuit un attachement à leur valeur de représentation — soit du bonheur, du travail, de la volonté de puissance, de la contestation, ou des relations humaines et amoureuses. La structuration des personnages autour des situations familiales ou du monde des affaires donne une coloration particulière au contenu. Et la vraisemblance tout autant que la «vérité» des personnages, peut assurer au téléroman sa force et son intérêt. Une étude plus élaborée mettrait en évidence la multiplicité des points de vue sur la société bourgeoise du Québec et pourrait aider à comprendre les modalités des transformations de cette réalité sociale autour de laquelle se créent des mythes.

LES TÉLÉROMANS SOCIO-HISTORIQUES

Société et culture dans les téléromans historiques

CBFT compte dans sa programmation des années 70 un important téléroman historique[56], *Les Forges de Saint-Maurice* (1972-1975), réalisé par Louis Bédard. Écrit dans un éclairage

[56] Guy Dufresne a donné une version réduite de cette œuvre dans *Ce maudit Lardier*, préface de Maurice Filion, Leméac, 1975, 167 p. Collection «Théâtre», n° 49.

idéologique où le Québec n'est plus la terre mythique du missionnariat, mais un lieu de combats et de confrontation des intérêts amérindiens et coloniaux, ce téléroman met en scène des personnages bien campés qui ont une valeur historico-sociale, puisque leurs portraits ont été inspirés par des notes conservées depuis cette époque. *Les Forges de Saint-Maurice* explore l'univers créé autour de l'industrie métallurgique des Forges au XVIIIe siècle en Nouvelle-France, quelques décennies avant la Conquête. Dans la trame du récit sont mis en situation d'opposition les ouvriers du Roi, les commerçants et les traitants, (dont participe François Godard, allié aux Indiens Abénakis). Le commerce des tissus et autres biens, géré par la famille Duplessis, occupe un espace économique important dans cette colonie, et Marie Duplessis trouve auprès de M. De Vezin, envoyé du Roi, un support à son entreprise. Ce sont les conflits idéologiques et les rivalités entre ces trois intérêts qui vont permettre — dans une structure narrative très serrée — de construire une action qui fera basculer dans le clan Godard, le Maître-Fondeur, Lardier, aidé par son amoureuse, Véronique Godard. Réfractaires à toute entreprise de consolidation socio-économique de la Nouvelle-France, avides de richesse et liberté, les Godard et Lardier rompent le pacte de fidélité, et Lardier s'enfuit aux États-Unis.

Guy Dufresne, *auteur de la série* Le Ciel par-dessus les toits, *à CBF, et de* Cap-aux-Sorciers, 7e Nord *et* Les Forges de Saint-Maurice, *à CBFT. Archives de la Société des Fondateurs de l'Église canadienne.*

Dufresne crée dans cette œuvre des personnages puissants par leurs traits de caractère, que le jeu des comédiens mettait bien en évidence. Vigueur, ambition, passion, contestation de l'idéologie dominante, remise en question des rôles féminins traditionnels et des structures de classes, sont autant d'aspects thématiques qui s'élaborent dans son écriture. Il sait faire émerger les vrais conflits, ceux de la vie, de l'amour et de la mort. Sa problématique inscrit dans la trame narrative les rapports d'opposition, nature/culture, arrivisme/professionnalisme, amour/haine, rejet/séduction, aristocratique/populaire. La peinture de l'émergence d'une société occidentale de colonisation sert d'antidote à l'anecdote qui trop souvent investit les téléromans. Et dans les événements décrits comme jalons à une histoire de cette colonie qu'est la Nouvelle-France, c'est le cheminement du destin québécois qui s'écrit, au confluent des cultures (indienne, canadienne, européenne) et des civilisations (âge de l'industrie du fer, âge du nomadisme, âge de l'agriculture).

Pendant les décennies 80-90, trois auteurs ont créé des œuvres aussi importantes que celle de Guy Dufresne, tant par leur vision du monde et la complexité du traitement thématique, par la qualité dramatique et dialogique de leur œuvre, que par la force de leurs personnages. Pierre Gauvreau avec *Le Temps d'une paix* (1980-1986) et *Cormoran* (1990-1994), réalisés par Yvon Trudel, Fernand Dansereau avec *Le Parc des Braves* (1984-1988), réalisé par Hélène Roberge, et

Victor-Lévy Beaulieu avec *Montréal P.Q.* (1992-1994) occupent une place privilégiée parmi les écrivains de la télévision qui ont produit des téléromans socio-historiques.

Dans *Le Temps d'une paix*, ce sont les aspects sociologiques et technologiques d'une société québécoise fictive, en pleine évolution après la guerre 14-19, que Gauvreau étudie. Entre autres, la transformation du monde rural de survie et l'attachement à la terre comme facteurs d'identité, l'apport de la mécanisation à la vie rurale et régionale et le contraste des milieux ruraux et urbains de la ville de Québec. Contrairement aux personnages de plusieurs téléromans, ses personnages sont définis par l'esprit de décision, la clarté du jugement, la volonté de réussir et une assurance étonnante dans une société québécoise encore fortement marquée par ses attaches rurales. Même les personnages féminins ont cette forte personnalité qui les rattache analogiquement à l'idéologie du féminisme des années 70-80. Sous cet angle les personnages de Gauvreau ont une certaine parenté avec ceux de *L'Héritage* de Victor-Lévy Beaulieu.

Le Temps d'une paix présente une triple intrigue dont les actions évoluent entre 1918 et 1930, autour des figures de Rose-Anna St-Cyr et de Joseph-Arthur Lavoie (du milieu rural de Charlevoix) et de leurs enfants déjà adultes dont les quêtes amoureuses ou l'insertion dans la vie urbaine (Juliette et Antoinette) permettent d'explorer diverses facettes de la société. Le rôle des jeunes dans une transformation sociale inéluctable s'affirme par la liberté de mœurs, les tendances de certains à rejeter le conservatisme au profit du libéralisme et de la modernité. De scènes de confrontation et de réconciliation, familiales et politiques, mettront en valeur les divers rôles sociaux. La femme s'affirme, non plus uniquement comme mère ayant autorité sur ses enfants, mais aussi comme personne autonome, capable de participation à des actions socio-politiques et au mouvement féministe. La société bourgeoise ne manque pas de tirer bénéfice de toutes les facilités engendrées par l'industrialisation jusqu'au moment de la crise, tandis que la propagande de la nouvelle colonisation des terres sert de palliatif aux impuissances politico-économiques de 1929.

Avec *Cormoran* (1990-1993), c'est la période de 1932-1940 qui sert de référent historique aux événements dramatiques. Les rapports de force entre les personnalités d'un petit village de Rimouski se fondent le plus souvent sur les rapports de classes, définis par Bella Cormoran, mais aussi sur les positions idéologiques des personnalités villageoises. Les crises issues des situations politiques, économiques et culturelles — particulièrement l'imminence de la déclaration de la guerre 1939-1945, tissent une trame serrée dans laquelle évoluent des personnages, libéraux, fascistes ou conservateurs (voir anthologie). Des gens de commerce, d'église, des artisans et des professionnels sont amenés à se confronter, et les scènes n'éludent pas ces rencontres qui consacrent la force de la dramatisation de ce téléroman. La présence de deux personnages d'origine allemande dans le village donne lieu à des intrigues amoureuses et politiques, mais aussi à des éclairages particuliers sur l'idéologie allemande à propos de l'identité raciale ou de l'espionnage scientifique.

Dans *Cormoran*, la séparation des classes sociales se profile à l'occasion de certains événements où les revendications sociales des ouvriers génèrent des conflits majeurs. Les exclus comme les deux Thomas (Tom Pouce et Tom Mix) servent de ressort pour démontrer que l'homogénéisation sociale et villageoise, de fait, n'existe pas. Ainsi plusieurs des personnages masculins se distinguent par leur position sociale. Entre le maire du village, Viateur Bernier, plutôt conservateur, le docteur Pacifique Cormoran, libéral, le directeur-imprimeur d'un journal plutôt de gauche, Flamand Bellavance, et le jeune travailleur Gérard Labrecque, accusé d'être communiste parce qu'il revendique de justes salaires, entre le tenancier de l'hôtel, Hippolyte Belzile, au centre et Clément Veilleux, fasciste voué à Mussolini, imité en cela par Vital Laforce, il y a tout une gamme de positions et d'actions qui montrent avec éloquence la complexité de cette micro-société québécoise fictive et de ses options politiques. On remarquera que les femmes sont à peu près absentes de cette isotopie. De cette période des années 30 de plus en plus troublée par les fascismes d'Espagne, d'Italie et d'Allemagne et par l'inquiétude de voir l'Europe à feu et à sang, le téléroman n'hésite pas à explorer la complexité des tendances idéologiques des politiciens d'ici.

Gauvreau est passé maître dans l'art de construire un scénario, riche par les caractères de ses personnages, par la densité des enjeux thématiques. Ses dialogues évitent le commérage banal et insignifiant de certains feuilletons et les déclarations sentimentales sans style ni mordant. Il donne un relief exceptionnel dans son écriture à l'action tragique, mais il sait aussi dédramatiser aux moments opportuns, soit par un humour d'une grande finesse et la tendresse tout en nuances, soit par la caricature et le burlesque, particulièrement utilisés comme critique de l'idéologie des «chemises bleues». Pierre Gauvreau pratique un art du dialogue, qui ne craint pas le baroque ni la charge, mais n'en abuse pas, préférant les allusions subtiles des conversations entre ses personnages, même les plus représentatifs des milieux marginaux et pauvres, qui côtoient les grands de la société.

Le téléroman *Le Parc des Braves* (1984-1988) de Fernand Dansereau, en mettant en scène les années de la guerre 1939-1945, dans le contexte de la ville de Québec, participe à une autre étape de l'exploration de la société québécoise. En effet, dans *Le Parc des Braves*[57], le motif de la

[57] Une étude plus approfondie du thème de la guerre à la radio et à la télévision (*Le Temps d'une paix, Le Parc des Braves*) a paru dans: Renée Legris, «De la Fiancée du Commando au Parc des Braves: la guerre dans les dramatiques à la radio et à la télévision», dans *Aspects du théâtre médiatique*, Les Cahiers de la Société d'histoire du théâtre du Québec (SHTQ), n° 4, juin 1991, p. 18-48.

Seconde Guerre mondiale détermine les grandes isotopies du discours où sont confrontées les idéologies des Canadiens-français et des anglophones, des militaires ou des civils. La construction du récit repose sur une documentation faite à partir des discours journalistiques et du repérage des événements marquants de notre histoire, qui ont suscité des commentaires dans *La Presse, Le Devoir* ou *L'Action catholique*. Le cadre des intrigues a donc un référent précis, celui de l'actualité des années 40, vue sur une période de cinq ans. L'art de Fernand Dansereau est d'inscrire cette actualité dans le traitement des événements quotidiens de la fiction du téléroman.

Toutes les intrigues du téléroman évoluent dans le cadre spatial de la ville de Québec et au cœur de la famille Rousseau, appauvrie par le décès du père, et dont l'oncle paternel, le Colonel Tancrède Rousseau, devient le protecteur, amoureux de sa belle-sœur. Plusieurs femmes (entre autres Mado et Corrine) auront leur coup de cœur, pour Tancrède surtout, dont la compréhension et la sensibilité polarisent leur affection. Cette chronique familiale a de nombreuses ramifications. Les douleurs et les ruptures de tout ordre, engendrées au Québec par la guerre, trouvent toujours consolation ou solution grâce aux interventions de Marie ou de son beau-frère. Si la guerre définit un climat plutôt tragique, l'auteur a su créer quelques personnages dont les traits de personnalité se prêtent aux situations comiques. Pierre-Paul (Mr P.P.), Valmore, Mado, l'adjuvant du Colonel, sont des rôles de composition par lesquels s'exprime une vision du monde plus populaire, plus spontanée. Ils sont imperméables pour ainsi dire aux grandes justifications intellectuelles qui les atteignent assez peu. Quant à Flore, prenant la mesure de ses limites, elle dira dans les circonstances difficiles: «J'connais ma classe, j'connais mon rang». Sa langue est fleurie des images marines — inspirées de son enfance dans le Bas du Fleuve —, qui métaphorisent ses répliques et montrent l'art des dialogues de l'auteur.

Toute une gamme de sentiments s'expriment dans les dialogues et servent souvent de ressort dramatique. Pierre-Paul par exemple a de la guerre une peur «bleue». S'il cherche à se défiler par méfiance et par angoisse, il veut aussi participer à un certain effort de guerre pour se valoriser comme patriote. Mais comme plusieurs des personnages, il est fondamentalement contre la conscription, et avec Valmore dont il craint les fanfaronnades, il cherche malgré tout à dissuader les enrôlés et à soutenir l'idéologie nationaliste des déserteurs.

Par les expériences de ses personnages autant que par les tensions qu'ils vivent, Dansereau propose une méga-métaphore de la guerre — manifestée dans chaque instance de la construction du téléroman et des rapports entre ses personnages. L'un des ressorts psychologiques de son écriture est la tergiversation qui structure la conscience de ses principaux personnages. Son impact sur le cheminement des intrigues est fondé sur la pratique du doute existentiel. Doute sur soi, sur ses sentiments, sur ses orientations, sur les choix idéologiques. Même le doute amoureux qui en est une sorte de conséquence permet de jouer sur des alternatives pour la suite logique des événements. Ce doute structure l'ambiguïté des personnages et obnubile en partie leur conscience — ainsi est-il de Marie, Mado, Corrine, Tancrède, et même Flore après son mariage avec Pierre-Paul. Il permet à l'auteur de faire intervenir alternativement l'un ou l'autre des deux volets de ces personnalités (un surmoi social ou un moi perturbé). Cette technique de structuration favorise une évolution du récit par analepses et prolepses, avec des retours critiques où les images du soi peuvent s'assurer une nouvelle identité, celle qui après la guerre se réaffirmera comme un droit à être pleinement soi-même. Après des cheminements plus ou moins hasardeux, les protagonistes Marie, Tancrède, Corrine, Mado, Flore et Pierre-Paul trouveront leurs vraies «voie/voix», que la guerre avait défigurées.

Montréal P.Q. de Victor-Lévy Beaulieu met en scène la société montréalaise d'après la guerre 1939-1945 et montre qu'elle se partage en deux groupes conflictuels: les gens honnêtes et les milieux de la prostitution. Le chef de la police Téoli en conflit ouvert avec l'ancien chef de l'escouade de la moralité, Hubert Blondeau, protège son amante, Madame Félix. Deux modèles de femme sont aussi mis en opposition, Fleur-Ange Blondeau, dévouée et insconsciente de tous les problèmes dans son milieu bourgeois et protégé (de sa fille Roxane surtout) et Madame Félix, qui vit dans le luxe de la prostitution, tout en soutenant son fils prêtre dans sa mission. Ce téléroman par son style, sa documentation sur l'époque et la qualité dramatique des événements pleins de rebondissements, témoignent de l'expérience d'un écrivain chevronné, ce que l'auditoire a immédiatement reconnu. L'arrière-plan historique de ce téléroman lui donne une saveur toute particulière.

Les téléromans de ces trois écrivains explorent les réalités sociales, économiques et politiques, culturelles et religieuses du Québec, à ces diverses époques. Ils proposent un nouveau regard sur l'histoire sociale et portent une dimension critique sur les événements, les personnages et les valeurs du temps. Dans ces œuvres de fiction, l'action repose sur des conflits puissants entre les groupes sociaux et les individus, ainsi que sur des divergences idéologiques importantes qui stratifient la représentation d'une société québécoise qu'on a trop longtemps considérée comme monolithique. Le style et l'originalité des personnages protagonistes donnent une valeur exemplaire aux téléromans à vision historique de ces auteurs des années 80-90.

TÉLÉSÉRIES

On peut considérer que les téléséries ne sont pas un genre mais bien un cadre de production et de diffusion à l'intérieur duquel on trouve diverses écritures dramatiques dont les plus importantes sont les comédies de situation, les dramatiques par épisode (une forme de téléroman dont chaque émission développe une action dramatique complète), les transmodalisations de romans, les séries historiques et les téléfilms. Ces productions s'écrivent comme des continuités et sont habituellement conçues selon un nombre limité d'émissions, contrairement au téléroman qui s'écrit à partir d'un synopsis accepté, mais dont les émissions sont produites au fur et à mesure, sur plus d'une année la plupart du temps.

Les comédies de situation

Les comédies de situation sont nombreuses dans la programmation et elles s'insèrent dans des séries qui peuvent parfois durer plus d'une année, contrairement aux séries historiques qui sont de 12 à 15 épisodes. Leur structure est répétitive et peu de ces œuvres ont créé un style et une esthétique qui ont marqué l'histoire littéraire. Ce sont des œuvres de divertissement, faites pour la consommation rapide et régulière. Les intrigues se fondent sur des éléments sociaux qui soulèvent l'intérêt du public et les personnages protagonistes évoluent parmi de nombreux personnages secondaires qui se prêtent à des situations comiques. Les thèmes sociaux sont traités dans le style de l'ironie ou de l'humour pour divertir d'abord mais aussi parfois en faire la critique. L'écriture des comédies repose sur des codes bien connus du comique, ce qui ne va pas sans une réitération des modèles et une banalisation de la série.

Au cours des années 70, les comédies de situation ont la cote d'amour du public. *Moi et l'autre* de Gilles Richer à CBFT de 1968 à 1972, *Symphorien* de Marcel Gamache à CFTM, *La Petite semaine* (1973-1976) de Michel Faure, *Y a pas de problème* de Réginald Boisvert et *Du tac au tac* (1976-1982) d'André Dubois et Jean-Pierre Plante sont des comédies qui explorent les questions sociales diverses, utilisant comme ressort dramatique les situations issues du bon voisinage de certains personnages. On y traite aussi les aspects du féminisme, du travail, de la nouvelle sexualité, des rapports de pouvoir qui préoccupent une société québécoise en transition. Au cours des années 80, on trouve de nouveaux thèmes: sur les gens âgés avec *Poivre et Sel* (1985-1987) de Gilles Richer; sur le monde policier avec: *Robert et Compagnie* (1987-1989) de Michel Dumont et Marc Grégoire, *L'Agent fait le bonheur* (1985-1987) d'André Dubois et Ubaldo Fasano, *Edgar Allan, détective* (1981-1985) d'Yves É. Arnau, et *Rachel et Réjean Inc.* (1987) de Louis Caron et ses collaborateurs, où un détective handicapé continue à mener ses enquêtes avec l'aide de sa fille, dans divers milieux: chinois, haïtiens, la haute finance, la drogue et les sectes religieuses. Quant à la fantaisie de Denise Filiatrault, elle s'exprime dans *Chez Denise* (1980-1982) et *Le 101 ouest, avenue des Pins* (1984-85), deux séries, l'une sur la vie de restaurateur, l'autre sur les relations entre marginaux.

Vaut mieux en rire (1982-1985) d'André Dubois, une suite de *Du tac au tac* (1976-1982), se moque de diverses situations: le chômage, la politique, les publicitaires, le sport, la mode, tandis que *Manon* (1985-1986) de Guy Fournier, situe son action dans un CLSC dont les personnages antithétiques s'opposent les uns aux autres ou épousent les idées de Manon, une originale. La conception de chaque dramatique prévoit un renversement de la situation finale, grâce à la finesse de Manon. Quant à *Semi-détaché* (1987-1989, à CFTM), de Roger Legault et Jean-Louis Sueur, il met en opposition deux pères de famille, québécois et italien, dont les idées politiques diffèrent alors que femmes et enfants s'entendent bien. *Super sans plomb* (1989-1990) de Bruno Carrière et François Côté dramatise les aventures d'un libraire de Québec devenu, par héritage, garagiste avec ses enfants. Il est mis en conflit avec une ancienne strip-teaseuse, propriétaire d'un lave-auto, et une jeune journaliste.

L'œuvre du genre comique qui a conquis le plus grand nombre de spectateurs, au cours des années 90, dans cette catégorie d'émissions, est *La Petite vie* (1995-) de Claude Meunier. Les techniques du comique y sont utilisées dans toutes leurs possibilités. Son écriture parodique se fonde sur un répertoire étendu des incongruités et des stupidités d'un groupe social qui évolue autour de la famille de «Popa et Moman», et les situations témoignent d'une grande inventivité. Cependant la structure du contenu transforme ces ressources en une systématisation de l'insignifiance, saisie comme défi à la connaissance et au savoir-faire collectif, et comme valorisation absolue du ridicule. Les personnages apparaissent comme des pseudo-démunis dont les paroles et les actions n'ont d'autres objectifs que la dérision, de tout et de tous. Chaque scène est construite en vue de produire des «gags» ou des effets comiques, à un rythme étudié et programmé, et on mise sur l'effet cumulatif pour en saturer l'émission.

De plus, les rires d'un public — qui semble fictif — et dont la réaction vient avant que le téléspectateur ait lui-même pu réagir, deviennent agressants plus qu'ils ne créent de connivence. Cet effet de rires en «hors champ» est une pratique insupportable, selon l'avis de plusieurs — même si elle est régulièrement employée dans les émissions —, parce qu'elle prive l'auditoire de sa spontanéité et que le conditionnement au rire est une surdétermination qui détruit toute velléité de critique ou de distanciation face au produit consommé. C'est comme si on forçait l'auditoire à un comportement par crainte qu'il ne soit pas suffisamment intelligent pour apprécier lui-même les effets comiques. Ce procédé est une forme subtile de domination des téléspectateurs qu'il faut dénoncer.

Après plus d'une année de production, *La Petite vie* est devenue un produit de consommation dont l'usure se fait déjà sentir. Cette série est, par son écriture systématisée, la plus stéréotypée, la plus réitérative de toute la production télévisée de ces décennies. Mais si le discours se développe sur un mode parodique, il n'en demeure pas moins — sémiotiquement parlant — une illustration du misérabilisme collectif québécois, qui ne peut nous être indifférent, surtout quand il devient le référent hebdomadaire de l'identification que recherche près de la moitié de la population du Québec. Il faut aussi signaler que malgré la réussite en terme de cote d'écoute de cette série (ses millions de téléspectateurs), il y a beaucoup de Québécois(e)s qui constatent qu'elle leur est intolérable; et après trois ou cinq minutes d'un spectacle qu'ils jugent bruyant, redondant et débilitant, ils zappent... [58], même s'ils ont pu rire un moment à l'amorce presque toujours réussie.

Les dramatiques par épisodes

Il est facile de constater que les thèmes familiaux et sociaux ont été modifiés au gré des transformations apportées par l'évolution de la société québécoise entre les années 60 et 90. Les questions sociales, ethniques et culturelles, économiques et éthiques, mais aussi médicales, sexuelles[59] et politiques des années 80 émergent et obligent à des traitements différents.

Quelle famille (1970-1975) de Janette Bertrand est l'une de ces productions des années 70, qui apportent une autre vision du monde que celle du téléroman *Rue des Pignons*. L'univers familial est plus ouvert, les personnages plus libérés des anciens comportements autoritaires des parents. Cette série sera diffusée en Europe sous le titre *La Famille Tremblay* et sera reçue comme représentative du Québec moderne. *La Petite Patrie* (1974-1976) et *Boogie-Woogie 47* (1980-1982) de Claude Jasmin proposent un regard sur la petite société québécoise de la période de la guerre, sans poser de questions ni politiques ni sociales, contrairement aux œuvres des auteurs Fernand Dansereau et Pierre Gauvreau. Le passé des gens de sa génération, la vie familiale, la vie de quartier, les changements de génération et de valeurs occupent l'essentiel des intrigues. *Jamais deux sans toi* (1977-1980) de Guy Fournier — qui sera reprise pour une suite dans les années 90 et *Paul,*

[58] Michèle Nevert poursuit une recherche sur cette production et ses ressources comiques, à l'UQAM, qui devrait être publiée. Une interview de Michèle Nevert «L'Humour dans la société québécoise» a été diffusée à *Enjeux*, CBFT, mars 1995.

[59] Normand Martineau, *L'Image des homosexuels dans les médias: analyse et évaluation de la représentation d'une marginalité*, Mémoire, (M. SC.) Université de Montréal, 1985, 274 p.

Marie et les enfants (1985-1887, à CBFT) de Jean-Paul Le Bourhis présentent les péripéties d'une vie familiale où s'expriment les aspects divers de la vie de la famille: questions conjugales, problèmes des enfants, vie professionnelle. Les péripéties ne manquent pas. Et le traitement est fait avec humour et intelligence, cherchant à donner une vision réaliste de l'univers où les personnages évoluent.

À CFTM, plusieurs séries sont diffusées qui connaissent la faveur de l'auditoire: *Dominique* (1977-1980), de Réal Giguère, *Peau de banane* (1982-1987) de Guy Fournier, *Marisol* (1980-1985) de Micheline Bélanger et Gérald Tassé. *Les Moineau et les Pinson* (1982-1985), de Georges Dor, connaît un vif succès. L'auteur y reprend le motif de la peinture sociale familiale opposant la petite bourgeoisie à un milieu populaire.

Transmodalisation de romans

Plusieurs des séries, inspirées d'œuvres romanesques publiées par des auteurs de renom au Québec, sont des reconstitutions d'une époque. Elles occupent une place de choix dans la programmation et elles sont souvent données en reprises, puisqu'elles ont été conçues comme des téléfilms pour rediffusion[60]. Les plus célèbres productions sont: *Les Plouffe* (1981), *Le Crime d'Ovide* (1986) de Roger Lemelin, *Maria Chapdelaine* (1985) de Louis Hémon, *Le Matou* (1987) d'Yves Beauchemin et *Entre chien et loup* (CFTM, 1984-1992), une peinture de mœurs villageoises dont le scénario est écrit par Aurore Dessureault-Descôteaux. Au cours des années 90, trois séries à visée historique sont à signaler: les romans d'Arlette Cousture, *Les Filles de Caleb* (1992) et *Blanche* (1993), dont les scénarios sont dûs, pour l'un, à Fernand Dansereau et pour l'autre, à Louise et Andrée Pelletier. Ces deux séries sont d'une qualité dialogique et filmique remarquable. Elles intègrent bien la dimension socio-historique des situations et balisent des aspects oubliés de la vie québécoise et de son passé.

Les téléséries historico-politiques

La plupart des téléséries historiques posent le problème du politique. Elles relèvent le plus souvent d'une écriture plus filmique que télévisuelle, surtout après les années 70. Nous ne ferons qu'évoquer ici les grands titres. *Duplessis* (1977) de Denys Arcand a marqué la fin des années 70 et suscité plusieurs débats. *Les fils de la liberté* (1980) de Louis Caron et Claude Boissol rappelle — à l'époque du premier référendum sur l'Indépendance du Québec — les conséquences de la Révolte de 1837. *Shehaweh* (1993) est une série diffusée pour le 350e anniversaire de la fondation de Montréal, écrite par Fernand Dansereau. Les grandes questions de la culture, de l'inculturation et de l'acculturation — dans les domaines politique, social et religieux —, sont inscrites comme

[60] On pourra consulter sur la question des adaptations: BELLAFIORE, Barbara, *Format adaptation and the Quebec téléroman*, Mémoire, (MA), Montréal, McGill University, 1980, 198 p.

des isotopies majeures dans *Shehaweh*, et c'est là sans doute la plus grande originalité de cette œuvre qui remet en cause la rencontre des Amérindiens et des Blancs, par les prises de conscience de la protagoniste principale, *Shehaweh*, sur sa réalité complexe, individuelle et collective.

LE TÉLÉTHÉÂTRE QUÉBÉCOIS

L'écriture du téléthéâtre[61], différente de celle du téléroman parce qu'elle se structure sur une action dramatique complète dans une durée de soixante minutes et plus, s'est développée en trois étapes entre les années 1952 et 1996. La première étape, de 1952 à 1969, a mis l'accent sur la parole (les dialogues et leur développement), le jeu des comédiens dans des espaces en studio, avec des décors intérieurs surtout et des costumes significatifs: *Lie de vin* de Pierre Dagenais; *Sous le règne d'Augusta* de Robert Choquette; *Bilan, Le Temps des lilas, Virginie* de Marcel Dubé; *La Neige en octobre* d'André Langevin, en sont de bons exemples. Dans le cours des années 70, une seconde étape montre que les dramatiques s'affranchissent de certaines limites de cette écriture scénique et théâtrale, pour donner plus d'importance à l'image qu'aux dialogues qui deviennent plus allusifs, au mouvement dans des espaces plus diversifiés — les extérieurs sont plus fréquents — car la technologie rend plus facile le déplacement des caméras (*Table tournante, Double Sens* d'Hubert Aquin[62]; *L'Océan* de Marie-Claire Blais; *Les Semelles de vent*, d'André Langevin. Avec les années 80-90, une troisième étape est marquée par l'arrivée du vidéo qui permet une plus grande souplesse de transcodage des scénarios. Et la possibilité de mettre l'accent sur les signes de l'audio-visuel conduit à une nouvelle écriture souvent désignée comme téléfilm. La production d'*Un Parc en automne* de Louise Maheux-Forcier, une réalisation de Paul Blouin, *La chose la plus douce au monde ou les Passeuses* de Pierre Morency et *Les Grandes marées* de Jacques Poulin, sont des spécimens de ce traitement filmique d'une œuvre écrite et d'abord conçue comme téléthéâtre, mais dont la scénarisation permet aussi une écriture téléfilmique d'une très grande qualité esthétique.

Quand on jette un coup d'œil rapide au répertoire des productions de téléthéâtres à CBFT[63], pour la période des années 1970, on découvre

[61] **NOTA BENE:** L'espace limité de cet ouvrage ne permet pas de présenter en détail la production du téléthéâtre. Je me permets d'en proposer quelques aspects, dans l'attente d'une publication plus élaborée sur l'ensemble des genres dramatiques à la télévision.

[62] Dans *Table tournante*,[...] Les actes des personnages importent plus que leurs paroles, le cadrage l'emporte sur la mise en scène, la trame sonore envahit l'image pour mieux la définir. Christiane Lahaie, «Hubert Aquin ou la quête médiatique» *Fréquence/Frequency*, n°s 3-4, 1995, p. 86-98.

[63] PAGÉ, Pierre, Renée Legris et Louise Blouin, *Répertoire de dramatiques québécoises à la télévision 1952-1977*. (voir la chronologie des téléthéâtres: p. 124-126)

que Marcel Dubé et Michel Tremblay sont les plus prolifiques, et que les auteurs tels Hubert Aquin, Pierre Dagenais, Françoise Loranger, Robert Choquette, Carl Dubuc, Claude Jasmin, Guy Dufresne[64], Réal Benoît, interrogent des rôles sociaux passés et présents avec un regard nouveau et une écriture toujours plus moderne. Des auteurs tels André Langevin, Louise Maheux-Forcier, Marie-Claire Blais, Jean Barbeau, Michel Faure, et Pierre Gauvreau, Jacques Brault, Madeleine Gagnon-Mahony, Andrée Maillet, Serge Sirois, malgré leur unique production en ces années, sont tout de même au cœur de la programmation comme des auteurs-relais, porteurs d'une nouvelle sensibilité et d'une remise en question des valeurs sociales. Plusieurs poursuivront leur production dans les décennies suivantes. Les réalisateurs Paul Blouin et Louis-Georges Carrier, Florent Forget, Jean-Paul Fugère et Jean Faucher sont chacun, dans leur style, des co-créateurs de ces œuvres dramatiques et ils innovent en transformant, au gré des possibilités techniques des années 70, l'écriture télévisuelle. Parmi ces œuvres, il faut signaler deux téléthéâtres historiques: *L'Homme aux faux diamants de braise* (1973) de Jean-Robert Rémillard et *Québec, printemps 1918* (1975) de Jean Provencher et Gilles Lachance.

Dans la production des années 80, on retiendra quelques noms de dramaturges dont plusieurs ont une longue carrière. Avec Jacques Languirand, *Les Violons de l'automne* (1980), Marcel Dubé, *Bilan* (1980), Michel Tremblay, *Demain matin, Montréal m'attend* (1980), Jean-Claude Germain, *Les Hauts et les bas de la vie d'une diva* (1984), Roch Carrier, *La Céleste bicyclette* (1984), une panoplie de grandes œuvres passent de la scène à la télévision, dans une transmodalisation nécessaire pour adapter les langages et faire se rejoindre les exigences esthétiques du théâtre et de la télévision. Quelques-unes de ces productions utilisent le langage du téléfilm dont la qualité donne aux images, au découpage et au jeu des comédiens toute leur portée. *Encore un peu* (1982) de Serge Mercier et *La Chose la plus douce au monde ou les Passeuses* (1982) de Pierre Morency, explorent la vie des gens âgés, ainsi que *Décembre* (1978) de Guy Dufresne, dont la critique a parlé en termes très élogieux[65]. *Terre des jeux* (1985) de Jean-Marie Lelièvre, qui met en scène une Amérindienne, attachée à ses traditions. Jacques Poulin, dans *Les Grandes marées* (1981), Robert Gurik dans *Api* (1981) et Gurik en collaboration avec Suzanne Aubry, dans *Comment acheter son patron* (1987), puis Raymond Plante, avec *Poussière d'automne* (1989), ouvrent à des questions socio-culturelles ou politiques mais

[64] LAMOTHE, Jacques, «Une affinité entre l'auteur et le réalisateur, entrevue avec Guy Dufresne» et Hélène Marchand, «*Cap-aux-sorciers:* archétype du téléroman québécois», dans *Voix et images*, vol IX, nº 1, automne 1983, p. 39-58.

[65] CUSSON, Normand, «*Décembre* est l'une des plus ambitieuses dramatiques de notre télévision», dans *T.V. Hebdo*, vol. XIX, nº 21, 16-22 décembre 1978, p. 9A-10A.

aussi aux difficultés de vivre l'amour, la vie scientifique, l'identité et la différence, dans un monde de plus en plus acculturé et postmoderne.

Plusieurs femmes dramaturges participent à cette production des années 80, dont les œuvres auront aussi été jouées d'abord à la scène. Ainsi en est-il d'Antonine Maillet avec *Gapi* (1983) et *Evangéline deusse* (1985), Marie Laberge, avec *Éva et Évelyne* (1983) et *Oublier* (1992). Dans *Arioso* (1982), *le Piano rouge* (1985) et *Un Parc en automne* (1985), Louise Maheux-Forcier explore trois univers où la femme est une protagoniste, contestataire des valeurs traditionnelles: l'évasion et la révélation du lesbianisme (le caché/le montré); l'aventure de l'artiste et l'expression musicale; la quête de la reconnaissance par deux anciens amoureux, dont un accident a défiguré le destin. *Les Gens de la ville* (1980) de Monique Proulx ouvre à de nombreuses questions sociales émergées des conflits entre locataires d'un même immeuble. *Fermer l'œil de la nuit* de Francine Ruel et *Antoine et Sébastien* de Françoise Dumoulin-Tessier, en 1981, ont proposé des univers totalement différents où collectivité et couples évoluent selon des modalités dramatiques spécifiques, particulièrement le rêve et le souvenir dans *Antoine et Sébastien*.

On trouve, en 1988, le téléfilm *Le Grand jour* et, en 1991, *Le Vrai Monde?*, deux réalisations de Jean-Yves Laforce, qui présentent une peinture de la société de Tremblay toujours aussi colorée, tragique, et dont la langue inventive ne cesse de créer des effets stylistiques, parce que les dialogues en font une source dramatique exceptionnelle. Ce sont des hors séries, car le téléthéâtre est à peu près inexistant après 1986. Et au début des années 90, on diffusera aussi *La Charge de l'orignal épormyable* (1992) de Claude Gauvreau dont la mise en scène explore les espaces nus et étranges du monde de la maladie mentale. Quant à ces œuvres exceptionnelles, *Le Dortoir* (1992), création de la troupe Carbone 14, et *Plaques tectoniques* (1993) de Robert Lepage, c'est le contact avec la performance, la gestuelle du corps et la conquête de l'espace que montrent ces productions scéniques d'avant-garde. La télévision par ces téléfilms propose une ouverture à la production théâtrale sur scène, postmoderne dans sa réalisation. Elle reprend une pratique des années 70. Mais il ne faut pas négliger de souligner que tout est transmodalisé par le langage de la caméra, par les plans proposés, par la focalisation. Ces techniques d'écriture filmique, comme je l'ai signalé en introduction, sont celles de toute expérience télévisuelle encore marquée dans ces productions spéciales, et qui montrent bien que le petit écran ne sera jamais une scène de théâtre. Ces productions filmées permettent un contact du grand public avec des formes théâtrales inédites qui demeureraient le fait d'un public averti[66] sans la télévision.

[66] On lira avec intérêt l'étude de Dominique Drouin, *Processus de dédoublement chez un auteur d'œuvres dramatiques télévisées*, Mémoire (M. Sc.), Montréal, Université de Montréal, 1985, 344 p.

Marcel Dubé *a créé pour le théâtre sur scène, à la radio et à la télévision une œuvre majeure, poétique et tragique, qui a su émouvoir le public québécois. (Archives nationales du Canada)*

CONCLUSION

Si la production des téléthéâtres a pu évoluer, entre les années 70 et 85, sans avoir à répondre aux exigences de la publicité et des commanditaires, parce que la télévision publique répartissait les revenus des feuilletons et des autres productions en tenant compte de ce secteur, pour leur part, les feuilletons québécois se sont adaptés aux lois du marché, aux modèles internationaux, au goût du public et à des modes. Leur écriture s'est même diversifiée pour y répondre. Mais avec le recul critique, il s'avère que les œuvres majeures sont celles qui savent incarner des personnages québécois dans leur spécificité identitaire, sociale et psychologique, et dont les auteurs peuvent imaginer un style adéquat à ces créations. Un autre trait essentiel de ces productions concerne la configuration de personnages comme «caractère dramatique», inscrits dans des situations où se posent des questions existentielles ressortissant à la socio-politique ou à la sociopsychologie, sinon à la métaphysique. «Être ou ne pas être», comment et pour quelle cause? — question qui au-delà des modes doit trouver son chemin vers la conscience. Seules les œuvres dramatiques qui donnent une certaine complexité aux personnages et un style à leur parole peuvent apporter une vision du monde et transformer en art un produit de consommation. En ce qui concerne les comédies de situation, elles font rire, mais ne construisent que très rarement une vision du monde ou une critique sociale qui ait une portée à long terme. Pour qu'un art du comique dure, il doit dépasser l'écriture du pur divertissement. Et ces créations sont peu nombreuses dans notre production.

Sans le feuilleton, la télédiffusion dans le monde n'aurait sans doute pas eu le développement qu'on lui connaît aujourd'hui. Il est le noyau de la production dramatique. Mais l'évolution de son écriture et des problèmes socio-culturels qu'il a explorés, oblige à se questionner sur son avenir. Quelque décrié qu'ait été le feuilleton télévisé par la critique littéraire ou journalistique, par les spécialistes des sciences de l'éducation ou des communications, à cause de son importante production dont la portée est de plus en plus internationale, il ne saurait être laissé pour compte. Il appartient désormais à notre histoire culturelle et sociale, et il faut en plus lui reconnaître un pouvoir économique indéniable. Bien que la qualité des œuvres soit très inégale, il n'en demeure pas moins qu'on a produit de grandes œuvres au cours des vingt-cinq dernières années, dont plusieurs ont été rediffusées en Europe (*Le Parc des Braves*, *Shehaweh*, *Lance et Compte*, *Les Filles de Caleb*). Et bien que le téléfeuilleton soit le prototype de la production de consommation, on ne peut manquer de voir désormais, dans les discours et configurations multiples qu'il crée, l'expression d'une culture médiatique dont les valeurs et les systèmes de signes cherchent à consolider la vision que les sociétés modernes se donnent d'elles-mêmes, entre autres pour se rassurer, mais surtout pour divertir les téléspectateurs, tant du pays d'origine de la production que des autres nations qui trouveront sur leurs écrans, en traduction, des œuvres achetées sur les marchés internationaux. Faut-il rappeler que «ce divertissement n'est pas entièrement anodin puisqu'il peut, d'un côté, démobiliser par rapport aux nécessités sociales, et d'un autre côté, susciter un investissement d'énergies mentales vers des réalités décidées par les seuls émetteurs»[67]. La télédiffusion a construit une nouvelle écriture, et les genres du feuilleton ont profité de ce langage télévisuel pour donner à la dramatique une place prépondérante dans la culture médiatique et dans l'imaginaire des téléspectateurs. On ne peut que se réjouir que certaines œuvres atteignent à une qualité artistique hors de l'ordinaire. Mais trouvera-t-on dans l'avenir un art nouveau du téléthéâtre qui ne le confonde pas avec le téléfilm?

Renée Legris, décembre 1996

[67] PAGÉ, Pierre, Renée Legris et Louise Blouin, *op. cit.*, (1977), p. 15.

ANTHOLOGIE

I

FERNAND DANSEREAU
LE PARC DES BRAVES, CBFT, 1984-1988
ÉPISODE 27, SCÈNE 2 - (03'00")

Dans cette scène, Pierre-Paul Courtemanche révèle son indifférence et celle du peuple, son incompréhension des enjeux de la guerre, et son inquiétude profonde devant la complexité de cette situation conflictuelle. Le Colonel Tancrède Rousseau présente une argumentation à saveur historique pour convaincre le jeune nationaliste de la gravité de la situation en Europe et l'amener à une prise de conscience qu'il a refusée jusqu'ici. L'action dramatique se développe dans cette confrontation qui modifiera l'attitude de Pierre-Paul.

CUISINE

IMMÉDIATEMENT APRÈS. TANCRÈDE A LE MANTEAU SUR LE DOS, LE CHAPEAU SUR LA TÊTE. IL SE PRÉPARE À PARTIR ET CLASSE DES PAPIERS QU'IL A DISTRIBUÉS SUR LA TABLE, POUR LES RANGER ENSUITE DANS SA SERVIETTE.
SUR UNE CHAISE DE TABLE, LE GRAND SAC À PAPIER D'OÙ DÉPASSENT UN OU DEUX MASQUES À GAZ. LA RADIO DÉFILE UN BULLETIN DE NOUVELLES QUE TANCRÈDE ÉCOUTE MALGRÉ TOUT ASSEZ ATTENTIVEMENT.

RADIO
La bataille de France est maintenant engagée. Les *panzerdivisionen* ayant forcé le corps expéditionnaire anglais à chercher refuge au-delà de la Manche...

PIERRE-PAUL ENTRE PAR LA PORTE DU CORRIDOR. AGITÉ, EN COLÈRE, DANS LE PLUS GRAND MUTISME. IL VA TOUT DROIT S'ASSEOIR DANS LE FAUTEUIL QU'OCCUPE HABITUELLEMENT TANCRÈDE PRÈS DE LA BAIE WINDOW.

PIERRE-PAUL

Sainte-Toupie...!

TANCRÈDE

Pardon...?
PIERRE-PAUL FAIT DE LA MAIN LE GESTE DE SE ZIPPER LES LÈVRES, TOURNANT LA TÊTE DE DROITE À GAUCHE EN SIGNE DE DÉNÉGATION.
Qu'est-ce que c'est?
PIERRE-PAUL BOUGONNE DES HUM-HUM EN GUISE DE GROGNEMENTS BOUCHE FERMÉE, RÉPÉTANT LE GESTE DE SE ZIPPER LES LÈVRES.
Vous ne voulez pas parler? À votre guise. De toute façon, je m'en vais.

PENDANT CE TEMPS, LA RADIO A CONTINUÉ DE DÉFILER SON BULLETIN DE NOUVELLES (ANNEXE A).

DANS LE SILENCE, ON L'ENTEND MAINTENANT QUI ANNONCE:

RADIO
Le haut commandant craint maintenant pour Paris. Il a regroupé ses armées et les a redisposées de manière à bloquer l'offensive des Allemands vers la capitale de la France... (SUITE ANNEXE A, 2e PARTIE)

PIERRE-PAUL
Comment ça Paris?

TANCRÈDE
(SON INTERROGATION ARRÊTE TANCRÈDE QUI ACHEVAIT DE FERMER SA SERVIETTE ET SE TOURNAIT POUR PARTIR). Pardon? M'avez-vous parlé?

PIERRE-PAUL
Comment ça Paris? Les Allemands sont rendus en France à c't'heure?

TANCRÈDE
Mais où donc pensiez-vous qu'ils étaient?

PIERRE-PAUL
Ben, j'sais pas moi? Y s'battent avec les Anglais. J'savais pas que c'était la France, Sainte Toupie. Ça s'peut pas.

TANCRÈDE
(EST ÉTONNÉ NATURELLEMENT) Vous voulez dire que tous ces mois, alors que vous pouviez me voir coller l'oreille à cette radio... pendant tous ces mois, malgré tout ce que j'ai dit, alright, vous n'avez rien compris... rien compris à ce qui se passait là-bas... à cette catastrophe!

PIERRE-PAUL
Ben, ça m'intéresse pas la guerre, moi. J'écoutais pas. (REVENANT À SON ÉTONNEMENT) Voulez-vous dire que les Allemands, y pourraient pogner la France?

TANCRÈDE
(DE PLUS EN PLUS ÉTONNÉ) Mais très certainement, my God. C'est pratiquement déjà fait.

PIERRE-PAUL
Ça s'peut pas?

TANCRÈDE
Comment ça, ça s'peut pas?

PIERRE-PAUL
Y-z-ont pas le droit. Y-z-ont pas le droit de faire ça.

TANCRÈDE
Mais croyez-vous qu'ils demandent la permission? Pensez-vous que la Pologne, la Norvège...?

PIERRE-PAUL
(L'A INTERROMPU) La France, c'est pas pareil.

TANCRÈDE
Alors expliquez-moi la différence. Vraiment, je ne vois pas. Ça m'intéresse beaucoup de vous...

PIERRE-PAUL
C'est le vieux pays. La France, c'est le vieux pays. On est pas pour laisser les Allemands pogner ça. Sainte Toupie. Y a toujours un bout.

TANCRÈDE

... Le vieux pays?

PIERRE-PAUL

(S'IMPATIENTE) Faites-moi pas parler là. Moi, j'ai pas l'droit de vous parler.

TANCRÈDE

Ah, non? Et qui donc vous l'interdit?

PIERRE-PAUL

Qu'y continuent d'même les Allemands, pis y vont avoir affaire à nous autres.

TANCRÈDE

(QUI N'EN REVIENT PAS, RETOURNE À SA QUESTION) Qui vous empêche de me parler?

PIERRE-PAUL

J'm'a dire ça à Valmore, moi. Ça s'passera pas d'même. Hitler y est mieux d'faire attention.

TANCRÈDE

Hitler...?!

PIERRE-PAUL

(AVEC UN GESTE DE LA MAIN POUR POUSSER TANCRÈDE VERS L'EXTÉRIEUR). Vous, j'suis pas supposé vous parler. Vieux v'limeux. Marie veut l'faire avant moi. Attendez-la. Attendez qu'à vous parle. (REVENANT À SA PRÉOCCUPATION) Y sont mieux de pas toucher à la France. Ça c'est la limite. On rit pu, là. Y'ont beau parler pointu les Français, c'est notre parenté.

TANCRÈDE

Alors, vos protestations... la conscription.... tout cela ne tient plus? Puisqu'il s'agit de la France?

PIERRE-PAUL

La conscription a rien à voir là-dedans. Allez-vous en là, Sainte Toupie. J'suis pas supposé vous parler.

PIERRE-PAUL

La conscription, c'est pour les Anglais. C'est pas la même affaire pantoute. Allez-vous-en...!

PAUSE COMMERCIALE.

* * * *

II

PIERRE GAUVREAU, *CORMORAN*, CBFT, 1990-1994

ÉPISODE 73, SCÈNE 2

Dans une conversation avec sa belle-sœur, Bella défend sa situation de mère monoparentale et favorise une prise de conscience des injustices de la société face aux enfants nés hors du mariage. La mort de son amant, avant la naissance de son fils, prive ce dernier d'un nom et d'un père. L'adoption comme solution, qui sépare l'enfant naturel de son unique parent, le prive de son affection et de son nom, est condamné par Bella. Et c'est tout le village qu'elle veut confronter à la question de l'enfant illégitime et aux préjugés de cette société bien pensante, à la suite de l'invitation qu'elle a faite à ses amies.

CHAMBRE DE BELLA. [...]

GINETTE

Je te dérange?

BELLA

J'écoute les nouvelles.

ALORS, GINETTE FAIT COMME BELLA. LES DEUX SE RETROUVENT À LA FENÊTRE POUR SURVEILLER LA PROMENADE DU BÉBÉ. FINALEMENT, QUAND LA MUSIQUE MILITAIRE SE FAIT ENTENDRE, BELLA FERME LE VOLUME.

GINETTE

Ils ont beau choisir leurs mots, mettre ça dans des termes diplomatiques, comme on disait à l'Anse-au-Maudit; on est bon pour un orage de marde! Si la France et l'Angleterre réagissent pas, aussi bien donner l'Europe à Hitler, pis Baie d'Esprit à Clément Veilleux! Autrement dit, décider de ne plus exister! Puis (MONTRE L'IDÉE) c'est pas ce que tu as décidé, à ce que j'ai lu dans le journal à Flamand Bellavance?

BELLA

C'est pour tirer les choses au clair! J'ai eu un enfant. Sans être mariée. J'ai décidé de l'élever. Je ne peux pas faire ça entre les quatre murs de ma chambre. Un enfant, ça prend de l'espace, ça demande des jeux, ça demande de l'instruction! Ça demande aussi des soins et de l'amour! J'ai l'intention de lui donner tout ça! Selon la loi, il n'a pas de père, cet enfant-là! Je veux bien le croire! Mais moi, je sais bien qu'il s'est pas fait tout seul! Je sais bien qu'il s'est fait dans l'amour! Dans l'amour le plus grand, celui qui fait faire des folies, qui emporte tout, qui déterre ce qui est enfoui au plus profond de nous-mêmes. Comme les vagues de la tempête qui ont déterré les deux morts au pied de la Croix noire de l'Anse-au-Maudit! Wolfgang, il s'est tué pour ses convictions politiques. Pacifique dit que c'est honorable. J'aurais préféré qu'il vive pour moi et pour Joseph. Mais Wolfgang est mort. Je ne peux pas le ressusciter. Le curé Dumont non plus ne peut pas le ressusciter! Personne ne peut! Dieu pourrait parce qu'il est tout-puissant. Mais est-ce que j'ai mérité que Dieu fasse un miracle. Pour moi? Pour Wolfgang? Je ne pense pas! Peut-être qu'à un moment dans ma vie, j'aurais pu penser que Dieu me devait quelque chose! (ELLE RIT) Que Dieu devait quelque chose à Bella Cormoran! C'est risible? Tu trouves pas?

GINETTE

La vérité, c'est que tu as mis au monde un bâtard. Et que les pays les plus civilisés au monde, du moins à ce qu'on prétend, ont commencé à s'entre-tuer et vont continuer peut-être jusqu'à ce qu'il n'y ait plus que des enfants et des vieillards qui soient encore en vie. À moins qu'on assiste à des duels entre bébés au berceau et vieillards en chaise roulante. Drôle de race, la race humaine! Drôle de race!

LES DEUX PASSIONNANTS SPÉCIMENS DE LA DRÔLE DE RACE SE TAISENT. BELLA SE MET AU PIANO, JOUE QUELQUES NOTES.

BELLA

Tu vas venir?

GINETTE
Assurément. En tant que membre de la famille Cormoran, je me dois d'être là! (ELLE RIT) Tu trouves pas?

BELLA
Tu crois que les gens vont venir?

GINETTE
Cherches-tu vraiment des réponses?

ÉPISODE 73, SCÈNE 4

La création d'un personnage aussi pittoresque et aussi entier que Clément Veilleux, donne une dimension presque mythique à ses idées politiques. Ce fasciste voué à Mussolini est ici confronté au Maire du village.

LE CAMP À CLÉMENT VEILLEUX.
L'AUTOMOBILE DE VIATEUR BERNIER VIENT STOPPER DERRIÈRE LE CAMION ROUGE DE CLÉMENT VEILLEUX. ON ENTEND DES COUPS DE FEU À INTERVALLES PLUS OU MOINS LONGS. VIATEUR, QUI EST AU VOLANT, SORT DE SON AUTOMOBILE. IL AVANCE AVEC PRÉCAUTION, CONSCIENT DU DANGER QUE PRÉSENTENT LES TIREURS.

VIATEUR
(AVANT D'ALLER TROP LOIN) Yhou! Yhou!....
Clément es-tu là? C'est moi, Viateur!
CLÉMENT QUI PRATIQUE LE TIR À LA CARABINE EN COMPAGNIE DE SON «MEILLEUR» VITAL LAFORCE, RÉAGIT AUX CRIS DU MAIRE DE BAIE D'ESPRIT.

CLÉMENT
Viateur? C'est toi? Approche! On va pas tirer sur toi! (PLAISANTE) Même si c'est pas les bonnes raisons qui nous manqueraient! Approche, pis viens nous montrer ce que tu sais faire!
COMME DE RAISON, CLÉMENT ET VITAL SONT EN TENUE COMPLÈTE DE CHEMISES BLEUES! VIATEUR ARRIVE AUPRÈS DES DEUX HOMMES.

CLÉMENT
(SOUDAIN MÉFIANT) Comment ça se fait que tu sais qu'on est ici? Es-tu tout seul?

VIATEUR
Je suis venu sans mon chauffeur. Pour le reste... habillés comme vous êtes, c'est dur de passer inaperçus! À part ça, c'est un secret pour personne que tu as une propriété ici même!

CLÉMENT
C'est vrai que c'est un beau campe! Pis c'est vrai que c'est un bel uniforme! C'est-y parce que tu voudrais signer dans les Chemises bleues que tu es venu jusqu'ici?

VIATEUR
Non. Je suis déjà dans les zouaves!

CLÉMENT
Tant pis. (MOINS AFFABLE) Dans ce cas-là, qu'est-ce qui t'amène ici? Je te préviens, Viateur, si c'est pour sentir, mon homme pis moi on va pas t'endurer ben

longtemps! On a pas de temps à perdre! Tu connais Vital? C'est mon meilleur! VITAL CLAQUE LES TALONS ET LANCE LE BRAS EN AVANT.

VIATEUR

Oui, je le connais... Clément, je suis venu en ami. Pour essayer de te faire comprendre le bon sens! Écoutes-tu la radio ces jours-ci?

CLÉMENT

Je l'écoute pour entendre ce que je veux entendre! Hitler pis Staline, je crois pas à ça! Pis ce que ces deux-là font en Pologne, Mussolini a dit qu'il s'en mêlait pas. Comme c'est lui que je suis, je fais comme lui! Je suis neutre! Me suis-tu?

VIATEUR

J'y mets de la bonne volonté! Mais je suis pas certain que tout le monde est paré à en mettre autant. À commencer par les gouvernements. D'après ceux qui savent, Mussolini pourra pas rester neutre longtemps. Hitler pis lui, c'est du même acabit! Staline aussi, en ce qui me concerne!

CLÉMENT

(SE FÂCHE) Tu en as assez dit! Tu connais rien là-dedans! Tu fais rien que répéter des menteries! C'est rien que de la propagande pour nous faire croire qu'Hitler et Mussolini seraient du même bord que les communistes! Pourquoi pas le pape tant qu'à y être! C'est pas la peine de se demander d'où ça vient ces insinuations-là? Du beau Pacifique Cormoran! Pas besoin d'aller chercher plus loin. Qu'est-ce qu'il va faire en Europe, Pacifique, quand il y va? Pis tous les livres qu'il ramène? Pis les étoiles qu'il regarde? Tu me diras pas qu'il y a pas de quoi de louche là-dedans. Sans compter l'Allemand à Bella, pis l'autre! Celui à Donatienne!

VIATEUR

À Donatienne?

CLÉMENT

Des assassins, ces deux-là! Pourquoi ils ont tué M. Von Malcourt? Parce qu'il en savait trop sur eux autres! Pis, à c'tte heure mon opinion est faite, sur le beau Pacifique Cormoran, pis sur toute sa prétentieuse de maudite famille!

VIATEUR

Je comprends rien à ce que tu dis!

CLÉMENT

Hé ben moi! Plus c'est mêlé, plus je vois clair! À c'tte heure, décolle! Vital pis moi, on a des choses plus importantes à faire qu'à t'écouter!

VIATEUR

Je suis ici en tant que maire, tu sauras!

CLÉMENT

T'es le maire insignifiant d'une population d'insignifiants! Décolle! J'ai plus un mot à ajouter.

COMME VIATEUR SEMBLE HÉSITER À PARTIR, CLÉMENT TIRE UN COUP EN L'AIR. VIATEUR RETRAITE RAPIDEMENT. CLÉMENT ÉCLATE DE RIRE, IMITÉ PAR SON «MEILLEUR».

VIATEUR MET SON MOTEUR EN MARCHE ET EMBRAYE À LA RENVERSE, TANDIS QU'ON ENTEND UN COUP DE FEU OU DEUX PONCTUÉS DE RIRES QUI TÉMOIGNENT DU PLAISIR DÉLIRANT DES DEUX CHEMISES BLEUES.

BIBLIOGRAPHIE COMPLÉMENTAIRE

ÉCRITURES RADIOPHONIQUES

OUVRAGES

ASPINALL, Richard, *Guide pratique de la production radiophonique*, Unesco, 1972.

CHARAUDEAU, Patrick, *Aspects du discours radiophonique*, Collection «Langages, discours et sociétés», Didier Érudition, 1984.

CHOQUETTE, Robert, *Le Catéchisme du radio-dramaturge* (inédit), 1952; microfilm, Archives de la littérature radiophonique, BNQ.

LEGRIS, Renée, *Dictionnaire des auteurs du radio-feuilleton québécois*, collection «Radiophonie et société québécoise», vol.1, Montréal, Éditions Fides, 1981, 198 p.

PAGÉ, Pierre et R. Legris, *Le Comique et l'humour à la radio québécoise* 1930-1970, tome 1, Montréal, Éditions la Presse, 1976, 677 p.

SCHAEFFER, Pierre, *Machines à communiquer. Genèse des similacres*. Éditions du Seuil, 1970, 315 p.

CHAPITRE DE VOLUMES

LEGRIS, Renée, «Radio Drama in Quebec», dans Eugene Benson and L.W. Conolly, *The Oxford Companion to Canadian Theatre*, Oxford University press Canada, 1989, p.456-458.

VEINSTEIN, André, «Le théâtre radiodiffusé et télévisé», dans *Histoire des spectacles*, Encyclopédie de la Pléiade, Gallimard, 1965, p. 1579-1600.

LEGRIS, Renée et Pierre Pagé, «Le Théâtre à la radio et à la télévision au Québec» *Le Théâtre canadien français*, Archives des lettres canadiennes-françaises, t.5, Éditions Fides, 1976, p. 291-318.

LESCURE, Jean, «La radio et la littérature», dans *Histoire de la littérature*, T. III, Encyclopédie de la Pléiade, Gallimard, 1958, p. 1690-1713.

ARTICLES DE REVUE

L'Annuaire théâtral, Société d'histoire du théâtre du Québec:

FINK, Howard, «Noxon et Eisenstein: le langage et la structure filmiques du théâtre radiophonique», p. 89ss, n° 9, juin 1991.

LEGRIS, Renée, «Les Dramatisations historiques à la radio», dans n° 2, printemps 1987, p. 42-59; «Un dramaturge de la radio: Hubert Aquin», n° 3, automne 1987, p. 17-38; «La Condition féminine en mutation: le radio-feuilleton québécois 1930 -1970», n° 7, printemps 1990, p. 9-34; «La Radiodramaturgie québécoise. Quelques perspectives historiques», p. 23-37, n° 9, 1991; «Un double paradigme: radioroman et radiothéâtre», p. 69-88, n° 9, 1991; «Du discours radiophonique masculin sur les femmes», dans *Sous d'autres soleils... un même théâtre*, n° 15, 1994, p. 81-106.

PAGÉ, Pierre, «Éléments d'une esthétique sonore de la dramatique radio: à la recherche d'un métalangage», n° 9, 1991, p. 9-22.

LEGRIS, Renée, «L'Étranger sur nos ondes», dans *Cap-aux-Diamants*, vol. 23, automne 90, p. 42-45, 8 colonnes.

FUZELLIER, Étienne, «Spécificité du théâtre radiophonique», *Revue des arts et du spectacle*, n° 1/*Les Cahiers de l'Harèse*, n° 3, Centre d'Études et de recherches théâtrales et cinématographiques, Université Lumière Lyon II, Lyon, 1993.

LAVELLE, Louis, «Un nouvel art de persuader», dans *La radio cette inconnue*/La Nef, nos 73-74, 1951, Éditions du Sagittaire, p. 8-14.

LEGRIS, Renée, «Jalons pour une analyse symbolique de la littérature radiophonique», *Problèmes d'analyse symbolique*, collection «Recherches en symbolique», n° 3, (P.U.Q.), 1972, p. 185-202.

THÉRIAULT, Yves, «Littérature pour l'oreille», dans *Culture*, n° 14, 1953, p. 110-156; «Un art radiophonique», dans *Liaison*, vol. 2, n° 18, octobre 1958, p. 467-469.

DRAMATIQUES TÉLÉVISÉES

OUVRAGES

CROTEAU, Jean-Yves, sous la direction de Pierre Véronneau, *Répertoire des séries, feuilletons et téléromans québécois de 1952 à 1992*, préface de Guy Fournier, Les Publications du Québec, 1993, 693 p.

DUCHESNAY, Lorraine, *Vingt-cinq ans de dramatiques à la télévision de Radio-Canada 1952-1977*, Société Radio-Canada, 1978, 684 p.

GAGNÉ, Jean-Pierre et Carmen Strano, *Regardez, c'est votre histoire*, Montréal, Éditions St-Martin, 1992, 345 p.

MÉAR, Annie, et coll., *Recherches québécoises sur la télévision*, Éditions coopératives Saint-Martin, 1980, 210 p.

PAGÉ, P., R. Legris et L. Blouin, *Répertoire des dramatiques à la télévision québécoise 1952-1977*, Montréal, Fides, 1977, 282 p.

CHAPITRES DE VOLUMES

LEGRIS, Renée, «Television Drama in Québec (1979-1994)», *Canadian Encyclopedia*, Edmonton, CD-ROM, 1995; «Television Drama in Quebec», p. 522-524; «Paul Blouin, réalisateur», p.55; «Florent Forget, réalisateur», p. 212: dans Eugene Benson and L.W. Conolly, *The Oxford Companion to Canadian Theatre*, Oxford University press Canada, 1989.

ARTICLES

LEGRIS, Renée, «Du réel au fictif: les figures de l'étranger dans le téléthéâtre de Radio-Canada, 1952-1987», dans *Le Miroir de l'étranger/L'Annuaire théâtral*, nos 13-14, SQET, 1994, p. 11-38; «De la mémoire individuelle et collective à l'histoire du théâtre médiatique», dans *Le Théâtre au Québec: mémoire et appropriation, L'Annuaire théâtral*, no 5, 1989, p. 104-119.

Legris, Renée (1936-). Née à Montréal. Critique littéraire et poète. — Professeure au département d'Études littéraires de l'UQAM, depuis 1969. Elle a constitué les «Archives de la littérature radiophonique et télévisuelle du Québec» (1975), sur microfilms déposés à la BNQ, avec Pierre Pagé, et copublié sept ouvrages, chez Fides. Des articles nombreux ont paru dans *L'Annuaire Théâtral* et dans *Fréquence/Frequency*. Elle a préparé l'édition critique de *Confession d'un héros* d'Aquin (CRELIQ, U. Laval, 1989). De son recueil de poèmes, *Comme Harfang de braise* (Éditions Maxime, 1991), un critique dit: «L'ensemble de ces poèmes et plus particulièrement le dernier sont remarquables par leur splendeur. Ils nous touchent par leur qualité esthétique. ...Le recueil dresse des monuments. Solides, granitiques [...] avec une étrange impression générale d'êtres venus d'un hors-temps et placés dans le temps comme pour lui enseigner le sens des mots stabilité et permanence.» Marc Gagné (U. Laval). Depuis 1995, elle est réalisatrice et animatrice à CIRA-FM. En 1990, nommée membre d'honneur de l'ASCRT/AERTC, elle reçoit, en 1991, le Prix Jean-Cléo Godin, de l'ACTR/ARTC pour une de ses recherches. Présidente (1986 à 1991) de la *SHTQ*, elle organise une exposition sur «Le théâtre au Québec (1825-1980)», à la BNQ en 1988, qui donne lieu à la publication *Le Théâtre au Québec 1825-1980/Repères et perspectives*, chez VLB Éditeur. Membre fondateur de la Fondation Robert-Choquette (1994) et vice-présidente de l'ASCRT/AERTC (1991-1996), elle poursuit ses activités comme membre de la *Société québécoise des études théâtrales*.

ŒUVRES

LEGRIS, Renée, *Comme Harfang de braise*, recueil de poèmes, Montréal, Maxime, 1991, 108 p.

LEGRIS, Renée, Jean-Marc Larrue, André Bourassa, Gilbert David, *Le Théâtre au Québec 1825-1980/Repères et perspectives*, Montréal, VLB Éditeur, S.H.T.Q., B.N.Q., 1988, 205 p.

LEGRIS, Renée, *Dictionnaire des auteurs du radio-feuilleton québécois*, collection «Radiophonie et société québécoise», vol. 1, Montréal, Éditions Fides, 1981, 198 p.
LEGRIS, Renée et coll., *Propagande de guerre et nationalismes dans le radio-feuilleton* 1939-1955, collection «Radiophonie et société québécoise», vol. 2, Montréal, Éditions Fides, 1981, 526 p.
PAGÉ, P. et R. Legris, *Le Comique et l'humour à la radio québécoise 1930-1970,* tome 1, Montréal, Éditions la Presse, 1976, 677 p.; et tome 2, Montréal, Fides, 1979, 736 p.

PRODUCTIONS RADIOPHONIQUES

Promenades littéraires dans Comme Harfang de braise, Vents de neige et feux du nord (1996)
Entretiens du CINR (1995-1996)
Les Nouvelles religions et nous (1996-1997)
De l'Esprit et des livres (printemps-été 1995)
Femmes, société, religion (1995-1996)
Femmes africaines et développement (Eugénie Aw); Femmes et cinéma (Josée Beaudet; Femmes et religions judéo-chrétiennes (Laura Bueno); Femmes et sciences de l'information (Marielle Cartier et Michèle Bachand), Femmes africaines et religion (Eugénie Aw); Femmes et poésie québécoise (Anthologie du 17e et 20e siècle); Femmes et syndicalisme universitaire (Simone Landry, Anita Caron, Hélène Manseau); Une femme à la direction d'une station radiophonique œcuménique (Thérèse Paiement) Femmes poètes (Claudine Bertrand, Françoise Legris); Une romancière entre le Québec et l'Hindouisme (Yolande Villemaire).

Magazine Midi-Dimanche (1996)
Léopold Sedar Senghor (avec Aloyse R. Ndiaye), *25e Anniversaire des Éditions Les Forges* (avec Bernard Pozier et Louise Blouin), *Les États généraux de l'Éducation au Québec* (avec André Charron, Pierre Pagé et Pierre-Yves Paradis), *Le Suicide aujourd'hui* (avec Éric Volant), *L'Avenir de Radio Ville-Marie* (avec Pierre Faubert, vice-président).

Née à Montréal en 1949, Louise Blouin a travaillé dans le domaine de la recherche sur les textes de fiction à la radio et à la télévision dans l'équipe de Pierre Pagé et Renée Legris; elle a écrit et coécrit divers articles et ouvrages sur ces sujets, notamment le *Répertoire des œuvres de la littérature radiophonique québécoise* (Fides, 1975).
Du côté de la poésie, elle est directrice de la production aux Écrits des Forges et vice-présidente de cette maison d'édition. Elle a publié *Griffes de soie*, (poèmes, Arbre à paroles, Belgique, 1991) ainsi que *Des mots pour rêver* et *De Villon à Vigneault* (anthologies de poésie pour la jeunesse, Éditions Pierre Tisseyre/Écrits des Forges, 1990 et 1994) et *Poètes québécois* (Écrits des Forges/L'Orange bleue, 1996). Elle est également collaboratrice à la revue *Arcade*.
Louise Blouin fut chargée de cours à l'U.Q.T.R. et à l'U.Q.A.M. et enseigne maintenant au département de français du Collège de Rosemont.

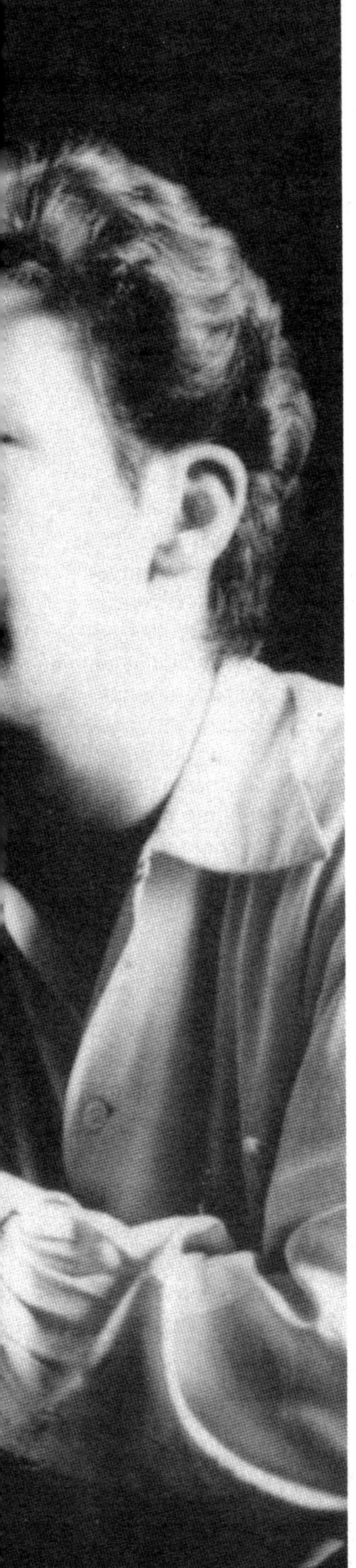

Chapitre II

LE CINÉMA QUÉBÉCOIS *1969-1996*

APPARTENANCE ET EXPLORATION

YVES LEVER

Au Festival des films du monde de 1996, trois longs métrages québécois sont lancés au milieu des films vedettes: *Pudding chômeur* de Gilles Carle représente le Canada en compétition officielle; *Le sort de l'Amérique* de Jacques Godbout se retrouve en Hors concours et *Le silence des fusils* d'Arthur Lamothe fournit l'occasion d'un Hommage. Qu'ont en commun ces trois films? Presque rien, sinon le fait d'avoir été réalisés par trois des plus insignes représentants de la génération des «fondateurs» du cinéma québécois proprement dit. Dans les autres sections du festival, un moyen métrage de Jean Chabot, *Sans raison apparente*, un mélange de fiction et de documentaire, et un long métrage d'un «jeune» réalisateur (35 ans), Bernar Hébert, *La nuit du déluge* connaissent leur première.

Rien n'exprime mieux la situation du cinéma québécois dans les dernières années du vingtième siècle. D'un côté, la célébration d'œuvres qui risquent d'être les dernières de la génération des cinéastes identifiée à la naissance du cinéma québécois autour de 1960; de l'autre, une présence presque insignifiante de la génération qui a suivi, et enfin une représentation tout à fait marginale de la «relève». On sent l'atmosphère morose d'une fin de règne.

La saison culturelle précédente avait toutefois signalé l'entrée dans un nouveau règne. En quelques mois étaient sortis *Liste noire* de Jean-Marc Vallée, *thriller* révélant un talent certain pour la réalisation du cinéma de genre; *Le confessionnal* de Robert Lepage, révélation d'un extraordinaire sens de la mise en scène proprement cinématographique en même temps que l'expression d'une volonté d'établir des ponts entre les différentes

(Page de gauche) *Claude Jutra (1930-1986)*
«Il était à la fois 24 images seconde et poésie» (Michel Brault)
(Photo: Université du Québec à Montréal)

formes d'art; *Zigrail* d'André Turpin, film expérimental; *Yes sir! Madame* de Robert Morin, pamphlet politique à l'humour acide, *Le sphinx* de Louis Saïa, comédie douce-amère sur le mal de vivre; *Erreur sur la personne* de Gilles Noël, fiction très hitchcockienne métissée de culture théâtrale... Tous ces films étant le fait d'une nouvelle génération de cinéastes, pas nécessairement «entrés en cinéma» au même âge, mais réalisant leurs œuvres de fiction les plus marquantes (pour dire à quel point leur émergence est soudaine, aucun d'eux ne figure dans l'édition de 1991 du *Dictionnaire du cinéma québécois*).

Au même moment, les institutions qui fournissent les assises économiques de la production et d'une partie de la diffusion connaissent des transformations majeures. L'Office national du film (ONF) voit son budget réduit, ferme une partie de ses services, abandonne presque complètement sa participation à des coentreprises avec l'industrie privée et devant la nécessité de licencier du personnel pousse à la retraite la génération qui a créé son esprit et lui a donné dynamisme et prestige; c'est ainsi que partent presque au même moment Bernard Gosselin, Jacques Leduc, Georges Dufaux, Jacques Godbout, Monique Fortier, Anne Claire Poirier, Werner Nold, etc. Ceux qui restent appartiennent presque tous à la relève. Réussiront-ils à y apporter un nouveau souffle? Rien ne le laisse prévoir. Ce qui est certain, c'est qu'aucune continuité ne s'est créée: entre les jeunes Philippe Falardeau et Marie-Claude Harvey, par exemple, et les «vétérans» Gosselin et Poirier, il n'y a pas eu une génération pour établir des ponts. Autre organisme fédéral, Téléfilm Canada s'est orienté davantage vers le support à la création de produits télévisuels. Vivant leurs propres périodes de compressions budgétaires, les télévisions ne participent presque plus à la création de longs métrages. À la SODEC (Société de développement des entreprises culturelles) du gouvernement du Québec, le cinéma n'occupe plus qu'une place parmi d'autres.

Tout cela donne aux années 1995-1997 l'allure d'un moment charnière que la périodisation de l'histoire du cinéma au Québec devra retenir. Fait intéressant, le dernier moment charnière se situait en 1969, ce qui fait que le panorama visé par cette publication recoupe presque exactement la période qui s'achève. Il y eut bien sûr des hauts et des bas, des crêtes et des creux de vagues, mais ils ne font que confirmer les lignes de force que le paradigme générationnel manifeste.

Un pays sans bon sens, *de Pierre Perrault. Une maison abandonnée parce que la terre produit plus de roches que de légumes. L'avenir s'annonce toutefois meilleur avec les pylônes, symboles de cette électricité nationalisée qui servira au développement que les Québécois auront choisi. (Office national du film)*

LES «FONDATEURS» OU LA CHANCE DE NAÎTRE ORPHELIN

La fin des années 50 et le début des années 60 avaient vu arriver une nouvelle génération de cinéastes que presque rien ne semblait unir. En effet, que pouvaient avoir en commun les petits bourgeois ou fils d'ouvriers venant des lettres, de la médecine, du droit, des beaux-arts, du journalisme, du théâtre, etc., qui se retrouvaient du jour au lendemain réalisateurs de films? Rien sinon l'âge — ils étaient tous nés autour de 1930 — et aucune expérience du cinéma, même pas celle des ciné-clubs pour la plupart. Peut-être partageaient-ils toutefois une certaine vision du Québec en voie de mutation. Quand ils débutent, ils ont trente ans, déjà plus l'âge des folies de jeunesse, et ils se lancent pourtant dans toutes les expérimentations possibles. Leur ignorance et leur enthousiasme leur donnent toutes les audaces. Avec le cinéma québécois sorti au moment de leurs vingt ans, du *Père Chopin* (Fédor Ozep) à *Tit-Coq* (Gratien Gélinas), ils ont appris «la chance de naître orphelin»[1], c'est-à-dire de se retrouver tout neufs, sans traditions ou consignes à respecter. Avec *Tit-Coq*, non seulement ont-ils compris que même si la plus belle page de l'album de famille est celle où il n'y a encore rien, cela ne satisfera jamais leurs ambitions et ils ont senti la nécessité de refermer cet album-là et d'en ouvrir un autre. Ils «entrent en cinéma» avec la même ferveur et la même générosité que leurs camarades de classe entrés en religion. S'ils ont le goût de raconter des histoires, ainsi que le démontre la série *Panoramique* à laquelle collaborent les premiers arrivés, l'esprit du temps et les contraintes de l'institution qui les a accueillis, l'ONF, les mènent toutefois au documentaire. Mais ils le réinventent, n'hésitent pas à l'appeler prétentieusement «cinéma-vérité», puis «cinéma direct». Avec lui, ils veulent établir de nouveaux rapports avec le vécu collectif, rapailler l'héritage, élaguer le folklorique, renverser quelques statues. Tous ont la conscience de travailler *Pour la suite du monde*, comme le signale si bien le classique de Pierre Perrault et Michel Brault. Bientôt, à l'intérieur comme à l'extérieur du nid oneffien, la majorité se lancent dans une œuvre fictionnelle qui laisse libre jeu aux expérimentations formelles et qui prend l'allure d'une autopsychanalyse. *À tout prendre* (Claude Jutra), *Le chat dans le sac* (Gilles Groulx), *La vie heureuse de Léopold Z.* (Gilles Carle), *Entre la mer et l'eau douce* (Michel Brault), pour ne nommer que quelques films-phares, révèlent des personnalités qui n'ont besoin que d'une conjoncture favorable pour pleinement s'épanouir.

---

[1] «Tout le monde n'a pas eu la chance de naître orphelin», fait dire Jules Renard à un personnage de *Poil de carotte*. De son côté, Tit-Coq affirme que «C'est pas donné à tout le monde d'être batard». Ce paradigme m'a semblé un élément clé de l'interprétation du cinéma de fiction produit autour de 1950, juste avant l'arrivée de la télévision.

Cette conjoncture s'installe en 1969. Cette année-là débutent les activités de la Société de développement de l'industrie cinématographique canadienne (SDICC) mise en place par le parlement d'Ottawa en vue de participer financièrement à la production d'œuvres destinées aux salles de cinéma. Les succès critiques remportés dans les festivals mettent les cinéastes de 40 ans en première position pour l'obtention de cette aide. L'assistance dans les salles, qui a connu une chute radicale après l'arrivée de la télévision (au Québec, elle est passée de 60 à 20 millions de billets en 15 ans), semble maintenant stabilisée. La sortie de *Valérie* de Denis Héroux, cinéaste d'une nouvelle génération, le 2 mai 1969, est immédiatement suivie d'un énorme succès d'assistance, renforcé juste après par celui de *L'initiation* du même réalisateur, de *Deux femmes en or* de Claude Fournier, de *Red* de Gilles Carle. L'expression «cinéma québécois» est devenue signe de plaisir pour le public et souvent signe de rentabilité pour les producteurs. Pour la majorité des observateurs, la période de 1969 à 1976 apparaît comme un sommet. Plusieurs «incontournables» du cinéma québécois y sont tournés.

Le succès de *Valérie* tient de multiples facteurs. Il y a d'abord le parfum de scandale sexuel avec l'exposition d'une nudité qui entend braver la censure et faire reculer les limites du montrable, objectif qu'un slogan efficace «Déshabiller la p'tite Québécoise» claironne dans tous les médias et qui est habilement défendu par un réalisateur séduisant et une star sans complexes. Plus profondément, avec sa musique rock, sa moquerie des institutions, son refus des «vieilles notions» de responsabilité et de culpabilité, sa vision hédoniste, son ton qui refuse de se prendre au sérieux, ce film marque l'arrivée de ce que François Ricard a appelé la «génération lyrique», composée de ces jeunes nés durant la dernière guerre ou peu après, l'avant-garde des *baby boomers* qui n'a pas encore tout à fait trente ans. Dans toutes les couches de la société, sauf chez un petit nombre d'intellectuels, c'est ce groupe d'âge qui fournit la majeure partie du public et qui aime retrouver dans les films de Héroux le reflet de ses propres ruptures avec l'héritage de la soi-disant «grande noirceur», pendant qu'une population plus âgée vient se défouler des frustrations accumulées depuis son enfance. En deux ans, Héroux récidive avec trois avatars de *Valérie*. Sa carrière de réalisateur se résume dans ces quelques films érotiques, dans quelques comédies légères, dans un essai de reconstitution «d'une grande histoire d'amour dans le feu d'une révolution», *Quelques arpents de neige*. Quand vient le temps d'accéder à la maturité, il rate le bateau, abandonne la réalisation et devient producteur, métier où il ne s'illustre guère.

Le succès, encore plus considérable, de *Deux femmes en or* de Claude Fournier s'explique aussi facilement. Une trame narrative très mince n'est que prétexte à l'arrivée de presque tous les comiques à la mode, aussi bien Yvon Deschamps que Gilles Latulipe et Paul Berval, qui viennent faire leur petit numéro et disparaissent. Une grande partie des sketches offrent des variations sur la blague sexuelle, parfois subtile, souvent grosse; certains font étalage d'une activité sexuelle tout à fait ludique, sans complexe, filmée sans intention pornographique. On s'y moque allégrement de la vie de banlieue, de Pierre Elliot Trudeau, des curés, de la reine d'Angleterre, des ex-religieuses, des policiers, des magazines à scandales, etc. Les nationalistes s'en frottent les mains. Le fait que ce soit des femmes qui mènent le jeu plaît aux féministes, bien qu'elles déplorent une trop grande utilisation de la nudité féminine. Après ce succès, Fournier va gaspiller son talent avec de mauvais clones, mais la recette fait long feu. Il faudra attendre 1983 pour qu'il revienne avec une œuvre forte, l'adaptation de *Bonheur d'occasion* de Gabrielle Roy. On l'y sent à l'aise puisque ce monde du quartier Saint-Henri qu'il décrit, il l'a connu dans son enfance. Son parti pris de respect pour le roman lui fournit une structure narrative d'une grande cohérence et des personnages que le public va immédiatement aimer. *Les tisserands du pouvoir* qu'il scénarise et réalise ensuite retournent aussi dans le passé pour raconter la saga de ces Québécois partis travailler dans les filatures de la Nouvelle-Angleterre au début du siècle.

Dans la brèche vers le grand public ouverte par *Valérie* et *Deux femmes en or*, la génération des 40 ans atteint son zénith. Les œuvres ne tiennent toutefois pas toutes de la même esthétique ni de la même thématique. Plutôt, elles cristallisent la double tendance déjà amorcée dans les années précédentes, qui oppose les irréductibles d'un cinéma «du vécu», comme l'a déterminé Gilles Groulx — que ce cinéma soit du documentaire ou de la fiction — aux tenants de l'exploration de l'imaginaire. Il y aura ainsi — et jusqu'au milieu de la décennie suivante — d'un côté les Groulx, Brault, Poirier, Perrault, Perron, Carrière, Godbout (sauf pour *IXE-13*), Gosselin, Leduc, etc. proposant des films

«Déshabiller la Québécoise», avait dit Denis Héroux en lançant **Valérie**. *Claude Fournier déshabille aussi des Québécoises, mais il leur donne de la personnalité et il en fait les meneuses du jeu. (Publicité)*

profondément insérés dans l'histoire et la culture, des films reflets de la réalité; et de l'autre, les Carle, Fournier, Jutra, Perron, Labrecque, etc. qui entendent aller au-delà des reflets pour dévoiler les structures de l'inconscient collectif et le transformer en histoires génératrices d'une culture nouvelle. Ces derniers ont à leurs côtés des cadets qui entendent faire le même travail: Arcand, Lefebvre, Lord, Mankiewicz... Bien entendu, la réalité ne se laisse jamais enfermer dans ces catégories et l'œuvre de chaque auteur comporte des parties qui tiennent de l'une ou de l'autre tendance, parfois à l'intérieur d'un même film (l'effet documentaire chez Jutra, par exemple, ou bien les éléments fictionnels dont Groulx parsème ses portraits de la réalité). Dans les faits, cela donne d'un côté des documentaires très forts et très articulés comme ceux de Perrault ou ceux que Groulx réalise en parallèle avec son cinéma de fiction; de l'autre, des fictions qui s'inspirent directement du vécu réel (*Mon oncle Antoine*, par exemple). À la limite, si le spectateur ne sait pas s'il assiste à un documentaire ou à une fiction, cela deviendra un signe de la valeur de l'œuvre. Ainsi en était-il de *À tout prendre* et du *Chat dans le sac* au moment de la Révolution tranquille. En 1974, Michel Brault dira que le plus beau commentaire qu'on a pu lui faire au sujet des *Ordres*, c'est qu'«il est bien beau votre documentaire», alors que tout y est fiction, quoique bien documentée. Si le métissage de la fiction avec le documentaire confère un surplus de réalisme et une émotion particulière au film de Brault (lauréat du prix de la mise en scène à Cannes précisément à cause de cet artifice), il n'en va pas de même pour l'ensemble des films[2].

Au plan thématique, l'opposition tombe puisque aussi bien les tenants du vécu que ceux de l'imaginaire collaborent à la cueillette de

[2] Le phénomène est très crûment mis en évidence lors de la parution du numéro 22 de la revue *Copie zéro* en 1984, numéro consacré à l'acteur. Une longue interview avec quelques comédiennes et comédiens ayant joué dans les films considérés les plus représentatifs révèle une longue frustration: les cinéastes ont peur des acteurs et de la part d'imaginaire qu'ils peuvent ajouter à leurs histoires. Luce Guilbeault va jusqu'à dire que «dans ce pays où le documentaire nous colle encore aux fesses, le "naturel" est exploité aux dépens d'une vérité créée de toutes pièces, imaginée, travaillée, renouvelée». Un article de Jean-Claude Germain, qui se moque surtout du cinéma de Jean Pierre Lefebvre, prend un ton acerbe en soulignant que les créateurs du cinéma d'auteur au Québec ne sont que des narcisses qui ne s'aiment pas plus eux-mêmes qu'ils n'aiment le cinéma, qu'ils veulent faire des non-films, en n'utilisant que des non-acteurs, pour, à la limite, des non-spectateurs! Il en déduit que les cinéastes québécois n'aiment pas le cinéma, ils n'aiment qu'eux-mêmes. Au-delà des outrances de langage, le propos de Germain, comme celui des comédiens, soulignait une fois de plus cette crainte de plonger dans l'univers de la fiction. Quelques années plus tard, Micheline Lanctôt, comédienne vedette de Carle avec *La vraie nature de Bernadette*, affirmera d'une façon encore plus virulente que la tradition documentaire «est devenue une entrave au plein épanouissement de l'imaginaire québécois (...); cette tradition en prise directe sur le monde effectue à notre insu un étranglement de l'imaginaire. On ne se permet de dire que ce qui est vrai ou cautionné par la réalité». Il faudra attendre la seconde moitié des années 80 et une nouvelle génération de cinéastes pour sortir du labyrinthe.

l'héritage culturel québécois. Toutes les études de mœurs et les explorations de l'imaginaire tentent de répondre à ces questions essentielles: qui sommes-nous? qu'est-ce qui nous a fait tels que nous sommes aujourd'hui? C'est pourquoi le thème de l'appartenance à l'album apparaît comme le paradigme essentiel du cinéma de cette génération. On fait des films pour identifier et pour saluer la parenté, en quelque sorte. De là vient son utilité pour les nationalistes, car il permet de rassembler la grande famille et de la stimuler aux luttes politiques. Mais de là vient aussi son ambiguïté fondamentale, car cette résurrection du passé, qui devient souvent un rassemblement de griefs, fait que l'idéal de l'indépendance prendra davantage le visage d'une revanche sur l'histoire que celui d'une ouverture sur l'avenir.

Gilles Carle, à la frontière des deux tendances, sait le mieux profiter de l'occasion pour enfin réaliser son cinéma. Après *Red*, une histoire de confrontation culturelle entre Québécois et Amérindiens, *Les mâles* l'imposent devant le grand public. Celui-ci accueille plus que favorablement les deux films qui suivent, *La vraie nature de Bernadette* et *La mort d'un bûcheron* qui, avec *L'âge de la machinne* en 1978 et *Les Plouffe*, en 1981, marquent le sommet de son œuvre. Chez Carle, le talent de conteur se double d'un sens de l'observation du détail amusant ou paradoxal qui en font le champion de la sociologie humoristique. Des personnages secondaires multiples lancent le spectateur dans plein de sous-thèmes se conjuguant généralement bien avec le thème principal, celui de l'amour d'un homme et d'une femme qui s'inventent une façon de vivre en contestant par l'humour un contexte social défavorable. Le récit principal se tient parfois très bien, mais le plus souvent, il ne sert qu'à raccrocher les digressions qui pullulent et constituent la meilleure part de l'œuvre parce qu'elles permettent de lancer des flèches dans toutes les directions. Il travaille davantage en largeur qu'en profondeur. On comprend qu'il ait été séduit en 1980 par la proposition d'adapter les *Plouffe*, récit à multiples personnages. On comprend aussi qu'il ait été attiré par *Maria Chapdelaine* (dont *La mort d'un bûcheron* avait en partie présenté une allégorie), qu'il accomode à son style habituel, mais qui ne rend pas justice au roman de Louis Hémon. Au début de la décennie 1970, Carle s'était moqué gentiment de ses collègues tournés vers le passé et faisant des films qu'il a qualifiés d'«épocrites». Dès 1975, il devient le maître toutes catégories du genre. Même lorsque dans les années 80 il revient au documentaire avec des sujets aussi divers que les échecs (*Vivre sa vie)*, Picasso (*O Picasso*), la ville de Québec (*Vive Québec*), le diable (*Diables d'Amérique*), il ne résiste pas à la tentation de la digression thématique, privilégiant le pittoresque ou l'anecdotique à l'exposition articulée des sujets; la sauce prend d'autant mal qu'il tente d'aguicher le spectateur en incluant des scènes de fiction jouées par celle qui semble être devenue son égérie, Chloé Sainte-Marie. Celle-ci joue d'ailleurs les rôles principaux des trois dernières fictions de Carle, qui ne révèlent plus que l'usure de la recette.

Claude Jutra réalise à ce moment ce que d'aucuns considèrent la part la plus importante de son œuvre[3]. D'abord, *Mon oncle Antoine* reconstitue à travers les yeux d'un adolescent un monde rural problématique autour de 1950. On peut y voir le procès d'une société qui se meurt dans sa peur de vivre ou d'assumer ses responsabilités, dans ses frustrations sexuelles et dans ses illusions d'américanité. Comme dans le cinéma de 1950, le personnage clé est un orphelin, mais ses découvertes de ce jour de Noël-là laissent prévoir une réaction salutaire. L'adolescent Benoît (ce prénom n'en fait-il pas un «béni»?) a désacralisé la mort, a connu ses premiers émois sexuels dans un contexte ludique, a réalisé qu'il ne pourra pas plus compter sur l'oncle que sur les pères absents pour construire sa vie. Il ne saurait le dire, mais comme Tit-Coq, il vit «la chance de naître orphelin». Il sert de prétexte à Jutra et à son scénariste Clément Perron pour prononcer un verdict acerbe sur cette période duplessiste qui laisse mourir ses enfants parce que la mort semble y avoir plus de sens que la vie. Ce besoin de représenter l'histoire pour l'assumer et la réinterpréter inaugure d'ailleurs un courant majeur qui se poursuivra pendant presque quinze ans. Deux ans plus tard, dans la foulée de l'immense succès remporté par *Mon oncle Antoine*, Jutra adapte et réalise *Kamouraska,* d'après le roman d'Anne Hébert. C'est la première superproduction québécoise, avec participation de la France. Le film atteint un grand lyrisme à certains moments, mais il ne réussit pas à concentrer l'attention sur le drame intérieur vécu par l'héroïne. On y admire toutefois la rigueur de la reconstitution du dix-neuvième siècle et Geneviève Bujold y confirme l'immensité de son talent. Le demi-échec du film n'empêche pas Jutra de tourner peu après *Pour le meilleur et pour le pire*, film intimiste sur le couple, dont la sensibilité ne concorde pas avec ce qui se vit alors dans la société québécoise. Son échec total, tant de la part de la critique que dans les salles, provoque un exil de Jutra vers Toronto où il tourne des œuvres de commande sans grand intérêt. On le retrouve dans les salles québécoises en 1984 avec *La Dame en couleurs*, coscénarisé avec Louise Rinfret. Comme pour *Mon oncle Antoine*, on se retrouve dans le Québec de 1950, avec l'histoire de ce qu'on appelle maintenant «Les enfants de Duplessis», ces orphelins qui se retrouvent dans un centre de malades mentaux uniquement parce qu'on ne sait où les placer ailleurs. Dans les sous-sols de l'institution — métaphore sans surprise — ils rencontrent un peintre à moitié fou qui projette en une

---

[3] Je considère toutefois qu'un documentaire comme *Félix Leclerc, troubadour* (1958) et *À tout prendre* (1963), fiction expérimentale et en partie autobiographique, représentent la meilleure part de l'œuvre de Jutra.

La Dame en couleurs *de Claude Jutra. Des «orphelins de Duplessis», véritables prisonniers d'un hôpital psychiatrique, trouvent une sortie vers la liberté. Mais il faudra dire adieu à la sécurité de l'institution. La plupart ne veulent pas prendre ce risque. (Les films René Malo)*

grandiose murale ses fixations sur une «dame» qui a tout de la Vierge Marie sans pourtant référer explicitement à l'univers religieux. L'allégorie de la création et de la situation de l'artiste est évidente; le peintre incompris, réduit à s'exprimer sur les murs d'une «caverne», comme les primitifs d'Altamira, c'est le cinéaste québécois du début des années 80 qui ne trouve pas dans son milieu naturel les conditions propices à la pratique de son art. C'est la dernière création de Jutra qui, atteint d'Alzeihmer, s'enlève la vie en 1986.

Réalisé par Clément Perron peu après *Mon oncle Antoine*, *Taureau*, bien que se déroulant dans un passé très proche, offre des similitudes éclatantes avec le film de Jutra. Perron est surtout connu comme scénariste depuis quinze ans. Pourtant, il a réalisé plusieurs documentaires marquants, dont *Les bacheliers de la cinquième* et *Jour après jour* et coréalisé avec Georges Dufaux en 1967 une comédie importante, *C'est pas la faute à Jacques Cartier*. On se retrouve dans le même genre de société villageoise, manifestant les mêmes frustrations sexuelles, offrant la même présence du clergé catholique et des élites locales, avec un personnage orphelin. Taureau, ainsi surnommé à cause de sa carrure et de sa force, est un jeune adulte simple d'esprit. Il idéalise le père qu'il a à peine connu et il ne s'est pas encore libéré du complexe d'Œdipe (il se masturbe en observant sa mère se déshabiller, laquelle est consciente de ce regard, mais joue le jeu pour garder son fils dans son état infantile; elle gagne d'ailleurs sa vie en se prostituant). La relation que Taureau développe avec une jeune institutrice du village, relation à travers laquelle il apprend à s'exprimer, à lire et à réfléchir sur ce qu'il vit, est mal vue de l'ensemble de la communauté et entraîne finalement sa mise à mort (son suicide n'est que la finale d'un enchaînement de circonstances dont il n'a rien décidé). Il a servi de «taureau émissaire».

Rien n'est pourtant réglé dans la communauté et c'est sur un ton de perplexité que se termine ce film qui baigne constamment dans une atmosphère de forte sensualité qui ne s'avoue pas et qui se vit surtout sur le mode de la culpabilité. Il faut surtout y voir l'ensemble des problèmes vécus par les gens de la quarantaine plutôt que par les protagonistes. Perron scénarise et tourne deux ans plus tard *Partis pour la gloire*, un attachant récit sur la façon dont les Beaucerons (sa communauté d'origine) ont su contourner la conscription au moment de la Seconde Guerre mondiale. Beaucoup y ont vu une allégorie du nationalisme québécois des années 70, inventant toutes les stratégies possibles pour affirmer son opposition au régime fédéral.

Pierre Perrault connaît déjà la célébrité avec sa trilogie «île aux Coudres»: *Pour la suite du monde, Le règne du jour* et *Les voitures d'eau*. Ces documentaires sont exemplaires tant par l'intérêt du sujet — la découverte de la communauté de l'île aux Coudres en tant que microcosme de tout le Québec — que par le regard chaleureux en quête de vérité historique. Au début de la décennie 1970, il lui apporte deux compléments, *Un pays sans bon sens* et *L'Acadie, l'Acadie?!?* Dans le premier, ce pays qu'on aime «sans bon sens», le Canada, devient petit à petit le Québec, à mesure que se précise l'appartenance à l'«album»; ce terme, dit Perrault,

> Nous l'empruntons au langage de Didier Dufour dont il faut tout de suite dire qu'il ne se contente pas du pied de la lettre. Il parle village. Il exalte les mots. Il rénove leur banalité. Il les oblige à dépasser la simple anecdote. Il les brandit. Et le mot album dans sa bouche signifie tantôt le village, souvent la descendance, parfois la «délignée», à l'occasion le voisinage, jamais l'endroit où l'on range des photos... mais toujours, d'une façon ou de l'autre et plus ou moins, le pays[4].

Le second vient, avec l'illustration du destin des jeunes Acadiens, donner comme une preuve par l'absurde que le Canada ne pourra pas rester le grand rassembleur. Dans les deux films, de multiples sous-thèmes enrichissent la thématique; le tout entend créer des liens entre des témoins privilégiés faisant partie du monde ordinaire et s'articule davantage autour de l'action politique à entreprendre dans le présent pour faire évoluer l'identité nationale que dans une nostalgie d'un passé mythique. Cette même quête de sens anime les séries que Perrault tourne ensuite avec des Abitibiens et avec des Amérindiens, puis à la recherche des traces de Jacques Cartier et enfin avec deux films singuliers sur le bœuf musqué du Grand Nord. Sa démarche se double d'une recherche constante sur la signification même du cinéma documentaire: «Le cinéma de fiction invente des mondes. Je rêve de confier le monde, une parcelle du monde, au cinéma»[5]; «Je nous arrime

[4] Dans *Un pays sans bons sens*, publication avec commentaires du dialogue et des actions du film, p. 10.

[5] Cette citation et celles qui suivent sont toutes tirées de *L'oumigmatique ou l'objectif documentaire*, publié chez L'Hexagone en 1995, p. 69, p. 143, p. 262.

dans l'advienne que pourra»; «Pour l'instant et jusqu'à preuve du contraire je m'emploie à produire des images qui regardent le monde au lieu de l'imaginer.(...) Je poursuis le voyage documentaire dans la direction du réel». Il est évidemment conscient qu'il «regarde le monde» d'une certaine façon, que les cadrages imposés à la caméra et le montage définissent un espace et en éliminent un autre, que sa Nagra ne recueille que le discours qui s'exprime assez clairement. Mais c'est justement là que s'exprime l'auteur, là qu'il s'insère dans la réalité au lieu d'en être à la remorque. Ce travail d'auteur, Perrault le complète par la publication d'une œuvre poétique majeure s'apparentant à *L'homme rapaillé* de Gaston Miron. On la retrouve tant dans des recueils distincts (*Chouennes, Gélivures, Irréconciliabules,* etc.) que dans les commentaires accompagnant la description des actions et le dialogue de presque tous ses films. Si d'aucuns peuvent être déçus par certains films, personne ne s'ennuie dans ses livres.

Vieux complice de Perrault, les deux réalisant la synthèse «audiovisuelle», selon sa boutade, Michel Brault imprime sa marque, en tant que directeur de la photographie, à une bonne partie des films majeurs du temps, ceux de Jutra, de Mankiewicz, de Poirier, etc. En 1974, il réalise *Les ordres,* film emblématique de la «fiction documentée» qui donne à plusieurs l'illusion du documentaire, malgré la présence de comédiens très connus (Jean Lapointe, Claude Gauthier, Hélène Loiselle...) et malgré l'utilisation d'un traitement tout à fait fictionnel (longs travellings, zooms impressionnants, raccords recherchés, etc.). La charge politique se montre sévère contre ceux qui ont donné les ordres d'arrêter 450 personnes innocentes au moment d'Octobre 1970, mais une inscription, au tout début du film, cite un Pierre Elliott Trudeau pas encore premier ministre du Canada pour rappeler que «Lorsqu'une forme donnée d'autorité brime un homme injustement, ce sont tous les autres hommes qui en sont coupables, car ce sont eux qui par leur silence et consentement, permettent à l'autorité de commettre cet abus». Il évite ainsi la complaisance et renvoie le spectateur à sa propre responsabilité et à son devoir d'action. On peut facilement considérer *Les ordres* comme le film politique par excellence. Brault coréalise ensuite avec André Gladu une longue série, «Le son des Français d'Amérique», pour rapailler dires, chansons et musiques traditionnelles qui vont des turlutes acadiennes aux *blues* de la Louisiane en passant par les «ruine-babines» du Québec. Depuis la fin des années 80, il réalise surtout de la fiction avec des sujets sociaux: *Les noces de papier* sur la situation des immigrés illégaux; *L'emprise* sur la violence conjugale; *Shabbat Shalom* sur les relations avec la communauté juive; *Mon amie Max* sur le désir de retrouvailles des enfants adoptés à la naissance.

Bien que ne réalisant que quatre longs métrages, tous avant 1980, Gilles Groulx demeure un phare dans le milieu du cinéma. Deux essais alliant la recherche formelle à la contestation sociale, *Où êtes-vous donc?* et *Entre tu et vous* ne réussissent pas à s'imposer dans les milieux de jeunes qu'il voudrait rejoindre. Il tourne ensuite une chronique de divers événements de la fin de 1971, *24 heures ou plus*, qu'il monte en intercalant des réflexions politiques faites par lui-même et par Jean-Marc Piotte, un politicologue marxiste engagé et ancien de *Parti pris*. Ces interventions aboutissant à la conclusion qu'il faut changer tout le système dans lequel nous vivons. C'en est trop pour la direction de l'ONF qui met le film au coffre-fort jusqu'en 1976, au moment où elle juge que la mode marxisante commence à être dépassée. Ce film reste le témoignage filmique le plus éclairant sur l'influence du marxisme-léninisme chez les jeunes intellectuels militants de l'époque. Groulx ne tournera plus que *Au pays de Zom*, fable stylisée et chantée dans laquelle un riche homme d'affaires critique son monde.

Avec peine et misère, Anne Claire Poirier a réussi à s'imposer dans ce monde d'hommes qu'est l'ONF. Son premier long métrage, *De mère en fille*, fiction à la manière du direct, l'a mise au devant de la scène en 1968. Projeté à Radio-Canada, il a suscité de tels commentaires qu'on peut y voir le coup d'envoi du cinéma féministe au Québec. Dès le début de la décennie suivante, elle est l'animatrice du programme En tant que femmes, dans le cadre du vaste programme Société nouvelle. Elle agit comme productrice pour l'ensemble des films tout en réalisant *Les filles du Roy*, historique très articulé de la relation des femmes avec les hommes, et *Le temps de l'avant*, fiction traitant de l'avortement. Comme les autres films de la série, ils se retrouvent en parfaite synchronie avec les préoccupations du mouvement féministe et en épousent les luttes (égalité dans le travail, contraception, garderies, avortement, lutte contre le sexisme, etc.). Poirier est secondée par Marthe Blackburn, Mireille Dansereau, Hélène Girard, etc. Les tournages deviennent une véritable école de cinéma pour toute une nouvelle génération de femmes. En 1979, elle réalise *Mourir à tue-tête*, plaidoyer contre le viol et éclatante démonstration qu'il n'est pas avant tout une affaire sexuelle, mais un exercice de pouvoir qui utilise l'humiliation sexuelle pour parvenir à ses fins. Trois ans plus tard, une réunion d'anciens d'une même classe, intitulée *La quarantaine*, permet à la réalisatrice d'établir un bilan de l'évolution parcourue par les gens de sa génération. En 1989, année du cinquantenaire de l'ONF, elle compile, sous le titre *Il y a longtemps que je t'aime*, des dizaines d'extraits illustrant la représentation des femmes dans les films de l'organisme; au-delà des images qui donnent envie de hurler, on découvre l'extraordinaire résistance de femmes qui réussissent à imposer une présence qui transcende l'image qu'on a voulu créer d'elles. Finalement, elle réalise *Tu as crié: LET ME GO*, un sujet très personnel, une

Mourir à tue-tête *d'Anne Claire Poirier. En symbiose avec le mouvement féministe des années 70, le cinéma des femmes a su traiter d'égalité salariale, de garderies, de contraception, de viol, de pornographie, etc. (Office national du film)*

réflexion sur le sens des événements entourant la mort violente de sa fille Yanne, jeune toxicomane assassinée il y a quelques années.

Associé comme cameraman avec les grands du documentaire, Bernard Gosselin fait une tentative du côté de la fiction en 1970 avec *Le Martien de Noël,* conte pour enfants dont le succès laisse présager celui des Contes pour tous de Rock Demers quinze ans plus tard. Il devient ensuite réalisateur de documentaires. On lui doit toute une galerie de portraits d'artisans de métiers traditionnels (*César et son canot d'écorce, Le discours de l'armoire,* etc.) et de musiciens folkloriques (*Jean Carignan, violoneux*). Son extraordinaire *Veillée des veillées* révèle à quel point la préoccupation folklorique accompagne l'action politique nationaliste parce qu'elle est récupération d'un passé qu'on a trop cherché à occulter lors de la Révolution tranquille.

Michel Moreau fait aussi œuvre de portraitiste très sensible en filmant *Jules le magnifique*, la série *Les exclus, Le million tout-puissant, Les trois Montréal de Michel Tremblay, Une enfance à Natasquan,* etc.) en parallèle avec des documents pédagogiques que sa formation en psychologie lui permet de rendre efficaces (*Une naissance apprivoisée, Le dur métier de frère*...). Il livre en 1992 un documentaire choc sur l'interculturalisme, *Xénofolies,* en faisant se confronter des jeunes filles de secondaire 5, une Québécoise «pure laine» et une fille d'immigrants italiens qu'intéresse uniquement la culture américaine. C'est finalement son propre portrait qu'il trace avec *Le pays rêvé.*

Chez Jacques Godbout, la décennie débute avec une plongée dans l'imaginaire pur. Jeune adulte, il avait remarqué ces feuilletons des aventures de IXE-13, l'as des espions canadiens-français, que les ouvriers lisaient dans les tramways. Reprenant les personnages et plusieurs anecdotes de l'œuvre de Pierre Saurel (pseudonyme de Pierre Daigneault), il en fait la substance d'une comédie musicale fort irrévérencieuse aux allures de bande dessinée, *IXE-13*, dont tous les personnages masculins importants sont interprétés par les Cyniques, un quatuor d'humoristes. Par la caricature, *IXE-13* renverse tout le système de valeurs que cette littérature d'évasion proposait dans les années 50 et profane tout ce que l'on considérait comme sacré, aussi bien les personnalités politiques que les personnages religieux. Presque toute son œuvre subséquente participe de cette même déconstruction des mythes collectifs par l'enquête sur des faits sociaux (*Aimez-vous les chiens?*), sur le monde de l'information (*Derrière l'image, Distorsions*, etc.), sur des personnages (*En derniers recours, Alias Will James, L'affaire Norman William*, etc.), sur des événements politiques (*Le mouton noir, Le sort de l'Amérique*). Presque tous ces sujets s'accompagnent d'une réflexion sur l'américanité et sur la relation trouble que les Québécois entretiennent avec les États-Unis. On y retrouve sensiblement les mêmes prises de position que dans ses romans et dans ses essais. Curieusement, même à l'heure où la mode était à l'adaptation des romans, il semble n'avoir jamais eu la tentation de faire un film de l'un des siens.

D'abord «homme du son» pour beaucoup de documentaires devenus des classiques, Marcel Carrière a ensuite parsemé d'un humour assez particulier ses propres réalisations documentaires. Il aborde la fiction avec *St-Denis dans le temps*, qui se présente comme un reportage en direct sur la bataille célèbre ayant eu lieu dans ce village au moment des Troubles de 1837-1838; il y intègre des images d'archives et d'autres d'actualité, dont une cérémonie du serment d'office des gardes paroissiaux qui n'est pas sans rappeler *Avec tambours et trompettes* qu'il avait réalisé plus tôt. Le côté baroque de l'ensemble ne démontre pas une vision politique très claire. Il va ensuite filmer le déracinement causé par la fermeture de villages de Gaspésie, attentif aux problèmes des personnes touchées par des décisions bureaucratiques (*Chez nous, c'est chez nous*)[6]; puis il est en 1974 un des premiers cinéastes occidentaux depuis la Révolution culturelle à pouvoir aller tourner en Chine (*Images de Chine*). Il livre ensuite deux attachantes comédies de mœurs à l'italienne, *O.K. Laliberté...* et *Ti-Mine, Bernie pis la gang*. Tous ses films se situent dans la lignée du cinéma de l'album.

Œuvrant dans une remarquable continuité tout en touchant une grande diversité de genres, Jean-Claude Labrecque serait peut-être le plus typique des représentants de cette génération. Il commence comme cameraman. Quand il passe à la réalisation, il entend conserver toute sa

[6] Carrière enregistre les derniers moments d'un village nommé Saint-Octave-de-l'Avenir (quelle ironie!), dont Maurice Proulx avait filmé les débuts en 1939.

liberté et pratiquer tour à tour le genre qui conviendra à ce qu'il a envie de dire ou de raconter. En 1967, il a livré un chef-d'œuvre du cinéma direct avec *La visite du général de Gaulle au Québec.* Après, il va exceller dans la cueillette de paroles de poètes (*La nuit de la poésie 27 mars 1970*, suivie de deux autres nuits semblables en 1980 et en 1991, *Claude Gauvreau, poète, Marie Uguay*, etc.), faisant lui-même la photographie pour accorder son regard à celui de ses interlocuteurs. Il signe ce qui est sans doute le plus authentique des films olympiques (*Jeux de la XXIe Olympiade*), un «film à hauteur d'hommes», comme il se plaît à le dire, avec raison, et qui illustre dans toute son ambiguïté le sens de cette manifestation sportive qui relève avant tout de la politique internationale. Après *Les smattes*, film de contestation politique dans le cadre de la fermeture de villages gaspésiens, son œuvre de fiction se tourne presque exclusivement vers la mise en scène de moments historiques tels que vécus par du monde ordinaire. Cela va de l'accession à la maturité d'un jeune homme de Québec au moment de la mort de Duplessis (*Les vautours*) avec sa suite (*Les années de rêves*) qui constitue un des meilleurs documents pour comprendre le type de contestation politique qui a provoqué les Événements d'octobre de 1970, à des portraits de célébrités plus ou moins oubliées (*L'affaire Coffin, Le frère André*). Tout à fait dans le cadre des films de l'album, il réalise aussi des portraits documentaires: *67 bis, boulevard Lannes* (Claude Léveillée), *André Mathieu, musicien* et *Les Compagnons de Saint-Laurent.*

Arthur Lamothe a aussi tâté de tous les genres, mais il semble maintenant avoir trouvé son filon principal et son style unique. Après *Le mépris n'aura qu'un temps*, documentaire de combat consacré aux travailleurs non spécialisés de la construction, presque toute son œuvre se consacre à l'illustration et à la défense des Amérindiens. Déjà, ils avaient pris une place plus ou moins grande dans tous ses premiers films (*Bûcherons de la Manouane, La neige a fondu sur la Manicouagan*, etc.). Il leur consacre maintenant de longues séries documentaires, tournées surtout en longs plans-séquences pour enregistrer avec le plus de fidélité possible les gestes et les dires de ses interlocuteurs. La visée est avant tout ethnologique, mais la sympathie du réalisateur tant pour la vie que pour la spiritualité et les prises de position politiques de ses films transpire continuellement, ce qui n'est pas sans éveiller quelque suspicions quant à l'intérêt d'une telle opération. Lamothe souhaite de toute évidence rapprocher Amérindiens et Québécois, mais la rencontre peut-elle se faire s'il se contente de n'enregistrer qu'une parole, s'il ne crée pas de situations de dialogue? On ressent le même malaise avec *Le silence des fusils*, une fiction sortie à l'automne 1996; s'il évite le manichéisme réducteur, le propos porte à faux puisque qu'encore une fois une seule des deux communautés est invitée à changer ses attitudes, celle des Blancs.

Fils d'un des premiers cinéastes québécois (à qui il consacre le moyen métrage *Herménégilde, vision d'un pionnier du cinéma québécois, 1908-1973*), Richard Lavoie s'est retrouvé très tôt derrière une caméra, mais il est toujours resté indépendant et a poursuivi presque toute sa carrière de documentariste dans sa région d'origine, Québec. Il prouve qu'il est possible de faire du documentaire en dehors de Montréal et de l'ONF. Souvent à portée pédagogique, son œuvre s'ajoute au cinéma de l'album. Il faut signaler surtout *La cabane, Voyage en Bretagne intérieure, Le trou du diable* et *Rang 5*.

De cette génération et de la précédente, il convient de mentionner ceux qui sont rapidement (trop?) disparus du milieu. Pierre Patry ne survit pas à la disparition de Cooperatio et oriente sa carrière ailleurs; on peut regretter que le réalisateur de *Trouble-fête* n'ait pas eu la chance de bénéficier de conditions favorables. Louis Portugais quitte trop rapidement le milieu et meurt prématurément. Raymond Garceau ne livre qu'une mauvaise parodie des relations entre Français et Québécois (*Vive la France*) et, dans *Et du fils*, il raconte un conflit de générations où il réaffirme son attachement aux valeurs-refuges. Guy L. Coté présente en 1972 un portrait saisissant des forces nouvelles qui essaient de transformer l'Église catholique du Québec, travail qui s'effectue, comme dit le titre, *Tranquillement, pas vite*; il va ensuite regarder le travail de quelques missionnaires qui proposent un nouveau type d'intervention en Bolivie; il réalise finalement des portraits de personnes âgées au moment où les problèmes de la vieillesse font les manchettes (en parallèle, Georges Dufaux en réalise aussi quelques-uns). Fernand Dansereau demeure encore une dizaine d'années dans le cinéma, mais sauf pour *Faut aller parmi l'monde pour le savoir*, chaleureux portrait des Québécois réalisé pour le compte des Sociétés Saint-Jean-Baptiste à la fin de 1970, rien de ce qu'il produit n'est à la hauteur de ce qu'il a fait entre 1957 et 1965; il obtient toutefois un immense succès en tant que scénariste pour des séries télévisées.

LA MALCHANCE D'ÊTRE «LYRIQUE»

De la génération qui suit, nés entre 1940 et 1950, seuls quelques noms surnagent, et ce sont ceux qui ont débuté dans le métier très jeunes, au milieu des années 60. Ceux-là partent sur un autre pied que leurs aînés. Ils ont à peu près tous connu les ciné-clubs, certains en ayant été des animateurs. Plusieurs se sont connus à l'université et font partie du même réseau d'amis, qui inclut des rédacteurs de la revue *Parti pris*, lieu de convergence idéologique des jeunes contestataires. Ils vivent tous leurs vingt ans dans l'euphorie des débuts de la Révolution tranquille. Ils se font alors répéter les deux

Le déclin de l'empire américain *de Denys Arcand. Le déclin d'une civilisation arrive inéluctablement quand les individus ne se préoccupent que de leur bonheur individuel, dit le cinéaste. Avec un humour parfois féroce, il trace un des meilleurs portraits qui soit de la «génération lyrique». (Photo Bertrand Carrière, Les films René Malo)*

grands slogans du Parti libéral du Québec «Faut qu'ça change» et «Maîtres chez nous», complétés par celui du Rassemblement pour l'indépendance nationale (le premier parti indépendantiste important), «On est capable». Ils s'émerveilleront bientôt pour ceux de Mai 68 en France, surtout pour le fameux «Soyez réalistes, exigez l'impossible». Faut-il s'étonner qu'ils les prennent au mot? Ils forment l'avant-garde des *baby-boomers*, ce groupe né avant 1950 que François Ricard a appelé la «génération lyrique», laquelle se caractérise par «une fascination pour soi-même», «la transgression des normes reçues, le rejet de l'héritage», «une génération de *transition*» qui retire ce qu'il y avait de meilleur dans l'ancien monde sans en avoir subi l'oppression, un «sentiment de la légèreté du monde», une «rébellion sans cause», «le narcissisme multitudinaire», «l'empire absolu de l'éphémère et de la nouveauté perpétuelle», «le goût immodéré de l'idéologie... la frénésie d'innovation théorique», «l'ouverture, l'authenticité, le courage de la démarche» privilégiés à «la cohérence de la pensée»...[7] Ces paramètres caractériseront l'essentiel de leur démarche cinématographique. Tous peuvent fréquenter le Festival international de Montréal et la Cinémathèque naissante; quelques-uns ont fait de la critique, au moins occasionnellement. C'est dire qu'au moment où ils abordent la création, leurs références ne sont pas avant tout sociales, comme pour leurs aînés, mais plutôt filmiques. C'est contre quelqu'un ou «dans la ligne de» qu'ils se définissent. Toutefois, ils se trouvent dans une position différente de celle de leurs prédécesseurs. Ceux-ci, à cause de leur

[7] Les citations sont des pages 11, 24, 71, 114, 143, 149, 193, 199, 202.

nombre et de leur personnalité, n'ont eu aucune difficulté à écarter la génération précédente; en 1970, ils n'ont que 40 ans, ils sont au sommet de leur art, la conjoncture les favorise et ils n'ont aucune envie de céder leur droit d'aînesse. La majorité des nouveaux cinéastes réaliseront rapidement qu'ils arrivent à un bien mauvais moment.

On a déjà vu que Denis Héroux en est le plus bruyant porte-étendard. Son camarade d'université, Denys Arcand, entre en cinéma par une autre porte, celle de la réalisation, au milieu de la décennie 60, de trois courts métrages documentaires à sujet historique: *Champlain*, *Les Montréalistes* et *La route de l'Ouest*. Les deux premiers suscitent de longs débats à cause de leur visée iconoclaste et d'une certaine impertinence dans le ton. Le je du commentaire *off* révèle déjà qu'un intellectuel d'un nouveau genre vient d'arriver à l'avant-scène. Rien ne le révèle mieux que ce texte avec lequel débute *La route de l'Ouest*:

> L'incertitude est le lieu le plus habituel de l'intelligence humaine. Perdus dans un cosmos dont nous sommes loin de connaître encore toutes les lois, l'inquiétude nous accompagne quotidiennement. Car nous savons aujourd'hui que les sables sont mouvants et que notre science n'est le plus souvent qu'une suite de miroirs ne révélant toujours que des mystères nouveaux.

Les années suivantes, le talent d'Arcand se perd dans des courts documentaires de commande ou dans la participation, comme acteur, à quelques films de copains. Mais il revient en force en 1970 avec *On est au coton* suivi, deux ans plus tard, de *Québec: Duplessis et après...*, deux longs métrages documentaires frappés par la censure, le premier interdit totalement pendant 6 ans (mais diffusé clandestinement à l'aide des premiers magnétoscopes et bénéficiant, à cause de la censure, d'une réputation surestimée), le second amputé de quelques courtes scènes sans que sa valeur n'en soit altérée. Comme l'indique bien l'orthographe du second titre, ce film n'a rien à voir avec une quelconque biographie de Duplessis; il concerne la situation du Québec, du moment où Duplessis en fut le petit roi jusqu'au temps présent du tournage, celui des élections provinciales de 1970. Déjà la méthode fondamentale d'Arcand est brillamment exposée: tout moment historique se comprend plus aisément s'il est comparé avec d'autres moments où des enjeux similaires ont été mis en balance; en corollaire, tout milieu ne se définit que par rapport avec un autre avec lequel il entretient des rapports de classes. Ici, les élections de 1970 sont mises en parallèle avec celles de 1936; les discours de Robert Bourassa et de René Lévesque sont confrontés avec le «Catéchisme des électeurs» de l'Union nationale de Duplessis et avec le Rapport Durham, qui fut rédigé à la suite des Troubles de 1937-1838. Cette méthode intellectuelle structurera presque tout le cinéma ultérieur d'Arcand, aussi bien les trois longs métrages de fiction qu'il livre coup sur coup entre 1972 et 1975, *La maudite galette*, *Réjeanne Padovani* et *Gina*, que le long métrage documentaire consacré au référendum de 1980 sur la souveraineté du Québec, *Le confort et l'indifférence*, où il se permet de faire commenter les enjeux politiques du Québec par un Machiavel récitant des pages bien choisies de son *Prince*. Entre-temps, Arcand est passé par un long purgatoire qui lui a permis d'affiner ses techniques d'écriture en scénarisant une série télévisée consacrée à Maurice Duplessis, série qui fait beaucoup de bruit en 1977. Quand il revient à la réalisation en 1984, c'est pour un travail «alimentaire», *Le crime d'Ovide Plouffe*, écrit sans imagination par Roger Lemelin. Cet exercice le remet toutefois en forme (Arcand, joueur de tennis et amateur de sports en général raffole des comparaisons sportives...) pour la scénarisation et la réalisation, en 1986, du *Déclin de l'empire américain*, où l'étendue de son talent et de sa culture éclate. L'extraordinaire succès remporté mondialement par ce film lui permet de mettre du temps à peaufiner le scénario de *Jésus de Montréal*, lauréat à Cannes en 1989 et qui entreprend aussitôt une brillante carrière. Avec *Jésus de Montréal*, Arcand a livré l'œuvre la plus riche et la plus cultivée du cinéma québécois, une brillante transposition tant de la Légende du Grand Inquisiteur des *Frères Karamazov* de Dostoïevski[8] que de l'esprit de l'Évangile. Seul Pasolini avait su, vingt ans auparavant, retourner aussi efficacement le mythe christique. Rien n'exprime autant la maturité des *baby boomers* de 45 ans que ce film qui propose les paramètres essentiels de la culture moderne (l'athéisme, la connaissance de l'histoire de l'univers par l'astrophysique et celle des grandes mythologies afin de garder sa liberté par rapport à elles et éviter ainsi toute retombée dans les pensées sectaires) tout en opérant une vigoureuse et salutaire critique du monde des médias, de la publicité, du théâtre d'improvisation, des autorités religieuses, de la situation des urgences dans les hôpitaux, de la pensée «nouvel âge» et des sectes du type raélien. Après le sketch le plus attachant de *Montréal vu par...* (scénarisé par Paule Baillargeon) en 1992, Arcand revient deux ans plus tard avec *De l'amour et des restes humains* d'après la pièce de théâtre de Brad Fraser. La réalisation est soignée, tout à fait efficace, mais la majorité du public est déçue parce qu'elle n'y retrouve pas la «méthode Arcand» habituelle. À la fin de 1996, *Joyeux calvaire*, produit avec un petit budget, ramène le Arcand de *Jésus de Montréal* auquel s'ajoute un regard très chaleureux sur les exclus de la nouvelle société de consommation.

Du même âge qu'Arcand, Jean Pierre Lefebvre connaît la célébrité avant d'avoir 25 ans avec *Le révolutionnaire*. Deux ans plus tard, *Il ne*

[8] De l'œuvre du romancier russe, on retrouve aussi le destin de Smerdiakov et des paroles brillantes de personnages secondaires comme «Ça lui donne tellement de plaisir et ça me fait si peu de mal», que le personnage de Constance prononce au sujet des relations sexuelles qu'elle a avec le curé Leclerc dans le film. Cette phrase, «en français dans le texte» chez Dostoïevski, était tirée d'*Adolphe*, de Benjamin Constant, lui-même la reprenant d'un récit de Voltaire! Quelle chose extraordinaire que le destin de cette phrase traversant deux siècles et demi pour aboutir tout à fait pertinemment dans une scène d'un film québécois.

faut pas mourir pour ça obtient le grand prix au Festival international du film de Montréal de 1967. Lefebvre n'est pas allé à l'«école» de l'ONF, et quoiqu'il soit un inconditionnel de Gilles Groulx, ses premiers films utilisent un langage très épuré et explorent davantage l'imaginaire de sa génération qu'ils ne cherchent à refléter son vécu. *Jusqu'au cœur* et *La chambre blanche* prolongent cet élan. Durant la décennie 1970, cette veine se poursuit avec un violent pamphlet contre le courant de cinéma érotique (*Q-Bec, my love*), avec une contestation de la mythification de personnages historiques (*Les maudits sauvages*) et avec un très tendre récit de la fin de deux personnes âgées (*Les dernières fiançailles*). Curieusement, Lefebvre tombe ensuite dans une veine réaliste et ses films ne provoquent plus le même intérêt, sauf pour *Les fleurs sauvages*, qui tente de retrouver la magie des *Dernières fiançailles*. Dès le début, il avait marqué clairement sa volonté de faire un cinéma d'auteur, à la mesure de ses moyens, indépendant et libre. Il aura tenu le pari presque tout le temps et on peut penser que ses films les moins réussis, dont sa dernière fiction, *Le fabuleux voyage de l'ange*, sont ceux où il a bénéficié de budgets plus élevés («Mon père était un chercheur d'or; l'ennui, c'est qu'il en a trouvé» chantait Brel). Il ne réalise plus que des essais sur l'«Âge des images» en utilisant la vidéo, moyen peu coûteux qu'il peut contrôler à sa guise. Tenu pour le cinéaste le plus talentueux de sa génération dans les années 60, Lefebvre, pour des raisons que même l'observateur le plus sympathique n'arrive pas à saisir, n'a pas su franchir le cap de la trentaine et produire l'œuvre qu'on espérait de lui.

Presque du même âge, Jean-Claude Lord ne vient pas de la même filière. Il a à peine vingt ans, ses études classiques sont à peine terminées que son premier scénario est réalisé par Pierre Patry. *Trouble-fête* présente la révolte d'un finissant du cours classique dans un collège dirigé par des religieux; l'atmosphère est celle de la fin des années 50. Engagé dans l'aventure de Cooperatio, Lord y réalise son premier long métrage, *Délivrez-nous du mal,* une adaptation mal maîtrisée du roman éponyme de Claude Jasmin. C'est au milieu des années 70 qu'il connaît sa meilleure période avec cinq longs métrages entre 1972 et 1978 (*Les colombes, Bingo, Parlez-nous d'amour, Panique* et *Éclair au chocolat*). Sauf pour *Parlez-nous d'amour* (sur un scénario de Michel Tremblay[9]), qui dénonce avec virulence la façon dont les émissions de télévision méprisent le public devant lequel elles sont produites, chacun reprend à sa façon le mythe évangélique des «saints innocents» en montrant des enfants ou étudiants sacrifiés pour les intérêts d'adultes sans conscience. Son illustration des classes sociales, avec un parti pris évident pour celle des travailleurs, fait des quatre premiers films de véritables prises de position politiques

[9] Tremblay signera aussi le scénario de *Il était une fois dans l'Est*, réalisé par André Brassard. Le film n'a que l'intérêt de présenter un «portrait de famille» des personnages composant l'univers romanesque et théâtral de Tremblay. Celui-ci signera encore un scénario pour Brassard, *Le soleil se lève en retard*, mais le film ne convaincra personne.

(surtout au sujet de la Crise d'octobre et de la pollution industrielle). Pour le dernier, *Éclair au chocolat*, Lord s'essaie à un drame intimiste, la relation d'une jeune mère avec son fils, avec en arrière-plan, un viol aux répercussions psychologiques jamais élucidées. Bien que de la génération «lyrique», Lord partage la sensibilité et la vision sociale de celle qui a précédé. Seul le traitement de ses films, à la mode *thriller*, le différencie, mais cela les rend plus attirants pour le grand public et le succès suit presque à tout coup. Après quelques années à la réalisation de productions américaines sans intérêt, il dirige *La grenouille et la baleine*, un des Contes pour tous. Les dix dernières années ont été surtout consacrées à la réalisation de séries télévisées (*Lance et compte, Jasmine, Lobby*) dont il a révolutionné le style en reprenant simplement le genre de traitement qui avait caractérisé ses films des années 70.

La carrière de Jean Beaudin débute en 1969 avec *Vertige*, fiction absolument «lyrique» explorant l'imaginaire psychédélique et hippie. Après, il change de registre et de thématique avec surtout des courts films à sujet social (*Les indrogables, Trois fois passera.., Cher Théo*, etc.), puis une œuvre majeure, *J. A. Martin, photographe*, qui l'amène au premier plan lorsque son interprète principale, Monique Mercure, obtient le prix d'interprétation à Cannes. Cette reconstitution du début du siècle présente avec beaucoup de finesse un portrait de femme qui s'inscrit à propos dans les luttes féministes en cours. Par sa sensibilité comme par les thèmes, le cinéma de Beaudin s'apparente à celui de la génération précédente (*J. A. Martin* aurait pu être réalisé par Jutra). Ainsi en est-il des films qui suivent, toutes des adaptations d'œuvres littéraires: *Cordélia, Mario, Le Matou*. Beaudin devient ensuite réalisateur de séries vedettes de la télévision (*Les filles de Caleb, Miséricorde, Ces enfants d'ailleurs)*. Sa dernière réalisation pour le grand écran, *Being at home with Claude*, une adaptation de la pièce de René-Daniel Dubois, renvoie toutefois à un univers très moderne, bien reflété par le traitement.

Transposition des événements d'Octobre 1970, **Bingo** *de Jean-Claude Lord, met en scène des étudiants de cégep pris dans des combines qui les dépassent. (Publicité)*

Jacques Leduc débute comme cameraman, métier qu'il exerce toujours en parallèle avec ses réalisations. Il se fait remarquer dès le début par une volonté de choquer, par un traitement baroque mélangeant fiction et documentaire, par des thèmes tout à fait représentatifs de l'imaginaire des *baby boomers* (*Chantal: en vrac, Nominingue... depuis qu'il existe, Cap d'espoir* dont les images et le langage crus provoquent une censure qui durera 6 ans). En livrant la commande d'un portrait du Frère André, dans la série des Quatre grands proposée par Pierre Maheu (donnant sur écran *Québec: Duplessis et après...* d'Arcand, *Peut-être Maurice Richard,* de Gilles Gascon et *Je chante à cheval avec Willie Lamothe* aussi de Leduc), il signe l'œuvre la plus importante de sa carrière, *On est loin du soleil.* Après un court récit biographique du thaumaturge mystique avec sa photo n'apparaissant que quelques secondes, commence le «vrai film», soit une galerie de portraits d'individus tout à fait ordinaires, chacun reproduisant une facette de la vie du célèbre frère. Le traitement fictionnel «rendant exemplaires, par élimination, concentration ou épuration, des situations et des personnages ordinaires» (Michel Euvrard)[10] deviendra la marque de commerce de Leduc, qu'on retrouvera tant dans ses autres fictions (*Tendresse ordinaire, Albédo, Le dernier glacier* — coréalisé par Roger Frappier—, *Trois pommes à côté du sommeil, La vie fantôme*) que dans ses documentaires (sa *Chronique de la vie quotidienne* en sept films et *Charade chinoise* qui cherche à faire se rencontrer des intellectuels de sa génération et des plus jeunes). Les sujets ont pu changer, mais le même désir de métisser documentaire et fiction demeure et cette continuité rend pleinement compte de la permanente difficulté de Leduc à structurer sa thématique en un monde organisé. À plus de 50 ans, il reste, comme bien d'autres de son âge, cet éternel adolescent qui se demande ce qu'il va faire quand il va être grand...

Ce qui est le cas de plusieurs autres qui débutent vers 1970. À l'ONF, un programme intitulé Studio des premières œuvres, pour lequel on engage comme producteur Jean Pierre Lefebvre, donne l'occasion à sept jeunes de la relève de se manifester. Hors de l'institution fédérale, plusieurs autres se lancent dans la création au même moment, fondant leurs propres compagnies de production. S'ils ont quelques années de moins qu'Arcand ou Lord, ils n'en sont pas moins de la même génération quant aux études classiques et à l'univers culturel instauré par la Révolution tranquille; ils vivent les mêmes enthousiasmes et les mêmes engagements. Mais fait étonnant, malgré toutes les promesses des premiers films, et même si la majorité d'entre eux restent liés au monde du cinéma, presque aucun d'entre eux n'a connu la carrière qu'on pouvait espérer. Même s'ils occupent toujours une place dans les bottins de cinéastes, la plupart n'auront été que des étoiles filantes.

---

[10] *Dictionnaire du cinéma québécois,* p. 329.

Les nouveaux réalisateurs du studio de l'ONF connaissent des fortunes diverses. Michel Audy (*Jean-François-Xavier de...*) poursuit une carrière marginale en région tout en gagnant sa vie comme pigiste. André Théberge (*Question de vie*) devient fonctionnaire après quelques autres films à l'ONF. Yvan Patry (*Ainsi soient-ils*) se dirige bientôt vers l'enseignement, qu'il quitte quelques années plus tard pour réaliser des documentaires d'information politique internationale qu'il vend aux télévisions. Marc Daigle (*C'est ben beau, l'amour*) devient producteur à l'Association coopérative de production audiovisuelle (ACPAV) où se retrouvent plusieurs cinéastes amis. Jean-Pierre Masse (*La guérilla, les gars*) collabore avec Jean-Claude Labrecque pour la première *Nuit de la poésie* et quitte le cinéma pour l'enseignement des communications. Fernand Bélanger (*Ti-cœur*) s'attarde longtemps à des films sur l'univers des jeunes (*Ti-peupe, L'émotion dissonnante*, etc.), réalise *De la tourbe et du restant* dans la lignée des films de l'album et finalement *Passiflora* où il combine des images de deux événements presque simultanés, la visite du Pape Jean-Paul II et un concert de Michæl Jackson à Montréal en 1984, avec diverses scènes jouées pour représenter toutes sortes de marginaux. L'expérimentation esthétique par le montage et le travail sur le son présentent un grand intérêt, mais l'outrance du propos et la volonté de provoquer hérissent et font pétard mouillé. Jean Chabot (*Mon enfance à Montréal*) tente ensuite de donner un nouveau style au film policier (*Une nuit en Amérique*) puis se retrouve tantôt dans l'enseignement, tantôt fonctionnaire du cinéma. Il revient quand même périodiquement à la création et poursuit une réflexion sociale avec *La fiction nucléaire*, un documentaire classique, et avec *Le futur intérieur*, une réflexion sur le féminisme qu'il coréalise avec Yolaine Rouleau; puis, dans le cadre d'une série de l'ONF portant sur l'américanité, avec *Voyage en Amérique sur un cheval emprunté*, un long monologue autobiographique coloré d'un questionnement provoqué par la naissance de son enfant. Un retour à la fiction (*La nuit avec Hortense*), mettant pourtant en vedettes deux grandes étoiles du cinéma d'ici, Carole Laure et Lothaire Bluteau, se révèle ensuite peu convaincant. Son dernier film, *Sans raison apparente,* encore une fois mélange de fiction et de documentaire, apparaît bien faible comme réflexion sur la manière dont les médias traitent le fait divers.

Dans ce même programme des «premières œuvres» était aussi inscrit *Le temps d'une chasse*, un projet de Francis Mankiewicz, mais qui sera produit dans le programme régulier un peu plus tard. L'attente aura valu la peine, puisque ce premier film, récit d'une fin de semaine de chasse qui tourne au tragique, met son auteur au premier plan. Sa carrière se poursuit en dents de scie; après quelques films de commande, il a la chance de recevoir un scénario de Réjean Ducharme et ce qu'il en fait devient *Les bons débarras*, un incontournable du cinéma québécois. La mise en scène demeure toutefois banale, la valeur du film tenant surtout de l'exceptionnel dialogue de Ducharme. Le regard d'une enfant, symboliquement orpheline, sur le monde adulte qui l'entoure situe le film en continuité avec ceux qui ont précédé, aussi bien *Mon oncle Antoine* que *Valérie*. L'imaginaire enfantin, avec son intelligence perverse, reflète parfaitement celui du romancier. Un autre scénario de Ducharme donne peu après *Les beaux souvenirs*, mais le dialogue n'a plus la même force et la mise en scène n'a rien pour convaincre. Son dernier film (un cancer l'enlève avant qu'il ait atteint ses cinquante ans), *Les portes tournantes*, d'après un roman de Jacques Savoie, démontre encore une fois que malgré une grande sensibilité pour créer des atmosphères, Mankiewicz n'aura jamais su trouver la veine esthétique et thématique qui en aurait fait un véritable auteur.

Un autre programme de l'ONF, Société nouvelle, animé surtout par des aînés (Robert Forget, Fernand Dansereau), donne aussi à quelques nouveaux venus la chance de faire leurs preuves. Pierre Maheu, principal animateur de la revue *Parti pris* dans les années 60, converti aux pratiques alternatives, livre avec *Le bonhomme*, un étonnant documentaire qui peut être considéré comme le manifeste de la contreculture qui gagne de plus en plus la faveur des intellectuels: vie en commune, naturisme, drogues douces, musique rock, spiritualités orientales, etc. Déjà, il prophétise ce repli vers l'individu et sa recherche de bonheur personnel qui deviendront le leitmotiv des films des années 80. Trois ans plus tard, il poursuit dans la même veine avec *L'interdit*, une présentation choc d'une commune antipsychiatrique. Maheu quitte ensuite le cinéma pour travailler dans la fonction publique et meurt accidentellement à 40 ans.

Michel Régnier est déjà bien connu comme cameraman. Il trouve dans Société nouvelle le cadre idéal pour exprimer ses idées de réformes sociales. Il y réalise deux longues séries sur la situation de la ville (*Urbanose et Urba 2000*). Il s'engage ensuite dans la voie de la solidarité

Marie Tifo et Charlotte Laurier dans **Les bons débarras** *de Francis Mankiewicz. Scénariste et dialoguiste de ce film, Réjean Ducharme y livre plusieurs des meilleures réparties de toute son œuvre. (Photo Yves Sainte-Marie, Prisma)*

internationale, avec la longue série Santé-Afrique, puis va vers d'autres points chauds de la misère humaine. De la frontière du Cambodge, de Chine, puis des Antilles et d'Amérique latine, il ramène des documents qui peuvent servir non seulement à une meilleure information internationale, mais aussi comme instruments d'animation sociale dans les pays du filmage. «Je fais des films pour répondre aux besoins des populations les plus démunies», résume-t-il pour décrire son métier.

Maurice Bulbulian débute aussi dans Société nouvelle avec *Dans nos forêts* où se manifeste déjà son sens de l'analyse de la problématique liée au monde du travail. Son film suivant, probablement le plus important de sa carrière, *Richesse des autres*, donne la parole à des mineurs du Nord-Ouest québécois et les amène voir — on est en 1972 — les fruits de la nationalisation des mines de cuivre que le régime socialiste de Salvador Allende vient de réaliser au Chili; ils ont même une entrevue spéciale avec le président. Mais si la position du réalisateur en faveur du socialisme semble claire, il ne semble pas du tout évident, à voir les réactions des mineurs et leur attachement à leur société de consommation, qu'ils seraient prêts à militer en ce sens. Sauf pour quelques courts métrages peu significatifs, Bulbulian s'engage ensuite dans la défense des autochtones, Inuit et Amérindiens, auxquels il consacre toute son œuvre des quinze dernières années. Il se situe ainsi dans la lignée de Lamothe et de Perrault.

D'autres productions de Société nouvelle ou du programme régulier inaugurent le courant que Marcel Jean appellera plus tard, un peu méchamment, «films de CLSC», c'est-à-dire des documents, tant des fictions que des documentaires, devant servir à la conscience des problèmes sociaux et à l'animation en vue de les régler. C'est ainsi que Yves Dion réalise *Sur vivre* sur le monde des paralysés cérébraux, *Raison d'être* sur des cancéreux en phase terminale, *Surditude*, etc., avant son film le plus important *L'homme renversé*, qui interroge sans concession la condition masculine. Mireille Dansereau (*Famille et variation*) et Hélène Girard (*Fuir*) poursuivent le travail de En tant que femmes. Marilu Mallet (*Les Borgès*) aborde le problème de l'intégration des immigrants. André Melançon y découvre ce qui sera le filon principal de sa carrière; tant par la fiction (des courts métrages dont *Les tacots*) que par le documentaire (*Les vrais perdants*), il rend compte de ce qu'est le vécu psychologique des jeunes enfants; son travail en fera plus tard le meilleur réalisateur des Contes pour tous (*La guerre des tuques, Bach et Bottine*) produits par Rock Demers. Dans les années 80, les sujets sociaux occupent une place privilégiée dans la production de l'Office: une série sur la bioéthique où se retrouvent plusieurs réalisateurs; *Au chic resto pop* et *Médecins de cœur* de Tahani Rached (qui avait réalisé auparavant *Les voleurs de jobs* dans le privé); plusieurs documentaires et fictions de Diane Beaudry: *L'ordinateur en tête,*

Histoire à suivre, Apprendre... ou à laisser, Rêve aveugle, Sur le dos de la grande baleine (peut-être le plus éclairant document sur la question des barrages hydroélectriques dans la région de la baie James); les films de Diane Létourneau: *Une guerre dans mon jardin, À force de mourir, Pas d'amitié à moitié, La caresse d'une ride*, etc.

En dehors de l'ONF, d'autres *baby boomers* réussissent à faire parler d'eux avec des productions témoignant d'un désir de renouvellement à bien des niveaux. Pour plusieurs, l'ACPAV joue en partie le rôle des «premières œuvres» à l'ONF. Parmi ceux qui durent, il faut mentionner d'abord André Forcier dont les premiers essais (*Le retour de l'Immaculée Conception, Bar salon* et *Night Cap*) surprennent par leur audace esthétique et leur volonté d'aller dans des milieux marginaux trouver des personnages et une poésie qui surgirait de la laideur et de la décadence, comme d'autres la recherchent dans la beauté et l'harmonie. C'est avec *L'eau chaude, l'eau frette*, en 1976, qu'il livre son œuvre la plus conforme à son idéal, baroque en tous points, exubérante par ses outrances autant que dramatique par l'univers où évoluent ses personnages principaux. Depuis ce temps, Forcier jouit de la considération complaisante d'une partie de la critique (surtout la plus jeune), bénéficie de moyens financiers plus considérables, ce qui lui permet de lécher davantage la présentation, mais chaque nouveau film (*Au clair de la lune, Kalamazoo, Une histoire inventée* et *Le vent du Wyoming*) ne fait qu'essayer de peaufiner le traitement de celui qui a précédé, pendant que son imaginaire n'apparaît que comme une parodie de la vision du monde qui avait précédemment fait sa force.

De son côté, Jean-Guy Noël séduit la critique avec *Tu brûles... tu brûles* et peu après avec *Ti-cul Tougas*, deux histoires de décrochage de la vie ordinaire et du rêve d'une vie autre dans un ailleurs indéfini. Le traitement, comme le thème, est résolument de son temps: une jeunesse séduite par les mirages de l'américanité ne sait rien voir de ce qui se passe d'important sous ses yeux dans son environnement naturel et ne s'intéresse ni au nationalisme, alors en plein essor, ni aux mouvements qui essaient de transformer la société. Il réussit un peu mieux *Tinamer*, adaptation de *L'amélanchier* de Jacques Ferron, mais le propos confus et l'esthétique ne renvoient qu'à une recherche non aboutie. On pourrait dire la même chose de *Bulldozer* de Pierre Harel, une fiction-exploration de la marginalité en milieu ouvrier de l'Abitibi. Ce film témoigne de la culture de l'indigence et de la pauvreté culturelle, et combine à une recherche de récit non-linéaire une volonté de choquer par l'outrance du dialogue. Vivant à l'extrême l'écologie à la mode, Harel partage ensuite la vie d'Amérindiens tout en pratiquant divers métiers et ne revient sporadiquement au cinéma que pour des réalisations de type expérimental (*Vie d'ange, Grelots rouges sanglots bleus*). Autre sociétaire de l'ACPAV, Paul Tana réalise *Les grands enfants*, titre emblématique s'il en est pour toute cette génération. Il partage ensuite son temps entre l'enseignement du cinéma et la création, ne tournant que deux longs métrages: le premier mélange fiction et documentaire (*Caffè Italia, Montréal*) et le second, (*La Sarrasine*), une pure fiction est inspiré d'un fait divers du début du siècle; les deux traitent des relations entre la communauté québécoise francophone «de souche» et celle qui s'est développée par l'immigration italienne, expérience vécue par le réalisateur.

Avec *La vie rêvée*, Mireille Dansereau est la première femme à réaliser un long métrage de fiction dans le secteur privé (1971); il témoigne des fantasmes de deux jeunes femmes célibataires vivant à leur façon la libération féministe et concorde tout à fait avec l'esprit du temps. Dansereau participe ensuite à En tant que femmes et revient à la fiction personnelle en 1979 avec *L'arrache-cœur* qui traite tout en nuances de la relation mère-fille dans une perspective psychanalytique, mais qui ne séduit ni la critique ni le public. C'est aussi le sort que connaît malheureusement *Le sourd dans la ville*, une adaptation d'un roman de Marie-Claire Blais dont le côté sombre cache une mise en scène très maîtrisée et qui aurait mérité un meilleur accueil.

Ayant baigné dans la culture dès son enfance, André Gladu en fait son principal sujet. La musique traditionnelle l'attire d'abord; il lui consacre *Le reel du pendu*, puis coréalise avec Michel Brault, l'importante série documentaire Le son des Français d'Amérique, ce qui l'amène, entre autres, en Louisiane et entraîne la production d'autres films sur la musique de cet État (*Zarico, Liberty Street Blues*). Parallèlement, il mêle fiction et documentaire pour dresser les portraits de deux peintres importants: *Marc-Aurèle Fortin, 1888-1970* et *Pellan*). Finalement, après *Gaston Miron, les outils du poète* et *Le feu sacré* consacré à l'École nationale du cirque de Montréal, il boucle la boucle avec *La conquête du grand écran, le cinéma québécois 1896-1996*, long métrage indispensable à l'histoire du cinéma d'ici, non seulement pour la richesse de la documentation, mais aussi pour l'interprétation proposée.

C'est passé la trentaine et par le documentaire militant que Richard Boutet arrive au cinéma, d'abord avec *L'amiante, ça tue* en 1978 et *La maladie, c'est les compagnies* l'année suivante. Dans les années 80, il plonge dans l'histoire du Québec en cosignant avec Pascal Gélinas *La turlute des années dures*, un recueil de souvenirs de personnes ayant vécu la crise économique des années 30, de chansons avec lesquelles on exprimait alors son désarroi et sa misère, d'archives visuelles illustrant ce dont parlent peu les manuels d'histoire. L'ensemble met en relief l'esprit de résistance du peuple et constitue une admirable leçon d'histoire. Avec un traitement différent, combinant des témoignages de survivants à des reconstitutions et à des plans d'archives, liant le tout par des chansons de l'époque, il raconte l'impact que la conscription a eu lors du conflit de 1914-1918, cette *Guerre oubliée*. Il réalise ensuite un long documentaire à visée pédagogique sur le suicide chez les jeunes, *Le spasme de vivre* et s'intéresse de nouveau à l'histoire pour raconter *Le chemin brut de Lisette et Romain*, des victimes du système psychiatrique à l'époque duplessiste et qui s'en sont finalement sorties par la peinture.

Robert Favreau est animateur social avant de travailler dans le cinéma. Son premier film, *Le soleil a pas d'chances* (1974), sur ce que vivent les duchesses du carnaval de Québec présente, par son montage, une charge dénonciatrice de tout ce que ce rituel de couronnement d'une «reine» comporte d'aliénation pour les jeunes femmes engagées naïvement dans le processus. Il entre tout à fait dans le courant des films féministes en vogue et dans l'esprit d'En tant que femmes. Il suffit que les responsables du carnaval tentent de faire interdire le film pour en faire un succès d'assistance partout où il passe! Après quelques autres documentaires militants, Favreau passe à la fiction dans les années 80. Toujours préoccupé par les enjeux sociaux, il signe d'abord un court métrage dans une série consacrée à la bioéthique *La ligne brisée*, puis sur un sujet connexe un long métrage qui fait beaucoup de bruit, *Portion d'éternité* qui traite de la fécondation *in vitro* et des recherches sur les embryons humains. Il livre ensuite, au moment du cinquantenaire de la mort de Nelligan, un très joli portait du poète (*Nelligan*).

Œuvrant d'abord dans la production, Robert Ménard ne commence à réaliser que durant les années 80. Après plusieurs essais non concluants, il se fait finalement remarquer en 1988 avec *T'es belle, Jeanne*, une histoire d'amour entre deux handicapés à la suite d'accidents, un motard et une enseignante très «génération lyrique», dans laquelle deux comédiens vedettes, Michel Côté et Marie Tifo, donnent une performance hors de l'ordinaire. Puis il scénarise *Cruising bar* avec Michel Côté, celui-ci jouant les quatre rôles importants du film, des personnages de la même génération, mi-comiques mi-dramatiques, vivant dans des milieux différents. Au fond, c'est l'expression par excellence de la génération des *baby boomers*: leur hédonisme les amène à se quadrupler pour une recherche du bonheur au jour le jour qui n'engage à rien et qui ne mène qu'à des petits plaisirs frelatés.

Toujours de cette génération, mais arrivant à la réalisation un peu plus tard, parfois après un long assistanat, d'autres hommes et d'autres femmes vont témoigner du même univers imaginaire décousu, déchirés entre plusieurs systèmes de valeurs, incapables de prendre des positions fermes, se laissant submerger par le surgissement de la vie, entretenant l'illusion de pouvoir tout vivre sans contraintes, et finalement refusant de s'assumer. C'est le cas d'Alain Chartrand, d'abord apôtre du retour à la terre avec *Isis au 8* et *La piastre*, avec quelques courts métrages, avec un téléfilm du genre «CLSC» (*Des amis pour la vie)*, avec une réalisation plutôt molle de sketches des humoristes Ding et Dong; et finalement avec des documentaires hagiographiques consacrés l'un à son père, le fougueux syndicaliste Michel Chartrand (*Un homme de parole*) et l'autre à sa mère Simonne (*Une vie comme rivière*). C'est aussi celui de Brigitte Sauriol (*L'absence*, *Rien qu'un jeu*) qui ne sait trouver une forme convenant au propos (l'absence du père, l'inceste). Même chose pour Hubert-Yves Rose qui ne réalise finalement qu'un long métrage remarqué, *La ligne de chaleur*, un autre témoignage des traumatismes liés à l'absence du père. Mais Rose, avec une lucidité étonnante, constate en interview que

> Notre génération n'a pas livré la marchandise [...], regarde tous les cinéastes de ma génération, les Chabot, Mankiewicz, Forcier, Frappier, ils ont tous l'air d'enfants, physiquement. Regarde les films qu'ils font, c'est des films immatures, des films de monde qui ne s'assume pas, de monde qui ne veut pas vieillir, de monde qui multiplie les compromis[11].

Micheline Lanctôt est alors la compagne de Rose. En parallèle avec une fructueuse carrière comme actrice depuis *La vraie nature de Bernadette* de Gilles Carle, elle est passée à la réalisation en 1980 avec *L'homme à tout faire*, éloquente preuve du propos de Rose, puis avec *Sonatine*, portrait de l'adolescence incomprise par ces parents qui sont précisément de la génération de la réalisatrice. On retrouve le même genre de thématique dans *Deux actrices*, probablement son œuvre la plus achevée et dans *La vie d'un héros*, transposition d'éléments autobiographiques. Autre actrice qui passe à la réalisation, Paule Baillargeon vogue dans les mêmes eaux avec *Anastasie oh ma chérie* et *La cuisine rouge*, une navrante mise en situation des relations entre les hommes et les femmes. Après quelques films de commande, sa dernière œuvre personnelle (*Le sexe des étoiles*) questionne une fois de plus le rôle du père; ici, il a même changé d'identité sexuelle et n'a rien à dire à sa jeune adolescente. Avec *Beat*, puis avec *L'hiver bleu*, André Blanchard montre que les jeunes en région vivent la même problématique que les urbains. Le duo Jean Beaudry et François Bouvier s'impose en 1984 avec *Jacques et Novembre*, fiction de production quasi artisanale mais d'une grande qualité qui raconte avec humanité les derniers jours d'un jeune homme de 31 ans atteint d'une maladie rare et qui présente le bilan qu'il peut dégager de sa vie. Les deux récidivent en 1989 avec *Les matins infidèles*, une autre exposition de l'imaginaire des hommes de 40 ans qui se questionnent encore sur ce qu'ils veulent faire de leur vie. Chacun de leur côté, ils ramènent ensuite des personnages du même genre, Bouvier avec *Les pots cassés* et Beaudry avec *Le cri de la nuit*. En continuité avec son travail d'éducateur spécialisé,

[11] Interview avec Nathalie Petrowski, *Le Devoir*, 5 novembre 1988. C'est au moment où son film bénéficie d'une critique exceptionnellement favorable. Dans la même interview, Rose voit dans les années 70 le «moyen-âge», la période de «grande noirceur» du cinéma québécois.

Marcel Simard trace avec *Love-moi* un dur portrait de la jeunesse délinquante en même temps qu'il propose la création comme méthode thérapeutique possible. Michel Langlois, scénariste prisé (plusieurs films de Léa Pool, Jacques Leduc, etc.) et déjà auteur des courts métrages primés *Sortie 234* et *Lettre à mon père*, tourne finalement des films très personnels: le téléfilm *...comme un voleur* et *Cap Tourmente*, ce dernier présentant un survenant dans la lignée du cinéma local, mais qui évoque aussi celui du *Theorema* de Pasolini; Langlois développe surtout le thème de l'homosexualité et celui de la relation des adultes avec leurs parents. Dans le documentaire, Serge Giguère, dont le premier métier est directeur de la photographie, se signale surtout avec *Depuis que le monde est monde*, coréalisé avec Sylvie Van Brabant, et montre ensuite un extraordinaire talent à dresser les portraits de personnes qui, en soi, ne présentent guère d'intérêt: *Oscar Thifault*; *Le roi du drum* (Guy Nadon); *9, Saint-Augustin* (Raymond Roy, prêtre et animateur social à Victoriaville).

Pierre Falardeau constitue un cas à part dans sa génération, parce qu'il est probablement le cinéaste le plus admiré des adolescents et des jeunes adultes. Dans un premier temps, la forme documentaire (souvent artisanale) lui permet, avec son complice Julien Poulin, de travailler en toute liberté et d'exprimer un militantisme radical en faveur de l'indépendance du Québec (*Le Magra, Pea Soup, Speak White*, etc.). En 1981, un court métrage de fiction à l'humour décapant, *Elvis Gratton*, entend démystifier et ridiculiser les sous-produits de la culture américaine, symbolisée par Elvis Presley et tout ce qu'il provoque comme liturgies et retombées commerciales. Les compères lui ajoutent deux suites d'une demi-heure et le long métrage ainsi obtenu, après un modeste succès en salles en 1985, devient le numéro un de la location en vidéo-cassette alors en pleine expansion parce que les jeunes en font rapidement un film culte. En 1989, Falardeau réalise *Le party* pour dénoncer les conditions pénitentiaires; il tombe dans le manichéisme le plus simpliste avec des prisonniers qui ne sont que bons gars alors que les autorités et les gardiens ne sont que pourriture; le plaidoyer en faveur de l'humanité passe difficilement. Un slogan plutôt maladroit s'affiche au générique et dans la publicité: «La liberté n'est pas une marque de yogourt» (c'est qu'il existe effectivement un yogourt de marque Liberté); il devient le titre d'un recueil polémique rassemblant essais inédits, éléments de scénarios, lettres ouvertes aux journaux, citations chocs, attaquant aussi bien les institutions subventionnaires que le milieu du cinéma. Il ne cache pas son mépris envers ses collègues cinéastes qui tournent «des fois en 35 mm, des fois en 16 mm, la plupart du temps en rond»! Après un banal reportage sur le déclin d'un boxeur (*Le steak*), il revient avec *Octobre*, décevant à la fois par la courte vue politique et par le parti pris de spectacle à la manière hollywoodienne.

En 13 minutes, **Château de sable** *de Co Hœdeman résume brillamment l'histoire de l'univers et de la culture. (Office national du film)*

Le cinéma d'animation se situe toujours un peu à part. Le plus souvent, le temps mis à la réalisation de ces films qui dépassent rarement dix minutes est tel que les sujets ne peuvent que s'éloigner de la vie au jour le jour pour se situer d'emblée dans l'universalité et dans les questions existentielles. De la génération précédente, Frédéric Back atteint les sommets de la renommée dans les années 80 avec *Crac*, un brillant résumé de l'histoire du Québec rural à travers le destin d'une chaise berceuse; il s'y maintient avec *L'homme qui plantait des arbres*, un vibrant plaidoyer écologique, préoccupation qui anime aussi son dernier film *Le fleuve aux grandes eaux*. Ceux de la génération «lyrique» se démarquent des préoccupations de leur groupe tant par les techniques choisies que par la thématique. Pierre Hébert se signale par le degré de perfection auquel il amène la technique du grattage et du dessin sur pellicule et par l'engagement social (*Père Noël, Père Noël, Souvenirs de guerre, La lettre d'amour*, etc.). Jacques Drouin livre de purs chefs-d'œuvre avec l'écran d'épingles (*Le paysagiste, L'heure des anges*). Expérimentant d'autres matériaux, se distinguent aussi Co Hœdeman (*Le château de sable*), Francine Desbiens (*Dernier envol*), Suzanne Gervais (*Climats*), Eugene Fedorenko (*Chaque enfant*), etc.

LES FILS DES «FONDATEURS» ET LA GÉNÉRATION X

Avec le milieu des années 80, une nouvelle génération de cinéastes fait son entrée en scène. Ils sont nés dans les années 50 et s'ils appartiennent encore à la génération du *baby boom*, ils en sont les derniers rejetons, déjà fort différents de leurs aînés de dix ou quinze ans. Ils ne sont pas passés par les collèges classiques, mais par les polyvalentes et par les cégeps; la plupart n'ont jamais entendu parler du cours classique, tout étonnés d'apprendre un jour en parlant avec un aîné qu'il ait pu être obligé d'apprendre le latin et le grec. Ils avaient à peine un ou deux ans qu'on les mettait devant la télévision pour que son ronron les endorme ou les distraie, en somme pour qu'ils se fassent oublier. Ils ont accumulé par là une quantité astronomique de stimuli, d'images, de sons et de sensations. La vie qu'ils connaissent est davantage celle des films que celle du monde autour d'eux. Plus encore que leurs grands frères et grandes sœurs, ils ont compris très tôt qu'ils étaient des princes, le centre du monde, objets de l'attention générale. Ils sont les premiers à avoir suivi, soit comme élément de culture générale, soit dans le cadre d'une spécialisation, des cours de cinéma au cégep ou à l'université. Leurs professeurs, en jeans et tee-shirts, ont alors seulement quelques années de plus qu'eux et ils ont appris leur métier sur le tas, dans la fréquentation et l'animation des ciné-clubs et, pour les plus chanceux, dans les premiers cours que les universités ont commencé à dispenser. Si leurs connaissances précèdent de peu celles qu'ils communiquent à leurs élèves, ils ne manquent ni d'enthousiasme ni d'esprit critique. Dès leurs études collégiales, les futurs cinéastes peuvent fréquenter massivement la Cinémathèque. S'ils admirent *Le chat dans le sac* comme film emblématique de leurs parents ou de leurs professeurs, ils savent déjà qu'ils veulent faire quelque chose de différent. Les plus curieux ou ceux qui ont eu un enseignant plus critique ont lu cette interview où Fernand Dansereau, de retour d'un festival en 1982, commentait avec un peu d'amertume le travail des cinéastes de sa génération:

> Ce fut le choc de ma vie. En regardant les films de mes confrères, Perrault, Groulx, Arthur Lamothe, j'ai eu l'impression de voir un seul et même film. Ce fut une véritable leçon d'histoire du cinéma québécois. J'ai vu les qualités de nos films, la chaleur, le souci technique, la complicité avec le quotidien. J'ai vu aussi leurs maudits défauts. Notre cinéma est profondément nostalgique, c'est le cinéma du «j'aurais donc dû», un cinéma sans violence où gronde quelque part la colère des faibles. Et au-dessus de tout ça, j'ai compris que nous n'avions jamais apprivoisé les éléments du spectacle, nous ne savions rien de ses exigences[12].

Les nouveaux venus entendent donc se libérer de la nostalgie de leurs aînés, et surtout, ils sont fermement décidés à utiliser les fameuses «lois du spectacle» que souvent leurs professeurs ont voulu leur apprendre à détester mais qui les ont plutôt séduits. S'ils touchent parfois les mêmes sujets que les deux générations précédentes (chez eux aussi, il y a de grands enfants de plus de trente ans qui se demandent ce qu'ils vont faire quand ils vont être grands...), ils entendent le faire d'une manière nouvelle, plus esthétique et surtout moins idéologique. Ils ne veulent plus tellement régler les problèmes de la société, ni même les leurs (enfin pour la grande

[12] Interview au *Devoir*, 4 septembre 1982.

majorité), ni se proposer comme modèles, mais simplement faire du cinéma qui sera vu. S'ils admirent Gilles Groulx et Pierre Perrault, ils ne voudraient en rien leur ressembler. S'ils aiment Godard, c'est celui qui a dit: «tout ce qu'il faut pour faire un film, c'est une fille et un revolver»... Ce qui ne veut pas dire qu'ils sont prêts à toutes les concessions. Ils bénéficient aussi de la collaboration d'une nouvelle génération de directeurs de la photographie qui arrivent au sommet de leur compétence. Plusieurs ont pu terminer leurs études universitaires par la réalisation d'un film remarqué dans les festivals ou au moins par la critique spécialisée.

Yves Simoneau, né en 1956, n'a que 26 ans quand, après quelques courts métrages documentaires, il réalise à Québec *Les yeux rouges ou les vérités accidentelles*, un long métrage où il révèle une bonne maîtrise des lois du suspense. Il mêle ensuite le documentaire à la fiction fantaisiste pour réussir *Pourquoi l'étrange monsieur Zolock s'intéressait-il tant à la bande dessinée?* Il s'impose définitivement avec *Pouvoir intime*, un thriller coscénarisé avec le comédien Pierre Curzi. Devant travailler trop rapidement, il ne réussit pas très bien son adaptation des *Fous de Bassan*, d'après le roman d'Anne Hébert car le sujet requérait une maturité qu'il n'avait pas encore. Il plaît ensuite beaucoup au jeune public avec une comédie mâtinée de science-fiction, *Dans le ventre du dragon*. Il ne lui manque plus que de bons sujets et de bons scénarios pour réussir de grands films. Mais attiré par le mythe hollywoodien, il s'en va tenter sa chance chez les *majors*. On ne voit plus son nom que dans des génériques de banals produits américains.

D'origine suisse, l'enseignante Léa Pool est venue étudier l'audiovisuel à l'Université du Québec. S'installant ici, elle trouve petit à petit son chemin dans les dédales de la production. Dès 1984, son talent pour la mise en scène s'impose avec *La femme de l'hôtel*, talent que vient confirmer coup sur coup *Anne Trister* et surtout *À corps perdu*. Sa thématique principale, le déracinement et l'approche d'une nouvelle culture, se combinant avec celle de la nécessité de trouver de nouvelles relations entre les hommes et les femmes ou bien entre les femmes et les femmes, s'inscrit dans la modernité la plus prégnante. Par la suite, *La demoiselle sauvage* et *Mouvements du désir* reprennent la thématique de façon plus spectaculaire, mais sans plus d'à propos.

Avec *Un zoo, la nuit*, Jean-Claude Lauzon fait son entrée avec grand fracas. D'une esthétique très travaillée, tant pour l'image que pour le son, le récit, rempli de bruit et de fureur, mêle une histoire violente de revendeurs de drogue à une recherche du père tout à fait typique de la tradition filmique locale, sauf que cette fois, la recherche aboutit. Lauzon ne cherche pas à refléter la vie, il en crée une autre sur l'écran, qui semble pourtant plus réelle que ce que tout spectateur peut voir autour de lui. Le multiculturalisme vécu au quotidien à Montréal a rarement trouvé une expression plus juste. Il pousse encore plus loin sa démarche esthétique avec *Léolo*, transposition psychanalytique de son enfance vécue dans un milieu ouvrier malsain durant les années 60; l'hyperréalisme tombe souvent dans le surréalisme tellement la mise en scène et le jeu des cadrages et de la lumière transfigurent tous les gestes. Beaucoup le comparent au Fellini de *Satyricon* ou d'*Amarcord*. Il a déjà tourné du grand cinéma, mais on sent que le meilleur de Lauzon reste à venir.

Avec Francine Allaire, Sylvie Groulx a réalisé en fin d'université un décapant documentaire, *Le grand remue-ménage*, qui porte sur la condition masculine l'œil critique de deux jeunes femmes. Après diverses activités dans la diffusion du cinéma d'auteur, elle revient à la réalisation en 1988 avec le documentaire *Chronique d'un temps flou*, titre emblématique s'il en est de l'esprit du temps. Elle y livre un portrait des jeunes de 25 ans qui ne savent où canaliser leurs énergies créatrices, les uns se fiant sur l'État pour leur créer des *jobs*, les autres ne pouvant compter sur personne, tous ayant l'impression qu'ils auront bien des difficultés à s'en sortir. Engagée ensuite à l'ONF, elle réalise quelques documentaires avant de s'attaquer à la fiction avec *J'aime, j'aime pas*, du genre «film de CLSC», mettant en scène une mère célibataire adolescente aux prises avec ses problèmes de survie économique et de vie affective.

Avec *Des lumières dans la grande noirceur* (1991), on doit à Sophie Bissonnette un des plus beaux titres du cinéma québécois (qui n'en manque pas d'excellents, qu'on pense à *Pour la suite du monde*, *Le mépris n'aura qu'un temps*, *Entre la mer et l'eau douce*, *Faut aller parmi l'monde pour le savoir*, etc.). Le film porte sur Léa Roback, féministe, communiste et juive d'origine allemande qui dès les années 30 milite pour faire avancer toutes les causes sociales et en particulier la condition féminine. Il donne lieu à un regard nouveau sur la période souvent trop injustement qualifiée de «noirceur», sans toutefois tomber dans le révisionnisme. Le film étant réalisé après la débâcle historique de la fin des socialismes, on peut reprocher à la cinéaste de ne pas avoir questionné l'engagement communiste de son sujet, mais elle n'est pas la seule à

Léolo *de Jean-Claude Lauzon. Le portrait féroce de la famille canadienne-française à la fin des années 60, telle que revue par l'enfant de l'époque qui s'en est sorti parce qu'il a appris à rêver. (Photo Roger Dufresne)*

avoir ce genre de pudeur. On dirait même que c'est un sujet tabou: ni Alain Chartrand dans son film sur son père, ni Jean-Daniel Lafond (*La liberté en colère*) filmant les ex-felquistes Pierre Vallières, Francis Simard, Robert Comeau, etc., n'osent eux aussi aborder ce sujet. Pour Bissonnette, *Des lumières...* s'inscrit dans une suite de plusieurs documentaires militants qui vont de *Une histoire de femmes* à *Le plafond de verre* en passant par «*Quel numéro what number?*» et *L'amour... à quel prix?* qui examinent les conditions des femmes du «monde ordinaire» dans le milieu du travail et dans le couple.

Suzanne Guy consacre aussi la majeure partie de sa production documentaire à des portraits de femmes, mais elle se retrouve dans des milieux bien différents et avec des sujets délicats. Elle coréalise d'abord avec Guy Simoneau *On n'est pas des anges* sur la sexualité des personnes handicapées. Elle tourne ensuite *C'est comme une peine d'amour*, attentive à recueillir les paroles de femmes ayant subi un avortement. Sur une longue chanson de Céline Côté, elle filme *Les enfants aux petites valises,* ces enfants du divorce qui se promènent d'un foyer parental à l'autre. Toujours intéressée par la condition féminine, elle braque ensuite sa caméra sur des résidentes de la prison Tanguay (*Les bleus au cœur*). Ses images soignées et l'absence de jugement moral montrent son souci de valoriser ses sujets et de favoriser la communication la plus intime possible avec le spectateur. Elle revient au monde de l'enfant avec *L'année qui change la vie,* la première de l'entrée dans la filière scolaire et aborde le renouveau de la spiritualité au Québec avec *Du cœur à l'âme avec ou sans Dieu.*

George Mihalka fait ses classes dans le film publicitaire et pédagogique. Ses premières fictions, en anglais, exploitent le fantastique et l'horreur. En français, il signe en 1982 *Scandale*, un des rares films pornographiques québécois, prenant comme base de scénario un fait divers ayant fait de grosses manchettes, celui du supposé tournage de films pornographiques avec le matériel de l'assemblée nationale du Québec; quelques séquences de moquerie du ministère de la Culture et des coupures alors opérées dans toutes les activités gouvernementales ont toutefois une portée significative. Après un téléfilm réussi, *Le chemin de Damas*, avec Rémy Girard qui interprète remarquablement un ex-hippie devenu curé, il réalise *La Florida*, comédie exploitant le rêve floridien de beaucoup de Québécois. Si le sentiment d'américanité va de soi, l'insertion dans le nouveau milieu ne se fait pas sans heurts, ce qui donne un ton souvent amer à la comédie. En 1996, il récidive dans l'humour avec la quête de *L'homme idéal*; assez joliment réalisé, ce presque remake, vingt-cinq ans plus tard, de *Tiens-toi bien après les oreilles à papa* de Jean Bissonnette montre bien l'efficacité des recettes éprouvées que sont l'accumulation des sketches et l'utilisation de comédiens avec qui le public se trouve immédiatement de connivence.

Longtemps cinéaste amateur réalisant ses films en Super 8, Roger Cantin enseigne le cinéma durant plusieurs années. Les Contes pour tous de Rock Demers lui donnent l'occasion de faire ses preuves dans la scénarisation avec *La guerre des tuques* (coscénarisé par Danyèle Patenaude). Le film est un éclatant succès à tous points de vue. Cantin profite de la popularité du créneau pour développer un personnage secondaire de *La guerre*... et en faire le héros de *Simon les nuages* dans lequel il révèle son talent pour la mise en scène et la création d'effets spéciaux. Il exploite encore cette veine de l'enfance et de la fantaisie avec *Matusalem*. Entre les deux, sa fiction pour adultes, *L'assassin jouait du trombone*, mélange science-fiction, fantastique et comédie, et est remplie de clins d'œil aux cinéphiles.

Les années 90 amènent leur lot de nouveaux cinéastes qui ont parfois un peu moins de 30 ans, le plus souvent sont dans la trentaine. Pas moins de 18 d'entre eux signent en 1995 un film-manifeste, *Un film de cinéastes*, pour signifier leur volonté de créer un cinéma indépendant, de recherche esthétique et de pleine liberté thématique. Ils ne convainquent toutefois pas grand monde, même ceux dont le nom est déjà associé à des productions connues (Pierre Goupil, Bashar Shbibb, Jeanne Crépeau, Claude Fortin...), car on n'est pas sans remarquer que le produit a été financé par des fonds de l'État et que chaque petite histoire, créée en toute liberté, révèle un individualisme bien loin de l'entraide que l'ensemble est supposé afficher. Sortie à la fin de 1996, *Cosmos*, œuvre collective produite dans des conditions professionnelles et réalisée par six cinéastes de la même génération, n'a rien de convaincant non plus. Pour reprendre un vieux cliché, ces nouveaux cinéastes ne veulent pas se servir du cinéma pour exprimer leur univers, mais servir le cinéma comme univers en soi. Leurs références se veulent filmiques et ils se désintéressent complètement du rapport aux réalités du milieu, lesquelles finissent malgré tout par les rattraper, car personne ne peut braquer longtemps sa caméra sur un univers clos. Ce sont leurs «plaisirs cinématographiques solitaires» qu'ils veulent mettre sur écran coûte que coûte, sans trop se préoccuper de ce qui se passera par après. À côté d'eux, cependant, plusieurs se lancent plutôt dans le cinéma de genre et se situent à peu près dans le même univers thématique que leurs aînés immédiats. Les modes apportées par la télévision se font souvent sentir dans leurs films où l'on retrouve d'ailleurs les mêmes comédiens vedettes qu'au petit écran: Michel Côté, Marc Messier, Gildor Roy, Roy Dupuis... (surtout des hommes, comme on peut le remarquer).

Chez les indépendants ou ceux qui tournent avec des budgets plus modestes, Olivier Asselin est longuement encensée par la jeune critique pour *La liberté d'une statue*, histoire fantaisiste en noir et blanc et à petit budget, au propos quelque peu nébuleux. André Turpin jouit du même accueil avec *Zigrail*, un voyage initiatique amenant le héros jusqu'en

Turquie sous le prétexte d'aller retrouver une copine, mais surtout pour se trouver lui-même (le mot Zigrail, retenu pour sa seule valeur sonore, n'a aucune signification: voilà un exemple d'un cinéma qui se veut d'invention pure, sans référence au réel). Bernard Bergeron n'a pas eu cette chance avec *Pablo qui court*, portrait d'un jeune qui se cherche là où il a peu de chances de se trouver. Avec *Ruth*, François Delisle trace un intéressant portrait d'une adolescente du Bas Saint-Laurent à qui la venue à Montréal n'apporte que des problèmes. Réalisateur de télévision (séries comme *Blanche*) et de publicité, Charles Binamé ne réussit pas à relever le défi de la mise en scène d'un univers clos dans *C'était le 12 du 12 et Chili avait les blues*. Deux ans plus tard (1995), il coscénarise *Eldorado* avec ses six comédiens principaux qui improviseront une partie des dialogues pour tracer le portrait des jeunes de 30 ans, dits de la «génération X». L'indécision, l'improvisation, la difficulté de communiquer et le manque de responsabilité semblent la caractériser. Le film séduit presque tout le monde surtout à cause de la qualité des interprètes et pour des moments de vrai cinéma.

Pour donner un nouveau souffle au documentaire, l'ONF engage quelques jeunes. L'expérience ne s'est pas encore révélée concluante. Marquise Lepage, qui a d'abord réalisé une fiction assez gentille dans le privé (*Marie s'en va-t-en ville*), tourne l'honnête *Un soleil entre deux nuages* sur des enfants atteints de cancers incurables, mais elle est surtout attirée par la fiction (*La fête des rois*). Au moment du centenaire du cinéma, elle dresse un portrait d'Alice Guy, la première cinéaste (*Le jardin oublié*). Michka Saäl réalise *L'arbre qui dort rêve à ses racines* (quel admirable titre!) sur l'adaptation de quelques jeunes immigrantes de cultures différentes à la société québécoise. La greffe ne se fait pas sans heurts et provoque un certain malaise parce qu'elles semblent affirmer que c'est à la communauté d'accueil de faire tous les efforts d'intégration, quoi qu'il lui en coûte pour sa propre culture (c'est d'ailleurs le cas de la majorité des films qui se penchent sur cette question). Des lauréats de la course Destination monde (émission de découverte du monde par de jeunes reporters dont le premier prix a plusieurs années consisté en un stage d'un an à l'ONF) ont paru de brillantes recrues, mais ni Catherine Fol, ni Denis Villeneuve, ni Marie-Claude Harvey, ni Philippe Falardeau, etc., n'y démontrent l'imagination et la créativité qui avaient caractérisé leurs prestations au petit écran. Est-ce la lourdeur de la structure? La place que prend le producteur attitré? L'influence d'une équipe technique qui en a vu d'autres et qui a du mal à s'adapter? L'esprit qui anime ces jeunes? Probablement un mélange de tout ça. Rien ne les représente mieux que *Referendum, prise 2 — take two*, travail collectif sous la direction de Stéphane Drolet, d'après une idée de Guy Nantel, sorti exactement un an après le référendum de 1995: le film fait étalage d'états d'âmes et souffre d'un incompréhensible vide de réflexion politique; à l'aune du *Confort et l'indifférence* d'Arcand, il permet de mesurer à quel point une tradition s'est perdue. Par ailleurs, en dehors de l'ONF, un documentaire absolument décapant, *L'âge de la performance*, de Carole Poliquin, évoque Arcand par son style et sa lucidité; l'auteure n'hésite pas à prévenir les jeunes de sa génération qu'ils devront apprendre à «skier sur les avalanches» s'ils veulent affronter le XXIe siècle.

Chez ceux du cinéma de genre, plusieurs n'en sont encore qu'à une ou deux œuvres significatives. Mazouz (Abderrahamane Mazouz) signe un attachant avatar de Roméo et Juliette avec *La fille du maquillon*. Le film, malgré une mise en scène mal maîtrisée, n'en comporte pas moins de bons moments dans sa reconstitution d'un village du début du siècle et sa représentation d'un curé hors de l'ordinaire. Les célébrations du cinquantenaire de l'ONF (1989) donnant l'occasion à un jeune cinéaste de faire ses preuves, Jean-Pierre Gariepy réalise *Sous les draps les étoiles*, qui présente un personnage tout à fait semblable à ceux de la génération précédente, déchiré entre deux mondes, un survenant comme la littérature et le cinéma québécois en ont tant présentés. Avec *Moody Beach* de Richard Roy, un personnage presque semblable tente de trouver dans la solitude d'une plage américaine ce qu'il a envie de faire quand il deviendra enfin adulte; Roy signe ensuite *Caboose* en 1996, un *thriller* psychologique à la mode du temps, cette mode qui vient de faire un grand succès populaire de *Liste noire* de Jean-Marc Vallée et qui donne au même moment *Erreur sur la personne* de Gilles Noël et plusieurs séries de télévision. Michel Poulette, après plusieurs années de clips ou d'émissions télévisées du groupe Rock et Belles Oreilles, réalise *Louis 19, le roi des ondes*, une comédie à succès jetant un regard acerbe sur la télévision des «reality shows». Autre personnage au mitan de la vie, l'enseignant sage du *Sphinx* (Louis Saïa), laisse sa vie basculer dans un autre monde après la rencontre d'une danseuse et se retrouve finalement humoriste après un passage plutôt douloureux dans l'univers des clubs contrôlés par une mafia violente. À la manière de *Mon oncle Antoine*, Pierre Gang projette dans *Sous-sol* un regard rétrospectif sur la fin des années 60, mais il s'en tient à un conflit œdipien, sans perspectives sociales. Vingt-cinq ans après *La maudite galette* d'Arcand, Mario Bolduc doit constater, avec *L'oreille d'un sourd*, que la recette du plan-séquence et du conflit familial ne donne plus les mêmes résultats. Avec quelques maladresses mais beaucoup de talent, Gabriel Pelletier, qui a jusque-là tourné des vidéo-clips, traite avec à propos de la question amérindienne dans *L'automne sauvage*, un polar doublé d'une réflexion sur la dépossession et sur le voyage intérieur du héros, inspiré en partie d'*Au cœur des ténèbres*, le roman de Joseph Conrad; il réalise ensuite le premier vrai film d'horreur du Québec, *Karmina*.

Terminons avec les quatre cinéastes qui représentent les plus beaux espoirs. Ils ont tous une façon originale de métisser différentes formes d'expression et nous signalent que le cinéma du prochain siècle n'existera que par une fusion des arts traditionnels avec les nouvelles technologies de l'image et par une synthèse de cultures différentes.

Robert Morin entre sur le grand écran par le biais du polar violent après avoir produit et tourné beaucoup de vidéos où domine une préoccupation sociale et politique. Il n'y a toutefois rien de conventionnel dans *Requiem pour un beau sans-cœur* (1992). Outre le fait qu'on n'y retrouve aucune complaisance envers le «héros», un tueur finalement abattu par la police (scénario inspiré d'un fait divers), chacune des séquences est vue en caméra subjective tour à tour par un des prota-gonistes de l'action, tout cela étant si finement mis en scène que le spectateur non averti ne s'en aperçoit pas. Mais quel régal pour le cinéphile habitué à considérer le traitement des films. Son long métrage suivant, *Windigo*, reprend aussi l'idée de la caméra subjective, mais sauf pour quelques flashbacks au filmage conventionnel, deux regards seulement se partagent toute l'action, celui d'un journaliste de la télévision et celui du cameraman l'accompagnant pour un reportage sur un groupe d'Amérindiens occupant un territoire du centre du Québec «grand comme la Belgique» qu'ils ont déclaré indépendant. La structure dramatique de la remontée d'un fleuve pour aller rencontrer un double de soi et affronter son propre destin est empruntée à *Au cœur des ténèbres*, de Joseph Conrad, mais son application locale se révèle passionnante. Ici encore, le cinéaste reste sans complaisance pour son sujet, tellement que ni les Amérindiens ni les autres n'acceptent de se faire dire qu'entre les mythes et les réalités de la vie il y a des zones de confusion à éviter. Son dernier film, *Yes sir, madame*, qui n'existe qu'en vidéo, pousse à sa limite extrême la vision fédéraliste du pays: Earl Tremblay, bilingue et biculturel (ce qui veut surtout dire sans culture) réussit dans les affaires et en politique, se présente comme le modèle parfait des nouveaux Canadiens, mais le passage par Ottawa sera le dernier stade de sa schizophrénie. Le traitement s'apparente à celui du cinéma artisanal, mais tout y est parfaitement maîtrisé.

François Girard apprend son métier dans la production de vidéoclips et de vidéos reliés à l'art. Son interdisciplinarité en fait le candidat idéal pour filmer *Le dortoir*, la pièce de théâtre novatrice de Carbonne 14; le film est acclamé partout. *Cargo*, un premier long métrage pour les salles, ambitieux et un peu prétentieux, déçoit. Mais Girard revient en force avec *Thirty-two Shorts Films About Glenn Gould* où se mêlent archives, témoignages et scènes jouées en un amalgame composant un portrait fascinant du musicien. Ces «32 petits films» forment un grand film qui fait le tour du monde, amènent Girard à filmer un spectacle de Peter Gabriel, puis un portrait de Suzanne Cloutier, actrice québécoise qui a joué entre autres avec Orson Welles et Gérard Philippe dans les années 50.

Pour Bernar Hébert, l'interdisciplinarité a commencé par la direction d'une troupe de théâtre après des études en cinéma; elle s'est développée avec un film sur Dali et Picasso, puis un autre sur la troupe de danse La La La Human Steps. À une esthétique cinématographique très recherchée, ses derniers films allient peinture, jeu dramatique, danse, reprise de grands mythes. Cette fusion exemplaire des arts n'attirera probablement jamais de grandes foules dans les salles, mais elle a ses fidèles dans beaucoup de pays et fait les belles soirées de canaux spécialisés de télévision.

Robert Lepage vient au cinéma d'abord comme comédien (*Jésus de Montréal*) où il apporte une présence que le théâtre avait déjà imposée sur les plus grandes scènes internationales. Créateur d'un théâtre nouveau fusionnant divers ordres de connaissances, techniques anciennes et modernes d'avant-garde, pluriculturalisme et même multilinguisme, Lepage apporte cette même inventivité dans la réalisation de son premier film, *Le confessionnal*, jusqu'à maintenant le film le plus important de la décennie. Non seulement s'inscrit-il par sa thématique dans la tradition et dans l'univers culturel contemporain du Québec, mais son esthétique révèle un des plus sûrs talents de cinéaste que le pays ait produits. Subtilement, les acquis du théâtre, notamment en ce qui regarde les éclairages et la direction d'acteurs s'intègrent à ce que le langage filmique produit de meilleur pour donner une œuvre riche qui constitue une véritable leçon de cinéma. Moins maîtrisé dans sa structure dramatique, *Le polygraphe* n'en confirme pas moins, surtout à cause de son univers éclaté et de son foisonnement de trouvailles visuelles, qu'une œuvre très importante commence à se construire.

*****

Ainsi que les célébrations du centenaire du cinéma en 1995-1996 l'ont mis en relief, le septième art aura été le plus important du XXe siècle tant par ses propres créations que par l'évolution qu'il a provoquée chez la plupart des autres formes d'expression. Si personne ne peut prévoir avec

Le confessionnal *de Robert Lepage. Lieu de parole libératrice, mais aussi prison parce que lieu de secrets, le confessional des églises catholiques a rempli un rôle très important dans le passé. Dans son film, Lepage intègre les recettes du maître du suspense que fut Hitchcock à ce que la tradition québécoise a produit de meilleur.*

certitude sa survie sur le grand écran, tout le monde s'entend pour dire que les nouvelles technologies ne pourront se passer de cette manière unique qu'il a de raconter des histoires. Déjà, plusieurs cinéastes québécois sont entrés de plein pied dans l'exploration d'une esthétique nouvelle. D'autres produisent une œuvre selon les recettes éprouvées. Ensemble, ils enrichissent une étonnante mosaïque où voisinent portraits d'ancêtres, reflets du vécu quotidien, illustrations des rêves et des espoirs de tout un peuple. Fernand Dansereau disait en 1974 qu'«il faut s'imaginer pour se connaître et qu'il faut s'imaginer autre pour se libérer»; les films ont surtout, et richement, contribué à la première partie de la proposition; quant à la seconde, des œuvres passionnantes comme *Un pays sans bon sens, Les bons débarras, Alias Will James, Jésus de Montréal, Léolo* et bien d'autres suggèrent déjà des voies essentielles.

BIBLIOGRAPHIE

CHABOT, Claude, Michel LAROUCHE, Denise PÉRUSSE, Pierre VÉRONNEAU et autres. *Le cinéma québécois des années 80*, Montréal, Cinémathèque québécoise, 1989, 170 p., ill.

COULOMBE, Michel, Marcel JEAN et 60 collaborateurs. *Dictionnaire du cinéma québécois*, Montréal, Boréal, 1991, 603 p., ill.

GAREL, Sylvain, André PAQUET et autres. *Les cinémas du Canada*, Paris, Centre Georges Pompidou, 1992, 383 p., ill.

HOULE, Michel et Alain JULIEN. *Dictionnaire du cinéma québécois*, Montréal, Fides, 1978, 363 p., ill.

JEAN, Marcel. *Le cinéma québécois*, Montréal, Boréal express, 1991, 124 p., ill.

LEVER, Yves. *Histoire générale du cinéma au Québec*, Montréal, Boréal, 1995, 635 p., ill.

LEVER, Yves. *Les cent films québécois qu'il faut voir*, Québec, Nuit blanche, 1995, 285 p., ill.

WEINMANN, Heinz. *Cinéma de l'imaginaire québécois*, Montréal, L'Hexagone, 1990, 273 p., ill.

Les deux films suivants sont aussi des indispensables:

Cinéma, cinéma, réalisé par Gilles Carle et Werner Nold, produit par l'ONF, 1985.

La conquête du grand écran, le cinéma québécois 1896-1996, réalisé par André Gladu et produit par Nanook films, 1996.

Yves Lever est né à Marsoui (Gaspésie) en 1942. Après ses études classiques, il poursuit des études universitaires en philosophie, en théologie et en sociologie. Il enseigne au Cégep Ahuntsic (Montréal). Il s'est spécialisé dans l'histoire du cinéma, surtout celle du Québec et celle des jeunes cinématographies (Europe de l'Est, Afrique, Amérique latine, etc.). Il a écrit une quinzaine d'ouvrages, seul ou en collaboration, sur l'histoire et la sociologie du cinéma, ainsi qu'un guide d'analyse filmique. Il s'est vu attribué le prix du ministre de l'Enseignement supérieur et de la Science (1988) pour son ouvrage *Histoire générale du cinéma au Québec* et également le prix AQEC-Olivieri (1992) pour *Le cinéma de la Révolution tranquille, de Panoramique à Valérie*. Il a collaboré régulièrement à *Relations* et à *Cinéma Québec*, et occasionnellement à plusieurs autres revues.

MONTREAL, LUNDI, 10 JANVIER 1910

LE DEVOIR

Directeur : HENRI BOURASSA.

FAIS CE QUE

...ENTS :

...ienne :

. . . . $3.00
. . . . $6.00

...adaire :

. . . . $1.00
. . . . $1.50

LE COMBAT

...soin d'une longue présentation.
...sait d'où il vient, où il va.
...s une autre colonie, le programme d'ac-
...été dont le *DEVOIR* est la première oeu-

...c le journal va faire connaître à la foule,
...n et le triomphe.
...s et les idées s'incarnent dans les hom-
...faits, nous prendrons les hommes et les
...les jugerons à la lumière de nos princi-

...les honnêtes gens et dénoncera les co-

* * *

...inciale, nous combattons le gouvernement
...ouvons toutes les tendances mauvaises que
...aître de la vie publique: *la vénalité,*
...esprit de parti avilissant et étroit.
...sition, parce que nous y trouvons les ten-
...ité, le courage, des principes fermes, une
...es principes sont admirablement réunis
...leader, M. Tellier.
...suivrait plus les inspirations qui le gui-
...uverait sur sa route pour le combattre

Le Devoir une réplique cinglante aux propos de lord Durham: «Un peuple sans histoire et sans littérature.»

...s principes sont admirablement réunis
...leader, M. Tellier.
...suivrait plus les inspirations qui le gui-
...uverait sur sa route pour le combattre
...hommes au pouvoir.
...est moins claire.
...nt dans le marasme où gisait la politi-
...ques années.
...ou de la conservation du pouvoir sen-

Il n'y a pas de doute que ça ne soit joliment, habilement combiné.

C'est un grand homme que ce gros homme; c'est aussi un gros homme que ce grand homme!

Et c'est pourquoi on l'a vu, c'est pourquoi on l'a découvert, c'est pourquoi il faut, comme disait M. Mousseau, "ouvrir le parapluie des convenances."

Aussi M. Gouin s'est-il mis le doigt profondément dans l'orbite; c'était bien taillé, sans doute, mais il va falloir recoudre, et cela ne passera pas tout-à-fait comme il l'avait imaginé.

Monsieur le premier-ministre connaît bien mal ceux à qui il a affaire. Que la Cour d'Appel soit ou ne soit pas consultée, que la poursuite des Commissaires marche ou ne marche pas, la lumière, et toute la lumière, se fera sur cette affaire, et ce, dès les premiers jours de la session. Nous ne laisserons pas le gouvernement, — malgré son désir de femme malade,

...te affaire, et ce, dès les premiers jours de la session. Nous ne laisserons pas le gouvernement, — malgré son désir de femme malade, — mettre ce flambeau sous le boisseau.

Et, pour ne pas donner à M. Gouin de coups de couteau dans le dos (nous ne reconnaissons pas la loi mosaïque), nous l'avertissons

A NOS AMIS

Les lecteurs du "DEVOIR" sont tous ou presque tous nos amis.

Le "DEVOIR" n'épargnera, pour défendre les idées qui nous sont chères à tous, aucun effort, aucun sacrifice. Nous sommes également assurés de la bonne volonté et du dévouement de nos amis.

Ils peuvent nous aider de maintes façons: en s'abonnant d'abord, et en faisant abonner leurs amis; en nous réservant leur publicité: réclames, cartes d'affaires, avis judiciaires, etc.; en nous communiquant, sur les questions d'intérêt général, tous les renseignements qui viennent à leur connaissance, etc.

C'est peu de chose que de donner un coup de téléphone au journal (Main 7460) ou de mettre sous ... un billet de cinq ou dix ... simple découpure, et ... es indications sommaires ... tre le point de départ ... ule enquête ou, tout au ... rnir au journal le moy... plétez et parfois de rectif... formation antérieure. ... ec les petits ruisseaux ... t les grandes rivières.... ... mptons sur nos amis. ... t compter sur nous.

...ongrès" de ce soir

...e de convocation du ... appelé à former la ... liste de candidatures ... airie et le Comité exécu... ainsi.

Montréal, 7 janvier 1910.

...uartier Saint-Jacques.

...invité, par les présentes, ...re comme délégué à une ... municipale, à laquelle tous ...

Nous sommes d'aussi bonne race...

On vient de distribuer aux journaux de la province de Québec le rapport du ministre des Travaux publics et celui de la Commission des Chemins de fer "pour l'exercice terminé le 31 mars 1908."

Le 31 mars 1908, vous avez bien lu et cela vous dit à quel point encore, grâce à notre apathie, grâce à des habitudes demi-séculaires—où nous ne cherchons point, pour le moment, à faire la part de la mauvaise volonté—l'on se moque de nous à Ottawa.

Toute la presse anglaise possède, depuis dix ou douze mois, ces documents. Elle a pu les analyser, les citer, en faire de copieux extraits. Les électeurs de langue anglaise ont également pu les utiliser avec avantage, y recueillir de précieux renseignements, tandis qu'un retard voulu privait de tous ces bénéfices les journaux et les citoyens de langue française.

Notez du reste qu'au témoignage même de M. Fisher, rien ne justifie, rien n'excuse un pareil état de choses.

M. Fisher est un esprit distingué, que n'embarrassent point les préjugés de race. Lorsqu'on lui fit remarquer que l'*Annuaire Statistique*, dont la publication relève de son ministère, n'était donné au public français qu'avec une année de retard, il déclara tout net qu'il en fallait finir avec un pareil désordre.

Le moyen? il est très facile. Et c'est encore M. Fisher qui s'empressa de nous l'indiquer. Il suffirait que les traductions, au lieu d'être faites sur le texte anglais *imprimé*, fussent basées sur le texte *manuscrit* et que les deux versions fussent ensuite et simultanément imprimées.

Rien de plus simple et de plus facilement réalisable, pourvu qu'on y apporte un peu de bonne volonté. M. Fisher a mis en pratique ses propres conseils et dès les premiers jours de la présente session, les feuilles ministérielles étaient tout heureuses de nous annoncer que, pour la première fois depuis la Confédération, deux ou trois rapports ministériels avaient été la même journée présentés en français et en anglais.

Pour la première fois depuis la Confédération! C'est un joli commentaire de notre lâcheté et de notre apathie.

LA ...

LES EL... MU...

QUEBEC BOUG... DECADENCE ... GARNEAU". DE M. CHOQ... TRIGUES DU ... SURPRISES ... TITUDE DES ...

UN SOU LE NUMÉRO

...daction et Administration :
71A RUE SAINT-JACQUES,
MONTREAL.

...ELEPHONE :
REDACTION : Main 7460.
ADMINISTRATION : Main 7461

QUEBECOISE

Seulement, il y a dans l'ombre, une Némésis qui le guette, sous les traits grassouillets et troubles de Siméon-Napoléon Parent. Le Louis XI municipal a naturellement ses acolytes. Olivie-le-Daim, que nous pourrions retrouver dans M. Ulric Barthe, et les aides. Trois-Echelles et Petit-André, seraient en M. Philippe Paradis et Sam. Desrochers, — deux de nos figures politiques les plus connues.

M. Parent a juré que Choquette ne le serait pas. Choquette a juré qu'il le serait.

Attendons la fin: elle sera curieuse, cette querelle de famille libérale et pourrait bien nous apporter des surprises, dont le parfum ne sentira pas le lis.

Ainsi, j'ai su qu'on forcerait peut-être M. Choquette à expliquer comment il se fait qu'une fois déjà, candidat à la mairie, il abandonna brusquement et la bataille et le poste de directeur du "Soleil".

Si l'on fait cela, ce sera curieux, et si les informations manquent, ou si l'attaque mollit, je fournirai au "Devoir", et avant peu, des renseignements inédits, et d'un pittoresque achevé.

IV

LA LUTTE

La lutte sera donc chaude: et jusqu'ici les adversaires se valent. On discutera sans doute la question de la tare centrale du Transcontinental et des autres compagnies de chemin de fer. Ceci est une des plus grandes malpropretés qui se soient encore vues dans notre histoire politique. J'y consacrerai sous peu un article de renseignements et d'enseignements. Ce serait trop long aujourd'hui et l'espace me manque. En attendant, les adversaires commencent à se mesurer de l'œil. Ils ne valent guère mieux les uns que les autres et les honnêtes gens n'auront que peu l'occasion de voter

On dit que bon nombre d'échevins actuels ne se représenteront pas.

V

LES NATIONALISTES

La bataille n'est pas encore engagée mais elle apportera des surprises. Les nationalistes et les conservateurs tiennent la balance du pouvoir. Toute la jeunesse de Québec, les jeunes gens de profession, les jeunes marchands, commis, ouvriers, étudiants, sont nationalistes. C'est une grande force qui, donnant avec ensemble, emporte généralement la position.

Entre "parentistes" et "choquettistes" il n'y a aucun choix à faire, mais les coeurs se soulèvent trop, l'indignation finira par triompher, et déjà une troisième candidature se dessine à l'horizon.

On parle de l'échevin Fiset, comme maire. C'est un fort candidat. Il aurait pour lui nombre de libéraux qui ne peuvent avaler Choquette ; il habite dans Saint-Sauveur — la partie qui commandera le plus grand vote — il aurait pour lui le vote ouvrier, les "bleus" naturellement, et les nationalistes, qui estiment en M. Fiset une grande intégrité, de la générosité de

Chapitre III

LES REVUES

PAR LUCIE ROBERT

Le rôle des revues est fondamental dans l'histoire littéraire et, plus largement, dans l'histoire intellectuelle du Québec. Depuis la fin du dix-huitième siècle, c'est-à-dire depuis la fondation de *La Gazette littéraire* (1778) par Fleury Mesplet, la presse périodique agit comme le lieu d'émergence des pratiques d'écriture et comme le creuset des grands discours. La presse d'opinion, les recueils périodiques et les magazines sont alors les premiers lieux d'expression des écrivains, dont la fonction est à la fois littéraire et politique. C'est là, bien plus que dans les livres encore trop rares, que se trouvent les premiers essais littéraires, — récits, contes, nouvelles, poèmes, feuilletons, etc. —, et qu'éclatent les grandes polémiques qui marquent l'histoire des idées au XIXe siècle. Miroir d'un champ politique, la presse périodique en précise les lieux et elle en nomme les acteurs. Chaque titre distinct apparaît comme une position dans un ensemble discursif essentiellement polémique. «Fonder une revue, rappelle la sociologue Andrée Fortin, c'est prendre la parole en tant que groupe intellectuel; c'est la prendre, de plus, comme groupe autonome.[1]»

[1] FORTIN, Andrée, *Passage de la modernité. Les intellectuels québécois et leurs revues*, Sainte-Foy, les Presses de l'Université Laval, 1993, p. 8.

(Page de gauche) *Le devoir et la rédaction*

La fin du XIXe siècle, qui voit la naissance des journaux à grand tirage (*La Presse, La Patrie, Le Soleil*) et des magazines populaires de production industrielle (*Le Samedi*), redéfinit les lieux de l'opinion publique. Le reportage et la nouvelle déplacent et restreignent le contenu éditorial qui avait prévalu jusque-là. La typologie du grand journal montre une spécialisation forte des types de discours qui ont désormais une page attitrée et la forme d'un instantané, d'un commentaire bref, voire une critique, mais sur un objet d'actualité : on aura ainsi une chronique littéraire et artistique, une chronique ouvrière, une chronique religieuse, une chronique féminine, etc. L'organisation du travail est essentiellement hiérarchique: les journalistes sont des salariés, dont la fonction est spécialisée comme l'objet de leur discours. Les pages d'opinion, ou ce qui en reste, l'éditorial en fait, demeurent l'exclusivité de la direction ou de ses délégués.

Par opposition, la revue développe un projet fondamental autour d'une idée dominante. L'opinion demeure au cœur de son discours et, en ce sens, la revue est toujours marginale. Constamment repoussée par la presse à grand tirage, elle apparaît comme un lieu de résistance à l'homogénéité et à la neutralité exigées par les grandes entreprises de presse. Dans la sphère publique moderne, elle marque un nouveau centre de spécialisation de la fonction intellectuelle. L'organisation du travail y est collective et non hiérarchique. Le travail lui-même, l'écriture comme l'administration, reste souvent bénévole.

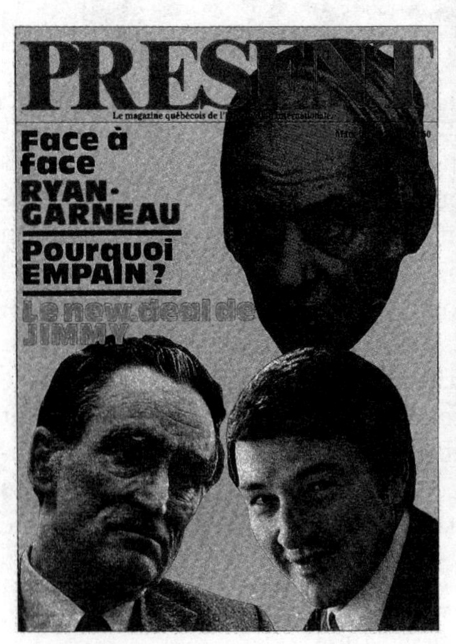

Alors que les journaux paraissent sur une base quotidienne ou hebdomadaire, les magazines à grand tirage sont le plus souvent mensuels. Ce sont des entreprises commerciales qui assurent la plus grande part de leur financement par la publicité. Les revues dont il est question ici se distinguent par leur périodicité, trimestrielle en moyenne, c'est-à-dire qu'elles publient trois ou quatre livraisons par année. Leur financement dépend de la fidélité de leur lectorat plus que de la publicité, qui n'occupe qu'un espace restreint dans leurs pages. Plusieurs sont subventionnées, par une maison d'édition, une association ou un organisme gouvernemental. Aucune, cependant, ne prétend à une quelconque rentabilité financière. Ce qui importe avant tout n'est pas le succès commercial de l'entreprise, mais l'authenticité du discours, qui ne se mesure pas à l'aune des chiffres de vente, ni même à celle de la longévité. Certaines revues éphémères et de circulation restreinte ont joué un rôle plus fondamental que certaines autres, d'une durée plus longue, dans l'émergence d'un discours neuf qui, lui, a survécu hors d'elles.

École de pensée, souvent liée à l'émergence de nouveaux mouvements sociaux, la revue ne survit généralement pas à la dissolution du comité de rédaction qui l'a fondée et dont les membres sont souvent très jeunes. En effet, dans l'histoire des idées et dans celle du champ intellectuel, les revues ont représenté le lieu par excellence des avant-gardes de toute nature. Selon Jacques Michon, elles ont été «la stratégie des jeunes écrivains pour conquérir le marché littéraire [... assurer la] promotion de la littérature nouvelle [...] propager les nouvelles conceptions de la littérature, [...] former le public à la lecture des œuvres nouvelles et [...] conditionner jusqu'à un certain point la demande et la réception esthétique.[2]» Ce rôle, défini en fonction des particularités du champ littéraire, peut être étendu à l'ensemble du champ intellectuel. Fréquentes seront alors les polémiques entre les revues, les plus jeunes contestant de cette manière la légitimité des plus anciennes et cherchant, par là, à s'imposer comme des interlocuteurs crédibles.

[2] MICHON, Jacques, «Les revues d'avant-garde de 1940 à 1976», *Trajectoires. Littérature et institutions au Québec et en Belgique francophone*, Bruxelles, Éditions Labor, 1985, p. 119.

Comme le veut la tradition établie au début du siècle, mais de manière moins systématique, les revues sont souvent liées à des maisons d'édition. Elles agissent comme antichambre de la production de livres, comme «un véritable banc d'essai, le lieu d'émergence de la signature.[3]» Le livre, en effet, permet une pensée plus développée que l'essai bref, l'article ou le poème unique. «Parti pris», «Les Herbes Rouges», «Nuit blanche» ou «XYZ» désignent à la fois une revue et une maison d'édition. De même, une revue peut devenir, pour un éditeur, une vitrine de prestige, comme *Les Saisons littéraires*, fondées en 1994 par Guérin éditeur. Parfois encore, sans créer une véritable maison d'édition, une revue édite ou co-édite quelques ouvrages importants, tels les *Cahiers de théâtre Jeu* et les Éditions Lansman de Belgique.

Les revues qui paraissent au Québec depuis 1970 poursuivent ainsi une tradition vieille de près de deux cents ans. Elles sont toujours animées par des écrivains plutôt jeunes et situées en marge des grands médias qui les poussent vers des avant-gardes toujours plus spécialisées et des marchés de plus en plus restreints. Ce qui les distingue de leurs aînées relève d'abord de la conjoncture historique. En 1970, la révolution tranquille est, pour ainsi dire, terminée. La modernité du Québec est établie, ce qui modifie considérablement le paysage discursif qui avait animé les grandes années de résistance anti-duplessiste et entraîné la mutation des institutions nationales: le système scolaire, le réseau de la santé, la fonction publique, les syndicats. L'échiquier politique s'est modifié lui aussi avec la fondation du Parti québécois, un parti indépendantiste laïque et, à l'origine du moins, social-démocrate. De grands bouleversements agitent la société québécoise et l'on voit les femmes en particulier remettre en question leur rôle traditionnel et réclamer un nouveau statut dans la sphère publique. Les suivront bientôt d'autres groupes, notamment les autochtones, les homosexuels et les néo-Québécois de toutes provenances, qui vont bientôt prendre la parole en tant que groupes autonomes et créer leurs propres organes de discours. La culture n'est pas en reste, et ce qui caractérise ces années postérieures à la révolution tranquille est peut-être l'affirmation de ce qui n'avait été jusque-là qu'un projet de culture et de société et sa prise en charge par les divers appareils de l'État. À côté des valeurs plus sûres, mises en place par l'École, mais aussi par le nouveau ministère des Affaires culturelles du Québec (dont la fondation suit de quelques années celle du Conseil des arts du Canada), les avant-gardes bouillonnent et explorent diverses formes et pratiques artistiques.

[3] LAMONDE, Yvan, «Les revues dans la trajectoire intellectuelle du Québec», *Écrits du Canada français*, n° 67, 1989, p. 38.

Les revues sont au fait de ces transformations qu'elles observent, analysent, mais aussi qu'elles appellent et cherchent parfois à provoquer ou à infléchir. Jamais, dans l'histoire du Québec, n'ont-elles été aussi nombreuses. Andrée Fortin recense la fondation de 108 nouvelles revues pendant la décennie 1970 et de 107 autres pour la décennie suivante. Par comparaison, les années 1950 en avaient connues 31 et les années 1960, 45[4]. Toutes n'ont pas duré, certaines ne connaissant qu'un numéro unique. Néanmoins, la croissance est remarquable. Elle témoigne de l'augmentation du nombre de personnes qui forment désormais le champ intellectuel québécois et, en cela, reflète la courbe de croissance des diplômés de l'enseignement supérieur dont le nombre augmente de manière radicale depuis la fin des années soixante. Elle désigne également la multiplication des foyers de la pensée. Aux universités traditionnelles francophones (Laval, Montréal et Sherbrooke) et anglophone (McGill), s'ajoutent désormais l'Université Concordia, le réseau de l'Université du Québec ainsi que, depuis 1967, l'ensemble des Collèges d'enseignement général et professionnel (cégeps) dont le territoire ne cesse de s'étendre. Aux professeurs de ces collèges et universités et aux écrivains, s'ajoute une représentation plus large des divers intervenants du milieu artistique venant des beaux-arts, de la musique, du cinéma, du théâtre, mais aussi de ces nouvelles pratiques en émergence que sont la bande dessinée et la paralittérature. À ces derniers, se joignent encore d'autres intervenants, issus des milieux

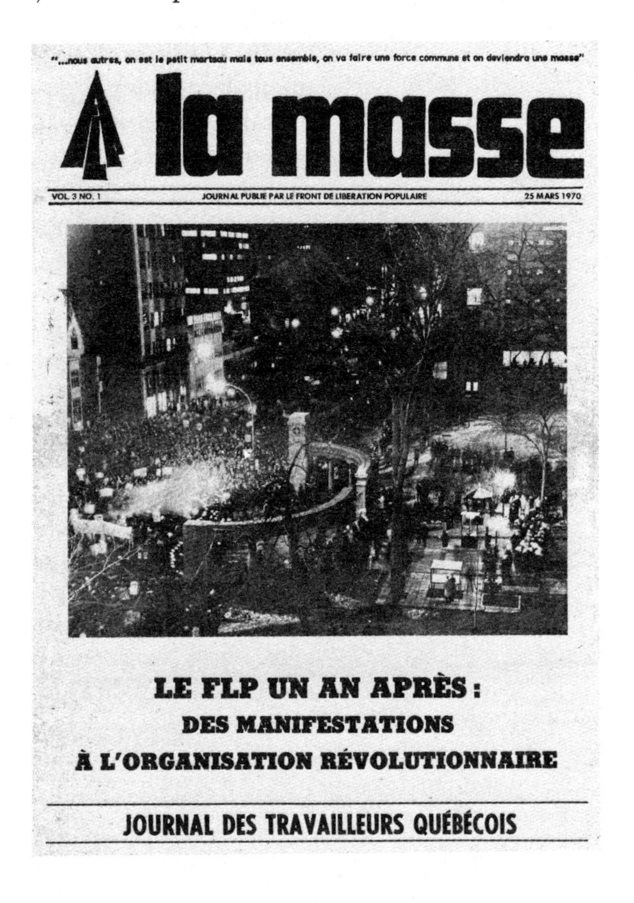

[4] FORTIN, Andrée, *Op. cit.*, p. 387-396.

communautaires, syndicaux et populaires. Des centres urbains que sont Québec, Montréal et, dans une certaine mesure, Ottawa, le discours s'étend, par un effet de décentralisation et de déconcentration, vers les régions périphériques: des revues naissent ainsi à Sherbrooke, Drummondville, Rimouski, Jonquière et Chicoutimi.

En conséquence, le champ des revues ne forme pas un tout homogène. D'emblée s'impose une périodisation. Se distinguent ainsi les années 1968-1978, années de la première croissance, traversées par ce qu'on pourrait appeler la «radicalisation de l'utopie» québécoise amorcée dans les années antérieures, notamment dans *Parti pris*. Les années 1978-1988 sont, au contraire, celles la dissolution des grandes utopies en projets régionaux, limités à une problématique ou représentatifs d'un groupe d'intérêts particuliers. Il est plus difficile de caractériser les années qui suivent. Depuis 1988, on observe néanmoins une chute radicale dans le nombre de nouveaux périodiques: alors que les vingt années précédentes voyaient chacune la fondation d'une dizaine de nouvelles revues, les années récentes les plus fécondes en comptent, au mieux, la moitié. On ne peut que songer aux effets d'une crise économique qui n'en finit plus de durer et qui freine l'entrée des jeunes dans la sphère publique. L'hégémonie du discours néo-libéral et le vieillissement du personnel de rédaction transforment le paysage des revues: nostalgie et désarroi se conjuguent diversement dans un certain retour vers des projets plus totalisants, mais aussi plus tranquilles.

I. 1968-1978: ÉTAT DES LIEUX

La fin des années soixante voit la disparition des grandes revues politiques qui avaient accompagné la révolution tranquille, *Cité libre* (1950-1968) et *Parti pris* (1963-1968) en premier lieu, mais aussi des revues liées au mouvement socialiste et communiste classique. La *Revue socialiste* (1959) cesse de paraître en 1965; *L'Indépendantiste* (1963) en 1968. Les *Cahiers de la décolonisation* (1968-1969), nés de la fusion des deux revues précédentes, ne paraissent qu'une seule année. *Socialisme* (1964) fait paraître son dernier numéro en 1969. Parmi les grandes revues d'idées, fondées dans les périodes antérieures, ne survivent ainsi que *L'Action nationale* (1933) et *Relations* (1941), d'un nationalisme plus conservateur et aux idées religieuses plus affirmées. Il ne demeure aucune autre revue consacrée à l'élaboration d'un projet politique global, un projet social fondateur du Québec moderne. La place est libre.

Lundi dans les services fédéraux du Québec

Les fonctionnaires: "French only" *page 3*

LE JOUR

le samedi 3 janvier 1976 — où nous serons maîtres chez nous

Poudrerie • Maximum -2 • 2e année no 252 • 32 pages • 25 cents

Mercenaires américains en Angola page 9

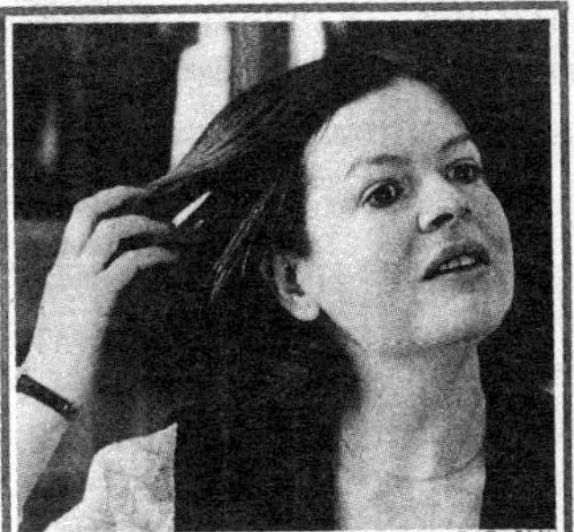

Photo Pierre Boisclair

Luce Guilbault... actrice, cinéaste et militante féministe

Luce Guilbault s'entretient avec Micheline Lachance du féminisme contemporain, des hommes, du métier d'actrice et du cinéma. Dans notre cahier Vie et culture (pages 13 à 23).

Trois morts au Portugal

La garde tire sur la foule page 7

5,000 manifestants ont tenté jeudi de libérer des militaires "anti-fascistes" emprisonnés à Porto à la suite du coup de force du 25 novembre. La garde civile a tiré sur les manifestants. Résultat: trois morts.

relations

AVRIL 1978
$1.00 no 436

francophones hors québec

Claude Morin
Hubert Gauthier
René-J. Ravault
Pierre Savard

L'AVENIR DES COMMUNAUTÉS DE LANGUE FRANÇAISE DU CANADA...

quelque chose doit changer!

Les chrétiens après la désillusion tranquille une étude de Guy Paiement

La politique et les croyants au Canada une enquête d'Irénée Desrochers

socialisme 64

revue du socialisme international et québécois

publiée par les éditions socialistes, association coopérative

printemps 1964 - numéro 1 $1.00

LISE PAYETTE EN LIBERTÉ

QUÉBEC-PRESSE

ÉDITION DU PREMIER MAI 1981

BÂTIR UNE OPPOSITION AU PQ

Louise Harel

Marcel Pepin

UNE TABLE RONDE DE QUÉBEC-PRESSE

QUI VA DÉNONCER LES FLICS DANS LES SYNDICATS?

DES PRIMEURS

LA MATAPÉDIA C'EST PAS FINI! pages 12, 13

PLUS LOIN QUE L'ENQUÊTE KEABLE: RÉVÉLATIONS SUR LE F.L.Q. pages 6, 7, 8, 9

L'ABOLITION DES COMMISSIONS SCOLAIRES page 3

COMMENT LA P.M.E. EXPLOITE LES PÊCHEURS pages 14, 15, 16, 17

320,000 QUÉBÉCOIS MENACÉS pages 34 et 35

En revanche, on observe, dans le champ de la grande presse, la naissance des entreprises d'information qui prennent la relève du discours nationaliste: *Québec-Presse* (1971-1974), *Le Jour* (1974-1976), *Actualité* (1976), qui tendent à institutionnaliser le nationalisme moderne et confèrent à une position, jusque-là d'avant-garde, une forte légitimité. En réaction, apparaissent de nouveaux lieux de marginalité et de nouveaux discours qui radicalisent les tendances antérieures (menant le marxisme vers l'extrême gauche et la modernité vers l'avant-garde) et élargissent le champ du politique vers des sujets encore inexplorés, tels la contre-culture, l'écologie, le féminisme ou les solidarités communautaires.

Depuis le début des années soixante, disparaissent une à une les revues d'universités: les *Revue de l'Université Laval* et *Revue de l'Université de Sherbrooke* ont déjà cessé de paraître comme le feront par la suite la *Revue de l'Université de Moncton* (1973) et la *Revue de l'Université d'Ottawa* (1987). Parallèlement, ont commencé à émerger d'autres revues, orientées vers des savoirs plus spécialisés, mais qui conservent le Québec comme objet d'études et d'intervention. La plus ancienne des revues de ce genre nouveau, la *Revue d'histoire de l'Amérique française*, est fondée en 1947. S'ajoutent bientôt, en 1960, *Recherches sociographiques* et, pour la littérature, *Études françaises* (1965), *Voix et images du pays* (1966), *Études littéraires* (1968). Toutes ces revues entretiennent d'étroites relations avec leur milieu, conservant des collaborations en dehors de l'université. Elles signalent la professionnalisation croissante des universitaires, mais pas encore leur autonomie. Ainsi, *Recherches sociographiques* vise un public d'élite, les preneurs de décision, et pas seulement les sociologues. Il en est de même pour les revues littéraires, dont le champ ne sépare pas encore les critiques et les écrivains. Ces revues poursuivent ainsi le projet et la volonté d'agir sur le monde et de construire une société nouvelle, mais elles n'en inaugurent pas moins une première tendance à la spécialisation des savoirs disciplinaires qui entraînera, dans les années qui vont suivre, une rupture essentielle entre l'Université et la Cité.

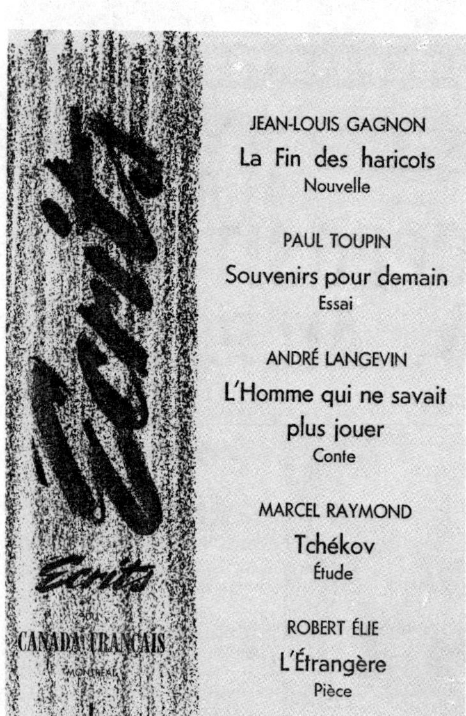

Survivent encore certaines revues davantage orientées vers les discussions culturelles: *Écrits du Canada français* (1954), *Vie des arts* (1956), *Liberté* (1959) et *Châtelaine* (1960). En 1968, la culture québécoise est encore, pour une large part, en devenir. À cette date, la soutenir et en promouvoir la spécificité en regard de la culture européenne est encore le rôle des avant-gardes et, de ce fait, celui des revues. Néanmoins, la survivance d'une revue, que signale l'unité du titre, ne doit pas masquer les transformations internes et les virages essentiels qu'elle connaît. *Livres et auteurs canadiens*, fondée en 1960, sera rebaptisée *Livres et auteurs québécois*, en 1969, avant de disparaître en 1982, suivant en cela les transformations du projet culturel qui, de «canadien-français», devient «québécois» et, par la suite, dans les années 1980, plus cosmopolite. En 1960, sous la direction de Fernande Saint-Martin, *Châtelaine* prend le relais de *La Revue moderne*, augmente le nombre de pages consacrées à la culture et opère un virage dans le discours d'ensemble qui prend une connotation féministe. *Liberté* offre un autre exemple: «avant-gardiste de 1959 à 1965, en voie de consécration de 1966 à 1970, *Liberté* représentera bien la légitimité littéraire et culturelle des années 70 alors que de nouvelles revues d'avant-garde, comme *La Barre du Jour*, *Chroniques*, *Les Herbes Rouges*, feront leur entrée sur le marché.[5]» Le déplacement de *Liberté* entraîne du même coup une restructuration du champ dans son ensemble. Aussi sera-t-elle le pôle de référence essentiel et l'objet de nombreuses polémiques pour les nouvelles revues littéraires.

Ainsi, dans l'ensemble, survit une préoccupation majeure: le Québec comme projet de société, mais sans la référence politique d'ordre nationaliste qui avait dominé les périodes antérieures. Le Québec n'est plus une société d'avant-garde à construire; il devient une société légitime qu'on critique et qu'on remet constamment en question. De sorte que, à partir de 1968, ce qui caractérise le champ des revues est précisément l'absence d'un grand Projet national unificateur et, en corollaire, l'émergence de projets plus radicaux, mais plus restreints. Le rôle de l'intellectuel québécois s'en trouve modifié. Journalistes et hommes politiques tendent à disparaître et à se recycler sur leur terrain propre soit, respectivement, celui de la presse à grand tirage et celui de l'arène électorale. L'écrivain joue toujours un rôle de premier plan. À côté de lui, apparaissent néanmoins des figures nouvelles, notamment celle de l'expert-spécialiste et celle du militant d'action communautaire dont l'importance deviendra bientôt considérable.

---

[5] MICHON, Jacques, *Loc. cit.*, p. 118, note 3.

I.1 La radicalisation de l'utopie

Entre 1967 et 1970, paraît toute une presse «underground» dont il est difficile d'évaluer précisément l'intérêt et l'importance. Photocopiées ou ronéotypées, imprimées sur du papier bon marché, diffusées dans ces circuits parallèles, ces publications sont éphémères, tant du point de vue de leur survie matérielle que de leur survie institutionnelle. D'une part, le document est généralement de mauvaise qualité technique; d'autre part, au moment où il paraît, nul ne songe à le déposer dans une bibliothèque ou dans un fonds d'archives. Le dépôt légal de la Bibliothèque Nationale du Québec ignore presque tout de ces feuilles. Aussi une revue comme *Mainmise* doit-elle être d'abord vue comme représentant un ensemble plus vaste, dont on n'a pas conservé la mémoire. Elle indique à la fois un réseau de publications et un courant de pensée qui la débordent largement, où naît la première utopie nouvelle de cette époque: la contre-culture.

Le premier numéro de *Mainmise* paraît en octobre 1970 dans un format semblable à celui du livre de poche. La revue est illustrée et elle présente une iconographie que l'on qualifiait alors de «psychédélique». Au numéro 21, la revue adopte le format magazine, plus conforme au mode de diffusion en kiosque. L'équipe de rédaction initiale est composée de six membres bénévoles qui opèrent une commune de production. Le tirage est de 5000 exemplaires et le budget est de 3200$. «Cela veut dire que *Mainmise* n'est pas rentable. Dans un certain sens, nous sommes très heureux qu'il en soit ainsi»[6], déclare d'emblée Pénélope (en réalité Jean Basile) qui signe son premier éditorial à la très peu orthodoxe page 63.

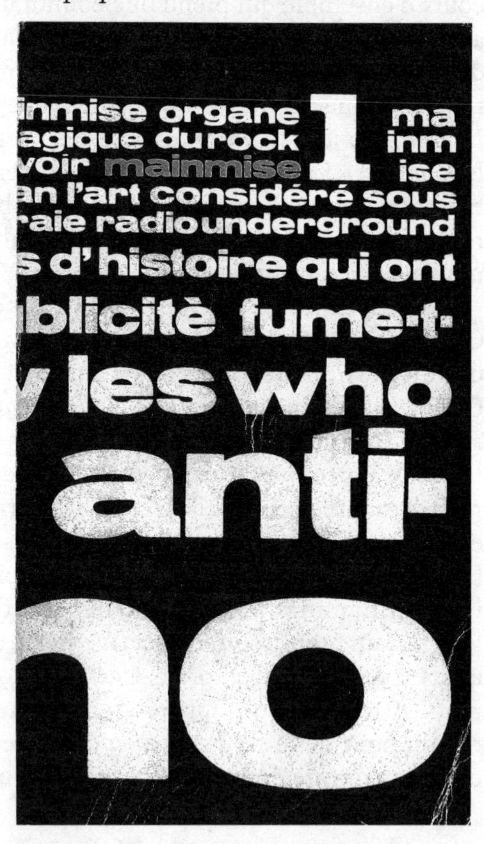

[6] PÉNÉLOPE. «Pénélope nous parle maintenant de *Mainmise*», *Mainmise*, vol. I, nº 1, octobre 1970, p. 64.

Éditorial 1: *MAINMISE*

MAINMISE est, d'abord et avant tout, une revue d'INFORMATIONS. Cela veut dire: pas d'*égo-trips*. Le premier but que nous nous sommes fixé, vue la carence des moyens d'information officiels, est donc de rendre disponible un matériel qui nous paraît devoir être transmis, par un moyen ou par un autre.

Nous n'avons, d'ailleurs, rien contre les *égo-trips* quand ils se nomment poésie, romans, nouvelles, etc. Il existe d'autres organes, aptes à leur diffusion. *MAINMISE* ne veut doubler personne. *MAINMISE* veut être utile. C'est pourquoi, nous avons renoncé aux textes d'imagination au profit des études, des enquêtes.

Vous noterez, de même, que cet organe n'est pas un rapport critique. La critique, en effet, est aussi un autre genre d'*égo-trip*. Nous informons. Être POUR ou CONTRE, c'est une maladie quand l'information manque. Alors ne nous demandez pas si nous sommes POUR ou CONTRE tel disque, ou tel livre, ou tel mouvement. Ne nous demandez pas non plus si nous sommes POUR ou CONTRE la drogue.

Nous ne sommes POUR ou CONTRE rien, dans le cadre de cet organe. Nous tâcherons de publier les textes nécessaires pour que chacun puisse choisir ce qu'il veut être en connaissance de cause.

Cela ne veut pas dire que nous sommes neutres. La neutralité, c'est comme l'objectivité: ça n'existe pas.

Notre but c'est l'UTOPIE.

Et, selon nos auteurs, l'UTOPIE est pour demain. Au Québec, l'UTOPIE prend un virage particulier. [...]

Face à l'Europe latine, face aux États-Unis, le Québec est une ALTERNATIVE. Car il s'inscrit dans la grande marche de la contre-culture américaine dans le tas de fumier qui pollue les États-Unis. Selon nous, le Québec est plus qu'une quelconque ALTERNATIVE parmi d'autres. Le Québec est l'ALTERNATIVE. Le Québec, c'est l'ALTERNATIVE UTOPIQUE.

Nous publierons donc, quelle qu'en soit la source, TOUT ce qui nous paraît important pour que cette ALTERNATIVE UTOPIQUE se réalise. En ce sens, *MAINMISE* peut se qualifier, pratiquement, comme un *Reader's Digest* de la pensée *turned-on*. Il y a des textes d'origine américaine dans notre organe? Sans doute. Car un Américain utopique vaut mieux qu'un Québécois accroché à sa tuque. Pour nous, l'identité québécoise s'inscrit tout naturellement dans le grand mouvement de libération utopique qui nous conduit vers l'an 2001.

Quelle qu'en soit l'origine, nous présenterons donc l'expérience et la connaissance de tous ceux qui marchent courageusement vers l'an 2001.

Si nous sommes des INFORMATEURS, nous devons être aussi des TRADUCTEURS. Le dôme géodésique de Fuller est québécois quand il est traduit par notre ciel montréalais et la «mécanistique» christique de Jean LeMoyne est américaine quand elle est lue à San Francisco.

MAINMISE est là, mes chers amis, partout où le carbone cyclique a redonné à l'Univers le sens profond de sa ronde infinie. Le Christ et Bouddha, la commune rurale et le comité de citoyens urbains, Bach et les JEFFERSON AIRPLANE, nous pensons que tout est à même de nous conduire vers l'harmonie.

MAINMISE est l'organe de l'HARMONIE UTOPIQUE. [...]

(*Mainmise*, vol. I, n° 1, octobre 1970, p. 63-64.)

HOBO QUÉBEC

journal d'écritures et d'images — bi-mestriel — vol. 1 no 1 — .35¢

Hobo-Québec va plus loin avec lui-même

Au cours d'une brève rencontre qui eut lieu dans le hall d'attente d'une succursale de Niagara Finance, un membre de l'équipe d'Hobo-Québec a réussi à soutirer quelques bribes d'information du responsable-meneur de jeu du journal. Voici spontanément cette conversation. Les italiques sont de nous.

– Peut-on aborder la ligne projet objectif envisagé?

– Pour sûr. (érection/éruction). Un bi-mestriel courte-pointe made in québec.

– Devons-nous comprendre?

– Exactement.

– En ce qui a trait aux collaborateurs?

– Autour de nous à. Balises et sérum.

– Alors il ne me reste plus.

– J'assume. A vrai dire.

– Merci infiniment mais la question reste posée.

– Il s'agit de. Le Hobo.

sommaire

écritures
d'André Beaudet, p. 2
Claude St-Germain, p. 4
Patrick Straram, p. 6
Pierrôt Léger, p. 16
Louis Geoffroy, p. 20
Lucien Francoeur, p. 18
images
Michel Indergand, p. 2, 20, 19
Roger CHarbonneau, p. 10
Marc-André Gagné, p. 15

Bien que l'on y retrouve certains de ses collaborateurs, notamment Paul Chamberland, *Mainmise* offre un projet de société radicalement différent de celui de *Parti pris*. La revue renonce à analyser la société québécoise selon les théories de la décolonisation, mises au point par Franz Fanon, Albert Memmi et Jacques Berque. Au contraire, elle s'inscrit résolument dans un courant nord-américain et a partie liée aux autres mouvements contre-cuturels, le mouvement hippy, les communes, les grandes manifestations culturelles rock, mais aussi aux mouvements sociaux et civiques contre la guerre du Viêt-nam ou contre l'Université. Tout en affirmant «la nécessité d'un changement radical pour le Québec[7]», elle relie le nationalisme au changement social et affirme, dans le même souffle, que la révolution personnelle est un préalable à toute révolution sociale. En affirmant la primauté de l'individu sur toute collectivité, *Mainmise* ne nie pas l'importance de la question politique. Au contraire, elle se trouve à l'élargir bien au-delà de l'indépendantisme ou de la question nationale. Partageront plusieurs éléments de point de vue, la revue *Presqu'Amérique* (1971) publiée à Québec, et certaines revues plus spécifiquement littéraires comme *Hobo-Québec* (1970) et *Cul-Q* (1973).

[7] FORTIN, Andrée, *Op.cit.*, p. 203.

La référence américaine est essentielle, car «un Américain utopique vaut mieux qu'un Québécois accroché à sa tuque[8]». Elle est résolument tournée vers l'avenir et repose aussi bien sur le «Christ et Bouddha, la commune rurale et le comité de citoyens urbains, Bach et les Jefferson Airplane[9]» que sur les écrits de Marshall McLuhan. D'un numéro à l'autre, se développe une critique féroce des institutions et appareils de la société traditionnelle: l'École, les médias et la famille. S'y trouveront introduits de nouveaux sujets: «la drogue, la pornographie, la violence, la musique rock et l'utopie[10]». Dans cette formule lapidaire, qui se veut choquante avant tout, émerge quand même une nouvelle manière de considérer le rapport de l'individu à la collectivité, par la remise en question des médiations traditionnelles, et le rapport du Québec au monde, vu non plus comme une victime ou une colonie opprimée, mais comme une source de renouvellement. La critique du capitalisme passe par le renversement des croyances dans les bienfaits de la production industrielle. Naît alors une nouvelle valeur: la pensée écologique.

«En remettant en question l'importance traditionnelle du politique, écrit Paul Cauchon en 1985, *Mainmise* a créé un choc: à l'écoute de la contre-culture américaine, vaguement anarchiste, elle souligne l'importance de nouvelles valeurs individuelles tout en rassemblant une autre génération autour de nouveaux comportements: libération sexuelle, importance du rock et de la drogue, recherche spirituelle (surtout vers l'Orient), contestation de toute autorité, etc.[11]» L'importance emblématique qu'a prise *Mainmise* dans l'histoire des revues québécoises, est due à son utopie, à réaliser dans un avenir lointain, mais qui propose néanmoins dans l'immédiat un mode de vie distinct fondé sur des valeurs et des pratiques culturelles originales et auxquelles il fallait former le lectorat.

À côté du projet contre-culturel que représente *Mainmise*, la radicalisation de l'utopie québécoise prend un second visage: celui de l'extrême-gauche. *Mobilisation* (1969) et *Socialisme québécois* (1970) sont fondées en rupture également avec la tradition de *Parti pris*,

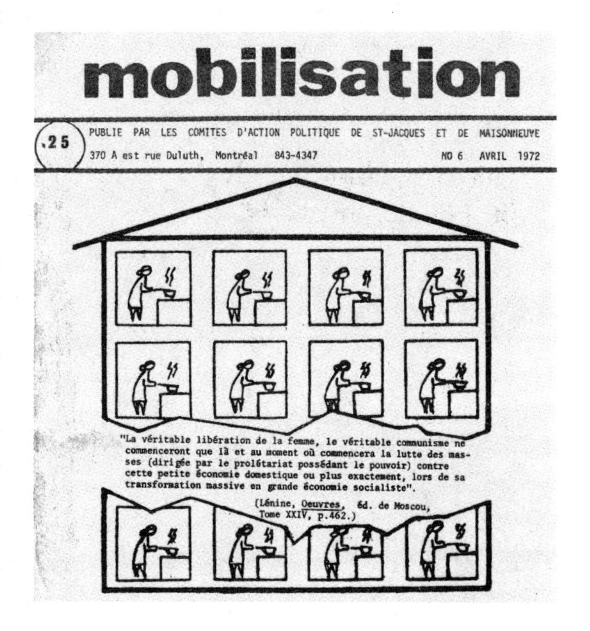

mobilisation

.25

PUBLIE PAR LES COMITES D'ACTION POLITIQUE DE ST-JACQUES ET DE MAISONNEUVE

370 A est rue Duluth, Montréal 843-4347 NO 6 AVRIL 1972

"La véritable libération de la femme, le véritable communisme ne commenceront que là et au moment où commencera la lutte des masses (dirigée par le prolétariat possédant le pouvoir) contre cette petite économie domestique ou plus exactement, lors de sa transformation massive en grande économie socialiste".

(Lénine, Oeuvres, éd. de Moscou, Tome XXIV, p.462.)

[8] PÉNÉLOPE, *Art. cit.*, p. 65.
[9] *Ibid.*
[10] *Ibid.*
[11] CAUCHON, Paul, «Vingt ans de périodiques. Pour la suite des paroles et des écritures», *Le Devoir*, 2 février 1985, cahier 5, p. I.

dont elles rejettent, elles aussi, les théories de la décolonisation, non pas au nom de la contre-culture américaine, mais en celui d'un marxisme renouvelé dans la tradition européenne qu'on nommera bientôt le «structuro-marxisme», une pensée davantage fondée sur la tradition structuraliste que sur la dialectique et le matérialisme développés par Karl Marx au XIXe siècle. Aussi, les revues qui rallient ce point de vue portent-elles un intérêt certain aux travaux du philosophe Louis Althusser et du politologue Nicos Poulantzas, citent fréquemment la psychanalyse selon Jacques Lacan et réfèrent à la sémiologie, discipline alors nouvelle, mais en expansion rapide.

Emblématique de ce courant dans le champ de la culture, la revue *Stratégie* est fondée en 1972 par un groupe de jeunes écrivains, parmi lesquels François Charron et Roger DesRoches, et par des étudiants de l'Université du Québec à Montréal, récemment créée (1968), où sont largement explorées ces nouvelles voies de la modernité théorique. D'emblée, au premier éditorial, le comité de rédaction établit ses filiations: «le travail entrepris ici ne peut nier sa «parenté» avec celui, depuis quelque temps amorcé, de certaines revues européennes (*Tel Quel*, *Génération*, *Poétique*, *Nouvelle Critique*, etc.)[12]». Il reconnaît également le travail que mène, parallèlement au sien, la revue *Champ libre* (1971-1973) à propos du cinéma. Les premiers numéros de la revue présentent les deux orientations théoriques principales, le marxisme et la sémiologie, et répondent au projet initial de travailler le texte littéraire sous les trois angles de la théorie, de l'analyse et de la pratique. Le collectif de rédaction ne répugne guère à la querelle et, dès le deuxième numéro, lance une première attaque contre Jean-Guy Pilon, alors directeur de la revue *Liberté* et critique littéraire au *Devoir*, dans une tentative de déconstruire la conception légitime de la littérature québécoise qu'il véhicule.

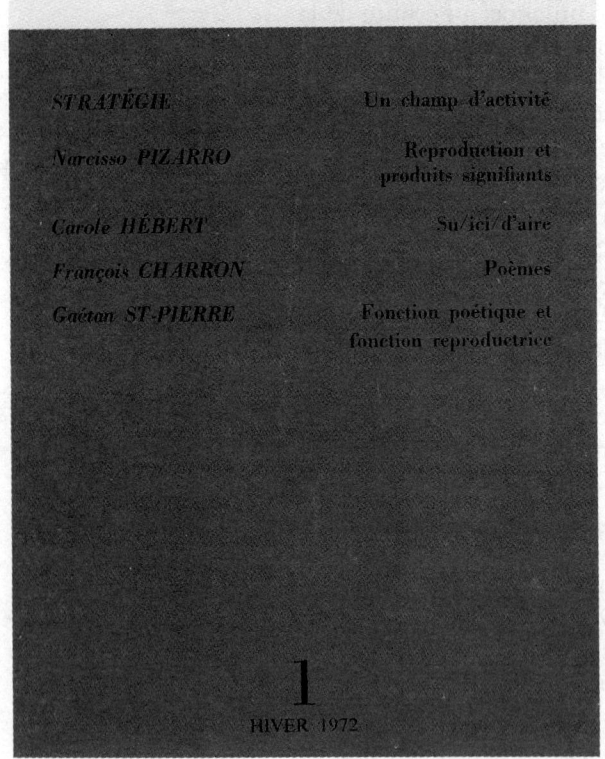

[12] «Un champ d'activité», *Stratégie*, vol. I, n° 1, hiver 1972, p. 5.

Éditorial 2: *STRATÉGIE*

UN CHAMP D'ACTIVITÉ

Stratégie: cette désignation peut sembler manquer de modestie; pour nous, elle est avant tout exigeante: elle veut à la fois indiquer le lieu d'une lutte et le refus de verser dans la bonne conscience mystificatrice fréquemment habitée dans les paroles proférées autour de cet objet singulier que l'on nomme *littérature*; bonne conscience dont les effets déterminants sont d'*isoler* l'objet dont il est question (le texte) et, du même coup, de faire le *silence* sur les conditions de production et les fonctions sociales de cet objet.

Stratégie s'inscrit donc à l'intérieur d'une démarche de questionnement de l'objet «littérature» et des discours portant sur cet objet. Ce qui signifie: déconstruction des notions (création, auteur, œuvre, vraisemblance, représentation, style, sens, lecture, etc.) servant à parler l'objet et mise en œuvre d'une théorie et d'une terminologie visant à construire un nouvel objet de connaissance. Il ne s'agit ici *ni* de deux moments, *ni* de deux opérations séparées, mais bien d'une seule et même démarche.

[...]

L'ensemble de notre entreprise implique, d'une part, la mise en œuvre d'une théorie du fonctionnement du langage dit «poétique» et de son instance idéologique; la mise en œuvre, d'autre part, d'une théorie de l'idéologie (de ses formes et lieux de formation, de ses caractères, de ses effets) elle-même articulée à une théorie de la formation sociale.

Il est évident que, pour des raisons d'ordre matériel, toutes les zones de recherche que nous avons mentionnées ici ne seront pas interrogées; qu'il ne s'agissait, en fait, que de cerner un lieu (si étendu soit-il) à l'intérieur duquel notre travail s'inscrira; que les progrès mêmes de cette recherche peuvent nous amener à préciser ou encore à modifier notre perspective de travail.

Notre discours (situé à l'intersection de la linguistique, de la psychanalyse, de la logique formelle, de la sociologie, etc., et de la redéfinition des objets de ces disciplines) est celui, en développement, que l'on désigne sous le nom de *sémiotique*.

[...]

Le travail de *Stratégie* sera produit à trois niveaux constamment reliés entre eux: outre le travail théorique et le travail d'analyse des pratiques signifiantes, elle laissera place à une *pratique de la fiction*. Cette pratique textuelle sera articulée au travail théorique en cours, c'est-à-dire à la fois déterminée par ce travail et le déterminant. Cette pratique textuelle visera notamment à déconstruire l'idéologie littéraire à l'intérieur d'elle-même et à faire obstacle à la circulation de l'idéologie qu'elle a pour fonction de reproduire.

C'est dans cette optique que s'élaborera au cours des prochains numéros une double stratégie du texte: celle de sa pratique, celle de sa théorie.

(*Stratégie*, vol. I, nº 1, hiver 1972, p. 4-6.)

miroir

DU QUÉBEC

15¢

L'U.C.C. en marche sur OTTAWA

PAS DE MINISTERE DES LOISIRS

JULIA

Vedette des "Mochucambos"

A VOULU MOURIR

L'évolution de *Stratégie* ressemble à celle que connaît toute la gauche dans les années soixante-dix. Le numéro 5/6 de la revue paraît à l'automne 1973 avec un encart publicitaire d'En lutte!, groupuscule marxiste-léniniste qui laissera une forte empreinte sur le champ intellectuel. À compter de cette date, la lutte idéologique prend le dessus sur la sémiologie. La revue se fixe un objectif nouveau, celui de créer une littérature prolétarienne et elle s'adressera désormais aux militants, ce qui entraîne une simplification du langage pour parler, sinon directement au prolétariat, du moins à de larges franges de la petite-bourgeoisie: «la revue n'est pas considérée comme un espace de discussion ou de recherche, mais comme un outil de propagande; il ne s'agit plus de secouer l'apathie des lecteurs, de leur communiquer l'envie de s'instruire, mais de leur dire quoi penser.[13]» Ce qui importe désormais n'est pas tant le renouvellement du travail textuel que la formation idéologique d'une élite éclairée capable de mener à terme la révolution prolétarienne. Une telle attitude renverse le projet socialiste du XIXe siècle alors que les intellectuels agissaient comme des citoyens alliés au mouvement ouvrier. Désormais, «la révolution doit d'abord être intellectuelle. À la limite, tout bon révolutionnaire est d'abord un intellectuel.[14]»

Le même numéro contient une attaque contre *La Barre du Jour*, dont le formalisme est condamné sans appel en tant que représentant d'une littérature bourgeoise décadente, et lance une critique féroce contre l'appareil scolaire et l'humanisme sous toutes ses formes. Les numéros suivants appuient cette critique du milieu intellectuel destiné à faire la révolution dans son entourage immédiat. Sont interpellés les anciens intellectuels dits progressistes (notamment les anciens de *Parti pris*, Paul Chamberland, Pierre Maheu, André Major) qu'on rappelle à l'action militante, et les autres avant-gardes, notamment *Mainmise*, *Hobo-Québec* et *Cul-Q*, dénoncées comme l'«ennemi principal» de la lutte des classes dans le champ culturel.

LE SOCIALIX

D'UNE BOMBE A L'AUTRE

Q.L. vs SOCIALIX

FRERE: NON; GRAND-MERE: OUI

MONTREAL, ETAT DU QUEBEC—MARDI, LE 15 NOVEMBRE 1966 — VOLUME 1, NUMERO 2

Marcel Rioux:

"IL Y A DES TRACES D'ETAT POLICIER"

VICTOIRE DE L'AGESSUM

NOTRE POSITION

[13] FORTIN, Andrée, *Op.cit.*, p. 206.
[14] *Ibid.*, p. 212.

En 1975, *Stratégie* connaît un second virage, vers ce que Jacques Pelletier appelle «le grand bond en avant dans le "mlisme"[15]», c'est-à-dire vers un lien de plus en plus étroit avec les groupes politiques de l'extrême-gauche marxiste-léniniste. La revue renonce définitivement au formalisme et à la psychanalyse. Le collectif de rédaction se considère désormais comme un détachement d'avant-garde, critique des autres organisations de gauche et du marxisme lui-même, bien plus que du capitalisme et de la bourgeoisie. Les polémiques attaquent le féminisme des *Têtes de pioche*, puisqu'il subordonne la lutte des classes à la lutte des femmes, mais aussi le projet d'une nouvelle revue concurrente, *Chroniques*, fondée cette même année par un groupe d'intellectuels réunissant notamment quelques anciens de *Parti pris* (Jean-Marc Piotte et Patrick Straram) et des professeurs de l'UQAM[16] (Madeleine Gagnon, Noël Audet, Céline Saint-Pierre).

Le projet de *Chroniques* est semblable à celui que *Stratégie* énonçait en 1973 et à celui de quelques autres revues contemporaines, notamment *Brèches* (1973) et *Champs d'application* (1974). Il s'agit de critiquer les productions culturelles bourgeoises et de développer un art et une culture révolutionnaires: «au milieu des années 70, rappelle encore Paul Cauchon, *Stratégie* analyse les pratiques culturelles en termes de domination selon la théorie marxiste de l'idéologie alors que *Chroniques*, qui veut théoriquement rejoindre un large public, propose une analyse globale de la société à la lumière de la lutte des classes, en s'attaquant particulièrement au «nationalisme réactionnaire» et à cette nouvelle culture véhiculée par *Mainmise*.[17]»

Avec le panache propre aux revues de cette époque, qui annoncent la nouvelle avec fracas au dernier numéro, *Stratégie* cesse de paraître en 1977, les membres de la rédaction étant appelés à agir de l'intérieur des groupes politiques eux-mêmes et non en marge, de manière autonome. Son projet est devenu une utopie statufiée, qui s'est éteinte par implosion, c'est-à-dire de l'intérieur. La dissolution, exigée par des groupes politiques exogènes au champ des revues, en indique du même coup, puisqu'ils la refusent, la nouvelle clôture. Les années soixante-dix sont fertiles en polémiques d'autant plus féroces que les projets des revues sont proches l'un de l'autre et que la concurrence est vive. De plus en plus, il s'agit de promouvoir une «ligne juste» à l'intérieur du même

[15] PELLETIER, Jacques, «*Stratégie*: de l'analyse des pratiques signifiantes à la lutte idéologique», *L'Avant-garde culturelle et littéraire des années 70 au Québec*, sous la direction de Jacques Pelletier, Montréal, Université du Québec à Montréal, «Cahiers du Département d'études littéraires, n° 5», 1986, p. 50.

[16] On notera que, par opposition aux membres des comités de rédaction de *Stratégie* et *Chroniques*, les collaborateurs de *Liberté*, revue qui détient à l'époque le pôle de la légitimité littéraire, enseignent à l'Université de Montréal et à l'Université McGill.

[17] CAUCHON, Paul, *Art. cit.*, p. I.

cadre général de recherche avant-gardiste et non de mettre en valeur des options politiques ou culturelles différentes. Il s'agit chaque fois de se distinguer, de se démarquer auprès d'un public qui pourrait confondre. Dans le champ des revues, on se marche ainsi sur les pieds. Toutefois, et bien que les projets soient clairement distincts, les frontières restent ouvertes. Fondateurs de la revue *Éther* en 1970, François Charron et Roger Des Roches assument ainsi, en 1971, la présentation d'un numéro de *La Barre du Jour* et, l'année suivante, ils publient des articles théoriques dans *Presqu'Amérique* alors même qu'ils collaborent à la fondation de *Stratégie*. L'année suivante, ils publient chacun un numéro d'auteur de la revue *Les Herbes Rouges*. Enfin, en 1975, Charron quitte *Stratégie* et passe à *Chroniques*.

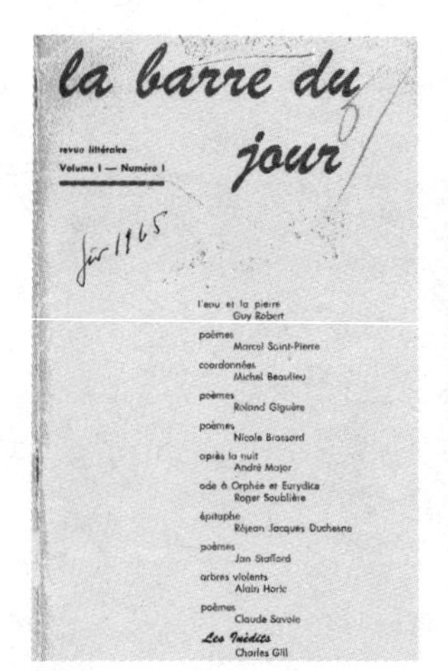

De *Mainmise* à *Stratégie*, — et c'est ce que révèle encore mieux cette circulation des écrivains d'une revue à l'autre, — les revues d'avant-garde proposent le projet unique de déconstruire l'idéologie dominante. Ce qui distingue les revues théoriques des revues de création est le statut qu'elles accordent à l'écriture. Les revues de théorie ne reconnaissent pas l'autonomie du champ littéraire. Elles développent au contraire une conception de l'écriture qui la relie à une pratique sociale plus grande dont elle ne serait qu'une dimension. En revanche, les revues de création poursuivent le travail du texte en marge des courants politiques, dont elles ne sont toutefois pas entièrement coupées. Depuis 1965, *La Barre du Jour* poursuit ainsi son objectif de «conjoindre recherche formelle et reconnaissance de la tradition[18]», loin du nationalisme conservateur et des luttes révolutionnaires. En quête de la modernité textuelle, elle alimente sa réflexion aux mêmes sources que celles qui allaient fonder le projet de *Stratégie*, c'est-à-dire au formalisme théorique d'origine structuraliste, propre à *Tel Quel*, dont l'influence ira croissant dans les années soixante-dix. Comme plusieurs autres, elle reconnaît le rôle historique essentiel de *Parti pris*, revue à laquelle elle consacre un numéro entier en 1972. Parallèlement, elle opère une relecture tout à fait originale du corpus de la littérature québécoise, rééditant certains textes perdus, inédits ou oubliés (Charles Gill, Joseph Quesnel, Nérée Beauchemin, Émile Nelligan, etc.) et relisant certains classiques de la modernité dans des numéros qui sont consacrés à Roland Giguère (1968) ou aux Automatistes (1969).

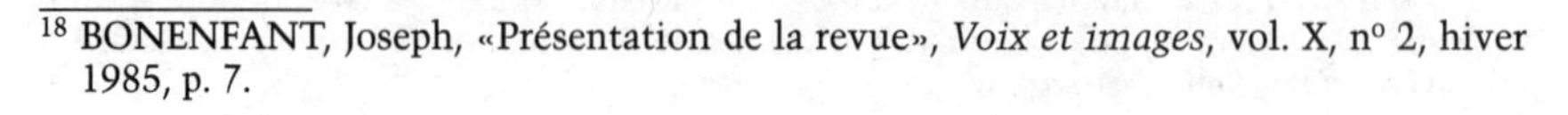

[18] BONENFANT, Joseph, «Présentation de la revue», *Voix et images*, vol. X, n° 2, hiver 1985, p. 7.

Depuis 1968, une nouvelle revue, *Les Herbes Rouges*, lui fait concurrence sur le terrain même du formalisme. À la différence de *La Barre du Jour*, *Les Herbes Rouges* se veulent une revue exclusivement consacrée à la création poétique. On ne trouve dans ses pages ni manifeste, ni éditorial et peu de commentaires critiques. Ce qui prime est le travail textuel proprement dit et, bien que les esthétiques mises de l'avant par l'une et l'autre revue se rejoignent dans une expérimentation formelle du langage, on trouvera davantage chez *Les Herbes Rouges*, une exploration des dimensions politiques («poélitique[19]», écrira Madeleine Gagnon) du texte. Pour cette raison, parmi les revues de création littéraire d'avant-garde, c'est aux *Herbes Rouges* que publieront davantage les femmes et qu'elles exploreront les modalités de l'énonciation poétique au féminin. Dès ses débuts, la revue accueille aussi bien des auteurs reconnus, comme Jacques Brault et Paul-Marie Lapointe, que des jeunes écrivains, tels François Charron et Roger Des Roches, collaborateurs de *Stratégie* et Madeleine Gagnon ou Philippe Haeck, collaborateurs de *Chroniques*. Au cours de la décennie 1970, la revue adoptera trois formats, allant du numéro collectif au numéro consacré à un seul auteur, avant de se transformer en maison d'édition de plein droit.

I.2 *L'institutionnalisation du savoir*

Le champ universitaire ne reste pas étranger aux courants et querelles qui traversent les avant-gardes et il s'y poursuit un important mouvement de spécialisation commencé quelques années plus tôt. On observe ainsi la disparition des grands journaux étudiants, organes des générations montantes d'intellectuels. *Le Carabin* avait déjà fermé ses portes en 1967 et *Le Quartier latin*, fondé en 1919, cesse de paraître en 1970. Il n'y aura pas d'autres périodiques qui soient les véritables porte-parole des associations générales d'étudiants jusqu'à la fondation de *Campus* en 1985. En remplacement, foisonnent les revues sectorielles liées à un programme ou à un département. Éphémères, ronéotypées ou photocopiées plutôt qu'imprimées, diffusées exclusivement à l'interne, elles ne sont généralement pas déposées à la Bibliothèque Nationale. Leur fonction

LE NOUVEAU
CARTIER-LATIN
JOURNAL DU FRONT COMMUN DES ASSOCIATIONS ETUDIANTES DU CAMPUS DE L'U DE M

NUMERO SPECIAL — 13 MARS 1975

POURQUOI UN NOUVEAU CARTIER-LATIN?

Depuis la liquidation de l'Association Générale des Étudiants de l'Université de Montréal, les étudiants de l'U de M ont cessé d'avoir leur propre journal étudiant. Plus d'une fois, depuis la liquidation de l'AGEUM à l'U de M, nous avons senti la nécessité de nous unir et de nous organiser. Si on prend l'exemple du Front Commun qui s'était formé en 1971-72 sur la question des SAE, on voit que les lacunes de ce Front Commun, ont été beaucoup plus dans le domaine de la mobilisation des masses étudiantes de l'U de M que dans la cause pour laquelle ce Front fut formé. C'est à la lumière de cette expérience, que le Front Commun des Associations Etudiantes a fait passer une résolution, de produire un journal par les étudiants de l'U de M pour expliquer la fraude qu'il y a autour des SAE, et par là même, la nécessité des étudiants de s'unir et de s'organiser pour réclamer leurs droits fondamentaux.

C'est ainsi que s'explique la présence du nouveau Cartier Latin. «Nouveau» parce qu'il veut d'une part continuer la tradition de mouvement des étudiants de l'U de M, qui trouva son expression dans le Quartier Latin des années soixante, et d'autre part effacer les aspects négatifs de ces années et construire le «NOUVEAU» à l'U de M.

Le Nouveau Cartier Latin se veut être le journal des étudiants de l'U de M, et si le mouvement à l'U de M se développe avec succès en faveur de la satisfaction de nos revendications économiques, par exemple les SAE, notre journal pourrait bien être régulier et progressivement devenir le journal des Associations étudiantes déjà existantes sur le campus.

C'est bien évident que nous manquons à l'U de M d'un journal commun pour tous les étudiants, un journal dans lequel nous, nous regroupons et atteignons le plus grand nombre, d'entre nous à propos des problèmes que nous affrontons et auxquels nous devons apporter des solutions. Il faut que tous les étudiants soient conscients que notre lacune à l'Université est l'isolement, c'est pourquoi le journal doit être la solution pour pallier à cette lacune, qui barre la route à l'unité et l'organisation.

[19] GAGNON, Madeleine, *Poélitique*, Montréal, Les Herbes Rouges, n° 26, 1975, [31 p.].

est à la fois d'agir comme lieu de regroupement, feuillet d'information, mais surtout, d'offrir une sorte d'exutoire au discours trop formel de l'appareil scolaire. Quelques-unes, surtout des revues de création littéraire comme *La Bonante* (1970) et *Nouvelles fraîches* (1985), débordent toutefois ce cadre restreint de l'irrévérence potachique et agissent comme banc d'essai pour les apprentis-écrivains.

Les étudiants suivent ici une tendance encore plus évidente chez leurs professeurs qui, de manière plus formelle, multiplient les revues dans une grande opération de quadrillage du savoir. Les revues savantes spécialisées et disciplinaires remplacent les revues universitaires à caractère plus général. Sont fondées, coup sur coup, la *Revue canadienne de science politique* (1968), *Histoire sociale* (1968), *Sociologie et sociétés* (1969), *Études internationales* (1970), *Cahiers de linguistique* (1971), *Recherches amérindiennes* (1971), les *Annales d'histoire de l'art canadien* (1974), *Philosophiques* (1974), *Revue d'ethnologie du Québec* (1975), *Cahiers de recherche éthique* (1976), *Anthropologie et sociétés* (1977) et *Études Inuit* (1977). Parallèlement, d'autres revues changent d'orientation. Ainsi, parmi les revues universitaires consacrées à la littérature, *Voix et Images*, fondée une deuxième fois en 1975, revoit sa formule et se dote d'une nouvelle périodicité qui, d'annuelle, devient trimestrielle. La revue est désormais orientée vers l'analyse critique et la part consacrée à création est réduite à la publication d'un inédit court illustrant le dossier consacré à

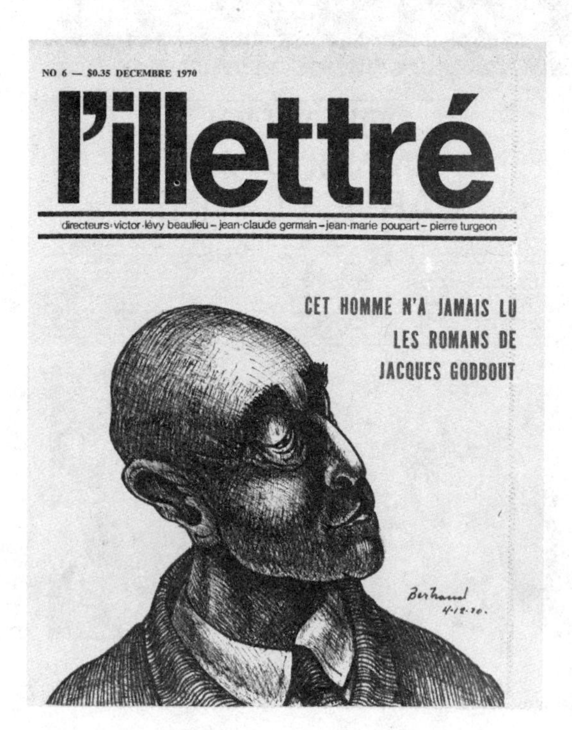

un écrivain. Le mouvement se poursuivra dans les années 1980 jusqu'à la fondation de *Recherches féministes* (1988) et de *Cinémas* (1990). À cette date, les principales disciplines se sont toutes dotées d'un organe où sont diffusés les résultats de la recherche universitaire.

Cette transformation dans le champ des revues illustre la professionnalisation de la recherche telle que la vit une nouvelle génération de professeurs, formée dans les plus grandes écoles européennes, et dont le discours fait passer le Québec du statut de projet à celui d'objet d'études. Avec le développement des structures universitaires contemporaines, les revues changent: les règles du fonctionnement universitaire deviennent le seul objectif et le public est de plus en plus spécialisé. De même, la création des programmes de subvention, destinés aux publications que l'on qualifiera désormais de «savantes», uniformise les préoccupations autour des méthodes et des objets, selon le modèle déjà éprouvé dans les sciences expérimentales et appliquées, marquant une séparation toujours plus grande entre la pratique sociale et le savoir théorique. Ces programmes ont aussi pour effet de stabiliser le champ en assurant aux revues les plus conformes au modèle les garanties financières nécessaires à leur survie.

Cependant les revues universitaires ne restent pas imperméables au discours ambiant. La nouvelle génération d'universitaires est, à toutes fins pratiques, la même que celle qui donne naissance aux avant-gardes politique et culturelles, de sorte que le discours universitaire est lui aussi imprégné des courants de pensée dominants. Ainsi, les discours du savoir sont marqués par l'hégémonie du structuralisme et séduits tant par les développements récents de la sémiologie que par le structuro-marxisme. La fondation de *Protée* (1970), publiée à l'Université du Québec à Chicoutimi, illustre bien ce projet d'une sémiologie interdisciplinaire. Avec d'autres, notamment *Présence francophone* (1970), elle résiste à un découpage restrictif des diverses disciplines. Plusieurs revues refusent également d'éliminer du savoir toute réflexion politique. Là est également le projet de *Brèches* (1973) et *Chroniques* (1975) qui, tout en étant produites par des universitaires, cherchent à agir et à intervenir hors de l'Université. L'institution sera toutefois la plus forte et on assistera, progressivement, à l'institution du marxisme (et, plus tard, du féminisme) parmi les théories et méthodes propres à la recherche.

Ce qui domine la décennie 1968-1978, à travers l'exploration des utopies et du savoir, est d'abord une remise en question du rôle de l'intellectuel dans la Cité. De citoyen éclairé, élaborant les projets de société et revendiquant des changements politiques, il devient peu à peu un expert-spécialiste qui n'est plus appelé à intervenir directement dans les luttes sociales. Son rôle politique, centré de plus en plus sur le développement d'un discours théorique, est davantage de critiquer les pratiques, traditionnelles ou d'avant-garde, de former les intervenants et de diffuser des positions «justes». Vive et autoritaire dans les milieux de gauche, cette attitude se veut plus feutrée, sans toutefois être de nature différente, dans le champ universitaire qui tend à se lover sur lui-même et à réduire la fonction de l'intellectuel à celui d'un observateur éclairé qui situe son intervention au-delà du politique. Seules les revues appartenant aux champs littéraire et artistique conservent encore leur fonction de laboratoire et elles tentent d'imposer leur esthétique en discréditant celles dont la légitimité est mieux établie.

II. 1978-1988: ÉTAT DES LIEUX

À travers les éditoriaux des revues fondées à la fin des années soixante-dix, se dégage le sentiment très net que, entre 1965 et 1975, une génération a passé dont il ne reste qu'à liquider les actifs. Coup sur coup ferment ainsi *Stratégie* (1977), *Cul-Q* (1977), *Brèches* (1977), *Champs d'application* (1977), *Chroniques* (1978), *Mainmise* (1978) et *Hobo-Québec* (1981). Les revues représentant les nouvelles utopies, de la contre-culture au marxisme-léninisme, quel que soit le point de vue, ont toutes cessé de paraître. Le champ est, de nouveau, entièrement libre. Les revues fondées dans les années qui suivent la dissolution de ces collectifs de production, en particulier de ceux qui se sont laissé séduire par les organisations d'extrême-gauche, seront hantées par ce difficile rapport aux groupes politiques de tout ordre et auront, comme objectif premier, celui de sauvegarder à tout prix leur autonomie propre: «L'autonomie, écrivent les rédactrices de *La Vie en rose*, cela signifie que nous travaillons d'abord pour nous-mêmes, à partir de notre réalité, sans avoir à justifier nos intérêts, nos priorités, nos choix. Liberté d'esprit. Nous ignorons le spectre des intérêts supérieurs, nous n'avons pas à nous taire pour rester dans le parti ou pour garder notre emploi. Liberté de parole. Nous n'avons pas à attendre après le référendum, après les élections, après les négociations ou après la révolution pour faire ce que nous voulons. Liberté d'action.[20]»

Déjà, depuis 1976, le champ des revues recommence à bouger. À partir du moment où les universités spécialisent leurs revues, il se crée un vide dans le champ culturel, celui de l'actualité et celui de la critique. C'est à ces nouveaux besoins que répondent les périodiques culturels qui naissent nombreux dans cette période. De même, l'élimination progressive des revues politiques, prises en charge par les groupes d'extrême-gauche, laisse vacant le territoire de la critique sociale. Celui-ci se reconstruit péniblement, cherchant à réunir ce qui reste des forces militantes autour non plus

[20] *La Vie en rose*, vol. II, nº 1, mars-mai 1981, p. 3.

d'une «ligne juste», mais au contraire en montrant la pluralité du milieu et la convergence des pratiques diverses. La tendance est néanmoins à la fragmentation de cette pensée politique selon les principes convergents de la décentralisation et de la déconcentration. «Tournant le dos à l'avant-garde et à l'institution[21]» tout à la fois, le territoire des revues se découpe en sphères de spécialisation, en projets singuliers, selon les groupes d'intérêts particuliers. Les tentatives pour reconstruire l'unité du milieu seront nombreuses, mais toutes éphémères.

Institution il y aura cependant, malgré toutes les réserves et les revendications d'autonomie, mais sous une forme inédite qui signale une rupture essentielle entre les journalistes et les professeurs, entre les critiques et les créateurs. Le format même des revues de ces années tend à les distinguer alors que les premiers (journalistes et critiques) adoptent volontiers le magazine grand format et les seconds (professeurs et créateurs) conservent un format plus petit, semblable au livre. Si le magazine est distribué plus facilement dans les kiosques à journaux, le livre se conserve mieux sur un rayon de bibliothèque. La périodicité répond aux mêmes impératifs, de sorte que les magazines, en concurrence avec la presse commerciale, paraissent chaque mois (ou presque) et les revues proprement dites demeurent trimestrielles, conformément à la tradition. À la fin de la période, on distinguera ainsi une presse subventionnée (par les gouvernements, les partis politiques, ou les diverses associations professionnelles ou syndicales) d'une presse libre, plus proche des mouvements sociaux.

II.1 Les périodiques culturels

Installés entre le magazine d'information et la revue universitaire, les périodiques culturels naissent d'un projet simple: «fonder une revue de critique, contrôlée non par des universitaires ou des journalistes, mais par des écrivains [et des artistes][22]». Ainsi paraissent successivement et à un rythme très rapide des titres comme *Parachute* (1975), *Lettres québécoises* (1976), *Cahiers de théâtre Jeu* (1976), *Propos d'art* (1976), *Possibles* (1976), *Le magazine Ovo* (1977), *Intervention* (1978), *Lurelu* (1978), *Aria* (1979), *Spirale* (1979), *Copie zéro* (1979), *24 images* (1979), *Ré-flex* (1981), *Sonance* (1981) et *Nuit blanche* (1982). Ces revues s'ajoutent aux trois plus anciennes, *Écrits du Canada français*, *Vie des arts* et *Liberté* qui représentent, encore dans cette période, les

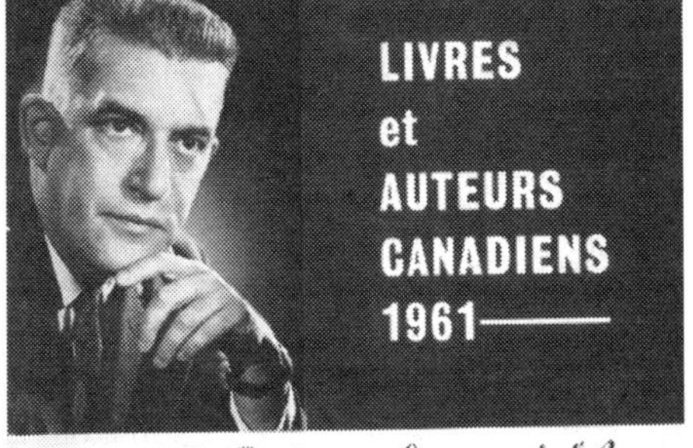

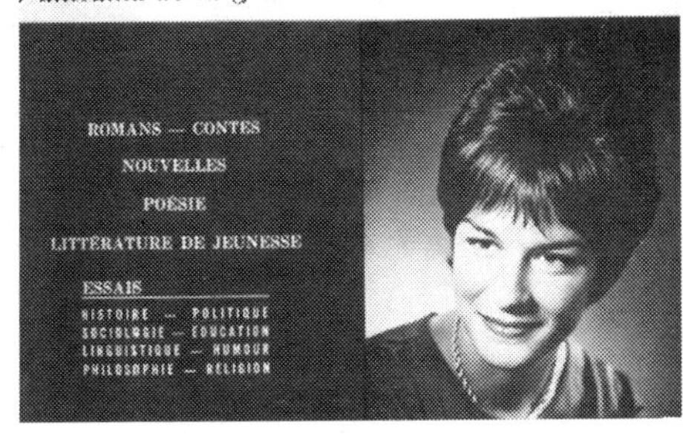

[21] FORTIN, Andrée, *Op.cit.*, p. 220.
[22] *Ibid.*, p. 213.

lieux principaux de la légitimité culturelle. Ce qui distingue les nouvelles venues, c'est la différenciation interne du milieu qu'elles opèrent. Il semble fini le temps où les périodiques s'intéressaient à la culture dans son ensemble offrant côte à côte des chroniques sur le théâtre, le cinéma, la littérature, les beaux-arts, la musique, la danse, la photographie. Chacune de ces pratiques artistiques se dote d'une ou de plusieurs revues spécialisées, ce qui permet d'approfondir chaque fois un art particulier en confrontant, en un forum unique, les propos des théoriciens et ceux des praticiens.

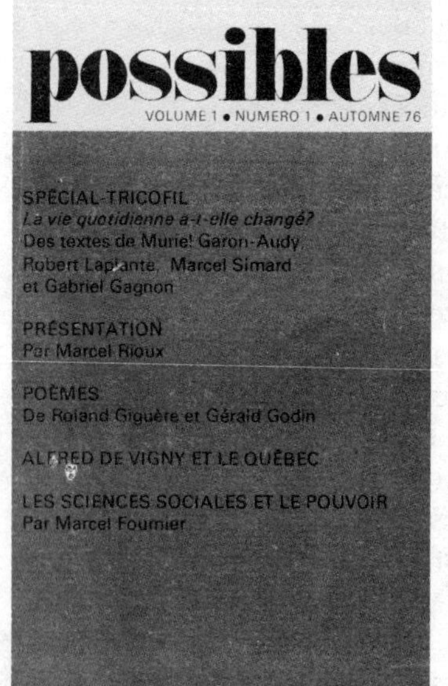

Dans ce cadre général, la revue *Possibles* présente un cas particulier puisqu'elle est la seule de cette série à poursuivre un projet culturel indifférencié, encore relié à la promotion d'une société socialiste et autogestionnaire. C'est en tant que «créateurs de possibles[23]» que la revue considère les artistes et c'est également sous ce terme qu'elle désigne les militants qui inventent de nouvelles pratiques de gestion. L'inscription de *Possibles* dans le champ de la culture lui permet de se dissocier plus aisément des avant-gardes moribondes et de la «polarisation politique et idéologique[24]» qui caractérise leur discours. La revue en appelle aux grands intellectuels européens, Saint-Simon, Lucien Goldmann, Ernst Bloch, et aux modestes expériences de gestion locale qu'ont été Tricofil ou le JAL[25].

Éditorial 3: *POSSIBLES*

LES POSSIBLES DANS UNE PÉRIODE DE TRANSITION

[...] Publier une revue, écrire pour une revue et même s'y abonner n'ont jamais été des actes gratuits; ils le sont encore moins dans le Québec de 1976. À cette époque de polarisation politique et idéologique, tout engagement se révèle, de proche en proche, comme insertion, dans l'une ou l'autre des grandes options qui divisent notre société, et comme prise de conscience située et datée. Ce qui implique que l'on fait de ce temps et de ce lieu une certaine lecture et non une autre, c'est-à-dire que l'on ait du Québec et du monde contemporain une vision commune et cohérente.

On pourrait se contenter d'exprimer en termes très généraux les options fondamentales de ceux que réunit cette revue: indépendance du Québec et édification progressive d'une société socialiste que plusieurs nomment aujourd'hui auto-gestionnaire. C'est là un projet global de société dont les deux axes sont intimement liés; dans cette optique, l'indépendance nationale constitue le *moyen* indispensable et la seule décision politique qui rendent possible, pour les collectivités et les groupes à

[23] RIOUX, Marcel, «Les possibles dans une période de transition», *Possibles*, vol. I, nº 1, automne 1976, p. 7.
[24] *Ibid.*, p. 3.
[25] JAL: sigle composé du nom de trois villages du Témiscouata (St-Just, Auclair et Lejeune)

l'intérieur du Québec, la prise en charge d'eux-mêmes et de leur vie. Pour nous, l'autogestion n'est pas une théorie que les ouvriers et les autres groupes de citoyens n'auraient qu'à appliquer pour accomplir l'histoire mais plutôt une expérimentation constante où les pratiques émancipatoires prennent le pas sur la théorie; que ce soit à Tricofil, au JAL ou ailleurs, chaque groupe doit inventer, imaginer et créer des actions qu'aucun manuel n'a cataloguées à son intention.

Or il arrive que dans le Québec de 1976, le nombre de ceux qui partagent ces options générales augmente sans cesse et qu'il est loin d'y avoir accord sur les moyens de réaliser ces objectifs. Ce qui oblige à plus de précision de la part de quiconque veut cheminer avec ceux qui partagent le même idéal de société. Dire cela veut aussi dire que cette revue ne doit pas chercher à s'opposer à ceux qui tendent vers cet objectif global en partant d'analyses différentes et en privilégiant des moyens d'action différents. Il n'est rien tant qu'aiment les tenants du système dominant que de voir leurs adversaires s'engager, tous arguments et crocs dehors, dans des débats sur la contradiction principale de la société capitaliste ou du Québec contemporain.

[...]

Notre démarche, sans écarter la description et la critique de la société contemporaine ni les options idéologiques, s'axera donc davantage sur l'étude des praxis collectives et individuelles, non en ce qu'elles ont d'institutionnalisé et de répétitif, mais en ce qu'elles manifestent des dépassements, des désirs et des possibles. Nous nous tournerons donc davantage vers les pratiques des Québécois — ouvriers, enseignants, jeunes, créateurs, et de tous ceux qui luttent pour changer la vie — pour déceler et mettre à jour les possibles de changement qu'elles manifestent. Notre parti pris pour la recherche des possibles implique que ce sont moins les *contradictions* au niveau des structures globales qui requièrent notre attention que celles qui se manifestent au niveau de leur internationalisation dans les idées, les valeurs, les attitudes et les conduites des collectivités et des individus et qui se traduisent par des pratiques non-attendues par le système dominant et qui, à la longue, le détraquent. En d'autres termes, la recherche des possibles passe par l'étude des pratiques novatrices et par celles qui contribuent à déstructurer la société capitaliste et particulièrement celle du Québec dominé.

[...]

Cette démarche critique qui explore les possibles se rapproche de celle des créateurs de possibles que sont les artistes. Que font-ils sinon produire des symboles qui contrairement aux signes qui ressortissent à la logique de l'équivalence — celle de l'économie qui a envahi toute la vie — ressortissent à la logique de l'ambivalence, c'est-à-dire qui créent un surplus de sens, générateur de possibles. Le poète combat sans cesse l'aplatissement de la vie en signes, en équivalents qui se modèlent sur la valeur d'échange de l'économie politique.

La recherche des possibles — dans toutes les activités humaines — manifeste un effort pour sortir de cette économie politique qui domine la vie de part en part. Si nous entendons culture au sens de dépassement, d'appropriation par l'homme de sa propre nature dans des pratiques où création et contrôle ne sont plus dissociés — le contrôle tant aujourd'hui exercé par la société, par les classes sociales dominantes en dernière analyse — la culture-praxis devient l'antithèse de l'*aliénation*, de l'*exploitation* et de l'*autorité* qui, au bout de l'analyse des sociétés industrielles, se révèlent comme les trois concepts qui en expliquent la nature. La recherche des possibles veut contribuer à libérer la praxis humaine de l'exploitation de l'homme par l'homme, de l'aliénation généralisée et de l'autorité que des hommes s'arrogent sur d'autres.

(*Possibles*, vol. I, nº 1, automne 1976, p. 3-8.)

Le premier numéro de la revue paraît à l'automne 1976 et, outre le liminaire signé par le sociologue Marcel Rioux, s'ouvre sur un poème de Roland Giguère, «J'imagine». D'une certaine manière, *Possibles* représente ce que serait le volet socio-politique de la revue *Liberté*. Nombreux sont les collaborations qui, au fil des années, traversent d'une revue à l'autre. Parmi ces signatures, on retrouvera plusieurs universitaires, qui voient là un lieu de discussion irréductible au compte rendu ou à l'essai scientifique, mais aussi des poètes, des artistes, des intervenants communautaires de toutes sortes. Chaque numéro repose sur un dossier substantiel qui analyse un aspect ou un autre de la vie québécoise. Loin de tout modèle et de toute idée reçue, la revue cède volontiers la parole aux divers groupes et collectivités qui expérimentent de nouvelles façons de gérer le quotidien. De cette manière, elle élabore une nouvelle utopie, fondée sur l'autogestion du patrimoine communautaire.

Comme les autres revues culturelles, *Possibles* s'écrit au présent, pour construire l'avenir. Ainsi, chaque discipline envisage son créneau propre, se dotant d'une fonction mémorielle visant à conserver précisément la mémoire, les traces de pratiques artistiques autrement éphémères, comme le théâtre, la danse ou la performance. Les manifestations artistiques de toute nature sont longuement décrites et commentées. Nombreuses sont les entrevues avec les artistes qui exposent leurs projets, expliquent leurs intentions. Régulièrement paraissent des bilans qui mesurent le chemin parcouru et envisagent des voies d'avenir. Avec les années, l'orientation spécifiquement québécoise de la plupart des revues culturelles de la première vague, celles qui sont créées entre 1975 et 1980, cède le pas à des préoccupations nettement plus cosmopolites. Dans un premier temps, l'objectif sera de développer une lecture, un regard québécois sur une production dont la provenance est variée. Telle est la posture qui distingue des revues comme *Spirale* et *Nuit blanche* de la plus ancienne *Lettres québécoises*. Dans un second temps, il s'agira d'intervenir «sur le terrain que représente le point de jonction de divers univers culturels[26]» dans le Québec moderne. Tel est le projet à l'origine de *Vice-versa* (1983), revue culturelle publiée en trois langues pour rendre compte de la réalité italo-québécoise. Le mouvement atteint toutefois l'ensemble des revues qui, une à une, montrent des signes d'ouverture sur le monde.

Parallèlement à ces revues de théorie et de critique, les revues de création s'ouvrent à une certaine pluralité. Ici encore, le champ se renouvelle et remet en question les pratiques d'avant-garde qui avaient caractérisé les années antérieures. Même *La Barre du Jour* renaît sous

[26] *Vice Versa*, vol. I, n° 1, été 1983, p. 3.

un nouveau nom, *La Nouvelle Barre du Jour*, montrant à la fois rupture et continuité, publiant en liminaire un programme neuf, tout en maintenant une numérotation continue entre les deux séries, c'est-à-dire entre les deux époques.

Éditorial 4: *LA NOUVELLE BARRE DU JOUR*

Existe-t-il une fonction précise de la revue dans un contexte littéraire? Certes, mais les contextes varient. Et on peut aussi penser que chaque revue trouve sa fonction spécifique en vertu des divergences et des différences qui tôt ou tard finissent par surgir dans le milieu ou au milieu des questions politiques auxquelles sont maintenant soumises toutes les écritures.

La création d'une nouvelle revue indique, dans la plupart des cas, une insatisfaction par rapport aux revues déjà existantes. C'est ce qui s'était produit lors de la fondation de *La Barre du Jour* en 1965. Depuis nous avons publié cinquante-sept numéros.

La Nouvelle Barre du Jour: par là, nous voulons indiquer un désir de renouveau lié à cette insatisfaction à l'égard des revues existantes, y compris *La Barre du Jour*. Mais plus encore, ce qui a suscité notre intention de recommencer, c'est un ensemble de circonstances subjectives et objectives qui nous amènent à vouloir un lieu-carrefour de l'écriture et de la pensée d'ici. Il s'agit pour nous de donner à lire des textes qui puissent à nouveau rendre effervescente et stimulante une littérature qui, pour le moment, apparaît hésitante.

La parution de chaque numéro d'une revue devrait en soi être un événement qui nourrisse la production individuelle des écrivains. Mais pour cela, il faut s'écrire régulièrement et qu'une continuité s'installe dans le rapport que nous entretenons avec les textes produits par les autres. D'où pour nous l'importance de *Histoire d'écrire*, «sentier de la création» où des écrivains disent leur rapport à l'écriture et le comment de leurs textes; un lieu d'essai permettant hypothèses et synthèse sur des sujets qui nous touchent de près ou de loin dans nos pratiques de vie et d'écriture; des *Commentaires*, des réflexions critiques sur des livres d'ici ou d'ailleurs, récents ou pas, mais pouvant servir de tremplin à l'écriture, à l'imaginaire et à la pensée. Le pourquoi et le comment des *formes contenues* ainsi que leurs effets.

Conséquemment, il nous apparaît important de synchroniser l'écriture et les courants de pensée les plus dynamiques, qui élargissent sans cesse nos champs d'action, de réflexion et de bien-être.

D'une génération à l'autre, ce qui nous intéresse, c'est la démarche de tout sujet-conscience donnant signe de vie dans une forme incitative.

(*La Nouvelle Barre du Jour*, n° 58, septembre 1977, p. 2.)

Pourtant, entre les deux publications, les différences sont réelles. En 1965, *La Barre du Jour* avait été fondée par un groupe d'étudiants de l'Université de Montréal. Douze ans plus tard, ces mêmes personnes sont toujours à la barre. Elles ont vieilli, sont parfois même devenues professeurs (surtout dans les cégeps), après avoir traversé la houleuse décennie précédente. La revue qu'elles produisent a survécu à toutes les expérimentations et à tous les débats. *La BJ/NBJ* accorde toujours une primauté absolue à la création littéraire et à la pratique textuelle et, en ce sens, elle n'a jamais perdu de vue sa fonction de banc d'essai et de territoire expérimental, ce qui ne l'empêche pas de souscrire aux discours ambiants et de montrer, d'une année à l'autre, d'importants virages esthétiques. En 1977, au moment de sa seconde fondation, *La NBJ* est en voie de légitimation bien qu'à son corps défendant, ce que traduit, entre autres choses, le renouvellement du nom. Doyenne des revues de création littéraire d'avant-garde, elle se prétend «nouvelle» tout en insistant sur la continuité «d'une génération à l'autre», dans l'exploration du territoire de la modernité littéraire. La revue sera l'un des principaux creusets du féminisme littéraire (même si les signatures de femmes sont moins nombreuses à *La NBJ* qu'elles ne l'étaient à *La BJ*) tout en accordant une place importante au «sujet-conscience donnant signe de vie dans une forme incitative[27]».

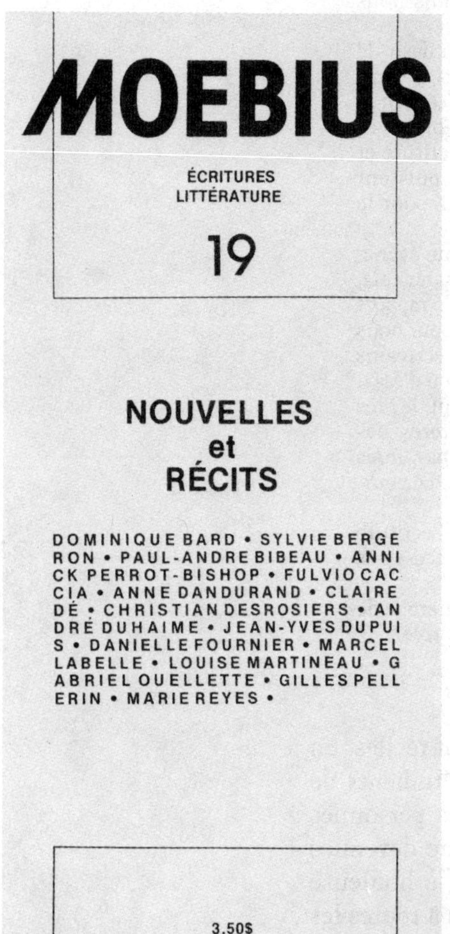

Cette primauté du «sujet-conscience» ramène en force une valeur que la période antérieure avait parfois allègrement mise de côté: celle de l'individu créateur et de son projet esthétique singulier. S'ouvre ainsi, dans les revues de création comme dans les revues de théorie et de critique, une ère nouvelle, faisant une plus large part à la diversité et au pluralisme, tout en maintenant un cadre expérimental où prime la recherche. *Estuaire* (1976), l'*Atelier de production littéraire de la Mauricie* (1976), *Mœbius* (1977), *Arcade* (1982), *Trois* (1985) partageront diversement ces objectifs et ces préoccupations. À côté de ces revues, essentiellement consacrées à la création poétique, se forme un autre créneau, dans un genre jusque-là considéré comme mineur, la nouvelle, pour laquelle sont créées *XYZ* (1985) et *Stop* (1987).

Depuis le début des années soixante-dix, poussent comme des champignons des périodiques éphémères consacrés à la bande dessinée: *L'Hydrocéphale illustré* (1971) puis *entêté* (1974), *L'Écran* (1974), *Pour ta belle gueule d'ahuri* (1979), *Enfin bref* (1986), *Sextant* (1986), *Bambou* (1986) et *Bambou plus* (1988) tentent d'instaurer une pratique de la revue à propos de la paralittérature. Les revues consacrées à l'humour n'ont guère plus de succès à l'exception du magazine *Croc* qui, fondé en 1979, paraît jusqu'en 1995. En revanche, la paralittérature plus traditionnelle, celle qui est fondée sur le texte plutôt que sur l'image, réussit à s'imposer, telle la science-fiction qui voit se succéder les revues *Requiem* (1974), *Solaris* (1979) et *Imagine* (1979).

[27] «Liminaire», *La Nouvelle Barre du Jour*, n° 58, septembre 1977, p. 2.

Dans toute cette production, ce qui frappe en premier lieu, c'est l'importance que prennent les revues culturelles, comme un substitut au discours politique qui ne trouve plus de place à s'énoncer. Leur nombre, déjà imposant, se double bientôt d'une reconnaissance institutionnelle de taille. En 1978, est créé le Programme d'aide financière du ministère des affaires culturelles du Québec, destiné «à favoriser l'émergence de revues culturelles québécoises[28]», programme qui double celui qu'offrait déjà le Conseil des arts du Canada. En 1980, les revues se regroupent au sein de l'Association des éditeurs de périodiques culturels du Québec, qui deviendra peu après la Société de développement des périodiques culturels. Il se produit ainsi, pour les revues culturelles, un phénomène d'institution semblable à celui qui avait marqué les revues universitaires dans la période précédente, où les garanties de financement assurent une longévité accrue, mais exigent une plus grande stabilité dans la facture et les esthétiques soutenues. De même, un financement étatique exige une plus grande neutralité politique, qui n'exclut pas nécessairement la critique, mais qui la subordonne au projet esthétique.

En conséquence, observe Paul Cauchon en 1985, «plusieurs des revues actuelles existent depuis dix ans sinon plus, et les comités de rédaction se renouvellent (ce qui était impensable il y a quinze ans: lorsque les fondateurs d'une revue s'essoufflaient celle-ci disparaissait, à l'exception de quelques monuments) [...] La production des revues est assurée par des individus plus âgés, pour la plupart des professeurs [...][29].» En 1990-1991, on comptera 37 revues culturelles subventionnées par le gouvernement du Québec, pour un tirage moyen de 2745 exemplaires, dont 62,2 % sont vendus par abonnements. Les subventions assurent près de la moitié des fonds nécessaires à la production de ces revues, alors que la publicité compte pour 9 %[30]. La situation d'ensemble montre que les revues culturelles, comme les revues universitaires, sont devenues dépendantes des politiques gouvernementales, ce qui a pour effet de stabiliser le champ, mais aussi de le figer dans un éternel présent. Et on ne peut s'empêcher d'observer que ces revues, «bien que toutes indépendantes des universités, sont en fait de facture très universitaire[31]».

[28] BORDELEAU, Francine, «À quoi servent les revues?», *Lettres québécoises*, n° 72, hiver 1993, p. 11.

[29] CAUCHON, Paul, *Art. cit.*, p. I.

[30] BAILLARGEON, Jean-Paul, «Les revues savantes et culturelles du Québec au début de la décennie 90», *Communication*, vol. XIV, n° 1, printemps 1993, p. 185-196. Voir aussi Francine Bordeleau, *Art. cit.*, p. 10.

[31] NARDOUT-LAFARGE, Élisabeth, «Les revues littéraires québécoises 1960-1980», *Écrits du Canada français*, n° 58, 1986, p. 51.

II.2 La presse libre

Proche des milieux qu'on dira bientôt «alternatifs», appuyée sur une large base formée des comités de citoyens et militants d'action communautaire, se développe une presse libre, c'est-à-dire une presse indépendante autant des entreprises financières et des subventions gouvernementales que des partis politiques et des syndicats. Cette autonomie institutionnelle et une forte méfiance envers la droite comme envers la gauche, dont on craint l'infiltration, est ce qui réunit avant tout un ensemble de revues et de magazines où prime encore l'élaboration d'une pensée originale et d'un discours critique. Certains universitaires poursuivent ainsi une réflexion de gauche, souvent encore fortement marxiste, refusant les subventions au nom d'une liberté de pensée et d'action toujours plus difficile à soutenir. Revues interdisciplinaires, qui adoptent le format classique du livre, *Les Cahiers du socialisme* (1978-1984), *Conjoncture politique au Québec* (1981-1985) et *Conjoncture et politique* (1985-1986) prolongent une tradition plus ancienne d'analyse politique, en publiant des études approfondies, mais dans un contexte où la théorie et l'analyse priment plutôt que l'action, bien que plusieurs collaborateurs aient partie liée, individuellement, avec les milieux politiques ou populaires.

En marge des milieux universitaire et culturel, les journalistes cherchent eux aussi à témoigner du monde qui les entoure. Leur travail passe d'abord par la critique des médias traditionnels qui n'offrent qu'une vision spectaculaire de l'actualité politique. Contrairement aux revues universitaires autonomes, ces périodiques, qui empruntent davantage le format du magazine, propre au commentaire d'actualité, et qui paraissent mensuellement, entreprennent une féroce critique du marxisme et des intellectuels. Ils se méfient des grands projets de société et des débats théoriques. Priment l'action concrète des groupes populaires et l'élaboration d'une nouvelle réflexion politique fondée sur la gestion du «quotidien». Le mot est lancé et il connaîtra un succès durable.

Le mouvement débute avec le *Q-Lotté* (1976), sous la bannière de l'anarchie. Suivront *Zone libre* (1977) et *Luttes urbaines* (1977) qui proposent un projet qui se veut socialiste, libertaire, féministe et révolutionnaire, tentant ainsi d'articuler, les unes aux autres, l'ensemble des revendications sociales progressistes. C'est toutefois *Le Temps fou* (1978-1983) qui représente le mieux cette démarche menée par une nouvelle génération d'intellectuels, trop jeunes pour avoir participé aux grands bouleversements des années soixante, assez vieux cependant pour constater les ravages exercés dans les milieux populaires par les avant-gardes de la période précédente: «toute la contestation des inégalités et de l'exploitation se retrouve affublée d'un catéchisme dérisoire dont le dogmatisme n'est plus qu'une invraisemblable caricature de la réflexion critique qui est — ô paradoxe — à son origine même.[32]»

Éditorial 5: *LE TEMPS FOU*

POUR Y VOIR CLAIR ET SAVOIR
DE QUOI L'HISTOIRE A L'AIR

Il est des évidences qui exigent une longue période d'observation avant de pouvoir être constatées dans toute leur ampleur. Celle qui nous occupe est la misère intellectuelle qui a suivi, après 1970, l'effondrement du nationalisme révolutionnaire québécois né au début des années '60. La forme générale de cette situation n'a pas été un phénomène typiquement québécois: en fait, au tournant de la présente décennie et dans tous les pays du monde occidental, la génération qui avait participé aux grandes contestations des années '60 s'est retrouvée dépourvue à mesure que les systèmes en place affrontaient puis intégraient et désintégraient les contestations.

[...]

Une partie de ces gens s'est sans doute résignée à subir l'aliénation: il est souvent difficile d'assumer des convictions subversives. Il est cependant possible de vérifier que la plupart des hommes et des femmes qui furent des «militants» ou qui prirent simplement conscience de l'état réel des choses n'ont toujours pas accepté la domination, l'aliénation et l'exploitation contre lesquelles ils se sont déjà élevés. Les nécessités de la survie ont fait qu'ils sont presque devenus du «monde ordinaire». Peut-être les plus acharné(e)s continuent-ils d'une manière ou d'une autre à intervenir socialement. C'est tout à leur honneur. D'autres — fort nombreux — refusant de subir l'aliénation du travail exploité sont devenus

[32] C.L., «*Pour y voir clair et savoir de quoi l'histoire à l'air*», *Le Temps fou*, vol. I, n° 1, mars-avril 1978, p. 6.

artisans ou essaient de l'être. Au bout du compte, une représentation exhaustive nous offrirait probablement l'image d'une dispersion des efforts dans toutes les directions. C'est ce qui crée la puissance potentielle et la faiblesse — bien concrète, elle — d'un tel groupe.

[...]

Nous ne pouvons que ressentir alors l'urgence de repenser de fond en comble les fondements de la contestation de l'ordre établi, lequel n'est pas moins désordonné qu'autrefois. Il est seulement devenu plus efficace, plus manipulateur, plus écrasant, plus normalisateur à *mesure* que sa contestation devenait inefficace puis était récupérée et vendue trop souvent comme prêt-à-porter.

Qui aujourd'hui croit sérieusement qu'un changement de l'ordre social puisse survenir uniquement ou principalement sous la pression de revendications matérielles ou même d'un partage plus équitable de la production sociale?

Nous crèverions sous les gadgets et les déchets avant qu'une telle rationalité nous amène le moindre changement de la hiérarchie sociale et culturelle. Il est devenu manifeste que l'homo œconomicus, comme l'écrivait Paul Goodman, est un individu hypertrophié dans une seule partie de son être et sous-développé dans toutes les autres, un monstre au regard des possibilités pour lesquelles il est normalement constitué. On ne nous en voudra pas, nous l'espérons, d'avoir une idée un peu transcendante de l'existence humaine.

Autre question: qui, aujourd'hui, croit sérieusement qu'un changement profond de la société puisse survenir sans que les femmes soient considérées comme des êtres humains, égales en tout et partout aux mâles? La situation sociale et culturelle des femmes est non seulement un boulet qui empêche les sociétés humaines de se transformer en sociétés égalitaires mais elle engendre inévitablement des rapports de domination auxquels on n'échappe que par l'homosexualité ou l'ascèse. La règle souffre sans doute des exceptions mais il faut voir au prix de quelles remises en question et à quel degré d'honnêteté, de confiance et de conscience en sont rendues ces exceptions.

Enfin, qui croit sérieusement à un changement pour le meilleur sans que l'on reconnaisse la dimension spirituelle des êtres humains, c'est-à-dire la faculté que possède la conscience de réfléchir sur elle-même et de s'en étonner? Devant la réduction des existences au statut de pures fonctions productrices et consommatrices, devant les mystifications et les collusions opérées par les appareils religieux, la réflexion spirituelle demeure souvent le seul domaine où les humains peuvent se reconnaître comme des êtres non-vendables, non-exploitables, non-aliénables. D'où son importance.

Certes, l'unanimité est loin d'être faite sur ces questions et même sur leur pertinence mais ce serait plutôt le contraire qui serait surprenant. *LE TEMPS FOU* est là pour en débattre, pour chercher les éléments qui permettront de nouvelles évolutions. Il existe aujourd'hui un tel besoin de nouvelles définitions et une telle quantité de gens pratiquant toutes les remises en question et toutes les expériences accessibles à l'entendement que nous pouvons déjà percevoir les bases d'une nouvelle critique sociale. L'histoire ne sera pas balayée pour autant, elle ne peut être qu'intégrée.

LE TEMPS FOU est une recherche de ces nouvelles bases de la pensée sociale et des perspectives qu'elles ouvrent. Il n'en existe à ce jour aucune théorie, aucune définition précise. Les anciens héros de la pensée révolutionnaire font maintenant partie de l'Histoire: le portrait du «Che» a rejoint le Panthéon des figures mythiques. Mao aura donné à la Chine un Parti en même temps que sa contre-partie de totalitarisme et les terroristes du désespoir, traqués sans merci, sont jetés pieds et poings liés en pâture à ceux qu'ils voulaient libérer. Voies sans issues.

Dans ces circonstances, il ne reste plus qu'à établir nous-mêmes les vérités premières du refus opposé aux plus criantes perversions de la société présente. Peut-être trouverons-nous ainsi les réponses humaines qui pourraient devenir les réponses sociales aux avatars de l'histoire humaine. Nous ne ferions que reprendre le geste cent fois posé au cours de l'histoire dans les moments critiques: rien que de très normal.

(*Le Temps fou*, vol. I, n° 1, mars-avril 1978, p. 5-8.)

Dans son premier éditorial, la rédaction rétablit clairement ses filiations antérieures: la revue cherche à réaliser une sorte de synthèse entre *Parti pris* et *Mainmise* et à développer un projet politique qui dépasse à la fois le marxisme et la contre-culture. Les revendications débordent largement la redistribution des richesses collectives. La réflexion est ainsi écologique, autogestionnaire et communautaire, couvrant des territoires aussi variés que la politique, la religion, la philosophie, la contre-culture et le féminisme. Comme *Mainmise* autrefois et dans le prolongement du travail que réalise parallèlement la revue *Possibles*, il s'agit de transformer la vie quotidienne, la relation de l'individu au monde qui l'entoure.

Ce qu'offre la revue est d'abord une contre-information. «Le défi du *Temps fou* c'est aussi de rassembler une large gauche autour d'un magazine d'information vraiment professionnel.[33]» Le travail de rédaction est d'inspiration journalistique, fondé sur le reportage et l'entrevue, mais sans négliger le volet critique. Aussi, toute réflexion sera appuyée sur l'expérience concrète, sur les pratiques et non sur un grand Discours antérieur, ni sur un grand Projet unificateur. La fonction du discours intellectuel s'en trouve transformée radicalement. Il ne s'agit plus d'élaborer les stratégies à suivre pour transformer la société. Il s'agit de donner une cohérence théorique aux transformations réelles en train de se produire: «Il existe aujourd'hui un tel besoin de nouvelles définitions et une telle quantité de gens pratiquant toutes les remises en question et toutes les expériences accessibles à l'entendement que nous pouvons déjà percevoir les bases d'une nouvelle critique sociale.[34]» De sorte que le discours se trouve subordonné aux pratiques, comme l'intellectuel au militant.

Les difficultés financières chroniques auront raison de la revue. Pendant les premières années, *Le Temps fou* tirait à environ 6000 exemplaires. En 1983, au moment de sa fermeture, la revue prétend tirer à 35 000 exemplaires, ce qui la place en concurrence avec les magazines commerciaux. La même année, le magazine *Coup de peigne* a un tirage qui se situe entre 35 000 et 55 000; *Sel et poivre*: 65 000; *Décoration*

[33] CAUCHON, Paul, *Art. cit.*, p. I.
[34] *Le Temps fou*, vol. I, n° 1, mars-avril 1978, p. 8.

Chez-soi: 80 000; *L'Actualité*: 265 000[35]. Ce qui permet aux magazines commerciaux de survivre, avec un tirage semblable à celui du *Temps fou*, est l'ensemble de leurs revenus publicitaires, beaucoup plus importants, on s'en doute, pour les entreprises d'affaires que pour la presse libre. En l'absence de ces revenus, il lui aurait fallu maintenir le chiffre de 40 000 pour survivre. L'aventure du *Temps fou* aura néanmoins permis de jeter une bouffée d'air frais dans le discours de la gauche et de lui redonner la vie. Elle aura permis de réunir un lectorat important malgré tout et d'en mesurer l'extension.

Après 1983, d'autres revues tentent d'assurer la relève. Aucune cependant n'atteindra le degré de légitimité ou une diffusion comparable à celle du *Temps fou*. Aucune non plus n'a disposé des moyens professionnels nécessaires pour le tenter. Plus classiques en effet, *Pour le socialisme* (1983-1986) suivi de *L'Autre Actualité* (1986-1988), *Mouvements* (1983-1987), qui prend la relève du *Magazine CEQ*, et *Révoltes* (1984-1988), produite par une génération plus jeune, sont davantage portées par l'analyse et le commentaire qu'orientée vers l'information parallèle. Elles assurent néanmoins, à gauche de l'échiquier politique, la survie d'un discours critique qui, dans les années 1980, paraît avoir de la difficulté à trouver ses lieux.

II.3 La presse féministe

Publiée d'abord comme un encarté de quatre pages dans *Le Temps fou*, avant de prendre son envol l'année suivante, *La Vie en rose* (1980) est rédigée par des journalistes de formation et de profession. Destinée aux femmes, la revue, trimestrielle au début, mais qui paraît bientôt mensuellement, appartient elle aussi à la sphère de la presse libre: loin des universités et des groupes politiques, elle conserve son autonomie face aux organisations féministes elles-mêmes. *La Vie en rose* atteindra un tirage de 25 000 exemplaires en 1986[36].

La publication de *La Vie en rose* n'est pas le point de départ de la presse féministe. Elle en est au contraire le point d'arrivée, puisqu'il s'agit là du dernier des grands périodiques rattachés au mouvement des femmes. D'une certaine manière, on peut faire remonter les origines de la presse féministe jusqu'au tournant du vingtième siècle, quand les Joséphine Marchand (Josette), Robertine Barry (Françoise) et Anne-Marie Gleason-Huguenin (Madeleine) fondaient les premières revues de femmes, réclamant du même coup une place dans la sphère publique. Cette filiation, cependant, est plutôt celle du magazine féminin dont se réclamera à juste titre un magazine comme *Châtelaine*, qui prend la relève de *La Revue moderne* depuis 1960. C'est davantage la

[35] COLBERT, François, «Les dilemmes économiques d'un périodique culturel», *Le Devoir*, 2 février 1985, cahier 5, p. V.
[36] *La vie en rose*, n° 36, mai 1986, p. 20.

naissance du mouvement féministe radical en 1968, qui est à l'origine des revues féministes modernes dont l'histoire est marquée de trois grands titres: *Québécoises deboutte!* (1972-1974), *Les Têtes de pioches* (1976-1979) et, enfin, *La Vie en rose* (1980-1987) qui réalisera une sorte de synthèse entre la revue d'avant-garde et la presse libre. Jusqu'aux années 1970, la présence des femmes dans les salles de rédaction de la presse commerciale comme dans les revues culturelles reste marginale. Plusieurs comités de rédaction restent exclusivement masculins y compris ceux de *Parti pris* et de *Mainmise*. L'entrée en force des femmes dans le champ des revues passe par la création de revues autonomes (c'est-à-dire des revues écrites exclusivement par des femmes pour des femmes) qui forceront les autres à ouvrir leurs portes aux femmes et à faire une place au projet féministe.

LES TÊTES DE PIOCHE

JOURNAL DES FEMMES

COLLECTION COMPLÈTE

Les Têtes de Pioche existent depuis 1975. Le journal a publié vingt-trois numéros, entre mars 1976 et juin 1979. C'est un phénomène digne de mention : à ce jour au Québec, il s'agit du seul journal féministe et autonome qui ait duré aussi longtemps. Cela constitue une sorte d'exploit quand on connaît la précarité actuelle de la presse ici, en particulier de la presse de combat. Ce fait mérite d'être souligné au départ. C'est pourquoi il est réjouissant que cette expérience ne risque pas de s'enfoncer dans l'oubli du temps qui passe. Un journal est un produit essentiellement destiné à un [illegible] éphémère ; il jaunit [illegible] efface. Non [illegible] ce qu'[illegible] **Pioc**[illegible] mai[illegible] met de les inscri[illegible] la dimension plus durable du présent, en marche vers l'avenir.

De nombreux textes ont une portée qui dépasse largem[illegible] moment où ils ont [illegible] journal ; le livre [illegible] retrouver, de le[illegible] conserve[illegible] référer.

La collection complète des **Têtes de Pioche** fournit également une image unique de cette époque bien précise de notre évolution, de 1976 à aujourd'hui. Tout au long de son existence, le journal a ponctué l'actualité d'interventions de genres différents ; la relecture de tous les numéros, les uns après les autres, offre une sorte de chronique d'un passé pas très lointain et permet de mesurer un peu notre cheminement. On s'aperçoit alors que certaines choses évoluent rapidement et que d'autres, au contraire, demeurent fort stables.

Si les détails changent d'un mois à l'autre, si les éphémérides distinguent une année d'une autre, les thèmes majeurs, les sujets de fond restent les mêmes d'un bout à l'autre de la collection. Et c'est peut-être là l'importance première de reproduire ces articles qui formulent, dans la lang[illegible] contexte du Qué[illegible] gations [illegible] l'origi[illegible] l'évolu[illegible] fication, [illegible] objectifs [illegible] du [illegible] — on appelle [illegible] analyse qui lie [illegible] oppression actuelle des femmes à l'existence d'un système séculaire de domination nommé patriarcat. C'est sur le plan idéolo[illegible] que les « radicales [illegible] « révolutionn[illegible] distin[illegible] réformistes, les [illegible] celles qui [illegible] psychanalyse et politique, ou encore des groupes simplement non-sexistes, c'est-à-dire uniquement préoccupés par la discrimination fondée sur le sexe.

Puisque le féminisme a ceci de particulier que la théorie se construit parallèlement à l'action (avril 1978), l'importance des **Têtes de Pioche** a été essentiellement de constituer un collectif de féministes radicales québécoises qui se sont interrogées publiquement sur des sujets qui préoccupent toutes les féministes et nous préoccuperont encore longtemps. Citons, entre autres questions abordées :

le mythe du matriarcat archaïque et religieux comme cadre de l'enfermement des Québécoises rabaissées au rang de domestiques et ne jouissant que d'un pouvoir de concierge (mars [illegible]); — les pièges [illegible] récupé[illegible] tant est [illegible] hommes [illegible] que les fem[illegible] plus libres qu'on pen[illegible] mars 1976), et dont une des manifestations les plus subtiles vient des manigances de la « gauche » pour mettre le féminisme sous tutelle au nom d'un objectif [illegible] et plus noble [illegible] 1977); — [illegible] d'am[illegible] grand [illegible] privée [illegible] est politique [illegible] 1976); — la [illegible] de la parole des [illegible] réduites au silence (novembre 1976); — la pierre d'achoppement du féminisme qui demeure la peur des femmes de s'occuper d'elles-mêmes avant tout (novembre 1976); — la non-reconnaissance de nos vies ou le Féminocide de l'Histoire qui nous a gardées cachées dans les sous-sols de l'humanité en ne montrant à la lumière que les travaux et les inventions des hommes (février 1977); — la lutte quotidienne et politique pour arracher à l'entreprise privée, à l'État, au mari, la juste part qui nous revient du travail que nous accomplissons (mai 1977); — la difficulté d'accéder à la conscience, le prix à payer pour être féministe (dérangeante, marginalisée) et

les éditions du remue-ménage

Éditorial 6: *LA VIE EN ROSE*

UN PROJET DÉRISOIRE

La Vie en rose est un projet dérisoire, un misérable 24 pages dans une revue qui tire à 6000 exemplaires et rejoint à peu près un millième de la population du Québec.

La Vie en rose n'aura pas de télex, pas d'envoyée spéciale à Kaboul, ni à Téhéran. Sauf exception, personne sur Les Lieux. Nos Sources seront généralement aussi mal informées que celles de tout le monde: nous dépendrons nous aussi des grands média. Notre premier numéro se dit rétro, mais ce n'est qu'une figure de style parce que tous les autres vont l'être autant: de trois mois en trois mois, nous suivrons, et de loin, le cours des Événements. Pas de local, pas de permanence, pas de salaires. À *La Vie en rose*, il n'y aura pas de patrons, pas d'employées. Pas de grand mandat politique. Pas d'autre hiérarchie que celle de l'énergie investie. Pas d'autres raisons d'y travailler que le plaisir de dire personnellement et collectivement notre façon de voir la vie.

Tant mieux si des femmes et des hommes s'y reconnaissent, nous y comptons évidemment. Mais tant mieux aussi si d'autres tiennent à s'en distinguer. Pour nous cette discordance est nécessaire et même indispensable.

Parce qu'avec *La Vie en rose*, nous tâcherons justement de faire à contre-courant dans un monde où les communications sont de plus en plus centralisées et uniformisées, une presse subjective, une presse d'opinion. Nous ne prétendons pas cerner la réalité ou lui faire suivre une ligne; nous nous contenterons de regarder et de commenter le monde qui nous entoure sans chercher refuge derrière les paravents sacrés de l'objectivité et de la représentativité. Nous ne chercherons pas à véhiculer des certitudes; simplement nous indiquerons les pistes qui se présentent à nous.

En effet, *La Vie en rose* est un projet dérisoire. Pourquoi pas puisque chacune de nos existences l'est aussi et que cela ne nous empêche pas de vivre. Nous voulons rendre compte d'un peu de cette vie.

Bien des gens tentent de faire croire que le féminisme n'est qu'une mode; certains ajoutent même qu'elle passera bientôt. Nous souhaitons que la naissance de *La Vie en rose* prouve une fois de plus que le féminisme est loin d'être triste et stérile, que les féministes sont bien vivantes et entendent le rester.

(*La Vie en rose*, vol. I, nº 1, mars-mai 1980, p. 4.)

Conçue dans l'esprit de former une avant-garde «éclairée», *Québécoises deboutte!* est fondée dans le sillage du Front de libération des femmes, dont elle prend la relève. Destinée aux militantes, la revue entend apporter une formation théorique qui inscrit les revendications féministes aux cœur de toutes les luttes de libération «nationale, sociale, économique, politique et culturelle[37]». La revue s'adresse en premier lieux aux «femmes intégrées dans un milieu de travail que ce soit dans un syndicat, un comité de citoyens, un groupe de femmes...[38]» L'objectif est de contribuer à l'élaboration d'un projet révolutionnaire qui intègre la cause des femmes.

Fondée la même année que le *Q-lotté* et *Possibles*, *Les Têtes de pioche* annonce la radicalisation du mouvement féministe et met de l'avant une réflexion sur l'ensemble de la vie des femmes, y compris la vie privée, désormais conçue comme un des lieux principaux de leur oppression et, ainsi, comme un lieu essentiel du politique: «Les féministes [...] ne se posent pas en tant que Nous mais en tant que regroupement de Je. Conséquemment, les actions à poser pour la libération ne se situeront pas seulement au niveau collectif, mais aussi au niveau individuel, quotidien: le privé devient politique.[39]» La revue s'adresse à toutes les femmes et non plus seulement aux militantes et, par conséquent, elle présente une critique féroce du marxisme, qui place la lutte des femmes à un rang secondaire (derrière la lutte des classes) et qui accorde la primauté à la théorie sur la pratique. Comme les autres revues créées dans le vide laissé par la fin des avant-gardes et comme *Le Bulletin du RAIF*, une autre revue féministe fondée en 1973, et dont elle s'inspire à ce propos, *Les Têtes de pioche* accorde une nette priorité à l'action dont elle explore les possibles.

Dès la fondation de la première revue, ce qui distingue le féminisme des autres courants utopiques est la conscience qu'il existe en dehors de la revue même un mouvement social fort sur lequel elle

[37] «Lettre à nos camarades», Québécoises deboutte!, vol. I, nº 1, novembre 1972, p. 2.
[38] *Ibid.*
[39] FORTIN, André, *Op. cit.*, p. 296.

s'appuie. Cette conscience tient au fait que, bien qu'appartenant à un groupe social doté d'un fort capital culturel et scolaire, les intellectuelles n'en restent pas moins des femmes et elles ont une connaissance personnelle de la situation: elles vivent elles-mêmes la discrimination au quotidien. De sorte que la rupture entre les intellectuelles et les destinataires habituels des projets de transformation sociale est moins forte au sein du mouvement des femmes. En revanche, il faudra des années avant que les féministes développent une conscience aussi nette des différences (sociales et raciales) entre les femmes elles-mêmes et n'en fassent l'objet de leurs analyses.

Aussi, la presse féministe dans son ensemble couvre-t-elle tout le champ des revues depuis les revues de création littéraire (*Arcade*) jusqu'aux revues universitaires (*Recherches féministes*), et elle est perméable aux divers courants et discours qui le traversent. Toutefois, à cause de la structure même du mouvement des femmes, qui forme aussi un réseau autonome, elle constitue en même temps un champ spécifique, avec ses caractéristiques de clôture et d'autonomie. Née du *Temps fou*, dont elle partage les modes de fonctionnement et le projet essentiel, *La Vie en rose* n'en finit pas moins par constituer un important lieu de regroupement, comme un centre autour duquel gravitent des revues aux publics ou aux projets plus spécialisés: *Le Bulletin du RAIF* (1973), produite par le Réseau d'action et d'information des femmes; *L'Autre Parole* (1976), organe des féministes chrétiennes; *Pluri-elles* (1978) suivi par *Des luttes et des rires de femmes* (1979), qui assure la liaison entre les groupes; *La Gazette des femmes* (1979), revue officielle du Conseil du statut de la femme; *Communiqu'elles* (1981), produite à l'origine par le Centre d'information et de références des femmes de Montréal; *L'Une à l'autre* (1983), sur la santé; la socialiste *Marie-Géographie* (1984); *La P'tite Presse* (1985), bulletin de la Fédération des femmes du Québec. La toile ainsi tissée n'est pas exempte de tensions et de polémiques, loin de là, mais elle forme néanmoins un réseau de personnes et un discours cohérent. Quand *La Vie en rose* cesse de paraître, en 1987, il ne reste plus dans le champ des périodiques féministes que ces revues spécialisées, mais sans le réseau qui les réunissait. Nulle ne sent le besoin de créer un autre organe de réflexion générale, qui serait inscrit dans la tradition fondée par *Québécoise deboutte!*. Publiée pour «intégrer la parole des femmes immigrantes au mouvement féministe québécois[40]», mais proposant une approche plus générale que celle de l'interculturel, *La Parole métèque* (1987) est ce qui ressemble le plus à une revue qui agirait comme une sorte de forum.

---

[40] SROKA, Ghila Benesty, [Éditorial], *La Parole métèque*, vol. I, nº 1, printemps 1987, p. 4.

La fragmentation du territoire des revues dans la presse féministe n'est pas unique. Elle n'est que la dernière opération d'un mouvement qui prend de l'ampleur depuis plus d'une décennie et elle représente un autre volet de la dissolution des grands discours: celui de la dissolution des groupes qui le portaient. Comme les femmes, les homosexuels se dotent de leur propre revue: *La Berdache* (1979). Les écologistes fondent *Biosphère* (1980), *Contretemps* (1984) puis *Écologie* (1989). Chaque cause dispose de sa revue: *Objection* (1982) pour les droits de la personne; *L'Arme à l'œil* (1983) puis *Option-paix* (1983) pour la paix; *La Calotte* (1983) sur la santé mentale; *La Libre pensée* (1984) pour l'école neutre et *L'Alternatif* (1987) pour l'école alternative. *Sans réserve* (1988) prend fait et cause pour les autochtones, et *L'Itinéraire* (1994) pour les sans-abri.

Depuis la fondation de *Rivegauche* (1972) à Drummondville, le développement des revues dans les régions périphériques contribue à redéfinir le politique hors des contraintes nationales. Souvent nées des programmes de formation d'emploi, les revues régionales veulent diffuser une information que les autres médias locaux négligent. Tel est le projet de *Focus* (1976), qui sera la première d'une série de quatre revues à couvrir le territoire saguenayen. Suivront *Sagamie* (1980), *Résistances* (1982) et *Trafic* (1984). Le changement de nom signale un changement dans l'orientation de la revue suivant la tendance générale des revues régionales qui transforme chaque fois une revue culturelle en une revue d'idées. La spécialisation n'a pas de sens dans un territoire aussi restreint. Dans les autres régions, on verra plusieurs revues de création: *Les Cahiers du Hibou* (1979) puis *Passages* (1983) à Sherbrooke; *Remue-méninges* (1980) et *Le Sabord* (1983) à Trois-Rivières, *Urgences* (1981) à Rimouski et *L'Apropos* (1983) pour l'Outaouais. Tous ces périodiques connaissent des difficultés considérables non seulement à assurer leur financement, mais aussi à établir des continuités organisationnelles, à trouver des collaborations de qualité et à se doter d'un lectorat stable.

Une autre modalité de fragmentation du territoire des revues passe par une nouvelle définition de l'identité collective. La société québécoise est en mutation. Les néo-Québécois sont plus nombreux que jamais et leur présence se fait entendre sur la scène francophone à laquelle ils étaient longtemps demeurés étrangers. Déjà, dans la décennie précédente, la communauté de la diaspora haïtienne, communauté francophone, s'était dotée d'une revue, *Nouvelle Optique* (1971). Mais c'est surtout dans la seconde moitié des années soixante-dix et au début des années quatre-vingt que le mouvement prend de l'ampleur. Les revues ainsi fondées sont principalement de deux sortes: soit qu'elles servent à témoigner de la vie d'une communauté, — c'est le cas de *Jonathan* (1981) pour les Juifs francophones, ou de *Vice Versa* (1983) pour la communauté italienne —, soit qu'elle ouvre le Québec sur le monde extérieur en prenant pour appui la communauté néo-québécoise. Tel était le projet de *Dérives* (1978). Plusieurs poursuivent diversement le double objectif: *Alternative-Caraïbes* (1979), *Interculture* (1981), *La Tribune juive* (1982), *Humanitas* (1983) et *La Parole métèque* (1987).

La décennie 1978-1988 paraît ainsi marquer ce qu'Andrée Fortin appelle «le chant du cygne de la gauche[41]». La presse libre, qui tentait une ultime tentative pour produire un discours unifié, à partir de l'expérience concrète, menée sur le terrain de la culture ou des luttes sociales, par les militants, s'éteint. Avec elle, disparaît l'image de l'intellectuel comme témoin du monde, situé hors de lui, mais agissant comme un observateur chargé de dégager, de l'action et de la pratique, les principes généraux devant former la théorie. L'expérience de cette décennie inverse radicalement celle de la précédente. Une logique, où le militant forme en quelque sorte l'intellectuel, s'est trouvée à remplacer une autre logique où l'intellectuel se considérait comme l'avant-garde éclairée de la vie militante. Seuls survivent les périodiques culturels, mais parce qu'ils reposent sur une tradition vieille de près d'un siècle où la critique et la création sont reliées dans un projet commun, qui ne se réduit ni à l'un ni à l'autre, mais qui vise, en définitive à opérer dans l'ensemble du champ culturel, une spécialisation des pratiques. Encouragée par les politiques de subventions, cette spécialisation, efficace sur son terrain propre, entraîne un fort indice de réfraction qui tient à distance toute forme de critique sociale.

III. 1988 ET APRÈS: ÉTAT DES LIEUX

En 1988, l'expérience de la presse libre et celle d'une presse féministe autonome sont terminées et le terrain socio-politique ne présente plus qu'un ensemble de périodiques sectoriels ou spécialisés, traitant d'un aspect singulier ou destinés à un groupe d'intérêts particuliers. Ne reste de la régionalisation que certaines revues de création (*Les Ateliers de production littéraire des Forges* à Trois-Rivières) et celles qui sont liées au milieu universitaire: à Chicoutimi, *Protée* est désormais bien intégrée au réseau des revues universitaires, comme le sera *Présence francophone* à Sherbrooke; à Rimouski, *Urgences*, qui était à l'origine une revue des créateurs de l'Est du Québec, devient en 1992 *Tangence* et agit comme organe du Département des lettres de l'Université du Québec à Rimouski. Encore une fois, on aura l'impression d'avoir atteint les limites du discours. Et nombreux sont les commentateurs qui posent, sous une forme ou sous une autre, la question que formule ainsi l'historien Yvan Lamonde: «Qui écrirait quoi,

[41] FORTIN, André, *Op. cit.*, p. 313.

demain, dans une revue dont le titre serait le programme et qui s'intitulerait *Forum*?[42]»

La force d'attraction des deux réseaux de subventions, les revues savantes et les périodiques culturels, est telle, qu'ils tendent à absorber toutes les nouveautés qui se situent dans leur zone d'influence. Néanmoins, le champ des revues culturelles est, à toutes fins pratiques, figé, comme l'est celui des revues universitaires. Les créneaux deviennent de plus en plus précis, comme autant de définitions qui donnent au périodique son identité propre, mais aussi un carcan indépassable. Il y a peu de nouvelles venues, mais aussi peu de disparitions. Celles qui se produisent néanmoins, *La Nouvelle Barre du Jour* en 1990, *Écrits du Canada français* en 1994 ou*Vice Versa*, annoncée en janvier 1997, tiennent davantage à des changements d'orientation, à un certain essoufflement du personnel de rédaction ou au non-respect des règles établies par les organismes subventionneurs qu'à des difficultés financières ou à la désaffection du lectorat.

Dans une étude réalisée au Centre d'études sur les médias de l'Institut québécois de recherche sur la culture, Jean-Paul Baillargeon trace le bilan suivant: en 1991, «les revues subventionnées par le Fonds FCAR et par le ministère de la Culture comptaient 96 titres avec un tirage approchant 133 000 exemplaires. Les revues culturelles représentaient 34 % des titres et 62 % du tirage[43]». Parmi ces dernières, *Vidéo-Presse* est celle qui connaît le tirage le plus élevé, avec 26 000 exemplaires. Suivent, mais de plus loin, *Québec français* (8000 exemplaires), *Vie des arts*, *Continuité*, *Nuit blanche* et *Lettres québécoises*, ces quatre dernières ayant des tirages qui varient entre 5000 et 6000 exemplaires[44]. Ce sont là les revues bien établies, qui ouvrent une perspective large sur leur discipline et qui n'ont pas pour objectif l'expérimentation et la promotion d'esthétiques nouvelles, ce qui caractériserait davantage les revues dont le public est plus restreint.

---

[42] LAMONDE, Yvan, *Art. cit.*, p. 38.
[43] BAILLARGEON, Jean-Paul, *Art. cit.*, p. 186.
[44] Les chiffres sont de 1991 également. Cf. Francine Bordeleau, *Art. cit.*, p. 10.

Dans ces années plus récentes, se maintient un certain malaise qui entraîne nombre d'intellectuels à résister à la force d'attraction qu'exercent les revues institutionnelles. On en trouve en particulier chez les professeurs de cégep qui se dotent, à l'occasion, de revues interdisciplinaires: *Dires* (1983-1992), *Le Beffroi* (1986-1991) et *Horizons philosophiques* (1990) offrent ainsi un discours à la fois critique et théorique alimenté par une réflexion de nature surtout philosophique. À l'Université, les étudiants renouent avec la tradition des journaux universitaires: à *Campus*, fondé en 1985, s'ajoute, en 1993, *Quartier libre*, organe des étudiants de l'Université de Montréal. Rejetant toute forme de subvention et offrant un lieu d'analyses critiques sur la société postmoderne, *Société* (1987), revue artisanale à périodicité irrégulière, animée par des professeurs de sociologie de l'Université du Québec à Montréal, maintient vivante, hors du courant marxiste, la tradition inaugurée par *Les Cahiers du socialisme* dans la période précédente.

Ce qui est en jeu dans cette résistance à l'institutionnalisation est bien le rôle de l'intellectuel moderne que la spécialisation tend à faire disparaître. Par tradition, en effet, l'intellectuel développe une pensée critique qui doit agir sur le monde. Or, l'université et la culture sont désormais confinés à des zones apolitiques d'où est exclue l'élaboration de projets collectifs d'envergure nationale. De même, la gauche s'est dissoute en autant de groupes d'intérêts et de problématiques restreintes et elle se révèle incapable désormais d'envisager un projet de société unificateur. Aussi, dans les interstices laissés par les grandes tendances à la commercialisation, que montre l'augmentation fulgurante du nombre des magazines spécialisés, en particulier des magazines féminins, mais aussi par l'autre grande tendance à l'institutionnalisation, celle qu'entraînent les subventions, se crée des nouveaux lieux, plus rares que dans les années antérieures, plus fragiles aussi. Le malaise se vit à gauche comme à droite et l'on voit apparaître quelques nouvelles revues d'idées qui renouent avec les traditions antérieures et, parfois avec les titres, comme pour bien montrer l'appartenance à un genre propre ou pour se donner des racines: *Cité libre* (1991), *Virtualités* (1994), *Le Temps fou* (1995) et *Combats* (1995).

Éditorial 7: *VIRTUALITÉS*

VIRTUALITÉS est une publication bimestrielle ayant pour intention principale, dans une optique de progrès social et culturel, de débloquer de nouvelles perspectives de transformation sociale. La revue n'est l'organe d'aucune organisation spécifique, et son équipe de rédaction tient à préserver toute sa liberté éditoriale. Voulant faire de la revue un forum de débats et de dialogues, l'équipe de *VIRTUALITÉS* veut faire valoir les idées progressistes, tout en s'efforçant de proposer pour notre société des pistes opératoires de sortie de crise.

VIRTUALITÉS vise aussi à rejoindre, dans leur diversité, les personnes déjà inscrites dans les processus de changement social, de même que toute personne à la recherche d'issues nouvelles à la crise globale que nous vivons. La revue souhaite ainsi favoriser la rencontre et l'interaction des personnes ayant à cœur de placer l'être humain au centre des préoccupations sociales, politiques, économiques et culturelles. S'affirmant contre le sectarisme et le dogmatisme, *VIRTUALITÉS* se situe à contre-courant des idéologies préfabriquées, des lieux communs et des idées reçues.

Aussi, le nom même de la revue exprime son intention générale, qui consiste à cerner et à présenter les germes de changement (les virtualités) dont la réalité sociale et les pratiques émancipatrices sont porteuses. Ni magazine, ni revue académique spécialisée, *VIRTUALITÉS* est un carrefour où se rencontrent le souci concret de l'action et l'exigence de la réflexion. Portant le souci de s'adresser à l'ensemble de la société québécoise, l'équipe s'engage à fournir un contenu accessible, qui tient cependant compte des exigences de rigueur et de pertinence que supposent l'ampleur et la complexité des enjeux auxquels notre société et le monde sont désormais confrontés.

Enfin, en incitant à une auto-appropriation élargie des enjeux de société, *VIRTUALITÉS* a pour ambition de favoriser la multiplication de sujets-acteurs autonomes, capables de penser et de forger par eux-mêmes de nouvelles options sociales, fondées sur la solidarité et sur la dignité de chaque individu.

(*Virtualités*, vol. II, nº 1, janvier 1995, deuxième de couverture.)

Le collectif de *Virtualités*, revue rédigée par des jeunes, s'est doté d'un conseil de rédaction dont la fonction de légitimation est indéniable. On y retrouve les noms de Fernand Dumont, Henri Lamoureux, Pierre Graveline, Jean Panet-Raymond, Nicole De Sève et de plusieurs autres qui ont déjà laissé leur marque dans les milieux populaires et dans plusieurs revues antérieures. À travers eux, se trace la mémoire d'un nationalisme humaniste ainsi que d'une gauche socialiste et féministe, ancrés dans les mouvements communautaires. *Virtualités* apparaît donc comme une revue inter-générationnelle, qui fait appel à des collaborateurs variés, plusieurs universitaires, d'autres militants. Elle présente des dossiers sur des sujets généraux et orientés davantage sur la réflexion critique que sur l'information proprement dite, qui reste l'apanage du *Temps fou*, deuxième manière, où dominent toujours le reportage et l'entrevue.

Le recours à des signatures reconnues n'est pas le seul moyen mis en œuvre pour assurer la légitimité d'une nouvelle revue. Le rappel nostalgique d'un titre antérieur, *Cité libre* ou *Le Temps fou*, agit également comme un mode de reconnaissance qui, à défaut de signaler la continuité du personnel (encore que le second *Temps fou* paraît sous la direction de Véronique Dassas, qui était de la rédaction du premier), rappelle la continuité du projet, du programme ou même du format. C'est le cas de *Cité libre* qui se définit toujours comme le creuset de la résistance intellectuelle au nationalisme québécois, même si, au cours des quarante années qui séparent les deux revues, ce nationalisme a changé et même si le Parti québécois n'est pas l'Union nationale de Maurice Duplessis.

Ces modalités remplacent les querelles d'avant-garde propres aux années soixante-dix. D'une revue à l'autre, les polémiques sont désormais peu nombreuses, les débats aussi. Cela ne signifie pas que les conflits de légitimité et les débats de fond soient inexistants. Cependant, force est de constater qu'ils empruntent de plus en plus fréquemment d'autres médias, notamment les pages éditoriales du *Devoir*. On prendra pour exemple les nombreuses interventions, dans ces pages, du jeune rédacteur en chef de *Combats*, Louis Cornellier, qui n'hésite pas à croiser le fer avec des intellectuels plus chevronnés. Le pamphlet fait également un retour remarqué dans les collections éditoriales.

CONCLUSION

Après ces trente années, à l'aube du deuxième millénaire, subsistent ainsi les revues institutionnalisées: les revues savantes et les périodiques culturels. Une grande part du milieu intellectuel poursuit, dans les revues universitaires et culturelles, les projets entrepris dans les années antérieures. Les comités de rédaction vieillissent avec leur revue et cooptent à l'occasion quelque nouveau venu. Les grandes ruptures fracassantes et les querelles d'avant-garde n'existent plus. L'institution des programmes de subventions favorise au contraire la stabilité (du personnel, du format et du discours). En conséquence, les nouvelles revues sont très peu nombreuses et le personnel ne se renouvelle guère. Ces conditions n'expliquent cependant pas, à elles seules, que la voix des générations montantes ne soit plus qu'un si mince filet et que les revues les plus récentes échouent à renouveler le genre comme le discours. L'irrévérence, l'esprit de révolte, le sentiment d'urgence sont des valeurs remarquablement absentes des titres les plus récents. Peut-être faut-il chercher ailleurs les lieux du discours, du côté des pamphlets, des fanzines[45], des radios communautaires, des forums électroniques ou encore du côté des nouveaux journaux culturels à distribution large et gratuite, en particulier de *Voir*, rédigé entièrement par une nouvelle génération de journalistes, et dont la création en 1986, a soulevé bien des vagues.

[45] Un *fanzine* est, «par comparaison aux magazines et revues "ordinaires", un périodique "relax", fantaisiste, qui ne vit que par et pour ses nombreux *fans* dont l'ensemble forme le *fandom*.» GAUVIN, Lise. «Les revues littéraires québécoises de l'université à la contre-culture», *Études françaises*, vol. XI, n° 2, mai 1975, p. 180, note 14.

À travers les années, certaines revues ont montré une remarquable longévité. *L'Action nationale* et *Relations* célèbrent chacune leur demi-siècle et plus, mais leur importance est néanmoins réduite à l'expression d'un projet ou d'un groupe singulier. *Vie des arts* et *Liberté* font désormais figure d'ancêtres mais, au contraire des précédentes, demeurent les lieux d'une forte légitimité artistique et littéraire. Parmi les revues fondées depuis 1968, *Possibles* occupe une place à part, survivant contre vents et marées à tous les mouvements du discours, et elle demeure la seule revue d'idées vraiment durable de cette période.

Ce qui ressort de la lecture des revues est d'abord la mutation du rôle de l'intellectuel dans la société québécoise des trente dernières années. Le territoire de son action se réduit comme une peau de chagrin et ses interventions se sont considérablement spécialisées. Toutefois, survit la mémoire de quelques grandes utopies, qui ont séduit, puis déçu, plusieurs générations successives d'intellectuels. Elles n'en auront pas moins transformé radicalement la vie, la vie privée comme la vie publique, et la nature même du discours qui en rend compte.

BIBLIOGRAPHIE DES ÉTUDES CITÉES

BAILLARGEON, Jean-Paul. «Les revues savantes et culturelles du Québec au début de la décennie 90», *Communication*, vol. XIV, nº 1, printemps 1993, p. 185-196.

BONENFANT, Joseph. «Présentation de la revue», *Voix et images*, vol. X, nº 2, hiver 1985, p. 7-8.

BORDELEAU, Francine. «À quoi servent les revues?», *Lettres québécoises*, nº 72, hiver 1993, p. 9-13.

CAUCHON, Paul. «Vingt ans de périodiques. Pour la suite des paroles et des écritures», *Le Devoir*, 2 février 1985, cahier 5, p. I.

COLBERT, François. «Les dilemmes économiques d'un périodique culturel», *Le Devoir*, 2 février 1985, cahier 5, p. V.

FORTIN, Andrée. *Passage de la modernité. Les intellectuels québécois et leurs revues*, Sainte-Foy, les Presses de l'Université Laval, 1993, xi-406 p.

GAUVIN, Lise. «Les revues littéraires québécoises de l'université à la contre-culture», *Études françaises*, vol. XI, nº 2, mai 1975, p. 161-183.

LAMONDE, Yvan. «Les revues dans la trajectoire intellectuelle du Québec», *Écrits du Canada français*, nº 67, 1989, p. 27-38.

MICHON, Jacques. «Les revues d'avant-garde de 1940 à 1976», *Trajectoires. Littérature et institutions au Québec et en Belgique francophone*, Bruxelles, Éditions Labor, 1985, p. 117-127.

NARDOUT-LAFARGE, Élisabeth. «Les revues littéraires québécoises 1960-1980», *Écrits du Canada français*, nº 58, 1986, p. 29-52.

PELLETIER, Jacques. *L'Avant-garde culturelle et littéraire des années 70 au Québec*, Montréal, Université du Québec à Montréal, «Cahiers du Département d'études littéraires, nº 5», 1986, 193 p.

Professeure au département d'études littéraires à l'UQAM depuis 1986 (permanence en 1989), Lucie Robert décroche successivement son D.E.C. (Hull, 1973), son baccalauréat et sa maîtrise ès Arts (Laval, 1976 et 1981) et finalement son doctorat (Laval, 1987) avec une thèse remarquable sur *L'Institution du littéraire au Québec*, publiée en 1989 et qui lui a mérité le prestigieux Prix Raymond-Klibansky. Sa thèse de maîtrise sur Camille Roy lui avait, en 1981, mérité le Prix Edmond-de-Nevers. En plus de ses nombreux ouvrages littéraires seuls ou en collaboration, elle fait partie de l'équipe du D.O.L.Q. et de *La Vie littéraire au Québec*; elle collabore à des *Anthologies*, au *Oxford Campanion* et à plus de cinquante revues spécialisées sans compter ses nombreux articles dans *Voix et Images*. Jusqu'à présent, elle a donné une douzaine de conférences très remarquées, sur la dramaturgie, sur l'idéologie littéraire, sur l'institution littéraire, et ses participations à des «tables rondes» sur la critique littéraire, ne se comptent plus.

DU 12 MARS AU 5 AVRIL
MOMAN
AVEC LOUISETTE DUSSAULT
M.E.S. PIERRE ROUSSEAU
LES PASSEURS
NCT
salle Denise-Pelletier

Chapitre IV

LE THÉÂTRE

PREMIÈRE PARTIE

LES ANNÉES 70: L'AFFIRMATION IDENTITAIRE

JEAN CLÉO GODIN

La création des *Belles-sœurs* de Michel Tremblay au Théâtre du Rideau-Vert, le 14 août 1968, marque le début d'une ère nouvelle. Il faudra ensuite attendre 1980 pour trouver dans l'évolution du théâtre québécois une rupture aussi décisive, fixant les bornes incontestées d'une périodisation signifiante: les choses ne sont plus pareilles après et avant *Les Belles-Sœurs*, comme elles changeront assez brusquement après *Vie et mort du roi boiteux* de Jean-Pierre Ronfard.

Cela dit, au théâtre comme dans la vie, rares sont les changements de cap si radicaux qu'ils interrompent d'un seul coup le cours «normal» des événements. Au théâtre, moins encore que dans la vie, il n'y a ni génération spontanée, ni rupture irréversible. Ainsi Gratien Gélinas, que Marcel Dubé «remplacera» sur les scènes québécoises à compter de 1952, n'a pas encore écrit son œuvre la plus forte, *Bousille et les justes* créée en 1959; il donnera encore en 1968 *Hier, les enfants dansaient* et, beaucoup plus tard, *la Passion de Narcisse Mondoux* (1986). De la même manière, s'il est entendu que Michel Tremblay «déloge» Marcel Dubé, celui-ci continuera assez longtemps sa carrière — avec un succès moindre, certes — et on assistera, à partir de 1990, à plusieurs reprises de ses œuvres les plus marquantes, comme du célèbre *Tit-Coq* et même des *Fridolinades* de Gélinas. Il faut voir là le signe d'une diversification enrichissante, dans une institution théâtrale plus complète et complexe, dotée pour la première fois d'un répertoire d'œuvres «classiques» susceptibles d'être reprises sans mettre en péril le renouvellement dramaturgique et esthétique.

(Page de gauche) *Théâtre Denise Pelletier*
Un lieu de la théâtralité pédagogique. (Photo: Pierrette Méthé)

Le théâtre se situe toujours dans la mouvance de la société, dont l'évolution n'est jamais univoque et linéaire. Mais il arrive que des transformations majeures se dessinent à la faveur de changements politiques qui entraînent dans leur sillage une exceptionnelle prise de conscience des enjeux sociaux et un renouveau culturel. La Révolution tranquille amorcée en 1960 par le gouvernement dirigé par Jean Lesage constitue, au Québec, cet événement exceptionnel qui explique le changement de cap de la fin de la décennie.

L'œuvre de Marcel Dubé suit un parcours rigoureusement parallèle à cette histoire contemporaine du Québec. Le «monde de Marcel Dubé», qui désignait au départ un quatuor dans la série télévisée «De 9 à 5» — titre également révélateur — a vite été retenu pour désigner cet univers dramatique parce qu'on y reconnaissait clairement la réalité quotidienne des Québécois. Réalité des prolétaires surtout, dans ce qu'on a appelé la «première manière» de Dubé, dont les œuvres les plus marquantes sont *Zone* (1953) et *Un simple soldat*, dont la première version date de 1957. Mais déjà *Florence*, créée aussi en 1957 à la télévision, tenait un discours libérateur et proposait un rejet des contraintes sociales traditionnelles. Le dramaturge réunira en 1968, dans *Textes et documents*, les textes où il précise sa conception du théâtre, toujours dominée par la volonté d'émouvoir, mais de plus en plus déterminée par son engagement politique, lequel exigeait une amélioration de la langue d'écriture, «comme condition déterminante, primordiale, indissociable de notre survivance», autant que la recherche d'un mieux-être matériel. Ce sont là des reflets directs et indéniables de l'idéologie de la Révolution tranquille, dont témoigneront avec constance les œuvres de la «seconde manière» et, tout particulièrement, *Bilan* qui coïncide en 1960 avec les débuts de cette «révolution». Viendront ensuite *Les Beaux dimanches* (1965) et *Au retour des oies blanches* (1966). Même si ces pièces portent sur la société bourgeoise un jugement très dur — elles sont plus tragiques que celles de la première manière et dépourvues de la poésie qu'on trouvait dans celles-ci —, elles disent clairement l'aspiration obscure du peuple québécois appelé à devenir «maître chez-lui».

Mais si, dans l'ensemble, cette révolution est demeurée «tranquille», on sait qu'elle a suscité à compter de 1965 un mouvement de violence et d'agitation révolutionnaire clandestine qui trouvera son dénouement tragique à l'automne 1970. Il ne faut pas s'étonner que, dans ce contexte où certains opposent à l'ordre établi un «refus global»[1], naissent coup sur coup, en 1969, le Théâtre Euh! à Québec, le

[1] C'est pour célébrer le vingtième anniversaire du manifeste *Refus global* que Jean-Claude Germain organise à la basilique Notre-Dame un «manifeste-agi» intitulé «Place à l'orgasme», le 8 décembre 1968. Le texte de ce manifeste a été publié dans *Jeu* 7 (1978).

Théâtre du Même Nom de Jean-Claude Germain et le Grand Cirque Ordinaire à Montréal. Le premier, engagé socialement et d'idéologie marxiste, joue dans la rue sur des thèmes inspirés de l'actualité. Fondé en 1973 à Québec par des finissants de l'École nationale de théâtre et des Conservatoires d'art dramatique de Montréal et de Québec, le Théâtre Parminou s'installera trois ans plus tard à Victoriaville, où il poursuit une démarche idéologiquement proche de celle du théâtre Euh!, à la défense des défavorisés et des ouvriers. En choisissant le nom de sa troupe fonctionnant en collectif, Germain se donne surtout un contre-sigle, le TMN se voulant une négation du TNM, c'est-à-dire de tout théâtre officiel et institutionnel, dont Germain et son groupe dénonceront toutes les conventions dans des pièces aux titres programmatiques et iconoclastes: *Diguidi, diguidi, ha! ha! ha!, Si les Sansoucis s'en soucient, ces Sansoucis-ci s'en soucieront-ils? Bien parler, c'est se respecter!* et *le Roi des mises à bas prix*. Le Grand Cirque Ordinaire, quant à lui, rassemble autour de Raymond Cloutier un groupe d'élèves du Conservatoire d'art dramatique et de l'École nationale de théâtre qui ont claqué la porte de leurs institutions respectives pour protester contre une formation jugée sclérosée, trop traditionnelle — ou plus précisément trop française et donc «étrangère».

Le mouvement qui se dessine ainsi et qui marquera de son empreinte les années 70 est celui de la création collective, c'est-à-dire de spectacles écrits et créés par des comédiens mettant en commun leur inspiration et s'instituant dramaturges. Ce mouvement, dont Fernand Villemure situe les premières manifestations à Trois-Rivières en 1965, puis avec la troupe des Treize de l'Université Laval, s'est surtout imposé par l'activité du Théâtre Euh! et du Grand Cirque Ordinaire. Le premier aurait donné entre 1970 et 1975, dans les rues, les cafétérias ou les cafés de Québec, un total de 436 spectacles d'*agit-prop* qui n'ont, malheureusement, guère laissé de traces[2]. À Montréal, le Grand Cirque Ordinaire s'est fait connaître avec un certain fracas, sur la scène du Quat-Sous, avec un spectacle intitulé *T'es pas tannée, Jeanne d'Arc?*[3]. D'autres spectacles suivront, joués à Montréal et en tournée à travers le Québec, alliant musique et improvisation — *La Tragédie américaine de l'enfant prodigue*, créée en 1975, était présentée comme un «opéra rock» — et imposant un style de jeu fantaisiste et endiablé, des textes brouillons mais chargés d'émotion brute, souvent à la limite de la folie et toujours porteurs de rêve.

---

[2] Sinon dans l'ouvrage de Gérald Sigouin, *Théâtre en lutte: le Théâtre Euh!*, Montréal, VLB éditeur, 1982, 303 p.

[3] Dont le texte, reconstitué par Guy Thauvette, a été publié en 1991 aux Herbes Rouges. *Jeu* 5 (1977) a consacré un important dossier au GCO.

Il a surtout été le premier à tenter de développer une tradition proprement québécoise de théâtre musical, dans l'esprit de Bertold Brecht et Kurt Weill — dont le TNM avait présenté *l'Opéra de quat'sous* en 1961 — plutôt qu'en suivant la tradition américaine de la comédie musicale[4]. L'impact considérable de *l'Osstid'cho*, spectacle créé en 1968 par Louise Forestier, Yvon Deschamps, Robert Charlebois et le Jazz libre du Québec, a également alimenté ce courant, où s'inscrira en 1970 la comédie musicale de Michel Tremblay et François Dompierre (reprise en version «Broadway» en 1995): *Demain matin, Montréal m'attend*. Il faut noter dans ce phénomène l'inscription du chanteur comme personnage dramatique — *Demain matin* raconte l'histoire d'une chanteuse venue de la campagne faire carrière à Montréal —, ce qui traduit une parenté réelle, voire une complicité, entre un théâtre généralement engagé politiquement et socialement et le monde de la chanson qui connaît alors un développement spectaculaire. Entre certaines chansons du GCO, par exemple, et celles du groupe Beau Dommage, on constate d'évidentes similitudes. De même, les spectacles montés par Jean-Claude Germain au Théâtre d'Aujourd'hui tendent souvent vers une forme musicale, soit en racontant *les Hauts et les bas de la vie d'une diva: Sarah Ménard par eux-mêmes* (1974), soit en concevant une fresque parodique sur l'histoire et le théâtre, *Un pays dont la devise est je m'oublie* (1976), comme une «grande gigue épique». Le célèbre *Starmania* de Luc Plamondon et Michel Berger, créé en 1978 à la Comédie-Nationale de Montréal, apportera à ce courant un éclat exceptionnel, mais il s'inscrit clairement dans ce mouvement significatif des années 70.

Le GCO, qui a cessé ses activités en 1977, a en quelque sorte fait école, suscitant des imitateurs fervents. Parmi les autres groupes qui se sont illustrés dans ce domaine de la création collective, citons Les Gens d'en bas de Rimouski, le Théâtre de Quartier et le Théâtre à l'ouvrage de Montréal, le Théâtre de Carton de Longueuil. Mais outre les troupes vouées à cette pratique, on doit noter que la création collective s'est manifestée sous d'autres formes. Ainsi le dramaturge Michel Garneau se définissait comme un «collectif qui travaille tout seul»[5], écrivant certains textes à partir d'idées et suggestions fournies par les comédiens appelés à créer son texte. Entre 1969 et 1976, Garneau écrira ainsi une vingtaine de textes dramatiques où se mêlent le réalisme le plus cru et les élans lyriques, généralement commandés par des écoles de théâtre. Citons les plus importantes: *Sur le matelas* (1972), *Quatre à*

---

[4] Rappelons que, dès 1959, le Théâtre de Marjolaine avait été inauguré par une comédie musicale écrite par Louis-Georges Carrier, *Doux temps des amours*.

[5] Dans Claude des Landes, «Garneau, écrivain public», *Jeu* 3 (1976), p. 51. Garneau y décrit aussi l'auteur comme «un personnage-éponge qui se presse lui-même, qui se nourrit de sa collectivité»...

quatre (1973), *La Chanson d'amour de cul* (1974), *Strauss et Pesant (et Rosa)* (1974), *Les Voyagements*[6] (1975). Dans une autre veine, Garneau donnera en 1978 une «tradaptation» remarquable du *Macbeth* de Shakespeare qui annonce les importants «échos shakespeariens» qui marqueront les années 80. On trouve une même approche de la création théâtrale — réunissant le travail en collectif et l'écriture du dramaturge — chez Jean-Claude Germain, dont on sait que plusieurs de ses textes ont été, en fait, élaborés par l'ensemble des comédiens œuvrant au Théâtre d'Aujourd'hui de la rue Papineau (avant l'ouverture du théâtre actuel, rue Saint-Denis) et réunis successivement sous plusieurs noms: Théâtre du Même Nom (pour indiquer l'intention parodique et l'exploitation d'un certain absurde), les Petits Enfants de Chénier (pour marquer un engagement politique), ou tout simplement le Théâtre d'Aujourd'hui, une désignation qui dit clairement une volonté de s'inscrire dans l'actualité culturelle et politique en s'opposant, au besoin, à un «passé dépassé»[7].

La création collective tendait à revendiquer le rôle créateur du comédien (au détriment, voire à l'exclusion du dramaturge) et valorisait la spontanéité et la liberté plutôt que la rigueur formelle. Très important entre 1970 et 1975[8], ce courant s'est essoufflé ensuite, pour disparaître presque entièrement vers 1980. C'est en quelque sorte le Théâtre expérimental de Montréal qui prendra la relève en 1975 et donnera naissance en 1979, après une scission, au Théâtre expérimental des femmes (fondé par Pol Pelletier) et à l'actuel Nouveau théâtre expérimental de Montréal dirigé, depuis les débuts, par Jean-Pierre Ronfard. C'est du travail d'abord collectif de ce dernier groupe que naîtra l'œuvre fondatrice de la période suivante: *Vie et mort du roi boiteux.*

Si la création collective constitue un phénomène marquant de cette décennie, elle appartient à un courant plus large où l'ensemble de la vie théâtrale reflète une dynamique sociale et culturelle exceptionnelle. L'année 1968 est décisive de plusieurs manières: cette année-là, le Parti libéral remporte les élections fédérales sous la direction de son nouveau chef Pierre Elliott Trudeau, pendant qu'au Québec divers mouvements indépendantistes fusionnent pour donner naissance au Parti québécois dirigé par René Lévesque et l'on sait que, sous la gouverne de ces deux chefs charismatiques et antagonistes, se prépare

---

[6] Titre qui désignera aussi un petit théâtre de poche installé boulevard Saint-Laurent, au nord de la rue Laurier, où sera créé en 1979 une pièce qui fracassera ensuite tous les records pour une pièce jouée sur scène: *Broue.*

[7] Expression utilisée par Germain dans une série de cinq émissions réalisées par la télévision éducative de l'Ontario, sous le titre «Les jeunes, s'toutes des fous».

[8] Villemure recense 415 créations collectives entre 1965 et 1974, dont 35 en 1970, 60 en 1971, 92 en 1972 et 113 en 1973. «Aspects de la création collective au Québec», *Jeu* 4, p. 57-71.

un affrontement spectaculaire. Au Québec, le dynamisme de la Révolution tranquille continue à provoquer des bouleversements dont témoignent par exemple — toujours en 1968 — la création de l'Université du Québec et la naissance de Radio-Québec. À certains signes, on voit clairement que l'horizon culturel tout entier se transforme, porteur d'un bouillonnement et de cette ferveur nationalistes qui marqueront toute la décennie suivante. Si iconoclaste qu'il ait pu paraître, le manifeste-agi «Place à l'orgasme», proclamé dans une église, doit être replacé dans le contexte d'autres créations également provocatrices, dérangeantes et qui, chacune à sa façon, contestent l'ordre établi et les valeurs convenues: le poème-manifeste *Speak White* de Michèle Lalonde, le carnavalesque récit de Roch Carrier *La Guerre, yes sir!*, (plus tard porté à la scène), «L'Osstid'cho», sans oublier le brûlot que signe Pierre Vallières, *Nègres blancs d'Amérique.* Si l'on ajoute à ce tableau la création du Théâtre d'Aujourd'hui (né de la fusion de groupes qui ont marqué la décennie précédente, les Apprentis-sorciers[9], les Saltimbanques[10] et le Mouvement contemporain[11]), la création de *Hamlet, prince du Québec* de Robert Gurik et celle de la fable politique de Françoise Loranger et Claude Levac *Le Chemin du Roy*, on aura dessiné la juste perspective dans laquelle il faut situer la création des *Belles-Sœurs*, perspective qui permet de comprendre l'énorme impact de cette pièce, lequel a peu à voir, finalement, avec le débat sur le joual auquel cette création a donné lieu. Dans la mouvance d'une grande contestation nationaliste, le théâtre des années 70 se tourne vers les héros de 1837: après *Les Grands soleils* de Jacques Ferron (paru en 1958, mais créé en 1968), Jean-Robert Rémillard donnera en 1974 un émouvant *Cérémonial funèbre sur le corps de Jean-Olivier Chénier* et Roland Lepage fera jouer la même année *La Complainte des hivers rouges*, l'une et l'autre pièces réactualisant l'histoire des Patriotes à la lumière des revendications nationalistes contemporaines.

«La création des *Belles-Sœurs*», selon le critique Gilbert David, vient donc «cristalliser une prise de conscience: le rapport au monde instauré par le théâtre, pour être réel, non mutilant, et pour qu'il puisse avoir une résonance dans la collectivité, se doit dorénavant d'affirmer sa québécité par son regard, ses thèmes, ses personnages et son

[9] Fondé par Jean-Guy Sabourin et formé de comédiens amateurs, ce groupe marquera par la qualité de ses spectacles et la modernité de son répertoire la fin des années 50.

[10] C'est au sein de ce groupe qu'éclatera en 1967 l'un des «scandales» qui ont marqué l'histoire du théâtre: l'arrestation de comédiens coupables d'avoir joué nus dans *Équation pour un homme actuel*, de Pierre Moretti et Jean A. Baudot.

[11] Mouvement dirigé par André Brassard, lequel sera associé à la création des œuvres de Tremblay et marquera l'évolution de la mise en scène à compter de 1968.

langage»[12]. L'analyse de David est juste, sans expliquer pourquoi le théâtre de Tremblay remplace si brusquement et totalement, à partir de 1968, celui de Dubé qu'on ne retrouvera, après 1970, que sur les scènes des théâtres d'été ou (rarement) à la télévision. Peut-être faut-il ajouter que l'idéologie nationaliste s'est véritablement substituée à celle de la révolution tranquille, à laquelle Dubé demeure attaché. En 1977, il tentera un retour sur la scène du TNM, avec *Le Réformiste ou l'honneur des hommes*, mais cette pièce, par laquelle il cherchait visiblement à s'adapter aux courants nouveaux, n'a guère connu le succès espéré. Sans doute Dubé n'avait-il pas su aller assez loin dans la contestation; pas aussi loin, en tout cas, que Denise Boucher qui, l'année suivante et sur la même scène, triomphera avec des *Fées ont soif* jouées dans un climat de scandale.

Nulle œuvre n'illustre mieux que celle de Françoise Loranger les transformations qui feront du théâtre un reflet spéculaire de l'idéologie nationaliste dominante. Créée en 1967, *Encore cinq minutes* sera sa dernière pièce «bourgeoise», où la dramaturge développe une thématique de la libération de l'individu, libération qui se réalise souvent contre la famille et la société. Mais cette pièce présente une métaphore des changements qui s'annoncent: cette lézarde dans le mur qui, précise une didascalie, doit s'élargir durant la pièce. L'éclatement viendra d'abord en 1968 avec *Le Chemin du Roy* et surtout, en 1969, avec *Double jeu*, psychodrame social où Loranger se prétend «en accord avec l'inconscient collectif québécois[13]». Ce n'est donc plus l'épanouissement du seul individu qui est proposé ici, mais celui de la collectivité. En 1970, elle précisera son engagement dans une pièce dramatisant le débat linguistique qui agite alors le Québec, *Médium saignant*. En trois ans, Françoise Loranger transforme radicalement son écriture, influencée par le théâtre de participation pratiqué par exemple par le célèbre «Living Theatre», mais davantage encore par le climat politique de l'époque. C'est en 1970, rappelons-le, qu'auront lieu les tragiques «événements d'octobre», mais aussi la célèbre «Nuit de la poésie», sur la scène du Gesù à Montréal.

Françoise Loranger, qui cessera d'écrire pour le théâtre en 1971, entre dans ce courant nouveau avec une grande détermination, avec tout le sérieux qui convient à une activité pédagogique. Ce souci pédagogique n'est pas absent du travail de Jean-Claude Germain ou d'Antonine Maillet, mais le ton est tout autre! La production considérable de Jean-Claude Germain et du Théâtre d'Aujourd'hui couvre

[12] «Un nouveau territoire théâtral (1965-1980)», dans «Un théâtre à vif: écritures dramatiques et pratiques scéniques, de 1930 à 1990», Ph. D, Université de Montréal, 1995, p. 51.

[13] Voir J. C. Godin et L. Mailhot, *Théâtre québécois I*, p. 172.

toute la décennie, en commentant, en quelque sorte, l'actualité politique avec un humour caustique fait pour provoquer un rire malaisé, mais aussi pour désamorcer tout réel sentiment tragique. Cette sorte d'ironie amère et joyeuse, on la retrouve dans l'ensemble des créations collectives, celles du Grand Cirque ordinaire notamment. On la retrouve également chez Antonine Maillet, dont les célèbres monologues de *La Sagouine*, donnés d'abord à la radio en Acadie, seront créés sur la scène du Rideau-Vert en octobre 1972[14]. On retient d'abord son curieux accent, sa parlure archaïsante et ses savoureux jeux de mots de femme sans instruction qui cherche en vain son pays dans les «livres de Jos Graphie». La Sagouine est un personnage comique, mais nous sommes loin, avec elle, du divertissement léger. Comment ne pas saisir, «même dans ses monologues les plus outrageusement absurdes et naïfs» et davantage encore dans celui des «Bancs d'église» par exemple, le caractère «contestataire et revendicatif» de son discours, auquel il faut encore ajouter celui du «jongleux» Gapi, son mari dont elle rapporte les discours, en qui Ben Shek voit avec raison la «contre-partie sceptique et cynique de sa femme»[15]? Avec *Les Crasseux* (écrite avant *La Sagouine*, mais créée après), puis *Gapi et Sullivan, La Veuve enragée, Emmanuel à Joseph à Dâvit* ou *Évangéline deusse*, Antonine Maillet continue dans la même veine et trace un portrait aussi cinglant que drôle de son Acadie natale. Portrait délibérément carnavalisé où, selon la théorie de Bakhtine, le haut et le bas sont intervertis, comme le grotesque et le sublime, voire le sacré et le profane. Comme la Sagouine et Évangéline deusse, toutes les héroïnes de Maillet lancent avec force «le cri du pays» auquel elles appartiennent (littéralement); mais en témoignant d'un engagement réel dans la société, elles portent sur celle-ci un regard critique souvent décapant.

Avec des accents différents et en dégageant davantage le tragique de l'existence, le dramaturge Michel Tremblay — qui domine avec éclat cette décennie qu'il a inaugurée — poursuit un projet analogue, centré sur le microcosme fascinant du Plateau Mont-Royal et à travers une série de pièces composant ce que le dramaturge a lui-même appelé le «cycle des *Belles-Sœurs*». Ce cycle se serait terminé en 1977 avec *Damnée Manon, sacrée Sandra* où, à travers les figures opposées mais complémentaires, peut-être même interchangeables, de la dévote Manon et du travesti Sandra, Tremblay propose pour la première fois une fascinante synthèse des deux faces de son univers qui se sont affirmées et précisées depuis *les Belles-sœurs* et *En pièces détachées*: celle des femmes au destin brisé et celle des homosexuels et travestis. Pour

[14] La véritable première avait cependant eu lieu à Moncton un peu plus tôt.

[15] Ben Z. Shek, «Thèmes et structures de la contestation dans *La Sagouine* d'Antonine Maillet», *Voix et images*, vol. I, n° 2, p. 216.

la première fois aussi, la figure du dramaturge créateur apparaît dans son œuvre, pour à la fois revendiquer la paternité de l'œuvre et suggérer un lien avec sa propre vie, car ce «Michel» qui a créé Manon et qui se cache sous l'identité de Sandra a grandi, comme Tremblay, sur la rue Fabre dont le premier roman des Chroniques du Plateau Mont-Royal, *La Grosse femme d'à-côté est enceinte* (1978), nous décrira l'ensemble des habitants. Tremblay ayant suggéré que le travesti désignait métaphoriquement tous les Québécois obligés à travestir leur identité et précisé que, s'il parlait tant des femmes, c'est qu'elles étaient plus opprimées que les hommes du Québec, on voit que «le monde de Michel Tremblay»[16], succédant à celui de Marcel Dubé qui a dominé les scènes pendant les années 50 et 60, a véritablement été perçu comme un reflet du Québec urbain, en pleine mutation, des années 70.

Le «monde de Michel Tremblay» est ainsi représentatif de la dramaturgie et de l'esthétique théâtrale dominante dans cette décennie, plus spéculaire que véritablement engagée — ce qu'elle est parfois —, plus préoccupée d'affirmation d'une identité à définir que d'une ouverture à des influences extérieures ou à des courants esthétiques nouveaux. Dès 1970 cependant, des signes de renouveau commencent à apparaître, lors de la création au Gesù de *la Charge de l'orignal épormyable* de Claude Gauvreau, dont Jean-Pierre Ronfard mettra également en scène *les Oranges sont vertes* au Théâtre du Nouveau Monde, en 1972. L'année suivante, Gabriel Arcand et Teo Spychalski fondent le groupe La Veillée, voué au théâtre d'essai, dans l'esprit de Grotowski, alors que Daniel Meilleur fonde La Marmaille, d'abord voué au théâtre jeune public et qui deviendra plus tard, sous le nom de Théâtre des Deux Mondes, une troupe de grande réputation internationale. Œuvrant dans une marginalité certaine, Jacques Crête poursuit courageusement, depuis 1971 (année de fondation de l'Eskabel), un travail de création «baroque», expérimental et esthétisant, qui touche un public restreint mais fidèle; c'est à ce groupe qu'on doit la création mondiale, sur scène, d'*India Song* de Marguerite Duras. Dans un tout autre esprit mais dans un même souci d'expérimentation et de renouveau, Jean-Pierre Ronfard fonde en 1975 le Théâtre expérimental de Montréal et, la même année, Gilles Maheu fonde les Enfants du paradis, groupe qui connaîtra plus tard, sous le nom de Carbone 14, une renommée mondiale. Ainsi sont mis en place les éléments qui contribueront au virage considérable auquel on assistera à partir de 1980, virage auquel Tremblay lui-même contribuera: c'est en 1980 qu'il crée *l'Impromptu d'Outremont*, où il confie aux sœurs Beaugrand le soin de faire le bilan de son œuvre, en convenant que «l'ère des lavabos et du fond de cour» est sans doute révolue.

[16] Voir *Le Monde de Michel Tremblay*, ouvrage collectif publié sous la direction de Gilbert David et Pierre Lavoie, Jeu / Lansman, 1993, 479 p.

Il faut surtout retenir que Michel Tremblay aura contribué plus que tout autre à l'essor sans précédent que connaît le théâtre québécois entre 1968 et 1980. Au Québec même, où il se fait volontiers et avec ferveur le porteur des revendications et espoirs de la société, «dans une période où la collectivité cherche à se redonner la parole et à s'affirmer»[17]. À l'étranger ensuite où, pour la première fois dans son histoire, le théâtre québécois ne se contente pas de faire une percée importante, mais acquiert une renommée enviable et, à l'occasion, servira de modèle et d'inspiration. Cela dit, on assiste en dix ans à une augmentation extraordinairement rapide du nombre de créations, de représentations et de compagnies ou troupes, si bien que les structures existantes suffisent d'autant moins à répondre à tous ces nouveaux besoins que les institutions créées depuis 1948 et dans les années 50 commencent elles-mêmes à vieillir. De nouvelles seront créées: à Montréal, «entre 1967 et 1980, plus de quinze nouveaux théâtres, de toutes dimensions et qualités architecturales, seront construits ou aménagés, pour tenter d'absorber tant bien que mal le flot d'une production saisonnière qui quadruple dans le même intervalle»[18]. En fait, malgré ces améliorations souvent improvisées[19], le théâtre québécois demeure un «théâtre pauvre» comme l'entendait Grotowski, c'est-à-dire un théâtre remarquablement inventif à partir de moyens matériels et techniques très limités.

I: CLAUDE GAUVREAU, «POÈTE MAUDIT»

«Le grand absent de nos chapitres — d'où n'est-il pas absent? — est sans doute Claude Gauvreau. *Les Oranges sont vertes* et *La Charge de l'orignal épormyable* sont déjà des classiques (romantiques) du "poète maudit".[20]» Gauvreau, avec son étonnant langage exploréen déjà signifié par le mode de désignation étrange faisant des personnages des espèces d'extraterrestres — Mycroft, Cégestelle, Dydrame, Yvirnig, etc. —, semble de toutes les époques mais toujours anachronique. Avant même le *Refus global* dont il fut l'un des signataires, il avait écrit entre 1944 et 1946 «une série de vingt-six courtes pièces, *les Entrailles*, apparentées au surréalisme»[21] et dont on devine

[17] G. David, «Un nouveau territoire théâtral...», p. 39.

[18] *Ibid.*, p. 41.

[19] C'est à partir de 1990, seulement, qu'on procédera de manière plus systématique et cohérente aux rénovations nécessaires ou aux constructions nouvelles: le Théâtre d'Aujourd'hui, l'Espace Go et Carbone 14 s'installeront dans de nouveaux locaux, la Veillée rénovera les siens, le Monument national sera complètement remis à neuf et le TNM entreprendra en 1996 des rénovations majeures attendues depuis trop longtemps.

[20] Jean Cléo Godin et Laurent Mailhot, *Théâtre québécois II*, BQ 1988, p. 17.

[21] Gilbert David, «Un théâtre à vif: écritures dramatiques et pratiques scéniques au Québec, de 1930 à 1990», Ph. D., Université de Montréal, 1995, p. 67.

aisément qu'elles auraient choqué, deux ans avant le célèbre *Tit-Coq* de Gélinas! Il fallait sans doute attendre le tournant de 1970, alors que Jean-Claude Germain, Réjean Ducharme et Michel Garneau proposent aussi un discours iconoclaste, «une dramaturgie du verbe, mêlant cris, plaintes, chants d'amour et vociférations»[22], pour que Gauvreau soit véritablement «découvert» et joué hors des circuits marginaux, connus des seuls initiés. Encore convient-il de préciser que seules deux pièces (sur plus d'une dizaine qu'il a écrites) ont été ainsi révélées à un grand public: *La Charge de l'orignal épormyable* et *Les Oranges sont vertes.* Ces deux pièces ont en quelque sorte fixé l'image publique d'un Gauvreau tourmenté, hurlant sa détresse, se débattant avec un mal de vivre ontologique, suicidaire — et qui se donnera effectivement la mort quelques semaines avant la création de sa dernière pièce.

Révélée en janvier 1972 dans une remarquable mise en scène de Jean-Pierre Ronfard et dans des décors du peintre Mousseau, *Les Oranges sont vertes* a sans doute constitué l'événement le plus considérable de cette saison théâtrale et connu un retentissement énorme, auquel a certes contribué aussi la mort du dramaturge, quelques mois avant la première. Cette création servait ainsi à confronter l'homme et son mythe, Gilbert David allant jusqu'à établir un lien entre l'approche de la première et le suicide de l'auteur, «comme si cette création et son éventuel succès constituaient une menace au "mythe" personnel du poète maudit et du génie méconnu»[23]. Il se trouve aussi que cette pièce, que les circonstances transformaient en document testamentaire, contient d'évidentes références autobiographiques: Yvirnig, héros de la pièce et créateur du «langage exploréen», critique d'art cherchant à défendre ses amis peintres et dont la jeune maîtresse se donne la mort, rappelle évidemment le rôle joué par Gauvreau parmi les amis de Borduas — l'«égrégore» de la pièce désigne le regroupement des automatistes — et la mort prématurée de la jeune comédienne Muriel Guilbault, sa «muse incomparable» dont il a raconté la vie dans *Beauté baroque*[24]. Dans cette pièce où on peut voir dans le personnage de Batlam une «figure du Père et projection fantasmatique de Borduas», se reflète aussi le climat religieux et politique de l'époque où Gauvreau en a commencé la rédaction, 1958: «tributaire de l'époque d'avant la révolution tranquille», écrit Gilbert David, elle «souffre ainsi d'un partage par trop manichéen du monde»[25].

La mort de la femme aimée engendre également le drame que raconte *La Charge de l'orignal épormyable* dont le héros, Mycroft

---

22 *Ibid.*, p. 74.

23 «*Les Oranges sont vertes*», dans *Dictionnaire des œuvres littéraires du Québec*, tome V, p. 631.

24 Ce roman a été porté à la scène au Café de la Place de Montréal, en février 1992.

25 G. David, *DOLQ*, p. 630.

Mixeudeim, enfermé dans une «maison spéciale» qui pourrait être une clinique psychiatrique où il est soumis à des expériences dégradantes menées par des «chercheurs» tyranniques et sans scrupules, ne voit d'autre solution à son drame que de se frapper violemment la tête contre les murs, comme un orignal désespéré donne la charge. Pièce «accusatrice par laquelle Gauvreau stigmatisait son époque, les années duplessistes de "la grande noirceur"», que Robert Lévesque considérait comme «un des rares chefs-d'œuvre du théâtre québécois»[26]. *La Charge de l'orignal épormyable*, écrite en 1956, a été créée au Gesù en 1970, après une lecture publique au Cead le 12 février 1968, et reprise au Théâtre du Nouveau Monde en mars 1974. La comparaison entre le succès respectif de ces deux productions témoigne éloquemment de la lente conquête du public, comme de l'effet révélateur produit par la mort de Gauvreau: alors que, en 1970, les comédiens devaient jouer devant des salles presque vides, la pièce connut un franc succès en 1974, dans la mise en scène de Jean-Pierre Ronfard, au TNM. Sans doute cette pièce le justifiait-elle plus encore que *Les Oranges sont vertes*, tant à cause de son propos plus clair que par les problématiques abordées: la confusion menaçante du réel et de l'imaginaire et un troublant questionnement sur l'identité de ce personnage de poète qu'on voudrait considérer comme fou. «Cette cérémonie brûlante», écrivait Gilbert David dans un dossier de *Jeu* sur les reprises souhaitées d'œuvres québécoises, «dit mieux que *Les Oranges sont vertes* (1972) le drame de l'enfermement, dans une écriture saisissante, imagée, qui devrait inspirer des metteurs en scène comme Gilles Maheu ou René Richard Cyr»[27]. C'est plutôt André Brassard qui relèvera le défi en 1989; la pièce a alors connu un grand succès sur la scène du Quat'sous. *Les Oranges sont vertes* n'a pas connu de reprise depuis sa création de 1972, même si cette pièce est généralement considérée comme son chef-d'œuvre. Les deux pièces, d'une force exceptionnelle, sont uniques dans tout le répertoire québécois et proposent, à travers des images de contrainte et d'enfermement, un appel viscéral à la liberté.

II: LES ANTI-HÉROS DE JEAN BARBEAU

Jean Barbeau a fait ses premières armes dans la création collective, avec la Troupe des Treize de l'Université Laval. Lorsqu'il aborde la «création individuelle», en 1970, c'est d'emblée avec un spectacle directement inspiré par une anecdote politico-policière

[26] Robert Lévesque, «Le retour fulgurant de Claude Gauvreau», *Le Devoir*, 10 novembre 1989, p. 11.

[27] «Sur le répertoire national», dans *Jeu* 47 (1988), p. 105-106.

impliquant un affrontement entre la police et des manifestants nationalistes, rue Saint-Jean à Québec; et ce spectacle, *Le Chemin de Lacroix*, devait être créé au Chantauteuil, à proximité de l'endroit où s'était produit l'incident. Si tout le théâtre de Barbeau n'est pas réductible à une dramatisation mimétique des débats politiques, il faut reconnaître que les principales pièces qui ont fait sa renommée, au moins jusqu'à 1975, appartiennent à cette veine. Sur le mode comique, on peut citer *Manon last-call* et, surtout, *Joualez-moi d'amour* où l'on verra un jeune puceau retrouver sa virilité lorsque la prostituée française qu'il rencontre réussit à parler son «joual» natal. Sur le mode dramatique, *Solange* présente l'émouvant monologue d'une jeune fille rêvant d'un jeune révolutionnaire à la figure christique qui lui a fait un enfant, alors qu'*Une brosse* transposera sur scène les débats linguistiques qui traversent l'idéologie nationaliste.

Mais c'est *Ben-Ur* (1971), surtout, qui témoigne avec fantaisie et naïveté d'une fabulation dramatique à peine démarquée du réel mais plongeant en même temps dans le rêve. Le jeune héros Benoît-Urbain Théberge, surnommé Ben-Ur par dérision, devient gardien de sécurité à la Brooks, dont le nom doit être lu comme un anagramme de la Brinks, une compagnie qui avait joué un rôle décisif dans un mouvement de fuite des capitaux destiné à dissuader les Québécois d'adhérer à la cause indépendantiste. La perspective idéologique est ainsi installée, faisant de ce récit une sorte de métaphore du Québec après le «coup de la Brinks». Mais Ben-Ur se console de ses déboires familiaux ou des difficultés du travail en se replongeant dans les bandes dessinées de son enfance: on passe ainsi de l'anti-héros (dans la lignée d'un Tit-Coq ou d'un Joseph Latour) au surhomme ou au héros populaire — mais ce dernier fait toujours problème, car Ben-Ur prend conscience que tous ces héros sont étrangers. La bande dessinée sert ici à introduire le «héros national» manquant et cette thématique rejoint le rapport au père, également absent. Or, à père manquant, fils manqué, a expliqué Guy Corneau: la formule résume assez bien le drame de Ben-Ur qui, devenu père à son tour, exprimera lui aussi son incapacité à assumer sa paternité en se réfugiant dans une enfance onirique, là où les héros sont en couleurs; Ben-Ur, lui, ne pourra être qu'un héros dérisoire, un anti-héros.

La bande dessinée de Ben-Ur introduit dans l'œuvre l'autre volet de cet univers de Barbeau, fait de fantaisie et de rêve et débordant même, parfois, du côté d'un certain fantastique ou usant du jeu de mots d'une manière qui évoque un peu, en moins heureux, la façon de Ducharme. Dans *le Chant du sink* (1973) par exemple, où l'anglicisme *sink* est utilisé moins pour suggérer le cygne que comme image de la «tuyauterie intérieure» du héros enfermé dans une camisole de force et dialoguant avec des inspiratrices que lui seul voit, alors qu'il semble incapable de prendre pied dans la réalité. *Une brosse* (1975) mêle violence urbaine ou policière et les élucubrations de deux chômeurs co-locataires sur la société, la langue et l'écologie (ils ont inventé l'«ordurologie»), avec une frénésie qui engendre l'ivresse — et celle-ci ne sera pas seulement symbolique. Barbeau dépeint ainsi, «sur le mode comico-dramatique, des velléitaires ou des individus floués — surtout des hommes —, aux prises avec leurs illusions et les limites de leur existence à courte vue»[28] D'autres pièces, et cette tendance va s'accentuer après 1975, développent le caractère onirique et fantaisiste en délaissant l'ancrage réaliste et social: ainsi en est-il de *Émile et une nuit* (1979), de *Une marquise de Sade et un lézard nommé King-Kong* (1980) et, dans une veine légère plutôt destinée aux théâtres d'été, *le Grand Poucet* (1979), *La Vénus d'Émilio* (1980), *Cœur de papa* (1981) ou *Le Temps d'une poire* (1984). On peut donc en conclure que, si Jean Barbeau s'inscrit de plein droit dans le courant d'affirmation nationale, il représente davantage encore le courant ludique qui traverse cette décennie.

III: JEAN-CLAUDE GERMAIN CONTRE LES «FILS DU PÈRE LEGAULT»

Jean-Claude Germain aborde le théâtre avec une formation d'historien et avec un esprit satirique proche de celui des «Cyniques» qui ont été, au Québec, parmi les premiers à dénoncer par le rire les travers de la société. «Germain se sert des rites et des mythes canadiens-français pour dénoncer joyeusement une aliénation toujours contemporaine», écrit Laurent Mailhot[29]; en même temps, s'inscrivant dans un courant de contestation de l'esthétique théâtrale dominante (de ceux qu'il appelait les «fils du père Legault»[30]) visant à définir une théâtralité proprement québécoise, il s'attaquera aussi joyeusement à une formation théâtrale trop liée à une tradition française devenue «étrangère».

La volonté d'exorciser les atavismes familiaux et culturels canadiens-français et de proposer une esthétique théâtrale québécoise nouvelle est fortement inscrite dans le tout premier spectacle, au titre conçu pour chatouiller, provoquer et agresser le spectateur: *Diguidi, diguidi, ha! ha! ha!* (1969). La pièce commence par une altercation

[28] Gilbert David, «Un théâtre à vif...», p. 70.
[29] Dans *Théâtre québécois II*, p. 190.
[30] Dans une série de cinq émissions réalisée pour la télévision éducative de l'Ontario intitulée *Les Jeunes, s'toutes des fous*, Germain présente sous forme de collage de textes (les siens ou ceux d'autres dramaturges) une sorte d'histoire du théâtre illustrant ce thème.

entre le «premier comédien» et l'éclairagiste, pour briser d'entrée de jeu les conventions habituelles et établir un rapport de complicité avec le spectateur, pour dénoncer en langage cru et vulgaire les mots habituels du théâtre, enveloppés «dans du papier cellophanne... Comme les bonbons françaş...»; pour annoncer en même temps une charge violente sur la famille. Lorsqu'à la fin de la pièce la mère parlera de liberté, on comprendra que ces échanges agressifs, sur le mode du cri, entre le père, la mère et le fils, visaient à faire éclater la cellule familiale traditionnelle et à nous en libérer. Ailleurs, ce sont plutôt les mythes et valeurs sacrées — religion, famille, patrie — qui seront tournés en dérision: *Le Roi des mises à bas prix* (1971), où l'héritage familial prend la forme d'une table dont l'héritier cherchera à se débarrasser. Dans *Si les Sansoucis s'en soucient, ces Sansoucis-ci s'en soucieront-ils? Bien parler, c'est se respecter!* (1971) — le titre est déjà un exercice parodique de diction et un programme de contestation —, Germain développera les mêmes thèmes, sous la forme d'un procès parodique fait au théâtre, mais peut-être aussi à l'histoire, car le récit est traversé par des références à «toué grands-z-anglais qu'on a eu icitte», depuis Murray et Durham jusqu'à... Trudeau.

Nous touchons là à une problématique politique élaborée d'abord en filigrane, mais qui prendra de l'ampleur à la faveur d'événements bien connus de l'histoire politique. *Un épisode dans la vie canadienne de Don Quickshot,* joué à l'automne 1971, a été conçu comme une commémoration carnavalesque des «événements d'Octobre» de l'année précédente: l'ancrage — sinon l'engagement — politique est flagrant, mais sur le mode de la dérision qui caractérise le Théâtre d'Aujourd'hui. *L'Affront commun* (1973) présente à travers un jeu de mot les affrontements entre le monde syndical, qui aime les «fronts communs», et les forces (d'inertie ou d'agression) des pouvoirs économiques ou politiques. En 1979, comme un écho au rapatriement de la constitution du Canada, *A Canadian Play / Une plaie canadienne* fait comparaître le célèbre (et infâme) lord Durham et d'autres personnages de l'histoire politique canadienne, dont le premier ministre du moment, Pierre Elliott Trudeau. Mais la pièce la plus forte et la mieux structurée sur le rapport à l'histoire (politique et théâtrale), c'est sans contredit *Un pays dont la devise est je m'oublie* (1976). Cette pièce présente dans son titre même l'intention de parodier l'histoire du Québec (ses hommes politiques, ses héros sportifs ou populaires, son clergé nouveau ou traditionnel, mais aussi ses comédiens), pratiquant ici mieux qu'ailleurs la «dénonciation par la récupération»[31]. Germain fait ici semblant d'ignorer que «s'oublier» n'est pas tout-à-fait le contraire de «se souvenir» et qu'il signifie d'abord l'oubli (ou le rejet) de

[31] L'expression est de Michel Bélair, citée par Laurent Mailhot dans *Théâtre québécois II*, p. 209.

soi-même. Il joue de et avec les clichés, les mythes et légendes, comme avec l'actualité socio-politique, il les carnavalise et parodie: cette manière ludique est à retenir autant que les contenus manifestes des récits dramatiques.

Il joue de la même manière avec l'histoire du théâtre. *Si Aurore m'était contée deux fois*, pièce créée en 1970, visait à démystifier l'enfant-martyre, mais chérie, du mélodrame québécois autant qu'à faire un clin d'œil «culturel» au *Si Versailles m'était conté* de Sacha Guitry. *Rodéo et Juliette* (1970) se voulait évidemment un drame d'amour shakespearien à la mode de Saint-Tite, alors que *Les Tourtereaux ou la vieillesse frappe à l'aube* (1970) parodie les émissions-confidences téléphoniques de la radio, où les conseillers-thérapeutes devraient eux-mêmes aller se faire soigner. Dans cette veine, la pièce la plus importante est sans contredit *Les Hauts et les bas de la vie d'une diva: Sarah Ménard par eux-mêmes* (1974), pièce à laquelle le dramaturge donnera une suite en 1980, *Les Nuits de l'Indiva*, qui sera son avant-dernière production au Théâtre d'Aujourd'hui. Ces deux pièces démystifient les divas — celles de l'opéra, mais en s'inspirant surtout d'une diva du théâtre: la célèbre Sarah Bernhardt, qui joua un rôle décisif dans notre histoire théâtrale. Sarah Ménard «est une Sarah Bernhardt canadienne-française, provinciale, autodidacte. [...] Cette "monologuerie-bouffe", ou confusion d'une enfant du siècle, est une anthologie visuelle et sonore, un portrait collectif, saccadé, endiablé»[32]. Sarah Ménard l'indiva est à elle seule une figure et une synthèse de l'entreprise théâtrale de Jean-Claude Germain, qui cherche à travers une parodie de l'histoire et du théâtre, à proposer une théâtralité nouvelle.

IV: LE «VRAI MONDE» DE MICHEL TREMBLAY

Né le 25 juin 1942 à Montréal, Michel Tremblay a grandi sur la rue Fabre, au cœur du quartier «Plateau Mont-Royal» où seront situées la plupart de ses œuvres et dont il fera un véritable microcosme du Québec. En 1965, il écrit *Les Belles-Sœurs* qui, après avoir essuyé plusieurs refus, sera révélée en lecture publique au Centre d'essai des auteurs dramatiques le 4 mars 1968 et créée le 14 août 1968 par le Théâtre du Rideau-Vert de Montréal. La pièce suscite de vives controverses sur la langue utilisée, mais on y reconnaît aussitôt une œuvre forte et novatrice.

Les Belles-Sœurs met en scène quinze femmes dont une seule est à proprement parler une «belle-sœur». Le terme désigne plutôt une catégorie: «étrangère mais proche, alliée, ralliée, située à un point

[32] Laurent Mailhot, *ibid.*, p. 208.

stratégique» et permettant «un intéressant trait d'union entre l'univers social et l'édifice familial»[33]. Famille et société sont en effet l'objet d'une description et d'une dénonciation, dans un langage direct et franc jusqu'à la brutalité, mais empreint d'une profonde sympathie pour ces personnages défavorisés. Si l'œuvre a d'abord choqué par son naturalisme, l'absurdité de l'événement réunissant ces femmes — l'une d'entre elles a gagné un million de timbres-primes, qu'il faut coller — et de certaines scènes — la vieille Olivine déboulant l'escalier en chaise roulante, l'O Canada chanté en finale — la situe aussi, comme le montrait bien la reprise dirigée par André Brassard en 1983, dans un courant proche d'Albee, voire d'Ionesco. La structure de la pièce, privilégiant les monologues en alternance avec les chœurs, n'a du reste rien de l'esthétique naturaliste.

Les Belles-Sœurs inaugure un cycle de onze pièces qui se terminera en 1977 avec *Damnée Manon, sacrée Sandra*. La famille se retrouve au cœur de ce cycle, notamment dans *À toi, pour toujours, ta Marie-Lou* (1971) et *Bonjour, là, bonjour* (1974). La première peut être considérée comme la plus grande tragédie du répertoire québécois. Œuvre astucieusement construite à l'image d'un «quatuor à cordes»[34], elle oppose au-delà de la mort Carmen et Manon à leurs parents (Marie-Lou et Léopold) morts dix ans plus tôt. Le désespoir et la violence de Marie-Lou, enfermée dans sa cuisine comme dans une cellule de prison, ont les accents d'un émouvant *Miserere*, pendant que Manon oppose ses rêves masochistes de martyre aux ambitions libératrices — «douteuse libération», écrivait Raymond Joly[35] — de Carmen, personnage qu'on retrouvera plus tard dans *Sainte-Carmen-de-la-Main* (1976). *Bonjour, là, bonjour* aborde de manière audacieuse le thème de l'inceste entre frère et sœur, mais aussi celui de la quête du père par le fils, culminant en un touchant cri d'amour du fils que toutes ses sœurs (et ses deux tantes) désirent, mais qui ne songe qu'à établir un véritable dialogue avec son père sourd.

L'autre volet du cycle représente des homosexuels et travestis, marginaux de la société. *La Duchesse de Langeais* (1968) est le monologue tragi-comique d'un travesti en fin de carrière, *Hosanna* (1973) le dialogue des deux amants Cuirette — «femme de ménage le jour pis un gars de bicycle le soir» — et Hosanna, un coiffeur déguisé en Elizabeth Taylor jouant Cléopâtre. Si les homosexuels tentent d'assumer leur identité profonde et de vivre ouvertement leurs amours,

---

[33] Laurent Mailhot, «*Les Belles-Sœurs ou l'enfer des femmes*», dans *Théâtre québécois I*, (BQ, 1988), p. 278.

[34] L'expression est de Tremblay lui-même, dans *le Théâtre canadien-français, Archives des lettres canadiennes*, tome V, p. 791.

[35] Voir «Une douteuse libération, le dénouement d'une pièce de Michel Tremblay», *Études françaises*, vol. VIII, n° 4 (novembre 1972), p. 374.

il faut chercher au-delà du «mensonge» des travestis (de leurs identités d'emprunt) certaines valeurs humaines et sociales qui s'en dégagent. Ainsi *Damnée Manon, sacrée Sandra* oppose dans une construction toute en parallèles et symétries, contraires et complémentarités, la dévote Manon endeuillée de noir et le travesti Sandra, tout de blanc vêtu. L'un parle de son amant noir, l'autre de sa passion mystique, mais les deux se fondent à la fin dans un même personnage, parce que «la religion et le sexe proviennent d'un même besoin d'absolu»[36], explique l'auteur. C'est aussi, au-delà des masques revêtus par un personnage, le drame d'une société forcée à vivre sous une identité d'emprunt que Tremblay a voulu exprimer.

En 1980, *L'Impromptu d'Outremont* annonce un tournant dans la carrière de Tremblay. Faisant écho et pendant aux quinze *Belles-Sœurs* de la rue Fabre, les quatre sœurs Beaugrand, réunies dans un salon bourgeois d'Outremont, échangent sur la culture. Passionnée d'opéra, «Yvette, les yeux fermés, écoute religieusement» l'air «Remember Me» chanté par Tatiana Troyanos, à quoi Lucile préférerait «quelque chose de gai, d'enlevant». Entre Lorraine et Fernande, l'opposition est plus radicale: l'une a gardé ses attaches populaires, l'autre est devenue une grande bourgeoise n'ayant plus que mépris pour le «joual» et les quartiers populaires. Mais à la proposition de Fernande souhaitant qu'on mette fin à «l'ère des lavabos et du fond de cour», il est clair que Tremblay préfère celle de Lucile plaidant pour la diversité, «pour le fond de cour comme pour le salon». *L'Impromptu* constitue donc une réflexion sur le premier cycle des œuvres de Tremblay et une remise en question des positions du dramaturge face à son univers dramatique — qui ne changera guère —, mais surtout à la problématique de la langue: on pourra en effet observer, dans les pièces suivantes, une épuration et une normalisation de la langue parlée[37].

Si, depuis 1980, une nouvelle génération de dramaturges a permis de diversifier la dramaturgie, le théâtre de Tremblay continue à occuper une place considérable sur la scène québécoise. Deux pièces ont particulièrement marqué cette période et peuvent être considérées comme des pierres d'angle du corpus trembléen, au même titre que *les Belles-Sœurs* et *À toi, pour toujours, ta Marie-Lou: Albertine, en cinq temps* (1984) et *Le Vrai monde*? (1987)[38]. Deux œuvres d'une force exceptionnelle où Tremblay propose une sorte de synthèse de son univers dramatique et romanesque, tout en renouvelant son écriture

[36] Dans Martial Dassylva, «Quand Michel Tremblay traite du fanatisme en religion et en sexe», *La Presse*, 26 février 1977, p. D 7.

[37] Voir sur cette question Jean Cléo Godin, «Le "tant qu'à ça" d'Albertine», *Québec Studies*, nº 11, automne 1990 / hiver 1991, p. 111-116.

[38] Voir, sur ces deux pièces, Jean Cléo Godin, «Albertine et la maison de l'enfance» et Jean-Pierre Ryngaert, «Faut-il faire parler le vrai monde?», dans *le Monde de Michel Tremblay* (Gilbert David et Pierre Lavoie dir.), Jeu / Lansman, 1993, p. 183-205.

dramatique. La première est centrée sur Albertine, démultipliée en cinq personnages jalonnant quarante ans de sa vie, alternant entre la rage ou le désespoir et une certaine sérénité atteinte à la fin de sa vie: *Albertine, en cinq temps* est sans contredit la pièce la plus belle, la plus touchante aussi, de Michel Tremblay. Quant au *Vrai monde?*, elle présente à travers le personnage de Claude, un jeune dramaturge soumettant à sa mère un manuscrit où elle figure comme personnage, une problématique fascinante où le réel et la fiction sont mis en abîme et confrontés. La structure dramatique est complexe, toute en dédoublements, pour mettre en lumière et interroger la responsabilité sociale du dramaturge et la nature même du geste créateur.

Tremblay a écrit plus de vingt-cinq pièces et une dizaine d'adaptations (d'Aristophane, Paul Zindel, Tennessee Williams, Dario Fo, Tchékhov, Gogol et d'autres); la plupart de ses pièces ont été produites à la télévision aussi bien que sur scène et il a écrit plusieurs scénarios pour le cinéma, dont *Il était une fois dans l'est* (1974), *Le Soleil se lève en retard* (1977), films réalisés avant 1980, et *Le Grand jour*, réalisé par Jean-Yves Laforce et télédiffusé à Radio-Canada en 1988.

Michel Tremblay a donné au théâtre québécois ses œuvres les plus fortes et les nombreuses reprises produites en vingt ans ont déjà consacré les premiers succès, les œuvres les plus marquantes étant d'ores et déjà reconnues comme des «classiques». Ces œuvres ont aussi connu une large diffusion internationale, tant dans le monde francophone (la première production des *Belles-Sœurs*, à l'Espace Cardin de Paris, date de 1973) que dans les traductions étrangères. Tremblay, dont presque toutes les œuvres ont été créées, en traduction anglaise, à Toronto, a eu sur le développement du théâtre anglo-canadien une influence considérable: le remarquable renouveau créateur qu'on observe sur les scènes de Toronto et Vancouver depuis 1970 doit beaucoup, certes, aux nombreuses productions des pièces de Tremblay sur ces mêmes scènes. Plusieurs pièces, notamment *À toi, pour toujours, ta Marie-Lou*, *Bonjour, là, bonjour* et *Albertine, en cinq temps* ont également connu un grand succès aux États-Unis et ailleurs dans le monde: Allemagne, Italie, Japon, Turquie, etc.

V: JEUX DE MOTS ET FARCES SÉRIEUSES DE RÉJEAN DUCHARME

C'est peu après la publication de ses premiers romans, qui lui ont valu une renommée immédiate à la suite d'une étrange controverse sur son identité, que Réjean Ducharme a abordé le théâtre. Ses deux premières pièces, *Inès Pérée et Inat Tendu* et *Le Cid maghané* affichaient clairement dans leur titre l'intention ludique et parodique de l'écrivain qui précisera même à propos de la seconde (demeurée inédite), qu'elle n'est pas de lui «mais d'un Castro dont j'oublie le petit nom et de Pierre Corneille»[39]. Les deux pièces ont été créées presque simultanément, durant l'été 1968.

Inès Pérée et Inat Tendu sera publiée intégralement dans le numéro de mars 1968 de *Châtelaine*, avant son édition courante chez Leméac (1978), et reprise sur la scène du Gesù, par la Nouvelle compagnie théâtrale, en octobre 1976. Le couple formé par Inès et Inat peut rappeler Bérénice Einberg et son frère Christian *(L'Avalée des avalés)*, ou Mille Milles et Chateaugué *(Le Nez qui voque)*, personnages d'adultes-enfants qui se disent «tombés sur la terre» — ou peut-être «sur la tête» — évoluant dans un hôpital (protestant!) pour animaux et qui auront pour interlocuteurs la propriétaire des lieux nommée, comme pour évoquer parodiquement à la fois Claudel et Corneille, Isalaide L'Eussiez-Vous-Cru, un médecin qui se définit comme un «ingénieur en psychiatrie», c'est-à-dire un psychiatre cleptomane dont le nom évoque la cuisine — Mario Escalope —, mais qui s'intéresse plutôt aux perversions sexuelles, et une religieuse au nom programmatique, englobant toutes les contradictions: Sœur Saint-New-York de Russie[40]. «Messagers d'aucune idéologie, d'aucun dieu, subversifs plutôt que révolutionnaires, ils ont —ils sont— leurs propres principes, leur propre langue. Leur culture est l'anticulture; leur artifice, le naturel»[41]. Le jeu de mots inscrit dans le titre fonctionne d'autant mieux que, dans ce récit totalement fantaisiste, tout est possible et c'est l'inespéré qui est attendu, la quête absurde (de l'amour?) débouchant cependant sur une sorte de <u>dés</u>espoir: «Inat Tendu et Inès Pérée deviennent quelque chose comme Hyper Tendu et Désès Pérée»[42]. La pièce joue constamment, jusqu'à la fin, sur les contraires. Aussi le cadre donné à la pièce, Terre-Neuve dont il faut entendre le sens étymologique (lieu des naissances, de la découverte et de la vie), conduit-il logiquement à la mort de ces protagonistes qui «retournent à la terre, aussi nus qu'ils étaient nés»[43].

En 1969, Ducharme écrit aussi une pièce intitulée *Le Marquis qui perdit*, créée à la scène par le Théâtre du Nouveau Monde en 1970. Ce marquis qui «perdit son calme», c'est évidemment Montcalm et la pièce présente une version parodique de sa défaite sur les Plaines d'Abraham. «Le trait du *Marquis qui perdit* tient à la fois de la bande

[39] *Le Devoir*, 22 juin 1968.
[40] Devenue, à partir de la production de 1976 à la NCT, Sœur Saint-New-York-des-rond-d'eau.
[41] Laurent Mailhot, dans *Théâtre québécois I*, p. 294.
[42] *Ibid.*, p. 297.
[43] *Ibid.*, p. 299.

dessinée et de la charge politique», écrit Laurent Mailhot[44]. Moins forte et jouant plus facilement sur les mots que *Inès Pérée et Inat Tendu*, en opposant la langue précieuse du dix-septième siècle et le joual, les vers de mirliton et la prose, cette pièce propose néanmoins un ancrage dans un récit linéaire qui annonce un peu la pièce la plus importante de Ducharme: *HA ha!...* Créée et publiée en 1978, reprise au TNM dans une mise en scène de Lorraine Pintal en 1990, cette pièce expose les rapports de deux jeunes couples amis-amants, dont la vie et la psychologie sont ramenés à des clichés: ils vivent dans un décor du «Père du meuble» et dans un éclairage de chez Boiteau; Sophie est «passionnée», mais elle a pour s'habiller plus de fantaisie que de goût; son amant Roger, «plutôt laid, plutôt lard», se confond comme un caméléon à la couleur des murs mais adore parler du nez, en répétant inlassablement son «bedit discours»; Mimi serait plutôt l'antithèse de Sophie, avec «la sensibilité malade corps et âme»; enfin Bernard, le plus riche des quatre, est évidemment «intelligent taré alcoolique fini». Le canevas du récit dramatique est vraisemblable, bien installé dans le huis clos d'une réalité québécoise urbaine et contemporaine, mais la manière demeure ducharmienne, multipliant les jeux de langage et les contradictions pour mieux dégager des évidences un portrait de l'humanité qui est d'une extraordinaire dureté tragique. Une pièce, écrit Gilbert David, «violente, excessive, bouleversante. J'y lis une remise en question radicale des valeurs petites-bourgeoises, de la dictature du mauvais goût qui envahit les consciences, sous le signe de la familiarité mutilante. Il s'agit, à n'en pas douter, d'une œuvre-limite, vénéneuse»[45]. Chez Ionesco, le tragique prend les allures de la farce; chez Ducharme, la banalité la plus quotidienne et l'observation du cocasse comme de l'ordinaire constituent un procès de la société qui génère une angoisse considérable. *HA ha!* doit être considérée, à n'en pas douter, comme l'une des œuvres les plus fortes de tout le répertoire québécois.

Professeur titulaire au département d'études françaises de l'Université de Montréal, Jean Cléo GODIN a obtenu son doctorat de l'Université d'Aix-Marseille en 1966; sa thèse portant sur l'écrivain Henri Bosco a été publiée en 1968 par les Presses de l'Université de Montréal, sous le titre *Henri Bosco, une poétique au mystère*.
Il a publié, avec son collègue Laurent Mailhot, deux ouvrages consacrés au théâtre québécois: *Le Théâtre québécois* (HMH, 1970) et *Théâtre québécois II* (HMH, 1980). Il a également publié une quarantaine d'articles portant principalement sur le théâtre québécois, et dont certains seront prochainement réunis en volume. Avec un groupe de chercheurs de l'Université de Montréal, il prépare l'édition critique des œuvres d'Alain Grandbois. Dans cette série, il a édité *Visages du monde* (1990), *Né à Québec* (avec la collaboration d'Estelle Côté, 1994) et *Proses diverses* (1996). Il a également publié, en collaboration avec Nicole Deschamps, *Livres et pays d'Alain Grandbois* (1995).

[44] *Ibid.*, p. 312.
[45] G. David, «Un théâtre à vif...», p. 194.

DEUXIÈME PARTIE

LA DRAMATURGIE DEPUIS 1980

PASCAL RIENDEAU
BERNARD ANDRÈS

A) PANORAMA DE LA PÉRIODE

La décennie quatre-vingt a vu apparaître de nombreuses voix, nouvelles et hétérogènes, dans l'univers dramaturgique québécois. Pour brosser le tableau de cette période (et esquisser celui des premières années quatre-vingt-dix), nous nous en tiendrons aux événements, aux textes et aux auteurs qui, à nos yeux, mais aussi à ceux de la critique, auront le mieux marqué leur temps. La sélection, toujours malaisée, se fera sur la base des dramaturges qui auront proposé au moins un texte décisif ou innovateur et ce, à partir d'un corpus déjà établi par les principaux observateurs de la période: Jean Cléo Godin, Dominique Lafon, Paul Lefebvre, Lucie Robert et Louise Vigeant. Dans les limites de ce balisage, nous tâcherons de justifier nos propres choix, nos propres partis pris et de dégager les caractéristiques de cette décennie fort déterminante pour la dramaturgie et pour l'ensemble de la littérature québécoise.

La dramaturgie est-elle (encore) un genre littéraire?

Avant d'aborder l'histoire de la période qui nous préoccupe, une question en apparence très simple s'impose: quel est, aujourd'hui, le statut du texte dramatique dans le système des genres littéraires? En effet, si le théâtre est incontestablement une pratique artistique polymorphe, qu'en est-il de son aspect plus spécifiquement littéraire: le texte? Il est vrai que dans certains cas, il paraît futile de créer une dichotomie entre texte dramaturgique et représentation théâtrale. Cependant, l'histoire littéraire

jeu

cahiers
de théâtre

Subventionné-Québec?
Evénement théâtre-Québec en France
Scission et travail à l'A.Q.J.T.
ENJEU
GURIK AVEC *LÉNINE*
LE PARMINOU:

L'ARGENT ÇA FAIT-Y VOT' BONHEUR? (création collective)
MARIE-FRANCINE HÉBERT/REINER LÜCKER:
LE THÉÂTRE POUR ENFANTS
MAJOR/ROUSSIN DEVANT LEUR PRODUCTION SCÉNIQUE
ENTRETIEN AVEC ANDRÉ VEINSTEIN

La revue **Jeu** *fut fondée en hiver 1976. C'est la revue la plus importante pour la connaissance du théâtre contemporain québécois.*

de la dramaturgie repose principalement sur l'ensemble des textes dramatiques publiés, que ces textes aient été joués sur scène ou non. C'est pourquoi nous mettrons l'accent sur le texte dramaturgique, car nous croyons, à l'instar de Richard Monod, que «le texte théâtral existe en tant que texte artistique indépendamment de ses réalisations scéniques, avec ses complexités de structure et sa polysémie [et qu'] une mise en scène repose sur *une* lecture possible, et datée, de ce texte [...][1].» Lire la dramaturgie, c'est rappeler l'importance des textes dramatiques en tant que textes *littéraires* tout en prenant en considération l'inévitable relation à la représentation théâtrale, virtuelle ou réelle. Comme l'affirme Lucie Robert: «lire le théâtre, [c]'est avoir accès au texte dans sa dimension polémique la plus pure, où toute l'action, l'intrigue ou l'effet se construit dans/par le texte, lequel, dès lors, n'est plus le simple reflet d'une action réalisée ailleurs, mais le moteur même du théâtre[2].»

Il n'en demeure pas moins que sur un autre plan, les années 1980-1996 se trouvent fortement marquées par les nombreux spectacles expérimentaux ou multidisciplinaires dans lesquels la théâtralité semble l'emporter

1 MONOD, Richard, *Les textes de théâtre*, Paris, Cedic, 1977, p. 20. L'auteur souligne.
2 ROBERT, Lucie, «La passion du dialogue», *Voix et Images*, vol. XI, nº 1 (automne 1985), p. 140.

sur le théâtre lui-même. Cette prolifération de la performance québécoise qui mélange les différentes pratiques artistiques (pensons ici à Carbone 14, au Théâtre Repère, à Omnibus et au Nouveau Théâtre Expérimental animé par Jean-Pierre Ronfard) s'inscrit très bien dans le phénomène postmoderne. Dans le domaine de la pratique du théâtre, comme le rappelle Louise Vigeant, l'expérimentation théâtrale est un lieu «où l'écriture scénique se donnait une nouvelle définition, dans de nouveaux espaces, en puisant à de nombreuses sources: vidéo, installation, chorégraphie, etc.[3]» Dans le contexte de la «condition postmoderne», pour reprendre l'expression de Jean-François Lyotard, la dramaturgie a dû se redéfinir et l'écriture dramatique traditionnelle a eu, quant à elle, encore plus de difficulté à (re)trouver sa voie. Dès lors, il est devenu nécessaire pour les théoriciens de distinguer l'écriture dramatique d'une écriture plus spécifiquement scénique, liée de près aux diverses manifestations du théâtre expérimental. Comme le précise Irène Perelli-Contos: «La première, en tant que texte écrit, appartient au domaine de la littérature et, potentiellement, à celui du théâtre. [...] À l'opposé, qu'elle soit ou non basée sur un texte dramatique préalablement écrit, l'écriture scénique relève entièrement du domaine du théâtre [...].[4]» Depuis une quinzaine d'années, l'écriture dramatique s'est donc radicalement redéfinie soit en accompagnant l'expérimentation théâtrale, soit en explorant tous les possibles du genre dramatique, jusqu'à faire complètement éclater ses structures discursives.

Les années 1980: une décennie distincte

Ce qui distingue d'emblée cette décennie dramaturgique des deux précédentes en particulier, c'est l'accent mis sur l'esthétique (littéraire, dramaturgique, théâtrale) plutôt que sur la portée sociale des textes. Il faut bien dire que la «dépolitisation» ou le désengagement du théâtre depuis le début des années quatre-vingt déborde largement les frontières québécoises et constitue vraisemblablement un phénomène occidental. Selon, Jean-Pierre Ryngaert, «la dissolution des idéologies dans les années 80 s'accompagne d'une perte de repères. Peu de textes se réfèrent à l'histoire ou au politique, beaucoup de textes explorent les territoires intimes [...]»[5]. Si le commentaire de Ryngaert visait principalement la dramaturgie européenne, il demeure, dans une large mesure, tout aussi juste pour la dramaturgie québécoise récente, car celle-ci a effectué un important virage voilà une quinzaine d'années. Le théâtre social, politique, voire

[3] VIGEANT, Louise, «Du réalisme à l'expressionnisme. La dramaturgie québécoise récente à grands traits», *Jeu*, n° 58 (mars 1991), p. 7. Sur l'expérimentation théâtrale et les critères de terminologie concernant les pratiques d'avant-garde au Québec, voir Bernard Andrès, «Notes sur l'expérimentation théâtrale au Québec», *Études littéraires*, vol. 18, n° 3 (hiver 1985), p. 15-51.

[4] PERELLI-CONTOS, Irène, «Théâtre et littérature, théâtre et communication», *Nuit Blanche*, n° 55 (mars-avril-mai 1994), p. 46.

[5] RYNGAERT, Jean-Pierre, *Lire le théâtre contemporain*, Paris, Dunod, 1993, p. 44-45.

contestataire des années soixante et soixante-dix a presque disparu à l'aube des années 1980. Les auteurs les plus engagés au plan politique et national furent plus discrets après mai 1980 (pensons à Jean Barbeau, Jean-Claude Germain, Robert Gurik et Françoise Loranger). Ainsi, la dramaturgie des années quatre-vingt marque une distance par rapport au principal courant dramaturgique et théâtral des années 1970, ce «nouveau théâtre québécois» qui a été conçu, d'après Michel Bélair, «à partir d'une problématique à caractère social, politique et culturel [et] qui rend compte des tensions que traverse notre société.[6]» Depuis les *Belles-Sœurs* de Michel Tremblay en 1968, d'autres commentateurs ont aussi parlé de la dramaturgie ou du théâtre de la parole pour qualifier ce courant qui «tient [surtout] à une esthétique réaliste[7]» (même si *Les Belles-Sœurs* n'est pas une pièce véritablement *réaliste*), courant qui remet en question les codes sociopolitiques et sociolinguistiques, en particulier par l'utilisation du joual.

Les dramaturges de la décennie

Si un bon nombre des dramaturges qui ont bâti leur œuvre dans les années soixante et soixante-dix se sont tus ou ont fortement diminué leur production dans les années quatre-vingt, quelques-uns ont poursuivi leur carrière, tout en modifiant sensiblement leur écriture; c'est notamment le cas de Michel Tremblay et de Michel Garneau. Depuis *L'impromptu d'Outremont* (1980), mais de façon plus évidente à partir d'*Albertine en cinq temps* (1984) et *Le vrai monde*? (1987), Tremblay a proposé des formes dramatiques plus fragmentées, tout en réfléchissant plus explicitement sur la création dramaturgique elle-même. Quant à Garneau, il est plus difficile de cerner des frontières dans sa production textuelle, car son parcours dramatique n'a pas toujours suivi le chemin le plus prévisible. Deux de ses textes les plus marquants depuis le début des années quatre-vingt, *Émilie ne sera plus jamais cueillie par l'anémone* (1981) et *Les guerriers* (1989), paraissent encore plus fortement marqués par la poésie et la complexité du langage. Le premier explore l'univers poétique et musical de la poète britannique Emily Dickinson et le deuxième, féroce satire du monde de la publicité, joue sur l'opposition entre le discours poétique et le discours publicitaire.

Il reste que ce qui a résolument marqué les années 1980, c'est l'apparition de jeunes dramaturges qui proposaient des voies nouvelles, tout en s'éloignant considérablement du théâtre de la parole. Normand Chaurette et René-Daniel Dubois sont incontestablement les deux principaux auteurs dramatiques qui ont provoqué le changement dramaturgique

---

[6] BÉLAIR, Michel, *Le nouveau théâtre québécois*, Montréal, Leméac,1973, p. 11. Voir aussi Lucie Robert, «The New Quebec Theater», dans Robert Lecker (dir. publ.), *Canadian Canons: Essays in Literary Value*, Toronto, University of Toronto Press, 1991, p. 112-123.

[7] BRISSET, Annie, *Sociocritique de la traduction: théâtre et altérité au Québec (1968-1988)*, Longueuil, Le Préambule, 1990, p. 34.

du début de la décennie, avec la présentation quasi simultanée de *Rêve d'une nuit d'hôpital* et de *Panique à Longueuil*, respectivement en janvier et février 1980 dans deux petits théâtres montréalais. Pour Louise Vigeant, «la création presque en même temps de textes de deux nouveaux dramaturges qui, et c'est ce qui rend *a posteriori* le fait marquant, allaient occuper les scènes durant toute la décennie[8]» représente un des éléments majeurs pour le théâtre québécois des années quatre-vingt.

L'arrivée de Chaurette et de Dubois est d'autant plus remarquable que ces deux dramaturges ont réussi à modifier profondément le monde de la dramaturgie québécoise des années 1980. Leurs ouvrages entrent en rupture presque totale avec le théâtre de la parole (surtout dans le cas de Chaurette) et s'il n'est pas possible d'affirmer que ces deux dramaturges ont lancé un nouveau courant dramaturgique, ils ont malgré tout insufflé un nouvel esprit à l'écriture dramaturgique contemporaine. Autrement dit, les dramaturges qui ont suivi Chaurette et Dubois n'ont pas pu ignorer cette nouvelle voie que venaient d'adopter les nouveaux venus de la dramaturgie québécoise; c'est le cas de Michèle Allen, Normand Canac-Marquis, René Gingras, Anne Legault, Lise Vaillancourt et plus récemment, de Jean-François Caron, Dominic Champagne et Jean-Frédéric Messier. En parlant des ouvrages de Chaurette et de Dubois, Jean Cléo Godin a évoqué, au milieu des années quatre-vingt, l'idée d'une «dramaturgie nouvelle». Par la suite, d'autres commentateurs ont (sur)utilisé l'expression de Godin pour qualifier l'ensemble des textes des années 1980 qui se distinguent du théâtre de la parole des décennies précédentes. Pourtant, il est bon de préciser qu'il existe de grandes différences esthétiques et formelles parmi l'ensemble des dramaturges «nés» durant les années quatre-vingt. Ainsi devient-il hasardeux de qualifier de «dramaturges nouveaux» la majorité des auteurs de la période.

D'après Paul Lefebvre, ce qui distingue davantage Chaurette et Dubois des autres dramaturges, c'est qu'au seuil de la décennie quatre-vingt, la parution de leurs écrits «indique un retour aux textes publiés comme partition plutôt que traces [...]. Leurs pièces, marquées par une littérarité apparente et un refus de l'anecdote [...] participent d'une littérarité nouvelle (qui a absorbé la dramaturgie de la parole).[9]» La «littérarité nouvelle» dont il est ici question désigne un retour au scriptible dans la dramaturgie, qu'il ne faut pas confondre avec une dramaturgie littéraire plus près des formes traditionnelles, comme celle d'Anne Hébert. En fait, il s'agit plutôt d'une dramaturgie postmoderne, dont les caractéristiques sont nombreuses: hybridité des formes, écriture par fragments, remise en question du statut du personnage qui devient une entité floue ou plurivoque, déconstruction de

[8] VIGEANT, Louise, «Du réalisme à l'expressionnisme», p. 11.
[9] LEFEBVRE, Paul, «Chaurette et Dubois écrivent», *Jeu*, nº 32 (1984), p. 75.

l'illusion théâtrale et du réalisme, refus de proposer une vérité totalisante et enfin, requestionnement des genres littéraires et de leurs avatars. La dramaturgie postmoderne québécoise s'insère dans un phénomène occidental émergeant dans les années soixante, mais qui s'est vraiment accentué (au Québec et ailleurs) depuis la fin des années 1970 et le début des années 1980. Il s'agit là d'une voie que n'ont manifestement pas empruntée des auteurs importants de la décennie tels Marco Micone et Marie Laberge: ceux-ci, tout en laissant leur marque dans la production de l'époque, sont restés fidèles à une esthétique plus traditionnelle de la représentation (nous y reviendrons). Ainsi, le retour du texte littéraire sur scène ne s'est pas toujours effectué de la même façon et il convient de souligner la manière toute personnelle dont Chaurette et Dubois ont misé sur une écriture dramaturgique (au sens fort du terme), sans faire beaucoup de concession aux impératifs de la pratique scénique — surtout dans le cas de Chaurette.

Les principaux dramaturges

Au cours de cette décennie, certaines œuvres se sont constituées en un temps record (celles de Michel Marc Bouchard, Normand Chaurette, René-Daniel Dubois, Jovette Marchessault et Jean-Pierre Ronfard, que nous verrons plus en détail dans la seconde partie de notre étude). Plusieurs autres voix se sont aussi fait entendre, réussissant avec un ou deux textes dramatiques (parfois plus), à proposer une vision bien à elles de la dramaturgie. Il s'agit notamment de Michelle Allen, Normand Canac-Marquis, Jeanne-Mance Delisle, René Gingras, Anne Legault, Lise Vaillancourt et Julie Vincent. Il est intéressant de noter que plusieurs de ces dramaturges sont également ou ont été comédiens ou metteurs en scène; ces derniers ont abordé la création dramaturgique avec une expérience du jeu scénique. Aucun d'entre eux, faut-il le rappeler, ne fait partie d'un courant, d'un mouvement, ou d'une école dramatique spécifique. Pourtant, ils se sont tous inscrits dans une certaine tendance des années quatre-vingt, soit en mettant l'accent sur quelques thèmes spécifiques (l'artiste et la création, les territoires intimes, la place des femmes, l'homosexualité), soit en ayant recours à des stratégies textuelles comme le théâtre dans le théâtre, la parodisation ou le renversement du réalisme.

L'artiste et la création

Parmi les nombreuses thématiques abordées dans les années quatre-vingt, la place de l'artiste et le rôle de la création artistique occupent une position de choix. Comme le précise Louis Vigeant, ces textes «traitent de la place du poète dans notre société, des difficultés de la création, de ses élans et aspirations, de ses pouvoirs et de ses limites.[10]» Si la quantité des ouvrages qui abordent ce sujet s'avère impressionnante[11], il

[10] VIGEANT, Louise, «Du réalisme à l'expressionnisme», p. 12.
[11] D'après Paul Lefebvre, plus d'une trentaine de textes des années 1980 mettent en scène un artiste ou créateur. Voir Vigeant, *Ibid.*, p. 12.

est possible d'en retenir quelques-uns particulièrement représentatifs de la décennie. *Syncope* (1983) de René Gingras présente un musicien qui crée sans jamais pouvoir achever ses pièces musicales, tout en étant méconnu et un peu méprisé par son entourage. Quant au texte *Les fantômes de Martin* (1987) de Gilbert Turp, il met en scène deux artistes: Martin, un jeune cinéaste refusant de se plier au «système» universitaire, et conséquemment réduit à la marginalité et Finster Abend, un artiste d'avant-garde suisse-allemand cynique et désabusé dont la carrière a décliné considérablement, mais qui réussit à influencer Martin dans son processus créateur. Dans ces deux exemples, comme dans plusieurs textes de la décennie, les personnages-créateurs se butent à l'incompréhension, voire à l'indifférence des autres. L'artiste demeure solitaire, incompris et il doit apprendre à vivre avec ses propres fantômes. La création artistique — essentielle — reste liée à une forme de douleur, mais elle demeure fondamentale pour exprimer la place de l'artiste dans la société.

S'il est important de considérer la représentation de la pratique artistique dans cette dramaturgie, il faut aussi noter que plusieurs auteurs ont évidemment privilégié le théâtre lui-même comme sujet de leur pièce. *Noir de monde* (1989) de Julie Vincent constitue un bel exemple de l'artiste face à la complexité de la création théâtrale. On y voit une comédienne seule en scène, aux prises avec ses multiples personnages (ses propres fantômes), qu'elle crée et confronte avec un souci constant d'élaborer un univers dramatique changeant et coloré[12]. Dans *Un oiseau vivant dans la gueule* (1987), Jeanne-Mance Delisle renoue avec l'univers dur et viril des régions nordiques, semblable à celui de son premier texte dramatique, *Un «reel» ben beau, ben triste* (1979-80). Mais elle inclut cette fois-ci dans sa pièce une mise en scène de la création théâtrale. Delisle utilise le procédé de mise en abyme (le théâtre dans le théâtre) pour présenter le drame que vit l'auteure, Hélène, un triangle amoureux peu traditionnel avec les deux jumeaux, Xavier et Adrien. Toutefois, la mise en abyme a, somme toute, peu à voir avec le théâtre; elle tient plus du rituel et de l'affrontement et elle permet plutôt de créer un nouvel univers mythique qui prend des allures de véritable conte théâtral.

Les territoires intimes

Dans une période dramaturgique où les questions sociales sont moins à l'honneur, les théâtres intimes (selon l'expression de Jean-Pierre Sarrazac) ou plus précisément les *territoires* intimes (d'après celle de Jean-Pierre Ryngaert) deviennent le lieu d'exploration par excellence pour les auteurs. L'homosexualité représente justement un de ces éléments qui ont fait couler beaucoup d'encre dans les années quatre-vingt. Bon nombre de

[12] On retrouve aussi chez Bernard Andrès ce goût pour le théâtre dans le théâtre (*Rien à voir*, créé en 1986, Montréal, XYZ, 1991, 114 p. et *La Doublure*, Montréal, Guérin littérature, 1988, 100 p.).

dramaturges ont abordé de multiples façons la question de l'homosexualité dans leurs pièces: Bouchard, Chaurette, Delisle, Dubois, Marchessault, Tremblay, Hervé Dupuis, Claude Poissant et Laurence Tardy, pour ne nommer que ceux-là. Certains l'ont parfois fait comme s'il s'agissait d'une nouvelle thématique sociale, tandis que d'autres ont privilégié la portée idéologique de la présence en scène de personnages homosexuels. En fait, on peut dire que l'homosexualité féminine et surtout masculine ont été largement exploitées dans la dramaturgie des quinze dernières années. Et c'est l'homosexualité masculine qui semble le plus avoir choqué ou, du moins, provoqué de virulentes réactions. Le point culminant de la polémique entourant la question de la forte «présence» de l'homosexualité au théâtre s'est produit alors que se jouait la pièce *Les feluettes ou la répétition d'un drame romantique* de Michel Marc Bouchard, mise en scène par André Brassard à l'automne 1987[13].

Si certains ont pu voir dans le théâtre homosexuel (comme dans l'ensemble de la dramaturgie traditionnelle), une évacuation possible des femmes, plusieurs d'entre elles ont répliqué en créant depuis le milieu des années 1970 des spectacles mettant en scène des femmes et des préoccupations féministes. Dans les années quatre-vingt, autour du Théâtre Expérimental des Femmes et de Pol Pelletier, les créations collectives ont cédé le pas aux textes d'auteures, dont ceux de Lise Vaillancourt (*Marie-Antoine, opus I*, 1988 et *Billy Strauss*, 1990), de Jovette Marchessault et de Pol Pelletier (*La lumière blanche*, 1989 et *Joie*, 1995). Ce dernier texte de Pelletier est unique en son genre, tant par sa forme que par son contenu (qui tient à la fois du documentaire et des souvenirs personnels). Premier volet d'une trilogie, *Joie* se lit comme une nouvelle forme d'autobiographie qui s'inscrit dans l'histoire du théâtre féministe au Québec, principalement entre les années 1975-1985. Par ailleurs, bien que d'autres dramaturges n'aient pas pris fait et cause pour le féminisme, elles ont toutefois créé des textes laissant une place plus grande aux femmes et surtout, leur ont donné ouvertement la parole. C'est le cas notamment de Maryse Pelletier (*À qui le p'tit cœur après neuf heures et demie?*, 1984; *Du poil au pattes comme les CWAC's*, 1983) et d'une grande partie de l'œuvre de Marie Laberge.

Remise en question du réalisme

Les années soixante et soixante-dix nous avaient habitués à une dramaturgie davantage marquée par le réalisme et le naturalisme, alors que plusieurs des œuvres importantes des années quatre-vingt proposent une véritable remise en question du vraisemblable, de la réalité et du

[13] À l'automne 1987, une véritable polémique a éclaté dans les journaux et s'est poursuivie à la radio concernant la place et la représentation des homosexuels au théâtre, d'une part et l'évacuation des femmes, d'autre part. Au sujet de la polémique et de toute la question de l'homosexualité dans le théâtre des années 1980, voir la revue *Jeu*, n° 54, 1990, 206 p.

réalisme[14]. Comme l'écrivait si justement Paul Lefebvre en 1983, à propos de *La passion de Juliette* de Michelle Allen: «Le texte est dépourvu de ces effets de réel qui ont beaucoup marqué la littérature dramatique québécoise depuis quinze ans [...]»[15]. Le texte de Allen n'est évidemment pas le seul dans cette catégorie. Il s'avère même plutôt représentatif d'un ensemble dramaturgique, car tous les textes de Chaurette, la plupart de ceux de Dubois et plusieurs œuvres récentes de Marchessault, de Tremblay ou de Garneau en font aussi partie. Pourtant, une pièce comme *La passion de Juliette* se distingue de bien d'autres textes «non réalistes» de la décennie par son inscription dans la lignée de *Vie et mort du Roi Boiteux* (texte et spectacle majeurs de la dramaturgie québécoise) de Jean-Pierre Ronfard: chez Allen comme chez Ronfard, les signes de «réalisme» disséminés çà et là dans le texte sont aussitôt subvertis ou parodiés. Dans un autre registre, *Le syndrome de Cézanne* (1988) de Normand Canac-Marquis participe aussi de cette remise en question du réalisme en proposant cette fois différentes perceptions d'un drame que le personnage principal revit inlassablement. La pièce présente une fable fragmentée qui offre de multiples points de vue au lecteur, repoussant ainsi toute possibilité de saisir pleinement ce qu'est le signe de la «réalité».

Dans cet ordre d'idées, d'autres auteurs ont toutefois continué à privilégier une dramaturgie plus naturaliste; leur force réside surtout dans l'étude psychologique des personnages et des drames que ces derniers doivent affronter. L'œuvre dramatique de Marie Laberge se situe justement du côté du réalisme et ses textes proposent des situations dramatiques dans lesquelles priment les tensions psychologiques. À cet égard, *L'homme gris* (1986) et *Oublier* (1987) offrent des exemples de ce qui fait le succès de Marie Laberge: créer des situations dramatiques autour d'intrigues psychologiques et les exploiter jusqu'aux limites du tolérable. La dernière réplique d'*Oublier*, qui met en scène quatre sœurs aux prises avec une querelle familiale autour de la mort imminente de leur mère, donne vraiment le ton à cet univers étouffant caractéristique des personnages de Marie Laberge:

> JOHANNE
> Ostinez-vous pas trop à respirer. Ici, ça sert à rien. On étouffe.[16]

Les situations angoissantes ne présentent pas toujours de dénouements heureux chez Marie Laberge. Ses drames portent habituellement sur des sujets graves (inceste, maladie, suicide, viol), dont le traitement et le pathos permettent de toucher plus aisément un large public.

[14] Il est vrai que la notion de réalisme est parfois plus commode à utiliser qu'elle n'est juste face à ce qu'elle désigne. Ici, elle signifie un ensemble de textes qui essaient de refléter ou de représenter le plus fidèlement possible une société ou un monde particuliers et qui s'inscrivent de façon prépondérante dans une forme dramatique traditionnelle.

[15] LEFEBVRE, Paul, «Introduction à la colombophilie théâtrale», dans Michelle Allen, *La passion de Juliette*, Montréal, Leméac, 1983, p. XIII.

[16] LABERGE, Marie, *Oublier*, Montréal, VLB, 1987, p. 137.

Un nouveau regard

Depuis le début des années 1980, les pièces de certains auteurs dits néo-québécois[17] ont suscité une réflexion importante sur la place de l'«autre», de l'immigrant, dans la société québécoise. Pensons seulement aux *Filles du 5-10-15¢* (1986-1993) d'Abla Farhoud, à *La fresque de Mussolini* (1985-1992) de Filippo Salvatore, au *Cerf-volant* (1994) de Pan Bouyoucas et à la *Trilogia* de Marco Micone: *Gens du silence* (1982), *Addolorata* (1984), ainsi que *Déjà l'agonie* (1988). En ce sens, c'est ce dernier qui a véritablement réussi, parallèlement à Chaurette et Dubois, la plus remarquable percée dans le milieu dramaturgique québécois. Micone a décidé de s'attaquer au délicat problème de l'immigration et de l'intégration des immigrants dans la société québécoise, sujet que peu de dramaturges avaient osé aborder auparavant. Ce faisant, il a insufflé un réel désir de prise de parole dans les diverses communautés immigrantes du Québec. La première pièce de Micone, *Gens du silence*, présente une famille italo-montréalaise aux prises avec certaines difficultés d'adaptation dans son pays d'adoption, ainsi qu'avec une implicite et vicieuse «loi du silence». Si Micone n'est pas le seul dramaturge à vouloir refléter les drames de l'immigration et de l'intégration, il a, plus que tout autre et très directement, pris position sur ces questions. C'est précisément dans *Gens du silence* que l'entreprise dramaturgique de l'auteur se voit le plus teintée d'un projet et même d'un parti pris idéologique. Ce «message» est véhiculé par un des principaux personnages de la pièce, Nancy, fille d'un immigrant italien qui, contrairement à son frère, a reçu son éducation en français.

> NANCY, *à son ami Gino*
> Tu écriras ce que tu voudras, mais c'est seulement si tu écris en français que notre culture aura une chance de s'affirmer et de devenir une partie de la leur. C'est le temps ou jamais. (*Gens du silence*, p. 96.)

Dans la pièce, cette prise de parole s'avère indispensable pour briser le silence qui étouffe les jeunes italo-montréalais. De plus, Nancy précise à ce sujet que le principal problème des jeunes immigrants demeure ce silence paralysant:

> NANCY
> Silence sur l'origine paysanne de leurs parents. Silence sur les causes de l'émigration de leurs parents. Silence sur la manipulation dont ils sont victimes. Silence sur le pays dans lequel ils vivent. Silence sur les raisons de ce silence. (*Gens du silence*, p. 94)

Malgré le contexte ethno-linguistique très spécifique dans lequel se déroule la pièce de Micone, cette réplique concerne sans doute une bonne partie de la population immigrante du Québec. Tous les gens du silence

[17] Depuis 1989, le Théâtre d'Aujourd'hui possède un programme spécial d'«activités interculturelles» pour les dramaturges néo-québécois. Pour plus de détails sur les auteurs et concepteurs de théâtre néo-québécois, voir la revue *Jeu*, n° 72, 1994, p. 5-101.

devraient pouvoir prendre la parole. D'ailleurs, même si Micone peint des familles italo-québécoises dans ses pièces, il fait de nombreuses références aux autres immigrants (portugais, haïtiens) et aux difficultés auxquelles ils sont confrontés. Si les textes de Micone misent davantage sur le contenu social que sur l'innovation esthétique, il n'en demeure pas moins qu'ils reflètent bien des préoccupations spécifiques des années 1980 au Québec.

Quelques stratégies discursives dominantes

La fragmentation et l'hybridation du personnage dramatique constituent un aspect important de l'écriture des années quatre-vingt. Pourtant, il ne s'agit pas vraiment d'une «innovation» récente, car dans le théâtre contemporain qualifié parfois d'avant-gardiste ou de moderne (d'abord avec Pirandello, puis avec Beckett et Ionesco), le personnage a perdu ses caractéristiques traditionnelles. Malgré tout, comme le précise Patrice Pavis, «[l]e personnage n'est pas mort; il est simplement devenu polymorphe et difficilement saisissable. C'était là sa seule chance de survie.[18]» Pour un bon nombre de dramaturges contemporains, il ne s'agit plus de créer des personnages bien définis et solidement ancrés dans le réel, avec une psychologie très développée, mais plutôt de retravailler les aspects artificiels d'un personnage de théâtre ou d'explorer les différentes possibilités qu'offre un jeu avec les identités et leurs simulacres. Remettre en question le naturalisme passe obligatoirement par une interrogation sur le statut du personnage. Voilà pourquoi les personnages de Chaurette ou de Dubois, par exemple, sont multiples ou leur identité échappe à toute tentative de définition univoque.

La narrativisation du discours dramatique (c'est-à-dire l'ajout de formes narratives à l'intérieur du texte théâtral) peut aussi devenir une stratégie fort habile afin de déjouer les pièges de la dramaturgie conventionnelle. Il est vrai que dans une tradition plus littéraire de la dramaturgie (dont est tributaire l'ensemble de la dramaturgie française depuis le XVIIe siècle), le recours aux techniques narratives, notamment l'emploi d'un narrateur, est un procédé fort répandu. Cependant, loin de reprendre la technique du narrateur témoin (dans le «Prologue» ou l'«Épilogue» d'une histoire particulière), plusieurs dramaturges contemporains interrompent carrément leur fable dramatique par des passages narratifs. Ceux-ci rompent alors la linéarité ou encore proposent un éclairage nouveau sur le texte ou sur les personnages. Dans cet ordre d'idées, Louise Vigeant se demande si

> le théâtre est en voie de «romanisation» ou inversement, [si] le roman actuel est particulièrement théâtral [...] Aujourd'hui, ajoute-t-elle, il serait encore profitable de chercher à mesurer les interférences de ces deux modes, dans une sorte d'exercice de transdiscursivité; d'autant plus que bien des écrivains contemporains ont produit des textes appartenant aux

[18] PAVIS, Patrice, *Dictionnaire du théâtre*, Paris, Messidor/Éditions sociales, 1987, p. 83.

> deux genres: chez nous, Michel Tremblay et, plus récemment, Marie Laberge et Normand Chaurette [...][19].

S'il peut devenir hasardeux de fusionner le discours dramatique et le discours narratif dans une pièce de théâtre, certains dramaturges ont prouvé que l'exercice, loin d'être futile, permet parfois d'apporter une profondeur nouvelle à la dramaturgie.

Cette narrativisation du langage dramatique s'effectue souvent sous forme de monologues ou de faux dialogues. Ainsi, «l'échange et la réversibilité de la communication[20]» — que Pavis considère comme le critère fondamental du dialogue — n'existe plus dans un grand nombre de textes dramatiques contemporains. Ce désir des dramaturges de remettre en question l'essence même du dialogue va de pair avec le rejet de la notion traditionnelle de personnage. Selon Michel Corvin, le dialogue «éclate définitivement quand ses éléments constitutifs, les répliques, ne sont plus attribués en propre à des personnages individualisés [...][21]», comme c'est fréquemment le cas dans les textes de René-Daniel Dubois. Pour les dramaturges, choisir le monologue plutôt que le dialogue constitue une façon de contester la dialectique conventionnelle du théâtre. Si «le dialogue demeure une stratégie discursive[22]» pour de nombreux auteurs contemporains, plusieurs d'entre eux renversent ses fonctions premières: échanger, argumenter ou convaincre. Ces mêmes dramaturges préfèrent montrer de quelle façon ces divers procédés rhétoriques peuvent conduire le texte dramatique dans une impasse.

La convention régissant le rôle dévolu aux dialogues et aux didascalies a aussi été fortement ébranlée depuis une quinzaine d'années. Rappelons que traditionnellement, le texte dramatique présente deux parties bien distinctes: les dialogues des personnages et les didascalies (naguère appelées indications scéniques). La dramaturgie contemporaine (surtout dans les textes postmodernes) a tenté de franchir les barrières entre les deux. En conséquence, les didascalies ont parfois perdu leur simple statut (autrefois principal) d'informations de régie à l'intention du metteur en scène. N'ayant justement plus pour objet de favoriser le passage du texte à la scène, les didascalies sont devenues chez certains auteurs tout un nouveau lieu d'expression et d'expérimentation. Un exemple — assez inusité, il est vrai — de la nouvelle utilisation des didascalies se trouve dans la pièce *Les guerriers* de Michel Garneau, où l'auteur a choisi de versifier ses didascalies. Les didascalies s'y lisent comme une série de petits poèmes qui évoquent de façon aléatoire les indications scéniques plutôt que de vraiment proposer une direction à suivre. Dans *Les guerriers*, les didascalies

---

[19] VIGEANT, Louise, «Le théâtre avec ou sans drame», *Jeu*, n° 53 (décembre 1989), p. 27-28.
[20] PAVIS, Patrice, *Dictionnaire du théâtre*, p. 118.
[21] CORVIN, Michel, «Dialogue et monologue», dans Michel Corvin (éd.), *Dictionnaire encyclopédique du théâtre*, Paris, Bordas, 1991, p. 255.
[22] *Ibid.*, p. 256.

jouent un rôle supplémentaire, puisqu'en procédant ainsi, nous dit Lucie Robert, «[l]a réflexion de Michel Garneau, poète par ailleurs, oppose donc la poésie et le slogan publicitaire, la poésie et la guerre.[23]»

Parmi les stratégies les plus employées, tant dans le discours scénique que dramaturgique des années 1980, la mise en abyme constitue sans doute l'exemple le plus éloquent. Dans l'histoire de la dramaturgie, *Hamlet* de Shakespeare et *L'illusion comique* de Corneille représentent deux exemples de prédilection quant à l'utilisation de la mise en abyme en tant que stratégie textuelle. Il s'agit, pour paraphraser Patrice Pavis[24], d'introduire dans la pièce une autre pièce de théâtre qui en reprend le thème sous forme de commentaire ou de parodie. L'intérêt de ce procédé chez les auteurs des années quatre-vingt réside précisément dans ce souci d'exhiber l'écriture même du texte à lire (ou à voir), comme c'est le cas notamment dans *Provincetown Playhouse, juillet 1919, j'avais 19 ans* de Chaurette, dans 26*bis*, *Impasse du Colonel Foisy* de Dubois et plus récemment dans des textes de Bernard Andrès, de Jean-François Caron, de Dominic Champagne, de Jeanne-Mance Delisle et de Jean-Frédéric Messier.

Au terme de ces remarques, notons que les deux événements déterminants qui ont donné un envol à cette décennie s'avèrent, d'une part, l'arrivée de Chaurette et de Dubois dans le paysage dramaturgique et, d'autre part, la présentation et la publication de *Vie et mort du Roi boiteux* de Jean-Pierre Ronfard. L'influence de ce dernier sur la dramaturgie de Dubois et aussi, dans une certaine mesure, sur celle de Allen ou sur d'autres textes de Garneau reste considérable. Bien qu'elle soit difficile à évaluer de façon précise, la marque de Ronfard est manifeste, car après *Vie et mort du Roi boiteux*, la dramaturgie québécoise a fait un bond définitif vers une autre étape de son histoire. Si Dubois a vraisemblablement été influencé par Ronfard, il en va autrement de Chaurette où se lit davantage l'empreinte d'auteurs comme Claude Gauvreau et Hubert Aquin.

Quoique que nous n'ayons pas restreint notre propos aux seules années quatre-vingt, nous avons dû, un peu malgré nous, négliger les auteurs de la première moitié des années quatre-vingt-dix. S'il a été très peu (ou pas du tout) question de dramaturges «des années 1990», il nous paraissait utile de leur consacrer, en guise d'ouverture, l'essentiel de cette conclusion. Certains de ces dramaturges (Jean-François Caron, Dominic Champagne, Daniel Danis ou Larry Tremblay) ont déjà laissé leurs marques dans le paysage dramatique récent. D'autres, Jean-Frédéric Messier, avec *Le dernier délire permis* (1991) — une variation postmoderne sur le *Dom Juan* de Molière, dans laquelle les identités sexuelles ne semblent plus du tout immuables — et Daniel Danis, avec *Cendres de cailloux* (1991) et *Celle-là*, (1993), par exemple, nous ont aussi laissé des textes

[23] ROBERT, Lucie, «Le statut littéraire de la dramaturgie», dans MILOT, Louise et Fernand Roy, *La littérarité*, Sainte-Foy, Presses de l'Université Laval, 1991, p. 129.
[24] PAVIS, Patrice, *Dictionnaire du théâtre*, p. 243.

forts, voire percutants. D'après Marie-Christine Lesage, c'est «la mémoire [qui] forme la charpente de la dramaturgie de Daniel Danis[25].» Si, d'ajouter Lesage, «il n'y a pas à proprement parler de dialogues directs entre les personnages, mais un agencement des mondes intimes qui se révèlent en alternance[26]», cela permet à l'auteur «de rendre dicible l'indicible[27].»

Par ailleurs, si le théâtre du social n'est pas revenu en force depuis le début de la présente décennie, plusieurs jeunes dramaturges ont récemment écrit des textes qui proposent un retour plus marqué des questions politiques et notamment quelques relectures (originales, dramatiques ou fantaisistes) de la Crise d'Octobre ou d'autres manifestations reliées à la sempiternelle question nationale. Le premier auteur qui a proposé de jeter un nouveau regard (entre autres) sur la question nationale est Jean-François Caron, avec une pièce au titre à la fois prophétique, polémique et polysémique: *J'écrirai bientôt une pièce sur les nègres* (1990). Deux ans plus tard, tout en gardant leur distance face à l'Histoire, Dominic Champagne, avec *La Cité interdite*, et Anne Legault, avec *Conte d'hiver 70*, ont tous deux réexaminé certains événements entourant la Crise d'octobre. Dans les textes de Champagne et de Legault, ce sont les interrogations personnelles et toute la responsabilité des gestes révolutionnaires qui sont sondés.

À l'automne 1992, Champagne et Caron, en compagnie de Jean-Frédéric Messier et Pascale Rafie ont offert un spectacle fort prisé intitulé *Cabaret neiges noires* (publié en 1994), que l'on a comparé — à tort ou à raison — à un *Osstid'cho* des années 1990. *Cabaret neiges noires* est un spectacle théâtral qui emprunte, comme son nom l'indique, à l'esthétique du cabaret: il amalgame très librement le théâtre, la danse, la musique et la chanson dans un esprit ludique, ironique ou satirique, tout en sollicitant plus activement la participation des spectateurs. Pour toutes ces raisons, la lecture du texte ne réussit pas à créer l'effet percutant du spectacle (les auteurs l'expliquent à juste titre dans leur préface). *Cabaret neiges noires* se montre aussi irrévérencieux envers l'Histoire, tire sur tout ce qui bouge et propose une relecture du Manifeste du Front de Libération du Québec de façon iconoclaste mais aussi extrêmement critique:

> JEANJEAN
> «Manifeste du Front de Libération du Québec»
> Sacrament!
> Déjà
> Juste le nom
> Hein?
> Juste le nom:
> «Manifeste!»
> Premièrement:

[25] LESAGE, Marie-Christine, «Archipels de mémoire», *Jeu*, nº 78 (mars 1996), p. 79.
[26] *Ibid.*, p. 88.
[27] *Ibid.*, p. 88.

Tabarnak que c'est prétentieux
Deuxièmement:
Y a pus personne qui écrit ça, des manifestes
C'est niaiseux [...]. (*Cabaret neiges noires*, p. 99)

Cette lecture commentée du Manifeste du FLQ par JeanJean, personnage marginal du spectacle, montre bien que l'avant-garde révolutionnaire survit mal à notre époque postmoderne.

Enfin, dans un tout autre registre — celui du théâtre intime —, Larry Tremblay a offert, avec *The Dragonfly of Chicoutimi* (1995), une des œuvres les plus originales des dernières années. Écrit en anglais, ou encore «en français avec des mots anglais», comme l'annonce Paul Lefebvre dans sa postface, le texte de Larry Tremblay occupe une place à part dans la dramaturgie québécoise de la présente décennie. Tout comme il l'avait fait avec *Le déclic du destin* (1989) et *Leçon d'anatomie* (1992), Tremblay crée un texte pour un seul personnage, cette fois-ci aux prises avec la perte de sa langue maternelle. Pour Jean Cléo Godin, qui s'interroge sur le rapport complexe du français et de l'anglais dans ce texte, «s'il est vrai que *The Dragonfly of Chicoutimi* fait figure de "précurseur", c'est en poussant plus loin l'expérience et en créant une langue nouvelle dont la désignation même resterait à découvrir[28]»

*****

Nous n'entendons pas pour finir laisser présager ce que pourrait être la dramaturgie québécoise de demain. Pourtant, avec le léger recul que nous possédons aujourd'hui, nous avons déjà pu observer les quelques dramaturges qui pourraient se distinguer dans les années 1990. Il ne nous reste plus, pour ponctuer ce panorama de la dramaturgie depuis 1980, qu'à proposer cinq portraits d'auteurs qui, pour nous comme pour la critique, constituent les principales figures de la dramaturgie québécoise récente: Michel Marc Bouchard, Normand Chaurette, René-Daniel Dubois, Jovette Marchessault et Jean-Pierre Ronfard.

*****

B) CINQ FIGURES DE LA DRAMATURGIE DES ANNÉES QUATRE-VINGT

Michel Marc BOUCHARD

Si Michel Marc Bouchard s'est lancé très jeune dans l'écriture dramatique, c'est à l'automne 1987 que sa carrière a réellement connu une envolée fulgurante. En effet, sa pièce *Les feluettes ou La répétition d'un drame romantique*, présentée pour la première fois à Montréal en septembre 1987, a permis à Bouchard d'acquérir une importante notoriété en tant que dramaturge. Écrivant pour le théâtre

[28] GODIN, Jean Cléo, «Qu'est-ce qu'un *Dragonfly*?», *Jeu*, nº 78 (mars 1996), p. 95.

depuis l'adolescence, Bouchard a pratiqué à peu près tous les genres dans ce domaine. Auteur d'un conte d'enfants pour adultes (*L'histoire de l'oie*, 1991), d'une comédie-musicale pour adolescents (*Rock pour un Faux-Bourdon*, 1987), de comédies pour le théâtre d'été (dont *L'amour à l'agenda*, 1986 et *Les grandes chaleurs*, 1993), d'un drame portant sur l'inceste (*La poupée de Pélopia*, 1985) et surtout de sa fameuse «trilogie familiale» des Tanguay (*La contre-nature de Chrysippe Tanguay, écologiste*, 1984; *Les muses orphelines*, 1989 et *Soirée bénéfice pour tous ceux qui ne seront pas là en l'an 2000*, pièce toujours inédite), Bouchard a bâti une œuvre dramatique riche, diversifiée et déjà fort prolifique. Sa dernière création (*Le voyage du couronnement*) a été présentée au Théâtre du Nouveau Monde à l'automne 1995 et publiée la même année. Si toutes les pièces (plus d'une vingtaine) de Bouchard ont été jouées, seulement huit d'entre elles ont jusqu'à maintenant été publiées.

En exploitant certains thèmes chers aux dramaturges des années quatre-vingt (l'homosexualité, l'éclatement de la famille, l'exploration des territoires intimes), en utilisant des stratégies discursives comme la mise en abyme et les commentaires métathéâtraux, l'écriture de Bouchard côtoie bien celle de Chaurette et de Dubois. Pourtant, parmi les dramaturges marquants des années quatre-vingt, Bouchard est probablement celui qui renoue le mieux avec la tradition du «nouveau théâtre» des années soixante et de la dramaturgie de Michel Tremblay. Ainsi, selon Dominique Lafon, «[d]e tous les jeunes auteurs, Michel Marc Bouchard peut être perçu, à bien des points de vue, comme l'héritier le plus direct de Michel Tremblay avec lequel il partage une certaine prédilection pour la scène familiale [...].[29]» Il faut dire que Bouchard s'intéresse aux petites histoires du passé et il semble affectionner plus particulièrement les années cinquante, comme c'est le cas dans *L'histoire de l'oie*, *Les feluettes* et *Le voyage du couronnement* (1995).

L'univers dramatique de Bouchard est peuplé de nombreux personnages et de nombreuses références mythiques: Chrysippe, Morphée et Pélopia, pour ne nommer que ceux-là. Les mythes grecs, dont certains sont peu connus aujourd'hui, celui de Chrysippe, par exemple, occupent le premier rang des influences mythologiques de la dramaturgie de Bouchard. À l'instar des personnages de la mythologie grecque, les personnages principaux des pièces de Bouchard connaissent très souvent un sort tragique. Ils se retrouvent au cœur d'une crise personnelle ou identitaire, ou encore, comme c'est souvent le cas dans les mythes grecs, aux prises avec un conflit familial initial qu'ils ne pourront pas résoudre.

Par ailleurs, *Les feluettes* est probablement le texte de Bouchard qui réfléchit le plus au phénomène théâtral lui-même. Il est vrai que dès *La contre-nature de Chrysippe Tanguay, écologiste*, Bouchard avait amorcé

[29] LAFON, Dominique, «Michel Marc Bouchard, du terroir à la scène primitive», *Théâtre/Public. Québec*, nº 117 (mai-juin 1994), p. 49.

un questionnement sur le théâtre, notamment en mettant l'accent sur le jeu des protagonistes, ainsi que sur les nombreux changements de rôles. Dans *Les feluettes*, le théâtre est au cœur du drame de Simon et de Vallier (surnommé «le Feluette»), les deux jeunes amoureux qui tentent de vivre leur amour impossible. C'est en répétant *Le martyre de saint Sébastien* de l'écrivain italien anticonformiste Gabriele D'Annunzio — Simon jouant le rôle de saint Sébastien et Vallier, Sanaé, l'ami du saint — que les deux personnages se sont avoué leur amour. Puis, afin de reconstituer la «vérité» du drame qui s'est déroulé quarante ans plus tôt, Simon, devenu «le vieux Simon» créera une pièce de théâtre avec des amis prisonniers. En ayant recours à deux mises en abyme, le texte de Bouchard oblige le lecteur à s'interroger sur le théâtre et sur le rôle qu'il joue dans la construction même d'une œuvre théâtrale. Mais encore plus que le théâtre lui-même, c'est toute la création et toute la responsabilité des gestes créateurs qui sont mis de l'avant dans *Les feluettes*.

Une des particularités intéressantes des textes de Michel Marc Bouchard, c'est qu'ils sont rarement définitifs. L'auteur crée régulièrement plusieurs versions d'un même texte, même après sa publication. En ce sens, *Les muses orphelines* (la pièce a d'abord été créée en 1988, puis publiée en 1989) constitue un bon exemple de la pratique d'écriture bouchardienne, car à la reprise de la pièce à l'automne 1994, le texte a connu d'importantes coupures. Comme le précise Dominique Lafon, «[c]e remaniement n'affectait pas la fable dont les données étaient rigoureusement identiques.[30]» Cependant, là où la deuxième version diffère de la première, c'est dans l'importance moins considérable accordée au rôle du créateur (incarné par le personnage de Luc, le romancier raté). Dans la version publiée, Bouchard insiste davantage sur la création d'un univers fictionnel, alors que dans la version scénique de 1994, le «remaniement porte [justement] sur l'activité créatrice de Luc qui constituait, dans le texte originel, la mise en abyme de la figure du dramaturge.[31]»

L'homosexualité occupe aussi une place déterminante dans plusieurs textes de Bouchard. En parlant des *Feluettes* et de quelques autres pièces de la décennie, Robert Wallace affirme que «l'homosexualité n'est pas seulement au service d'un motif central, soit comme une situation qui vient en compliquer une autre [...], soit comme une métaphore d'autre chose [...]; elle est la force déterminante de la pièce.[32]» Dans *La contre-nature de Chrysippe Tanguay*, on assiste à une véritable valorisation du couple homosexuel masculin. Puis, dans *Les feluettes*, l'amour des deux jeunes hommes est porté à son apogée. En plus de puiser dans la

[30] LAFON, Dominique, «La relecture d'une pièce: mouture textuelle et meule scénique», *Jeu*, nº 74 (mars 1995), p. 81.
[31] *Ibid.*, p. 83.
[32] WALLACE, Robert, «Homo création: pour une poétique du théâtre gai», *Jeu*, nº 54 (mars 1990), p. 32.

tragédie grecque ou dans les différents mythes pour évoquer l'amour homosexuel, l'écriture de Bouchard fraye avec le mélodrame, avec cette idée de «mourir par amour», de se sacrifier pour l'autre. Pourtant, nous pouvons voir dans le recours au mélodrame un moyen d'appropriation de la culture dominante et une tentative de renversement des codes artistiques, sociaux et moraux déjà établis.

Normand CHAURETTE

Après une quinzaine d'années, l'œuvre dramatique de Normand Chaurette semble vouloir progressivement s'imposer sur les diverses scènes où elle a été présentée (au Québec, au Canada et en France). Pourtant, depuis 1980, année de la création au théâtre de Quat' Sous à Montréal et de la publication de *Rêve d'une nuit d'hôpital*, les textes de Chaurette ont trouvé assez difficilement une cohésion scénique lors de leurs représentations. Si (presque tous) les critiques de la dramaturgie au Québec ont souligné les échecs souvent répétés des représentations des pièces de Chaurette, nombre d'entre eux ont affirmé que la qualité de la dramaturgie de Chaurette était tout à fait exceptionnelle[33]. D'après Jean Cléo Godin, au cours des années 1980, les pièces de Chaurette,

> lorsqu'elles sont produites, semblent avoir moins de succès et d'impact [que celles de Dubois, par exemple]. Alors, c'est inévitablement la faute du metteur en scène: «Chaurette n'a pas encore trouvé son metteur en scène» revient donc comme un leitmotiv. L'autre leitmotiv: son théâtre est un pur chef-d'œuvre; mais comment peut-on jouer ça?[34]

C'est probablement la raison pour laquelle plusieurs metteurs en scène ont échoué dans leur tentative de transformer en spectacles les textes très littéraires de Chaurette. Ses textes sont construits de façon fort habile, avec une théâtralité parfois minimale, parfois trop foisonnante; ils représentent de véritables défis à quiconque tente de les mettre en scène. Cette situation paradoxale a donné lieu a une expression assez évocatrice de Robert Lévesque, qui faisait de Chaurette un Tremblay sans Brassard!

Comme c'est le cas chez plusieurs dramaturges de la décennie, l'œuvre de Chaurette s'attarde beaucoup aux territoires de l'intime et intègre à l'occasion une thématique homosexuelle. Toutefois, contrairement à certains drames de Michel Marc Bouchard, la thématique homosexuelle n'est pas «fondamentale» dans les pièces de Chaurette. C'est une œuvre qui scrute les fondements de l'âme humaine où prime la littérarité du texte. En fait, la question de l'homosexualité est traitée de façon explicite uniquement dans *Provincetown Playhouse, juillet 1919, j'avais 19 ans* (1981), mais elle semble avoir marqué l'ensemble de l'œuvre de Chaurette.

---

[33] Dans un dossier préparé par Gilbert David pour la revue *Jeu*, n° 47 (1988), p. 102-150 et intitulé «Sur le répertoire national. Quelles pièces rejouer d'ici l'an 2000?», *Provincetown Playhouse [...]* de Chaurette est le texte qui a été choisi par le plus grand nombre de critiques, soit 7 sur 10.

[34] GODIN, Jean Cléo, «Chaurette, critique et création», *La Licorne. Littérature de langue française en Amérique du Nord* (1994), p. 187.

Il faut dire que cette idée du sacrifice de la beauté, thème central dans *Provincetown Playhouse [...]*, a connu divers avatars, notamment dans *Being at home with Claude* de Dubois et *Les feluettes* de Bouchard.

Après *Rêve d'une nuit d'hôpital* et *Provincetown Playhouse [...]*, Chaurette a écrit et publié successivement: *Fêtes d'automne* (1982), *La société de Métis* (1983), *Fragments d'une lettre d'adieu lus par des géologues* (1986), *Les Reines* (1991), *Je vous écris du Caire* (1993-1996) et *Le passage de l'Indiana* (Prix du Gouverneur général, 1996). L'ensemble de l'œuvre de Chaurette s'inscrit d'emblée dans une problématique postmoderne dont les enjeux philosophiques et esthétiques sont maintenant bien connus: critique de la vérité logocentrique, remise en question de la tradition littéraire, méfiance face à la notion de réalité, distance par rapport à la littérature moderne, introduction d'une nouvelle subjectivité et questionnement sur la place de l'individu dans les sociétés postmodernes et postindustrielles.

Provincetown Playhouse [...] est la pièce la plus connue et la plus étudiée du répertoire de Chaurette. Elle raconte l'histoire de Charles Charles, un personnage dans une clinique psychiatrique de Chicago en 1938 qui rejoue sans interruption depuis 19 ans, le drame qu'il a alors connu. À cette époque, Charles Charles et ses deux compagnons, Winslow Byron (son amant) et Alvan Jensen, tous trois âgés de 19 ans, ont présenté à Provincetown la pièce de Charles Charles intitulée le «Théâtre de l'immolation de la beauté». Elle devait être jouée une seule fois, le 19 juillet 1919, jour de l'anniversaire de Charles Charles. Le spectacle tourne à l'horreur lorsqu'ils s'aperçoivent qu'un enfant réel a été tué à la place d'une victime purement symbolique (nommée Astyanax[35]) enfouie dans un sac. Ne pouvant pas élucider l'affaire complètement, la justice condamne néanmoins Jensen et Byron à la pendaison, tandis que Charles Charles se déclare fou, évitant ainsi de faire face à l'appareil judiciaire. Or il avoue à la fin de la pièce qu'il a lui-même placé l'enfant dans le sac, créant ainsi un sacrifice «total». La pièce se termine avec un personnage face à son désarroi, condamné soit à la folie, soit à la solitude.

Dans cette pièce, l'esthétique du fragment se manifeste par des arrêts constants dans le récit, destinés à intégrer un nouveau point de vue à l'histoire racontée par Charles Charles 38. La fragmentation prend aussi la forme d'une mise en abyme ou convoque d'autres procédés autotextuels, ainsi que d'une série de très courts textes narratifs intercalés entre le quatrième et le douzième tableau appelés les «Mémoires» de Charles Charles. Dans une perspective postmoderne, le

[35] Il s'agit d'une référence complexe, puisqu'elle provient de trois textes canoniques: *l'Iliade* d'Homère, *Les Troyennes* d'Euripide et *Andromaque* de Racine. D'ailleurs, l'auteur, soupçonné d'avoir écrit une pièce tendancieuse, justifie son choix en ayant recours à la grande tradition de la tragédie: «Relisez vos classiques» (p. 46), répliquera-t-il à la question du juge.

fragment apparaît donc comme une stratégie textuelle idéale pour contester toute vision du monde homogène et totalisante, en laissant au lecteur une multitude de points de vue. La fragmentation du texte touche à la fois à la structure dramatique, aux personnages ou à la conception spatio-temporelle de l'univers de la fiction représentée.

Comme le remarque Gilles Chagnon dans «La scène cautérisée», texte d'introduction à *Provincetown Playhouse [...]*, «c'est dans un présent insituable que se déroule *Provincetown Playhouse*» (p. 11), un présent qui oscille entre trois instants de la pièce: le 19 juillet 1919, le 19 juillet 1938 et un troisième 19 juillet dont l'année demeure hypothétique (celui des «Mémoires» de Charles Charles), sans qu'il soit possible de définir la spécificité de chacun des moments. Ces paradigmes temporels d'abord bien définis, Chaurette va les transgresser en faisant fi de leur particularité et de leur unicité. Après avoir installé les deux principaux temps de façon distincte, la fin du deuxième tableau se termine par une note incertaine qui oriente tout le reste de la pièce:

> Charles Charles 38 et Charles Charles 19 disent simultanément:
>
> CHARLES CHARLES 19
> La scène se passe au Provincetown Playhouse, le 19 juillet 1919, un soir de pleine lune, j'ai 19 ans.
>
> CHARLES CHARLES 38
> La scène se passe dans une clinique de Chicago, le 19 juillet 1938, soit 19 ans plus tard. (p. 28)

Fragments d'une lettre d'adieu lus par des géologues est sûrement le texte le moins strictement «théâtral» de Chaurette. Tous les éléments mis en place dans la pièce vont à l'encontre d'une théâtralité évidente, ramenant ainsi le texte parfois plus près d'une œuvre narrative que dramatique. La partie centrale de la pièce est constituée de dialogues, mais le commencement et la fin sont formés de longs monologues (souvent très poétiques) dont plusieurs contiennent des descriptions scientifiques et techniques d'une grande complexité, malgré l'apparente inexactitude de certaines d'entre elles. Les premières didascalies annoncent clairement le caractère narratif du texte:

> Sur la table, des papiers, des crayons, des loupes, des verres d'eau. Mais surtout des rapports. Une quantité de rapports. Des tonnes de rapports. Les géologues ont cela à portée de la main: des documents, des choses écrites. Des preuves. Ils vont lire[36].

Encore une fois, la pièce de Chaurette place donc la lecture au cœur même de l'acte théâtral et il repousse du même coup les limites de la théâtralité. Pourtant, *Fragments [...]* est (paradoxalement?) un des textes de Chaurette les plus joués, tant au Québec qu'à l'étranger.

[36] CHAURETTE, Normand, *Fragments d'une lettre d'adieu lus par des géologues*, Montréal, Leméac, 1986, p. 9.

Dans un autre ordre d'idées, à la fin des années quatre-vingt, la relecture de Shakespeare par Chaurette annonce une nouvelle tangente dans son œuvre, dont *Les Reines* constituent le point de départ (il a aussi traduit *Comme il vous plaira* et *Le songe d'une nuit d'été*). Née d'une tentative avortée de traduire *Richard III* de Shakespeare, la pièce *Les Reines* témoigne aussi d'un engouement marqué chez Chaurette pour les personnages féminins. Cet intérêt pointait déjà dans *Fragments d'une lettre d'adieu*, texte qui met en scène des personnages typiques d'hommes blancs occidentaux, mais où le mot de la fin appartient à une femme et à un Oriental. Comme le précise Paul Lefebvre, même si elles ont été «arrachées au *Richard III* de Shakespeare et aux généalogies de la couronne anglaise, les six reines de Normand Chaurette ont dérivé bien loin de leurs sources. Mais de Shakespeare elles ont tout de même conservé des images [...] [et] une langue qui entremêle le trivial et le somptueux.[37]» Cette relecture de Shakespeare montre encore une fois le désir chez Chaurette de revoir le répertoire international et d'inscrire la dramaturgique québécoise dans un paradigme beaucoup plus large.

René-Daniel DUBOIS

Personnage haut en couleur, René-Daniel Dubois a créé une œuvre hors du commun dans la dramaturgie québécoise. Comédien, metteur en scène et dramaturge, Dubois a su bâtir un univers théâtral tout à fait unique dans lequel il a lui-même joué différents rôles. Son entrée dans le monde théâtral québécois a été fracassante et les diverses représentations de ses pièces ont eu un impact important sur le public. Entre 1980 et 1991, Dubois a présenté une douzaine de textes pour la scène et plus de la moitié d'entre eux ont été publiés: *Panique à Longueuil* (1980), *Adieu Docteur Münch* (1982), *26bis, Impasse du Colonel Foisy* (1983), *Ne blâmez jamais les Bédouins* (Prix du Gouverneur général du Canada, 1985), *Being at home with Claude* (1986), *Le printemps, monsieur Deslauriers* (1987), *Le troisième fils du Professeur Yourolov* (1990), ainsi qu'*Et Laura ne répondait rien* (1991). D'après Dominique Lafon,

> [l]a lecture de ses pièces offre [...] [une] impression de fourmillement, d'effervescence. Fourmillement des références culturelles qui s'approprient aussi bien l'univers de l'opéra que celui du western, effervescence de l'écriture dont le registre s'étend du réalisme tempéré à la polyphonie radicale «mettant en voix» plutôt qu'en scène jusqu'à dix-sept personnages.[38]

«On a dit à juste titre que cette pièce était un hommage au théâtre [...][39]», affirme, quant à lui, Yvon Dubeau à propos de *26bis, Impasse du Colonel Foisy.* Le titre de cette pièce, comme c'est souvent le cas chez

[37] LEFEBVRE, Paul, «Dans l'anarchie des ombrages», dans Normand Chaurette, *Les Reines*, Montréal/Paris, Leméac/Actes Sud-Papiers, p. 5.

[38] LAFON, Dominique, «René-Daniel Dubois, de la polyphonie comme masque ou porte-voix», *Théâtre/Public. Québec*, n° 117 (mai-juin 1994), p. 50-51.

[39] DUBEAU, Yvon, «*26bis, Impasse du Colonel Foisy*», *Jeu*, n° 54 (mars 1990), p. 186.

Dubois, n'a absolument rien à voir avec la fable racontée. Il faut plutôt aller voir du côté du sous-titre, *Texte sournois en un acte (et de nombreuses disgressions* [sic]) *pour un auteur, une princesse russe et un valet*, pour comprendre ce que représente cette histoire peu conventionnelle. Madame, une ancienne princesse russe (dont le rôle au théâtre devrait être tenu par un homme, précise une note de l'auteur) attend seule en scène l'arrivée de son amant. C'est plutôt un valet qui viendra, pendant que le personnage de Madame disserte sur ses amours, sur l'art du théâtre et sur ses problèmes avec l'auteur de la pièce. D'ailleurs, Dubois pousse cette machine théâtrale encore plus loin en intégrant dans la pièce des interventions de l'auteur, qui sont toutefois transmises «par l'interprète de Madame, qui se place alors, physiquement et émotionnellement, au "neutre".[40]» Puis, comme le dit Normand Chaurette dans sa préface à *26bis, Impasse du Colonel Foisy*, «À force de vociférer contre un auteur qui la met en situation de naître et de mourir chaque soir, les cris de Madame introduisent à la fois l'idée et le personnage central d'un texte: celui qui prétendrait l'avoir écrit.[41]»

Ne blâmez jamais les Bédouins possède aussi une histoire des plus inusitées. Dubois a d'abord composé une première version de ce texte aux multiples personnages, qui n'a eu droit qu'à une lecture publique en 1981. Il en a ensuite écrit une seconde version, en ajoutant notamment un personnage de narrateur, dont tous les rôles lors de la création sur scène en 1984, ainsi que lors de sa reprise en 1995 étaient incarnés par un seul comédien: l'auteur lui-même! En interprétant seul en scène la vingtaine de personnages de la distribution, Dubois a proposé sa propre interprétation théâtrale de l'univers dramatique complexe et foisonnant qu'il a créé. De plus, Dubois pousse à la limite l'éclatement du personnage de théâtre en montrant son aspect aléatoire, ainsi que la façon dont les composantes psychologiques du personnage sont bien souvent artificielles. Comme le précise Dominique Lafon, dans *Ne blâmez jamais les Bédouins*, «[n]on seulement l'acteur n'est plus un personnage, mais le personnage lui-même n'est plus cette entité cohérente que cautionne d'ordinaire un référent explicite.[42]» La pièce opère aussi un renversement systématique des valeurs, notamment par l'abus et le déplacement systématique du cliché: cliché de la cantatrice italienne, du petit génie, des grandes puissances durant la guerre froide, jusqu'aux accents caricaturaux des personnages québécois ou étrangers.

Being at home with Claude, le plus grand succès populaire de Dubois, a été la première pièce de type réaliste que l'auteur ait proposée au public. Inspirée du cinéma américain réaliste des années cinquante, *Being*

---

[40] DUBOIS, René-Daniel, *26bis, Impasse du Colonel Foisy*, Montréal, Leméac, 1983, p. XXVI.
[41] CHAURETTE, Normand, «Le jeune homme et la mort», *Ibid.*, p. XVI.
[42] LAFON, Dominique, «René-Daniel Dubois», p. 51.

at home with Claude occupe une place à part dans l'œuvre de Dubois. Histoire du meurtre d'un homme par son amant, crime présenté comme un acte délibéré d'amour passionnel — reprenant ainsi, mais de façon plus brutale et plus crue, la trame dramatique de *Provincetown Playhouse [...]* de Chaurette —, *Being at home with Claude* est un huis clos dramatique ayant comme toile de fond un événement politique marquant que beaucoup de chroniqueurs ont passé sous silence: le centenaire de la Confédération canadienne. Très critique face à cette manifestation délirante d'un amour ultime digne de Claudel — que l'amant assassiné lisait avant de mourir —, Lucie Robert ramène justement la pièce de Dubois sur le terrain politique. Pour elle le sens de la pièce demeure obscur, «[à] moins qu'il n'y ait un sens à ce qu'un "serin" du Carré Dominion, qui vient de découvrir Claudel, assassine, le jour du Centenaire de la Confédération canadienne, un militant du R.I.N., issu d'une famille riche et étudiant en littérature [...][43]». À ce jour, la question de Lucie Robert n'a pas encore trouvé de réponse satisfaisante.

Avec *Being at home with Claude*, Dubois a proposé, deux ans avant *Les feluettes* de Bouchard, un texte où l'homosexualité n'était plus un élément parmi d'autres composantes dramatiques, comme c'était le cas dans ses pièces précédentes. Dans *Being at home with Claude*, l'expression d'un amour homosexuel sublime et délirant se situe au cœur même de la fable. Ce texte marque une sorte de passage ou de détour vers une forme dramatique plus traditionnelle — malgré son contenu ouvertement provocateur ou «choquant» — dans la production de Dubois. Deux ans après, le nouveau texte de Dubois, *Le printemps, monsieur Deslauriers*, s'inscrit toutefois dans la même veine: assez réaliste, le texte est centré cette fois-ci sur la famille de Philippe Deslauriers. Dans cette pièce, émerge un personnage qu'on a relativement peu vu dans la dramaturgie québécoise traditionnelle: le père victorieux et autoritaire. Même si Dubois s'aventure sur un terrain plus réaliste, il reste fidèle à son univers dramaturgique et à son rapport au langage. Philippe Deslauriers, au cœur du drame familial qu'il provoque, est un personnage de la démesure, qui caractérise si bien l'écriture de Dubois.

Le troisième fils du professeur Yourolov est probablement la pièce de Dubois qui se réclame le plus d'une poétique (ou d'une esthétique) postmoderne. L'espace et le temps semblent confus et parfois confondus, l'identité et la sexualité des personnages sont floues — et dans certains cas multiples — et la vérité recherchée par les protagonistes se voit constamment remise en question. L'anecdote de départ, telle que présentée par l'éditeur, paraît fort simple: «Jean-Pierre et Katarina tentent de lever le voile sur la double vie de Benoît, qu'ils ont tous deux aimé à leur façon, et qui s'est suicidé [...] en sautant d'une tour

[43] ROBERT, Lucie, «Les jeunes loups», *Voix et Images*, nº 36 (printemps 1987), p. 563.

d'habitation du centre-ville.[44]» Pourtant, l'interrogation sur l'identité, Benoît, un personnage dont l'origine demeure mystérieuse (petit génie? agent double? fils du professeur Yourolov?) se poursuit durant toute la pièce sans qu'il soit possible de trouver une réponse définitive.

Jovette MARCHESSAULT

Jovette Marchessault commence sa carrière d'écrivaine à titre de romancière avec *Comme une enfant de la terre*, en 1975, carrière qu'elle poursuit parallèlement à son travail — plus constant, il est vrai — de dramaturge. Tout comme ses collègues masculins présentés ici, Marchessault a été assez prolifique dans les années quatre-vingt. Se situant elle-même dans la marge par rapport à la tradition littéraire ou à un quelconque mouvement dramatique, Marchessault donne la parole aux femmes dans l'ensemble de son œuvre dramaturgique et romanesque. Après *Tryptique* [sic] *lesbien* (1980), un recueil de monologues narratifs dont certains ont été présentés en scène, notamment par la comédienne et dramaturge Pol Pelletier, Marchessault a publié durant la décennie: *La saga des poules mouillées* (1981), *La terre est trop courte, Violette Leduc* (1982), *Alice et Gertrude, Nathalie et Renée, et ce cher Ernest* (1984), *Anaïs dans la queue de la comète* (1985), *Demande de travail sur les nébuleuses* (1988) et *Le voyage magnifique d'Emily Carr* (1990). Elle a aussi ajouté *Le lion de Bangor* en 1993.

Dans une entrevue accordée à Claudine Potvin et publiée dans un dossier de la revue *Voix et Images* qui lui était consacré, Jovette Marchessault affirme: «Je n'appartiens pas à la modernité. À chaque écrivain ou écrivaine ne correspond pas nécessairement une esthétique unique.[45]» Ce commentaire peut paraître étonnant de la part d'une auteure qui a pourtant créé ses textes à partir de figures importantes de la modernité: Ernest Hemmingway, Anaïs Nin, Anne Hébert, pour ne nommer que celles-là. Toutefois, dans la même entrevue, elle ajoute un peu plus loin: «pour moi, écrire pour le théâtre c'est contribuer à détourner le réalisme, ce réalisme qui ne sert qu'à nous évacuer en nous empêchant de paroles et d'imaginaire.[46]» Le réalisme auquel Marchessault veut échapper, c'est ce que Lynda Burgoyne appelle plus spécifiquement le «réalisme patriarcal». Il s'agit donc pour Marchessault de constituer un univers dramatique qui transcende le patriarcat et l'ensemble de la littérature qui en est largement tributaire.

Les écrivaines et les artistes constituent la principale source d'inspiration de la dramaturgie de Marchessault, des romancières de *La saga des poules mouillées* (Laure Conan, Germaine Guèvremont,

---

[44] DUBOIS, René-Daniel, *Le troisième fils du professeur Yourolov*, Montréal, Leméac, 1990, 4e de couverture.
[45] MARCHESSAULT, Jovette, entretien accordé à Claudine Potvin, *Voix et Images*, nº 47 (hiver 1991), p. 221.
[46] *Ibid*, p. 232.

Gabrielle Roy, Anne Hébert) à la peintre canadienne Emily Carr, en passant par Violette Leduc et Anaïs Nin. Son travail théâtral est fortement biographique et il met en scène plusieurs figures féminines importantes du monde des arts et de la littérature à qui l'histoire littéraire et la critique patriarcales n'ont pas toujours rendu justice. Ainsi, l'écriture dramaturgique de Marchessault est inévitablement très littéraire. Ses œuvres sont truffées de références directes et indirectes aux textes des écrivaines qu'elle met en scène. Par exemple, dans *La terre est trop courte, Violette Leduc,* près de la moitié des répliques du personnage central, Violette Leduc, sont constituées de passages des trois tomes de l'imposante autobiographie de celle qui s'est ironiquement surnommée «la Bâtarde».

La saga des poules mouillées constitue la première pièce à caractère biographique écrite par Marchessault. Pour l'auteure, il importe de créer une œuvre sur la culture des femmes en choisissant quatre romancières québécoises qui ont réussi à marquer la littérature de leur époque. Il s'agit également d'une réflexion sur l'histoire des femmes et sur la place (souvent marginale) que l'Histoire leur a accordée. Dans son introduction, Marchessault précise:

> J'ai imaginé cette rencontre où chacune des protagonistes de La saga apporte sa mémoire, sa culture, son savoir, ses terreurs, ses blessures et aussi sa tendresse, sa lucidité, son courage, son expérience de vie qu'elle partage avec les autres, rompant l'isolement et renouant avec l'amitié et l'humour. [...] J'ai voulu que cette rencontre soit mythique! Mythique dans le sens qu'elle échappe au temps de l'Histoire, au réalisme. Dans le sens que je la sens légitime.[47]

La dramaturgie de Jovette Marchessault instaure de nombreux espaces féminins originaux ou uniques qui permettent aux femmes de différentes époques de se rencontrer dans un monde où les conflits entre elles sont réduits au minimum ou s'avèrent totalement inexistants. Pour Lucie Robert, «the ideal of sorority allows for the creation of timeless, international relationships among women. Exchanges are easier, expected and, or it seems so, more relevant.[48]» Lynda Burgoyne note pour sa part que parce qu'elle est «traversée par une conscience féministe, toute son œuvre est parcourue de la même volonté de faire vivre la culture des femmes. Elle tente, en recréant des espaces imaginaires de reformuler l'Histoire, de fonder une mémoire qui permettrait aux femmes de trouver des modèles.[49]» Dans le même ordre d'idées, Lucie Robert relève l'importance de la

[47] MARCHESSAULT, Jovette, *La saga des poules mouillées,* Montréal, La Pleine lune, 1981, p. 33-34.

[48] ROBERT, Lucie, «Changing the Subject: A Reading of Contemporary Québec Feminist Drama», dans Rita Much (dir.), *Women on the Canadian Stage*, Winnipeg, Blizzard, 1992, p. 51. Notre traduction: «L'idéal de la "sorrorité" permet la création temporelle de relations internationales entre les femmes. Les échanges sont plus faciles, souhaitables et aussi, du moins en apparence, plus pertinents.»

[49] BURGOYNE, Lynda, «Biographie et théâtre chez Jovette Marchessault: du "mentir-vrai"», *Jeu,* n° 60, 1991, p. 113.

parole que Marchessault donne aux femmes dans cet espace féminin: «By allowing women, whenever and wherever they live, the means to speak to each other, Marchessault creates a specific feminine world and takes one step further the ideas of sorority and a collective *persona*.[50]»

Dans *Le voyage magnifique d'Emily Carr* (Prix du Gouverneur général du Canada, 1991), dernière pièce biographique de Marchessault, l'auteure poursuit sa réflexion dans la voie plus ésotérique qu'elle avait surtout empruntée à partir de son roman *Des cailloux blancs pour des forêts obscures* (1987). Les concessions réalistes sont de plus en plus marginales et les références spatio-temporelles demeurent continuellement floues. Par exemple, le lieu où habite Emily Carr est «une maison qui est baptisée La Maison de toutes les espèces [et elle] est avant tout la maison spirituelle de toute l'humanité comme de tout ce qui est vivant sur terre.[51]» Par ailleurs, on peut aussi voir dans *Le voyage magnifique d'Emily Carr* une ouverture sur la culture canadienne-anglaise, qui semble plus importante au théâtre québécois depuis la fin des années quatre-vingt. L'œuvre de Marchessault, rappelons-le, se classe parmi les œuvres dramatiques québécoises les plus jouées et les plus régulièrement traduites et éditées à l'ouest de la rivière des Outaouais.

Jean-Pierre RONFARD

Comédien, metteur en scène et professeur de théâtre, Jean-Pierre Ronfard est venu à l'écriture assez tardivement avec *Médée* (1970), texte demeuré inédit, et *Lear* (1977). *Vie et mort du Roi Boiteux* (1981), la deuxième pièce publiée par Ronfard, arrive au moment où l'auteur a cinquante-deux ans. Récemment, il publiait *Cinq études* (1994), sur cinq expériences théâtrales qu'il a menées au Nouveau Théâtre Expérimental entre 1986 et 1993. Les *Cinq études* montrent bien que Ronfard, après 1986, a sensiblement délaissé sa pratique de dramaturge (au sens plus «traditionnel» du terme) pour revenir plus spécifiquement à diverses expérimentations scéniques où le texte perd visiblement de son importance. À la lecture des cinq textes qui composent ce recueil, *Autour de Phèdre* apparaît clairement comme un exercice de style sensible et fort à propos. Comme le souligne Lucie Robert: «Il s'établit une dialectique de la tradition et de la nouveauté, qui caractérise tout aussi bien le travail du metteur en scène et du dramaturge.[52]» *Autour de Phèdre*, c'est une réflexion ludique sur le tragique, avec un accent mis sur l'«effet tragique», de la même façon que les dramaturges réalistes

---

[50] ROBERT, Lucie, «Changing the Subject», p. 50. Notre traduction: «En donnant la possibilité aux femmes de se parler entre elles, peu importe à quel endroit ou à quel moment elles vivent, Marchessault crée un monde féminin spécifique et pousse encore plus loin les idées de "sorrorité" et de personne collective.»

[51] MARCHESSAULT, Jovette, *Le voyage magnifique d'Emily Carr*, Montréal, Leméac, 1990, p. 15.

[52] ROBERT, Lucie, «La théâtralité fragmentée», *Voix et Images*, n° 60 (printemps 1995), p. 723.

misent sur les «effets de réel». En revanche, les quatre autres textes du recueil, plus documentaires, concernent davantage la retranscription d'un spectacle qu'une véritable pièce de théâtre.

Le temps du dramaturge dans la carrière de Ronfard demeure une période relativement brève; elle se situe surtout dans les années 1980, et plus particulièrement dans la première moitié de la décennie. Après cet épisode fertile d'écriture dramatique, Ronfard semble être retourné à une écriture plus strictement scénique. Outre les deux tomes qui composent *Vie et mort du Roi Boiteux,* il a publié durant ces années les pièces suivantes: *La Mandragore* (1982), *Les mille et une nuits* (1985), *Don Quichotte* (1985), *Le Titanic* (1986) et *Mao Tsé Toung ou Soirée de musique au consulat* (1987). Après avoir brièvement évoqué ces textes, nous nous arrêterons à celui qui les subsume tous: *Vie et mort du Roi Boiteux.*

Le Titanic est un texte où l'intertextualité possède une importance capitale. Utilisant comme prétexte dramatique la traversée du célèbre bateau britannique qui coula au large de Terre-Neuve en 1912, *Le Titanic* est un lieu théâtral où se côtoient de nombreux personnages historiques célèbres (Adolph Hitler, Isadora Duncan, Sarah Bernhartd) et d'autres totalement inconnus. Le texte de Ronfard pose aussi une question importante à l'ère de la condition postmoderne: que faut-il faire avec l'Histoire? Une première réponse se trouve sans doute dans l'ironie et la parodie d'un événement historique au centre duquel se trouvait un exemple de «progrès» et de réussite de la société occidentale. Mais plus encore, nous trouvons la réponse dans l'art de l'anachronisme que pratique sans cesse Ronfard dans son écriture dramatique et qui occupe une place privilégiée dans *Le Titanic.* L'Histoire dite officielle ne peut pas être envisagée, dans la dramaturgie de Ronfard, comme un discours immuable; il s'agit plutôt d'un matériau discursif fort complexe qui permet à l'auteur de revoir certains événements marquants d'un œil critique.

Inspirée très librement du livre de contes arabes *Les Mille et une nuits,* la pièce éponyme de Jean-Pierre Ronfard reprend certains éléments typiques des histoires racontées par Shéhérazade, tout en mettant l'accent sur le ludisme et l'érotisme. Les histoires se déroulent simultanément dans plusieurs lieux. Le temps et l'espace se confondent dans un tourbillon où (tout comme dans *Vie et mort* et dans *Le Titanic*), les anachronismes trouvent une place de prédilection, rendant le ludisme de la pièce d'autant plus manifeste. Quant à l'érotisme (qui s'exprime lui aussi de façon très ludique), il permet d'explorer certains tabous ou encore certaines pratiques sexuelles moins conformes aux normes de la société, comme l'inceste, l'homosexualité féminine, la nymphomanie, etc. Si les propos ont pu paraître choquants pour certains, le ton de la pièce demeure, quant à lui, essentiellement humoristique, ironique ou critique.

Si les commentateurs ont parlé — avec raison — de *Vie et mort du Roi Boiteux* comme d'un des événements majeurs des années quatre-vingt, c'est que cette expérience théâtrale «totale» ne connaissait pas de spectacle équivalent auparavant et qu'elle n'en connaîtra pas durant le reste de la décennie. Voilà pourquoi Louise Vigeant l'a qualifiée, avec raison, de «spectacle-phare» pour la décennie, sans oublier que le texte lui-même constitue un monument dramaturgique des années 1980. Synthèse des années soixante-dix par sa genèse — travail collectif de création du texte, des décors et des costumes —, *Vie et mort* annonce très bien les années quatre-vingt au plan dramaturgique. À partir du travail effectué par sa troupe (à l'époque, le Théâtre Expérimental de Montréal), Ronfard a écrit selon ses propres mots, une «épopée sanglante et grotesque en six pièces et un épilogue». Comme le précise Louise Vigeant, «le spectacle se présente comme une fresque allégorique, truffée de citations et d'anachronismes, qui semble vouloir se présenter comme une espèce de somme culturelle pouvant raconter rien de moins qu'à peu près toute l'histoire de l'humanité.[53]»

Dans ce spectacle étonnant et détonnant, le texte dramatique occupe une place importante. Non seulement le texte de Ronfard est-il imposant (l'équivalent de six pièces de théâtre), mais il réunit en outre une somme phénoménale de genres, de style et de références à l'histoire du théâtre et de la dramaturgie. Les sources auxquelles puise Ronfard sont multiples. Ainsi selon Godin et Lavoie,

> [l]e mélange du temps et de l'espace, les anachronismes échevelés et créateurs de cette œuvre lui ont permis de choisir ses références aussi bien dans le monde de la pensée judéo-chrétienne que dans la tradition épique du Moyen-Orient, chez les classiques de toute la littérature occidentale comme chez certains romanciers du monde moderne, du Québec ou d'ailleurs: Gabriel García Marquez ou Günter Grass, William Shakespeare ou Eschyle, le Turc Kemal ou le Québécois Victor-Lévy Beaulieu.[54]

L'intertextualité est un élément essentiel de la création dramaturgique de Ronfard. Déjà dans les années 1970, ses deux premiers textes tournaient autour de deux personnages imposants du répertoire international: Médée et le Roi Lear.

Dans les années quatre-vingt, la parodie dans la dramaturgie québécoise quitte le terrain du conflit des codes cher aux années soixante et soixante-dix pour se trouver de nouvelles cibles. Parmi celles-ci, les dramaturges semblent en privilégier une: le théâtre lui-même. Les textes de Ronfard explorent plus que les autres les manifestations singulières de la parodie. Une des façons d'inscrire la parodie dans le texte consiste à

[53] VIGEANT, Louise, «Le carnavalesque comme stratégie postmoderne: le cas de *Vie et mort du Roi Boiteux*», *L'Annuaire théâtral*, n°s 5-6 (automne 1988/printemps 1989), p. 327.

[54] GODIN, Jean Cléo et Pierre LAVOIE, «*Vie et mort du Roi Boiteux* ou l'imagination ou pouvoir», dans Jean-Pierre Ronfard, *Vie et mort du Roi Boiteux*, Montréal, Leméac, 1981, p. 10.

reconsidérer le rôle traditionnel des didascalies et à les investir d'une dimension parodique. Dans *Vie et mort du Roi Boiteux*, Jean-Pierre Ronfard utilise les didascalies à plusieurs fins; elles permettent, entre autres, d'épuiser tous les registres de la parodie et du travestissement. C'est dire que dans les six pièces qui forment le cycle du *Roi Boiteux*, les didascalies ne sont nullement les repères sûrs de la dramaturgie traditionnelle.[55] Ainsi, le «Prologue» de *Vie et mort du Roi Boiteux*, consiste en une longue didascalie, qui entraîne immédiatement le lecteur du côté de la parodie:

> LA HORDE
>
> La horde est composée d'une quinzaine de personnages hétéroclites parmi lesquels il y a obligatoirement un moine aveugle et possiblement une geisha japonaise, une clocharde de la rue Saint-Denis[...], une végétarienne [...], un marquis du XVIIe siècle, Robespierre, l'Ayatollah Khomeiny [...].[56]

Avec une telle ouverture, les signes parodiques deviennent manifestes, donnant le ton et l'esprit de la pièce dans son ensemble et, dans une certaine mesure, à tout le travail théâtral et dramaturgique de Jean-Pierre Ronfard.

C) BIBLIOGRAPHIE[57]

C-1) Les cinq figures principales

BOUCHARD, Michel Marc, *La contre-nature de Chrysippe Tanguay, écologiste*, Montréal, Leméac, 1984, 72 p.
La poupée de Pélopia, Montréal, Leméac, 1985, 88 p.
Les feluettes ou La répétition d'un drame romantique, Montréal, Leméac, 1987, 128 p.
Rock pour un faux-bourdon, Montréal, Leméac, 1987, 128 p.
Les muses orphelines, Montréal, Leméac, 1989, 120 p.
L'histoire de l'oie, Montréal, Leméac, 1991, 55 p.
Le voyage du couronnement, Montréal, Leméac, 1995, 118 p.

CHAURETTE, Normand, *Rêve d'une nuit d'hôpital*, Montréal, Leméac, 1980, 101 p.
Provincetown Playhouse, juillet 1919, j'avais 19 ans, Montréal, Leméac, 1981, 125 p.
Fêtes d'Automne, Montréal, Leméac, 1982, 131 p.
La société de Métis, Montréal, Leméac, 1983, 143 p.
Fragments d'une lettre d'adieu lus par des géologues, Montréal, Leméac, 1986, 107 p.
Les Reines, Montréal/Paris, Leméac/Actes Sud-Papiers, 1991, 94 p.
Je vous écris du Caire, Montréal, Leméac, 1996, 81 p.
Le Passage de l'Indiana, Montréal/Arles, Leméac/Actes Sud-Papiers, 1996, 88 p.

DUBOIS, René-Daniel, *Panique à Longueuil*, Montréal, Leméac, 1980, 128 p.
Adieu, docteur Münch, Montréal, Leméac, 1982, 108 p.
26 bis, Impasse du Colonel Foisy, Montréal, Leméac, 1983, 108 p.
Ne blâmez jamais les Bédouins, Montréal, Leméac, 1984, 199 p.
Being at home with Claude, Montréal, Leméac, 1985, 144 p.
Le printemps, monsieur Deslauriers, Montréal, Guérin littérature, 1987, 125 p.
Le troisième fils du professeur Yourolov, Montréal, Leméac, 1990, 112 p.
Et Laura ne répondait rien, Montréal, Leméac, 1991, 60 p.

[55] BÉRARD, Sylvie, «La généalogie textuelle du *Roi Boiteux*», dans FORTIN, Nicole et Jacques Morency, *Littérature québécoise: les nouvelles voix de la recherche*, Québec, Nuit Blanche, 1994, p. 112.

[56] RONFARD, Jean-Pierre, *Vie et mort du Roi Boiteux*, p. 37.

[57] N'ont été retenus que les textes jugés les plus marquants chez les auteurs dont il a été question précédemment.

MARCHESSAULT, Jovette, *Tryptique lesbien*, Montréal, La Pleine lune, 1980, 123 p.
La saga des poules mouillées, Montréal, La Pleine lune, 1981, 180 p.
La terre est trop courte, Violette Leduc, Montréal, La Pleine lune, 1982, 157 p.
Alice et Gertrude, Nathalie et Renée, et ce cher Ernest, Montréal, La Pleine lune, 1984, 139 p.
Anaïs dans la queue de la comète, Montréal, La Pleine lune, 1985, 182 p.
Demande de travail sur les nébuleuses, Montréal, Leméac, 1988, 116 p.
Le voyage magnifique d'Emily Carr, Montréal, Leméac, 1990, 114 p.
Le lion de Bangor, Montréal, Leméac, 1993, 85 p.
RONFARD, Jean-Pierre, *Vie et mort du Roi Boiteux*, t. 1 et 2, Montréal, Leméac, 1981, 207 p. et 307 p.
La Mandragore, Montréal, Leméac, 1982, 163 p.
Don Quichotte, Montréal, Leméac, 1985, 144 p.
Les Mille et une nuits, Montréal, Leméac, 1985, 112 p.
Le Titanic, Montréal, Leméac, 1986.
Cinq études, Montréal, Leméac, 1994, 133 p.

C-2) Textes dramatiques choisis (1980-1996)

ALLEN, Michelle, *La passion de Juliette*, Montréal, Leméac, xxvii-126 p.
BOUYOUCAS, Pan, *Le cerf-volant*, Montréal, VLB, 1994.
CANAC-MARQUIS, Normand, *Le syndrome de Cézanne*, Montréal, Les Herbes Rouges, 1988, 101 p.
CARON, Jean-François, *J'écrirai bientôt une pièce sur les nègres*, Montréal, Les Herbes Rouges, 1990, 133 p.
CHAMPAGNE, Dominic, *La cité interdite*, Montréal, VLB, 1992, 167 p.
CHAMPAGNE, Dominic, Jean-Frédéric Messier, Pascale Rafie, Jean-François Caron, *Cabaret neiges noires*, Montréal, VLB, 1994, 217 p.
DANIS, Daniel, *Celle-là*, Montréal, Leméac, 1993, 91 p.
DELISLE, Jeanne-Mance, *Un oiseau vivant dans la gueule*, Montréal, La Pleine lune, 1987, 130 p.
FARHOUD, Abla, *Les filles du 5-10-15¢*, Carnières (Belgique), Lansmann, 1993, 62 p.
GARNEAU, Michel, *Émilie ne sera plus jamais cueillie par l'anémone*, Montréal, VLB, 1981, 111 p.
——, *Les guerriers*, Montréal, VLB, 1989, 128 p.
GINGRAS, René, *Syncope*, Montréal, Leméac, 1983, 135 p.
LABERGE, Marie, *Oublier*, Montréal, VLB, 1987,
LEGAULT, Anne, *Conte d'hiver 70*, Montréal, VLB, 1992, 127 p.
MESSIER, Jean-Frédéric, *Le dernier délire permis*, Montréal, Les Herbes Rouges, 1990, 146 p.
MICONE, Marco, *Gens du silence*, Montréal, Québec/Amérique, 1982, 140 p.
PELLETIER, Maryse, *Du poil aux pattes comme les CWAC's*, Montréal, VLB, 1983, 158 p.
——, *À qui le p'tit cœur après neuf heures et demie!*, Montréal, VLB, 1984, 159 p.
PELLETIER, Pol, *Joie*, Montréal, Remue-ménage, 1995, 103 p.
SALVATORE, Filippo, *La fresque de Mussolini*, Montréal, Guernica, 1992 (1985), 63 p.
TREMBLAY, Larry, *Leçon d'anatomie*, Montréal, Laterna Magica, 1992, 92 p.
——, *The Dragonfly of Chicoutimi*, Montréal, Les Herbes Rouges, 1995, 65 p.
TREMBLAY, Michel, *Albertine, en cinq temps*, Montréal, Leméac, 1984, 103 p.
——, *Le vrai monde!*, Montréal, Leméac, 1987, 106 p.
TURP, Gilbert, *Les fantômes de Martin*, Montréal, VLB, 1987, 111 p.
VAILLANCOURT, Lise, *Billy Strauss*, Montréal, Les Herbes Rouges, 1991, 128 p.
VINCENT, Julie, *Noir de monde*, Montréal, La Pleine Lune, 1989, 84 p.

C-3) Ouvrages critiques

ANDRÈS, Bernard, «Notes sur l'expérimentation théâtrale au Québec», *Études littéraires*, vol 18, nº 3 (hiver 1985), p. 15-51.
BÉLAIR, Michel, *Le nouveau théâtre québécois*, Montréal, Leméac, 1973, 205 p.
BÉRARD, Sylvie, «La didascalie comme discours signifiant. Pour une (autre) approche du texte théâtral», *Essays in Theater/Études théâtrales*, vol. 11, nº 1, (novembre 1992), p. 69-84.
——, «La généalogie textuelle du *Roi Boiteux*», dans FORTIN, Nicole et Jacques Morency, *Littérature québécoise: les nouvelles voix de la recherche*, Québec, Nuit Blanche, coll. «Cahiers du CRELIQ», 1994, p. 101-124.

BRISSET, Annie, *Sociocritique de la traduction. Théâtre et altérité au Québec* (1968-1988), Longueuil, Le Préambule, coll. «L'univers des discours», 1990, 347 p.
DAVID, Gilbert (directeur du dossier), «Sur le répertoire national», *Jeu*, nº 47 (1988), p. 102-150.
GODIN, Jean Cléo, «Chaurette, critique et création», *La Licorne* (1994), p. 187-193.
——, «Chaurette Playhouse», *Études littéraires*, vol. 26, nº 2 (1990), p. 53-59.
——, «Deux dramaturges de l'avenir?», *Études littéraires*, vol. 18, nº 3, 1985, p. 113-122.
——, «Normand Chaurette, écriture et représentation», *Théâtre/Public. Québec*, nº 117 (mai-juin 1994), p. 52-53.
JEAN, André, «Texte ou prétexte», *Tangence. Un théâtre de passage*, nº 46 (décembre 1994), p. 72-81.
LAFON, Dominique, «Entre Cassandre et Clytemnestre: le théâtre québécois, 1970-90», *Theatre Research International*, vol. 17, nº 3 (automne 1992), p. 236-245.
——, «Michel Marc Bouchard, du terroir à la scène primitive», *Théâtre/Public. Québec*, nº 117 (mai-juin 1994), p. 49-50.
——, «René-Daniel Dubois, de la polyphonie comme masque ou porte-voix», *Théâtre/Public. Québec*, nº 117 (mai-juin 1994), p. 50-51.
LEFEBVRE, Paul, «Chaurette et Dubois écrivent», *Jeu*, nº 32 (1984), p. 75.
——, «La dramaturgie québécoise depuis 1980», *Théâtre/Public. Québec*, nº 117 (mai-juin 1994), p. 46-48.
LESAGE, Marie-Christine, «Le texte dans le théâtre québécois actuel», *Nuit Blanche*, nº 55 (mars-avril-mai 1994), p. 50-53.
LYOTARD, Jean-François, *La condition postmoderne*, Paris, Minuit, coll. «Critique» 1979, 109 p.
MONOD, Richard, *Les textes de théâtre*, Paris, Cedic, 1977, 191 p.
MOSS, Jane, «Sexual Games: Hypertheatricallity and Homosexuality in Recent Québec Plays», *American Review of Canadian Studies*, Vol. XVII, nº 3, 1987, p. 287-296.
PAVIS, Patrice, *Dictionnaire du théâtre*, Paris, Messidor/Éditions Sociales, 1987, 477 p. (deuxième édition).
RIENDEAU, Pascal, «L'hybridité textuelle chez Normand Chaurette ou les manifestations d'une dramaturgie postmoderne», mémoire de maîtrise, Université du Québec à Montréal, 1995, 142 p.
ROBERT, Lucie, «Changing the Subject: A Reading of Contemporary Québec Feminist Drama», dans Rita Much (dir. publ.), *Women on the Canadian Stage*, Winnipeg, Blizzard, 1992, p. 43-55.
——, «The New Quebec Theater», dans Robert Lecker (dir. publ.), *Canadian Canons: Essays in Literary Value*, Toronto, University of Toronto Press, 1991, p. 112-123.
——, «Le statut littéraire de la dramaturgie», dans MILOT, Louise et Fernand Roy, *La littérarité*, Sainte-Foy, PUL, 1991, p. 121-131.
——, «Toward a History Québec Drama», *Poetics Today*, 12:4 (hiver 1991), p. 747-767.
——, «Les jeunes loups», *Voix et Images*, nº 36 (printemps 1987), p. 561-564.
——, «La théâtralité fragmentée», *Voix et Images*, nº 60 (printemps 1995), p. 723-730.
RYNGAERT, Jean-Pierre, *Lire le théâtre contemporain*, Paris, Dunod, 1993, 202 p.
SARRAZAC, Jean-Pierre, *Théâtres intimes*, Arles, Actes Sud, 1989, 168 p.
VIGEANT, Louise, «Le carnavalesque comme stratégie postmoderne: le cas de *Vie et mort du Roi Boiteux*», *L'Annuaire théâtral*, nºs 5-6 (automne 1988/printemps 1989), p. 327-336.
——, «Du réalisme à l'expressionnisme. La dramaturgie québécoise récente à grands traits», *Jeu*, nº 58 (mars 1991), p. 7-16.
——, *La lecture du spectacle théâtral*, Laval, Mondia, coll. «Synthèse», 1989, 226 p.

Bernard Andrès est professeur de lettres à l'Université du Québec à Montréal, critique et écrivain. Né en 1949 à Oran (Algérie), il a fait ses études à Paris où il a obtenu un doctorat en Lettres modernes (Université de la Sorbonne, 1973). Il vit depuis au Québec. Il a été critique de théâtre à *Jeu*, à *Spirale* et au *Devoir*. Ses travaux en littérature et en théâtre québécois sont parus dans diverses publications dont *Voix & images, Études littéraires,* le *Dictionnaire des œuvres littéraires du Québec, Degrés* (Bruxelles), *Littérature* (Paris), *Québec Studies* (Bowling Green) et *Cadernos do IL* (Porto Alegre). Auteur d'un roman (*La Trouble-fête*, Leméac, 1986), de pièces de théâtre (*La Doublure*, Guérin, 1988, *Rien à voir*, XYZ, 1991) et d'un recueil de nouvelles (*D'ailleurs*, XYZ, 1992), il a aussi publié deux essais, l'un à Montréal, *Écrire le Québec: de la contrainte à la contrariété* (XYZ, 1990) et l'autre à Paris, *Profils du personnage chez Claude Simon* (Minuit, 1992).

Ses travaux les plus récents portent sur l'origine des lettres canadiennes au tournant du XIXe siècle:

- «Le texte embryonnaire ou l'émergence du littéraire au Québec, 1764-1815», *in La recherche littéraire. Objets et méthodes*, Claude Duchet et Stéphane Vachon éd., Montréal, XYZ et Paris, Presses universitaires de Vincennes, 1993, p. 29-39.
- «Statut de l'écrit intime dans une littérature en émergence: le cas des *Mémoires* de Pierre de Sales Laterrière (1743-1815)», *Tangence*, «La littérature personnelle: l'illusion du vrai?», Université du Québec à Rimouski, n° 45, octobre 1994, p. 91-106.
- «La génération de la Conquête: un questionnement de l'archive», Montréal, *Voix & images,* n° 59, hiver 1995, p. 274-293.
- «Nouveau-monde et américanité dans le discours historiographique au Canada-français: le cas de *A Political and Historical Account of Lower Canada*, de Pierre-Jean de Sales Laterrière (1830)», *in* Marie Couillard et Patrick Imbert éd., *Les discours du Nouveau Monde au XIXe siècle au Canada-français et en Amérique latine/Los discursos de Nuevo Mundo en el siglo XIX en el Canada y en América latina*, New York/Ottawa/Toronto, Legas ed., 1995, p. 29-42.
- «Du faux épistolaire: Pierre-Joseph-Antoine Roubaud et les *Lettres de Monsieur le Marquis de Montcalm* [...] *écrites dans les années 1757, 1758, 1759*», *in* Georges Bérubé et Marie-France Silver éditeurs, *La lettre au xviiie siècle et ses avatars*, Toronto, Éditions du GREF, Collection Dont actes, 1996, p. 231-248.
- «Québec: paradigme littéraire et éclosion culturelle à la fin du XVIIIe siècle», *in Tangences*, Université du Québec à Rimouski, n° 51, mai 1996, p. 67-80.

Étudiant au doctorat et chargé de cours au département d'Études françaises de l'Université de Montréal, Pascal Riendeau poursuit actuellement ses recherches sur l'essai contemporain au Québec et en France, ainsi que sur la dramaturgie québécoise des années quatre-vingt. Collaborant depuis plusieurs années avec Bernard Andrès, il a coédité avec celui-ci *La conquête des lettres au Québec. 1766-1815* (florilège), Projet de recherche Archéologie du littéraire au Québec, en 1993. Il a publié des articles sur les littératures française et québécoise et il est aussi l'auteur de *La cohérence fautive. L'hybridité textuelle dans l'œuvre de Normand Chaurette* (Nuit Blanche éditeur, 1997).

18 ANS
ADULTES
SEULEMENT.
BRINK'S
ROBERT BOURASSA
YVON DUPUIS
RENÉ LÉVESQUE
IL ÉTAIT UNE FOIS UNE... É
RÉALISATION DE SERGIO CHAPLO

Chapitre V

FANTASTIQUE, SCIENCE-FICTION ET BANDE DESSINÉE

PREMIÈRE PARTIE

LES ARCHITECTURES DE L'IMAGINAIRE

MICHEL LORD

LE RÉCIT FANTASTIQUE ET DE SCIENCE-FICTION AU QUÉBEC DEPUIS LA RÉVOLUTION TRANQUILLE

À la fin des années 1960, les esthétiques liées au fantastique et à la science-fiction ne sont pas encore établies de manière très solide au Québec. Pourtant, la tradition est déjà longue[1] si l'on songe que la littérature narrative naît sous les auspices d'une forme de fantastique, Philippe Aubert de Gaspé, fils — dans *L'influence d'un livre* (1837) — se servant à la fois du modèle du genre gothique anglais et du conte folklorique diabolique («L'étranger» et «L'homme de Labrador»), qu'il insère dans la trame de son roman. À l'origine de la pratique du fantastique au Québec, il y a donc cette double tentation européenne et canadienne. Une forme de science-fiction avant la lettre ne tardera pas à faire son apparition pendant la même décennie, grâce à Napoléon Aubin, Suisse d'origine, mais solidement établi au Bas-Canada, et qui publie en 1839 «Mon voyage à la lune», dans la revue même qu'il a fondée, *Le Fantasque*. Ce sont là d'humbles débuts, qui ne seront pas imités outre mesure, les Canadiens du XIXe siècle ayant préféré les genres terroiristes et historiques pendant longtemps. Rappelons tout de même que tout au long du siècle passé de nombreux écrivains (dont Joseph-Charles Taché, Louis Fréchette, Honoré Beaugrand) se sont adonnés à la pratique du récit fantastique folklorique. C'est en

[1] Voir à ce propos mon ouvrage sur le sujet: *En quête du roman gothique québécois. 1837-1860. Tradition littéraire et imaginaire romanesque*, Québec, Nuit blanche éditeur, Les cahiers du Centre de recherche en littérature québécoise, 1994, 180 p.

(Page de gauche) *Il était une fois... Serge Chapleau*

1860 que se forme le mouvement patriotique de Québec, qui cherche à créer une littérature nationale. Voulant bannir les imitations des romans européens, on se tourne entre autres vers une forme de fantastique, dont le but avoué est de sauver de l'oubli les vieilles légendes populaires.

Puis, pendant de nombreuses décennies, c'est la disette. Tout se passe comme si l'imagination devait se faire réaliste, historique, alors qu'en fait à travers le courant dominant (le terroir), c'est l'idéalisme qui triomphe, le roman de mœurs terriennes cherchant rarement, avant les années 1930 du moins, à décrire les choses telles qu'elles étaient, mais plutôt à présenter une image idéalisée de la réalité canadienne-française.

C'est avec l'arrivée de la conscience proprement québécoise — et non plus canadienne — que les choses vont changer, comme chacun sait, dans les années 1960. À nouveau, comme en 1837 et en 1860, une forme de littérature cherche à naître, mais cette fois, elle ne cherche plus à imiter les Européens, comme chez Aubert de Gaspé fils, ni à les combattre, mais à se faire purement et simplement québécoise. Comment alors se surprendre que cette nouvelle (re)naissance soit encore marquée au coin du fantastique et de la science-fiction? Certes ce ne sera pas là la marque dominante de cette époque dite de la Révolution tranquille, qui s'étend de la mort de Maurice Duplessis en 1959 à la mort de Daniel Johnson en 1966, de l'arrivée de Jean Lesage à celle de Robert Bourassa. Cette «révolution», qui ne sera pas si tranquille que le fameux cliché le dit, aura à son crédit le bénéfice de faire découvrir aux Québécois le goût de l'exploration, de l'aventure, et cela se verra de manière spectaculaire dans les formes esthétiques qu'ils se mettent à exploiter. Le véritable réalisme n'aura pas attendu les écrivains de Parti pris, Ringuet, Guèvremont et Gabrielle Roy ayant pavé la voie dans les années 1930 et 1940, mais le réalisme des années 1960 aura ceci de particulier qu'il servira de tremplin non seulement à la critique sociale, mais aussi à l'éclosion d'esthétiques qui, comme le fantastique, se fondent sur le réalisme ou, comme la science-fiction, extrapolent à partir d'une certaine forme de réalité.

Qu'est-ce que le fantastique et la science-fiction?

Mais arrêtons-nous un instant, avant d'entrer dans la forêt des textes québécois, pour nous demander ce que c'est que le fantastique et la science-fiction. Nous parlons de genres très particuliers, qui ont des assises historiques et qui ont évolué de manière tout aussi particulières au cours des siècles. Il pourrait être utile au départ de parler de fantastiques au pluriel pour couvrir tous les genres de la littérature non strictement réaliste, comme le merveilleux, le fantastique, le réalisme magique, la *fantasy* (l'épopée fantastique) et la science-fiction (SF). Mais il est tout aussi important d'établir des catégories, histoire de ne pas tout confondre.

Pour la clarté de l'exposé, nous pourrions dire que, historiquement, il y a trois grandes pratiques tout à fait distinctes: le merveilleux, le fantastique et la science-fiction. Le merveilleux est millénaire (il semble remonter à la nuit des temps), le fantastique, bicentenaire (il apparaît à la fin du XVIIIe siècle) alors que la SF serait centenaire, mais elle apparaît, selon les spécialistes au début du XIXe siècle (avec le *Frankenstein* de Mary Shelley) ou à sa fin (autour de Jules Verne) ou encore au début du XXe siècle, alors que Hugo Gernsback en 1926, avec sa revue *Amazing Stories*, lance officiellement l'expression «*scientifiction*», qui prend rapidement la forme de «science-fiction».

Chaque époque invente en quelque sorte de nouvelles formes d'imaginaires, le réalisme ne faisant pas exception à la règle puisqu'il est lui aussi une forme d'organisation de la réalité et de l'imagination. Mais l'humain ressent depuis longtemps (depuis toujours sans doute) le besoin de sortir du domaine du possible, du réel. C'est pourquoi il invente des histoires où des êtres et des événement surnaturels interviennent et surviennent de manière quasi naturelle dans la vie des hommes: c'est là la forme la plus convenue du merveilleux, qu'il provienne de la Bible, de la Grèce antique (*L'Iliade* et *L'Odyssée* d'Homère), de la Rome ancienne (*L'âne d'or* d'Apulée) ou de l'Europe médiévale (les *Lais* de Marie de France) et même de l'époque «moderne» (Les *Contes* de Perrault). Il faut ici faire une distinction entre l'interprétation d'un lecteur du XXe siècle et la perception des événements telle qu'elle se produit dans un récit historiquement daté. Le lecteur contemporain trouve étrange qu'un dieu puisse apparaître à un personnage, mais dans un récit merveilleux, les personnages ne voient pas les choses du même œil: ils peuvent être surpris, étonnés, mais jamais ils ne pensent que l'événement extraordinaire est impossible: tous les possibles entrent dans leur conception du monde. Cela signifie que l'univers merveilleux est régi par un type de conscience englobante, la conscience mythique. À l'intérieur de ce monde fictionnel, tout est possible, et les acteurs n'opposent jamais de résistance rationnelle à l'apparition de l'étrangeté. Le Petit Chaperon rouge, par exemple, ne réagit jamais par un questionnement rationnel lorsque le loup lui parle. Il lui répond tout simplement, comme si la surnature faisait partie intégrante du monde.

Il en est tout autrement dans le genre fantastique[2]. Apparu dans les œuvres littéraires dans la dernière moitié du XVIIIe siècle, il correspond à la montée des Lumières en Europe et à une prise de conscience critique par rapport aux croyances surnaturelles. S'instaure alors de

---

[2] Pour une discussion plus détaillée sur ma conception de la théorie du récit fantastique, voir Michel Lord, *La logique de l'impossible. Aspects du discours fantastique québécois*, Québec, Nuit blanche éditeur, coll. Les cahiers du CRELIQ, série Études, 1995, 361 p.

nouvelles formes de représentation du surnaturel, dans lesquelles les acteurs se mettent à se questionner quant à la réalité de l'irréel. Ce sont les romanciers dits gothiques, Horace Walpole en tête avec *Le château d'Otrante* (1764), puis Ann Radcliffe (*Les mystères du château d'Udolpho*, 1794), Matthew Gregory Lewis (*Le moine*, 1796) qui façonnent d'abord la nouvelle esthétique, axée surtout sur la création d'une atmosphère terrifiante, dans des châteaux anciens, des souterrains et des forêts très sombres, bref sur l'exploitation d'une forme de réaction nerveuse, à la fois émotive et rationnelle face au surnaturel, ce qui est entièrement nouveau par rapport au genre merveilleux pratiqué exclusivement comme genre irréaliste jusque-là. En Angleterre, le mouvement gothique fait littéralement boule de neige et déborde rapidement des frontières. En France, tout commence avec Jacques Cazotte et *Le Diable amoureux* en 1772. Dans un certain sens, l'œuvre peut ressembler un peu à *L'âne d'or* d'Apulée, du moins comme point de départ: le personnage d'Alvare s'intéresse à la magie et invoque le diable, qui finit par apparaître et par prendre plusieurs formes: une grosse tête de chameau, un petit chien, puis finalement une adorable jeune fille, Biondetta. Mais, Alvare — résistant rationnellement à l'étrange — passe son temps à se demander ce qui se passe, s'il a toute sa raison, mais comme le prodige s'impose, il est bien obligé de convenir que l'étrange fait partie de sa vie. Il résiste tout de même à la tentation que représente ce diable incarné, puis à la fin Biondetta disparaît.

Cet exemple suffit à illustrer l'essentiel du fonctionnement du récit fantastique: l'histoire est campée dans ce qu'on a convenu d'appeler la réalité, puis, dans ce contexte, survient un événement irréductible au principe de réalité (l'apparition de l'étrange), auquel le personnage mis en situation d'étrangeté réagit avec force par le truchement de sa conscience rationnelle (la résistance à l'étrange); mais le phénomène s'impose malgré tout. Les finales, les résolutions de l'intrigue varient quant à elles selon les auteurs et les époques, le récit pouvant se terminer tragiquement ou de manière plus douce par la disparition de l'étrangeté, mais qui laisse des marques dans la réalité.

Au XXe siècle, une nouvelle forme de fantastique est apparue, à partir des surréalistes (mais nous pourrions dire qu'ils avaient été devancés en cela par les romantiques allemands): je veux parler du réalisme magique. Il s'agit d'un genre à cheval sur le merveilleux et le fantastique. Un récit réaliste magique, comme son appellation l'indique, est campé dans une forme de réalité où survient une forme d'étrangeté, mais à laquelle les personnages réagissent de manière mythique (comme le Petit Chaperon rouge, par exemple), c'est-à-dire que leur conscience rationnelle n'est pas activée. On le voit, il s'agit d'un genre hybride comme il y en a de plus en plus, les genres tendant à se renouveler entre autres par l'hybridation.

La science-fiction, quant à elle, pose un autre type de problématique. La réalité telle qu'elle est connue à l'époque de l'auteur n'y est jamais représentée telle quelle, mais modifiée par la science, la technologie, dans un futur proche ou lointain (et même parfois dans le passé). Elle s'articule autour d'un *novum*, d'une nouveauté relativement ou radicalement différente par rapport à la réalité connue — le lecteur perçoit ce *novum* comme une étrangeté, mais pas nécessairement le personnage —, elle crée de nouveaux modèles de relations sociales sur Terre et dans l'Espace — et même dans le Temps — tout entier. Elle met en place de nouveaux paradigmes de comportement en partant d'un principe de base axé sur l'extrapolation. En règle générale, chaque récit de SF pose la question suivante: que se passerait-il si... la science, la technologie et, plus généralement, le savoir nous permettaient de voyager dans l'Espace, dans le Temps, si le monde avait évolué d'une autre façon, si l'on situait l'action dans cent ans, mille ans, etc. D'ailleurs, la SF, plus qu'une littérature fondée exclusivement sur la science, est devenue un genre de la spéculation fictionnelle (les anglophones parlent de *Speculative Fiction*), où un ensemble de données contenant une certaine dose de nouveautés est articulé de manière à donner l'impression que l'univers représenté fonctionne différemment, mais analogiquement par rapport au monde tel que nous le connaissons. Autrement dit, la SF est une forme de réalisme spéculatif.

La SF a pris son essor il y a un peu plus de cent ans à l'époque où certaines données de la science nourrissaient l'imagination et incitaient certains écrivains à extrapoler à partir de ces données. Certaines œuvres de Jules Verne appartiennent encore à la SF, ou à la littérature d'anticipation, comme *De la Terre à la Lune* (1865), parce qu'à l'époque ce voyage relevait de l'imaginaire pur et que, dans le récit, une science encore inconnue permettait ce voyage. Depuis ce temps, le champ de la SF n'a cessé de s'agrandir et d'étendre ses tentacules. Pour se convaincre de la complexité, il suffit de consulter l'ouvrage de Guy Bouchard, *Les 42 210 univers de la science-fiction*[3]. Il ne s'agira donc pas ici de réduire la portée théorique et pratique de la SF, pas plus d'ailleurs que du fantastique et même du merveilleux, mais d'essayer de rendre compte des variétés québécoises de ces genres depuis une vingtaine d'années.

Quelques aspects du champ de la SF et du fantastique au Québec

Depuis quelques décennies, plus de 150 auteurs se sont frottés de près ou de loin aux genres qui nous intéressent, et ils ont produit des centaines de romans et de nouvelles en recueils et dans les revues

[3] BOUCHARD, Guy, *Les 42 210 univers de la science-fiction*, Sainte-Foy, Le Passeur, 1993, x-338 p.

spécialisées ou non[4]. Avant de parler de certains des principaux auteurs du champ, je crois qu'il est important de dresser le portrait de ce qui constitue l'élément le plus dynamique du champ, les revues spécialisées, qui ont contribué à façonner la vie littéraire dans ce domaine et à rendre l'existence des genres incontournables.

Les revues[5] *Solaris* et *Imagine...* célèbrent en 1997, respectivement, leur 23e et leur 17e anniversaires de fondation. La persistance de ces lieux d'édition démontre qu'il ne s'agit pas là d'un phénomène superficiel mais que les genres «fantastiques», qualifiés un peu trop rapidement de paralittéraires, jouent dans les marges de notre paysage culturel un rôle très important.

Solaris naît de façon modeste. Norbert Spehner, son fondateur, s'entoure en 1974 d'un groupe d'étudiants du collège Édouard-Montpetit. La revue porte jusqu'en 1979 le nom de *Requiem*, à connotation beaucoup plus fantastique que *Solaris*. Elle a pour objectif premier de servir de point de liaison entre les amateurs de fantastique et de SF, dispersés à travers le Québec, et de les informer de ce qui se passe dans leur sphère de prédilection. Selon Élisabeth Vonarburg, longtemps directrice littéraire, Norbert Spehner a accéléré le processus de création sinon d'un *fandom* (domaine des *fans*) du moins d'un milieu fantastique et de SF au Québec. Il a lancé un truc du genre «bouteille à la mer». Si l'on en juge par la réussite de l'entreprise, il faut croire que les amateurs n'attendaient que la venue d'une telle revue pour se rassembler. Ce milieu spécialisé s'est condensé comme une nébuleuse, autour d'un noyau, constitué d'abord de *Solaris* et des Congrès annuels Boréal tenus depuis 1979[6], noyau auquel s'est ajouté *Imagine...* en 1979. De multiples autres magazines (des *fanzines*) se sont créés dans cette mouvance: *Blanc Citron, Énergie pure, Pandore, Pilône, Pour ta belle gueule d'ahuri, Carfax, Samizdat, Færie, Temps Tôt, CSF*, etc., le tout trouvant son couronnement avec *L'Année de la science-fiction et du fantastique québécois* en 1984, une revue[7] qui cherche à tout recenser dans la production annuelle.

Avec le temps, la formule éditoriale de *Solaris* s'est légèrement modifiée. Surtout depuis l'arrivée d'Élisabeth Vonarburg à la direction littéraire en 1979, la revue cherche à accorder plus d'importance à la

[4] Pour comprendre l'ampleur du phénomène, consulter l'ouvrage de Aurélien Boivin, Maurice Émond et Michel Lord, *Bibliographie analytique de la science-fiction et du fantastique québécois (1960-1985)*, Québec, Nuit blanche éditeur, coll. «Bibliographie» des «Cahiers du CRELIQ», 1992, 581 p.

[5] L'information d'une partie de cette section provient de séries d'interviews que j'ai faites auprès d'Élisabeth Vonarburg, de Jean-Marc Gouanvic, de Claude Janelle et de Michel Bélil.

[6] Les Congrès Boréal ont été interrompus au début des années 1990, mais ont repris en 1994. Les organisateurs se sont associés à ceux qui tiennent les vastes *Conventions* SF au Canada.

[7] Étrangement, elle aussi travaille au ralenti depuis le début des années 1990.

création littéraire et à la bande dessinée. Après la phase primaire de condensation du milieu opéré par Norbert Spehner, *Solaris* a effectué ce que Vonarburg appelle deux recentrements successifs, en 1979 et en 1983, qui coïncident avec le désir de voir se constituer une relève de jeunes auteurs de fantastique et de SF au Québec. D'autre part, selon Claude Janelle, chroniqueur de littérature québécoise pendant de nombreuses années à *Solaris*, la revue colle à l'actualité de par sa formule même qui cherche à couvrir à peu près tous les champs d'activités du fantastique et de la SF, par des recensions dans les domaines aussi divers que les littératures québécoise, européenne et américaine, la BD et le cinéma.

L'orientation est tout autre à *Imagine*, qui concentre presque uniquement ses efforts sur la création SF et le discours d'analyse critique, non pas tant en fonction de l'actualité, mais dans une perspective plus théorique. C'est en 1979, quelque temps après la tenue du premier congrès Boréal, que Jean-Marc Gouanvic fonde la revue *Imagine...* avec Esther Rochon et Clodomir Sauvé. Les débuts sont difficiles. La première année est surtout marquée par une oscillation entre deux pratiques littéraires parfois divergentes. D'un côté, on retrouve le souci de l'écriture expérimentale — influencée par la *New Wave* britannique —, de l'autre, le désir de pratiquer une fiction plus narrative. En fait, jusqu'au numéro 10, la revue contiendra une certaine part de textes expérimentaux. Mais dès le numéro 6, à la faveur d'un changement d'équipe, il se produit un resserrement de l'orientation générale de la revue. C'est à ce moment, en 1980, que Jean-Pierre April et Michel Bélil s'ajoutent au comité de rédaction. Jean-Marc Gouanvic parle de cette période comme d'une phase d'homogénéisation. Il devait alors s'établir un consensus autour de la notion de fiction narrative, c'est-à-dire d'un type de récit qui privilégie davantage le déroulement d'une action dans un monde imaginaire plutôt que la recherche exclusive de nouveaux modes d'écriture. La science-fiction est une littérature qui est loin d'être exempte de ce type de débats théoriques.

Selon Jean-Marc Gouanvic, le but d'une revue comme *Imagine...* est essentiellement de promouvoir une science-fiction de qualité et d'abattre des cloisons entre les différentes sphères de l'institution littéraire. Il refuse de se cantonner dans un ghetto, car il croit que la science-fiction est en situation d'émergence au Québec. Mais, du même souffle, il craint «le délayage de la science-fiction dans l'ensemble des productions littéraires[8]».

La production québécoise en volumes

De toutes manières, on le voit, l'existence du récit fantastique est intimement mêlée à celle de la science-fiction au Québec, car il existe

[8] GOUANVIC, Jean-Marc, «La science-fiction québécoise dans son histoire: quelques remarques rétrospectives et prospectives», *Imagine...*, n° 49 (vol. 10, n° 4, septembre 1989), p. 51-56 [v. p. 55].

une volonté de faire cohabiter les deux genres, bien que cela ne soit pas sans causer certaines frictions, nées de visions esthétiques et idéologiques parfois diamétralement opposées de la vie littéraire, des gens comme Gouanvic préférant séparer la SF du fantastique, tout en cherchant paradoxalement à faire tomber les frontières du ghetto.

Mais à la fin des années 1960, les romans et les recueils de nouvelles de type fantastique ou de SF se font encore de manière parcimonieuse. Et encore, peu de textes sont spécifiquement identifiables au fantastique ou à la SF au sens strict, la pratique étant fort hybride[9]. Claude Aubry, dans *Le violon magique* (1968), tente sans grand succès de faire revivre le conte folklorique, en récupérant certaines légendes diaboliques, dont celle de «L'étranger». Jacques Ferron, quant à lui, souvent proche de l'imaginaire de la tradition du conte oral, campe le personnage du diable dans *La charette* (1968) et dans *La chaise du maréchal-ferrant* (1972), mais pour produire un récit tout en ironie, d'une ironie qui atténue passablement l'effet étrange, et qui rend l'œuvre difficilement classable dans le genre fantastique. Il en est de même dans *L'amélanchier* (1970), où Ferron représente sous la plume d'une jeune narratrice, Tinamer, les aventures merveilleuses — proche de celle d'*Alice au pays de merveilles* de Lewis Carroll —, qu'elle se rappelle avoir vécues du «bon côté des choses», alors qu'elle était encore une enfant. De même, les aventures de Floralie et d'Anthyme paraissent relever de l'onirisme dans *Floralie, où es-tu*? (1969) de Roch Carrier, le personnage éponyme se demandant même à la fin du récit s'il n'a pas rêvé.

Mais avec des écrivains comme Jean Tétreau, Michel Tremblay et Jacques Benoit, le flou générique disparaît largement. Déjà en 1967, Tétreau venait de publier un roman de SF, *Les nomades*, dans lequel il représentait les aléas de la vie sur Terre après une catastrophe nucléaire de grande envergure. Dès l'année suivante, dans un recueil de nouvelles, *Volupté de l'amour et de la mort*, il s'aventure dans le fantastique, illustrant entre autre, à l'exemple de nombreux autres écrivains de l'époque (et encore maintenant), la tentation de l'étrange, de l'altérité et d'autres types d'exploration d'autres formes de réel. Dans *Volupté de l'amour et de la mort*, c'est sur certaines formes de magie que les récits sont fondés, mais de magie liée à la sorcellerie et à la divination, dans la nouvelle éponyme, et à une ancienne technique picturale japonaise, dans «Le décret impérial». En revanche, dans «Ni vu ni connu», Tétreau semble faire la satire du magicien Houdini, en la personne de Boudini, qui porte sa tête dans ses mains, et parle à des femmes ayant

[9] Pour mieux connaître cette notion d'hybridité, voir l'introduction dans Boivin, Émond et Lord, *Bibliographie analytique de la science-fiction et du fantastique québécois (1960-1985)*, Québec, Nuit blanche éditeur, 1992.

descendu aux enfers. Les fantastiqueurs québécois de cette époque semblent donc tout à fait enclins à pratiquer toutes les formes possibles de littérature non strictement réalistes.

L'influence du modèle canonique

Avec Michel Tremblay — plus connu pour son théâtre et ses romans du cycle du Plateau Mont-Royal —, les choses changent radicalement. Peu de gens se rappellent qu'il a commencé comme fantastiqueur, d'abord en 1966, avec *Contes pour buveurs attardés*, puis, en 1969, il a publié sur cette lancée un roman mi-fantastique mi-SF, *La cité dans l'œuf*. Certains des «contes», comme «L'œil de l'idole» et «Le Warugoth-Shala» font d'ailleurs partie de la genèse ou de l'univers du roman. Chose révélatrice, Tremblay y met déjà en représentation la ville de Montréal, d'où part François Laplante, à la faveur de la contemplation d'un œuf de verre qui le propulse mystérieusement sur une planète peuplée de dieux en déclin qui s'entre-déchirent. Revenu aussi mystérieusement sur Terre qu'il en était parti, Laplante entend toujours l'appel de dieux, qui ont besoin des hommes pour survivre, et, rempli d'épouvante, il implore leur pardon:

> Dieu! les Warogoth-Shalas! Je les entends venir! Ma maison tremble! Je suis perdu! [...] Ma maison est pleine d'être étranges et monstrueux qui se battent pour s'emparer de moi! [...] Dieu Tout-Puissant, vous qui dirigez la destinée de la Création entière, vous que M'Ghara lui-même appelait à son secours dans le palais de plomb, SI VOUS EXISTEZ QUELQUE PART, AYEZ PITIÉ DE MOI! (*La cité dans l'œuf*, p. 182 — les majuscules sont dans le texte.)

Cette œuvre mineure, mais fort bien construite, a tout de même eu droit à une réédition (Stanké, 10/10, 1985); sans doute est-ce à cause de la réputation que Tremblay s'est gagnée par la suite, mais il n'est pas négligeable de noter que *La cité dans l'œuf* est le premier roman fantastique québécois contemporain. En ce sens, l'œuvre, à une époque où la thématique portait surtout sur le pays à faire, apparaît comme une sorte d'exception dans le contexte socio-culturel québécois des années soixante. Pas de prise de position politique locale, mais une sensibilité universelle, plus près d'une conscience planétaire et mythique que d'une conscience strictement québécoise. À moins que le roman ne soit la transposition symbolique des transformations qui étaient en train de se vivre alors dans le Québec de la Révolution tranquille?

Pour la petite histoire du texte, soulignons qu'au moment de la rédaction de *La cité [...]*, Michel Tremblay composait en même temps sa pièce *La Duchesse de Langeais*, œuvre à la fois lyrique et d'un réalisme assez cru, qui fait partie du cycle des *Belles-Sœurs*. Tremblay a aussi avoué en interview que *La cité dans l'œuf*, c'était lui (comme Flaubert avait dit «Madame Bovary, c'est moi»). C'est sans doute parce que grâce au fantastique, il pouvait non pas échapper au réel, mais se retrouver dans ce qu'il y a de plus fondamental en lui: le monde du rêve, de l'inconscient, des monstres intérieurs, qui ne sont pas du tout absents de son univers dramatique et qui reparaîtra plus tard dans ses romans de la chronique du Plateau Mont-Royal.

Le roman de *La cité [...]* est en fait le récit d'une grande quête mythique vécue sur le mode tragique. C'est la recherche d'une nouvelle harmonie universelle, harmonie perdue depuis longtemps. Mais bien que tout cela ait l'air très personnel, il appert que l'on décèle des influences marquées de Lovecraft et de Jean Ray. D'abord en surface, cela transparaît dans les noms des personnages et des lieux: Tremblay baptise les dieux de *La cité [...]* de noms comme M'ghara, Anaghwalep et Waptuolep. Lovecraft (1890-1937), dont l'œuvre marque les années 1920 et 1930 aux É.-U., parle pour sa part de divinités comme Cthulhu et Nyarlatothep. On pourrait multiplier encore les exemples et comparer Kadath (Lovecraft), la cité mythique d'un cycle lovecraftien (voir *Démons et merveilles*), à la non moins mythique cité de Paganka (Tremblay) où les personnages vouent un culte à M'ghara. Mieux encore, c'est l'œuvre de Lord Dunsany (1878-1957) qui nous vient à l'esprit avec *Dieux de Pegana* (1905).

On note aussi une parenté entre le personnage de Randolph Carter, du cycle de Kadath de Lovecraft, et le personnage d'Anatole Laplante de *La cité dans l'œuf*. Chacun fait une sorte de voyage mi-onirique mi-réel dans un univers mythique qui semble correspondre dans les deux cas au monde du rêve.

En ce qui concerne le Belge Jean Ray (1887-1964) [pseudonyme de Raymond de Kremer, qui écrivait aussi sous le pseudonyme de John Flanders], Tremblay semble s'être inspiré de *Malpertuis* (1943). Des dieux dans *Malpertuis* envahissent une maison, viennent hanter ses habitants, sèment la terreur. Mais au contraire de l'écrivain belge, Tremblay ne fait pas descendre les dieux dans l'univers des hommes, il fait plutôt pénétrer son personnage dans l'univers des dieux déchus et emprisonnés dans un œuf, attendant qu'un homme vienne les délivrer. Chez Tremblay, le mythe est rafraîchi en ce sens où ce sont les dieux qui ont besoin des hommes, mais également son texte montre que les hommes ont besoin de mythes pour aider le monde à mieux vivre. C'est du moins ce que semble dire ce roman.

Quant à la technique narrative, elle est tout à fait dans l'esprit de la tradition fantastique: il s'agit d'un manuscrit trouvé par un narrateur qui dit ne faire que rapporter les paroles contenues dans le manuscrit, mais qui en est aussi troublé que si c'était lui qui avait vécu l'expérience fantastique. Tremblay exploite la confusion des niveaux de narration et des niveaux de visions rationnels et irrationnels des personnages. On nage à mi-chemin entre l'univers mythique et celui de la raison. Ce qui fait évidemment de ce roman une œuvre fantastique et non une œuvre de science-fiction, même si le personnage principal semble voyager sur une autre planète ou dans un monde parallèle. Il ne faut pas oublier que cette planète tient dans le creux de la main et que le héros y pénètre, comme en rêve, après avoir éprouvé, par une très chaude journée d'été à Montréal, «un grand vertige» (p. 69) — c'est l'expression qui est employée — à la faveur d'une influence lunaire.

L'univers parallèle de l'œuf est bel et bien un univers fantastique si on le replace aussi dans son contexte narratif: au début du roman, il y a un narrateur-présentateur Outremontais (Montréalais) troublé par la lecture d'un manuscrit trouvé, et, à la fin, un narrateur-protagoniste encore plus troublé qui entend l'appel des dieux à Outremont.

Tremblay a depuis ce temps la réputation d'être un écrivain réaliste, mais c'est oublier un certain nombre d'incidences dans ses autres grands romans. Pour mémoire, rappelons, dans *La grosse femme d'à côté est enceinte* (1978), les apparitions de Duplessis, le chat mort, et celles des trois femmes, sortes de Parques qui se bercent sur une galerie du Plateau Mont-Royal.

Les balbutiements de la **fantasy**

Jacques Benoit travaille dans un tout autre registre, et est un cas à part dans la littérature québécoise. En 1967, il publie un roman étrange, *Jos Carbone*, campé dans un univers apparemment primitif, mais l'œuvre n'est pas réellement fantastique. Par la suite, de 1970 à 1981, il fait paraître trois œuvres des plus étonnantes. D'abord dans *Patience et Firlipon* (1970), sous-titré «roman d'amour», il aborde la SF, par le biais de l'anticipation proche et de la parodie: en 1978, dans un Montréal où l'on peut voler avec des propulseurs dorsaux, Patience est enlevée par Firlipon, qui cherche à la séduire dans les airs. À la fin, comme dans les contes de fées, ils rêvent de faire beaucoup d'enfants.

Dans *Les Princes* (1973), Benoit aborde à sa manière un sous-genre proche de la SF, peu ou pas pratiqué avant lui: ce qu'en anglais, on appelle la *fantasy*, l'épopée fantastique. Mais dans *Les Princes*, nous sommes très loin du canon du genre (*Conan* de Robert E. Howard), avec ses héros musclés qui doivent combattre des êtres dotés de pouvoirs maléfiques. Chez Benoit, il s'agit plutôt de la création d'un univers, d'une ville, peuplée d'hommes bleus et de chiens qui parlent et qui sont en lutte contre les hommes. Pas de pouvoir magique, pas de dieux ou de sorciers, mais de la violence, de la division (est-ce un effet de la Crise d'octobre 1970, qui n'est pas très loin derrière?).

En 1981, il revient en force avec *Gisèle et le serpent*, un roman à la fois humoristique, parodique et fantastique, comme si l'étrange de *Jos Carbone*, le comique parodique de *Patience et Firlipon* et l'épique des *Princes* venaient se fondre harmonieusement. Mais le roman par moment adopte tout à fait les formes du discours fantastique, le narrateur, un médecin des plus rationnels, n'en revenant pas d'être témoin de merveilles pour le moins surréalistes:

> Absurde, fou, délirant, dira-t-on, mais j'ai alors vu, de mes yeux vu, une forme en long (un serpent?) se dresser dans les feuilles mortes et, après quelques contorsions, pénétrer dans le corps du bonhomme, en passant, je suppose, par le rectum.
>
> Comme quelqu'un qui a fini de se soulager, l'homme en violet se redressa, se reboutonna, et puis, sans que l'air cette fois se brouille, il disparut comme une apparition. (*Gisèle et le serpent*, p. 107)

Une écriture expérimentale

Disparaître comme une apparition! Voilà bien un jeu de mots, une tournure d'esprit tout à fait propice à conjoindre l'humour et le fantastique, une tendance qui, pour n'être pas dominante dans le corpus fantastique québécois, a trouvé certains adeptes, dont Emmanuel Cocke. Les années 1970 sont imprégnées comme on sait de l'imaginaire psychédélique, la jeunesse hippie voyageant à travers le monde et aussi avec l'aide de certaines drogues. Il n'est donc pas étonnant de retrouver encore des textes où tout se mélange dans une forme de postmodernisme avant la lettre. Ainsi, dans *L'emmanuscrit de la mère morte* (1972) de Cocke, Dieuble, sous l'influence de drogues et d'alcools, se livre à toutes sortes d'orgies sexuelles avant de provoquer la fin du monde et d'en créer un nouveau. Toujours porté sur la représentation satirique d'une forme de pouvoir divin, Cocke, dans *Va voir au ciel si j'y suis* (1971), campe Jésus Tanné en 2058; il en fait un révolutionnaire qui renverse l'ordre des choses et ramène le bonheur et l'immortalité sur Terre. Nous avons là une sorte de Bible à l'envers, de renversement mythique comme il y en a plusieurs dans le corpus québécois. L'hybridation des genres permet d'actualiser la fascination que nous avons pour le retour aux origines des choses, en l'occurrence ici, le paradis terrestre réinstauré.

Mais tout cela se fait dans le plus joyeux chaos narratif, comme si l'époque bouleversée politiquement, culturellement et socialement avait un effet perturbateur sur la marche du récit.

Ce phénomène de perturbation textuelle est tout aussi perceptible dans les œuvres d'André Berthiaume, de Louis-Philippe Hébert, de Jacques Brossard et de Claudette Charbonneau-Tissot (Aude), tous auteurs qui commencent à publier du fantastique ou de la SF dans les années 1970 et qui bouleversent le champ tout en participant involontairement à la formation du milieu spécialisé qui se met en place pendant ces années. On pourrait dire dans ce sens que dans le champ général de la littérature paraissent des œuvres qui enrichissent un corpus que des spécialistes et des *fans* chercheront à légitimer tranquillement, d'abord dans les marges de l'institution littéraire, puis, graduellement, au cœur même de celle-ci.

Examinons d'abord les œuvres dites du champ général publiées à partir de *Contretemps* (1971) d'André Berthiaume et de *Récits des temps ordinaires* (1972) de Louis-Philippe Hébert, œuvres charnières dans le développement du fantastique et de la SF au Québec.

En quoi sont-elles importantes? D'abord par les formes étonnantes de leurs discours narratifs et parce que ces œuvres inaugurent une série d'autres recueils de nouvelles de ces deux auteurs qui seront plus tard consacrés par le champ (Berthiaume mérite le Grand Prix de la SF et du fantastique québécois 1985, pour *Incidents de frontière*) ou qui y investiront leur prestige (Louis-Philippe Hébert, président des Éditions Logiques, accepte de doter le Grand Prix Logidisque de la SF et du fantastique d'une bourse pendant quelques années).

Dans *Contretemps*, Berthiaume pratique un fantastique qui se fait d'abord discret, puisque l'essentiel du genre se trouve confiné dans les dernières et très brèves nouvelles du recueil. Berthiaume d'ailleurs construit toujours ses recueils de nouvelles en faisant s'y côtoyer aussi bien le réalisme que le merveilleux, le fantastique que la SF. En 1971, il est déjà sur une lancée qui fait dire à Jean-François Chassay qu'«André Berthiaume réussit à apporter du neuf dans un genre peu abordé au Québec à l'époque, le fantastique[10]».

Mais qu'y a-t-il de neuf dans ce fantastique? Tout en fait paraît neuf, tant le ton est personnel. Jugeons-en par cet extrait de «Ludovic»:

> Vers deux heures, comme il avait envie de changer de sujet, [Ludovic] décida de peindre une chaise. Le dessin était à peine esquissé sur la toile quand la chaise qui lui servait de modèle se volatilisa. Déconcerté, Ludovic s'assit sur son lit et se livra à une petite méditation. Puis, il se leva, ouvrit la porte de sa chambre et appela son père qui ne tarda pas à monter. Ludovic tressaillit. Son père avait perdu tous ses cheveux depuis le matin et ses joues s'étaient terriblement creusées.
>
> [...]
>
> — J'aimerais que tu poses pour moi, dit Ludovic.
>
> Au moment précis où le pinceau humide de Ludovic entra en contact avec la toile, son père éclata comme une bulle de savon. Ludovic eut un soupir de soulagement. (*Contretemps*, p. 100-101)

L'écriture de Berthiaume est le fruit de la rencontre de tendances multiples qui se mêlent librement dans son discours narratif. D'apparence surréaliste (on pense au *Musée noir* d'André Pieyre de Mandiargues), en raison du principe organisateur d'une écriture apparemment automatique et confinant au délire, son œuvre est également redevable à l'humour et au réalisme magique (spécialiste de la Renaissance, Berthiaume s'est intéressé à l'humour chez Montaigne et, du côté des contemporains, il ne cache pas son admiration pour les œuvres

[10] CHASSAY, Jean-François, «*Contretemps*», *Dictionnaire des œuvres littéraires du Québec*, sous la direction de Maurice Lemire, tome V, Montréal, Fides, 1987, p. 184.

de Borges et de Cortázar). En revanche, la question du fantastique, s'il y songe parfois, sans lui être étrangère, lui paraît faire partie d'un tout plus grand:

> En fait, je ne sais pas dans quelle mesure je suis un écrivain fantastique, je veux dire que je n'y pense pas tellement [...]. Ça n'est pas très conscient de ma part, enfin ça dépend peut-être de la façon dont je travaille. [...] je pars d'une idée, d'une image, d'un élément bien précis. [...] Et les éléments se distribuent [...] le long d'une chaîne et l'enchaînement se fait plus ou moins heureusement.[11]

Ces réflexions peuvent faire comprendre en quoi l'œuvre de Berthiaume n'est pas canonique, car le discours se conforme rarement ou jamais à la logique traditionnelle du genre fantastique. En revanche, à la manière des surréalistes, de Dino Buzzati ou des écrivains réalistes magiques latino-américains, son discours possède une propension à épouser les formes de la liberté imaginative, ce qui peut laisser croire que ses nouvelles confinent parfois au délire. Ce serait un «délire» proche du rêve ou de la licence poétique. On pourrait dire aussi qu'il y a du Marcel Aymé (celui du *Passe muraille*) chez Berthiaume, mais en plus subtil encore, si cela est possible. Ainsi, dans «Le fugitif», un prisonnier quitte les murs de sa prison en s'évadant de son propre corps. C'est sans doute ainsi — en jonglant avec les possibles et impossibles lieux de passage — que Berthiaume en est venu à mettre au point son esthétique des «incidents de frontière», concept qui doit toucher quelques cordes sensibles, car en plus du Grand Prix de la SF et du fantastique québécois, il a mérité le prix Adrienne-Choquette de la nouvelle en 1984. C'est sans doute parce que Berthiaume exploite moins une thématique qu'une écriture, car chez lui les événements ne sont souvent pas tant le fait d'une réalité assurée que le résultat de la perception d'une réalité toujours fuyante. Par exemple, dans «L'Arno», la femme, incertaine employée de musée que le narrateur rencontre à Florence, «cette ville-musée», semble n'avoir jamais existé après l'inondation de la ville:

> Nos brèves rencontres me laissaient une impression étrange, irréelle, peut-être à cause de la vieille ville qui me retenait dans ses frontières et semblait défier le temps, ou à cause des fresques de Giotto, des Crucifix de Brunelleschi sur lesquelles, pour la première fois, se détacha son visage. [...] Je demandai à un commis, un grand type voûté et renfrogné, où était passée Léa. Il me jeta un regard incrédule, il n'avait jamais entendu parler d'elle, bien qu'il travaillât au musée depuis sept ans. (*Incidents de frontière*, p. 30, 33)

Ne s'agit-il que d'un problème de perception, d'hallucination artistique liée aux œuvres d'un musée ou de réalité perçue uniquement par

[11] «André Berthiaume», *Portrait d'écrivains québécois*, cahier n° 22 (1er avril 1980), Service des transcriptions et des dérivés de la radio, Maison de Radio-Canada.

le narrateur? Tout paraît se situer dans l'interface des réalités possibles et impossibles.

Berthiaume pratique aussi à l'occasion le merveilleux et la SF. Dans «Polygone et Abeille», par exemple, récit tout merveilleux — encore qu'il pourrait être qualifié de réaliste magique — et qui rappelle *Patience et Firlipon* de Jacques Benoit, Polygone a un fils de huit ans, Abeille, qui dessine des oiseaux et qui dit à son père qu'un jour il va mettre les dessins dans son sac à dos et s'envoler. Un soir, c'est le père qui réalise le fantasme de son fils. Il survole la ville de Québec et projette de refaire l'expérience. La SF, tout aussi rare chez Berthiaume, paraît plus terre à terre. Dans «Downtown», un homme rencontre une jeune fille dans un bar de Montréal et l'invite à souper. Chemin faisant, ils ont un accident de voiture, la fille est blessée au crâne, et l'homme découvre que des circuits électroniques sortent de la blessure. On pourrait croire que cette nouvelle s'inscrit sous le mode du sérieux le plus parfait. C'est plutôt le contraire, un humour très particulier refaisant surface:

> Sarah s'est affaissée contre la portière, elle ne bouge pas.
>
> — Boutte de vinguienne, Sarah, qu'est-ce qui t'arrive? Je t'ai dit de t'attacher...
>
> Réjean la tire vers lui, découvrant une brèche spectaculaire au sommet du crâne, au beau milieu du plumage de paon.
>
> — Qu'est-ce que c'est ça?
>
> La fissure laisse voir un rutilant appareillage de clignotants et de circuits électroniques. Réjean peut lire distinctement: Made in Germany.
>
> — Ah ben ça c'est le boutte.
>
> [...]
>
> — Merde, merde, merde. Me suis fait avoir comme un cave par la cybernétique. (*Incidents de frontières*, p. 140).

Les personnages de Louis-Philippe Hébert sont pris eux aussi par la cybernétique, mais de manière très différente de celle que l'on trouve chez Berthiaume. Ils sont le plus souvent empêtrés dans un monde qui semble n'avoir ni queue ni tête, mais qui est en fait toujours réglé secrètement comme une machine. Historiquement, l'importance de l'œuvre de Louis-Philippe Hébert est grande, car il est non seulement novateur dans les formes de la fantasticité ou de la SF, mais il est sans doute le premier à faire paraître autant de nouvelles non réalistes. Dans la *Bibliographie de la science-fiction et du fantastique québécois*[12], nous avons dénombré près d'une quarantaine de récits apparentés à l'un ou l'autre genre. Mais plus que tout, la spécificité de l'œuvre de Hébert tient à sa façon de construire ses récits. C'est que les «récits» se situent

[12] BOIVIN, ÉMOND et LORD, *Bibliographie de la science-fiction et du fantastique québécois*, *op. cit.*, p. 305-315.

moins du côté du narratif que du descriptif. Description d'actions, d'événements, de pensée(s), tout paraît originer du colimateur d'un descripteur maniaque qui, à force de précision, finit par produire des effets de monstruosités encore plus grands que ce qui se trouve déjà dans la chose en elle-même. Ainsi, dans «À propos d'une musique», un humain fort étrange, peut-être plusieurs fois métamorphosé, et faisant partie d'un cirque, se remémore son passé. Mais sa tête est visitée par des touristes, et il songe à se libérer:

> Volontiers, je passais des jours gélatineux à fixer mon esprit sur des géométries insensées et très anguleuses. Je cherchais sans espoir à me rappeler un temps où je pondais; je réussissais avec peine à organiser mon imagination autour d'un cercle, en prenant à témoin le premier verre de lait, que j'éclatais de rire. Il restait encore en moi une sorte de jaillissement humain qui m'effrayait. Maintenant, j'ai assez de jambes et de bras pour être une araignée. Autant qu'une mouche, si loin d'une piste d'atterrissage. Mon ciel n'est pas différent. Et mon corps, velu, je l'ai dit, n'en ignore rien. Il essaie ses nerfs un par un et jusqu'au bout des articulations, pour les éprouver, et il les numérote selon l'efficacité. Ainsi, il s'empêche de prendre racine sur le plancher de la cuisine si glaise. Il calcule avec une précision toute mathématique ses futurs mouvements; il rature la moindre erreur possible et reprend ses équations au crayon rouge. (*Récits des temps ordinaires*, p. 98-99)

Parfois, le récit se fait un peu (mais à peine) moins tortueux, mais toujours profondément descriptif, comme dans «La bête plate», où l'inanimé par excellence — une tache de café dans un restaurant — s'anime de la manière la plus inquiétante:

> La victime à la limite de sa résistance, alors, comme un peu de café par hasard sur le sol, mais qui montre un œil dilaté, un seul, une bête plate s'avance vers ses pieds. La dame devine qu'elle est affamée, plus qu'elle pourrait l'être encore. Son parapluie, à coups répétés dans le centre liquide, ne l'empêche pas d'approcher, d'approcher vers les orteils qu'elle trouve déjà succulents. (*Récits des temps ordinaires*, p. 111)

Comment ne pas voir encore ici la résurgence d'une forme d'humour noir? Une tache de café — si c'est bien là la forme de la bête plate et liquide — qui déguste les orteils d'une femme... Certes, la tonalité d'ensemble n'est pas au comique, mais nous décelons ici et là certaines irruptions drolatiques dans ce discours aussi calculé qu'il a l'air échevelé. Dans la suite de son œuvre, Hébert persistera à formaliser ses textes de la même façon, c'est-à-dire de manière rigoureusement arbitraire. Rigueur, parce que le modèle descriptif est constant, arbitraire, parce que l'aléatoire du développement semble être chez lui une loi. Hébert en fait profite d'une des règles du processus descriptif, qui est de permettre une expansion infinie grâce aux éléments d'une liste qui peut s'allonger presque à l'infini, de manière cohérente ou dissonante les uns par rapport aux autres. L'effet visé est évidemment dissonant chez Hébert et vise à produire un effet de monstruosité, de grotesque où l'horreur se mélange au sublime et au comique. Mais les choses se prennent souvent au pied de la lettre chez lui, ce qui rend le discours encore plus incongru. Ainsi dans «L'extracteur de jus (robot 2)», où un homme se métamorphose lentement, et dont la vie dépend de plus en plus d'un moteur. C'est qu'il se transforme littéralement en extracteur à jus. Mais loin de le terrifier, ce processus le rend heureux du bonheur même de la machine, si cela est possible:

> Lentement se dissipa toute autre perception de sa personne, de son entourage, perception qui aurait pu réduire l'efficacité de la machine. Et, toute sensation de manque ou d'étrangeté disparue, il fut enfin (et parfaitement) heureux. (*La manufacture de machines*, p. 75)

De la SF et du fantastique comme métaphore juridique et politique

Pendant la même décennie, Jacques Brossard mélange lui aussi allègrement le fantastique et la SF, à cette différence près qu'il ne cessera pas de publier comme Louis-Philippe Hébert, mais persistera jusque dans les dernières années du siècle. Des nouvelles du *Métamorfaux* (1974) à l'immense fresque de *L'oiseau de feu*, dont quatre des cinq tomes ont paru entre 1989 et 1995, Brossard fait preuve d'une imagination débordante, soutenue par une écriture éblouissante. Ses efforts sont d'ailleurs reconnus par le milieu de la SF, car il obtient le Grand Prix de la science-fiction et du fantastique québécois en 1989. Selon Claude Janelle, «les auteurs et les amateurs de SF ont trouvé en Jacques Brossard, rétrospectivement, le maître, le phare littéraire qu'ils recherchaient en vain dans le passé ancien ou plus récent de la SF québécoise[13]».

Pourtant Brossard ne fait pas dans le genre facile. Dans *Le métamorfaux*, il offre sept nouvelles toutes plus ouvragées les unes que les autres. Elles ont comme caractéristiques d'être marquées au coin de l'onirisme et du politique, et je dirais que le premier se développe sans vergogne, alors que le second se laisse deviner. Les personnages de Brossard sont coincés entre le rêve et la réalité, et c'est le plus souvent le repli dans le monde du rêve qui permet de trouver un sens à la vie ou, du moins, une consolation. Mais parfois ce cadre éclate. Ainsi, dans «L'objection», l'univers tourne plutôt au cauchemar et le personnage semble se désintégrer sous la poussée de mystérieux événements extérieurs qui semblent être reliés aux événements d'octobre 1970. Tout se détraque apparemment sans raison dans la maison où l'homme se trouve et il tombe tellement de neige qu'il y reste prisonnier, puis son langage se défait dans les dernières pages de cette nouvelle d'un fantastique extrêmement original dont la forme s'éloigne de tous les canons du genre pour se mouler dans le discours d'une subjectivité exacerbée qui éclate pour ainsi dire sous la pression de l'histoire récente du Québec:

[13] JANELLE, Claude, «La science-fiction totale», *Lettres québécoises*, n° 73 (printemps 1994), p. 29.

tape magine avec trenesie mai l" immressiob neplus me posseder moumeme moi moi o toi si peyx schs ne pas attycher pas possdér cor pierr suis possdé je devns abjt frb magne ecrr lib lib a
aaaa aaa
aa a aaa
aaa aa
aa a
a («L'objection», [© 1974] 1988, p. 42)

La nouvelle éponyme, «Le métamorfaux», nous rappelle que Jacques Brossard est professeur de droit, mais qu'il aime énormément s'amuser avec les règles juridiques et les personnages chargés de les faire appliquer. Devant un juge des plus étranges, douze personnages viennent témoigner, tous, juge y compris, affirmant les choses les plus incroyables: «je suis très fatigué, dit le juge. Épuisé, je n'en puis plus, je voudrais en finir. Je travaille depuis cinq millénaires, je n'ai pas dormi depuis cinq cents ans» (*Le métamorfaux*, 1988, p. 86). À la fin, le greffier tue le juge:

> Je l'ai frappé au cœur. Aucune de ses treize plaies n'a saigné. Depuis déjà longtemps, il saigne de moins en moins quand il meurt. Je l'ai soulevé dans mes bras comme un enfant. Le déclic a joué: le coffre s'est ouvert de lui-même. J'y ai déposé avec soin son nouveau cadavre. [...] Ainsi est-il mort pour la cinq-millième fois moins une. Combien de temps me reste-t-il à vivre? (*Le métamorfaux*, [© 1974] 1988, p. 93-94)

Souvent, en dépit d'un nombre élevé de personnages, la solitude règne dans les univers de Brossard. Dans «Le clou dans le crâne», «Le cristal de mer» et surtout dans «La tour, la fenêtre et la ville», le discours met l'accent sur la quête onirique et cauchemardesque d'un personnage en mal d'amour et d'harmonie, alors que tout, autour de lui, dément ce désir. Même dans sa grande œuvre romanesque, *L'oiseau de feu*, cette problématique se retrouve. Sauf qu'ici on a affaire à un véritable héros, Adakhan, un Périphérien de Manokhsor, révolté et cherchant à libérer son peuple de l'emprise des Centraliens. La métaphore politique semble prendre de l'ampleur dans *L'oiseau de feu*, mais l'œuvre est loin de se résumer à ce cas de figure qui pourrait rappeler le combat du Québec dans le cadre du Canada:

> Car nous partons d'une situation de fait: le conditionnement séculaire des Périphériens. [...] Il est absurde [...] qu'un programme établi par quelques Centraliens il y a des siècles nous lie encore. (*L'oiseau de feu*, tome 2A, 1990, p. 517-519)

Étant donné l'ampleur de cette fresque romanesque, le discours évolue lentement avec des zones de doute, de questionnement et des séquences de tension extrême:

> Pourquoi m'appesantir? "Ma révolution", dit Adakhan, j'y crois de moins en moins. Pourquoi? N'est-ce qu'un reste de superstition? Je crois de plus en plus au désastre et à la catastrophe. Au cataclysme prévu par MO [l'ordinateur central]. (*L'oiseau de feu*, tome 2C. *Le sauve-qui-peut*, 1995, p. 137)

Et quelques centaines de pages plus loin, le narrateur met un terme à ce quatrième tome par cette phrase (d)étonnante: «Tout explose. Il n'est que sept heures du matin.» (*L'oiseau de feu*, tome 2C. *Le sauve-qui-peut*, 1995, p. 501)

Ce que l'œuvre de Jacques Brossard problématise finalement, c'est la métamorphose de la réalité par le truchement d'un acteur surtout qui s'avance et s'aventure lentement dans ce qu'on pourrait appeler le labyrinthe du réel, de la révolution, mais d'une révolution qui prend sa revanche sur celle, trop tranquille sans doute, qui se joue dans le quotidien politique du Québec. Ce que, dans ses écrits juridiques, Jacques Brossard ne peut que rationaliser, dans ses récits fantastiques et de SF, il le pousse à son ultime limite et réalise fictionnellement le grand rêve d'Adakhan et de ses semblables.

Un univers de possession textuelle

Chez Aude (pseudonyme de Claudette Charbonneau-Tissot et de Claudette Charbonneau), qui commence à publier la même année que Brossard, le rêve sera également très important, mais ses récits sont conçus dans une tout autre perspective. Dès le départ, avec *Contes pour hydrocéphales adultes* (1974), son œuvre est imprégnée dans l'étrange et dans une forme de fantastique qui semble proche du drame psychopathologique. L'auteure s'est fort bien expliquée de son projet:

> [C]e que je voulais faire ne relevait pas [...] tout à fait de la littérature fantastique. [...] [Mais] il me semblait que rien au fond ne pouvait empêcher que TOUT soit possible dans la fiction narrative. [...] C'est dans cet état d'esprit qu[e] [...] j'ai entrepris l'écriture de mon premier «vrai» livre, *Contes pour hydrocéphales adultes* [...] J'avais choisi le titre du recueil avant même d'avoir écrit un seul des textes qu'il allait contenir. Il donnait en quelque sorte le ton à ce que je voulais faire: échapper à la logique d'interprétation quotidienne et entrer dans un monde où les déformations faites au «réel» seraient non seulement admises mais considérées comme «normales» par rapport à ce qui se passait dans les textes eux-mêmes[14].

Aude fait partie de ces écrivains qui, comme André Berthiaume, Louis-Philippe Hébert et Jacques Brossard, et sur la lancée de l'après Révolution tranquille, conçoivent l'écriture comme un lieu de libération des fantasmes de toutes sortes et un lieu de liberté narrative totale. Mais il faut bien admettre qu'à l'étude de certains de ses textes, la narration n'échappe pas à toute logique d'interprétation quotidienne, bien que, en effet, les personnages et les narrateurs entrent souvent dans des univers déformés qui sont en faits formés et réifiés par leur propre pouvoir créateur. Il y a bel et bien une organisation du discours et de l'imaginaire chez Aude qui permet ou qui provoque l'apparition de l'étrange. Dans la nouvelle éponyme du recueil *La contrainte* (1976), le procédé est même exhibé:

[14] CHARBONNEAU, Claudette, «L'écriture: ouverture ou repliement?» Thèse de doctorat, Québec, Université Laval, 1985, XIII-273 f. [v. f. 165-166].

> [L]e dieu qui séjournait en moi ne s'assouvissait que d'histoires obscures et sanglantes dans lesquelles j'étais amenée à baigner et à vivre immergée puisque, sitôt un texte entamé, je subissais automatiquement un dédoublement et une métempsycose suivant lesquelles, chaque fois, je devenais non seulement l'auteur et le narrateur de ce texte mais aussi son personnage central. (*La contrainte*, 1976, p. 12-13)

Ce qu'il y a de particulier dans les univers de Aude, c'est que ni le réel ni l'irréel ne sont des espaces heureux, mais que, à tout prendre, l'imaginaire est toujours préférable à la banalité quotidienne qu'il faut fuir à tout prix parce qu'elle est intolérable. Faut-il ajouter que la plupart des personnages principaux et des narrateurs sont féminins et que cela n'est pas gratuit? Faut-il y voir une forme de féminisme? Pas strictement, mais force est de constater que les figures mâles (adultes) sont passablement tyranniques dans son œuvre. Ainsi dans son roman, *L'assembleur*, qui est une sorte de *novella*, un garçon mène avec l'aide de sa mère — mais surtout d'un ordinateur — un combat contre un père qui l'avait maltraité. Cette œuvre très étrange, où trois voix prennent tour à tour la parole, paraît être à la limite de la science-fiction, du fantastique et même du merveilleux, car les actions vengeresses passent par le truchement d'une machine informatisée, mais sans que la description technologique soit accentuée de quelque façon que ce soit. Au contraire, le garçon — l'Assembleur — manipule bien son père par le truchement de son programme informatique, mais dans la façon dont le discours se déroule, tout se fait comme par «enchantement»:

> Le cauchemar, dit le père, s'étend en moi comme un cancer. Se répand en tache d'huile sur mon réel. Au début, il n'y avait que la voix et les images dans ma tête. À présent, c'est autre chose. L'Assembleur se faufile hors des mots. Il s'échappe des images pour circuler dans mon espace et dans mon temps. [...] Un délire hautement organisé imprègne peu à peu mon univers et le désarticule. (*L'assembleur*, 1985, p. 44-46)

Fidèle à son projet initial, Aude prend donc toutes les libertés qu'elle peut avec la quotidienneté pour articuler ses récits et pour désarticuler les actions et les pensées de certains personnages. Mais ces petites vengeances sur la réalité ne peuvent nous faire oublier que ce qui domine son œuvre en général et ce qui paraît être au centre de sa fantasticité, c'est la figure fragile de la femme. Ce cas de figure est illustré de manière éloquente dans «Fêlures» (*Banc de brume*, 1987), où une femme artiste cherche à se «compos[er] par touches» (*Banc de brume*, 1987, p. 120), mais ne parvient qu'à s'effriter au contact d'une voix d'homme:

> Un jour, j'avais sorti la toile, les pinceaux et les tubes. J'étais avec un homme. Je croyais sa présence capable de conjurer l'effritement du verre. [...] Je n'étais pas encore entière. Je devais m'achever. Il éleva soudain la voix puis cria. Les ondes firent éclater le verre. [...] Je m'aperçus que de minuscules morceaux de verre commençaient à se détacher de mon corps. [...] Je

> m'agenouillai et ramassai des morceaux épars. J'essayai de les ordonner sur la table. Mais d'autres tombaient à un rythme accéléré. Mes mains s'effritaient [...] je vis se défaire des osselets transparent de mes doigts. Ils firent un bruit de clochettes. Puis il neigea doucement sur la table. (*Banc de brume*, 1987, p. 120-121)

Tout l'œuvre de Aude, à travers la narration d'étrangetés irréductibles au principe de réalité, disent toujours la fragilité des êtres, leurs désirs de complétude et le désespoir qui souvent tient lieu de tout. Une œuvre noire, mais qui traduit mieux que bien des récits réalistes les tourments d'une humanité livrée à elle-même.

Une SF philosophique

Par un curieux hasard, une autre écrivaine qui deviendra extrêmement importante dans le champ de la SF au Québec, Esther Rochon, commence à publier en volume également en 1974. *En hommage aux araignées* (repris en 1987 sous le titre *L'étranger sous la ville*) semble d'abord destiné à un public jeune, mais en fait le roman forme le premier fragment de ce qui deviendra ce qu'on désigne maintenant comme «le Cycle de Vrénalik», les deux autres fragments ayant pour titre *L'épuisement du soleil* (1985) et *L'espace du diamant* (1990). Entretemps et depuis, elle a publié deux recueils de nouvelles (*Le traversier*, 1987; *Le piège à souvenir*, 1991) et trois romans *Coquillage* (1986), dont deux appartiennent à un nouveau cycle, celui des «Chroniques infernales»: *Lame* (1995) et *Aboli* (1996). Pour cette cofondatrice de la revue *Imagine...* — qui a éprouvé toutes les difficultés possibles à faire publier son deuxième ouvrage au Québec et en France, *L'épuisement du soleil*, essuyant refus sur refus —, la carrière a finalement bien tourné, du moins dans le champ restreint de la SF et du fantastique, car elle a mérité trois fois le Grand Prix de la science-fiction et du fantastique québécois: en 1986, juste retour des choses, pour *L'épuisement du soleil*; en 1987, pour *Coquillage*, et, en 1991, pour *L'espace du diamant*.

Si l'œuvre d'Esther Rochon a été acceptée de manière si enthousiaste par le milieu de la SF au Québec, c'est qu'elle répond aux critères de qualité et d'imagination, une imagination proprement science-fictionnelle (c'est-à-dire axée sur la création d'un *novum*) qui peut justement rebuter l'institution littéraire traditionnelle.

Pourtant, le projet littéraire de Rochon est très exactement ancré dans la tradition littéraire québécoise. Parlant de *L'épuisement du soleil* — mais ses commentaires valent pour l'ensemble de son œuvre —, elle s'en est expliqué en entrevue:

> J'étais très sensible à un phénomène que j'avais rencontré comme lectrice: parfois on a l'impression qu'une partie d'une œuvre a une résonance personnelle et que, tout à coup, ça s'ouvre vers le collectif, ça se met à résonner beaucoup plus fort. J'avais trouvé ça, par exemple, chez André Langevin et Gérard Bessette: ils jouaient beaucoup sur ce genre d'effet-là qui est très beau. C'est quelque chose que j'ai vu au Québec plus que dans d'autres

> littératures. [...] Délibérément, je me suis dit que j'essayerais de jouer ce jeu-là aussi, d'aller de l'individuel au collectif. [...] Je devais partir de mes propres émotions. Sans cela, je n'aurais pas eu le souffle pour aller jusqu'au bout.[15]

Cela peut sembler relever du truisme, mais pour se retrouver dans l'œuvre de Rochon, il est bon de se rappeler de ce principe qui se trouve à la base de l'organisation du discours et de l'imaginaire. Prenons l'exemple du Cycle de Vrénalik: d'un point de vue formel, la narration paraît traditionnelle, mais en fait elle exploite la plupart du temps le discours à focalisation variable, les choses étant tour à tour perçues par différents personnages. La subjectivité passe donc par cette voie. Puis, petit à petit, dans le cycle se dessinent les contours d'un monde imaginaire, avec sa propre histoire, sa géographie, ses dieux, ses mythes, ses craintes et ses espoirs. Se crée ainsi une image collective, celle de l'histoire d'un peuple, les Asven, vivant dans l'archipel de Vrénalik. Il s'agit d'un peuple au passé grandiose, mais qui a été détruit, défait, des siècles plus tôt. Le cycle romanesque prend ainsi la forme d'une exploration, d'une quête où des personnages cycliques, tels que Anar Vranengal dans *En hommage aux araignées*, Taïm Sutherland, Vranengal et le Rêveur dans *L'épuisement du soleil*, et Strénid en compagnie de Vranengal et de Sutherland[16] dans *L'espace du diamant*, cherchent à renverser l'ordre néfaste des choses, des vieux mythes paralysants, afin de retrouver la voie de l'espoir, de la vie.

Il y a des moments où l'espoir se mélange à l'incompréhension, comme à la fin d'*En hommage aux araignées*:

> Trop de choses venaient de m'arriver, je ne m'y retrouvais pas; il me faudrait des mois avant de comprendre. C'était comme un rêve; je ne tenais pas à m'en souvenir tout de suite. (*En hommage aux araignées*, 1974, p. 126)

Dans le deuxième fragment du Cycle, Anar Vranengal, apprentie sorcière, est confrontée au sorcier Ivendra, et sa philosophie se précise mais non pas dans la conformité avec la pensée d'autrui, plutôt dans l'altérité:

> Anar Vranengal était peu sensible à ce que le destin à l'Archipel pouvait présenter de tragique. La mort d'un individu, ou d'un peuple, étant inévitable, elle l'acceptait sans s'y attarder. [...] Pour Anar Vranengal, le monde, y compris elle-même, était une collection d'objets, d'émotions, d'individus, de concepts disparates, hétéroclites, tandis que pour Ivendra ces éléments étaient liés par des relations complexes au point de ne former qu'une seule masse, visqueuse, organique, éperdument aimée, remuée par des forces qui n'étaient pas de simples jeux, mais pour ainsi dire des divinités que l'on vénère et que l'on craint. (*L'épuisement du soleil*, 1985, p. 198-190)

---

[15] «Esther Rochon. Interview de Michel Lord», dans *Lettres québécoises*, n° 40 (hiver 1985-1986), p. 36-39 [voir p. 37].

[16] Le personnel du roman s'accumule dans l'œuvre de Rochon, il grandit avec le discours, faisant de l'œuvre une vaste fresque romanesque.

Ce n'est que dans le troisième fragment du Cycle que Vranengal, devenue sorcière, se transforme au point de pouvoir faire pénétrer le magique au cœur du réel:

> [S]oudain je ne suis plus simplement Anar Vranengal, je suis aussi le Rêveur et toute la lignée de paradrouïms et sorciers de l'archipel, à partir de Svail jusqu'à Ivendra [...] J'étais éventail fermé, je deviens éventail ouvert, être aux ombres mouvantes, aux silhouettes plurielles et chatoyantes. (*L'espace du diamant*, 1990, p. 322-323)

Ce n'est là qu'un exemple de discours de parcours autour d'un personnage. Car le discours romanesque chez Rochon épouse les contours de la pensée de ses personnages, mais elle montre l'interrelation de la pensée des uns avec celle d'autrui, et, ce faisant, de subjectivité en subjectivité, elle parvient à tracer le dess(e)in d'un univers complexe où ce qui compte le plus finalement, c'est le dialogisme, l'échange, l'osmose des discours, de manière harmonieuse ou conflictuelle. Nous pourrions dire qu'elle pratique, outre une forme de *fantasy* (une SF où le magique remplace le technologique), une forme de discours idéique, le roman philosophique, tendance à laquelle sa propension au bouddhisme n'est sans doute pas étrangère:

> C'est [le bouddhisme] une démarche qui a des répercussions sur tous les aspects de la vie, y compris l'écriture. L'interaction entre écriture et pratique bouddhiste est complexe: il peut s'agir de souvenirs d'expériences liées à la méditation, d'allusions à des enseignements qui me marquent, ou encore d'une plus grande confiance en mes capacités créatrices, avec l'impression d'avoir sans cesse accès à une palette plus large, plus vivante, du point de vue des émotions à rendre, des situations à décrire[17].

Nul doute que cette palette s'étende sous d'autres formes, mais animée du même esprit créateur, dans les autres romans et dans les nouvelles de Rochon. En fait, si l'on cherche à simplifier cette matière discursive très complexe et très riche (après tout, elle a publié plus de 2 000 pages de fiction), nous pourrions dire que l'imaginaire de Rochon oscille constamment d'une œuvre à l'autre et parfois dans une même œuvre, entre une austérité et une sensualité exemplaires.

Sa propension philosophique nourrit la tendance austère, visible dans certaines nouvelles, comme «Le traversier» et «Le labyrinthe» où seule la pensée semble active, alors que dans des romans comme *Coquillage* et *Lame*, l'érotisme s'étale sans retenue. Rochon disait elle-même, avant la parution de *Coquillage*, sur un ton humoristique: «Il y a un monstre là-dedans, mais il y a aussi tout un aspect érotique qui fait que je vais certainement avoir envie de me cacher sous la table quand ça va paraître.[18]»

---

[17] «Esther Rochon. Interview de Michel Lord», dans *Lettres québécoises*, *loc. cit.*, p. 38.
[18] *Ibid.*, p. 39.

Dans ce contexte, on peut être surpris de la différence qu'il y a chez Rochon entre l'œuvre narrative longue et la brève, l'auteure paraissant plus à l'aise dans les mouvements amples qui permettent à l'expression de la sensualité de se développer chez elle. Dans le récit bref, si le discours est plus austère, c'est que l'écriture s'attache à autre chose, ou plutôt laisse tomber certains éléments du texte que, dans le long, elle prend le temps d'exploiter sans retenue. Le plus bel exemple, nous l'avons dans la nouvelle «Mourir une fois pour toutes» (*Le piège à souvenirs*, 1991), où Rochon donne la version préliminaire de *Coquillage*. L'œuvre brève, en comparaison du roman, ressemble à une esquisse, à un burin. Il y a des gestes, des pensées qui paraissent peu motivé(e)s, parce que la nouvellière prend une situation *in media res*, donne peu d'explications psychologiques et mène son récit à terme très rapidement. La nouvelle semble ainsi déroutante, là où le roman se fait envoûtant. Cela ne signifie pas que l'œuvre narrative brève de Rochon n'atteint pas la qualité de son œuvre romanesque, mais que ces deux parties de son œuvre répondent à deux projets d'écriture formellement distincts. Force nous est de constater que Rochon elle-même pratique davantage le long, allant même jusqu'à préférer la fresque romanesque. C'est sans doute pour cela que, récemment, elle est revenue en force avec un nouveau cycle, les Chroniques infernales, comprenant les romans *Lame* et *Aboli*, de nombreux tomes devant paraître dans les années qui viennent pour compléter ce cycle. C'est que la verve philosophique et imaginative de Rochon demeure intarissable et que par la création d'un nouvel univers, apparenté aux enfers, elle a l'occasion de discourir sur l'état du monde, sur ses beautés, ses horreurs, et sur les transformations qui demeurent toujours possibles. Car la SF pour Rochon, c'est un peu cela: un voyage effectué longuement dans le noir, dans le non-savoir, dans des non-lieux, des archipels éloignés, coupés du monde, des coquillages, des enfers, mais qui mène vers la lumière, la connaissance, la reconnaissance de soi, la vérité toute subjective de notre réalité au milieu de la collectivité.

Une écriture du rêve

Parmi les autres figures de proue de la SF québécoise, Élisabeth Vonarburg vient elle aussi au premier rang. Non seulement auteure, mais également agente active dans le champ de la SFQ, Vonarburg se trouve dans un certain sens à l'origine de la série des Congrès Boréal sur le fantastique et la SF en 1979, le premier et ceux de 1982 et de 1988 s'étant tenus sous sa direction à l'Université du Québec à Chicoutimi. Elle a été directrice de la revue *Solaris*, après le départ de son fondateur, Norbert Spehner; elle a participé à la fondation du Grand Prix de la science-fiction et du fantastique québécois en 1984; elle a publié une série d'ouvrage de science-fiction, dont les recueils de nouvelles *L'œil de la nuit*, 1980, le premier volume de la collection «Chroniques du futur» créée par Norbert Spehner au Préambule; *Janus*, 1984; *Ailleurs et au Japon*, 1990; et les romans *Le silence de la cité*, 1981; *Chroniques du Pays des Mères*[19], 1992; *Les voyageurs malgré eux*, 1994; *Les rêves de la Mer. Tyranaïel — 1*, 1996, et un essai, *Comment écrire des histoires. Guide de l'explorateur*, 1986.

Chez elle, qui a publié tant en France qu'au Québec, au Canada anglais et aux É.-U., où ses romans paraissent en traduction anglaise (*The Silent City* a été publié en 1988), la qualité de l'écriture et de l'imagination est constante. Elle a mérité une série de distinctions tout au long de sa carrière, dont le Grand Prix de la SF française pour son roman *Le silence de la cité* en 1982, ainsi que le Grand Prix de la science-fiction et du fantastique québécois, le prix Aurora du meilleur roman (Canada) et le prix spécial du jury du Philip K. Dick Award (É.-U.) pour *Chroniques du Pays des Mères* en 1993.

Une anecdote pourrait illustrer sa détermination à vouloir se faire publier en tous lieux. Depuis la fondation de la revue *Imagine...*, en 1979, il s'était établi une atmosphère de combat entre les dirigeants de la revue *Solaris* et ceux de la revue *Imagine...* Le conflit tenait à peu de choses, surtout à des querelles de personnalités, mais aussi à des divergences de vue sur ce que devait être la bonne SF, et le ton à adopter dans les revues, la direction d'*Imagine...* étant, par exemple, plus ou moins partisane du ton fanzine de *Solaris*, le ton fanzine étant le ton familier que les amateurs adoptent dans leurs échanges entre eux aussi bien qu'avec le directeur de la revue. La direction d'*Imagine...* refusait aussi certains types de textes sous prétexte que ce n'était pas de la vraie SF. Sauf qu'avec le temps et selon les textes reçus, sa conception de la SF pouvait varier. Pour ce qui touche Vonarburg, on lui reprochait de pratiquer une SF onirique. Une seule exception à signaler: un texte signé Vonarburg, «Onéiros», avait paru dans *Imagine...*, n° 21 en 1984, mais c'était le résultat d'une commande de Catherine Saouter Caya, membre de la direction et illustratrice, qui avait demandé à une vingtaine d'auteurs de SF d'écrire un texte de SF à partir d'un dessin. Par la suite, plus rien, même si après la parution de «Onéiros», Vonarburg avait essayé à plusieurs reprises de faire paraître un de ses textes soit dans *Imagine...*, soit dans un des ouvrages collectifs apparentés à *Imagine...*, la série des *Espaces imaginaires*, aux Éditions les Imaginoïdes. Toujours refusés. Les textes étaient renvoyés, jugés impubliables.

Or, un jour, Vonarburg décide de jouer le grand jeu: elle se dote d'une nouvelle identité, se nomme Sabine Verreault, et écrit une lettre à Jean-Marc Gouanvic expliquant sa situation de nouvelle écrivaine

[19] *Chroniques du Pays des Mères* a la particularité d'avoir été publié simultanément en français et en anglais au Québec, au Canada anglais et au É.-U., bien qu'avec des titres différents (*The Maerlande Chronicles* au Canada et *In the Mothers' Land* aux É.-U.).

québécoise, et elle accompagne sa lettre d'un texte qu'elle voulait voir paraître dans *Imagine*: c'est «Le dormeur dans le cristal», qui a effectivement paru dans le n° 32 d'*Imagine*... en février 1986. Six mois plus tard, un autre de ses textes paraissait, dans *Imagine*... toujours, «Ailleurs et au Japon», et dès l'automne, Gouanvic retenait un de ses textes pour sa série *Espaces imaginaires IV*, le dernier ouvrage d'ailleurs de la série. Dans sa présentation de Verreault, Gouanvic disait: «[E]lle est la découverte la plus importante de la science-fiction québécoise depuis Agnès Guitard. Sa qualité majeure est un style d'une rare justesse» (Gouanvic et Nicot, *Espaces imaginaires IV*, 1986, p. 170).

Ses textes avaient donc été acceptés dans l'enthousiasme. Elle avait réussi à prouver quelque chose... Après cette aventure éditoriale, devenue comme malgré elle son propre double, elle s'amuse à écrire une nouvelle en collaboration avec Sabine Verreault, «Mourir un peu», et elle soutient une thèse de doctorat en création où elle aborde entre autres choses le sujet qui la préoccupe le plus: «La Même et l'Autre», c'est à dire la question du double.

Dans son œuvre publiée en volumes, qui comprend des dizaines de récits longs et brefs, couvrant déjà des milliers de pages toutes consacrées exclusivement à la SF — à part de rares exceptions —, elle aborde des thèmes très liés à la problématique du double, les principaux tenant à la possibilité d'opérer des transformations de son apparence (mais c'est plus que l'apparence qui change alors, c'est tout le corps, car certains des personnages sont dotés du pouvoir de changer de sexe à volonté, et ce pouvoir leur vient de manipulations scientifiques).

Ainsi, dans *Le silence de la cité*, après diverses catastrophes, des Terriens se sont réfugiés dans des Cités souterraines, où on a mis au point des traitements réjuvénateurs. Pourtant, 350 ans plus tard, les derniers survivants sont en train de disparaître, mais un généticien cherche toujours à revitaliser la race humaine. Il crée Élisa, qui possède une faculté d'autoregénération presque instantanée, un étonnant pouvoir empathique et une faculté de métamorphose totale. Elle peut être selon sa volonté homme ou femme. Après diverses aventures, Élisa décide d'utiliser la Cité pour créer des enfants qui iront répandre les gènes du changement à l'Extérieur. N'est-ce pas l'illustration parfaite du désir de la réinstauration de la justice sur Terre?

Car sur une Terre parfaite, les hommes et les femmes seraient égaux puisque tout le monde aurait les deux sexes. L'œuvre déborde largement cette simple problématique utopique, Vonarburg s'étant bien expliquée quant à sa conception de la science-fiction:

> [P]our moi, la SF [...] c'est une réflexion sur les relations entre l'être humain et l'univers, et sur le mouvement de la connaissance, au sens

général du terme, sur le savoir qui réunit l'humain et l'univers, et l'interprétation de ce savoir. C'est ça, pour moi, le mouvement fondamental de la SF.[20]

Au cœur de cet immense brassage d'idées, Vonarburg crée sans relâche une œuvre tentaculaire qui se développe même pour elle de manière surprenante. *Le silence de la cité*, par exemple, publié bien avant *Chroniques du Pays de Mères*, a été «enfanté» pendant la rédaction des *Chroniques*:

> L'héroïne découvrait une cité souterraine et voyait tout un tas d'images sur des écrans, qui lui permettaient de reconstituer La Vérité du Passé Mystérieux. [...] il a fallu imaginer plus en détail. Ça a donné un scénario complet en soi, une histoire que j'ai conçue comme une nouvelle [...] je continue. Cent pages, cent cinquante... ciel, c'est un roman! J'ai écrit comme ça les deux premières parties de ce qui allait devenir *Le silence de la cité*, pas vraiment au contrôle de ce qui se passait. Après évidemment, j'ai réaffirmé mon Autorité! Ou presque... Le tout a complètement fait dérailler ma Trilogie du Pays des Mères, je suis partie dans d'autres directions.[21]

C'est dans cette perspective de «déraillement» contrôlé, qui se trouve mimétiquement représenté dans le titre d'un de ses derniers romans, *Les voyageurs malgré eux* (1994), que Vonarburg — une exploratrice malgré elle, à l'image de son personnage, son double, Catherine Rhymer — exploite un autre cycle de son imaginaire: le cycle du Pont. Déjà, dans «Le Pont du froid» et dans «Le nœud» (*L'œil de la nuit*) par exemple, elle avait abordé ce cycle centré sur le thème de la rencontre avec son propre double. Ici, on rejoint un thème très utilisé en fantastique, sauf que en SF, la rencontre est possible par le truchement de machines, la technologie du Pont.

Dans la même optique, Vonarburg joue aussi dans «Janus» et «Éon» (*L'œil de la nuit*) sur les deux faces d'une même personnalité, suggérant que nous sommes tous plus ou moins des Janus et que souvent nous n'acceptons pas notre face cachée. Elle ne fait pas que traiter du double, évidemment et aborde, dans «L'oiseau de cendres» (*Janus*), le thème même du mythe: des Pyréïs, créent des formes colorées qui représentent leurs mythes par la seule force de leur pensée. Cette réification ne s'inscrit pas ici sur le mode du merveilleux, mais dans un univers où les êtres ont le pouvoir psychique de faire apparaître leurs mythes.

Un autre de ses grands thèmes est celui du rêve, Vonarburg ellemême définissant d'ailleurs ainsi son «projet d'écriture»: «Il n'y a pas de doutes, la seule façon d'avoir une vie qui ressemble à quelque chose, c'est de la rêver, ou de l'écrire; c'est si rare d'avoir l'occasion de la modeler

---

[20] «Entrevue. Élisabeth Vonarburg [par Louise Alain, Joël Champetier et Daniel Sernine]», *Solaris*, n° 106 (vol. 19, n° 1, été 1993), p. 39-50 [v. p. 41].

[21] *Ibid.*, p. 40.

réellement.[22]» Dans cette perspective, ce n'est pas un hasard si Vonarburg a été honorée par le jury du prix Philip K. Dick. Déjà, dans la nouvelle éponyme du recueil *L'œil de la nuit*, Réal est un rêveur dont les «rêves» lui font voir des univers parallèles et il ressent télépathiquement les émotions des gens qu'il voit. Or, à la fin, un vaisseau vient se poser près de chez lui, comme dans ses rêves. Dans «Thalassa» (*Janus)*, une Rêveuse, dans son enfance, a rêvé à des Étrangers venus envahir la planète où elle vit. Sur une autre planète, la mer est animée d'un large mouvement qui la fait se retirer complètement des terres et disparaître de la vue, pour revenir ensuite. La réalité du rêve existe.

Tous ces thèmes ont ainsi un point en commun: la rencontre, que ce soit avec soi ou avec l'autre. Chez Vonarburg, les personnages traversent les espaces grâce à diverses technologies, soit pour se retrouver, soit pour faire face à des situations inédites.

Vers la fin des années 1970, à peu près en même temps que Aude, Rochon et Vonarburg, quelques autres auteurs importants font leur apparition dans le champ du fantastique et de la SF: André Carpentier, Daniel Sernine et Jean-Pierre April[23].

La force du désir

Sans doute l'un des agents les plus actifs en dehors du cercle des revues spécialisées en fantastique et en SF, André Carpentier a joué un rôle majeur au tournant des années 1980 pour la reconnaissance de ce phénomène littéraire. Il a, par exemple, dirigé avec Marie José Thériault, un numéro de *La Nouvelle Barre du Jour* (n° 89, avril 1980) sur «Le fantastique» et il a tenu à faire honneur au fantastique et à la SF dans la série des *Dix contes et nouvelles par dix auteurs québécois*[24] publiés chez Les Quinze Éditeur. Vers la fin des années 1980, il a aussi animé à la radio de Radio-Canada une émission intitulée *Littératures parallèles* (réalisée par André Major), dans laquelle il faisait la part belle aux deux genres «irréalistes» qui nous intéressent.

Son œuvre fantastique ou de SF comprend environ 25 récits brefs publiés dans trois recueils (*Rue Saint-Denis*, [©1978] 1988; *Du pain des oiseaux*[25], 1982; *Carnet sur la fin possible d'un monde*, 1992) et un roman (*L'aigle volera à travers le soleil*, [© 1978] 1988). Lors d'un Congrès Boréal sur le fantastique et la SF, André Belleau a expliqué mieux que tout autre la problématique de l'œuvre de Carpentier:

> La première qualité du discours fantastique chez André Carpentier, c'est [...] l'imagination [...] l'étendue, la diversité, l'originalité de la puissance imaginante. [...] Mais ce qui témoigne surtout de la force imaginante chez André Carpentier, c'est [...] la richesse et l'originalité du matériel onirique

[22] *Ibid.*, p. 48.
[23] Je pourrais mentionner également Michel Bélil, Marie José Thériault et bien d'autres.
[24] *Dix contes et nouvelles fantastiques par dix auteurs québécois*, Montréal, Quinze, 1983; *Dix nouvelles de science-fiction*, Montréal, Quinze, 1985.
[25] Traduit sous le titre *Bread and Birds*, Victoria (B.C.), Ekstasis Editions, 1993.

> et fantasmatique [...]. Les nombreux rêves qui interviennent dans les récits rapprochent sa manière de celle des conteurs romantiques allemands. [...] Ce voisinage presque normal du réel et de l'irrationnel tire manifestement les fictions de Carpentier vers les corpus fantastiques les plus résistants à l'analyse typologique: je veux dire le fantastique des surréalistes pour lesquels la réalité elle-même est fantastique et celui des romantiques allemands qui refusent toute séparation entre l'inexplicable d'une part et le quotidien de l'autre. [...] En dernière analyse, chez Carpentier, l'événement fantastique se présente autant comme un aspect de l'âme individuelle que du monde extérieur. C'est ce type de relation réel-surnaturel qui permet de comprendre les écarts que présente le discours fantastique de Carpentier par rapport aux formes plus attendues.[26]

En clair, cela signifie que l'œuvre de Carpentier innove formellement en jouant sur les frontières de la représentation tout en s'abreuvant abondamment aux sources mêmes de l'imaginaire (ou de l'imaginal) fantastique. Donnons quelques exemples. Dans son roman *L'aigle volera à travers le soleil*, un homme est hanté et possédé par une sorcière millénaire. Mais un éditeur fictif explique d'abord comment il a reçu, des mains de Pierot-de-peu-de-sens, un manuscrit, dans lequel Jésus-du-Diable, le narrateur, raconte son aventure étrange dans un village alsacien. Là, ce dernier y est témoin de l'apparition d'une belle adolescente de seize ans, qui est en fait Jeanne la jeune, une très vieille sorcière. S'adressant à son amie, Noémie, le narrateur essaie de reconstruire la séquence des événements, d'un seul jet et pendant une seule nuit, pour les libérer tous deux du cauchemar qui les habite. À la fin, la sorcière l'intercepte et lui raconte ses aventures à travers l'Histoire. Le narrateur reste lucide et refuse de la croire. Elle se fâche et, après une lutte inégale, elle triomphe. La police retrouve le narrateur vivant, mais les yeux arrachés. Jésus-du-Diable termine son récit à la pointe du jour, en même temps que son double dans un rêve de Noémie, puis il se suicide. En annexe, Noémie raconte qu'elle ne peut supporter cette réalité et se suicide elle aussi: quant à Pierot-de-peu-de-sens, possédé lui aussi par la sorcière, il raconte la vie de Jeanne la sorcière millénaire, qui laisse neuf filles, à qui elle transmet ses pouvoirs. Essayant de l'en empêcher, Pierot est assassiné.

On le voit, par ce long résumé, l'invention thématique et formelle est très puissante chez Carpentier. De nature baroque, son imagination se dépouille pourtant légèrement dans les nouvelles, tout en se diversifiant et se mélangeant génériquement. Ainsi, dans «La mappemonde venue du ciel» (*Rue Saint-Denis*) où se mêlent le fantastique et la SF, le double de la terre apparaît au-dessus de la terre, et toucher à ce double fait disparaître la réalité tout entière. Dans «Le fatala de Casius Sahbid» (*Rue Saint-Denis*) alliage de fantastique et de policier, un objet

[26] BELLEAU, André, «André Carpentier et le discours littéraire fantastique», *Imagine...*, n° 22 (vol. 5, n° 5, juin 1984), p. 26-30 [v. p. 26, 27, 29].

magique/maléfique, un câble, tue un détective. Dans «Les sept rêves et la réalité de Perrine Blanc» (*Rue Saint-Denis*), l'action sur la réalité s'exerce par le truchement des rêves. Alors que dans «Le coffret de la Corriveau» (*Rue Saint-Denis*), de facture plus traditionnelle, un sorcier manipule des gens par le truchement d'un coffret. Tout comme dans «Jorge ou le Miroir du mage» (*Du pain des oiseaux*), un magicien manipule des gens par le truchement d'un miroir maléfique.

C'est sans doute dans «La bouquinerie d'Outre-Temps» (*Rue Saint-Denis*), «Le vol de Ti-Oiseau (*Du pain des oiseaux*) et dans «Le "aum" de la ville» (*Carnet sur la fin possible d'un monde*) que se remarque le mieux l'originalité de la manière Carpentier. «La bouquinerie d'Outre-Temps» illustre à merveille le pouvoir du désir sur la réalité, Luc Guindon, historiographe vivant à Montréal en 1978, et souhaitant inconsciemment (re)devenir son propre grand-père, Lucien Guindon, visionnaire et auteur de romans d'anticipation publiés entre 1878 et 1899:

> [Luc Guindon] fit mine de ne pas comprendre; cela était impossible, voire impensable! Comment aurait-il pu, en effet reculer ainsi dans le temps jusqu'à l'époque de son cher ancêtre, le mystérieux mais si présent Lucien Guindon. Mais en même temps qu'il luttait contre la perspective d'un retour en arrière, il ne fait aucun doute qu'intérieurement il souhaitait plus que tout que cela se produisît. [...] Quoi qu'il en soit, il dut se rendre à l'évidence. [...] Il considéra donc le fait comme acquis. N'était-il pas [...] de ce genre d'hommes qui préfèrent prendre leurs désirs pour la réalité plutôt que la réalité pour leurs désirs? (*Rue Saint-Denis*, 1988, p. 110-111)

Dans «Le Vol de Ti-Oiseau» (*Du pain des oiseaux*), le principe organisateur du discours fantastique tourne autour d'un sorcier amérindien, vivant dans le nord du Québec, qui profite d'une seconde de haine dans la tête de Ti-Oiseau, alité dans un hôpital du sud, pour tuer Drien, l'homme qui avait voulu tuer Ti-Oiseau:

> D'abord je perçus un jeu d'ombres dans les rideaux diaphanes qui m'avertit que l'esprit du vieux sorcier circulait toujours [...] pendant que Drien demeurait parfaitement silencieux, le visage fermé, j'entendis le double de sa voix, rendu par l'espace, une voix d'abord presque plaintive, et qui se transforma graduellement en une sorte de long cri qui tue. Je voulus m'enfoncer les poings dans les oreilles, mais trop tard: la magie s'était déjà renforcée de ma seconde de haine. Le sort en était jeté [...] La magie venait d'emporter Drien. (*Du pain des oiseaux*, p. 40-41).

Le texte le plus étrange de Carpentier est sans doute «Le "aum" de la ville». Il existe une parenté certaine entre cette nouvelle et la Bible, à cette différence près que le texte de Carpentier inverse radicalement le cours des événements: alors que tout va bien à Montréal, l'île se met à bouger, presque à se détruire de manière apocalyptique, puis à s'arracher de la Terre et à s'envoler, puis enfin à revenir sur Terre dans le Bas-du-Fleuve où une nouvelle genèse peut recommencer, bien que le futur demeure tout à fait incertain:

> Il y eut un petit choc qui alarma les plus faibles. Puis la glace eut vite fait d'enchâsser l'île échouée. Ainsi se termina le voyage de l'île. Celui des insulaires ne faisait que commencer. Il y eut un soir de plus et qui sait s'il y eut un autre matin? Si le huitième jour arriva à naître? S'il fut perdition ou enchantement? S'il fut jamais... (*Carnet sur la fin possible d'un monde*, p. 67)

Entre la réalité et la plus que réalité, le monde de la quotidienneté et celui du rêve, du désir, du fantasme, entre tous les possibles et tous les impossibles se niche de manière diverses et fragmentée l'œuvre de Carpentier.

Une machine à voyager dans la fiction et à critiquer le réel

D'une certaine manière — et sans que cela soit concerté de quelque manière —, l'œuvre de Jean-Pierre April n'est pas tout à fait étrangère à la problématique esquissée à la fin du «Aum de la ville» de Carpentier, bien que April pratique avant tout la SF, plutôt que le fantastique. Tout ou presque est fondamentalement bouleversé dans les univers créés par April, qui rappellent souvent la manière de Philip K. Dick.

À l'origine de sa carrière, April commence à publier dans la revue *Requiem* en 1977, puis il devient membre du collectif de la revue *Imagine...* en 1980. Mais ennuyé par les querelles incessantes, il annonce en 1990 qu'il quitte le champ de la SF:

> Déjà je n'écris plus de SF depuis un an, mes intérêts sont ailleurs, et le milieu de la SF ne m'inspire plus guère: compte tenu que certaines rivalités en viennent à fausser le jeu de la communication littéraire jusqu'aux échelons les plus «institutionnels» du milieu, compte tenu du faible rayonnement de la SFQ en général et de ma production littéraire en particulier au sein de la «culture québécoise officielle» et même du «fandom», je ne vois pas pourquoi je sacrifierais des milliers d'heures et de dollars pour ajouter d'autres livres voués à la marginalité.[27]

Cela dit, la force d'attraction du genre étant sans doute plus forte que tout, April poursuit son discours épistolaire de cette manière: «J'ai toujours considéré la SF comme un véhicule exploratoire; même si je l'ai détourné ou malmené à l'occasion, je l'ai toujours aimé.[28]»

C'est pourquoi, finalement, il continue d'être actif depuis ce temps, puisqu'il a fait paraître récemment une anthologie de ses nouvelles, *Chocs baroques*[29] (1991) et *Les voyages thanatologiques de Yan Malter* (1995). Il publie son premier livre, un recueil de nouvelles de SF en 1980, *La machine à explorer la fiction*, dans la collection spécialisée «Chroniques du futur» du Préambule, puis régulièrement: le recueil de nouvelles *TéléToTaliTé* (1984), les romans *Le Nord électrique* (1985) et

---

[27] «Lettre de Jean-Pierre April [...] le 3 avril 1990», *Imagine...*, n° 54 (vol. 12, n° 1, décembre 1990), p. 79-80. [v. p. 79].

[28] *Ibid.*

[29] Un titre que je lui ai suggéré alors que je préparais l'introduction de cette anthologie pour BQ.

Berlin-Bangkok (1989) aux Éditions Logiques, dans collection «Autres mers, autres mondes» dirigée par Jean-Marc Gouanvic.

La problématique de son œuvre tient à ceci: il cherche à montrer que le réel n'est souvent qu'un simulacre, mais aussi que de puissantes instances institutionnelles plus ou moins occultes cherchent à imposer ce simulacre comme si c'était la réalité. C'est le monde des apparences qui domine. Par là, April fait la critique de son temps. C'est pour cela que ses textes parlent souvent d'écran qui projettent des fantasmes partagés par les masses, de machines à images et à textes dans lesquels les personnages vivent une partie sinon la totalité de leur vie.

April pratique une SF que l'on peut qualifier de critique sociale virulente. Il exagère certains aspects de la vie actuelle (la prédominance des écrans, des pouvoirs publics...) pour montrer vers quels dangers l'homme court: sa vision de la Terre est forcément (férocement) très pessimiste. On peut dire qu'il explore plusieurs volets de l'espace, mais c'est toujours pour en montrer la complexité et la finesse (ou la grossièreté) des manipulations que des puissances occultes opèrent.

Ce qu'il y a de particulier chez April, c'est d'abord que l'espace québécois est souvent mis en vedette. Il y aussi l'espace étranger (européen, asiatique), exotique, mais terrien, et l'Espace extraterrestre. Enfin il représente l'espace intérieur ou plutôt le problème de l'intimité de l'espace intérieur à une époque où l'on peut pénétrer facilement dans le cerveau des autres: c'est le pouvoir des communications, de la manipulation des individus et des masses par les mass médias, entre autres choses.

Donnons quelques exemples de ces cas de figures.

Préparé par des nouvelles telles que «KébeKéleKtriK[30]» et «Sur l'autoroute du Nouveau-Québec[31]», *Le Nord électrique* s'inscrit tout à fait dans l'espace québécois, dans un futur proche (mais qui l'est de moins en moins depuis que le gouvernement du Québec a décidé de surseoir à ses grands projets hydroélectriques). Mais en 1985, le roman apparaît comme une immense satire du brouhaha de la vie qui n'est que du show business organisé par les gouvernements pour endormir les foules assoiffées de spectacles.

Dans ce Québec imaginaire, on a construit un immense camion qui devra aller un jour sur Mars. On le met à l'essai dans un premier voyage vers le Nord; toute une série d'événements médiatisés est prévue. Mais tout se détraque et tourne à la catastrophe. Un reporter, Jean, est chargé de scénariser l'événement, et un écrivain de science-fiction, J.-P. Kadjak, se montre également intéressé. Finalement, on comprend que

[30] APRIL, Jean-Pierre, «KébeKéleKtriK», *Imagine...*, n° 10 (vol. 3, n° 1, septembre 1981), p. 33-52.

[31] *Idem*, «Sur l'autoroute du Nouveau-Québec», *Le Devoir*, 17 novembre 1984, p. XVIII. (Cahier spécial pour le Salon du livre de Montréal, «Avons-nous vécu *1984*?»).

c'est le Théâtre Total qui a tout arrangé, tout manipulé, dans le but de produire un spectacle total, l'Histoire mise en scène: le camion qui devait aller sur Mars est un échec, mais c'est ce qu'on voulait dissimuler par cette folle représentation.

On le voit, sous le voile baroque, car le roman est rempli de sous-intrigues, se cache une critique de l'hypocrisie des dirigeants. Chez April, la réalité tourne au cauchemar. Ainsi le constate-t-on dans «*Canadian Dream*» (*TéléToTaliTé*), où c'est le Canada qui est représenté ou plutôt dereprésenté: un sorcier du Cameroun soutient que Jacques Cartier a inventé le Canada; à la fin, alors qu'un Canadien survole le Golfe du Saint-Laurent, la réalité est remplacée par le vide. C'est ici une SF proche d'une sorte de réalisme magique où la parole d'un sorcier aurait préséance sur la réalité: le fait de dire que le Canada n'existe pas le fait disparaître. Il faut dire que le Québec disparaît aussi du même coup.

Dans un autre texte, «Le vol de la ville» (*La machine à explorer la fiction*), il n'est pas question de nier la réalité, mais de la faire décoller littéralement de Terre, de la propulser dans l'Espace, un peu comme dans «Le "aum" de la ville» de Carpentier. «Le vol de la ville» a d'ailleurs ses racines dans l'Espace: des extraterrestres ont échoué sur Terre avec leur vaisseau spatial, et ils se sont intégrés à Moréal (*sic*) au début du troisième millénaire. Un jour, ils décident de partir, mais le maire refuse, et arrime toute l'île au vaisseau. Toutefois, ce dernier est assez puissant pour arracher l'île à la Terre. Moréal devient une ville cosmique qui fait un long voyage. L'espace québécois se trouve ainsi connecté à l'Espace sidéral. Chez April, le pays peut disparaître, et des morceaux de celui-ci peuvent réapparaître ailleurs.

L'ailleurs terrien, April l'exploite dans *Berlin-Bangkok*, un roman dans lequel l'auteur poursuit sa parodie du réel. Dans une Allemagne réunifiée du XXIe siècle, qui rappelle étrangement le Québec — problème d'harmonie sociale («Il ne suffit pas de vivre dans la même maison pour se croire réconciliés», p. 13), de dénatalité, d'immigration («ils s'intègrent de moins en moins à notre nation sans avenir», p. 58) —, Axel, un homme déprimé, souffrant du «nowhere», est à la recherche de la femme idéale, qu'il découvre grâce à une agence de mariage. DES (drogues à effets spécifiques) et NTR (nouvelles techniques de reproduction) sont au rendez-vous dans les aventures d'Axel, rocambolesques comme toujours chez April. En projetant son personnage dans ce monde à la fois familier et étrange, April donne un récit dont la finalité est d'illustrer le processus complexe de la recherche du sens dans un monde où ce sens est perdu, en raison surtout des manipulations grossières ou subtiles dont l'homme est victime (c'est toujours l'idée de base de toute son œuvre).

Mais il y a une tendance dans son œuvre — celle de la représentation de l'espace intérieur — qui va encore beaucoup plus loin que tout cela. C'est ce qu'on pourrait appeler le cycle Yan Malter, que l'on retrouve dès 1980 dans «Coma-70» et «Coma-90» (*La machine à explorer la fiction*) et plus tard dans «Coma-123, automatexte» (*Chocs baroques*), puis, ultimement, dans le dernier roman *Les voyages thanatologiques de Yan Malter*, qui est campé quelque part entre 2 094 et 2 194. Comme une autre de ses œuvres le met en évidence, April aime créer des «*machines à explorer la fiction*», à parodier à l'extrême le réel autant que l'univers de la conscience ou de l'inconscient, de la vie que de la mort. C'est ce qui se passe dans ce «cycle» où Yan Malter (Moi, Autrui) joue littéralement le double, l'alter ego de Jean (Yan)-Pierre April, représenté aussi dans le personnage de Jan Tepernic, dont le nom contient l'anagramme de «répéter». Tout tourne en rond, tout se répète, se recrée et se dédouble entre la vie et la mort, le moi et autrui, dans ces œuvres:

> [Mira, la fille de Yan Malter] a rencontré Jan Tepernic. Un spécialiste des écrivains décédés: il les fait parler... Tepernic est mince et pâle comme la mort. Il a [...] les yeux luisants d'un être aussi cérébral qu'émotif, tout entier à sa passion, la résurrection d'écrivains. [...] Le meilleur, bien sûr, c'est lui. [...] Grâce à ses programmes de spéculectures et de projections littéraires, il a prolongé l'œuvre inachevée des Rimbaud, Calvino et DeLillo, des Philip K. Dick, Marie-Claire Blais et Luna Kyong. (*Les voyages thanatologiques de Yan Malter*, p. 25)

On croirait lire un mélange de Hubert Aquin et de Philip K. Dick dans le discours subjectif délirant de Yan Malter:

> J'oscille comme un mirage dans le désert de l'amnésie. Lentement ma conscience s'installe en moi. Je louvoie dans une odeur d'éther, je passe de l'état gazeux à l'action liquide, je me noie dans mes draps, et j'en suis presque heureux. Aveuglé par une myriade de phosphènes vrillants, je m'agite dans un corps de vieillard! Cette cage thoracique concave, cette peau couverte d'escarres, cette mémoire en lambeaux qui s'accroche à des scènes d'hôpital, non! ce n'est pas moi! (*Les voyages thanatologiques de Yan Malter*, p. 35)

Élisabeth Vonarburg a bien cerné la problématique de cette œuvre:

> Jean-Pierre April est [...] le représentant émérite (et unique) de la veine baroque, satirique, éclatée de la SFQ, une SF qu'il met au service d'une vision critique, souvent hallucinée et hallucinante, du monde contemporain à peine décalé dans le futur mais pris dans ce qu'il a de plus tourneboulant, en particulier le développement, voire le déchaînement, des nouveaux moyens de communications et de manipulation de l'information [...] une chose est certaine dans ce roman [*Les voyages thanatologiques de Yan Malter*], c'est qu'on n'est sûr de rien. [...] C'est [...] une parodie de la SF la plus folle qui joue avec les lieux et les temps, de télescopages en renversement, et qui se joue constamment de la conscience de ses personnages, que ce soit Malter ou ceux qui croient le manipuler (impossible ici de ne pas glisser le nom de Philip K. Dick). [...] Mais qu'on ne s'y trompe pas. C'est absolument délibéré de la part de l'auteur, qui contrôle autant son texte que c'est possible en les circonstances![32]

[32] VONARBURG, Élisabeth, «Les littéranautes [...] N'ajustez pas votre roman. Jean-Pierre April, *Les voyages thanatologiques de Yan Malter*», *Solaris*, n° 114 (vol. 21, n° 1, été 1995), p. 47-48.

Un retour de la tradition canonique

À l'autre bout de cette esthétique, nous trouvons Daniel Sernine, l'auteur le plus prolifique du champ de la SF et du fantastique québécois. Non pas que son œuvre soit simple, mais elle est d'une écriture beaucoup plus traditionnelle et de formes beaucoup plus «classiques» que celles de la plupart des autres fantastiqueurs québécois.

Auteur d'une trentaine d'ouvrages de fiction, tous appartenant au fantastique ou à la SF, tant pour jeunes que pour adultes, Sernine a commencé à publier dans la revue *Solaris*, alors qu'elle s'appelait encore *Requiem*, au milieu des années 1970. C'est vers la fin de la même décennie qu'il commence à publier presque en série ses œuvres fantastiques, d'abord des recueils de nouvelles: *Les contes de l'ombre* et *Légendes du vieux manoir* en 1978 et en 1979, suivis de *Quand vient la nuit*, 1983, de *Nuits blêmes*, 1990, de *Sur la scène des siècles*, 1995 (qui lui a mérité le dernier Grand Prix de la science-fiction et du fantastique québécois 1996), puis un roman: *Manuscrit trouvé dans un secrétaire*, 1994. Au début des années 1980, il entame une carrière parallèle et complémentaire en SF des recueils: *Le vieil homme et l'Espace*, 1981; *Boulevard des Étoiles* et *Boulevard des Étoiles 2*, 1991 (pour lesquels il obtient le Grand Prix de la science-fiction et du fantastique québécois 1992), et deux romans: *Les méandres du temps*, 1983, et *Chronoreg*, 1992). Pour adultes seulement, c'est au-delà de 3 000 pages et plus qu'il a publiées en quinze ans.

Au début de sa carrière, il reste très près des modèles canoniques de la littérature fantastique:

> L'influence est venue davantage des romans et des recueils de fantastique publiés chez Marabout dans les années soixante-dix. Jean Ray, Claude Seignolle, Thomas Owen, Gérard Prévost, Poe, Lovecraft: les grands fantastiqueurs belges, français et étasuniens, mais surtout Jean Ray.[33]

Cela paraît grandement jusqu'en 1983, *Quand vient la nuit* constituant la fin de la phase canonique, avec, dans un monde imaginaire qui fait penser au Bas-Canada, sa panoplie de loups-garous («Hécate à la gueule sanglante»), de démons («Petit démon»), d'objets magiques/maléfiques et de livres maudits («La pierre d'Érèbe»). De par l'importance de la création de l'atmosphère sombre et ancienne, et de par l'inspiration largement folklorique, l'œuvre de Sernine se trouve à mi-chemin entre le genre gothique et le conte traditionnel québécois. Il est tout de même parvenu à créer tout un univers qui s'inscrit dans ce qu'on peut appeler le cycle de Granverger.

La manière commence à changer avec *Nuits blêmes* (1990), le fantastiqueur cherchant à inscrire son imaginaire dans le Montréal contemporain. Mais bien souvent les mêmes thèmes reviennent

[33] «Entrevue [par Fabien Ménard]. Daniel Sernine», *Solaris*, n° 105 (vol. 18, n° 4, printemps 1993), p. 30-43 [v. p. 31].

déguisés autrement: êtres surnaturels assoiffés de sang («Stryges» et «Nuits blanches»), fantôme revenu de l'au-delà se venger («Nocturne, opus 2»). Dans «Le visiteur», en revanche, le ton se fait plus moderne, même si le thème du revenant est encore exploité: un jeune homme reçoit la visite de son père, avec qui il discute de tout, mais sa sœur lui rappelle la mort de ce père un an plus tôt. S'agit-il de réalisme magique ou de récit hallucinatoire? La nouvelle intitulée «Ara hyacinthe» donne quant à elle résolument dans le réalisme magique, avec ce personnage qui raconte comment il est mort puis devenu oiseau. Fabien Ménard a tenté d'expliquer la nouvelle manière de Sernine dans *Nuits blêmes*:

> Son imaginaire perd en exploration totalisante [...] ce qu'il gagne en possibilités, pour Sernine, de tester sa capacité à un dire nouveau: [...] avec une économie de moyens [...] il insère dans la réalité quotidienne de petits univers fantastiques qu'il suggère plus qu'il n'explore.[34]

Mais chez Sernine la tentation du long et de la totalité est plus forte que tout, et c'est sans doute pour cela qu'il revient en partie à sa première manière — très gothique — qu'il mâtine de sa seconde dans son roman fantastique *Manuscrit trouvé dans un secrétaire* en 1994. S'y mêlent deux récits, dont l'un provient d'un manuscrit qui aurait été trouvé dans un meuble, vieux procédé séculaire, s'il en est, dans le genre fantastique. Mais le narrateur du récit premier devient de plus en plus envoûté par tout ce qui l'entoure et aussi de plus en plus amer, d'où sans doute son nom, Lamer.

Du côté de la science-fiction, Sernine exploite d'abord, dans son premier recueil de nouvelles de SF, *Le vieil homme et l'Espace*, l'aventure spatiale (le *space opera*), qu'il affinera de plus en plus dans ce qui deviendra son cycle du Carnaval (*Boulevard des Étoiles* et *Boulevard des Étoiles* 2). Mais plus que l'Espace, ce qui intéresse davantage Sernine, c'est le Temps, dont il fait sa thématique principale dans ses deux grands romans, *Les méandres du temps* et *Chronoreg*. Mais autant le premier est empreint de désir de paix, autant le second est ancré dans la violence et la guerre. Dans *Les méandres* [...], comme la Terre risque d'être anéantie par les puissances nucléaires en conflit, une organisation d'anciens Terriens, vivant sur la planète Érymède, qu'ils ont colonisée, se chargent de veiller à ce que la paix soit maintenue. En revanche, dans *Chronoreg* (le titre fait référence à une drogue puissante qui permet de régresser dans le temps), le Québec est devenu souverain au XXIe siècle, mais il est en guerre contre le Canada au sujet du Labrador. À tout cela se mêle les figures de l'amour et de la mort, du désir homosexuel, comme si Sernine avait écrit toute cette partie de

---

[34] MÉNARD, Fabien, «Le fantastique serninien: ouverture au lecteur», *Solaris*, n° 92 (vol. 16, n° 2, été 1990), p. 20.

son œuvre pour aboutir à la représentation d'un fantasme amoureux baignant à la fois dans le possible et l'impossible. Dans *Les méandres du temps*, un roman pacifique où l'amour est refoulé, Nicolas, le jeune personnage a le regard tourné vers le futur dans la finale:

> Érymède est devant lui, une des miettes de planète qu'il commence à distinguer. Il ressent un peu d'exaltation, beaucoup d'appréhension. Mais pas un instant il ne songe à s'en retourner. (*Les méandres du temps*, p. 356)

Alors que dans *Chronoreg*, «un roman de guerre et d'espionnage, de feu et de sang[35]», selon Rita Painchaud, un garçon semble donner de l'espoir à Blackburn, mais dans une finale ambiguë et à double volet, deux textes étant situés en regard l'un de l'autre:

> 1) Mais le garçon pâlit [...] et Blackburn reste désespérément seul devant le bleu de l'horizon.
>
> 2) Il est tout près, maintenant, il tourne la tête vers Blackburn. [...] Le garçon s'arrête et lui sourit, comme on sourit à quelqu'un que l'on attendait. (*Chronoreg*, p. 386)

Il semble que l'imaginaire de Sernine est tout contenu en germe dans ces deux «visions»: un regard tourné vers le passé, qui alterne avec un regard tourné vers le futur. Dans les deux cas, tous les possibles peuvent survenir, l'horreur comme les merveilles.

Une pluie d'auteurs et une constellation d'imaginaires

Je n'ai parlé que d'une poignée d'auteurs; c'est une bonne trentaine d'autres qu'il faudrait aborder, dont René Beaulieu, Michel Bélil, Bertrand Bergeron, Évelyne Bernard, Guy Bouchard, Denys Chabot, Pierre Chatillon, Joël Champetier, Agnès Guitard, Pierre Karch, Carmen Marois, Yves Meynard, Stanley Péan, Gilles Pellerin, Annick Perrot-Bishop, Négovan Rajik, Jacques Renaud, Jean-François Somcynsky (Somain), Jean-Louis Trudel, Marie José Thériault, François Barcelo. Sans parler de toutes les anthologies, les collectifs et les autres formes de publications qui jalonnent l'histoire du genre depuis vingt ans.

Le panorama que j'ai effectué offre néanmoins suffisamment de matière à réflexion, une réflexion qui ne peut tout inclure et qui doit demeurer ouverte. L'exploration du champ de la SF et du fantastique québécois montre que les écrivains spécialisés ou non exploitent une variété immense de possibles imaginaires. De Michel Tremblay à Daniel Sernine, on peut voir que la tradition canonique ne meurt pas facilement, mais qu'elle se renouvelle à sa façon. D'autres construisent de véritables univers labyrinthiques, des architectures extrêmement complexes où circulent de manière à la fois libre et contrainte des

[35] PAINCHAUD, Rita, «Planète-Québec (25). [...] Daniel Sernine, *Chronoreg*», *Imagine...*, n° 63 (vol. XIV, n° 2, mars 1993), p. 156.

personnages grouillants de désirs, de rêves et de cauchemars, dans un monde à la fois réel et irréel. Bref, la vie dans ses dimensions les plus complexes. Les littératures fantastique et de science-fiction ne doivent pas être confondues avec le reste de la littérature, mais elles n'ont pas non plus à craindre d'être prises pour ce qu'elles sont: des esthétiques ambitieuses fondées sur la réflexion et sur la spéculation, sur la rencontre du possible et de l'impossible (fantastique) et sur la création de mondes probables (SF). Et dans cet univers de l'écriture, tous ont à cœur de faire bouger les dimensions de la réalité et de l'imaginaire.

ŒUVRES CITÉES OU MENTIONNÉES

APRIL, Jean-Pierre, *La machine à explorer la fiction*, Longueuil, Le Préambule, coll. Chroniques du futur, 1980, 248 p.

——, *TéléToTaliTé. Nouvelles*, Montréal, HMH, coll. l'Arbre, 1984, 213 p.

——, *Le Nord électrique. Roman*, Longueuil, Le Préambule, coll. Chroniques du futur, 1985, 240 p.

——, *Berlin-Bangkok*, Montréal, Logiques, coll. Autres Mers, autres Mondes, 1988, 341 p.

——, *Chocs baroques*, Montréal, BQ, 1991, 339 p.

——, *Les voyages thanatologiques de Yan Malter*, Montréal, Québec/ Amérique, coll. Sextant, 1995, 253 p.

AUDE. Voir CHARBONNEAU-TISSOT, Claudette.

BEAULIEU, René, *Légendes de Virnie*, Longueuil, Le Préambule, coll. Chroniques du futur, 1981, 205 p.

BÉLIL, Michel, *Le mangeur de livres. (Contes terre-neuviens)*, Montréal, Pierre Tisseyre, 1978, 213 p.

——, *Greenwich*, Montréal, Leméac, 1981, 230 p.

BENOIT, Jacques, *Patience et Firlipon. Roman d'amour*, Montréal, Éditions du Jour, 1970, 182 p. Montréal-Paris, Stanké, Coll. Québec 10/10, 1981, 195 p.

——, *Les Princes. Récit*, Montréal, Éditions du Jour, 1973, 172 p.; Montréal-Paris, Stanké, coll. Québec 10/10, 1981, 185 p.; *The Princes. A novel*, translated by David Lobdell, s. l., Oberon Press, 1977, 123 p.

——, *Gisèle et le Serpent. Roman*, Montréal, Libre Expression, 1981, 252 p.

BERGERON, Bertrand, *Parcours improbables. Nouvelles*, Québec, L'instant même, 1986, 109 p.

——, *Transits*, Québec, L'instant même, 1990, 126 p.

BERNARD, Évelyne, *La vaironne*, Montréal, Guérin, 1988, 251 p.

BERTHIAUME, André, *Contretemps. Nouvelles*, Montréal, Le Cercle du livre de France, 1971, 130 p.

——, *Le Mot pour vivre*, Sainte-Foy, Éditions Parallèles et Montréal, Parti pris, 1978, 204 p.

——, *Incidents de frontière*, Montréal, Leméac, 1984, 144 p.

BOIVIN, Aurélien, Maurice Émond et Michel Lord, *Bibliographie analytique de la science-fiction et du fantastique québécois (1960-1985)*, Québec, Nuit blanche éditeur, coll. bibliographie, Cahiers du CRELIQ, 1992, 581 p.

BOUCHARD, Guy, *Les gélules utopiques*, Montréal, Logidisque, coll. Autres Mers, autres Mondes, 1988, 214 p.

BOUCHARD, Guy, *Les 42 210 univers de la science-fiction*, Sainte-Foy, Le Passeur, 1993, x-338 p.

BROSSARD, Jacques, *Le Métamorfaux. Nouvelles*, Montréal, HMH, coll. l'Arbre, 1974, 206 p.; introduction de Michel Lord, Montréal, BQ, 1988, 310 p.

——, *L'oiseau de feu*. 1. *Les années d'apprentissage*, Montréal, Leméac, 1989, x-467 p.

——, *L'oiseau de feu*. 2.A *Le recyclage d'Adakhan*, Montréal, Leméac, 1990, x-533 p.

——, *L'oiseau de feu.* 2.B *Le grand projet*, Montréal, Leméac, 1993, x-430 p.
——, *L'oiseau de feu.* 2.C *Le sauve-qui-peut*, Montréal, Leméac, 1995, x-506 p.
CARPENTIER, André, *L'Aigle volera à travers le soleil. Roman*, Montréal, HMH, coll. l'Arbre, 1978, 176 p.; introduction de Michel Lord, BQ, 1988, 166 p.
——, *Rue Saint-Denis. Contes fantastiques*, Montréal, HMH, coll. l'Arbre, 1978, 144 p.; introduction de Michel Lord, BQ, 1988, 116 p.
——, *Du pain des oiseaux. Récits*, Montréal, VLB éditeur, 1982, 149 p.; *Bread of the Birds*, translated by Michael Bullock, Victoria (B.C.), Ekstasis Editions, 1993, 120 p.
——, *Carnet sur la fin possible d'un monde*, Montréal, XYZ éditeur, coll. L'ère nouvelle, 1992, 144 p.
CARRIER, Roch, *Floralie, où es-tu?*, Montréal, Éditions du Jour, 1969, 170 p.; Stanké, 1980, 182 p.
CHABOT, Denys, *La province lunaire. Roman*, Montréal, HMH, 1981, 273 p.
CHAMPETIER, Joël, *La taupe et le dragon*, Montréal, Québec/Amérique, 1991, 346 p.
——, *La mémoire du lac*, Montréal, Québec/Amérique, coll. Sextant, 1994, 294 p.
CHARBONNEAU-TISSOT, Claudette, *Contes pour hydrocéphales adultes*, Montréal, Le Cercle du livre de France, 1974, 147 p.
——, *La contrainte. Nouvelles*, Montréal, Pierre Tisseyre, 1976, 142 p.
——, *L'assembleur. Roman*, Montréal, Pierre Tisseyre, 1985, 157 p. [Sous le pseudonyme de Aude.]
——, «L'écriture: ouverture ou repliement?», thèse doctorat, Québec, Université Laval, 1985, XIII-273 f.
——, *Banc de brume ou les Aventures de la petite fille que l'on croyait partie avec l'eau du bain*, avec quatre dessins de François Massé, Montréal, du Roseau, coll. Garamond, 1987, 144 p. [Sous le pseudonyme de Aude.]
CHATILLON, Pierre, *La fille arc-en-ciel*, Montréal, Libre Expression, 1983, 215 p.
COCKE, Emmanuel, *Va voir au ciel si j'y suis.* (*Uniprose d'univers*), Montréal, Éditions du Jour, 1971, 206 p.
——, *L'Emmanuscrit de la mère morte*, Montréal, Éditions du Jour, 1972, 236 p.
ÉMOND, Maurice, *Anthologie de la nouvelle et du conte fantastiques québécois au XXe siècle*, Montréal, Fides, coll. Bibliothèque québécoise, 1987, 276 p.
EN COLLABORATION, *Dix contes et nouvelles fantastiques par dix auteurs québécois*, Avant-propos d'André CARPENTIER, Montréal, Quinze, 1983, 204 p.
——, *Dix nouvelles de science-fiction*. Avant-propos d'André CARPENTIER, Montréal, Quinze, 1985, 238 p.
——, *Espaces imaginaires I*. Anthologie de nouvelles de science-fiction réunies par Jean-Marc GOUANVIC et Stéphane NICOT, Montréal, Les Imaginoïdes, 1983, 163 p.
——, *Espaces imaginaires II*. Anthologie de nouvelles de science-fiction réunies par Jean-Marc GOUANVIC et Stéphane NICOT, Trois-Rivières, Les Imaginoïdes, 1984, 217 p.
——, *Espaces imaginaires III*. Anthologie de nouvelles de science-fiction réunies par Jean-Marc GOUANVIC et Stéphane NICOT, Trois-Rivières, Les Imaginoïdes, 1985, 165 p.
——, *Espaces imaginaires IV*. Anthologie de nouvelles de science-fiction réunies par Jean-Marc GOUANVIC et Stéphane NICOT, Trois-Rivières, Les Imaginoïdes, 1986, 171 p.
——, *Les années-lumière*. Dix nouvelles de science-fiction réunies et présentées par Jean-Marc GOUANVIC, Montréal, VLB éditeur, 1983, 233 p.
——, *SF. Dix années de science-fiction québécoise*, sous la direction de Jean-Marc GOUANVIC, Montréal, Logiques, Coll. Autres Mers, Autres Mondes, 1988, 305 p.
FERRON, Jacques, *La charrette. Roman*, Montréal, Éditions HMH, 1968, 207 p.
——, *L'amélanchier. Roman*, Montréal, Éditions du Jour, 1970, 162 p.; VLB éditeur, 1977, 149 p.; 1986, 207 p.; *The Juneberry Tree. A Novel*, translated by Raymond Y. Chamberlain, Montreal, Harvest House, 1975, 157 p.
——, *La chaise du Maréchal-ferrant*, Montréal, Éditions du Jour, 1972, 223 p.
GUITARD, Agnès, *Les corps communicants*, Montréal, Québec/Amérique, 1981, 390 p.
HÉBERT, Anne, *Les enfants du sabbat*, Paris, Éditions du Seuil, 1975, 186 p.

——, *Héloïse*, Paris, Éditions du Seuil, 1980, 123 p.
HÉBERT, Louis-Philippe, *La manufacture de machines*, Montréal, Quinze, 1976, 143 p.
——, *Récits des temps ordinaires*, Montréal, Éditions du Jour, 1972, 154 p.
——, *Manuscrit trouvé dans une valise. Cinéma*, Montréal, Quinze, 1979, 175 p.
KARCH, Pierre Paul, *Nuits blanches*, Sudbury, Prise de parole, 1981, 95 p.
LEMIRE, Maurice (sous la direction de). *Dictionnaire des œuvres littéraires du Québec*, tome V, Montréal, Fides, 1987, LXXXVII-1133 p.
LORD, Michel, *Anthologie de la science-fiction québécoise contemporaine*, Montréal, BQ, 1988, 265 p.
LORD, Michel, *En quête du roman gothique québécois 1837-1860. Tradition littéraire et imaginaire romanesque*, Québec, Nuit blanche éditeur, Les cahiers du Centre de recherche en littérature québécoise, 1994, 180 p.
LORD, Michel, *La logique de l'impossible. Aspects du discours fantastique québécois*, Québec, Nuit blanche éditeur, coll. Les cahiers du CRELIQ, 1995, 361 p.
MAROIS, Carmen, *L'amateur d'art*, Longueuil, Le Préambule, coll. Chroniques de l'au-delà, 1985, 188 p.
MEYNARD, Yves, *La rose du désert*, Québec, Le Passeur, 1995, 202 p.
PÉAN, Stanley, *La plage des songes*, Montréal, CIDIHCA, 1988, 169 p.
——, *Le tumulte de mon sang*, Montréal, Québec/Amérique, 1991, 177 p.
PELLERIN, Gilles, *Les sporadiques aventures de Guillaume Untel*, Hull, Asticou, 1982, 172 p.
——, *Ni le lieu ni l'heure*, Québec, L'instant même, 1987, 172 p.
PELLETIER, Francine, *Le temps des migrations*, Longueuil, le Préambule, coll. Chroniques du futur, 1987, 202 p.
PERROT-BISHOP, Annick, *Les maisons de cristal*, Montréal, Logiques, coll. Autres Mers, autres Mondes, 1990, 189 p.
RAJIK, Négovan, *Propos d'un vieux radoteur. Nouvelles*, Montréal, Pierre Tisseyre, 1982, 207 p.; *The Master of Strappado*. Translated by David Lobdell, s. l., Oberon Press, 1984, 161 p.
RENAUD, Jacques, *L'espace du diable*, Montréal, Guérin, 1989, 263 p.
ROCHON, Esther, *En hommage aux araignées*, Montréal, l'Actuelle, 1974, 127 p.; sous le titre *L'étranger sous la ville*, Montréal, Éditions Paulines, 1986, 123 p.
——, *L'épuisement du soleil. Roman*, Longueuil, Le Préambule, coll. Chroniques du futur, 1985, 270 p. [Paru d'abord en partie sous le titre *Der Traümer in der Zitadelle*, trad. en allemand par Otto Martin, Munich, Heyne Bücher, coll. Science Fiction. Fantasy, 1977, 122 p. Reproduit en français sous une autre version, dans *L'épuisement du soleil*, p. 53-155, sous le titre «Le rêveur dans la citadelle».]
——, *Coquillage*, Montréal, La Pleine Lune, 1985, 145 p.
——, *Le Traversier. Nouvelles*, Montréal, La Pleine Lune, 1987, 188 p.
——, *L'espace du diamant*, Montréal, La Pleine Lune, 1990, 359 p.
——, *Lame*, Montréal, Québec/Amérique, 1995, 243 p.
——, *Aboli. Les chroniques infernales*, Québec, Éditions Alire, 1996, 234 p.
SERNINE, Daniel, *Les contes de l'ombre*, Montréal, Presses Sélect ltée, 1978, 190 p.
——, *Légendes du vieux manoir*, Montréal, Presses Sélect ltée, 1979, 148 p.
——, *Le vieil homme et l'Espace*, Longueuil, Le Préambule, coll. Chroniques du futur, 1981, 239 p.
——, *Les méandres du temps. Roman*, Longueuil, Le Préambule, coll. Chroniques du futur, 1983, 356 p.
——, *Quand vient la nuit. Contes fantastiques*, Longueuil, le Préambule, coll. Chroniques de l'au-delà, 1983, 265 p.
——, *Nuits blêmes*, Montréal, XYZ éditeur, coll. L'ère nouvelle, 1990, 126 p.
——, *À la recherche de monsieur Goodtheim. Boulevard des Étoiles 2*, Montréal, Les Publications Ianus, 1991, 221 p.
——, *Boulevard des Étoiles*, Montréal, Les Publications Ianus, 1991, 213 p.
——, *Chronoreg*, Montréal, Québec/Amérique, 1992, 386 p.
——, *Manuscrit trouvé dans un secrétaire*, Saint-Laurent, Pierre Tisseyre, 1994, 338 p.

——, *Sur la scène des siècles. Nouvelles fantastiques*, Montréal, Les Publications Ianus, 1995, 136 p.
SOMCYNSKY, Jean-François, *La planète amoureuse*, Longueuil, Le Préambule, coll. Chroniques du futur, 1982, 172 p.
——, *La nuit du chien-loup*, Montréal, Pierre Tisseyre, 1990, 243 p. (Sous le pseudonyme Jean-François SOMAIN).
SPEHNER, Norbert (sous la direction de). *Aurores boréales 1*. 10 récits de science-fiction parus dans la revue «Solaris», Longueuil, Le Préambule, coll. Chroniques du futur, 1983, 231 p.
TÉTREAU, Jean, *Volupté de l'amour et de la mort. Histoires fantastiques*, Montréal, Éditions du Jour, 1968, 247 p.
THÉRIAULT, Marie José, *La cérémonie*, Montréal, La Presse, 1978, 139 p.; *The Ceremony*. Translated by David Lobdell, s. l., Oberon Press, 1980, 105 p.
——, *Les demoiselles de Numidie*, Montréal, Boréal Express, 1984, 244 p.
——, *L'envoleur de chevaux et autres contes*, Montréal, Boréal, 1986, 174 p.
——, *Portraits d'Elsa et autres histoires*, Montréal, Quinze, 1990, 174 p.
TREMBLAY, Michel, *Contes pour buveurs attardés*, Montréal, Éditions du Jour, 1966, 159 p.; Stanké, coll. Québec 10/10, 1985, 172 p.
——, *La cité dans l'œuf. Roman*, Montréal, Éditions du Jour, 1969, 181 p.; Stanké, coll. Québec 10/10, 1985, 191 p.
TRUDEL, Jean-Louis, *Le ressuscité de l'Atlantide*, Paris, Fleuve noir, coll. Anticipation, 1994, 184 p.
——, *Pour des soleils froids*, Paris, Fleuve noir, coll. Anticipation, 1994, 188 p.
VONARBURG, Élisabeth, *L'œil de la nuit*, Longueuil, Le Préambule, coll. Chroniques du futur, 1980, 205 p.
——, *Le silence de la cité. Roman*, Paris, Denoël, coll. Présence du futur, 1981, 283 p.; *The Silent City*, translated by Jane Brierley, Victoria, Porcépic Books, 1988, 209 p.; London (Great Britain), The Women's Press, 1990, 247 p.
——, *Janus. Nouvelles*, Paris, Denoël, coll. Présence du futur, 1984, 285 p.
——, *Comment écrire des histoires. Guide de l'explorateur*, Belœil, La Lignée, 1986, 229 p.
——, *Ailleurs et au Japon*, Montréal, Québec/Amérique, 1991, 219 p.
——, *Chroniques du Pays des Mères*, Montréal, Québec/Amérique, 1992, 524 p.
——, *Les voyageurs malgré eux*, Montréal, Québec/Amérique, coll. Sextant, 1994, 422 p.

Né en 1949 au Cap-de-la-Madeleine (Québec), Michel Lord est actuellement professeur au département d'études françaises de l'Université de Toronto. Il a complété un bac ès arts au Collège Glendon (Université York) et une maîtrise puis un doctorat en littérature québécoise à l'Université Laval (Québec). Son mémoire de maîtrise portait sur le roman gothique québécois au XIXe siècle et sa thèse de doctorat, sur le récit fantastique québécois contemporain. Il est directeur adjoint de la revue *University of Toronto Quarterly* et membre du comité de rédaction des revues *Lettres québécoises* et *XYZ. La revue de la nouvelle*. Il a longtemps tenu une chronique régulière sur le fantastique et la science-fiction à *Lettres québécoises*; depuis quelques années, il commente la nouvelle à la même revue. Il a publié de nombreux articles dans diverses revues culturelles et savantes, au Canada et en Europe, et plusieurs livres, dont *En quête du roman gothique québécois. 1837-1860*, en 1994, et *La logique de l'impossible. Aspects du discours québécois*, en 1995, tous deux chez Nuit blanche éditeur (Québec). Aux mêmes éditions, avec Aurélien Boivin et Maurice Émond, il a publié une *Bibliographie analytique de la science-fiction et du fantastique québécois (1960-1985)*, en 1992, ainsi qu'un recueil d'essais intitulé *Les ailleurs imaginaires. Les rapports entre le fantastique et la science-fiction*, en 1993. Depuis quelques années, ses recherches portent surtout sur le genre narratif bref au Québec.

DEUXIÈME PARTIE

Bande dessinée québécoise: SEMPITERNELS RECOMMENCEMENTS?

JACQUES SAMSON

pour ALBERT CHARTIER

1. 1968-1979: UN VENT DE RENOUVEAU

La fin des années soixante et les années soixante-dix ont marqué un tournant important dans l'histoire de la bande dessinée au Québec puisqu'elle y a vécu une période de véritable renaissance, maintenant désignée comme *le printemps de la bande dessinée québécoise*[1]. Dans l'extraordinaire effervescence de cette époque féconde en métamorphoses de toutes sortes, la production québécoise a connu un regain significatif d'activités, en particulier par rapport aux années 1950 et 1960 où la vive concurrence des magazines européens francophones — comme *Spirou* (1938), *Tintin* (1946) et *Pilote* (1959) — et des *comics* américains, pour ne rien dire de l'occupation quasi-absolue des journaux québécois par les *comic strips*[2] américains, ont laissé bien peu de place aux créations d'ici. Tous les espoirs paraissaient alors permis pour qu'enfin s'épanouisse une bande dessinée jusque-là fort peu connue de son public. Mais avant d'examiner plus en détail les caractéristiques de ce renouveau, rappelons brièvement le contexte qui a favorisé son émergence.

[1] D'après le titre d'un article de Georges Raby paru dans *Culture Vivante*, nº 22, Québec, septembre 1971, p. 12-23.

[2] On appelle *comic strips* ou *strips*, les bandes dessinées qui présentent quotidiennement (*daily strips*) dans les journaux deux ou trois vignettes disposées sur une même bande ou les bandes hebdomadaires (*weekly strips*) présentées sous des formats variables dans les pages ou suppléments prévus à cet effet.

Un climat bouillonnant de créativité

Ce vent de renouveau n'aurait sans doute pas même été imaginable sans le climat ambiant de la Révolution tranquille. Le Québec se trouvait encore profondément engagé dans des transformations sociales et culturelles, intensifiant les efforts tant espérés de modernisation et de rattrapage d'une société trop longtemps repliée sur son passé et ses traditions. «Urbanisation généralisée, prospérité, augmentation du temps de loisir, large implantation du réseau de radiotélévision, montée de la jeunesse (...)», autant de facteurs qui installaient comme jamais auparavant «un climat propice au rejet des modèles traditionnels et à l'adoption de nouvelles pratiques de consommation culturelle[3]...» La soif de nouveauté et l'impérieux appétit d'expression qui prévalaient alors tirèrent profit d'une démocratisation et d'une liberté fraîchement acquises à l'enseigne desquelles la bande dessinée allait tout naturellement faire son nid. Mais, plutôt que de reprendre les acquis de leurs prédécesseurs, la plupart des créateurs de la nouvelle génération leur tournèrent résolument le dos et inscrivirent leur production dans les courants issus du vaste mouvement de contestation qui secouait à cette époque bon nombre de pays industrialisés.

En effet, c'est au cours de ces années que l'opposition à l'intervention américaine au Viêt-nam et en Indochine a pris de l'ampleur aux États-Unis, atteignant son point culminant vers 1967-1968, en particulier au sein d'un mouvement étudiant en quête de nouvelles valeurs plus en accord avec les idéaux de paix et d'amour qu'ils exaltaient. Ailleurs, un peu partout dans les pays occidentaux s'est également manifesté un courant de remise en question des valeurs établies (morales, politiques, sociales, culturelles...) qui a connu son apogée notamment avec la révolte de mai 1968 en France. Ce mouvement de *contre-culture* exprimait une forte méfiance — voire un rejet — à l'égard de la société de consommation et prônait un retour à la nature dans un cadre avant tout libertaire (vogue *hippie*, psychédélisme, autogestion, liberté sexuelle, etc.). Des divers courants et tendances qu'il a initiés a émergé une forme de bande dessinée profondément différente de celles qui l'avaient précédée et que l'on a qualifiée d'*underground* (en vertu de son caractère délibérément clandestin). Originaire des campus universitaires de la côte Est américaine, cette bande dessinée ouvertement *pour adultes* sortait radicalement des sentiers battus en exposant en pleine lumière tout l'envers du contraignant code de censure qui régissait l'univers des *comics* depuis le milieu des années cinquante; violence, sexe, drogue, politique, antimilitarisme, antihéroïsme, etc., étaient au menu de ces publications souvent licencieuses et salaces, qu'une verve et un humour la plupart

[3] P.-A. Linteau *et al.*, *Histoire du Québec contemporain. Le Québec depuis 1930*, tome II, Montréal, Boréal, coll. «Boréal Compact», n° 15, 1989, p. 751.

Référence bibliographique:

Michel Fortier (dessins), Claude Haeffeley (scénario), «Les œufs durs», *L'Écran*, n° 2, éditions de la Nébuleuse, Waterloo, 1974, p. 15.

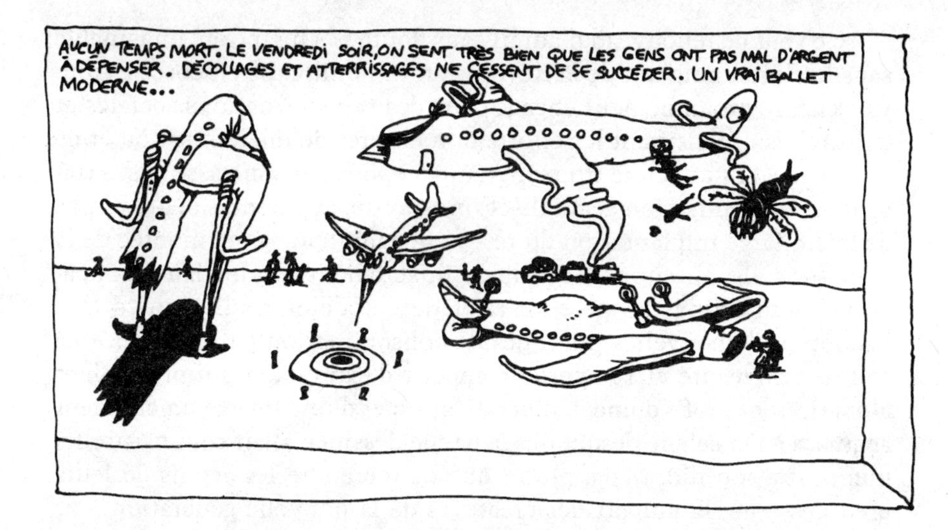

du temps délirant nous interdisent néanmoins de classer au rayon des productions pornographiques ou pernicieuses. Cet esprit de rupture, la bande dessinée *underground* l'a également traduit dans ses modes de fabrication, d'édition et de diffusion, empruntant de préférence les moyens artisanaux et les circuits souterrains (pour des raisons pratiques mais aussi pour éviter la censure), et participant à sa façon à l'émergence d'une presse «parallèle». Elle a aussitôt essaimé et trouvé des adeptes un peu partout en Europe, puis elle s'est manifestée au Québec, mais dans des formes et contenus davantage influencés par les courants européens francophones (véhiculés à travers des magazines de bandes dessinées pour adultes comme *L'Écho des savanes*, *Le Canard Sauvage*, etc.), que par le mouvement d'inspiration américaine.

Ce contexte d'audace et de grande liberté créative, qui donnait enfin la part belle à l'univers d'auteur, a donc été particulièrement propice au renouveau de la bande dessinée québécoise, dont l'impulsion première est le fait du groupe Chiendent. Entre octobre 1968 et avril 1969, trois jeunes peintres, graveurs et illustrateurs montréalais se sont rassemblés autour du poète Claude Haeffely pour imaginer et réaliser de fantastiques bandes dessinées offrant une symbiose inouïe du texte et de l'image. Inventeur d'univers corrosifs, où politique et surréalisme font bon ménage, André Montpetit est apparu comme la figure de proue du groupe, auprès de Marc-Antoine Nadeau et Michel Fortier. À part les quelques planches parues dans *Perspectives, Polyscope, Le Quartier latin, Québec-Presse* et *Le Maclean*, les recueils de Chiendent — aux titres évocateurs comme *Le baiser chinois, L'an 2002 au Carré Saint-Louis* ou *Les aventures de Monsieur Hache* — n'ont jamais circulé que sous le manteau ou paru sous forme de courts extraits, personne à l'époque n'ayant voulu prendre le risque de les éditer. Bien qu'elles n'aient connu qu'une très faible diffusion, ces bandes peu conformistes et riches en inventions de toutes sortes ont cependant contribué à revaloriser la bande dessinée en lui conférant un cachet empreint de modernité. Dans la foulée des réalisations du groupe Chiendent, André Philibert, Gilles Tibo et Nimus ont lancé peu après quelques publications qui laissaient voir elles aussi un avant-gardisme saisissant. Ce tonifiant coup d'envoi n'allait certes pas demeurer lettre morte.

Revues et fanzines[4]

Le regain d'intérêt pour la bande dessinée s'est également traduit par un foisonnement de publications — d'ailleurs caractéristique des années 1970 —, où se reconnaissait clairement l'engouement d'une partie de la jeunesse de l'époque vis-à-vis des nouveaux moyens d'expression et de communication susceptibles de traduire plus adéquatement une réalité en profonde mutation. S'étant libérée des carcans qui bridaient son expressivité, la bande dessinée reflétait non seulement une aura de modernité et de créativité mais aussi un halo revendicatif qui cadrait à merveille avec les aspirations du moment. Un court extrait du «communiqué[5]» introduisant le premier prototype du magazine *BD* donne une idée assez exacte de la nature de ces aspirations et revendications:

> Halte à l'agression étrangère qui mine notre moral, qui sape notre culture par l'acide anémique de bandes dessinées traduites et bâtardes. Nous sommes des colonisés du taille-crayon![6]

Le tout signé, avec un humour de circonstance, F.L.B.D. (Front de Libération de la Bande Dessinée).

C'est donc à l'enseigne d'une réelle volonté d'appropriation culturelle que s'est inscrite cette floraison de magazines. Il importait de conquérir — ou de reconquérir? — l'espace culturel québécois en occupant la place concurrentielle qui aurait dû normalement revenir à ses créateurs et à ses productions. Rares pourtant sont ceux qui, dans le contexte fortement politisé d'alors, se sont affichés dans la mouvance du nationalisme autrement qu'en désignant parfois leur «québécitude» à travers le titre de leurs publications[7]. En fait, l'heure était plutôt à l'extériorisation de l'*ego* et à l'expérimentation artistique, l'une et l'autre souvent plus préoccupées de questions de forme que de contenu. Dès le départ, la production du moment s'est développée principalement dans

---

[4] Mot d'origine américaine formé de l'assemblage de *fan* (passionné) et de *zine* (contraction de magazine).

[5] Est-il besoin de rappeler que la publication dont il est question ici paraissait six mois à peine après la crise d'octobre 1970?...

[6] *BD*, vol. 1, n° 1, Sainte-Thérèse, printemps 1971, non paginé.

[7] Par exemple *Ma(R)de in Québec, Kébec poudigne, Les aventures du Capitaine Kébec, Patrimoine, Kébek Komix*...

l'orbite des milieux estudiantins, véhiculant surtout l'esprit contestataire et réformiste de l'*underground*, et ignorant presque totalement les formes et contenus plus traditionnels de la bande dessinée qui n'avaient en réalité connu au Québec qu'un faible développement.

L'aspect qui saute le plus aux yeux quand on observe ces publications, c'est d'abord leur quantité considérable pour l'époque de même que leur grande diversité. Pour la seule période concernée, on a pu inventorier au moins *trente-cinq titres* entièrement dédiés à la bande dessinée. Issus principalement de la grande zone urbaine de Montréal, et dans une moindre mesure de certaines autres régions du Québec (Sherbrooke, Québec, l'Outaouais, Arvida, Arthabaska...), ces titres relevaient pour la plupart de l'univers des *fanzines*. En fait, il s'agissait de publications répondant assez faiblement aux normes établies en matière d'édition avec un tirage habituellement modeste, une diffusion quasi-confidentielle, une périodicité aléatoire, une confection souvent artisanale, une facture amateur et une longévité en général fort brève. Dans nombre de cas, les conditions du fanzinat — telles qu'on vient de les résumer — étaient pleinement assumées, les créateurs cultivant sciemment une sorte d'esprit de marginalité et ne cherchant à s'adresser qu'à des cercles restreints de connaisseurs ou d'amis; dans d'autres cas cependant, ces conditions résultaient de facteurs matériels incontournables (impossibilité de trouver un diffuseur, coûts de fabrication trop élevés, découragement des collaborateurs, désintérêt du public, etc.), en regard desquels la production artisanale — le fanzinat — ne pouvait constituer qu'un pis-aller, vu l'urgence de compter tout de même sur un support d'expression. Parmi les quelque 35 titres observés, seuls 10 ont connu 5 livraisons ou plus, tandis qu'un seul a pu dépasser — et de peu! — les 10 livraisons[8]; de plus, aucun titre n'a franchi le cap des trois années de parution. Le format de ces fanzines montrait des caractéristiques extrêmement disparates, autant pour les dimensions (du mini-magazine au tabloïd), que pour le nombre de pages (entre 16 et 62), et ce non seulement pour des titres différents mais souvent dans le cas d'un même titre ; la qualité d'impression variait également du tout au tout, des fanzines les plus bâclés aux magazines à la facture plus soignée. Enfin, pour ce qui concerne l'aspect pécuniaire, les créateurs de l'époque avaient recours soit à l'autoédition, soit au financement par le biais de fonds publics recueillis auprès de sources diverses[9]. À notre connaissance, aucun

[8] Il s'agit de *La Pulpe*, de la région de l'Outaouais.

[9] Au début des années 1970, deux programmes fédéraux de soutien au marché du travail (Projets initiatives locales [PIL] et Perspectives-Jeunesse [PJ]) ont contribué au financement d'un certain nombre de magazines de bandes dessinées; en outre, le Conseil des arts du Canada a aussi fourni une aide souvent qualifiée de parcimonieuse... Dans beaucoup d'autres cas, le financement provenait des organismes scolaires d'où émanaient les publications ou leurs animateurs (écoles secondaires, cégeps et universités).

© et MC, Pierre Fournier

Référence bibliographique:

Pierre Fournier, «Les aventures du Capitaine Kébec», *Capitaine Kébec*, nº 1, l'Hydrocéphale entêté, Montréal, 1973, p. 6, vignette 1.

magazine de l'époque n'a pu atteindre le seuil de rentabilité (sauf peut-être certains *comics* de la maison Héritage — à la fois éditeur et imprimeur —, qui ont pu se ménager une plus grande marge de manœuvre commerciale grâce à des coûts d'impression très modiques).

En dehors des fanzines proprement dits, quelques magazines semi-professionnels (*Capitaine Kébec, L'Écran, L'Illustré, Prisme, Baloune,* etc.) ou même professionnels[10] *(Mic-mac)* ont témoigné d'un effort important pour offrir aux créateurs aussi bien qu'aux lecteurs une présentation et une qualité de contenu comparables aux productions étrangères. Du reste, une constante apparaît nettement à l'observation de cette production dans sa globalité: plus la parution d'un magazine s'est prolongée dans le temps, plus sa qualité s'est améliorée de façon notable; c'est dire l'importance de la continuité et de la stabilité éditoriales dans le cas d'une publication de ce type. Malgré leur aspect souvent brouillon et leur contenu plus ou moins marginal, les magazines de bandes dessinées de cette époque ont représenté, en l'absence de lieux de formation spécialisés, un irremplaçable banc d'essai pour de jeunes créateurs désireux de trouver un moyen d'expression où manifester, hors des carcans académiques et conformistes, leur vision du monde tout en expérimentant le langage d'un art en pleine métamorphose. On aurait tort d'oublier que c'est à ce creuset que se sont formés plusieurs professionnels d'aujourd'hui.

Parmi les noms importants issus de cette «petite presse», seule une minorité a persisté jusqu'à présent dans le domaine de la bande dessinée: ce sont par exemple les Godbout, Fournier, Garnotte, Gaboury,

[10] Un magazine de bandes dessinées est ainsi qualifié lorsque les contributions de ses collaborateurs sont rétribuées, soit selon les tarifs en vigueur sur le marché (professionnel), soit selon des cachets moindres (semi-professionnel).

etc. En outre, si l'on exclut *Onésime* d'Albert Chartier, qui témoignait déjà dans les années 1970 d'un Québec rural «en voie de disparition», et les bandes de Pierre Dupras, associées à la presse d'opposition de l'époque, la presque totalité de cette production a été le fait d'une jeune génération, urbaine et — par rapport à la bande dessinée — à peu près déconnectée du passé. À titre d'exemple, le personnage de Michel Risque (de Réal Godbout et Pierre Fournier), qui date de 1974, constitue la plus ancienne création de la bande dessinée québécoise «moderne» à s'être transmise jusqu'à nos jours. Cela donne une certaine idée des obstacles que doivent surmonter nos créateurs pour inscrire leur production dans la continuité historique.

Albums

Un coup d'œil sur la production d'albums au cours de cette période laisse voir un accroissement et une diversification considérables par rapport aux trois précédentes décennies où le même secteur n'avait généré qu'une quarantaine de titres, essentiellement concentrés entre les mains de deux firmes catholiques, Fides et le Centre de la bible. Ainsi, entre 1968 et 1979, il s'est publié au Québec environ une *soixantaine d'albums*, et trois maisons d'édition plus ou moins implantées dans le secteur scolaire ont été responsables de près de la moitié de ces parutions (Héritage, Mirabel et Mondia). Bon nombre de ces albums visaient un lectorat juvénile, déjà friand de bandes dessinées, et s'inspiraient nettement de la tradition franco-belge, quand il ne démarquaient pas carrément des séries étrangères, comme par exemple Bojoual, le Huron kébékois, plagiant sans vergogne Astérix, le Gaulois. Flairant le pactole, ces éditeurs lancèrent une offensive de taille avec des tirages oscillant entre 25 000 et 50 000 exemplaires. S'ils avaient une présentation professionnelle (quadrichromie, couverture rigide, 48 pages), plusieurs des albums lancés à grands frais étaient pourtant de qualité et d'intérêt fort moyens en comparaison d'albums européens du même genre et destinés au même public; en revanche, d'autres titres présentés moins luxueusement (quadrichromie, couverture souple, 16 pages) et tirés plus modestement offraient des contenus plus originaux et mieux développés, et montraient davantage de professionnalisme à l'égard du jeune public (la plupart des collections des éditions Héritage, par exemple). On a prétendu à l'époque que ces énormes tirages avaient été à peu près écoulés[11], mais on ignore à quoi ont pu servir les profits générés par ces grosses opérations de marketing qui ont fait passablement de bruit pour bien peu de choses. En tout cas, si profits il y a eu, ils n'ont certes pas été réinvestis dans la production d'albums étant donné qu'on a vu les trois éditeurs responsables de ces lucratives campagnes

[11] Voir Pierre Gravel, «La BD québécoise aux prises avec le dilemme qualité-coût-marché», *La Presse*, Montréal, 5 mars 1976.

disparaître du secteur avant le début des années 1980! Pendant un certain temps, l'image de marque de la bande dessinée québécoise a paru se confondre, aux yeux d'une fraction importante du public, avec les insipidités de Bojoual et Patof...

Le reste de la production — certes plus modeste mais pourtant fort intéressant — s'est partagé à parts à peu près égales entre une dizaine d'éditeurs généralistes et l'édition à compte d'auteur. Cette production couvrait des sujets variés et visait des lectorats moins strictement jeunes, attestant ainsi du changement de mentalité à l'égard de la bande dessinée survenu depuis la fin des années soixante. On pouvait y trouver les albums avant-gardistes de Philibert et Tibo, des recueils d'auteurs québécois — déjà réputés (Chartier, Dupras) ou encore peu connus (Bernèche, Godbout, Desjardins, etc.) —, des titres à caractère historique[12] et d'autres enfin touchant des thèmes plus hétéroclites[13]. Un fait mérite cependant d'être mentionné: l'ensemble de cette production est provenu essentiellement de Montréal; il faudra attendre la décennie suivante pour qu'apparaisse une production régionale d'albums de bandes dessinées. Même s'il a fait naître certains espoirs, ce foisonnement d'albums pourtant essentiel à la survie de la bande

Référence bibliographique:
Daniel Racine (Dan May), «La fuite», *Le petit supplément illustré de Mainmise*, n° 9, Montréal, 1976, p. 135.

[12] *L'Histoire du Québec illustrée* de Robert Lavaill et Léandre Bergeron (2 vol., éd. Québécoises), *Il était une fois... le Québec* de Jean-Marie Ruffieux *et al.* (éd. Nouvel Âge/Fayolle), *Alexis le Trotteur* de Bos et Blaise (éd. Paulines), *Louis Cyr* d'Yves Poissant (éd. Baloune), etc.

[13] *Histoires vraies de tous les jours* de Louise de Grosbois *et al.* (éd. du Remue-Ménage), *Comment donner un titre à ça* de François Sauvé (éd. Hurtubise HMH), *On t'aime Johnny* de Michel Tassé (éd. de l'Aurore), etc.

dessinée québécoise n'a pas amélioré de manière significative la situation précaire de la production locale; aucun éditeur spécialisé dans le genre n'ayant émergé de ces années, c'est un peu comme si tout allait à nouveau être à recommencer dans les années suivantes. Quant au fonds d'albums de cette période, une bonne partie — hélas! — a totalement disparu de la circulation et rares sont les amateurs actuels de bandes dessinées québécoises qui en connaissent même l'existence.

Journaux

Bien que les bandes dessinées québécoises aient été relativement abondantes au début du siècle dans des journaux comme *La Presse* ou *La Patrie*, la presque totalité de ces bandes dessinées a dû malheureusement céder la place aux productions américaines vers le milieu des années 1910. La raison en est simple: dans une offensive à caractère hégémonique, les *syndicates*[14] américains ont inondé le marché de la bande dessinée quotidienne ou hebdomadaire (*daily* ou *weekly strips*) avec une multitude de titres dont les coûts de location minimes — puisque déjà amortis sur leur propre territoire — représentaient une véritable aubaine pour les éditeurs de journaux québécois; ces derniers ne manquaient évidemment pas d'espace à combler, mais nos créateurs n'étaient plus en mesure d'offrir la moindre concurrence face aux *strips* américains. Quelques bandes dessinées québécoises sont encore parues dans les années vingt, mais il fallut attendre plus de *cinquante ans* avant que ne reparaissent dans nos journaux des bandes dessinées québécoises[15]!

C'est avec ces faits historiques en tête que, dès 1973, à l'initiative des Hydrocéphales entêtés, une coopérative québécoise de production de bandes dessinées (Les Petits Dessins) a fait son apparition à Montréal, diffusant un petit catalogue de bandes quotidiennes québécoises (offrant 17 titres garantis pour trois mois de parution) et un *Guide du parfait petit dessinateur québécois de bandes dessinées*; avec l'intrépidité des conquérants, elle annonçait ainsi son intention d'ouvrir une brèche significative dans l'impénétrable chasse gardée des *syndicates*. Grâce à l'opiniâtreté de ces Hydrocéphales bien nommés — et, faut-il le dire, grâce aussi à quelques précieuses relations politiques! —, les efforts de la coopérative n'ont pas tardé à porter fruit puisque, dès le 28 février 1974, journée même de son lancement, le quotidien indépendantiste *Le Jour* faisait paraître, sur pleine page, après entente avec la coopérative, une série de six bandes quotidiennes

---

[14] Agences spécialisées implantées partout dans le monde et diffusant diverses sortes de matériel de presse, dont des bandes dessinées quotidiennes ou hebdomadaires.

[15] «L'Homme impossible» de Pierre Thériault, publié pendant 80 semaines dans *Le Soleil*, en 1971-1972, et «Les microbes» de Michel Tassé paru dans *La Presse* pendant environ deux ans, à partir de mars 1973.

québécoises[16]. Pendant quatre mois, *Le Jour* a maintenu la parution des six bandes, puis certaines ont été retranchées et d'autres ajoutées; au fil du temps, les formats ont varié (demi-planche et planche hebdomadaire complète), jusqu'à la disparition du journal en 1978. Vers la même époque, d'autres quotidiens comme *La Presse*[17] et *Le Devoir*[18], à Montréal, *Le Soleil*[19] et *Le Journal de Québec*[20], à Québec, ont également accueilli des bandes quotidiennes québécoises pendant des périodes de temps plus ou moins brèves. Même si ce type de publication n'a pas rapporté de gains substantiels aux auteurs — loin de là[21]! —, l'effort éditorial de ces quotidiens mérite pourtant d'être souligné puisqu'il a démontré hors de tout doute, et devant un très large public, l'existence de professionnels québécois de la bande dessinée, mais il a aussi révélé en pleine lumière la prépondérance d'intérêts lourdement financiers dans des décisions où les incidences culturelles ne mériteraient pas d'être si cavalièrement évacuées[22].

Au cours de la même période, quelques autres publications québécoises à grande audience se sont parfois intéressées à la bande dessinée d'ici (*Le Maclean, Châtelaine, Perspectives, Décormag,* etc.) et on a vu également quelques tentatives passablement réussies d'intégration de la bande

Référence bibliographique:
Rémy Simard (dessins), Philippe Chauveau (scénario), *Les Momie's*, Éditions Kami-Case, Montréal, 1988, p. 18. (ISBN 2-9801105-3-1)

[16] «Les Terriens» de Réal Godbout, «Lunambule» de Gilles Tibo, «Célestin» de Michel Demers, «Jaunes d'Œufs» de Bernard Tanguay, «Les Âmes limpides» de Richard Côté et Claude Croteau et «Le Sombre Vilain» de Jacques Hurtubise (alias Zyx).

[17] Avec «Rodolphe» de Jean Bernèche, en 1974-1975.

[18] Avec «Les Atomisés» de Jean Bello, au début de 1976, et «Les joyeux rassemblés» de Gaboury et Brodeur, au printemps de 1979.

[19] Avec «La Princesse Verte» de Pierre Thériault, en 1976.

[20] Avec «Ti-Cul» de Jean Racine, au début de 1977.

[21] Pour donner un ordre de grandeur, *Le Jour* payait 50 $ les bandes d'une semaine complète pour un titre donné, tandis que *La Presse* les payait 60 $; à la même époque, la rétribution de l'auteur de bande dessinée n'équivalait même pas au cinquième du salaire hebdomadaire d'un caricaturiste éditorial...

[22] Par comparaison, à l'époque, là où un titre de bandes quotidiennes québécoises était payé 50 $ ou 60 $ par semaine, la location à un *syndicate* d'un titre américain revenait à 10 $ ou 20 $ par semaine à l'éditeur de journaux québécois!

dessinée à des outils d'information sociale: qu'il s'agisse des exemples du Vidéographe de Montréal, des gouvernements canadien et québécois ou d'organismes communautaires, il semble bien que l'apport de la bande dessinée n'ait pas été négligeable, comme l'a d'ailleurs amplement montré l'expérience étrangère (aux États-Unis et en Europe). Ces productions ont néanmoins été trop occasionnelles et intermittentes pour avoir pu constituer un réel débouché pour les créateurs d'ici.

Activités autour de la bande dessinée

Un parcours rétrospectif de la période serait évidemment incomplet sans la mention d'activités et d'événements de toutes sortes qui ont contribué de manière étroite à cette renaissance de la bande dessinée québécoise. Mentionnons, au premier titre, les quatre éditions du Festival international de la bande dessinée de Montréal, réalisées en collaboration avec le Service d'animation culturelle de l'Université de Montréal, de 1975 à 1978, qui ont eu un effet d'entraînement certain sur le milieu de la bande dessinée grâce à leurs nombreuses activités d'animation (expositions, conférences, ateliers, rencontres avec des professionnels européens et américains, etc.). Par ailleurs, et bien qu'elles aient eu un impact moindre, d'autres expositions tenues à Montréal, dès 1975, ont permis de sensibiliser à la bande dessinée d'autres milieux de la création et de revaloriser sa dimension artistique, trop souvent déconsidérée et qualifiée de «mineure». Il en va de même de l'avènement de la bande dessinée comme corpus d'étude dans l'enseignement universitaire (dès 1971 à l'Université du Québec à Montréal) et collégial (dès 1973 à Sherbrooke) qui a certes pu contribuer à accroître l'intérêt porté à la compréhension de son histoire et de son langage, autant qu'au rayonnement de ses plus grands artistes.

Outre cela, la publication d'articles monographiques fouillés (à partir de 1971) et la parution d'un important ouvrage entièrement voué à la bande dessinée québécoise[23] ont permis de renouer, ne fût-ce que partiellement, les fils déjà considérablement discontinus d'une histoire quasiment vouée à l'oubli. Enfin, la couverture médiatique a commencé elle aussi à se faire plus constante et consistante, surtout dans les journaux (*La Presse, Le Jour, Le Devoir*, etc.) et magazines (*Culture vivante, Vie des arts, Nous, Perspectives, Le Maclean, Châtelaine*, etc.), mais également à la radio et à la télévision, faisant ainsi écho auprès de plus larges secteurs de la population de l'effervescence de notre bande dessinée. Il reste toutefois que cette abondance d'activités périphériques par rapport à la production elle-même a pu donner l'impression d'une vitalité qui n'était malheureusement pas le reflet exact de la situation encore fragile et balbutiante qui prévalait alors.

[23] André Carpentier *et al.*, «La Bande Dessinée Kébécoise», *La Barre du Jour*, n°s 46-47-48-49, Bois-des-Filion, 1975, 269 p.

2. 1980-1990: ESPOIRS DE CONSOLIDATION

Au tournant des années 1980, l'horizon de la bande dessinée québécoise va connaître d'importantes transformations avec l'apparition du mensuel *Croc* (inspiré tout à la fois des célèbres magazines humoristiques français — *Hara-Kiri* — et américains — *National Lampoon* et *Mad*). Lancé en octobre 1979, grâce à une subvention directe de 80 000 $ du ministère des Affaires culturelles du Québec, le magazine de Jacques Hurtubise, Roch Côté, Hélène Fleury et Pierre Huet a remporté un succès immédiat, au point que les tirages initiaux de 30 000 exemplaires ont atteint quelques années plus tard des pointes à 95 000, et que les ventes moyennes ont rarement baissé au-dessous de 75 000 exemplaires pendant les années de vaches grasses. L'exceptionnelle performance de *Croc* a contribué fortement à donner un second souffle à la bande dessinée québécoise, non pas bien sûr en tant que magazine satirique — dont à peine le tiers du contenu était consacré à la bande dessinée —, mais comme support de presse qui a représenté dans le contexte de l'époque l'un des rares et des plus importants débouchés professionnels pour les créateurs québécois de bande dessinée. Pour la première fois, dans la plupart des cas, ces derniers pouvaient tirer avantage d'un rythme de production soutenu et bien rémunéré qui leur permettait d'organiser leur travail en fonction de la continuité et de faire face aux particularités d'un lectorat beaucoup plus large et diversifié que celui auquel ils s'étaient auparavant adressés. Dans l'ensemble, on peut dire que ce gain de professionnalisme a rendu nos créateurs à la fois plus conscients des exigences de leur art et plus sensibles aux réactions du public. Ainsi, aux rêves un peu fous et à l'engouement quelque peu immodéré et anarchique des années 1970 allaient succéder les espoirs de consolidation bien légitimes des années 1980.

Revues et fanzines

Toutefois, les difficultés chroniques de l'édition de bande dessinée au Québec ont eu tôt fait de ramener aux dimensions de la réalité — si besoin était — l'enthousiasme généré par les succès inattendus de *Croc*. Car il faut bien en convenir, si l'humour marche très fort en terre québécoise depuis une bonne quinzaine d'années, il n'en va pas de même pour la bande dessinée (bien qu'elle s'adonne, elle aussi, la plupart du temps à l'humour). Tout au long de la décennie, des magazines d'allure et de contenu toujours aussi variés ont fait de trop brèves apparitions sur le marché, dans des proportions à peu près analogues à celles de la période précédente mais avec des différences qui méritent d'être relevées. D'abord, des titres comme *Inédits* (1985), *Somnambulle* [sic] (1985), *Enfin bref!* (1985-1986), *Tordeuse d'Épinal* (1986-1987) et *Bambou* (1986-1987) ont révélé le dynamisme de la région de Québec, qui s'est affirmé encore davantage par la suite. Puis, avec la collection

© 1997, Réal Godbout et Pierre Fournier

Référence bibliographique:

Réal Godbout (dessins), Pierre Fournier et Réal Godbout (scénario), «...Et l'enfer à la fin de vos jours!», *Cap sur Poupoune*, Croc Album, Montréal, 1984, p. 45, vignette 2. (ISBN 2-920341-09-X)

Matrix Graphic Series, Mark Shainblum, un jeune éditeur montréalais, a lancé, entre 1985 et 1987, six *comics*[24] en langue anglaise s'adressant, depuis Montréal, au marché anglophone canadien et américain; à notre connaissance, il s'agissait là de l'une des toutes premières tentatives du genre. Enfin, au cours de cette période, d'autres magazines ont montré des efforts nettement plus cohérents pour dépasser le lectorat visé d'ordinaire par les fanzines; ce fut le cas notamment de *Cocktail* (1981-1982), *Tchiize!* (1985-1988), *Sextant* (1986-1987) et *Bambou* (1986-1987). Mais l'exemple le plus convaincant — et, paradoxalement, la source de la plus grande déception — de la décennie aura sans nul doute été le magazine *Titanic* (1983-1984).

Avec un projet éditorial consistant et l'importante contribution de la relève[25], ce mensuel de bandes dessinées, lancé en septembre 1983 par la firme Ludcom (éditeur de *Croc*), n'a malheureusement pu dépasser, après 12 livraisons, un niveau moyen de ventes au numéro de 13 000 exemplaires, sur un tirage de 30 000, alors qu'il devait vendre aux alentours de 20 000 copies pour atteindre le seuil de rentabilité. Comparativement au rendement moyen, à la même époque, des divers périodiques européens sur le marché québécois (tels *Tintin, Spirou, Pilote, Métal Hurlant*, etc.), *Titanic* a connu une performance plutôt honnête. L'éditeur n'ayant pu cependant escompter à court terme un accroissement significatif des ventes — pas plus d'ailleurs qu'une extension de son marché vers l'Europe francophone, les risques étant trop élevés et le support financier, absent —, il a été contraint d'abandonner le titre déficitaire. Cet échec a mis une fois de plus en évidence la difficulté pour la bande dessinée québécoise de pénétrer son propre marché, apparemment réfractaire aux productions locales, même lorsqu'elles sont d'excellente qualité.

Quelques années après, misant sur la popularité croissante du filon humoristique et bénéficiant d'une subvention de démarrage de 17 000 $ du ministère québécois de l'Industrie et du Commerce, une équipe de Québec a lancé, en septembre 1987, un nouveau mensuel annonçant clairement ses couleurs: *Safarir*[26]. À la différence de *Croc*, *Safarir* a consacré dès le départ une portion plus importante de son contenu à la bande dessinée (environ 50 %), en y observant néanmoins une veine exclusivement humoristique. En partie sans doute grâce à

[24] *New Triumph* (Gabriel Morrissette et Mark Shainblum), *Mackenzie Queen* (Bernard E. Mireault), *The Jam Special* (B.E. Mireault), *Dragon's Star* (Ian Caar et Marie-Anne Bramstrup), *Cybercom* (Monique Renée) et *Gaijin* (G. Morrissette et B.E. Mireault).

[25] Outre la plupart des auteurs déjà bien implantés, on y trouvait Rémy Simard, Caroline Merola, Claude Cloutier, Jules Prud'homme, Sylvie Pilon, Philippe Brochard, Pierre Pratt, Henriette Valium (Patrick Henley), Gabriel Morrissette, etc.

[26] Les principaux auteurs de la région de Québec s'y sont trouvés rassemblés: André-Philippe Côté, Mario Malouin, Jean Morin, Martin Cassista, Serge Boisvert De Nevers, Michel D'Amours (Love), Denis Goulet, André Gagnon (Gag), etc.

l'essoufflement de *Croc, Safarir* s'est rapidement implanté et a connu des sommets de popularité avec des ventes avoisinant les 50 000 exemplaires (en 1991), pour se stabiliser actuellement aux environs de 40 000 exemplaires.

Dans un tout autre domaine, il faut croire que c'est une irrépressible envie de se raconter qui a poussé Sylvie Rancourt à concevoir et réaliser toute seule, entre 1985 et 1986, sous le titre *Mélody*, sept fascicules de bandes dessinées totalisant plus de 300 pages et racontant avec la plus grande naïveté et sous l'angle le plus manifestement autobiographique les déboires d'une danseuse nue. La chose n'est d'autant pas passée inaperçue au Québec qu'un éditeur *underground* américain, Kitchen Sink Comix[27], s'y est intéressé et a pris l'initiative de faire traduire et remodeler entièrement les bandes dessinées de Rancourt par le dessinateur québécois Jacques Boivin, en vue de diffuser sur le marché américain un *comic* dédié à son personnage. Depuis mai 1988, il est paru une dizaine de livraisons de *Melody*, mais la prolifique Rancourt assure avoir complété les scénarios jusqu'au numéro 36! Par ailleurs, sous la géniale impulsion d'Henriette Valium (Patrick Henley), le courant *underground* ou alternatif s'est vigoureusement revitalisé au cours des années 1980 à travers un certain nombre de fanzines[28] qui mêlaient souvent avec bonheur le jeu complexe de la référence graphique à un humour aux accents frondeurs, déstructurants et iconoclastes. Mais c'est surtout au tournant des années 1990 que la bande dessinée alternative connaîtra une véritable explosion.

Albums

Dans le domaine de la production d'albums, les deux faits marquants de la décennie 1980 ont été le développement considérable de petites maisons d'édition spécialisées dans la bande dessinée et l'accroissement de l'édition à compte d'auteur. Ainsi, sur plus d'une *centaine* d'albums parus au cours de la période (soit presque le double de la précédente), près de la moitié provenaient de sept éditeurs dont l'activité principale touchait la bande dessinée[29], tandis qu'environ le tiers émanait de l'édition à compte d'auteur. Ces chiffres témoignent d'un effort tangible à l'époque pour augmenter le fonds d'albums québécois en créant des petites entreprises vraiment concernées par la problématique locale de l'édition de bande dessinée et, par conséquent, d'autant mieux aptes à servir les auteurs d'ici. Si l'on prend en considération, d'une part, l'extrême précarité des périodiques de bande

---

[27] L'appellation *comix* désigne aux États-Unis les publications de type alternatif, le terme *comic* étant habituellement réservé aux productions grand public (*mainstream*).

[28] *Iceberg, Motel, Mr Steel, Zinzin l'Illustré, Division Z...*

[29] Les éditions Ludcom, Desclez, Cœur de pomme, Michel, D'Amours, Kami-Case et Phylactère. Bien que spécialisé dans les livres pour la jeunesse, l'éditeur Ovale a publié lui aussi plusieurs albums de bandes dessinées.

dessinée (ici comme ailleurs) et, d'autre part, le fait qu'une série en albums ne s'impose généralement auprès du public qu'après la parution d'au moins cinq titres, l'édition spécialisée apparaît en effet comme le moyen le plus sûr pour éviter la dispersion et assurer le minimum de continuité indispensable au développement de la production nationale. De son côté, l'édition à compte d'auteur représente un pis-aller face au manque d'intérêt — ou aux perceptions souvent irréalistes — des éditeurs généralistes vis-à-vis de la bande dessinée. Dans l'un ou l'autre cas toutefois, avec des tirages dépassant exceptionnellement les 2 000 exemplaires, le contexte éditorial de l'époque n'en est pas moins demeuré extrêmement incertain, même s'il a montré des signes d'amélioration par rapport à la situation antérieure.

Cette production d'albums a fait ressortir *quatre orientations générales* déjà présentes par le passé, mais qui se sont affirmées plus nettement au cours des années 1980. En premier lieu, une tendance plutôt classique d'inspiration franco-belge, qui a visé prioritairement le jeune public, avec des héros souvent originaux et adaptés au contexte local; elle a constitué environ 20 % de la production[30]. Ajoutons entre parenthèses que ce créneau du jeune lectorat mériterait d'être développé de manière encore plus conséquente vu les enjeux très importants qu'il représente: d'une part, parce qu'il est à peu près monopolisé par la production étrangère[31] et, d'autre part, parce qu'il concerne le futur public potentiel de la bande dessinée québécoise. En

Référence bibliographique:

Jean-François Bergeron (dessins), André-Philippe Côté (scénario), *La voyante*, Éditions Falardeau, Sillery, 1994, p. 27. (ISBN 2-9803666-2-5)

[30] Par exemple les collections des éditions Ovale, la série Électrozz et Bozz de Prouche (Pierre Larouche), les Gargouille de Tristan Demers, *Les aventures des petits débrouillards* de Jacques Goldstyn, etc.

[31] Voir Flore Gervais, «Étude sur les bandes dessinées que les enfants préfèrent», Montréal, PPMF primaire, Université de Montréal, coll. «Le français à l'école primaire», n° 2, 1982, 45 p.

second lieu, quelques albums de facture et de contenu nettement traditionnels mais non destinés aux jeunes formaient un autre groupe représentant cette fois moins de 5 % du total[32]. En troisième lieu, la plupart des titres s'adressant à un public non spécifiquement ciblé ont constitué un corpus correspondant à environ 65 % de la production; dans des styles embrassant des graphismes néoclassiques ou plus franchement modernes, cette catégorie d'albums reflétait principalement les courants contemporains de parodie ou de remise en question des valeurs conformistes de la société[33]. En dernier lieu, les albums restants — un peu plus de 10 % du total — émanaient de dessinateurs (souvent plus jeunes) œuvrant dans le milieu des fanzines et dont la production relevait de courants considérés comme plus marginaux, avant-gardistes ou même expérimentaux[34].

Dans cet ensemble passablement hétéroclite, un élément commun domine néanmoins, à savoir une nette prédilection pour le graphisme caricatural et l'humour sous les formes les plus variées (plaisanterie, caricature, pastiche, satire, autoparodie, dérision, absurde, humour noir, etc.), avec comme corollaire la faible présence de récits développés dans une optique romanesque, élaborés suivant les normes d'un graphisme réaliste et explorant des genres narratifs et des thématiques qui ne reposent pas sur l'humour[35]. En outre, hormis la plupart des titres destinés au jeune public et les titres traditionnels — c'est-à-dire un peu plus de 20 % de l'ensemble —, la production d'albums relève assez distinctement de la tendance d'auteur, telle qu'elle se manifeste en Europe depuis le début des années 1970 et aux États-Unis dans les années 1980.

Ainsi, on peut affirmer que la bande dessinée québécoise était à l'époque perçue par la plupart de ses créateurs comme un moyen d'expression à part entière plutôt que comme un artisanat passablement impersonnel... perception cependant loin d'être partagée par le public québécois! L'examen du marché[36] a en effet montré que les préférences de celui-ci dénotaient — et dénotent toujours! — un attachement plutôt

---

[32] Par exemple *Onésime* d'Albert Chartier, *La grande aventure d'Alphonse Desjardins* de Prouche, quelques albums catholiques, etc.

[33] Par exemple les titres des éditions Ludcom, Kami-Case, D'Amours, Desclez, Michel, plusieurs titres des éditions du Phylactère, etc.

[34] Les albums d'Henriette Valium (Patrick Henley), d'André Boisvert, de Luc Giard, de Martin Dupras, etc.

[35] Pour la période concernée, à peine une douzaine de titres répondent à ces caractéristiques: par exemple *Contes citadins* de Pierre Drysdale, *Roublard, noir sur blanc* de Jean-François Guay, *Époque opaque!* de Grozoeil (Christine Laniel), Yves Millet et Lucie Dufour, *Zeph de Saint-Anselme* de Jean Lacombe, *Quinquim-la-Flotte* de Luis Neves, *Ma Meteor bleue* de Caroline Merola...

[36] Voir Jacques Samson, «Québec: une BD sans histoire», *L'année de la BD 86-87*, Grenoble, Glénat, 1987, p. 182-184 et Mira Falardeau, «Le marché de la BD au Québec», *La Bande dessinée au Québec*, Montréal, Éditions du Boréal, coll. «Boréal Express», n° 9, 1994, p. 97-107.

prononcé pour une bande dessinée liée à l'univers de la jeunesse ou aux contenus drolatiques et, finalement, assez peu adaptée aux expérimentations artistiques ou aux préoccupations adultes. Une très large part du lectorat québécois paraît donc avoir pris du retard sur le mouvement européen d'émancipation de la bande dessinée qui a permis, dès le milieu des années 1970, l'apparition de courants plus actuels et la création de nouveaux créneaux de lecteurs, jadis inexistants; et ce retard a d'autant freiné, dans le contexte québécois, le développement — pourtant observable dans la plupart des autres domaines culturels — de nouveaux segments de public vraiment significatifs, c'est-à-dire comptant davantage que les quelque 1 000 à 1 500 lecteurs que peuvent escompter la plupart des bandes dessinées québécoises reflétant ces courants ou contenus contemporains. Ces facteurs expliquent sans doute la faible considération artistique et culturelle de la bande dessinée au Québec, comme ils aident à comprendre la si piètre audience de notre bande dessinée auprès de son propre public.

À la fin de la décennie, l'exceptionnelle performance de *La grande aventure d'Alphonse Desjardins*, de Prouche — album commandé[37] et commandité par la Confédération des caisses populaires et d'économie Desjardins du Québec et qui a vendu environ 25 000 exemplaires —, a pu susciter énormément d'espoirs, en donnant l'impression d'un changement d'attitude et d'une ouverture du grand public à l'égard de la bande dessinée québécoise, comme certains retentissants succès des années 1970 avaient pu jadis le laisser croire. Il reste que, malgré les retombées éminemment positives que ce succès a pu entraîner pour son auteur et pour une valorisation de la bande dessinée comme véhicule didactique ou publicitaire, pareille réussite n'a pu avoir qu'un impact forcément limité et isolé sur la bande dessinée d'ici, d'abord parce qu'il s'agissait d'un titre de conception plutôt traditionnelle — qui n'a certes pas contribué à modifier la perception conformiste que se fait le public de la bande dessinée —, ensuite parce qu'il n'appartenait à aucune collection ou série — et qu'il ne pouvait par conséquent exercer un effet de locomotive sur d'autres titres venant après lui —, et enfin parce que l'essentiel des revenus qu'il a générés n'ont pas été directement réinvestis dans la production et l'édition de bandes dessinées locales.

Par ailleurs, les timides mais efficaces incursions de la bande dessinée québécoise dans le secteur de l'information sociale et de la publicité se sont poursuivies avec diverses publications commanditées par des organismes gouvernementaux (Bureau de consultation

[37] La commande concernait dans un premier temps la prépublication, à partir 1988, de la bande dessinée dans la revue d'information des caisses populaires Desjardins, *Ma Caisse*, tirée à 150 000 exemplaires et distribuée gratuitement à la largeur du Québec.

Jeunesse, Comité de la protection de la jeunesse, etc.), sociaux (CSN, etc.), communautaires (Comité de prévention du crime de Sherbrooke, Fondation Mira, Société Saint-Jean-Baptiste, etc.) et privés (Câblevision Nationale, Fédération des caisses populaires Desjardins de Montréal et de l'Ouest-du-Québec, etc.). Deux exemples retiennent particulièrement l'attention parmi cet ensemble fort hétérogène: celui de Paul Vallée d'abord, qui a pu tirer des revenus de subsistance uniquement de la bande dessinée en réalisant, entre 1989 et 1996, quatre albums d'éducation populaire portant sur autant de thèmes (la violence familiale, la prévention du sida, la lutte contre la toxicomanie et l'intercompréhension à l'égard des peuples du tiers monde), tous commandités par des organismes gouvernementaux et communautaires; l'autre concerne la délicate et cruciale question des droits d'auteur traitée, cela va de soi… en bande dessinée, dans un album particulièrement soigné produit par une firme d'avocats.

Référence bibliographique:
Jean Lacombe, *L'étrange*, Éditions Kami-Case, Montréal, 1995, p. 1. (ISBN 2-9801105-8-2)

Journaux

Dans le courant des années 1980, plusieurs journaux ont continué d'ouvrir modestement leurs pages à la bande dessinée québécoise. Ce fut le cas de *La Presse* — qui publia quelques séries locales dans son supplément hebdomadaire «La Petite Presse»[38] —, du *Devoir*[39], de *Voir*[40] et même de l'hebdomadaire *Photo Police*[41]. Plus près de nous, *Le Journal de Montréal* a fait paraître en 1990 — une décennie en retard sur ses concurrents — sa première bande quotidienne québécoise[42]. En région, *La Tribune*[43] de Sherbrooke et le *Soleil*[44] de Québec — pour ne

[38] Par exemple «Les aventures de Scooter Tremblay» de Robert Schoolcraft, en 1982-1983, et «Les aventures de Camron» de Louis Pilon, en 1985-1986.
[39] Avec les *strips* hebdomadaires non titrés de Rémy Simard, à l'été de 1985.
[40] Avec des *strips* non titrés du même Simard, en 1987.
[41] Avec «Les reportages de Jack Kodak et Jojo Bulldozer» de Jean-Paul Eid, occupant les pages centrales du journal en 1987-1988.
[42] «Le Petit peuple» de Daniel Houle.
[43] Avec «Les aventures de Charles Hautis» de Laurent Trudel et Daniel Chesnel, en 1982-83.
[44] Avec «Les aventures de Bédébulle» de André-Philippe Côté, Denis Côté et Marc Forest, entre 1984 et 1988.

mentionner que ces deux-là — ont fait de même. Ces parutions ont été évidemment positives, bien qu'il se soit agi dans la plupart des cas de *mises à l'essai* trop rapidement interrompues à cause de frais d'exploitation jugés excessifs pour les éditeurs ou faute de pouvoir assurer aux auteurs une rémunération convenable. Ce type d'initiative mériterait certes d'être repris et répandu — sur des assises plus durables avec le soutien de fonds publics — pour éviter que cet important véhicule de la bande dessinée donne encore lieu à un aussi flagrant exemple de colonialisme culturel. Jusqu'à présent, il n'a guère été occupé par des créateurs locaux, alors qu'il pourrait leur assurer une importante source de revenus tout en procurant à leurs œuvres une visibilité inégalée auprès du public.

Activités autour de la bande dessinée

Les activités entourant la bande dessinée québécoise ont été marquées, au cours de cette période, par la multiplication d'efforts visant l'organisation plus professionnelle de son milieu, de même qu'une meilleure coordination de ses actions auprès des gouvernements et du public. Ainsi, on a pu assister presque simultanément, dans trois régions du Québec, à la création d'organismes voués à la promotion et à la diffusion de la bande dessinée, ainsi qu'à la défense de ses artisans[45]. Dans les trois cas, mais à des degrés variables, les activités de ces regroupements ont consisté à diffuser de l'information à l'intention de leurs membres, à coordonner des expositions, des stages européens, des conférences, des ateliers, à instituer des prix, etc.; malheureusement, toutes sortes de difficultés ont rendu l'existence de ces organismes plus qu'incertaine à l'heure qu'il est… D'autre part, l'organisation de festivals et colloques dans quelques régions du Québec a également permis d'affirmer de manière plus efficace que par le passé la présence et la cohésion du milieu, accroissant d'autant la visibilité de la production auprès du public et la possibilité de consolidation du marché. Malgré leurs effets incontestablement stimulants pour les artisans de la bande dessinée, ces événements n'ont jamais eu qu'un impact limité à la périphérie du milieu lui-même, en cela fort éloigné, par exemple, de ce qu'ont connu de semblables événements en Belgique ou en France, incontournables lieux de comparaison pour les auteurs d'ici qui s'y sont rendus seuls ou en délégation à quelques reprises durant les années 1980.

[45] En 1985, dans la région de Québec, la Société des créateurs(trices) et amis(e)s de la bande dessinée (ScaBD); en 1986, à Montréal, l'Association des créateurs et des intervenants de la bande dessinée (ACIBD); et la même année, dans la région de Sherbrooke, le Regroupement des créateurs et intervenants de la bande dessinée de l'Estrie, appelé BD Estrie.

Il faut se rendre à l'évidence: pas plus qu'au cours de la période précédente, la bande dessinée québécoise n'a connu le véritable boum que ses créateurs ont tant espéré et dont ils auraient eu le plus grand besoin. En revanche, il a tout de même résulté de l'ensemble de ces activités une couverture médiatique accrue; à ce propos, Richard Gendron notait par exemple, dans une étude concernant le traitement de la bande dessinée dans *La Presse*, qu'entre 1974 et 1986, «24 % des articles recensés [faisaient] allusion à la bande dessinée québécoise», tandis qu'entre 1987 et 1991, «la proportion [était] passée à 32 %[46].» De plus, il s'est tenu davantage de chroniques sur la bande dessinée en général — et sur la bande dessinée québécoise en particulier — dans les périodiques culturels d'ici (*Solaris, Imagine, Spirale, Propos d'Art, Nuit blanche*, etc.) et d'ailleurs[47], de même qu'il s'est publié d'autres ouvrages importants sur le sujet. En somme, de quoi alimenter un certain intérêt autour la bande dessinée, faute de pouvoir rendre compte plus adéquatement encore d'une production qui aurait enfin atteint un rythme de croisière convenable...

3. 1991...: UN AVENIR INCERTAIN

Faute d'espace, il n'est évidemment pas possible de traiter la période récente de façon aussi détaillée que les précédentes; on se contentera donc de souligner quelques faits saillants, d'indiquer certaines tendances significatives, de suggérer des éléments de réflexion, en faisant montre de la plus grande circonspection quant à l'interprétation d'événements tellement proches de l'actualité.

© Stéphane Olivier et Marc Tessier

Référence bibliographique:

Stéphane Olivier (dessins), Marc Tessier et Stéphane Olivier (scénario), «The Glass Revolution — Part One: A Study of Destiny», chap. 1, *Mac Tin Tac*, n° 3, Gogo Guy Publications, Montréal, 1992, p. 6.

[46] «*La Presse*, la critique et la BD "made in Québec"!», *La Dépêche* (bulletin d'information de l'ACIBD), vol. 3, n° 8, avril 1991, p. 4.
[47] *Les Cahiers de la bande dessinée*, publiés par les éditions Glénat, ont ouvert leurs pages à un correspondant québécois entre 1984 et 1990.

Le contexte de récession de la fin des années 1980 et des années 1990 n'a certes pas contribué à améliorer la situation déjà peu rassurante de la bande dessinée québécoise, d'autant que s'y est ajoutée une redoutable vague de compression des dépenses publiques. En réalité, on a déjà pu commencer à ressentir l'impact désastreux de cette conjoncture de deux manières au moins: dans la baisse d'achat du matériel imprimé et dans la diminution de l'aide gouvernementale accordée à la création et à l'édition; dans l'un et l'autre cas, la conséquence la plus prévisible à plus ou moins long terme se mesurera sans doute dans un affaissement de la production locale, raffermissant d'autant la présence de la production étrangère.

En dépit de la morosité ambiante, la bande dessinée québécoise n'en a pas moins maintenu un niveau relativement élevé d'activités dont certaines valent d'être signalées. Corroborant une tendance déjà manifeste dans la période antérieure et apportant encore du sang neuf dans le secteur, l'édition spécialisée s'est enrichie de nouveaux protagonistes (les Éditions Falardeau[48], le Studio Montag[49], Zone convective[50], etc.), tandis que d'autres ont affermi leurs activités (Kami-Case par exemple est passé dans le giron de Boréal et a accru son catalogue de cinq nouveaux titres). D'une décennie à l'autre, on a pu noter quelques signes positifs de continuité éditoriale — notamment dans l'accroissement de la production jeunesse —, mais à l'opposé, d'autres événements sont venus rappeler qu'en ce domaine rien ne doit être tenu pour acquis. Ainsi en est-il de la disparition de *Croc* en avril 1995, après 15 ans d'existence — et quelques expériences ratées de diversification éditoriale avec *Mad Édition Québec* et *Anormal* en 1991 —, qui a causé un désarroi certain dans le milieu. En plus de priver maints dessinateurs d'un débouché appréciable, cette brusque interruption a donné un coup peut-être fatal à la collection d'albums issus du magazine, du reste essentiellement concentrée sur la série Red Ketchup depuis la cession en 1992 d'autres titres aux Éditions Logiques (la série Jérôme Bigras de Jean-Paul Eid, par exemple). Peu avant sa déroute, l'éditeur de *Croc* avait tenté une percée en sol européen avec trois titres de Red Ketchup coédités sous le label Dargaud, mais cette tentative infructueuse a tourné court, non sans rappeler la performance désolante, dix ans plus tôt, de la version «française» d'*Atlantic City* de Cédric Loth et Pierre Montour, parue aux Humanoïdes associés. Mais

[48] Créée en 1993 par Mira Falardeau, cette petite firme de Sillery a fait paraître jusqu'à ce jour près d'une dizaine d'albums.

[49] Éditeur montréalais qui a publié, entre 1991 et 1993, une dizaine d'élégants mais modestes petits albums, souvent collectifs, au format à l'italienne (c'est-à-dire plus larges que hauts).

[50] Ex-éditions du Phylactère, dirigées par Yves Millet, réapparues sous ce nouveau nom en 1996.

ce qui est particulièrement préoccupant dans cette affaire, c'est de savoir ce qu'il adviendra du colossal fonds d'albums de Godbout et Fournier? Réalise-t-on qu'il s'agit là de deux des plus importantes séries de bandes dessinées jamais réalisées au Québec avec, dans le cas de Michel Risque, cinq épisodes réalisés dont trois parus en album, et dans le cas de Red Ketchup, huit épisodes complétés dont seulement trois ont été édités en album, l'ensemble totalisant au-delà de 650 planches et dépassant le record de 500 planches atteint avec Onésime en 1985 par le doyen de la bande dessinée québécoise, Albert Chartier?

L'échec de *Croc* est bien vite passé à l'oubli, éclipsé par la surprenante réussite de *Safarir* dont les nombreux projets d'expansion et de diversification éditoriales ont contribué récemment à déplacer un des pôles d'attraction de la bande dessinée québécoise de Montréal vers Québec. Mais ce qui frappe surtout dans le parcours de *Safarir*, ce sont les efforts de plus en plus cohérents d'extension de leur lectorat hors du Québec, soit vers le Canada français (Nouveau-Brunswick et Ontario), l'Europe francophone (France, Belgique, Suisse et Luxembourg) et les États-Unis — avec une version américaine, *Nuts*, vraisemblablement au début de 1997, si l'aide gouvernementale tombe à point nommé. Dans les conditions d'un marché restreint comme le nôtre, la marge de manœuvre éditoriale est fort réduite et les rares possibilités de développement — et même de consolidation — des entreprises résident dans l'élargissement du lectorat ici même ou à l'étranger. N'ayant que peu d'espoir d'accroître leurs ventes locales, les responsables de *Safarir* ont décidé de se tourner vers l'extérieur du Québec. Ils ne sont pas du reste les seuls ou les premiers à avoir choisi pareille option...

© Éditions Zone convective

Référence bibliographique:

Luis Neves, *Le midi de la nuit*,
Éditions Zone convective, Montréal, 1996, p. 32.
(ISBN 2-922103-02-1)

En effet, déjà l'échec amer de *Titanic* avait été l'occasion, au milieu des années 1980, d'une prise de conscience cruciale chez plusieurs professionnels de la bande dessinée qui avaient alors dû prendre d'importantes décisions quant à leur carrière: soit d'aller exercer leur art dans les domaines nettement plus stables et lucratifs de l'illustration ou surtout du dessin animé — tout en poursuivant dans certains cas une activité parallèle en bande dessinée[51] — ; soit encore d'aller tenter leur chance du côté des États-Unis en prêtant leur concours (comme encreurs, crayonneurs, scénaristes, etc.) à des *comics* américains déjà existants, sans même devoir s'éloigner du Québec[52], ou en confiant au réseau nord-américain des boutiques spécialisées *(direct sales)* leur propre production. Certains, peu nombreux il est vrai, se sont aussi tournés vers l'Europe, bien que ce marché se soit jusqu'ici révélé à peu près impénétrable[53]. Ce type de pragmatisme disons «économique» — passablement récent dans d'autres milieux culturels québécois comme ceux du cinéma, du théâtre, de la danse, de la chanson, etc. — pourrait du reste assez bien caractériser certaines des tendances les plus significatives de la bande dessinée québécoise actuelle.

Il faut bien le constater, ce mouvement d'ouverture vers l'étranger se réalise en parfaite coïncidence avec les courants de mondialisation qui traversent en ce moment nos sociétés et qui empruntent très largement les réseaux culturels états-uniens. Parmi ces courants, mais en marge du vecteur grand public *(mainstream)*, on a pu observer la recrudescence assez récente d'une culture alternative qui, dans le domaine de la bande dessinée, s'est dotée de réseaux de distribution distincts, originaux et très efficaces, notamment par correspondance. C'est à cette tendance que se sont greffés maints fanzines montréalais qui ont connu, au début des années 1990, une véritable explosion, encouragée par le succès et la renommée internationale de Julie Doucet[54]. Adoptant fréquemment un idiome anglo-américain minimaliste — dans un esprit considéré comme purement pratique — et mêlant allègrement créateurs anglophones et francophones, ces publications alternatives offrent une abondance et une variété qui témoignent du dynamisme d'un milieu qui entend s'affirmer par tous les moyens en dépit de son faible rayonnement. On peut y déceler, dans le contexte québécois de cette fin de siècle, certains traits postmodernes de métissage et

[51] Comme Rémy Simard, Jean Lacombe, Caroline Merola, Jean-Paul Eid, etc.

[52] C'est le cas de Pierre Fournier, Gabriel Morrissette, Denis Rodier, Mark Shainblum, Bernard E. Mireault, Yannick Paquette, Michel Lacombe, etc.

[53] Il y a tout de même eu le cas de Robert Rivard qui, depuis son domicile en territoire québécois, a dessiné les premiers albums de la série Pixies, scénarisée par Pierre Dubois et éditée par Glénat en 1991 et 1992.

[54] Avec *Dirty Plotte,* son propre *comix* édité depuis 1991 par Drawn and Quarterly.

d'hétérogénéité culturels que l'on pourrait résumer par la boutade suivante: à quoi cela pourrait-il bien servir de revendiquer notre québécité, notre américanité ou notre européanité, quand la planète entière est à portée de main?... Des maisons d'édition montréalaises comme Drawn and Quarterly ou les Publications Gogo Guy et plusieurs autres petites publications (*Mille Putois, Pervert Comix, X-Ray Love*, etc.) ont fait connaître de remarquables auteurs[55] qui envisagent le fanzine comme une production cible, sans arrière-pensée, se montrant ainsi peu sensibles aux formes traditionnelles de reconnaissance du grand public et leur préférant la gratitude d'un public de connaisseurs. Dans leurs bandes dessinées, ils se livrent à d'étranges jeux sur les tabous (sociaux, sexuels, iconographiques, etc.), avec un net penchant pour les exercices de déconstruction dans un état d'esprit oscillant entre la provocation, l'hilarité et le désespoir le plus cru. Dans nombre de cas, l'autobiographie et les tranches de vie où pullulent les malaises et fantasmes corporels intimes constituent la matière première d'un exercice d'imagination parfois puissamment cathartique et salutaire. Même s'il paraît tout à fait impossible à l'heure qu'il est de prévoir l'évolution de ces courants de la bande dessinée, on doit néanmoins reconnaître là un vecteur important de la production québécoise contemporaine, particulièrement bien préparé, semble-t-il, à l'orée du troisième millénaire, pour affronter les conditions d'un marché sans doute considérablement transformé.

© Patrick Henley

Référence bibliographique:

Henriette Valium (Patrick Henley), «Une histoire triste», *DJABE*, Paje éditeur, coll. «Tordeuse d'Épinal», Montréal, 1990, p. 38. (ISBN 2-9801495-3-5)

[55] Chester Brown, Siris (Pierre Sirois), Simon Bossé, Stéphane Olivier, Marc Tessier, Alexandre Lafleur, Eric Braün, Rupert Bottenberg, Gavin McInnes, Éric Thériault, etc.

4. EN GUISE DE CONCLUSION

Ce bref panorama récapitulatif de la bande dessinée québécoise des quelque vingt-cinq dernières années montre à l'évidence qu'il existe ici une production variée et de calibre parfaitement professionnel, de même qu'un milieu de créateurs plein de dynamisme, qui ne demande pas mieux que de s'épanouir dans des conditions un peu plus sereines et viables que ce n'est le cas actuellement. Malgré l'énergie souvent étonnante déployée par ces créateurs, à peine une poignée parviennent à vivre de leur profession; les dessinateurs des générations montantes n'ont nulle part où apprendre leur art, pas plus qu'ils n'ont de supports de presse un tant soit peu stables où développer leur talent; les albums de nos auteurs les plus accomplis trouvent à peine preneurs avec des tirages ne dépassant guère les 2 000 exemplaires; comme si ce n'était pas assez, nos éditeurs doivent sans cesse se battre pour obtenir une aide qui ne leur permet nullement de faire face aux machines commerciales extrêmement bien huilées et efficaces de la concurrence étrangère; bref, malgré ses qualités indéniables, notre production de bandes dessinées est loin encore d'avoir établi une nécessaire jonction avec son public potentiel, condition indispensable non seulement à son développement mais à sa simple survie.

Bien qu'il paraisse assez évident que ces nombreux écueils ne viendront pas à bout de la ténacité de nombre de nos créateurs, il n'est pas sûr en revanche que le regain d'activités des deux précédentes décennies puisse déboucher sur une croissance plus satisfaisante ou même carrément maintenir son niveau actuel, si les assises structurelles (édition, diffusion, promotion et mise en marché) et financières de notre production ne sont pas raffermies. Nul n'ignore que le développement et le rayonnement large de la culture québécoise n'est envisageable qu'au prix d'une implication soutenue des pouvoirs publics, et l'on ne voit pas pourquoi la bande dessinée ferait figure de parent pauvre relativement aux autres secteurs de l'industrie culturelle québécoise[56].

ORIENTATIONS BIBLIOGRAPHIQUES

Ouvrages de référence

BELL, John, Robert MacMillan et Luc Pomerleau. *Canuck Comics. A Guide To Comics Books Published in Canada*, Montréal, Matrix Books, 1986, 154 p. (Comporte une partie en français.)

CARPENTIER, André, dir. «La bande dessinée kébécoise», *La Barre du Jour*, livraison spéciale n°s 46-47-48-49, Bois-des-Filion, 1975, 272 p.

[56] Est-il besoin de rappeler que, à l'instar de très nombreux pays, la plupart des activités culturelles du Québec (cinéma, vidéo, danse, théâtre, musique, littérature, chanson, etc.) ont absolument besoin d'être subventionnées pour simplement exister de manière significative?

COLLECTIF. *Et vlan! on s'expose. Quinze ans de bande dessinée dans la région de Québec*, Sainte-Foy, ScaBD, 1985, 82 p.
FALARDEAU, Mira. *La Bande dessinée au Québec*, Montréal, Boréal, coll. «Boréal Express», nº 9, 1994, 126 p.
ROBIDOUX, Léon-A. *Albéric Bourgeois, caricaturiste*, Montréal, VLB éditeur et Médiabec, 1978, 290 p.
SAMSON, Jacques et André Carpentier, dir. *Actes. Premier colloque de bande dessinée de Montréal*, Montréal, Analogon, 1986, 224 p.

Articles de base

BRIND'AMOUR, Serge. «Zap! Pow! Stie! La nationalisation de la bande dessinée», *Le Maclean*, juillet 1974, Montréal, p. 17-21 et 45-46.
HÉBERT, François. «*Hérauts.* Première véritable revue de bandes dessinées québécoises», *La Nouvelle Barre du Jour*, spécial «La bande dessinée», nos 110-111, Outremont, février 1982, p. 113-120.
LACROIX, Yves. «La bande dessinée dans les journaux québécois (1930-1950)», *La Nouvelle Barre du Jour*, spécial «La bande dessinée», nos 110-111, Outremont, février 1982, p. 101-109
RABY, Georges. «Le printemps de la bande dessinée québécoise», *Culture Vivante*, nº 22, septembre 1971, Québec, p. 12-23.
SAMSON, Jacques. *Mémoire sur la situation de la bande dessinée au Québec et au Canada*, Montréal, ACIBD, 1986 (mise à jour 1991), 35 p.
THIBAULT, Gilles. «La bande dessinée au Québec», *Québec underground 1962-1972*, Tome 2, Montréal, Éditions Médiart, 1973, p. 334-345.

L'auteur tient à remercier Pierre Fournier pour les informations qu'il lui a amicalement communiquées.

Jacques Samson est né à Montréal. C'est dans une sacristie qu'il a découvert la bande dessinée, comme servant de messe, se délectant avant ou après les offices liturgiques de la lecture de quelques albums de Tintin que le curé avait tout spécialement achetés pour eux. Vers la même époque, mais à la maison et à l'école cette fois, il fit également connaissance avec la bande dessinée québécoise dans les pages du magazine *Hérauts* et des petits albums Fides — dont il a gardé quelques titres dans son souvenir: *Tonio, le petit émigré, Claude en hélicoptère, Le secret de la rivière perdue* —, ou encore dans l'*Histoire de Dieu en images* dont certaines vignettes avaient à l'époque gravé en lui de persistantes impressions de terreur…

Après un parcours scolaire hésitant, il s'orienta plus tard vers des études de linguistique, sans toutefois délaisser cette passion des images qui l'a amené à se pencher à nouveau sur les albums d'Hergé, en initiant au monde de Tintin une amie d'alors qui ne l'avait encore jamais lu. C'est peut-être de là en fait que lui est venu ce bonheur à fouiller les images qui l'a poussé vers l'enseignement. Au début des années 1970, il se trouva étroitement mêlé au milieu de la bande dessinée québécoise et, de fil en aiguille, de connaissances en amitiés, il en devint l'un des chroniqueurs. Longtemps après, il se surprend à constater que les quelques éléments d'histoire qu'il évoque en ces pages ne sont pas absolument détachés de sa propre chronologie…

Chapitre VI

LA PROSE ROMANESQUE

Première partie

Prose narrative au Québec (la nouvelle) (1960-1996)

Vincent Nadeau
et Stanley Péan

1 — INTRODUCTION

1.1 — HISTORIQUE GÉNÉRAL

Depuis ses origines, l'être humain se caractérise par l'invention du langage et le recours intensif à la parole. Or parler c'est, pour le locuteur, se situer dans l'espace et le temps; c'est aussi occuper une certaine portion de temps en parlant; c'est enfin représenter le déroulement du temps, donc dire que quelque chose se passe. Et le destinataire de ce locuteur, quelle que soit la complexité de l'énoncé, s'attend à ce que, si on lui parle, on lui «raconte» quelque chose. Ainsi, tradition et littérature orales naissent avec l'humanité; de même le recours au narratif.

Historiens et folkloristes, anthropologues et sociologues adoptent des enregistrements, des transcriptions ou des adaptations de récits divers, de contes ou de mythes comme matériau de base pour leurs travaux. La poésie orale est le plus souvent narrative et la part de narrativité dans les manifestations dramatiques traditionnelles est considérable. Les études classiques d'André Jolles sur la légende, la geste, le mythe, le conte, etc.[1], de Vladimir Propp sur le conte populaire russe[2] et de Paul

[1] JOLLES, André, *Formes simples*, Paris, Éditions du Seuil, 1972, 212 p.
[2] PROPP, Vladimir, *Morphologie du conte;* suivi de *Les transformations des contes merveilleux et de E. Meralétinski, l'étude structurale et typologique du conte*, Paris, Éditions du Seuil, 254 p.

(Page de gauche) *Marie-Claire Blais*
«Un grand moment de rupture tant géographique que social et culturel...» (Victor-Lévy Beaulieu)
(Photo: Madame Nicole Hellyn, Belgique, 1993)

Zumthor sur la voix dans la littérature médiévale[3] constituent de bonnes passerelles vers l'étude de la littérature narrative écrite.

En domaine écrit latin ou français comme en domaines italien, espagnol, catalan, portugais, anglais, allemand ou scandinave, les ancêtres occidentaux de la nouvelle sont entre autres l'exemplum, «un récit bref donné comme véridique et destiné à être inséré dans un discours (en général un sermon) pour convaincre un auditoire par une leçon salutaire[4]», illustré par les prédicateurs Étienne de Besançon et Jacques de Vitry; le miracle, illustré par un chanoine amoureux de la Vierge Marie, Gautier de Coinci[5]; le lai, illustré par Marie de France[6], qui donne dans le sentiment et la féerie; et le fabliau, d'auteurs souvent anonymes, défini par le médiéviste Omer Jodogne comme un «conte en vers où, sur un ton trivial, sont narrées une ou plusieurs aventures plaisantes ou exemplaires, l'un et l'autre ou l'un ou l'autre[7]».

BRIFAUT
fabliau du XIIIe siècle

L'envie me prend de vous raconter l'histoire d'un vilain riche et ignorant, qui courait les marchés d'Arras à Abbeville: je commence, si vous voulez bien m'écouter. [...] Le vilain s'appelait Brifaut. Il s'en allait donc un jour au marché. Il portait sur son dos dix aunes de fort bonne toile, qui lui frôlait les orteils par devant et traînait au sol par derrière. Un voleur le suivait, qui inventa une belle duperie.

Il enfile une aiguille, soulève la toile de terre et la tient serrée tout contre sa poitrine; il la fixe sur le devant de sa chemise et se colle au vilain dans la foule. Brifaut est pressé de toutes parts et notre larron tant le pousse et le tire qu'il le jette par terre. La toile lui échappe. Le voleur l'attrape et se perd au milieu des autres vilains.

Quant Brifaut se voit les mains vides, il est submergé de colère et se met à crier de tous ses poumons: «Mon Dieu! Ma toile, je l'ai perdue! Ma dame sainte Marie, à l'aide! Qui a ma toile? Qui l'a vue?» La toile sur le dos, le voleur s'arrête et, prenant l'autre pour un sot, vient se planter devant lui et dit:

– De quoi te plains-tu, vilain?

– Seigneur, je suis dans mon droit, car je viens d'apporter ici une pièce de toile, que j'ai perdue.

– Si tu l'avais cousue à tes vêtements comme j'ai fait avec la mienne, tu ne l'aurais pas perdue en chemin.

---

3 ZUMTHOR, Paul, *La Lettre et la voix: de la «littérature» médiévale*, Paris, Éditions du Seuil, 346 p.

4 BREMOND, Claude, Jacques Le Goff et Jean-Claude Schmitt. *L'«exemplum»*, Turnhout, Brepols, 1982 (Typologie des sources du moyen âge occidental, fasc. 40), p. 37-38.

5 GAUTIER DE COINCI. *Les Miracles de Nostre Dame, 3 vol.*, Genève, Droz, 1966-1970.

6 MARIE DE FRANCE. *Les Lais de Marie de France*, Paris, H. Champion, 1982, xiii, 168 p.

7 JODOGNE, Omer, *Le Fabliau*, et Jean-Charles Payen. *Le Lai narratif*, Turnhout, Brepols, 1975 (Typologie des sources du moyen âge occidental, fasc. 13), p. 23. Mise à jour de 9 p. en 1985.

Et il s'en va sur ce, sans en dire plus. De la toile il fait ce qu'il veut, car chose perdue n'a plus de maître.

Brifaut n'a plus qu'à rentrer chez lui. Sa femme l'interroge, s'informe des deniers.

– Ma mie, fait-il, va au grenier chercher du blé et vends-le, si tu veux avoir de l'argent, car en vérité je n'en rapporte goutte.

– Ah non, fait-elle, puisse une crise de goutte te terrasser sur l'heure!

– C'est belle chose à me souhaiter, ma mie, pour me faire encore plus grande honte!

– Mais, par la croix du Christ, qu'est devenue la pièce de toile?

– Je l'ai perdue, fait-il, c'est vrai.

– Et tu en as menti! Que la mort subite t'emporte! Filou de Brifaut, tu me l'as brifaudée! Tu en as le gosier et la panse encore bien chauds, ah bâfrer à pareil prix! Ah, je te déchirerais à belles dents!

– Ma mie, que la mort m'emporte et que Dieu me foudroie, si je ne te dis pas la vérité!

Aussitôt, la mort l'emporta et sa femme fut dans de plus mauvais draps encore, tant elle rageait et enrageait. Son mari décédé, la malheureuse lui survécut dans le chagrin le plus extrême.[...] Ici se termine notre histoire.[8]

Le terme même de «nouvelle» remonte aussi au moyen âge. Se réclamant du *Décaméron*[9] de Giovanni Boccaccio, *Les Cent Nouvelles nouvelles*[10] font date, au XVe siècle, dans l'histoire de la littérature française. Quant aux particularités du genre, Roger Dubuis les met en évidence en notant bien les compénétrations avec d'autres genres narratifs brefs:

> Le sujet en lui-même n'est rien, ou il est peu de chose; l'important, c'est la manière de le conduire. Telle est la conclusion à laquelle aboutit l'étude de deux genres aussi différents dans leur esprit que le lai et le fabliau [...] mais sensibles tous deux, du moins chez les meilleurs auteurs, à la rigueur et à la vertu d'une brièveté bien tempérée. Peu importe le lieu où se déroule l'action, peu importe la condition de ceux qui la vivent: elle est, dans un cas comme dans l'autre, menée selon un même principe qui peut, dans son essence, se résumer ainsi: une intrigue, sommairement située et sommairement ébauchée, se développe, de façon linéaire et, en général, lente, dans une direction donnée, conforme à la logique et à l'attente des lecteurs. Soudain, un événement inattendu fait *basculer* le récit, créant ainsi une surprise, génératrice de comique ou, aussi bien, de tragique, et modifiant, de la sorte, l'orientation du récit. La formule peut, bien évidemment, s'enrichir, se raffiner (multiplication des points de bascule et des éléments de surprise, recherche de la pointe finale...); elle n'en reste pas moins tributaire de ce schéma. Le lai, courtois ou féerique, le fabliau, parodique ou grivois, sont, avant tout, des histoires brèves dont l'auteur sait que la «façon» vaut autant, sinon plus, que le «tissu». L'auteur des *Cent Nouvelles nouvelles* a recueilli l'héritage du lai et du fabliau (de l'exemplum aussi), lui qui réunit dans un même recueil, traitées selon la même technique, habillant une même structure, des nouvelles comiques, des nouvelles scabreuses et des nouvelles aussi tragiques que la N. 69 (l'histoire

---

[8] Traduit par Vincent Nadeau sur le texte du manuscrit de Berne, 354, édité dans MONTAIGLON, Anatole de, et Gaston Raynaud, *Recueil général et complet des fabliaux des XIIIe et XIVe siècles*, t. IV, Paris, Librairie des bibliophiles, 1880, p. 150-153.

[9] BOCCACCIO, Giovanni, *Décaméron*, Paris, Librairie générale française, 1994, 894 p.

[10] Voir DUBUIS, Roger, *Les cent nouvelles nouvelles et la tradition de la Nouvelle en France au Moyen-Age*, Grenoble, Presses universitaires de Grenoble, 1973, 581 p.

de la femme qui se laisse mourir de désespoir parce qu'elle n'a pas su rester fidèle à son mari) [...].[11]

Dans cette perspective, la modernité commencerait presque en même temps que la littérature française: c'est peut-être un peu excessif. Avant d'y arriver, il aura fallu en passer par *L'Heptaméron*[12] de Marguerite de Navarre au XVIe siècle, par les contes et nouvelles de Jean de La Fontaine[13] au XVIIe[14], et franchir un XVIIIe siècle plus friand de romans et de débats que de récits[15].

L'on s'accorde assez généralement à situer l'apparition de la nouvelle moderne occidentale au XIXe siècle[16] à l'exception notable de René Godenne, qui n'en affirme pas moins:

> On peut avancer que ce siècle est l'âge d'or du genre. Trouvant place régulièrement [...] dans les revues ou les journaux, la nouvelle connaît un succès remarquable et constant. Tous les grands romanciers, ne rougissant pas [...] du titre de nouvelliste, laissent des textes ou des recueils qui sont toujours édités ou lus: Hugo (*Le Dernier jour d'un condamné*, 1829), Balzac (*Sarrazine*, 1830), Gautier (*Nouvelles*, 1845), Musset (*Nouvelles*, 1848), Stendhal (*Chroniques italiennes*, 1855), Zola (*Contes à Ninon*, 1864), Sand (*Nouvelles*, 1869), Daudet (*Contes du lundi*, 1873), Barbey d'Aurevilly (*Les Diaboliques*, 1874), Gobineau (*Nouvelles asiatiques*, 1876), Flaubert (*Trois contes*, 1877) ... Mais que d'autres recueils à citer, à tirer de l'oubli, en tête desquels les *Nouvelles contemporaines* (1826) et les *Nouvelles* (1850) de Dumas [...] Et sans oublier les deux nouvellistes les plus célèbres: Mérimée (*Nouvelles*, 1852), et Maupassant (*Contes de la bécasse*, 1883), parce que leurs œuvres, constituant des *archétypes*, sont des points de référence. [...] Le plus souvent, [la nouvelle du XIXe siècle] se présente comme un récit court parce que l'auteur respecte les exigences de la brièveté, de la rapidité, de la concision, de l'unité anecdotique, du resserrement narratif et du paroxysme dramatique...[17]

Le point de vue américain est moins nuancé (et plus américanocentrique):

> Edgar Allan Poe was the first to define the genre formally (1842), calling it an artistic composition controlled to produce a single unified effect. At the

---

[11] Note de Roger Dubuis dans SEMPOUX, A., *La Nouvelle*, Turnhout, Brepols, 1973 (Typologie des sources du moyen âge occidental, fasc. 9), p. 33. Mise à jour de 6 p. en 1985.

[12] DE NAVARRE, Marguerite, *L'Heptaméron*, Paris, Garnier, 1985, xxx, 516 p.

[13] LA FONTAINE, Jean de, *Œuvres complètes, vol. I*, Paris, Gallimard, 1991.

[14] La prolifération par ailleurs des «nouvelles» au XVIIe siècle est magistralement étudiée par Maurice Lever dans *Le roman français au XVIIe siècle*, Paris, Presses universitaires de France, 1981, 277 p.

[15] On note toutefois un renouveau vers 1760 et se distinguent les recueils de FLORIAN, *Nouvelles*, Paris, M. Didier, 1974, xxxii, 354 p. et de SADE, *Les crimes de l'amour, nouvelles héroïques et tragiques précédées d'une Idée sur le roman*, Cadeilhan, Zulma, 1995, 543 p.

[16] Voir GOYET, Florence, *La nouvelle: 1870-1925, description d'un genre à son apogée*, Paris, PUF, 1993, 262 p. et le compte rendu de Gaétan Brulotte dans *XYZ*, automne 1994, n° 39, p. 71-76.

[17] «La nouvelle française des origines à nos jours», dans GODENNE, René, *Études sur la nouvelle de langue française*, Paris, Champion, 1993, p. 23-25.

same time it gained a large audience from the newspapers and periodicals where many of the stories were first published.

Nathaniel Hawthorne, the first American master of the short story, used supernatural encounters typical of the folktale in such stories as "Young Goodman Brown" (1835) to symbolize complex moral problems. Poe borrowed from the older supernatural tale to illustrate psychological complexities, as in "The Fall of the House of Usher" (1839). By 1853, when Herman Melville published "Bartleby the Scrivener," the focus of the short story had shifted from the supernatural event to the psychological and moral implications of a natural, although still strange, realistic encounter.

Meanwhile, short fiction combining folktale material with formal artistic technique was also being written in France by Prosper Mérimée ("Mateo Falcone," 1829) and Honore de Balzac ("A Passion in the Desert," 1830) and in Russia by Nikolai Gogol ("The Overcoat," 1842) and Ivan Turgenev (*A Sportsman's Sketches*, 1852).

Later in the 19th century, the emphasis upon realism favored the novel over the basically symbolic short story. In the 1880s and '90s, however, short fiction gained a new impetus from the complex irony and artistic objectivity of Guy de Maupassant in France, Anton Chekhov in Russia, Henry James in America, and Joseph Conrad in England. In the hands of these writers, the short story became less a parable illustrating moral and psychological problems than an embodiment of these problems in a narrative of extreme complexity and self-consciousness.

Combining realism of incident with symbolic overtones and artful form, James Joyce (*Dubliners*, 1914) and Sherwood Anderson (*Winesburg, Ohio*, 1919) greatly extended the possibilities of the genre. In the 1920s, '30s, and '40s, the most masterly practitioners of the short story were such American writers as Ernest Hemingway, F. Scott Fitzgerald, William Faulkner, Katherine Anne Porter, and Eudora Welty.

Although their now traditional approach to the short story is still practiced by such writers as Peter Taylor, John Updike, Joyce Carol Oates, and Bernard Malamud, another group of writers has broken free from the realistic form to return to the fabulistic narrative developed by Poe and Hawthorne. Such authors as Donald Barthelme, William H. Gass, John Barth, and Robert Coover are using this mode to explore the forms of fiction itself, thus reviving interest in the short story as the most basic, yet most experimental, narrative form.[18]

Cette longue citation démontre comment, à partir d'influences françaises et russes marquées, la pratique de langue anglaise, singulièrement aux États-Unis, a pris son essor, conquis ses lettres de noblesse et mérité son indépendance.

Un mouvement analogue, encore qu'un peu plus tardif, s'observe en Amérique latine, et lorsque de grands Argentins comme Jorge Luis Borges[19] et Julio Cortazar[20] sont devenus la coqueluche de l'Europe, ils ont également été adoptés d'enthousiasme par le public lettré québécois, jusqu'alors plus sensible aux courants anglo-saxons ou français.

[18] MAY, Charles E., «Short Story», dans *The Software Toolworks Multimedia Encyclopedia*, 1992.

[19] BORGES, Jorge Luis, *Œuvres complètes*, Paris, Gallimard, 1993.

[20] CORTAZAR, Julio, *Cuentos completos, 2 vol.*, Madrid, Alfaguara, 1994.

1.2 — HISTORIQUE AU QUÉBEC[21]

Une perspective extérieure, celle de Richard Teleky dans *The Oxford Book of French-Canadian Short Stories*, permettra un premier regard d'ensemble:

> The first writers seized upon familiar legends, escaping imaginatively into folk-tale fantasy. [...] it is important to recall that until the 1920s Québécois writers had to struggle with the distrust of fiction that plagued their society. Many French classics were listed on the Index of Forbidden Books and not available in Quebec; but some writers were still able to gain access to them, and to read the pioneering short stories of Flaubert and de Maupassant. [...] This situation resulted in a body of writing that would be approved and read: moralistic fiction idealizing the rural past and present. With a gradual loosening of the authority of the Church, writers began to treat subjects they had previously avoided, daring to criticize their society. Then the political edge of literature – critical and potentially subversive of any status quo – made itself keenly felt in Quebec, where, as Jacques Ferron has written, «le pays sans nos contes retourne à la confusion».[22]

Cette apologie de la Révolution tranquille, cette vision en noir et blanc se trouve opportunément nuancée dans une note de Joseph-André Senécal:

> L'histoire, à faire, de la nouvelle québécoise pourrait s'ordonner en trois temps, selon trois grandes époques définies par l'esthétique et les préoccupations des auteurs telles qu'on peut les découvrir dans les thèmes dominants. On pourra distinguer une première nouvelle, un long apprentissage qui s'échelonne des débuts de la prose romanesque [...] jusqu'au début de la Deuxième Guerre. Cette nouvelle, souvent dans la lignée de la littérature régionaliste, évoque surtout des traits de mœurs. La nouvelle cosmopolite, 1940-1965, est déjà annoncée à l'époque antérieure par l'œuvre de Léo-Paul Desrosiers et de Jean-Charles Harvey. Enclin[e] à l'existentialisme et à la psychologie, elle se prévaut des grands nouvellistes et des grands romanciers du siècle pour exprimer une conscience sociale ou un mal du siècle à la Gabriel Marcel et à la Cesbron. En cela, la deuxième nouvelle québécoise s'éloigne peu des romanciers de l'époque: Robert Élie, André Giroux, Gabrielle Roy, André Langevin, Gilles Marcotte, Robert Charbonneau, Claire Martin, qui sont souvent hantés par le mal et les lendemains de la conscience du catholicisme français. La troisième nouvelle, si elle se préoccupe toujours d'une ascendance hexagonale, n'en arrive pas moins à faire triompher le genre et à l'identifier, plutôt que le roman, avec les racines profondes, les préoccupations fondamentales et la sensibilité particulière des Québécois, authenticité et unicité qu'elle exprime dans son oralité et dans ses dimensions fantastiques et éperdues.[23]

---

[21] L'on pourra consulter, à ce sujet, *La nouvelle québécoise au XXe siècle, de la tradition à l'innovation*, Québec, Nuit blanche éditeur, 1997, 166 p., sous la direction de Michel LORD et André CARPENTIER et *La nouvelle au Québec*, Montréal, Fides, 1996, 265 p., sous la direction de François ALLAYS et Robert VIGNEAULT. Voir aussi le site web de Vincent Nadeau sur internet.

[22] TELEKY, Richard, Ed., *The Oxford Book of French-Canadian Short Stories*, Toronto-Oxford-New York, Oxford University Press, 1983, p. xvi-xvii.

[23] SENÉCAL, Joseph-André, «La nouvelle québécoise avant 1940: une définition à partir de témoignages contemporains», dans *La nouvelle: écriture(s) et lecture(s)*, Toronto-Montréal, GREF-XYZ, 1993, note 3, p. 105-106.

Les grands précurseurs québécois, que — à l'instar des écrivains du Moyen-Âge — la distinction entre conte, récit, légende ou nouvelle ne tourmentait pas, sont sans doute Philippe Aubert de Gaspé[24] (1814-1841), Pamphile Lemay[25] (1837-1918), Louis Fréchette[26] (1839-1908), Louis Dantin[27] (1865-1945), Albert Laberge[28] (1871-1960) et Ringuet[29] (1895-1960), mais aussi Faucher de Saint-Maurice[30] (1844-1897) et Édouard-Zotique Massicotte[31] (1867-1947). Il serait dommage, toutefois, que leur notoriété empêche de constater l'importance de la production et son rôle fondateur, s'agissant de genres narratifs brefs, dans le Québec du XIXe siècle. À la surprise d'aucuns, Aurélien Boivin n'a-t-il pas recensé quelque 1138 titres de contes littéraires[32]?

Les thèmes abordés, assez souvent assortis de leçons morales, recoupent ceux de la littérature française ou anglaise de l'époque: fantastique[33], miracles[34], faits divers remarquables tels que crimes ou cataclysmes naturels, histoires d'amour, traits de mœurs. Par l'esprit tout au moins, nos racines médiévales durent et perdurent.

La première moitié du XXe siècle, à première vue, ne se démarque guère du XIXe, s'il faut en croire Adrien Thério:

> [...] tous ces conteurs font revivre des drames qui se jouent près d'eux. Leur monde, c'est celui de leur route rurale, de leur paroisse, de leur petite ville. Ils ont besoin de parler de leur pays, de montrer qu'ils ont des racines. Leur patriotisme se résume, comme au XIXe siècle, à la terre et à la religion. [...]
>
> Aujourd'hui, cette façon de voir nous paraît désuète, mais malgré tout, plusieurs conteurs de cette époque ont réussi à mettre de la vie, de l'humour et souvent une juste émotion dans leurs histoires.[35]

---

[24] AUBERT DE GASPÉ, Philippe, *Rodrigue bras-de-fer: l'homme du Labrador*, Québec-Montréal, Bélisle-Beauchemin, [19??], 37 p.

[25] LEMAY, Pamphile, *Contes vrais*, Montréal, Presses de l'Université de Montréal, 1993, 489 p.

[26] FRÉCHETTE, Louis, *Originaux et détraqués*, Montréal, Boréal, 1992, 275 p.

[27] DANTIN, Louis, *La vie en rêve*, Montréal, Librairie d'Action canadienne-française, [1930], 266 p. et *Contes de Noël*, Montréal, Lévesque, [1936], 116 p.

[28] BESSETTE, Gérard, *Anthologie d'Albert Laberge*, Montréal, Le Cercle du livre de France, 1972, xl, 257 p.

[29] RINGUET. *L'Héritage et autres contes*, Montréal, Éditions Variétés, 1946, 180 p.

[30] FAUCHER DE SAINT-MAURICE, Narcisse Henri Édouard, *Contes et récits*, Montréal, VLB, 1977, 327 p.

[31] MASSICOTTE, Édouard-Zotique, *Conteurs canadiens-français du XIXe siècle*, Montréal, Beauchemin, 1902, 330 p.

[32] BOIVIN, Aurélien, *Le Conte littéraire québécois au XIXe siècle*, Montréal, Fides, 1975.

[33] Voir BOIVIN, Aurélien, *Le Conte fantastique québécois au XIXe siècle*, Montréal, Fides, 1987, 440 p.

[34] Voir GAGNON, Claude-Marie, *Les Manuscrits et imprimés religieux au Québec: 1867-1960, bibliographie*, Québec, Institut supérieur des sciences humaines (Université Laval), 1981, 145 p., et *La littérature religieuse populaire au Québec: sa diffusion, ses modèles et ses héros*, Québec, Cahiers de recherches en sciences de la religion (Université Laval), 1986, 335 p.

[35] THÉRIO, Adrien, *Conteurs québécois 1900-1940*, Ottawa, Les Presses de l'Université d'Ottawa, 1988, p. 3.

Mais, Thério le reconnaît, Sylva Clapin[36] (1853-1928), Adjutor Rivard[37] (1868-1945), Lionel Groulx[38] (1878-1967), Damase Potvin[39] (1881-1964) et le frère Marie-Victorin[40](1885-1944) sont plus traditionnalistes que Marie Le Franc[41] (1879-1965), Jean-Charles Harvey[42] (1891-1967), Claude-Henri Grignon[43] (1894-1976), ou Harry Bernard[44] (1898-1979).

> Avec la guerre de 1939, le conte populaire disparaît presque de la littérature. [Des folkloristes comme Marius Barbeau, Luc Lacourcière ou Germain Lemieux le fixent et l'autonomisent.] Ainsi la nouvelle tend à se substituer au conte, et la majorité des récits narratifs brefs n'ont plus rien d'emprunté au peuple. Toutefois, il ne suffit pas de tourner le dos au peuple pour privilégier automatiquement l'écriture. [...] Au début de la décennie 1940, Félix Leclerc et Cécile Chabot publient des textes tels *Adagio* (1943), *Allegro* (1944), *Imagerie* (1943) et *Paysannerie* (1944), qui ne renoncent pas à véhiculer une idéologie. [...] La transition est ménagée par Madeleine Grandbois qui continue certes à parler du terroir, mais à la manière de Germaine Guèvremont. Avec *Maria de l'hospice* (1945), les mœurs villageoises apparaissent sous un jour nouveau, à la fois réaliste et sympathique. Une douce ironie anime les divers récits sans pour autant détruire la fibre intime des personnages.
>
> C'est vraiment Yves Thériault qui inaugure avec ses *Contes pour un homme seul* (1945) la manière nouvelle du conte littéraire. [...] Introduction rapide, personnages bien campés, action intense. Déjà le conteur manifeste une certaine affection pour les êtres étranges, marginaux, qui introduisent dans ses récits une dimension insolite s'apparentant, bien que de loin, au fantastique. En cela, il rejoint le conte populaire. Suivent des recueils comme *Nézon* (1945) de Réal Benoît, *Avant le chaos* (1945) d'Alain Grandbois, *Contes en noir et en couleur* (1948) de Roger Viau qui manifestent une volonté moderne d'écriture, une écriture libérée des contraintes d'une intrigue à sauvegarder, s'accordant plus de fantaisie et de gratuité. Ce n'est toutefois pas le cas pour le recueil de Roger Lemelin, *Fantaisies sur les péchés capitaux* (1949), qui manque tout à fait de naturel et sent le devoir d'écolier.
>
> [...] Avec *le Torrent* [d'Anne Hébert en 1950], la vision du monde s'intériorise et le regard, qui plonge dans l'abîme intérieur, s'effraie. Les recueils de Pierre Dagenais, *Contes de La pluie et du beau temps* (1953), et d'Adrienne Choquette, *La nuit ne dort pas* (1954), sont un peu dans la même veine, mais avec moins d'intensité.[45]

---

[36] CLAPIN, Sylva, *Contes et nouvelles,* Montréal, Fides, 1980, 398 p.

[37] RIVARD, Adjutor, *Chez nous,* Québec, Éditions Garneau, 1941, 264 p.

[38] GROULX, Lionel, *Les Rapaillages: vieilles choses, vieilles gens,* Montréal, Granger, 1950, 137 p.

[39] POTVIN, Damase, *Sur la grand'route: nouvelles, contes et croquis,* Québec, E. Tremblay, 1927, 215 p., et *Un ancien contait,* Québec, Éditions du Terroir, 1942, 172 p.

[40] MARIE-VICTORIN, frère. *Récits laurentiens,* Montréal, Procure des Frères des Écoles chrétiennes, 1942, 217 p.

[41] LE FRANC, Marie, *Dans la tourmente,* Issy-les-Moulineaux, La Fenêtre ouverte, 1944, 189 p.

[42] HARVEY, Jean-Charles, *Sébastien Pierre: nouvelles,* Montréal, Stanké, 1985, 242 p., et *Des bois—des champs—des bêtes,* Montréal, Éditions de l'Homme, 1965, 130 p.

[43] GRIGNON, Claude-Henri, *Le déserteur et autres récits de la terre,* Montréal, Stanké, 1978, 219 p.

[44] BERNARD, Harry, *La dame blanche,* Montréal, Bibliothèque de l'Action française, 1927, 222 p.

[45] EN COLLABORATION, *Dictionnaire des œuvres littéraires du Québec, tome III,* Montréal, Fides, 1982, p. xxiv-xxv.

Malgré sa facture moins novatrice et son penchant vers l'étude de mœurs, *Rue Deschambault* (1955), de Gabrielle Roy, demeure le grand recueil de sa décennie. Sa simplicité, sa sincérité, son intimisme, son sens de l'émotion, sa profondeur mythique l'ont rendu inoubliable pour des générations de lectrices et de lecteurs. Le bouillonnement et les contradictions de l'après-guerre, ainsi qu'une Révolution tranquille déjà triomphante, n'en ont pas moins valorisé l'écriture caustique, ironique, amorale aux yeux des censeurs, de la Claire Martin d'*Avec ou sans amour* (1958). Par contre, l'on fait peu de cas de l'avant-gardisme de Jean-Jules Richard dans son recueil *Ville rouge* (1949). Claude Robitaille a décrit

> sa position en face du social: contre-culturelle, précédant d'une vingtaine d'années le mouvement contre-culturel lui-même, tout comme le feront ses vis-à-vis américains: Kerouac, Curso, Burroughs, Ginsberg et plusieurs autres pour qui écrire n'était qu'une transcription du merveilleux, et non le merveilleux lui-même qui demeurait, malgré la violence, la vie.[46]

À côté de quoi ont prospéré les entreprises littéraires (nouvelles, contes, récits, histoires, légendes) d'un Eugène Achard, prolifique auteur d'une quinzaine de «recueils entre 1940 et 1959, sans compter quelques recueils factices et les nombreux contes anonymes»[47]. Parfaitement intégré à l'institution scolaire et ecclésiastique, il a persisté à défendre dignement une tradition déjà battue en brèche par les modernistes.

2 — LA NOUVELLE QUÉBÉCOISE DEPUIS LES ANNÉES SOIXANTE

2.1 — LES COURANTS ET LES THÈMES

L'on ne s'étonnera donc pas de la persistance de la veine Achard depuis 1960: folklorisante, se référant volontiers à l'oral, à l'aise dans le merveilleux, peu soucieuse de démarquer genres et sous-genres les uns des autres. La littérature de jeunesse a longtemps été à sa remorque.

Le réalisme a lui aussi eu des partisans. Critique, il ouvrait, comme le courant Achard, sur des prises de position idéologiques, particulièrement en ce qui concerne le projet politique québécois et les problèmes sociaux. Une sorte de réalisme de l'intériorité s'est encore développé, proche parent du roman psychologique. Plus tard, les adeptes du

[46] *Ibid.*, p. 1072.
[47] BRODEUR, Léo A., et Aurélien BOIVIN. *Ibid.*, p. 224.

Nouveau Roman ont fait leur marque, suivis de près par les tenants du post-moderne. Et une nouvelle littérature de combat, plus ou moins revendicatrice, s'est imposée autour du sujet féminin. Cela n'a pas empêché la reprise de sous-genres classiques, comme le fantastique, la science-fiction et le policier ou l'éclosion de tendances minimalistes, poétiques et même lettristes. Depuis les années soixante, la nouvelle québécoise s'est développée tous azimuts et a fait flèche de tout bois.

En ce qui concerne les thèmes de prédilection, nous en retiendrons quatre principaux: l'amour sous toutes ses formes et dans tous ses avatars, y compris l'érotisme; le désespoir et la mort, avec leurs cohortes d'échecs, de maladies, de malheurs; le rire, plus ou moins amer, l'ironie, plus ou moins douce, la satirc, la hargne; et enfin l'écriture, sur laquelle on écrit quand on est en mal de sujet, quand on veut dire la difficulté d'écrire, dénoncer l'illusion réaliste, ou faire contemporain.

2.2 — LA PRODUCTION

Le vaste déploiement de la nouvelle au Québec se trouve, imparfaitement mais utilement, illustré par le graphique suivant, qui cerne l'évolution du nombre de recueils (de nouvelles, de contes ou de récits) publiés chaque année depuis 1960.

Ce développement n'aurait pas été possible sans la collaboration de nombreux animateurs, sans l'ouverture de collections spécifiques, sans

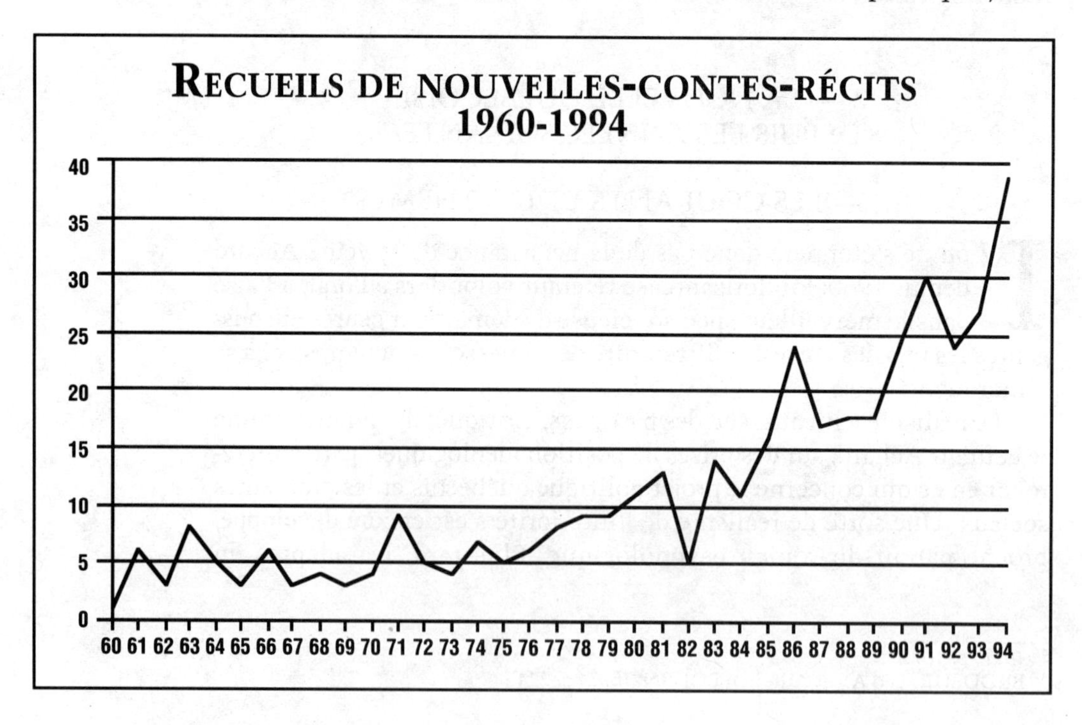

la collaboration d'éditeurs déterminés, sans la complicité de certains libraires, et sans la participation «éditoriale» des médias.

Pendant longtemps, l'écriture de la nouvelle au Québec est demeurée l'affaire de quelques dilettantes ou encore le loisir que s'autorisent des romanciers reconnus entre deux «grandes» œuvres: parmi ceux-ci, retenons dans l'ordre chronologique Yves Thériault (*Si la bombe m'était contée*, 1962), Jacques Ferron (*Contes*, Hurtubise HMH, 1962) Andrée Maillet (*Les Montréalais*, Éd. du Jour, 1962), Jean Hamelin (*Nouvelles singulières*, Hurtubise HMH, 1964), Claude Mathieu (*La Mort Exquise*, CLF, 1965), Gilles Archambault (*Enfances lointaines*, CLF, 1972), Jacques Brossard (*Le Métamorfaux*, Hurtubise HMH, 1974), Adrien Thério (*La Tête en fête et autres histoires étranges*, Jumonville, 1975), Suzanne Jacob (*La Survie*, Le Biocreux, 1979), Gérard Bessette (*La Garden-Party de Christophine*, Québec/Amérique, 1980), André Major (*La Folle d'Elvis*, Québec/Amérique, 1981). Jusqu'à l'éclosion que connaîtra le genre à partir des années quatre-vingt, les seuls auteurs que l'on puisse considérer comme démontrant un intérêt marqué pour le genre sont Diane-Monique Daviau (*Dessins à la plume* et *Histoires entre quatre murs*, Hurtubise HMH, 1979 et 1981), Madeleine Ferron (*Cœur de sucre* et *La Fin des loups-garous*, Hurtubise HMH, 1965 et 1968), Naïm Kattan (*Dans le désert*, *Le Rivage* et *La Traversée*, Hurtubise HMH, 1974, 1979 et 1981). Bien qu'on ne puisse pas identifier pour cette période de maison d'édition spécialisée, on remarque toutefois que Hurtubise HMH avec sa collection «L'Arbre» s'affirme comme l'éditeur principal de nouvelles québécoises, suivi de très près par le Cercle du Livre de France (aujourd'hui Pierre Tisseyre) et par Québec/Amérique.

À partir des années quatre-vingt, une véritable institution de la nouvelle s'est constituée, stimulée par la publication massive des collectifs de nouvelles chez divers éditeurs, notamment les Quinze, l'apparition de revues de création, professionnelles ou étudiantes, s'y consacrant exclusivement et de maisons d'édition spécialisées ainsi que par la multiplication des concours.

2.2.1 — Recueils collectifs et anthologies

On ne saurait trop insister sur le rôle des recueils collectifs dans le développement de l'écriture nouvellière québécoise, notamment ceux publiés au début des années quatre-vingt par les éditions Quinze. Fort de son expérience de co-direction du numéro spécial de la *nbj* portant sur la littérature fantastique (1980), le nouvelliste André Carpentier succède à André Major, qui avait piloté *Fuites et poursuites* (1982), recueil de nouvelles policières réunissant une dizaine d'auteurs connus et moins connus intéressés à ce sous-genre, si peu pratiqué au Québec. Au cours des quatre années suivantes, la collection dirigée par Carpentier proposera autant de collectifs thématiques portant sur le fantastique (1983), l'humour (1984), la science-fiction (1985), l'amour (1986) et le cinéma (1986), l'aventure et la mésaventure (1987).

Durant cette même période, d'autres éditeurs ont emboîté le pas aux Quinze et la publication de collectifs (parfois affublés de l'étiquette inappropriée d'«anthologie») s'est ancrée: *Les années-lumières* (VLB, 1983) puis *Dérives 5, C.I.N.Q., Demain, l'avenir* et *Sol* (Logiques, 1988, 1989, 1990 et 1991), tous sous la direction de Jean-Marc Gouanvic; *Traces* (Sagamie/Québec, 1984); *Aurores Boréales*, vol. 1 et 2 (Le Préambule, 1984 et 1985); *Plages* (Québec/Amérique, 1986); *Des nouvelles du Québec* (Valmont/XYZ, 1986); *L'horreur est humaine* (Le Palindrome, 1989); *Complément d'objets* (XYZ, 1990); *Criss d'octobre!* (Vermillon, 1990); *Nouvelles de Montréal* (L'Hexagone, 1992).

Lors de trois étés consécutifs, la rédaction du *Devoir* a commandé à une dizaine de nouvellistes des textes sur une thématique commune qui seront chaque fois réunis en volume dès l'automne suivant: *Un été, un enfant* et *Avoir dix-sept ans* (Québec/Amérique, 1991 et 1992) puis *Coup de foudre* (XYZ, 1993). Toujours chez XYZ, on a publié de 1989 à 1993 dans la collection «Pictogramme» des volumes annuels qui confrontaient l'imaginaire d'un artiste visuel à celui d'une demi-douzaine de nouvellistes.

Depuis quelques années cependant, les collectifs de nouvelles se font plus rares. S'agissait-il d'une mode éphémère, d'une étape obligée de la constitution du corpus nouvellier, d'une entreprise peu rentable à proscrire en des saisons moins prospères sur le plan économique? L'une ou l'autre de ces hypothèses est plausible. Quoi qu'il en soit, la vague des collectifs est maintenant bien passée et la plupart des grands éditeurs québécois sont revenus à leurs politiques peu favorables à la nouvelle en général. Seules quelques petites maisons d'édition, pour qui le risque financier n'est en définitive guère plus élevé que celui encouru pour la publication d'un roman, se permettent encore de publier ce type de recueil, L'instant même (*Saignant ou beurre noir?*, 1992; *Meurtres à Québec*, 1993) ou Vent d'ouest (*La Maison douleur*, 1995).

L'anthologie de nouvelles, pour sa part, se porte à merveille, sans doute parce qu'elle a une vocation rétrospective, parce qu'elle est constituée de textes à valeur historique avérée et parce qu'elle s'adresse essentiellement à un public scolaire. Avec l'intention explicite d'offrir un survol diachronique de la production québécoise en matière de formes narratives brèves, les éditions Fides ont lancé coup sur coup dans la collection «Bibliothèque québécoise», trois anthologies thématiques pilotées respectivement par Aurélien Boivin (*Le Conte fantastique québécois au XIX*e *siècle*, 1987, 2e éd. revue et augmentée, 1996: *Les* *meilleurs contes fantastiques québécois du XIXe siècle*), Maurice Émond (*L'Anthologie du conte et de la nouvelle fantastiques québécois du XXe siècle*, 1987) et Michel Lord (*Anthologie de la science-fiction québécoise*, 1988). Suivra en 1996, encore d'Aurélien Boivin, *Les meilleures nouvelles québécoises du XIXe siècle.*

Il faut également souligner le travail exemplaire de Simone Bussières qui, au cours de la même décennie, a animé une collection indispensable aux Presses Laurentiennes, «*Le Choix de... dans l'œuvre de...*», série d'anthologies rétrospectives d'un auteur, le plus souvent établie par les auteurs eux-mêmes; parmi les grands noms ainsi honorés, citons Gérard Bessette, Naïm Kattan, Claire Martin, Yves Thériault (compilée par sa fille Marie José). Plus récemment, L'instant même a souligné son dixième anniversaire en publiant *Dix ans de nouvelles; une anthologie québécoise*, textes recueillis et présentés par Gilles Pellerin.

2.2.2 — *Revues de nouvelles*

À la suite des collectifs, les revues de création ont repris le flambeau de la diffusion de la «bonne nouvelle» — c'est l'opinion dominante — pour ainsi dire. D'ailleurs, l'âge d'or de la nouvelle québécoise, amorcée avec la collection de Carpentier, est dû à l'apparition quasi simultanée d'*XYZ* et de *Stop*, auxquelles se sont vite jointes une nuée de revues étudiantes du même type.

Fondée au printemps 1985 par Maurice Soudeyns et Gaëtan Lévesque, qui en assure toujours la direction, *XYZ* se présente sous un format livre: reliure allemande, une centaine de pages par numéro, composition claire et propre. Pourquoi *XYZ*? «Parce que nous n'en sommes plus à l'ABC de la nouvelle,» ironisent d'entrée de jeu les directeurs. Ce trimestriel propose des textes de fiction signés par des auteurs d'ici et d'ailleurs (rubrique «Hors frontières», animée à l'origine par Lévesque et aujourd'hui par son adjointe Sylvie Bérard), de même que des entretiens avec des nouvellistes, des textes de réflexion critique et théorique (rubrique «Intertextes», animée par Michel Lord), une chronique d'information sur la nouvelle. Les liens qui se tissent entre certains membres de la direction de la revue et des intervenants de l'écriture nouvellière à l'étranger permettront au fil des ans la publication de numéros consacrés à la nouvelle française (grâce à un jumellage avec la revue *Nyx* en France), belge, suisse et même chinoise.

D'ailleurs, depuis le numéro 11, première de deux éditions réunissant une centaine de nouvelles ultra-brèves (une page et moins), la revue publie selon une formule de numéros thématiques pour lesquels les textes sont «commandés» à des écrivains de divers horizons par un ou deux membres du collectif de rédaction constitué d'une quinzaine de valeurs confirmées dans le domaine. De ces numéros thématiques, aussi divers que libres, mentionnons «Le chiffre treize», «Chambre à louer», «Montréal», «La salle d'attente», «Le polar», «L'absence».

Parmi les nouvellistes associés à la revue et qui pour la plupart ont appartenu ou appartiennent toujours au collectif de rédaction, citons Aude, Jean-Paul Beaumier, Bertrand Bergeron, André Berthiaume, Gaétan Brulotte, André Carpentier, Esther Croft, Anne Dandurand, Diane-Monique Daviau, Daniel Gagnon, Pierre Karch, Monique Proulx, Hélène Rioux, Marie José Thériault et Sylvaine Tremblay. Au fil des ans, les membres de ce collectif ont participé aux activités parallèles organisées par la direction, notamment à des soirées de lecture publique, des festivals de la nouvelle ainsi qu'au jury du concours de nouvelles annuel d'*XYZ*.

En 1990, la revue a engendré une maison d'édition, XYZ Éditeur, qui a d'abord publié exclusivement des recueils, anthologies ou collectifs de nouvelles (collections «L'ère nouvelle» et «Pictogramme») avant de diversifier ses activités éditoriales pour inclure des romans (collection «Romanichels», sous la direction d'André Vanasse, un ancien de chez Québec/Amérique), des textes «éclatés» qui métissent les genres (collection «Les vilains», dirigée par Hélène Girard), des polars (collection «alibis», dirigée par Anne Dandurand), des biographies romancées de personnages historiques québécois, des novellas, des essais et des actes de colloque, de la poésie, un roman pour la jeunesse, un scénario de film et même des pièces de théâtre.

Fondée fin 1985 et dirigée par André Lemelin, *Stop* a lancé son premier numéro un an après *XYZ*. D'aspect plus modeste, au début, que sa rivale, la revue a changé de format pas moins de quatre fois, sa politique éditoriale et sa périodicité presque aussi souvent, au gré du roulement de personnel de la maison-mère, les éditions PAJE (Projet Adapté à la Jeune Écriture), dont la revue s'est affranchie après quatre ans.

Tribune «ouverte à tous les styles de prose — du récit le plus traditionnel au délire le plus inclassable»[48], *Stop* a proposé dans ses premiers numéros les chapitres d'un roman éclaté et éclectique qui fit couler beaucoup d'encre à sa parution en livre, *Cunnilingus* de Michel Dumas (1989) qui œuvrait en tant qu'adjoint au directeur jusqu'à l'arrivée d'Allen Côté.

Après un numéro double 11/12, jumelé en tête-bêche à l'édition de lancement d'une revue morte-née, *Est-Ouest Internationale*, consacrée aux écrivains originaires de l'Europe de l'Est, la numérotation a fait un bond de cent chiffres pour éviter le treize malchanceux. Ce numéro 113 inaugurait une nouvelle formule, celle du *Stop-bis*, supplément d'environ quatre-vingt pages consacré soit aux finalistes du concours de nouvelles annuel, soit à un auteur choisi par les responsables Sylvie Demers et Stanley Péan: ainsi, *Stop-bis* contribuera à faire connaître Jean Pierre Girard. Depuis le numéro 126, *Stop*, qui paraît bimestriellement

[48] Texte de présentation apparaissant au verso de la revue depuis le numéro 113.

durant trois ans avant de redevenir trimestriel, s'offre en trois «modèles»: *Stop Classique*, recueils bi-annuels des nouvelles retenues parmi les manuscrits non-sollicités; *Stop Concours de nouvelles*, numéro présentant les finalistes du concours annuel; et *Stop Invitation*, numéro thématique dirigé par Péan seul depuis le départ de Demers en 1994.

Peu des auteurs «révélés» par *Stop* se sont consacrés exclusivement à la nouvelle par la suite, mais tous comptent parmi ce que la critique a abusivement regroupé sous la bannière de la «jeune» littérature québécoise. On pense aux romanciers et romancières Brigitte Caron, Joseph-Jean-Rolland Dubé, Christian Mistral, Stanley Péan et Marie-Françoise Taggart; au poète Marc Vaillancourt; au collagiste et illustrateur de toutes les couvertures de *Stop* depuis 1991 Marc-André de Bellefeuille. Cependant on pourrait citer autant de collaborateurs qui sont restés fidèles au genre narratif bref; par exemple, Jean Pierre Girard, Marc André Paré, Daniel Pigeon, sans oublier le directeur-éditeur André Lemelin.

Parallèlement, *Stop* a publié deux collectifs de nouvelles. Le premier, *Complicités* (en coédition avec PAJE 1991), élaboré par Jean Pierre Girard, présentait des écrivains de la relève jumelés chacun à un «protégé» encore inconnu, les nouvelles étant reliées entre elles par le thème éponyme et un extrait de Tchekov fourni aux auteurs comme déclencheur. Le second, *Évasion* (1992), réunissait des textes destinés aux adolescents signés par des collaborateurs habituels de la revue.

Bien qu'elle ne se soit jamais affichée comme une revue spécialisée en nouvelle, *Moebius* a néanmoins permis à bon nombre de débutantes et débutants de faire leurs premières armes, ce qui leur a ensuite ouvert les portes de la publication en recueil chez la maison-mère, les éditions Triptyque, ou ailleurs; parmi ceux-ci, signalons Tiziana Beccarelli Saad (*Les Passantes*, 1986), Louise Champagne (*Chroniques du métro*, Triptyque, 1992), Lili Maxime (*Éther et musc*, VLB, 1996), Patrick Nicol (*Petits problèmes et aventures moyennes* et *Les Années confuses*, Triptyque 1993 et 1996), Nathalie Parent (*J'ai des petites nouvelles pour toi*, 1988) et Marc Vaillancourt (*Le Petit Chosier*, 1995).

Enfin, outre les périodiques littéraires plus anciens qui, sans réserver leurs pages uniquement à la nouvelle, en ont de tout temps publié (*Arcades, Écrits du Canada français, Imagine..., Liberté, Solaris*), un certain nombre de revues de création ayant vu le jour dans les universités et les collèges ont fait une place de choix au genre narratif bref. Parmi elles, retenons *L'écrit primal*, doyenne des revues actuelles de création estudiantines publiée depuis 1986 par le Cercle d'écriture de l'université Laval (CEULA) et *Nouvelles fraîches*, recueil des finalistes du concours de nouvelles organisé annuellement par les étudiants en littérature québécoise de l'UQAM. Depuis leur fondation, ces publications contribuent à l'émergence de nouveaux talents.

2.2.3 — *Nouvelles pour la jeunesse*

On ne peut pas dire que les éditeurs de littérature jeunesse aient été prodigues en matière de nouvelles. Des principales maisons à œuvrer dans le domaine, seule Québec/Amérique possède une collection réservée aux nouvelles («Clip»), laquelle ne compte cependant pas un grand nombre de titres. Par contre, à l'exception des Éditions de la courte échelle, tous les éditeurs ont publié des recueils ou collectifs de nouvelles destinés aux jeunes; les éditions Pierre Tisseyre en ont même fait une pratique assez courante.

Compte tenu de cette carence éditoriale (dictée par le marché? qu'il soit permis d'en douter), il n'est pas étonnant que très peu d'auteurs pour la jeunesse pratiquent le genre narratif bref. Néanmoins, retenons les noms de Donald Alarie (*Les Figurants*, Pierre Tisseyre, 1995), Jean-Pierre April (*N'ajustez pas vos hallucinettes*, Québec/Amérique, 1991), Yves Beauchesne et David Schinkel (*L'Anneau du guépard*, Pierre Tisseyre, 1990), Denis Côté (*La vie est une bande dessinée* et *Je viens du futur*, Pierre Tisseyre, 1989 et 1994), Jean-Pierre Davidts (*Contes du chat gris*, *Nouveaux Contes du chat gris* et *Le chat gris raconte*, Boréal, 1994, 1995 et 1996), Louis Émond (*La Guéguenille* et *Trois séjours en de sombres territoires*, Pierre Tisseyre, 1994 et 1996), Clément Fontaine (*Drôle d'Halloween*, Pierre Tisseyre, 1992), André Lebugle (*Les Portes secrètes du rêve* et *Les Visiteurs de minuit*, Fides 1989 et 1991) Sonia Sarfati (*Sauvetages*, Québec/Amérique, 1987), Daniel Sernine (*Quatre Destins*, Paulines, 1990; *La Couleur nouvelle*, Québec/Amérique, 1992; *La porte mystérieuse*, Héritage, 1993), Élisabeth Vonarburg (*Les Contes de la chatte rouge* et *Contes de Tyrannaël*, Québec/Amérique, 1993 et 1994),

Outre le collectif publié par la revue *Stop* mentionné précédemment, signalons aussi: chez Pierre Tisseyre *L'Affaire Léandre et autres histoires policières* et *Planéria* (1983); chez Québec/Amérique, *La Première Fois* (1987) recueil en deux volumes de récits autobiographiques sur les premières expériences sexuelles; enfin, chez Vent d'ouest, *La Maison douleur* (1995). Remarquons en terminant que les nouvelles destinées aux jeunes lecteurs, encore redevables à la tradition du conte oral, se conforment à une conception classique de la nouvelle: un récit bref ponctué d'une chute tantôt dramatique, tantôt ironique et le plus souvent surprenante.

3 — TECHNIQUES D'ÉCRITURE

Comme l'écrit Gaétan Brulotte,

> Les auteurs québécois rivalisent d'ingéniosité et de vertiges techniques au plan des recherches narratives. Les histoires simplement racontées avec un narrateur omniscient traditionnel sont devenues rares. Cette attention formaliste se reconnaît également dans l'organisation interne des recueils, laquelle est de plus en plus pensée, savante, innovatrice. Il y a aussi l'écriture qui est l'objet de contentions singularisantes et de mises en forme personnelles: des ressources du parler populaire que les auteurs exploitaient durant les années 1960 et 1970, on passe de nos jours à des effets stylistiques séduisants propres à individualiser les univers créateurs [...] tout en ancrant davantage la nouvelle dans sa tradition écrite.[49]

Bien entendu, ce mouvement savant, tendant à l'art pour l'art, se trouve battu en brèche par une génération à qui raconter une histoire ne répugne pas, surtout s'il s'agit de fantastique, de science-fiction ou de jeux de rôles.

3.1 — QUESTIONS DE FORME

S'il n'existe pas d'appellation contrôlée pour la nouvelle, la plupart des théoriciens s'entendent toutefois pour la définir comme «un récit bref, rapide, dont les événements resserrés autour d'une action centrale, souvent singulière, mènent à une fin abrupte, parfois inattendue, qui dénoue l'action enclenchée.»[50] D'un même élan, on distingue avec René Godenne[51] deux tendances principales:

a) la «classique» (nouvelle-histoire) qui procède de motifs dramatiques et d'éléments d'action menant vers une chute parfois inattendue et ironique; cette tendance se situe dans la tradition du conte, telle que pratiqué encore aujourd'hui par Sylvain Rivière (notamment dans *La Saison des quêteux*, Leméac, 1986), dont elle se distingue cependant par son attachement au réel (par opposition au merveilleux) et par sa dimension littéraire (par opposition à l'oralité).

b) la «minimaliste» (nouvelle-instant), dépouillée de structure dramatique, où s'étalent états d'âmes et perceptions de la réalité, où la forme prime sur le fond. Cette seconde tendance se réclame des fragments narratifs de Franz Kafka; elle propose des récits souvent inachevés, remplis de *non-dit* (on excusera l'antinomie de la formule), de *silences* et d'*espaces-pour-rêver*.

---

[49] BRULOTTE, Gaétan, «De l'écriture de la nouvelle», *XYZ*, automne 1996, n° 47, p. 93.

[50] GADBOIS, Vital, M. Paquin, et R. Reny, «Introduction», *20 grands auteurs pour découvrir la nouvelle*, Belœil, La Lignée, 1990, p. 15.

[51] Voir GODENNE, René, *La Nouvelle*, Paris, Champion, 1995, p. 108 et suivantes.

Dans cette tentative de définition, nous avons pris soin d'éviter la trop courante mise en relation du genre avec le roman. Ainsi que l'a démontré Michel Lord[52], nouvelle et roman sont des catégories génériques distinctes, toutes deux subordonnées de l'ensemble hypergénérique narratif. En d'autres termes, pour paraphraser Gilles Pellerin, la nouvelle n'est pas davantage un petit roman qu'un appartement de quatre pièces et demie n'est un condensé du château de Versailles (son récent essai, *Nous aurions un petit genre, publier des nouvelles* {Québec, L'instant même, 1997, 221 p.} en convraincra quiconque).

D'autre part, Michel Lord a développé l'hypothèse très pertinente selon laquelle le genre narratif bref serait celui de l'idée fixe.

> Très souvent, il arrive que la nouvelle formalise de manière systématique le discours d'un seul acteur, d'une seule voix, d'une seule pensée, qui ressasse une obsession sous différents angles.[53]

Tout en reconnaissant que le roman puisse utiliser pareilles techniques, le critique insiste sur *l'ampleur* du récit romanesque, qui donne une autre dimension à l'idée fixe. Ce concept esthétique serait à l'origine, toujours selon Lord, d'un recours fréquent au monologue intérieur (*stream of consciousness*) ou encore à la répétition qui donne parfois à la nouvelle des allures de solo de *free jazz*. La narration nouvellière prendrait donc volontiers l'aspect d'un discours heurté et syncopé qui sur le plan de la syntaxe même mime la fragmentarité de l'expérience du personnage.

La nouvelle, genre de l'idée fixe

Bâton de rouge

par Claire Dé

Le temps est frileux, le ciel bas, et ce matin-là, comme tous les matins avant de sortir, la femme se met du rouge à lèvres, un rouge à lèvres rouge vif, rouge sang.

Le temps est frileux, le ciel bas, et ce matin-là, la peur que tous les autres matins soient pareils à celui-là, jusqu'au dernier, la femme se mettrait du rouge à lèvres avant de sortir, la peur que tout le sang qui lui reste soit peint là, sur ses lèvres, la peur que son cœur ne batte plus depuis que son amant est parti, alors ce matin-là, encore la femme applique son rouge à lèvres comme on élève un mur, comme on revêt une armure, pour rien, gestuelle dérisoire mais élaborée, la femme peint ses lèvres mais ne voit que la bouche de son amant, sa bouche à lui sans cesse, elle veut que cette bouche l'embrasse, elle veut y écraser ses lèvres, la mordre, l'ouvrir, le désir de sa bouche, de sa voix,

---

52 LORD, Michel, «Le surnaturel est-il un genre de discours?», *XYZ*, printemps 1989, nº 17, p. 69-72.

53 LORD, Michel, «La forme narrative brève: genre fixe ou genre flou? Prolégomènes à un projet de recherche sur la pratique québécoise», *La nouvelle: écriture (s) et lecture(s)*, Totonto-Montréal, GREF-XYZ, 1993, p. 55.

de ses mains, de sa peau, de son sexe, Ah te prendre dans mes paumes, entre mes cuisses, dans ma bouche, remplis encore ma bouche avec ta langue, avec ton sexe, que je te boive, te respire, que je t'avale sans jamais m'en repaître, mais rien ce matin-là, que le ciel bas, j'ai froid, mais rien que du rouge à lèvres, un mur, une armure dérisoire, la femme pense aussi que ses sens, son cœur, son esprit, n'en sont pas moins atteints, altérés, elle ne sait plus rien la femme, elle ne sait plus que dire Ah oui, embrasse-moi encore, aime-moi un peu, pense à moi quelques fois, le temps est frileux, mes souvenirs en lambeaux, ton corps morcelé, l'espace, le temps, le décor volés en éclats, l'absence ce mal, ces miettes, ma vie rouge à lèvres.

Extrait de *Le Désir comme catastrophe naturelle*,
Montréal, L'étincelle, 1988, p. 9-11.

Autre particularité de la pratique québécoise du genre, André Berthiaume note une nette tendance à l'extrême concision, la vogue du *brevissimo*, de la *short short story*.

> En effet, si on considère l'ensemble de la production actuelle, le récit de moins dix pages semble dominer. Et beaucoup de recueils comportent des nouvelles de moins d'une page, par exemple *La Survie* de Suzanne Jacob (Le Biocreux, 1979) ou *Les Petits Cris* de J. Gagnon (Québec/Amérique, 1985). Avec *L'Obsédante Obèse* (Boréal, 1987) de Gilles Archambault, qui contient pas moins de 135 «petites nouvelles» de moins d'une page, nous avons sans doute un cas limite.[54]

De plus, ajoute Berthiaume, au cours de la période qui nous intéresse, les revues *Imagine...*, *Urgences*, *XYZ* ont toutes trois consacré des numéros aux nouvelles d'une page et moins et la dernière, deux fois plutôt qu'une. Cette particularité formelle n'est certes pas sans conséquence, tant du point de vue de l'écriture du texte individuel que de celui de la structure du recueil. Un volume de moins de deux cents pages réunissant de vingt à trente nouvelles, sinon plus, ne peut que mélanger les sous-genres (réalisme, science-fiction, fantastique) et donc, dans l'ensemble, réaffirmer le caractère fragmentaire et discontinu du genre.

Économie de moyens et brièveté

Jeu d'osselets
par Aude

Enfoui sous d'épaisses couvertures, François, douze ans.
Il est trois heures.
Son père a encore crié. Frappé. L'a envoyé dans sa chambre.
«Je te le casserai, moi, ton petit caractère.»
À l'aide d'un casse-noix, François brise une à une toutes les phalanges de sa main droite.

Extrait d'*XYZ*, n° 11, automne 1987, p. 9.

[54] BERTHIAUME, André, «À propos de la nouvelle», *Écrits du Canada français*, n° 74, 1992, p. 79.

Nonobstant des questions purement génériques, les nouvellistes québécois ont, à l'instar des praticiens du Nouveau Roman français, cherché à renouveler les techniques narratives, à faire éclater les structures traditionnelles du récit. Ainsi, dans *Le Surveillant* (Leméac, 1981), Gaétan Brulotte choisit de donner à ses narrations l'allure soit d'une suite de cartes postales («Cage ouverte»), d'un plaidoyer («L'exalté») ou d'un procès-verbal d'assemblée («Atelier 96 sur les généralités»); dans «Polar, oid» de Gilles Pellerin (*XYZ* n° 11, 1987; voir encadré), l'intrigue, livrée sous la forme d'un fait divers, apparaît telle un bruit parasite à la suite de quelques articles de dictionnaire; dans «One-Night Stand» (*Stop* n° 118, 1990), André Lemelin pastiche la forme interactive des «livres-dont-vous-êtes-le-héros» dont les adolescents furent un temps si friands; enfin, dans «Manuel d'abandon (?) de carrière (?)» (in *Espaces à occuper*, L'instant même, 1991), Jean Pierre Girard se plaît à parodier celle des guides de psychologie populaire qui pullulent dans les librairies des centres commerciaux.

Brulotte appelle ce procédé de dévoiement formel *haptisme* et le définit comme suit:

> le texte *haptiste* se caractérise par sa mimésis renouvelée: il libère des textes non littéraires de leur contexte habituel pour les parodier ou emprunte des formes à des univers de discours qui n'ont rien de littéraire, et qui modèlent notre quotidien, pour leur conférer une valeur esthétique.[55]

Le texte haptiste

Polar, oid
par Gilles Pellerin

POLAIRE, *adj.* Relatif aux pôles célestes, terrestres; situé près d'un pôle. *Étoile polaire.* – Par ext. *Un froid polaire*: intense. «*Le magasinier des baraquements polaires*» (SAINT-JOHN PERSE).

POLAQUE, *n. m. Hist.* Cavalier polonais, mercenaire des armées françaises. *Pop. et péj.* Polonais (var. *Polack, Polock*). «*Maudit Polock!*» (JAQUES SIC).

POLAR, OID, *n. m.* (*irr.*) Instantané à émulsion rapide ne nécessitant aucune mise au point. Viser le sujet puis presser le bouton. La scène se développe rapidement sous l'effet des acides et du nitrate d'argent ($AgNo_3$). Se garder de laisser des empreintes digitales en épinglant sur le mur. – ALLOPOLIS (PC) *Le corps d'un citoyen d'origine polonaise, magasinier des baraquements polaires, a été retrouvé épinglé contre le mur et affreusement mutilé. La police se perd en conjectures sur le motif du ou des auteurs de cet assassinat. La victime est inconnue des forces de l'ordre. L'argent ne semble pas être le mobile du crime. Erreur sur la personne? Réduction du personnel? Vengeance d'un jaloux? Ne voulant négliger aucune piste, les limiers n'écartent pas, pour le moment, l'hypothèse de.*

Extrait de *XYZ* n° 11, automne 1987, p. 67.

[55] BRULOTTE, Gaétan, «De l'écriture de la nouvelle»», *XYZ*, n° 47, automne 1996, p. 74.

Enfin, aux dires de Gilles Pellerin, les nouvellistes québécois se caractérisent souvent par leur souci d'organisation du recueil, cette entité selon lui méconnue sinon mal appréhendée (on en citera pour preuve ces recensions où le synopsis d'une ou deux nouvelles sont donnés comme représentatifs du livre entier, sans qu'il soit jamais question de structures, de récurrences thématiques ou formelles). Le choix des textes, leur ordre de présentation, leur manière de se répondre l'un à l'autre à l'intérieur du mouvement général du recueil dans son entièreté porte à croire que le tout est plus grand que la somme des parties.

Cette conception a parfois soulevé des débats d'ordre générique chez les critiques. Ainsi, lors de la parution de *Tu attends la neige, Léonard?* de Pierre Yergeau (L'instant même, 1993), bon nombre de commentateurs se sont attardés sur la nature de l'ouvrage (s'agit-il vraiment de nouvelles ou d'un roman morcelé?) comme si ces considérations avaient préséance sur le fond de l'œuvre. Le recueil de Yergeau, comme après lui d'autres également parus à L'instant même (notamment d'Anne Legault, *Récits de Médilhault*, 1995), a réaffirmé cette conception de plus en plus répandue du recueil en tant que «suite narrative», qui emprunte au genre son caractère fragmentaire et délibérément incomplet et au roman sa continuité et sa cohérence interne.

Cette idée, chère à Pellerin, s'est imposée comme norme implicite (du moins à L'instant même), mais ne fait cependant pas d'unanimité. Tour à tour, quelques praticiens et théoriciens de la nouvelle, dont André Berthiaume (assez timidement) puis André Carpentier (avec plus de véhémence), ont remis en question une telle conception globalisante du recueil, née d'un «vice éditorial», d'une tentative d'assujettissement du genre à des critères qui seraient ceux du roman.

> Faut-il déplorer, se demande Berthiaume, une lecture qui recherche à tout prix une unité de surface dans un recueil, qui considère celui-ci de la même manière qu'un roman, comme une suite d'épisode interdépendants? N'est-ce pas privilégier l'archipel aux dépens des îles? Oublier qu'il puisse exister une esthétique du disparate, de la rupture... et de la surprise? [56]

Selon Carpentier, en voulant désamorcer «le reproche de manque de continuité souvent adressé à la nouvelle», des recueils ainsi structurés feraient fi de l'enjeu de discontinuité, caractéristique déterminante du genre.[57]

---

[56] BERTHIAUME, André, *Loc. cit.*, p. 86.

[57] CARPENTIER, André, «Commencer et finir souvent. Rupture fragmentaire et brièveté discontinue dans l'écriture nouvellière», *La nouvelle: écriture (s) et lecture(s)*, Toronto-Montréal, GREF-XYZ, 1993, p. 44.

3.2 — SCIENCE-FICTION ET FANTASTIQUE

En marge de l'institution littéraire officielle, s'est développée à partir du milieu des années soixante-dix une institution parallèle d'amateurs de science-fiction et de fantastique[58]. Avant eux, bien sûr, il existait une tradition du récit fantastique québécois (qu'avaient pratiqué sporadiquement, avec un bonheur variable Yves Thériault, Michel Tremblay, Paul-André Bibeau et quelques autres); cependant, ce sera un groupe de collégiens qui posera la pierre angulaire d'un *fandom* structuré, calqué sur le modèle étasunien.

Regroupés à l'origine autour du fanzine *Requiem* (rebaptisé *Solaris* en 1979), animé par le professeur Norbert Spehner et ses étudiants du cégep Édouard-Montpetit de Longueuil, ces passionnés de paralittérature ont donné naissance à une revue «rivale», *Imagine...*, ainsi qu'à une pléiade de publications semi-professionnelles et parfois éphémères (*Pour ta belle gueule d'ahuri, Carfax*, etc.) qui ont accueilli en leurs pages les premières nouvelles de ceux et celles qui comptent maintenant parmi les grands noms de la science-fiction et du fantastique au Québec. La plupart d'entre eux réuniront au fil des ans ces œuvres de jeunesse dans des recueils: signalons Jean-Pierre April (*La Machine à explorer la fiction*, Le Préambule, 1980; *Télé-totalité*, Hurtubise HMH, 1984), René Beaulieu (*Légendes de Virnie*, Le Préambule, 1981), Michel Bélil (*Le mangeur de livres*, Pierre Tisseyre, 1978, *Déménagement*, Chasse-Galerie, 1981), Esther Rochon (*Le Traversier* et *Le Piège à souvenirs*, La Pleine Lune, 1987 et 1991), Daniel Sernine (*Le Vieil homme et l'espace*, Le Préambule, 1981), Élisabeth Vonarburg (*L'Œil de la nuit*, Le Préambule, 1980; *Janus*, Denoël, 1986; *Ailleurs et au Japon*, Québec/Amérique, 1991). Encore aujourd'hui, les deux revues demeurent un lieu d'émergence privilégié pour les novices; on compte désormais trois «générations» d'auteurs de ces sous-genres méconnus de la critique officielle et du grand public, qui tous ont pratiqué et pratiquent encore abondamment le genre narratif bref. Retenons parmi eux: Natasha Beaulieu, Guy Bouchard, Amanda Carpentier, Joël Champetier, Harold Côté, Jean Dion, Michel Lamontagne, Yves Meynard, Francine Pelletier, Annick Perrot-Bishop, Jean Pettigrew et Claude-Michel Prévost.

Ceci aurait tendance à entretenir le mythe persistant selon lequel l'écriture de la nouvelle serait une discipline de débutants, qu'on abandonne dès qu'on a gagné suffisamment de maturité d'écrivain. Mais il ne faut jamais se fier aux apparences. Car si le fantastique a depuis ses origines partie liée avec le conte et la nouvelle, il n'en va pas ainsi pour

[58] Pour de plus amples informations à ce sujet, on pourra consulter la partie de ce chapitre portant sur ces sous-genres littéraires.

la science-fiction qui ne s'accommode pas toujours avec le même bonheur des impératifs de la concision. C'est que le premier, dans sa forme canonique, s'articule autour de la rupture le plus souvent violente occasionnée par l'intrusion d'un élément incongru qui vient court-circuiter la mécanique réaliste installée par la narration; tandis que la seconde s'ingénie à intégrer dans une réalité fictionnelle des éléments qui ne sont incongrus que par rapport à la réalité extra-textuelle, basés sur des extrapolations scientifiques plausibles ou, à tout le moins, irréfutables.

La mise en place de pareils univers imaginaires mais cohérents et plausibles nécessite généralement un espace narratif plus important que celui alloué par la nouvelle et ce n'est sans doute pas un hasard si bon nombre des nouvelles de science-fiction signées par Élisabeth Vonarburg, Daniel Sernine, Guy Bouchard, Bertrand Bergeron, pour ne nommer que ceux-ci, s'inscrivent dans des «cycles» ou «suites», où chaque texte s'inscrit dans la continuité des précédents. Ce phénomène, courant en roman «réaliste» (on pense aux romans-fleuves de Balzac, Zola, Proust, etc.), est en définitive relativement peu répandu en littérature fantastique où la rupture nécessaire à l'effet fantastique a tendance à s'émousser à force de répétition au fil d'une trop longue narration. Encore qu'il ne s'agisse pas là d'une règle; chez les auteurs québécois, Daniel Sernine a su construire une œuvre de fantastique canonique inspirée de celle de l'Américain H. P. Lovecraft où les nombreuses nouvelles (réunies dans divers recueils, dont *Les Contes de l'ombre*, *Les Légendes du vieux manoir*, *Quand vient la nuit*) et romans (*Manuscrit trouvé dans un secrétaire*, ainsi qu'une bonne partie de son œuvre en littérature de jeunesse) renvoient à un univers et une mythologie uniques.

Au contraire de la science-fiction, le fantastique s'est épanoui au-delà des marges du *fandom*, puisque les revues littéraires «officielles» ont régulièrement publié des «histoires» fantastiques. La *nbj*, haut lieu de l'expérimentation textuelle avant-gardiste, a consacré des numéros entiers respectivement à la science-fiction[59] puis au fantastique[60] où l'on retrouvait des textes notamment de Marie José Thériault, d'André Carpentier, de Bertrand Bergeron et autres nouvellistes n'appartenant pas au «milieu» à proprement parler. Si la nouvelle de science-fiction est néanmoins demeurée, en grande partie, la chasse gardée des auteurs dits du «milieu», c'est peut-être que le fantastique a traditionnellement joui d'un prestige littéraire supérieur à celui de la science-fiction, trop souvent identifiée à ses spécimens les plus puérils diffusés par le cinéma populaire et la télévision (*La Guerre des étoiles*, *Battlestar Galactica*).

---

[59] *La Science-fiction*, numéro spécial de *La Nouvelle Barre du Jour*, nos 79-80, juin 1979.
[60] *Le Fantastique*, numéro spécial de *La Nouvelle Barre du Jour*, no 89, avril 1980.

Sans sombrer dans des simplifications expéditives, on remarque que les préoccupations proprement littéraires (expérimentations formelles) sont plutôt rares chez les nouvellistes du «milieu». À l'exception peut-être de Jean-Pierre April, dont la série «Coma» utilise des techniques stylistiques considérées d'avant-garde pour interroger le rapport entre auteur, texte et lecteur, les auteurs de science-fiction québécois s'en tiennent généralement à une conception classique de la nouvelle (nouvelle-histoire).

De même, en ce qui concerne le fantastique, on note que les auteurs du milieu ont longtemps privilégié un fantastique traditionnel, voire canonique (par exemple Michel Bélil, Daniel Sernine) par opposition à la veine «moderne», influencée par la littérature latino-américaine, dont se réclament André Berthiaume, Bertrand Bergeron, Louis Jolicoeur et la majorité des auteurs de L'instant même qui pratiquent le genre. Il existe des exceptions à cette règle, des auteurs dont l'œuvre chevauche les tendances (par exemple, Paul-André Bibeau, André Carpentier, Marie José Thériault).

Pour plus de précisions sur le fantastique, on consultera l'étude récente de Lise Morin, *La Nouvelle fantastique de 1960 à 1985, entre le hasard et la fatalité*, Québec, Nuit blanche, 199[7], 301 p.

La science-fiction

Anciennes cicatrices
par Joël Champetier

À l'affût de la beauté, ils capturaient parfois quelques humains. Par le carcan et le scalpel, ils mutilaient leurs corps de façon experte. Ils écrasaient les doigts et gonflaient la peau. Avec une humilité presque religieuse, ils pinçaient et cassaient, ils colmataient les plaies de sable, ils coupaient les chairs gangrenées, ils brûlaient. Ils observaient.

Les monstres ainsi créés trébuchaient sous la chaîne et le cri. Ils se butaient aux murs d'un labyrinthe changeant. Ils se faisaient arroser de pierres et d'acide. Ceux qui s'aimaient étaient séparés, ceux qui se haïssaient reliés par le cou.

Pour les quelques Brachiviens qui s'y intéressaient, c'était un art pur, d'une beauté douloureuse, désespérée, sublime. Les plus exaltés s'appropriaient les souffrances des monstres et se suicidaient au cours de longues cérémonies d'expiation.

Quand les humains entrèrent en contact avec les Brachiviens, ce n'était plus qu'un art oublié de tous, sauf des érudits et de quelques prêtres qui déambulaient en silence dans les labyrinthes abandonnés.

Extrait de *Imagine*... n° 59, mars 1992, «Le Bonsaï», p. 11.

Le fantastique canonique

Sirix
par Marie José Thériault

Il me regarde depuis une heure au moins. Sans tarir. Comme un qui s'inventerait des fables.

Je le détaille aussi, car il est beau. J'aime sa chevelure embroussaillée, sombre et rebelle, les plis profonds de soleil à l'angle des yeux, et ces lèvres presque minces qui semblent esquisser toujours un demi-sourire. Sur ses mains courent de splendides veines comme des rivières torturées. Entre ses doigts, il tient parfois une cigarette de tabac noir.

Je le désire déjà beaucoup, mais il ne faut pas qu'il le sache. Pas lui. Pour tous les autres avant, je n'ai pas eu de scrupules. Mais lui, il a quelque chose de la bonne bête. Je ne veux pas lui faire de mal. C'est si difficile, si difficile... Je veux le regarder, c'est tout. Le regarder me regarder.

Pourtant, bientôt il faudra que je parte. Je ne peux plus attendre qu'il s'en aille. Le soleil baisse. Dans un quart d'heure, il sera trop tard.

Quand j'ai tourné la tête et vu qu'il me suivait, j'ai fait non, pour qu'il comprenne. Mais il n'a pas rebroussé chemin. Je ne peux plus rien maintenant pour le sauver.

La tour se profile déjà contre le ciel orange. Quelques minutes suffisent pour atteindre les ruines. À cette heure de fin de jour, des centaines de chats viennent y chasser et j'entends, derrière moi, les pas de l'homme se mêler aux appels des bêtes.

Quand il me rejoint, je suis déjà nue. Alors, il ne dit rien mais me couche avec douceur dans la ciguë. Je sens tout son poids d'homme contre mon corps.

Bientôt, mes bras s'ouvrent et s'élargissent. Je l'enveloppe de mes grandes ailes grises. Il ne se doute de rien, car j'ai pour lui des caresses délicieuses.

Il a un cou admirable. Et cette veine, juste là, qui apparaît sous sa chaîne d'or, me donne soif, une soif insatiable. Et je bois... je bois... je bois...

Extrait de *La Cérémonie*, Montréal, La Presse, 1978, p. 24-25.

Le fantastique moderne

Le refuge
par Bertrand Bergeron

J'avais choisi cet hôtel pour sa tranquillité. Hors-saison. Contre un pourboire substantiel, on m'accorda une chambre en retrait, dans une aile quasi déserte.

Le jour, quand je ne demandais pas qu'on monte mes repas à la chambre, je me présentais à la salle à manger à des heures où les touristes les plus tardifs avaient déjà terminé le digestif.

Mais une nuit, proche du sommeil, j'entendis qu'on pleurait dans la chambre voisine, un enfant que personne ne semblait consoler. Cela dura longtemps, plus d'une heure.

Le lendemain, lorsque je m'en plaignis à la direction, on me regarda d'un air suspect, puis inquiet, me faisant remarquer que j'étais le seul occupant de l'étage. Comme j'insistais, vexé par l'incrédulité que suscitait ma démarche, on me rappela que ma chambre n'était voisine d'aucune autre.

Et c'était vrai. À droite, se trouvait un débarras que personne, passé seize heures, ne fréquentait plus. Sur la gauche, débouchait un corridor qui venait d'on ne sait trop où.

Pourtant, ce soir-là, à la même heure que la veille, un enfant se mit à hurler, un enfant que personne, apparemment, ne s'embarrassait de consoler.

Extrait de *Visa pour le réel*, Québec, L'instant même, 1993, p. 99.

4 — QUELQUES AUTEUR-E-S POUR UN PREMIER PÉRIPLE

Disons d'emblée que la répartition suivante entre auteurs et auteures de recueils de nouvelles, de contes ou de récits, n'est qu'une indication de tendance et ne saurait préjuger de l'importance relative de telle ou telle auteure. Si les auteurs ont publié davantage en recueil, ce pourrait être un indice de leur fascination pour l'objet-livre sacralisé par l'institution et de leur détermination dans le combat pour la prééminence.

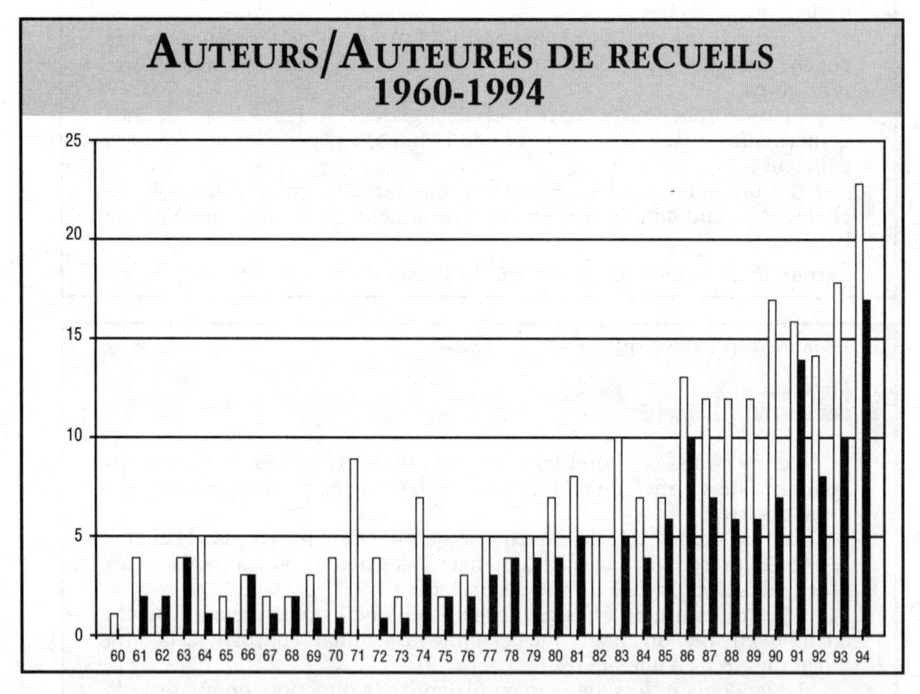

En tout état de cause, les auteures et auteurs de nouvelles se sont multipliés durant les années quatre-vingt. De plus en plus scolarisés, de plus en plus sophistiqués, elles et ils se sont constitués en lectorat de première ligne et ont exploré le champ des possibles avec une détermination croissante. Elles et ils ont été les facteurs, conscients le plus souvent, de la reconnaissance de la nouvelle par l'institution littéraire québécoise.

Réfléchissant sur le genre, se penchant volontiers sur eux-mêmes et sur les pratiques des autres, accordant autant d'entrevues qu'on leur en demandait, les nouvellistes québécois ont formulé, par bribes ou en corps de doctrine plus structuré, diverses théories, intéressantes à plus d'un titre. Assurément, les nouvellistes comptent parmi les écrivains québécois qui ont le plus théorisé sur leur genre de prédilection, tout de suite après les poètes.

Étant donné le nombre considérable d'écrivains québécois ayant pratiqué ne serait-ce qu'en dilettante le genre au cours des trente dernières années, il serait difficile, voire impossible, d'établir une liste qui serait à la fois brève et exhaustive des voix majeures. Par simple souci de nous restreindre, nous avons choisi de ne retenir qu'une vingtaine d'auteurs qui ont publié en livre et dont la démarche apparaissait suffisamment inscrite dans une continuité; des nouvellistes qui ont tenté au fil de leurs recueils de questionner le genre narratif bref. Il demeure entendu qu'un échantillonnage aussi modeste ne saurait rendre compte de l'étendue et de la diversité de la pratique du genre narratif bref au Québec. Nous renvoyons donc le lecteur désireux d'explorer plus à fond la nouvelle québécoise aux éléments de bibliographie en annexe.

Grâce à l'*Anthologie de la nouvelle et du conte fantastiques québécois au XXe siècle* (Fides, 1987) de Maurice Émond qui incluait deux nouvelles extraites de *La Mort exquise* (CLF, 1965), toute une génération de nouvellistes québécois a découvert qu'elle pouvait se réclamer d'un père spirituel méconnu en la personne de **Claude Mathieu** (1930-1985). On ne doit pas s'étonner de cette reconnaissance tardive puisque «l'histoire littéraire est parfois une comédie des erreurs et des omissions», dixit Gilles Archambault dans sa préface à la réédition chez L'instant même en 1989 de ce chef-d'œuvre de la nouvelle fantastique québécoise.

Précurseur d'un fantastique résolument moderne, Claude Mathieu annonçait dans son unique recueil une manière qui serait reprise par toute une *école* de nouvellistes québécois influencés par les grands auteurs latino-américains. Son style sobre, dénué d'affectation et ses thèmes de prédilection (la séduction et le vertige que suscite l'abîme du Temps, l'immortalité de l'art) n'étaient pas sans évoquer Jorge Luis Borges (ou André Pieyre de Mandiargues). Depuis l'explorateur Klock (jeu d'homonymie révélateur) offert en pâture à une plante carnivore dans la nouvelle éponyme jusqu'à cette femme obsédée par son image qu'elle croit retrouver dans divers tableaux dans la dernière, ses personnages se trouvent invariablement «au bord d'une sorte de gouffre, en passe d'y tomber mais n'y tombant jamais, [conscients] que le malheur consiste justement à résister au vide quand le bonheur aurait été de s'y laisser aller»[61]. À l'instar du texte qui se «réincarne» perpétuellement dans la nouvelle «Le Temps d'aimer», les récits de Mathieu ont conservé leur indémodable modernité. Pourtant, échaudé par des critiques très défavorables dans la presse littéraire de l'époque, l'auteur n'a hélas jamais récidivé ni en nouvelle, ni dans aucun autre genre.

Avec moins d'éclat peut-être, les novices **Roch Carrier** et **Michel Tremblay** allaient à la suite de Mathieu proposer d'autres voix/voies à la nouvelle fantastique. Avec ses *Jolis deuils* (1965) empreints de poésie naïve, Carrier inaugurait un style qui trouverait son aboutissement sur scène, avec *La Céleste Bicyclette*, monologue dramatique écrit pour le comédien Albert Millaire. Quant à Tremblay, il puiserait plutôt l'inspiration de ses *Contes pour buveurs attardés* (1966) du côté d'Edgar Allan Poe et du maître belge du macabre Jean Ray; dans ces histoires grotesques de fantastique et d'horreur, encore très proches de la tradition du conte oral, on décèle toutefois une tentative d'exprimer un imaginaire qui lui serait propre, d'aborder par le biais de l'allégorie et d'un symbolisme parfois primaire des thèmes qui reviendraient dans l'œuvre ultérieure du dramaturge et romancier (qu'on pense seulement à la nouvelle «Angus ou la lune vampire» où il est question de marginalité et d'homosexualité).

Plus que Claude Mathieu, dont l'œuvre n'a été redécouverte que récemment, **André Berthiaume** fait figure de double précurseur. Non seulement il a fait de la nouvelle son mode d'expression privilégié bien avant l'actuel «âge d'or» du genre — ses deux premiers recueils, *Contretemps* et *Le Mot pour vivre*, ont paru respectivement en 1971 et en 1978 —, mais il compte parmi les premiers écrivains québécois à revendiquer la filiation avec Borges, Cortazar et autres grands noms du *cuento* latino-américain.

Dans le petit «milieu» de la science-fiction et du fantastique québécois, il s'est trouvé quelques «puristes» pour s'offusquer de l'attribution du Grand Prix de la SFFQ 1985 à Berthiaume pour son troisième recueil, *Incidents de frontière* (Leméac, 1984), également récipiendaire du prix Adrienne-Choquette. On a lui reproché notamment d'avoir admis sa relative indifférence aux «poudres et fumées» du fantastique, de pratiquer ce sous-genre sans intentions explicites à la façon d'un «M. Jourdain de l'imaginaire» (le mot est de Daniel Sernine). C'est que dans l'œuvre de Berthiaume, marquée au sceau du souvenir, de la nostalgie et de l'ironie douce-amère, le fantastique, toujours discret et carrément «accidentel», fait irruption de manière impromptue

---

[61] MATHIEU, Claude, *La Mort exquise*, Québec, L'instant même, 1989, p. 41.

mais sans violence, tel une fulgurance, un flash de caméra qui fixe l'instant choisi.

D'autre part, l'humour alimente une volonté de satiriste, de commentateur amusé des travers de l'époque. Chez Berthiaume, la nouvelle se distingue davantage du conte en s'affranchissant de l'anecdote, des motifs dramatiques qui étaient ses apanages traditionnels, pour privilégier la chronique des petits moments en apparence banals de l'existence. En cela encore, l'auteur ouvre la voie à la génération suivante de nouvellistes québécois, dont Jean-Paul Beaumier, Bertrand Bergeron, Louis Jolicoeur, Gilles Pellerin et Daniel Pigeon, pour ne nommer que ceux-ci. Cette esthétique correspond tout à fait à la conception de la nouvelle énoncée par Berthiaume dans *Écrits du Canada français*.

> En effet, en privilégiant le détail, l'instantané et l'humour plutôt que l'ensemble, la durée et le sérieux, la nouvelle pourrait bien signifier le doute; un doute profond, philosophique, métaphysique, passionné. Et serait-il pertinent de rapprocher la nouvelle de l'essai plutôt que du clip, l'essai étant un autre type de discours fragmenté?[62]

Chez **Claudette Charbonneau-Tissot,** aujourd'hui connue sous le nom d'**Aude**, la fiction traduit une réflexion sur la réalité, le contexte social, nourrie notamment aux sources de l'idéologie féministe. D'ailleurs, à l'instar de Berthiaume, le fantastique ne constitue pas le catalyseur essentiel de l'œuvre. «Je ne veux pas dire que je fais de la littérature fantastique, a déclaré Aude en entrevue. Mais j'aime basculer dans le fantastique, j'aime pratiquer le passage du réalisme à un autre niveau de conscience.[63]» Kafkaïennes d'esprit, bon nombre de ses nouvelles utilisent les codes de la littérature fantastique pour exprimer une allégorie de la condition féminine.

L'aliénation, l'enfermement, la quête de soi et l'incommunicabilité entre les êtres, en particulier entre l'homme et la femme, comptent parmi ses thèmes de prédilection. Désemparées sur le plan émotif, dépossédées d'elles-mêmes, les héroïnes d'Aude évoluent dans des univers labyrinthiques et carcéraux étouffants. De «Mutation» (*Contes pour hydrocéphales adultes*, Pierre Tisseyre, 1974) au «Cercle métallique» (*Banc de brume*, Du Roseau, 1987), ces femmes luttent pour (re)conquérir leur liberté et recouvrer leur identité, au risque parfois de se briser en mille miettes (et pas toujours au sens figuré!). Au fil des écrits, l'écriture d'Aude s'est faite plus laconique et dénudée, ce dépouillement correspondant à l'évolution de sa conception de la nouvelle.

---

[62] BERTHIAUME, André, *Loc. cit.*, p. 88.
[63] *La Presse*, 18 avril 1987, p. E3.

Lui aussi redevable à Franz Kafka dans une certaine mesure, **Gaétan Brulotte** exploite la veine de la satire sociale avec une férocité qui n'a d'égale que la sobre élégance de sa prose. Chez lui, jamais un mot de trop, jamais une explication superflue. Caractérisées par une certaine froideur du ton, froideur destinée à mieux faire ressortir l'absurdité des scènes représentées, les nouvelles de Brulotte (*Le Surveillant*, Leméac, 1981; *Ce qui nous tient*, Leméac, 1988) apparaissent comme des illustrations objectives et hyper-réalistes de la société contemporaine, de véritables radiographies des systèmes qui oppriment l'individu dans la quotidienneté.

Comme ceux rêvés par le visionnaire de Prague, les personnages du *Surveillant* ne sont jamais que des passants presque anonymes, des spectres sans substance, identifiés par leur seule fonction sociale («Le surveillant», «Le balayeur») ou un trait de caractère («L'exalté»). Pantins manipulés par des forces qui les dépassent, ils se présentent comme les rouages le plus souvent inconscients de mécanismes qui les privent de leur individualité, voire de leur humanité: on pense à ce couple littéralement enfermé dans la fiction de leur lune-de-miel telle qu'ils ont choisi de la raconter sur leurs cartes postales («Cage ouverte») ou à ce concierge rendu fou par son travail de Sisyphe qui consiste à remplacer quotidiennement les cadenas des vestiaires d'une école («Les cadenas»).

L'effet comique qui se dégage de ces récits est toujours teinté d'amertume. Narrés avec une grande économie de moyens, sans le moindre effet stylistique voyant et sans insistance sur l'anecdote à proprement parler, ils possèdent la clarté et la logique irrationnelle de cauchemars éveillés.

À l'instar de son père Yves, **Marie José Thériault** se tient aux confins du conte dérivé de la tradition orale et de la nouvelle littéraire moderne. À la différence de l'auteur des *Contes pour un homme seul* toutefois, Thériault fille écrit dans une langue d'une pureté indicible des phrases finement ciselées, chatoyantes comme des pierres précieuses.

Marie José Thériault a fait preuve d'une régularité qui exclut la prolixité, en publiant trois recueils de haute tenue littéraire en dix ans (*La Cérémonie*, La Presse, 1979; *L'Envoleur de chevaux*, Boréal, 1986; *Portraits d'Elsa*, Les Quinze, 1990). Ces livres font tantôt place au «réalisme» (quoique toujours teinté d'étrangeté, de mystère), tantôt au fantastique (souvent canonique et flirtant avec l'épouvante mais également de facture plus moderne, évoquant l'école latino-américaine) ou encore au merveilleux inspiré des *Mille et Une Nuits*. Dans cette dernière veine, elle donne souvent la pleine mesure de son immense talent, dévoile son goût pour les décors exotiques ou mythiques, la profusion d'épithètes recherchées et de métaphores appuyées qui confèrent à son écriture sensuelle un parfum poétique, et des élans baroques qui évoquent par moments Borges et Mandiargues.

De même, après deux romans caractérisés par une écriture baroque (*Axel et Nicolas*, 1973; *L'aigle volera à travers le soleil*, 1978), **André Carpentier** s'est illustré par ses nouvelles, à mi-chemin entre la tradition orale québécoise et le réalisme magique latino-américain. En outre, Carpentier s'est institué ardent défenseur de la nouvelle, tant sur le plan de la création avec ses recueils (*Rue Saint-Denis*, Hurtubise HMH, 1978; *Du pain et des oiseaux*, VLB, 1982; *De ma blessure atteint et autres détresses*, XYZ, 1990; *Carnet sur une possible fin du monde*, XYZ, 1993) que sur celui de l'édition, avec ses collectifs aux éditions Quinze et sa collaboration à *XYZ* comme membre de la rédaction, ou celui de la critique, avec ses nombreuses participations à des colloques sur le genre narratif bref.

Michel Lord, qui a beaucoup étudié l'œuvre de Carpentier-nouvelliste, croit y déceler les traces d'un certain esprit romantique:

> par la prégnance et souvent la préséance du rêve sur la réalité, par l'instauration d'un discours du je tourmenté, en accord/désaccord avec la Nature et le Surnaturel [...] et par la relativité du regard que les personnages et les narrateurs [...] portent sur le monde.[64]

Apparue comme Carpentier et Thériault à une époque où la nouvelle ne jouissait pas encore d'une très grande popularité, **Diane-Monique Daviau** s'est vite imposée comme avec un premier recueil, *Dessins à la plume* (Hurtubise HMH, 1979; Prix de l'ambassadeur de Suisse), suivi de quatre autres titres (*Histoires entre quatre murs*, Hurtubise HMH, 1981; *L'Autre, l'une* co-signé avec Suzanne Robert, Du Roseau, 1987; *Dernier Accrochage*, XYZ, 1990; *La vie passe comme une étoile filante: faites un vœu*, L'instant même, 1993) qui font d'elle l'une des praticiennes les plus importantes, autant par sa constance que par ses qualités stylistiques. D'emblée, les critiques lui ont reconnu toutes les qualités qui font de son œuvre un modèle exemplaire: grand sens de la litote, de l'ellipse, du sous-entendu; on lui concède aussi volontiers une fantaisie et un humour réjouissants, de même, une imagination débordante, qui ne cessent de s'affiner d'un recueil à l'autre. Ses thèmes sont variés, mais un grand nombre de ses fictions traduisent un questionnement récurrent sur les relations de couple. Du point de vue de la forme, on remarque une préférence pour la nouvelle très brève qui se confirme d'un livre à l'autre (son plus récent recueil, *La vie passe comme une étoile filante: faites un vœu* ne contient pas moins d'une soixantaine de titres). À cette prédilection pour la concision correspond un dépouillement progressif de l'écriture et

---

[64] CARPENTIER, André et Michel Lord, «Fragments de correspondance», *XYZ*, nº 7, automne 1986, p. 10.

une conception du genre qui réaffirme le caractère essentiellement fragmentaire de l'écriture nouvellière.

Même si elle a davantage connu le succès populaire avec ses romans (*Le Sexe des étoiles*, Québec/Amérique, 1987; *Homme invisible à la fenêtre*, Boréal, 1993), **Monique Proulx** n'en demeure pas moins l'une des voix majeures du genre narratif bref au Québec. Indépendamment du genre auquel elle s'adonne, le style de Proulx se caractérise par son ton railleur et même par moments parodique, son détachement en face du sujet à traiter, des personnages campés. Dès son premier recueil, *Sans peur et sans reproches* (Québec/Amérique, 1983; Prix Adrienne-Choquette 1983), elle multiplie les allusions et clins d'œil, de manière à subvertir les conventions et maniérismes du roman réaliste. En affublant les protagonistes des différentes nouvelles des mêmes prénoms triviaux, Benoît et Françoise, elle les réduit au statut d'archétypes, de caricatures, de clichés — procédé qui sera d'ailleurs repris par Jean-Paul Beaumier (*L'Air libre*, L'instant même, 1988).

Dans une écriture soignée, où abondent jeux de mots et métaphores parfois (délibérément) forcées, Monique Proulx fait œuvre de moraliste. À la manière d'un Woody Allen, elle excelle à souligner les petites absurdités de la vie quotidienne. Cette analogie n'est pas du tout gratuite; parallèlement à sa carrière de romancière et nouvelliste, Proulx a signé de nombreux scénarios pour le cinéma. De cette expérience, elle garde un remarquable sens de l'ellipse, du «montage» et une facilité à croquer en quelques coups de plume vifs et précis un décor ou un portrait.

Après quatre romans décriés à leur parution par certains critiques frileux, Louis Lasnier et Réginald Martel en tête, qui lui reprochent ses penchants scabreux voire «scatologiques», **Daniel Gagnon** s'est illustré — en tant qu'auteur (*Le Péril amoureux*, VLB, 1986; *Circumnavigatrice*, XYZ, 1990) mais aussi au sein de la rédaction d'*XYZ* et à la direction de la collection «L'Ère nouvelle» chez le même éditeur — comme l'un des acteurs importants du développement du genre narratif bref.

À l'exemple de son œuvre romanesque, ses nouvelles se caractérisent par une sensualité trouble, un érotisme sulfureux, de même que par une admirable maîtrise de la langue et de la poésie qui permettent à Gagnon de naviguer adroitement d'un niveau de langage à l'autre, du plus cru au plus raffiné. Parmi ses préoccupations récurrentes, on note l'exploration de l'univers des fantasmes, très souvent au grand étonnement de plusieurs, des fantasmes féminins. Tour à tour, ses personnages en quête de volupté se voient confrontés aux côtés les plus obscurs du désir, tantôt représenté comme une malédiction tantôt comme une grâce. Les héros et héroïnes de Gagnon ne se contentent pas d'avoir des relations sexuelles ou de vivre des passions déchirantes; ils et elles s'y abîment carrément comme dans une dérive, un naufrage. Souvent, le fantasme deviendra pour eux un moyen — le seul, peut-être? — de transcender leur condition, leur finitude pour dans le meilleur des cas s'en affranchir et accéder à une sorte de salvation, d'illumination céleste.

Des commentateurs pressés ont vitement classé l'ensemble de l'œuvre d'**Anne Dandurand** au rayon de la littérature érotique, voire pornographique. S'il est vrai que bon nombre de ses nouvelles, publiées en grande partie dans les pages de la revue *XYZ* et reprises ensuite dans ses nombreux recueils (*La Louve garou*, en collaboration avec Claire Dé, Pleine Lune, 1982; *Voilà, c'est rien, c'est moi, j'angoisse*, Triptyque, 1987; le dyptique *L'Assassin de l'intérieur/Diables d'espoir* et enfin *Petites âmes sous ultimatum*, XYZ, 1988 et 1991) comportent une part importante d'érotisme, il serait réducteur de ne voir en elle qu'une écrivaine uniquement préoccupée par l'exploitation sensationnaliste des plaisirs de la chair.

Au contraire, Dandurand se soucie davantage de thèmes résolument urbains (pauvreté, solitude et aliénation des *petites âmes* dans les grandes métropoles) dans un esprit humaniste et son écriture est marquée par la rigueur et un lyrisme exacerbé qui frisent parfois la préciosité. S'il arrive qu'à l'exemple des personnages de Daniel Gagnon ceux de Dandurand, le plus souvent des femmes célibataires et esseulées, cherchent à sublimer leur mal de vivre bien contemporain à travers des escapades sexuelles délirantes, elles ont également recours à des remèdes plus expéditifs comme le meurtre: dans «Maîtresse des hautes œuvres» (*Petites âmes sous ultimatum*), une paumée choisit de hanter le métro de Montréal et d'user de son poignard pour devenir l'ange gardien de ses sœurs qui s'y font quotidiennement agresser; dans «Des milliers de Minotaures» (*Petites âmes sous ultimatum*), une employée d'un centre d'accueil se lance à la poursuite du tueur en série qui a violé puis assassiné sa protégée, une adolescente en fugue.

Au risque de donner l'impression de se livrer à des raccourcis outranciers, on peut affirmer que ces commentaires sur l'œuvre d'Anne Dandurand s'appliquent également à sa sœur **Claire Dé**, qui avait d'ailleurs signé la moitié des textes inclus dans *La Louve garou*. Ici aussi, élans amoureux et passions charnelles sont souvent présentés comme autant de soumissions à des pulsions irrépressibles, de chutes dans l'irrationnel où l'on joue son âme, ainsi que le suggère le titre de son premier recueil, *Le Désir comme catastrophe naturelle* (L'Étincelle, 1989; Prix Stendhal de la nouvelle). Les femmes des nouvelles de Claire Dé s'évertuent à exprimer le désir et la passion dans ce qu'ils ont de plus indicible, quitte à se retrouver incapables d'achever leurs phrases (comme dans la novella *Sourdes Amours*, XYZ, 1993).

Couronnés de nombreuses distinctions et non des moindres (Adrienne-Choquette à deux reprises, Gaston-Gouin, Septième Continent), les écrits de **Bertrand Bergeron** se caractérisent par un *art de l'implicite* qui force l'admiration. L'inspiration est protéiforme: dans cette œuvre se côtoient des récits de science-fiction, des histoires plus étranges voire franchement fantastiques, aussi bien que d'autres plus «réalistes» (un mot dénué de sens, peut-être, dans l'univers poétique de Bergeron). Jamais la diversité esthétique ne dessert l'unité du corpus; de nouvelle en nouvelle, la pluralité s'affirme comme moyen de représenter le «réel» sous toutes ses facettes et l'auteur reste fidèle à cet impressionnisme onirique qui lui permet de s'approprier les motifs d'un sous-genre donné (science-fiction, fantastique, policier, etc.).

En outre, sa facilité à suggérer les décors contemporains ou futuristes, à esquisser la rupture provoquée par l'intrusion du surnaturel sans jamais appuyer ses effets, assure à ses nouvelles leur texture éthérée; le lecteur y glisse comme dans un rêve dont il devine toutes les règles sans qu'on ait eu à les lui nommer. Des thèmes récurrents (notamment l'antagonisme entre les sexes) relient toutefois un recueil à l'autre. Ainsi, les nouvelles «Le monde aurait un nom» et «La soustraction» (*Visa pour le réel*, L'instant même, 1993) se rattachent au cycle narratif amorcé avec «L'Autre» et «Bellamy, par exemple» (*Transits*, L'instant même, 1992), situé dans un univers dystopique où hommes et femmes d'une même ville vivent de chaque côté d'un mur. D'autre part, Bergeron manifeste souvent un humour discret, une sympathique bonhomie tel qu'illustré par «Strip-tease», «Zap» ou «Méfiez-vous des cartomanciennes» (*Visa pour le réel*).

Dans une veine assez similaire, **Gilles Pellerin** s'est affirmé comme l'un des plus dynamiques «champions» de la nouvelle au Québec. Son art réside dans cette façon particulière d'énoncer (ou de dénoncer), de construire un discours tantôt nerveux et touffu, tantôt sobre et contrôlé, de représenter une situation et d'en suivre les ramifications jusqu'à la chute, le plus souvent ironique.

Comme chez Bergeron, plus que la récurrence thématique ou l'unité esthétique, la persistance du ton, à mi-chemin entre l'amusement et la mélancolie, assure à l'œuvre son unité. On remarque tout de même des leitmotivs: le rapport à la langue, la relation entre le créateur et son œuvre, une certaine paranoïa et cette ambiguïté du «moi» qui mène si aisément au malentendu, parfois au fantastique. Une autre thématique typiquement pellerinienne serait le rapport à la littérature: les «Confessions d'un bibliomane» (*Ni le lieu ni l'heure*, L'instant même, 1987) mettent en scène un Gilles Pellerin fictif, jugé par un tribunal kafkaïen pour sa passion des livres, inacceptable dans une société dystopique du futur; «Trame d'un entretien» (*Principe d'extorsion*, L'instant même, 1991) relate l'aventure d'un chroniqueur littéraire amené par une voix inconnue à rencontrer un écrivain belge non moins inconnu de lui; «Progrès de la matière» (*Principe d'extorsion*) aborde par le biais du fantastique la question de la perpétuelle métamorphose de l'œuvre littéraire, de sa conception à sa réception.

Cela dit, Pellerin n'a au fond nul besoin d'emprunter le biais de la fiction pour confesser son amour de la littérature en général, et du genre narratif bref en particulier, qui ne fait de doute dans l'esprit d'aucun intervenant du milieu. Car L'instant même, la petite maison d'édition de la capitale qu'il co-dirige depuis dix ans, a fait plus pour la cause de la nouvelle que la plupart des éditeurs montréalais en deux fois plus de temps.

Ce qui vaut pour Bergeron et Pellerin vaut également pour **Jean-Paul Beaumier** qui fut parmi les fondateurs de L'instant même avant de se joindre au collectif de rédaction de la revue *XYZ*. Dans ses deux recueils (*L'Air libre* et *Petites Lâchetés*, L'instant même 1988 et 1991), ses préoccupations rejoignent celles d'André Berthiaume; à savoir que Beaumier se plaît à débusquer dans le quotidien la faille, le détail en apparence anodin qui fait basculer les situations les plus banales dans le drame ou l'absurde, le tout avec une pudeur et un sens de la retenue des plus admirables, sans rechercher l'effet fantastique à tout prix mais sans le dédaigner non plus.

Révélé au grand public par le prix Adrienne-Choquette 1990 attribué à son recueil *Silences* (1990), **Jean Pierre Girard** s'est vite imposé comme l'un des talents les plus originaux de *l'écurie* de L'instant même. Sa prodigieuse maîtrise stylistique lui permet de s'approprier les cadres formels de la nouvelle et de leur conférer une extraordinaire souplesse, mariant dans ses textes le burlesque et le tragique, la dérive surréaliste et l'hyperréalisme photographique, toujours avec beaucoup d'esprit, de finesse et de lyrisme. Dans ses recueils, il alterne entre de très brèves nouvelles-instants, des récits crus et violents qui atteignent l'horreur, d'autres insolites à souhait et enfin des textes plus doux, empreints de nostalgie.

Girard a dédié son recueil *Léchées, timbrées* (1992) «à ceux qu'une certaine urgence possède, et qui néanmoins consentent à ressentir une virgule jusque dans leur corps». Cette épigraphe résume admirablement son travail; en effet, cette écriture se nourrit de tension, d'agitation sourde, d'impatience en face de la forme et du propos narratif, perçus et représentés comme des carcans. La plupart du temps, les personnages sont projetés dans l'instant présent de chaque nouvelle, l'instant décisif où se joue sinon leur vie, du moins l'idée qu'ils se font d'eux-mêmes; qu'on pense à cette femme qui, quelques minutes après une rupture amoureuse, se retrouve coincée dans sa voiture dont les freins ne fonctionnent plus, lancée à la vitesse d'un missile dans le tunnel Louis-Hyppolite-Lafontaine («L'Anonyme», *Léchées, timbrées*).

Si bon nombre de ses nouvelles s'inscrivent dans la tradition de la «nouvelle-instant», à la différence de certains de ses contemporains, Girard ne se contente jamais de livrer des tranches de vie banales. Chez lui, tout est *mis en scène* selon une esthétique de la fulgurance où chaque mot, chaque portion d'éternité se charge de sens. Aussi, il faut comprendre cette urgence qui habite ses personnages comme synonyme d'affolement, de révolte à l'idée de leur propre finitude; et interpréter ce consentement à «ressentir la virgule» comme un nécessaire abandon au vertige lucide (malgré l'antinomie de la formule) en face de l'inéluctable chute.

Parmi les nouvelles voix qui se sont fait entendre au cours des dernières années, notons celle de **Danielle Dussault** (*L'Alcool froid*, Prix Desjardins/Adrienne-Choquette 1995, et *Ça n'a jamais été toi*, L'instant même, 1994 et 1996) comme l'une des plus intéressantes de la relève. Dans ses nouvelles au ton intimiste, l'auteure privilégie un lyrisme discret dénué de maniérismes, très près de la prose poétique.

Souvent, dans les nouvelles de *Ça n'a jamais été toi* ou dans la «novella» *Les Yeux Grecs* (Triptyque, 1996), la narration adopte la forme de missives adressées à un être absent, le plus souvent un prince charmant auquel rêve en vain la narratrice. Ces lettres mortes illustrent l'irrémédiable incommunicabilité entre les sexes. En cela, Danielle Dussault rejoint Aude, Claire Dé (débordements érotiques en moins) et toute une *école* d'écriture féminine voire féministe mais également Bertrand Bergeron, dont Dussault partage d'ailleurs l'affection pour les climats indistincts, les ambiances troubles. Et comme lui, lorsqu'elle s'adonne au fantastique, par exemple dans «Le silence, là, tout près» ou «Mea Culpa» (*L'Alcool froid*), le glissement de la narration réaliste dans l'onirisme s'effectue sans heurt. La représentation de cette perméabilité entre réel et irréel rend les textes de l'auteure difficiles à classer. Heureusement, cette incertitude générique ne nuit jamais à l'intelligibilité du récit.

5 — RÉCEPTION ET PERCEPTION DE LA NOUVELLE

Affirmer que, pendant longtemps, la critique officielle s'est méfiée de la nouvelle relève de l'euphémisme. Jusqu'à la récente floraison du genre, une bonne partie des commentateurs des cahiers littéraires des grands quotidiens ont tenu le genre pour mineur et sa pratique comme le symptôme évident du «manque de souffle» des nouvellistes (à plus forte raison, lorsqu'il s'agit d'écrivains novices).

«Le nouvelliste est toujours soupçonné de paresse ou de légèreté,[65]» a souvent déploré Gilles Archambault. À en croire ce postulat implicite, la publication d'un recueil de nouvelles trahit une incapacité à gérer une mécanique narrative complexe, une infériorité par rapport aux romanciers. Si par caprice il arrivait à des écrivains confirmés de «commettre» un recueil de nouvelles, les critiques se faisaient par contre plus indulgents, lui pardonnaient cet écart, cette pause, ce léger divertissement. Tout en cherchant à établir des rapports avec son œuvre «sérieuse» (lire, romanesque), ils l'incitaient à y retourner au plus vite, à laisser tomber ces croquis vite exécutés pour se concentrer sur les vastes et admirables fresques qui se faisaient attendre.

De tels préjugés, aussi ridicules qu'ils puissent paraître pour peu qu'on s'adonne à la lecture honnête des œuvres du genre, pèsent toujours sournoisement sur les membres des jurys des grands prix littéraires où romans et nouvelles sont classés dans la même catégorie. Pour s'en convaincre, il suffit de consulter la liste des lauréats du Prix littéraire du Gouverneur général du Canada, par exemple: à renommée égale, l'auteur d'un recueil de nouvelles fait rarement le poids en face d'un romancier; les rares exceptions à cette règle non-écrite ayant été Jacques Ferron (*Contes du pays incertain*, 1962), Gabrielle Roy (*Ces enfants de ma vie*, 1977) et Gilles Archambault (*L'Obsédante Obèse et autres agressions*, Boréal, 1987). L'examen des listes d'œuvres couronnées par d'autres récompenses littéraires importantes confirme cette impression de préjugés défavorables pour la nouvelle; *Jolis Deuils* de Roch Carrier (1965) a remporté le Grand Prix de la ville de Montréal et *Mémoires du demi-jour* de Roland Bourneuf (1993) celui du Conseil de la Culture de la région de Québec, mais aucun recueil de nouvelles ne s'est jamais vu décerner le Grand Prix du *Journal de Montréal* par exemple. Devant cette situation, qui risque de perdurer aussi longtemps que les deux genres seront jugés à la même aune, on peut se demander s'il ne serait pas grand temps pour les instances concernées de créer une catégorie distincte pour la nouvelle.

Encore récemment, Leméac éditeur publiait des recueils — notamment, *Incidents de frontière* d'André Berthiaume (1984) et *Ce qui nous tient* de Gaétan Brulotte (1988) — dans une collection intitulée «Roman québécois»; ce qui semble valider l'idée que le genre nouvelle n'est qu'une succursale du roman. Pour pallier cette image de «canard boiteux» de la littérature, les éditeurs ont souvent recours à toutes sortes de subterfuges pour «maquiller» les recueils de nouvelles qui s'y prêtent (par leur structure narrative serrée, la récurrence des décors et de certains personnages). Ainsi, Leméac éditeur a fortement insisté

[65] ARCHAMBAULT, Gilles, «La courte haleine» (préface), *En une ville ouverte*, Québec, L'instant même, 1987, p. 6.

auprès de l'auteur Hans-Jürgen Greif pour qu'il relie les différentes nouvelles réunies dans *l'Autre Pandore* (1991) par une narration-cadre afin de simuler la continuité du roman. Voilà qui n'est pas sans rappeler le cas de *Rue Deschambault* de Gabrielle Roy (1955), qui a initialement paru sous l'étiquette de «roman» et qui n'a vu sa véritable nature révélée explicitement qu'au moment de sa réédition du début des années quatre-vingt, décennie de la reconnaissance institutionnelle de la nouvelle.

Comme on l'a remarqué précédemment, de tout temps, les revues littéraires québécoises ont publié de la nouvelle ainsi que l'ont fait certains magazines grand public (notamment *Châtelaine*[66], mais également *l'Actualité*) et parfois même, plus sporadiquement, les grands quotidiens tels *La Presse* et *Le Devoir*. L'apparition et le développement de *Stop* et d'*XYZ*, cependant, a coïncidé avec l'acquisition par l'écriture nouvellière de lettres de noblesse et de droit de cité. Qui plus est, la concurrence amicale entre les deux périodiques a contribué à dynamiser le milieu en donnant l'impression de deux «mouvements» de pratique nouvellière, *Stop* s'auto-proclamant à ses débuts le lieu d'émergence de la relève et *XYZ* s'instituant comme porte-étendard des valeurs confirmées et forum de réflexion critique, voire théorique (la rubrique «Intertextes» animée par Michel Lord). Au demeurant, ces distinctions bien artificielles ont disparu au fil des ans, les auteurs associés à une revue publiant à l'occasion dans l'autre et vice-versa.

Ainsi, le genre a pris son importance, dont témoigne la recension critique quasi systématique des récentes parutions et parfois même des numéros de *Stop* et d'*XYZ* dans les suppléments littéraires des journaux du week-end; il est de plus en plus rare en effet qu'un recueil, même signé par un nouveau venu, n'obtienne aucun écho critique. Cela s'explique peut-être par la présence dans ces médias de commentateurs et commentatrices affichant une nette prédilection pour les nouvelles, notamment Pierre Salducci et Lise Gauvin (au *Devoir*), Marie-Claude Fortin, feu Claude Dessureault et Raymond Bertin (tous trois de l'hebdo culturel *Voir*). Signalons toutefois que leurs nombreuses recensions ne paraissent jamais sous une rubrique explicitement identifiée «nouvelle», comme c'est le cas dans les revues de critique littéraire (*Lettres québécoises, Québec français*).

Il ne faudrait par ailleurs pas sous-estimer le travail remarquable accompli dans les pages de *Lettres québécoises* par Michel Lord et Diane-Monique Daviau, dont les chroniques toujours articulées témoignent d'une connaissance «organique» du genre et de ses enjeux et ont

[66] Voir à ce sujet les travaux de Marie-José DES RIVIÈRES: *Châtelaine et la littérature (1960-1975), essai*, Montréal, L'Hexagone, 1992, 378 p., et «Les nouvelles de Châtelaine 1976-1980», dans *La nouvelle: écriture(s) et lecture(s)*, Toronto-Montréal, GREF-XYZ, 1993, p. 137-146.

l'immense mérite de systématiquement (re)situer la production actuelle dans le contexte qui l'a engendrée.

Dans un circuit plus restreint, mentionnons *l'Année de la science-fiction et du fantastique québécois*, publié entre 1984 à 1994 par les éditions du Passeur. Dirigé héroïquement par Claude Janelle (avec, pour les premières éditions du moins, la collaboration de Jean Pettigrew), ce répertoire critique exhaustif des œuvres de fiction et de réflexion parues au cours de l'année dans les sous-genres concernés comptait parmi ses collaborateurs des gens du *fandom* mais aussi des écrivains et des chercheurs issus du milieu universitaire. Bisbilles et guerres de clochers mises à part, la recension systématique par Janelle *et al.* de la totalité de la production québécoise annuelle de science-fiction et de fantastique en livres, revues, journaux ou fanzines, permettait de prendre le pouls de ce milieu en perpétuelle effervescence et a constitué parfois, en particulier pour les nouvellistes qui en étaient à leurs premières publications, le seul écho critique à leur travail. On remarquera cependant la préséance des préoccupations esthétiques sur les formelles; règle générale, dans l'*ASFFQ*, les textes étaient davantage évalués en tant qu'œuvres de science-fiction ou de fantastique qu'en tant que nouvelles.

À la reconnaissance accrue de la nouvelle correspond la multiplication de prix et concours expressément destinés aux auteures et auteurs qui la pratiquent. La plus prestigieuse récompense accordée aux nouvellistes, le prix Adrienne-Choquette, fondé en 1980 par Simone Bussières, a été décernée à chaque année depuis 1981 sauf en 1982, 1986 et 1992. À l'origine, ce prix était remis lors du Salon du livre de Québec au «meilleur» recueil de nouvelles publié au Québec: les premiers lauréats ont été Gaétan Brulotte (*Le Surveillant*, 1981), Monique Proulx (*Sans cœur et sans reproche*, 1983), André Berthiaume (*Incidents de frontière*, 1984), J. Gagnon (*Les Petits Cris*, 1985). En 1987, la formule a momentanément changé et, pour les six années suivantes, l'Adrienne-Choquette couronna le meilleur manuscrit inédit soumis et destiné à être publié par les éditions de L'instant même: les lauréats de cette période furent Claude-Emmanuelle Yance (*Mourir comme un chat*, 1987), Bertrand Bergeron (à deux reprises: *Maison pour touristes*, 1988; *Visa pour le réel*, 1993), Normand de Bellefeuille (*Ce que disait Alice*, 1989), Jean Pierre Girard (*Silences*, 1990), Hugues Corriveau (*Autour des gares*, 1991). Depuis 1994, le prix, commandité par le mouvement Desjardins et conséquemment rebaptisé, récompense désormais un auteur de la «relève» (c'est-à-dire ayant publié au maximum deux titres): l'ont reçu à ce jour, Esther Croft (*Au commencement était le froid*, Boréal), Danielle Dussault (*L'Alcool froid*, L'instant même) et Françoise Tremblay (*L'Office des ténèbres*, VLB).

Du côté des concours, la radio de Radio-Canada, les revues *Stop*, *XYZ*, *Nouvelles fraîches*, mais aussi les magazines de science-fiction et de fantastique *Solaris* et *Imagine*..., la revue de littérature jeunesse *Lurelu*, l'hebdomadaire culturel *Voir*, en organisent bon an mal an. La liste des gagnants de ces innombrables concours constitue une sorte de gotha de la nouvelle moderne au Québec, le nom de «valeurs sûres» y revenant régulièrement. De même, le Grand Prix de la science-fiction et du fantastique québécois, décerné annuellement à un auteur œuvrant dans ces genres pour l'ensemble de ses publications de l'année, a comporté de 1988 à 1989 un volet «nouvelle» récompensant un texte publié en revue, en recueil ou en collectif.

Malgré toute cette vitalité, la nouvelle québécoise demeure peu fréquentée par le grand public; il y a plus, des éditeurs comme XYZ, qui continue de publier la revue du même nom, et L'instant même se sont vu obligés de diversifier leur pratique éditoriale et d'inaugurer des collections consacrées au roman ou même à l'essai. Quant aux éditeurs plus prestigieux, ils ne publient des recueils de nouvelles qu'à l'occasion et, la plupart du temps, il s'agit d'œuvres d'auteurs de la maison à qui l'on fait une fleur. Loi du marché? On le croirait bien. Car en dépit du prestige dont jouit la nouvelle depuis dix ans, le grand public québécois continue de lui préférer les «gros» romans et seuls les auteurs ayant connu le succès populaire avec une «brique» peuvent espérer voir leurs recueils figurer au palmarès des best-sellers: on citera pour preuve les exemples récents d'*Aurores montréales* de Monique Proulx et d'*Où vont le sizerins flammés en été* du comédien-romancier Robert Lalonde, tous deux parus en 1996.

6 — LA NOUVELLE QUÉBÉCOISE: ÉLÉMENTS DE BIBLIOGRAPHIE

Par souci de commodité, nous avons choisi de ne signaler que des recueils encore disponibles sur le marché et la plus récente édition dans les cas où il en existe plus d'une:

ALARIE, Donald, *Un homme paisible*, Montréal, Pierre Tisseyre, 1986.
——, *Les Figurants*, Montréal, Pierre Tisseyre, 1995.
ARCHAMBAULT, Gilles, *L'Obsédante Obèse*, Montréal, Boréal, 1987.
——, *Enfances lointaines*, Montréal, Boréal, 1992.
APRIL, Jean-Pierre, *Chocs baroques* (anthologie préparée par Michel Lord), Montréal, BQ, 1991.
AUDE. *Contes pour hydrocéphales adultes*, Montréal, CLF, 1974.
——, *La Contrainte*, Montréal, CLF, 1976.
——, *Banc de Brume ou les aventures de la petite fille que l'on croyait partie avec l'eau du bain*, Montréal, Du Roseau, 1987.
BARCELO, François, *Longues Histoires courtes*, Montréal, Libre Expression, 1992.
BEAUMIER, Jean-Paul, *L'Air libre*, Québec, L'instant même, 1988.
——, *Petites Lâchetés*, Québec, L'instant même, 1991.

BECCARELLI Saad, Tiziana, *Les Passantes*, Montréal, Triptyque, 1986.
BÉLANGER, Denis, *La Vie en fuite*, Montréal, Québec/Amérique, 1991.
BÉLIL, Michel, *Le mangeur de livres*, Montréal, Pierre Tisseyre, 1978.
——, *Déménagement*, Québec, Chasse-galerie, 1981.
——, *Chroniques de Razzlande*, Montréal, Logiques, 1990.
BELLEFEUILLE, Normand de, *Ce que disait Alice*, Québec, L'instant même, 1989.
BERGERON, Bertrand, *Parcours improbables*, Québec, L'instant même, 1986.
——, *Maisons pour touristes*, Québec, L'instant même, 1988.
——, *Transits*, Québec, L'instant même, 1990.
——, *Visa pour le réel*, Québec, L'instant même, 1993.
BERTHIAUME, André, *Incidents de frontière*, Montréal, Leméac, 1984.
——, *Presqu'îles dans la ville*, Montréal, XYZ, 1991.
BESSETTE, Gérard, *La Garden-party de Christophine*, Montréal Québec/Amérique, 1980.
BIBEAU, Paul-André, *Figures du temps*, Montréal, Triptyque, 1987.
BOSCO, Monique, *Boomerang*, Montréal, Hurtubise HMH, 1987.
——, *Clichés*, Montréal, Hurtubise HMH, 1988.
——, *Remémoration*, Montréal, Hurtubise HMH, 1991.
——, *Éphémères*, Montréal, Hurtubise HMH, 1993.
BOUCHER, Jean-Pierre, *Coup de fil*, Montréal, Libre Expression, 1991.
BOURNEUF, Roland, *Mémoires du demi-jour*, Québec, L'instant même, 1991.
——, *Chroniques des veilleurs*, Québec, L'instant même, 1994.
BROSSARD, Jacques, *Le Métamorfaux*, Montréal, BQ, 1988.
BRULOTTE, Gaétan, *Le Surveillant*, Montréal, Leméac, 1981.
——, *Ce qui nous tient*, Montréal, Leméac, 1988.
CARPENTIER, André, *Rue Saint-Denis*, Montréal, BQ, 1988.
——, *Du pain et des oiseaux*, Montréal, VLB, 1982.
——, *De ma blessure atteint et autres détresses*, Montréal, XYZ, 1990.
——, *Carnets sur la fin possible d'un monde*, Montréal, XYZ, 1992.
CHAMPAGNE, Louise, *Chroniques du métro*, Montréal, Triptyque, 1992.
CLOUTIER, Guy, *Ce qu'il faut de vérité*, Québec, L'instant même, 1994.
CORRIVEAU, Hugues, *Autour des gares*, Québec, L'instant même, 1990.
——, *Courants dangereux*, Québec, L'instant même, 1994.
——, *Attention, tu dors debout*, Québec, L'instant même, 1996.
COTNOIR, Louise, *La Déconvenue*, Québec, L'instant même, 1993.
CROFT, Esther, *La Mémoire à deux faces*, Montréal, Boréal, 1988.
——, *Au commencement était le froid*, Montréal, Boréal, 1993.
D'AMOUR, Francine, *Écrire comme un chat*, Montréal, Boréal, 1994.
DANDURAND, Anne, *La Louve garou* (en collaboration avec Claire Dé), Montréal, Pleine Lune, 1982.
——, *L'Assassin de l'intérieur/Diables d'espoir*, Montréal, XYZ, 1988.
——, *Petites âmes sous ultimatum*, Montréal, XYZ, 1991.
DAVIAU, Diane-Monique, *Dessins à la plume*, Hurtubise HMH, 1979.
——, *Histoires entre quatre murs*, Hurtubise HMH, 1981.
——, *L'Autre, l'une* (en collaboration avec Suzanne Robert), Montréal, Du Roseau, 1987.
——, *Dernier Accrochage*, Montréal, XYZ, 1990.
——, *La vie passe comme une étoile filante: faites un vœu*, Québec, L'instant même, 1993.
DÉ, Claire, *Le Désir comme catastrophe naturelle*, Montréal, L'Étincelle, 1988.
——, *Chiens divers et autres faits écrasés*, Montréal, XYZ, 1991.
DÉSY, Jean, *Un cadeau pour Cornélia*, Montréal, XYZ, 1990.
——, *Docteur Wincott*, Québec, Le Loup de Gouttière, 1996.
DUFOUR, Michel, *Circuit fermé*, Québec, L'instant même, 1989.
——, *Passé la frontière*, Québec, L'instant même, 1991.
——, *N'arrêtez pas la musique!*, Québec, L'instant même, 1995.
DUSSAULT, Danielle, *L'alcool froid*, Québec, L'instant même, 1994.
——, *Ça n'a jamais été toi*, Québec, L'instant même, 1995.
DUTRIZAC, Benoît, *Sarah la Givrée*, Québec/Amérique, 1991.

FERRON, Jacques, *Contes*, Montréal, BQ, 1993.
FERRON, Madeleine, *La fin des loups-garous*, Montréal, Fides, 1982.
——, *Un singulier amour*, Montréal, Boréal, 1987.
——, *Cœur de sucre*, Montréal, BQ, 1988.
——, *Le Grand Théâtre et autres nouvelles*, Montréal, Boréal, 1989.
——, *Le Chemin des dames*, Montréal, BQ, 1994.
GAGNON, Daniel, *Le Péril amoureux*, Montréal, VLB, 1986.
——, *Circumnavigatrice*, Montréal, XYZ, 1990.
GAGNON, J., *Les Petits Cris*, Québec/Amérique, 1985.
GAUVIN, Lise, *Fugitives*, Montréal, Boréal, 1991.
GIRARD, Jean Pierre, *Silences*, Québec, L'instant même, 1990.
——, *Espaces à occuper*, Québec, L'instant même, 1992.
——, *Léchées, timbrées*, Québec, L'instant même, 1993.
GOURDEAU, Gabrielle, *La Ballade des tendus*, Montréal, 1991.
——, *L'Âge dur*, Trois-Pistoles, Trois Pistoles, 1996.
GREIF, Hans-Jürgen, *L'Autre Pandore*, Leméac, 1991.
JACOB, Suzanne, *La Survie*, Montréal, BQ, 1989.
JOLICOEUR, Louis, *L'Araignée du silence*, Québec, L'instant même, 1987.
——, *Les Virages d'Émir*, Québec, L'instant même, 1990.
KATTAN, Naïm, *Dans le désert*, Montréal, Hurtubise HMH, 1974.
——, *Le Rivage*, Montréal, Hurtubise HMH, 1979.
——, *La Traversée*, Montréal, Hurtubise HMH, 1981.
——, *Le Sable de l'île*, Montréal, Hurtubise HMH & Paris, Gallimard, 1981.
——, *La Reprise*, Montréal, Hurtubise HMH, 1985.
——, *La Distraction*, Montréal, Hurtubise HMH, 1994.
LAFRANCE, Micheline, *Vol de vie*, Montréal, L'Hexagone, 1992.
——, *Le Fils d'Ariane*, Montréal, Typo, 1996.
LAHAIE, Christiane, *Insulaires*, Québec, L'instant même, 1996.
LALONDE, Robert, *Où vont le sizerins flammés en été*, Montréal, Boréal, 1996.
LEGAULT, Anne, *Récits de Médilhault*, Québec, L'instant même, 1994.
MAILLET, Andrée, *Les Montréalais*, Montréal, L'Hexagone, coll. Typo, 1987.
MAJOR, André, *La Folle d'Elvis*, Montréal, Québec/Amérique, 1981.
MARCEL, Jean, *Des nouvelles de la Nouvelle-France: histoires galantes et coquines*, Montréal, Leméac, 1994.
MARCOTTE, Gilles, *La Vie réelle*, Montréal, Boréal, 1989.
MASSICOTTE, Sylvie, *L'Œil de verre*, Québec, L'instant même, 1993.
——, *Voyages et autres déplacements*, Québec, L'instant même, 1995.
MATHIEU, Claude, *La Mort exquise*, Québec, L'instant même, 1988.
MAXIME, Lili, *Éther et musc*, Montréal, VLB, 1996.
NICOL, Patrick, *Petits problèmes et aventures moyennes*, Montréal, Triptyque, 1993.
——, *Les Années confuses*, Montréal, Triptyque, 1996.
PARENT, Nathalie, *J'ai des petites nouvelles pour toi*, Montréal, Tryptique, 1988.
PELLERIN, Gilles, *Les Sporadiques Aventures de Guillaume Untel*, Hull, Asticou, 1982.
——, *Ni le lieu, ni l'heure*, Québec, L'instant même, 1987.
——, *Principe d'extorsion*, Québec, L'instant même, 1991.
——, *Je reviens avec la nuit*, Québec, L'instant même, 1992.
PELLETIER, Francine, *Le Temps des Migrations*, Longueuil, Le Préambule, 1987.
PIAZZA, François, *Cocus & Co.*, Montréal, VLB, 1989.
——, *Les Valseuses du Plateau Mont-Royal*, VLB, 1991.
PIGEON, Daniel, *Hémisphères*, Montréal, XYZ, 1993.
PROULX, Monique, *Sans peur et sans reproches*, Montréal, Québec/Amérique, 1982.
——, *Aurores Montréales*, Montréal, Boréal, 1996.
RENAUD, Alix, *Dix secondes de sursis*, Sainte-Foy, Laliberté, 1983.
RENAUD, Jacques, *L'Espace du Diable*, Montréal, Guérin, 1989.
——, *Le Cassé et autres nouvelles*, Montréal, Typo, 1990.
RIOUX, Hélène, *L'homme de Hong-Kong*, Montréal, Québec/Amérique, 1986.
RIVIÈRE, Sylvain, *La Saison des quêteux*, Montréal, Leméac, 1986.
ROCHON, Esther, *Le Traversier*, Montréal, La Pleine Lune, 1987.

——, *Le piège à souvenirs,* Montréal, La Pleine Lune, 1991
SAINT-MARTIN, Lori, *Lettre imaginaire à la femme de mon amant*, Montréal, L'Hexagone, 1991.
SERNINE, Daniel, *Nuits blêmes*, Montréal, XYZ, 1990.
——, *Boulevard des étoiles* (2 vol.), Montréal, Ianus, 1991.
——, *Sur la scène des siècles*, Montréal, Ianus, 1993.
SÉVIGNY, Marc, *Vertige chez les anges*, Montréal, VLB, 1988.
SOMAIN, Jean-François, *Vivre en beauté*, Montréal, Logiques, 1989.
THÉORET, France, *L'homme qui peignait Staline*, Montréal, Les Herbes Rouges, 1989.
THÉRIAULT, Marie José, *L'Envoleur de chevaux*, Montréal, Boréal, 1986.
——, *Portraits d'Elsa*, Montréal, Les Quinze, 1990.
THÉRIAULT, Yves, *Cap à l'amour!*, Montréal, VLB, 1990.
——, *Contes pour un homme seul*, Montréal, BQ, 1993.
——, *L'Herbe de tendresse*, Montréal, Typo, 1996.
TREMBLAY, Françoise, *L'Office des ténèbres*, Montréal, VLB, 1995.
TREMBLAY, Michel, *Contes pour buveurs attardés*, Montréal, BQ, 1996.
TREMBLAY, Sylvaine, *Nécessaires*, Québec, L'instant même, 1992.
VAC, Bertrand, *Rue de Bullion*, Montréal, Leméac, 1991.
VAILLANCOURT, Marc, *Le Petit Chosier*, Montréal, Triptyque, 1995.
VIDAL, Jean-Pierre, *Histoires cruelles et lamentables*, Montréal, Logiques, 1991.
VIGNEAULT, Gilles, *La Petite Heure*, Montréal, Nouvelles Éditions de l'Arc, 1979.
VONARBURG, Élisabeth, *Ailleurs et au Japon*, Montréal, Québec/Amérique, 1991.
——, Janus, Paris, Denoël, coll. «Présence du Futur», 1984.
YANCE, Claude Emmanuelle, *Mourir comme un chat*, Québec, L'instant même, 1987.
——, *Alchimie de la douleur*, Montréal, Boréal, 1991.
YERGEAU, Pierre, *Tu attends la neige, Léonard?*, Québec, L'instant même, 1992.

Vincent Nadeau, pédagogue, dramaturge, traducteur, critique et romancier, est né en 1944, en Abitibi. Il fait ses études classiques chez les jésuites, son second cycle à l'Université de Montréal, et il poursuit ses études de doctorat à la Sorbonne, à l'École pratique des hautes études et à Normale Sup. Pédagogue de carrière, il enseigne brièvement à l'Université de Montréal, à l'École normale Jacques-Cartier, à l'Université d'Aix-Marseille, à l'UPN de Bogota et depuis 1970, à l'Université Laval où il est titulaire et où il a été directeur du département des littératures. Il joue un rôle très important dans la mise sur pied de recherches sur la paralittérature, ainsi que dans l'édition d'ouvrages médiatiques. En plus de collaborer à diverses maisons d'édition (Larousse, Éditions françaises, Centre éducatif et culturel), il anime des émissions à Radio-Canada, et il collabore à plusieurs revues de critique (*Voix et images*, *Hors cadre*, *Études littéraires*). Il fait paraître des ouvrages sur Marie-Claire Blais (1974), sur le *Phénomène IXE-13* (1989) et sur les best-sellers (1994); *La fondue* (roman) (1991); *Nous irons tous à Métis-sur-Mer* (roman), (1993); *Rivière des Outaouais* (récits d'enfance) (1994), et *La Carthagénoise* (traduction de l'espagnol) (1995). Depuis plus de vingt-cinq ans, Vincent Nadeau s'adonne à la recherche collective et subventionnée.

Stanley Péan, romancier et critique, est né à Port-au-Prince en 1966. Peu après, il suit ses parents à Jonquière. Après ses humanités, il voyage beaucoup; il a fait paraître jusqu'à présent sept ouvrages de prose romanesque et narrative dont *Le Tumulte de mon sang* (1991) qui lui a mérité le prix de la BCP. Les ouvrages en collaboration ne se comptent plus, parus tant à New York, en Europe, qu'au Québec. Il collabore activement au D.O.L.Q., à l'*Année de la science-fiction*, à *Images*, à *Lectures*, à *Québec français* et à *Solaris* ainsi qu'à de nombreuses émissions de radio et de télévision. Tout en dirigeant des numéros de la revue *Stop*, il prépare son doctorat en lettres à l'Université Laval.

Deuxième partie

Le roman de 1968 à 1996

Gilles Dorion

Les conditions dans lesquelles s'exerce la production romanesque de la décennie 1960 sont en prise directe avec l'évolution socio-politique du Québec, amorcée même avant la mort du premier ministre Maurice Duplessis (1959), et poursuivie par une volonté unanime et impatiente de changement. Un souffle puissant traverse la société québécoise, qui vit dès lors un état extraordinaire de fièvre collective. Tous veulent secouer la torpeur des Québécois endormis (n'a-t-on pas parlé de «grande noirceur»?), sclérosés, enfermés entre des balises morales étroites, encadrés par des tabous et des interdits édictés et entretenus par les dirigeants religieux et politiques. Ce mouvement incoercible, cette vague de fond, déferle sur le pays du Québec, bouscule tout sur son passage, renverse les valeurs établies, ébranle les préjugés, dans un immense effort de solidarité visant non seulement à dépoussiérer les idées reçues et à modifier les comportements individuels et collectifs traditionnels, mais aussi à les contester et à réclamer un nouvel état de choses. Le sentiment d'appartenance au Québec accompagne la crise d'identité qui s'était déjà produite dans la décennie précédente. Mais ce ne sont plus seulement des problèmes d'ordre psychologique et d'observation intérieure qui canalisent les efforts, mais une rupture définitive, fracassante même, avec le passé, qui oriente les esprits vers la modernité.

Les écrivains participent au premier chef à cette libération, en instruisant le procès des élites en même temps que celui de la ville, eux qui ont les premiers recouvré et exercé l'usage de la Parole. Tout écrire, tout dire sans oppression, sans contrainte, en rejetant d'avance toute censure morale et religieuse, ne va pas sans quelques excès et sans violence tant dans l'expression que dans les situations évoquées. Cette remise en cause radicale fait accéder soudainement et brusquement la société québécoise et sa littérature à la modernité, non sans des réactions d'étonnement, de stupeur et d'incompréhension de la part de certains critiques et observateurs farouchement ancrés dans le passéisme et la tradition. En même temps se développe un nouveau nationalisme, intransigeant, pur et dur, dont les grands ténors optent résolument pour un «État libre, laïque et socialiste», selon les termes mêmes de la revue *Parti pris*[1], chef de file des nouveaux idéologues et écrivains avec les revues *Liberté* et *Voix et images du pays*, aux noms évocateurs et rassembleurs. L'heure n'est plus au bavardage stérile, aux hésitations peureuses, mais à l'action énergique, efficace et immédiate. Les liens tissés entre la politique et la littérature sont très serrés, encore qu'il faille bien se garder de juger la littérature romanesque du Québec seulement à l'aune de la vie politique de l'époque. Il reste que les André Major, Jacques Renaud, Laurent Girouard, Claude Jasmin et Gérald Godin galvanisent les énergies autour d'un projet collectif et entraînent la plupart des faibles, des indécis, des irrésolus, dans leur sillage, tout en exploitant à fond les moyens dont ils disposent. Leurs thèmes de prédilection et l'idéologie de contestation et de revendication qu'ils favorisent se développent en rapport avec l'aliénation politique, économique et linguistique du Québec. De plus, ils optent nettement pour une nouvelle écriture qui rompt avec les formes traditionnelles et qui adopte une structure éclatée, comme le suggère le «nouveau roman» alors en vogue en France. Pour bien comprendre le roman québécois de la fin de la décennie 1960, il importe donc de se rappeler la conjoncture socio-politique dans laquelle il évolue.

L'accès à la modernité

Cette époque fébrile, qu'un journaliste torontois[2] a le premier appelée «The Quiet Revolution», se répercute bien entendu dans les œuvres d'imagination, avec l'immense pouvoir d'affabulation des romanciers. Gardons-nous de croire, cependant, que le roman est le miroir ou le reflet[3] fidèle de la société qui l'engendre, mais insistons sur le fait indéniable que ce miroir ou ce reflet subit des déformations plus ou moins importantes propres à toute œuvre romanesque. Celle-ci ne saurait être une photographie exacte du réel même si le romancier crée des effets de réel, c'est-à-dire s'il fait en sorte que les événements, les personnages et les espaces qu'il représente soient vraisemblables et manifestent un air de conformité avec la réalité.

[1] *Parti pris*, vol. I, n° 1 (octobre 1963), «Présentation», p. 4.
[2] Il s'agit de Thomas Sloane.
[3] Voir Monique Lafortune, en bibliographie générale.

En 1968, le Québec se trouve à la fin de la Révolution tranquille et la littérature romanesque, comme les autres genres, poursuit sur sa lancée dénonciatrice. On y fait le procès de la ville inhumaine, aliénante, impersonnelle et sans âme qui laisse les pauvres et les démunis dans le désarroi. Les romanciers développent leurs thèmes revendicateurs dans une écriture en révolte, qui emploie volontiers le «joual», sorte de déformation et de dégradation du français parlé, avec désarticulation de la syntaxe, invasion d'anglicismes adaptés à la québécoise, de mots estropiés, en un mot une langue de colonisés que des poètes comme Gaston Miron et Jacques Brault ont appelée «une langue humiliée[4]».

Si Victor-Lévy Beaulieu, par exemple, dès *Mémoires d'outre-tonneau* (1968), use de ces thèmes et de cette langue, puis continue de le faire dans *Race de monde!* (1969) et *La nuitte de Malcomm Hudd* (1969), en en généralisant l'emploi couplé à des scènes de violence et de sexe, si André Major récidive, d'une façon plus modérée, dans *Le vent du diable* (1968), et Claude Jasmin, dans *Rimbaud, mon beau salaud!* (1969), des romanciers comme Hubert Aquin, Jacques Ferron, Yvette Naubert, Gilles Archambault, Louise Maheux-Forcier, Claire Martin, Jacques Poulin et nombre d'autres refusent de s'engager dans cette voie qui leur semble conduire à une impasse et qui les coupe d'un lectorat étranger.

Après *Prochain épisode* (1965), aux accents révolutionnaires, Aquin écrit dans la même veine *Trou de mémoire* (1968), puis *L'antiphonaire* (1969) où la recherche formelle accompagne une multiplicité d'intrigues placées sous le double signe de l'érudition et du sexe. Quant à Jacques Ferron, il développe dans *La charrette* (1968) un conte qui n'est pas sans rappeler le rêve politique et fantaisiste de *La nuit*, paru en 1965 dans sa première version. Il livre ensuite, dans le même ton, *Le ciel de Québec* (1969), foisonnant de personnages et de péripéties, sorte d'épopée drolatique et même burlesque de l'histoire du Québec, une des œuvres les plus importantes de la littérature narrative de la décennie soixante.

Entre temps, après une entrée littéraire politiquement engagée avec *Mon cheval pour un royaume* (1967), un roman d'apprentissage qui annonce tout de même sa manière, Jacques Poulin amorce avec *Jimmy* (1969), un roman de la merveilleuse enfance confrontée au monde plutôt indifférent des adultes, dans lequel les personnages sont en quête de la tendresse («de la tendresse, crotte de chat![5]») au moyen d'une écriture discrète, minimaliste et pleine d'émotion retenue, une œuvre marquée par la difficile communication entre les êtres. Gilles

---

[4] Voir, entre autres, les articles de Gaston Miron et de Jacques Brault dans différents numéros de *Parti pris*.

[5] POULIN, Jacques, *Jimmy*, Montréal, Éditions du Jour, 1969, p. 158.

Archambault exploite la même veine dans des romans intimistes qui s'apparentent à l'autobiographie, comme *Le tendre matin* (1969), ayant déjà publié *Une suprême discrétion* (1963) et *La vie à trois* (1965).

Louise Maheux-Forcier met fin à sa trilogie commencée en 1963 avec *Amadou*, continuée en 1964 avec *L'île joyeuse*, en publiant *Une forêt pour Zoé* (1969), qui, selon les termes de Jean-Pierre Duquette[6], est une «célébration douce-amère du *château en ruines* de l'enfance». Quant à Claire Martin, elle fait paraître son dernier roman, *Les morts* (1970), qui aborde encore le thème des amours contrariées.

Un peu à part, il faut mentionner Yves Thériault, un vieux routier de l'écriture (depuis 1944), pour qui la décennie 1960 représente une période d'intense production: neuf ouvrages en tout, dont sept nouveaux romans, pour les années 1968-1969 seulement, sur un total de 22 titres, ce qui en fait l'auteur le plus prolifique de cette époque. Son œuvre continue de traiter autant des Amérindiens (*N'tsuk, Mahigan*), des Inuits (*Tayaout*), que des Blancs (*La mort d'eau, Antoine et sa montagne*) et exploite les conditions de vie des diverses ethnies ainsi que les rapports difficiles entre les personnages.

Yves Thériault

L'œuvre romanesque de Marie-Claire Blais s'inscrit encore dans la problématique de la condition humaine et marque un moment fort de la littérature du Québec à partir des années 1960, surtout après la parution d'*Une saison dans la vie d'Emmanuel* (1965), prix Médicis 1966, un roman au réalisme cru qui présente une fresque extrêmement dure et impitoyable de la société québécoise aux prises avec la guerre, la misère et la pauvreté sordide, une image subliminale d'un Québec protégé tant bien que mal par un personnage à la stature gigantesque représenté par Grand-mère Antoinette. Entre 1968 et 1970, paraît la trilogie des *Manuscrits de Pauline Archange* qui déplace 1e problème de la survie vers celui de l'écriture, ou plutôt vers la lutte entre la vie et l'écriture, comme Jacques Godbout l'avait fait, à sa manière, dans *Salut Galarneau!* et le fameux «vécrire». Par ailleurs, le style de Blais se rapproche sensiblement de l'écriture du «nouveau roman» français avec ses descriptions appuyées des *realia* (les choses courantes) et de phrases librement ponctuées cherchant à imiter le mouvement intérieur de la pensée.

Réjean Ducharme, pour sa part, après son célèbre premier roman édité, *L'avalée des avalés* (1966), publie en 1968 le premier qu'il ait écrit, *L'océantume*, qui présente des parentés évidentes entre les deux: le thème de la révolte et une écriture truffée d'acrobaties stylistiques et linguistiques traversées de multiples jeux de mots et de calembours, signes certains d'une tentative de renouveau de l'expression. Peut-être faut-il y voir aussi une tentative de camouflage, parfois ironique,

Réjean Ducharme

[6] DUQUETTE, Jean-Pierre, Préface à *Une forêt pour Zoé*, Montréal, Typo roman, 1996, p. 7.

parfois persifleuse ou amère en raison du mal de vivre de ses personnages. On y retrouve le même désir d'innocence, le même refus du monde des adultes, la même soif exacerbée de tendresse. Quant à *La fille de Christophe Colomb* (1969), ce roman tranche par sa présentation versifiée (233 pages de quatrains) et par son message fantaisiste aux limites du fantastique. Il verse dans une satire sombre et plutôt pessimiste de l'humanité supplantée par le monde animal.

THÈMES, TENDANCES ET COURANTS (1970-1996)

Après la liquidation du passé, on assiste à l'émergence de nouvelles valeurs, à savoir la libéralisation de la pensée, le nivellement des classes, la démocratisation du système social, en particulier dans le monde de l'enseignement, la prise de parole dans une langue enfin libérée. Faire état des principales tendances, des thèmes récurrents et des courants majeurs qui traversent la production romanesque québécoise de plus de vingt-cinq ans d'écriture, voilà le but essentiel que je poursuis ici, dans un exposé forcément limité aux têtes d'affiche. Sauf exceptions justifiées, je ne verserai pas dans une énumération qui risquerait de tourner au catalogue, vu l'immensité de la production de l'époque, soit en moyenne une centaine de romans par année. Je me limiterai aux thèmes, tendances et courants suivants: la critique sociale, le pays, le roman psychologique, le roman au féminin, la révolution sexuelle, le carnavalesque, le mythe et le mirage américains, le roman historique, sagas familiales et best-sellers, le retour aux sources: l'enfance, la nature, l'Indien, l'écriture romanesque dans tous ses états, les écrivains «migrants», la nouvelle génération. Je fournirai à l'occasion des exemples qui serviront à illustrer mon propos.

La critique sociale

Plusieurs romanciers se livrent à une analyse critique d'une société étouffante, bien-pensante, stérile et hypocrite qu'avait déjà dénoncée Jean-Charles Harvey dans ses *Demi-civilisés* (1934). Pensons à Gilbert La Rocque, dont l'œuvre tout entière examine sans pitié les tares et les misères de la société urbaine malade, pourrie, déshumanisée (*Après la boue*, 1972, *Les masques*, 1980, *Le passager*, 1984), avec ses saletés morales et physiques, ses déjections, sa violence larvée, une œuvre de désespérance et de désillusion comme *Serge d'entre les morts* (1976), malgré quelques rares lueurs d'espoir. Marie-Claire Blais poursuit la même analyse impitoyable dans *Le sourd dans la ville* (1979), *Visions d'Anna ou le vertige* (1982) et *Soifs* (1995), en mettant en scène des êtres voués à l'incompréhension, à la souffrance et à la mort:

> [...] il y avait toujours le souvenir de cette creuse sensation de soif que Renata avait ressentie, quand, sous le vol des corneilles, glissaient sur l'eau les bateaux rieurs, au contact de la soif, lorsqu'elle était présente dans les vies, tous les êtres vivants tremblaient, ils comprenaient combien ils étaient mortels, c'était la frayeur pour les uns et les autres, les animaux en périssaient qui pouvaient moins bien s'en défendre que nous, pensait Renata, parmi ces prestigieux palais de Venise, leurs façades de marbre, sous ses basiliques, près du Grand Canal, dans la densité de ses maisons colorées sur l'eau, un détail humiliant ne rappelait-il pas à Renata cette lamentable soif dont on pouvait mourir, derrière une porte de fer où les hommes évacuaient leurs urines, dans cette architecture gothique si précieuse, un chat assoiffé errait, ses flancs plaqués contre ses os, il irait derrière la porte de fer, rampant vers l'eau excrémentielle de la vie même, si seul dans la vaste lumière de l'après-midi vénitien quand les cloches n'annonçaient plus l'arrivée de ces riches voyageurs qui autrefois l'avaient peut-être abreuvé et nourri, seul dans ce grandiose paysage, il périrait peut-être de cette lancinante soif, cette creuse sensation de soif qui atteignait les sens, qui était pour chacun le signe de la lente altération des forces vitales, du sournois déclin vers la mortalité.
>
> Marie-Claire Blais, *Soifs*,
> Montréal, © Boréal, 1995, p. 247-248.

Marie-Claire Blais

L'observation critique de la société se retrouve également sous la plume de Claude Jasmin, qui touche à la petite histoire en décrivant la vie quotidienne d'un quartier populaire de Montréal (Villeray) et compose en quelque sorte un véritable «album de famille[7]», qu'il s'agisse de la trilogie parue sous le titre générique de *La petite patrie* (1972 et ss.), ou de *La sablière* (1979), retitrée *Mario* (1985), à forte teneur psychologique. Roch Carrier ne s'était-il pas fait, lui, le défenseur d'un quartier défavorisé de Montréal voué à la démolition pour permettre le passage d'une autoroute, dans *Le deux-millième étage* (1973)? Et Godbout ne s'était-il pas porté à la défense de l'écologie menacée dans *L'isle au dragon* (1976), l'Île Verte, où des Américains voulaient entreposer des déchets atomiques? Jean-Jules Richard fait lui aussi part de ses préoccupations socio-politiques dans les sept romans qu'il publie de 1970 à 1973, dont *Faites-leur boire le fleuve*. Michel Tremblay se lance dans une longue suite romanesque en cinq tomes intitulée «Chroniques du Plateau Mont-Royal», dans laquelle il décrit avec réalisme le milieu populaire des années 1940, entre autres la faune des homosexuels et les acteurs de théâtre.

Victor-Lévy Beaulieu, au moyen d'une œuvre colossale, lance lui aussi des signaux de détresse devant cette société malade, gangrenée, où le sexe, la violence, l'alcool et la drogue semblent régler la conduite des femmes et des hommes. On a le choix de puiser à l'un ou l'autre des volets de «La vraie saga des Beauchemin», par exemple dans *Race de monde!* dont le point d'exclamation du titre de la première édition marquait une interjection agressive, empruntée au langage populaire et

[7] DORION, Gilles, «L'œuvre de Claude Jasmin. Un album de famille», dans *Québec français*, nº 65 (mars 1987), p. 33-35.

que l'on trouvait déjà dans la bouche de Didace Beauchemin dans *Le survenant* (1945) de Germaine Guèvremont[8]. On suivra également le périple des «Voyageries», entre autres dans le «romaman» *Una*, ou bien on relira les «Autres romans», dont *Un rêve québécois*, qui enclenche le thème du pays.

Le pays

En effet, quelques romanciers préfèrent élargir le débat en développant le thème du pays, un pays divisé et duel, par exemple sur le mode de l'ironie et de l'humour, comme Jacques Godbout. Son allégorie politique, en apparence invraisemblable et farfelue, mais saisissante de vérité, *Les têtes à Papineau* (1981), montre l'impossible dualité canadienne et québécoise mieux encore qu'il ne l'avait fait dans *Le couteau sur la table* (1965), qui laissait présager une coupure brutale entre les deux ethnies. Ce thème du pays, on le retrouve sous la plume piquante de Jacques Ferron, dont les mythologies fantaisistes séduisent, tel *Le salut de l'Irlande* (1970), qui se déroule à l'ombre de la «Loi sur les mesures de guerre» promulguée hâtivement par un gouvernement fédéral pris de panique lors de la Crise d'octobre 1970. Certains romanciers d'ailleurs, comme Yves Beauchemin, dans son premier roman, *L'enfirouapé* (1974), et Réjean Ducharme, dans *L'hiver de force* (1973), se placent dans la foulée de ce coup de force et mettent en scène des pauvres diables ou des «paumés» qui essaient tant bien que mal de survivre dans un pays déchiré, inquiet et insécurisant, un «pays incertain», comme disait Ferron. Deux romans d'Hélène Ouvrard, *L'herbe et le varech* (1977) et *La noyante* (1980), s'inscrivent dans la même problématique. Alors qu'Yvon Rivard traite le thème sur le mode théorique dans *L'ombre et le double* (1979), Jacques Renaud, sur fond d'ésotérisme, développe la thématique du «Québec libre» dans *Clandestine(s) ou la tradition du couchant* (1980). Mais, très vite, les romanciers québécois évacuent presque totalement cette problématique pour s'attarder au roman psychologique.

Le roman psychologique

Parmi les courants majeurs qui traversent la production romanesque depuis 1968 jusqu'en 1996, on est tenté de grouper plusieurs œuvres sous le titre rassembleur d'observation critique de la condition humaine, où les romanciers se penchent, parfois avec détachement, souvent avec compassion, sur les difficiles rapports entre les êtres et dénoncent l'incommunicabilité qui résulte des conditions de vie dans lesquels ils évoluent, et l'incompréhension mutuelle qui les divise et les oppresse. Les personnages recherchent le bonheur à travers la tendresse, l'amitié et l'amour. Ils tissent les liens qui unissent le monde de l'enfance à celui des adultes, et, conséquemment, s'intéressent au rôle

[8] GUÈVREMONT, Germaine, *Le survenant*, Montréal, Fides, 1968, p. 237 [1945].

que jouent ou devraient jouer le père et la mère dans la famille et la société. Bref, les romanciers sont préoccupés par les dimensions tragiques de la condition des êtres humains sur terre, que ponctuent trop souvent d'immenses cris de détresse.

Certains écrivains, tels Jacques Poulin et Gilles Archambault, expriment leurs questionnements avec une discrétion remarquable. Après *Jimmy*, Poulin se penche sur la difficile conquête de soi-même et des autres, depuis *Le cœur de la baleine bleue* (1971), en passant par *Les grandes marées* (1978), qui raconte l'expulsion sans ménagement d'un pauvre traducteur du monde qui gravite autour de lui, *Volkswagen blues* (1984), qui ne fait pas qu'explorer l'Amérique mais décrit les débats intérieurs du narrateur écrivain, jusqu'à ses plus récents où la chimère de l'être aimé semble s'évanouir dans le brouillard (*Le vieux Chagrin*, 1989) pour enfin prendre forme dans *La tournée d'automne* (1993). Ses romans, à la voix insistante mais discrète, rejoignent encore, dans une écriture minimaliste, presque elliptique par moments, le registre feutré des romans de Gilles Archambault, depuis *À voix basse* (1983) jusqu'à *Un homme plein d'enfance* (1996).

Le roman psychologique connaît alors une ampleur sans précédent. Une multitude de romanciers s'y livrent et examinent les multiples facettes de la condition humaine: amitié et amour, vie et mort, violence et haine, joies et peines, à travers d'incessants rapports de force et de vigoureuses luttes de pouvoir, analyse des misères de la société contemporaine, alcool, drogue, etc. Il est impossible de citer les milliers de titres qui ont paru depuis une génération mais, tout en devant écourter la liste des romans qui illustrent le mieux les innombrables pistes ouvertes à l'imaginaire, il convient d'en dresser un bref palmarès: Jacques Ferron (*L'amélanchier, Les roses sauvages*), Yves Thériault (*Moi, Pierre Huneau*), Suzanne Paradis (*L'été sera chaud, Un portrait de Jeanne Joron, Miss Charlie*), Victor-Lévy Beaulieu (toute son œuvre romanesque), Anne Hébert (*Les fous de Bassan, L'enfant chargé de songes*), Francine Noël (*Maryse*), Gabrielle Poulin (*Un cri trop grand* et *Cogne la caboche*), Robert Lalonde (*Le fou du père, Le petit Aigle à tête blanche*), Fernand Ouellette (*Tu regardais intensément Geneviève*), Jacques Brault (*Agonie*), Lise Vekeman (*Le troisième jour*), André Major (*La vie provisoire*), Jacques Godbout (*Le temps des Galarneau*), André Brochu (*La croix du Nord*), Nicole Houde (*Les oiseaux de Saint-John Perse*), Réjean Ducharme (*Dévadé, Va savoir*), Élise Turcotte (*Le bruit des choses vivantes*)... Tous les aspects de la condition humaine y sont traités, de la naissance à la mort, de l'enfance à la vieillesse, dans une perspective souvent pessimiste et angoissante, ainsi que le démontre cet extrait des *Roses sauvages* de Jacques Ferron, ce qui n'exclut pas l'optimisme, la joie de vivre et la chaleur de la tendresse de quelques-uns des romans cités:

> Une fois, par taquinerie, elle l'appela Baron et le surnom lui était resté car, loin de s'en piquer, il avait été plutôt flatté. C'était un beau grand jeune homme toujours bien mis, soignant son apparence sans ostentation, toujours poli et prévenant malgré son exubérance naturelle, mais surtout très avantageux; il prenait toute la lumière et ne parlait jamais de l'ombre. Dans la maison d'affaires où il était entré du collège, il avait obtenu de l'avancement; ses supérieurs appréciaient son travail et l'enthousiasme ingénu qu'il mettait à l'entreprise, parlant d'elle comme si elle était la sienne; sa situation restait modeste en comparaison de ce qu'elle deviendrait, assez belle déjà pour s'installer dans une banlieue respectable et épouser une jeune fille dont l'admiration pour lui l'avait séduit, qui l'aimait aussi sans doute, celle-là même qui l'avait appelé Baron pour le taquiner, non sans ironie et un peu d'agacement. Ils avaient emménagé ensemble avec la joie enfantine des jeunes gens qui se bâtissent une captivité comme s'il s'agissait d'un jeu; ils s'étaient mis au pas du voisinage dont ils ne connaissaient pas les gens mais voyaient l'unifamiliale à peu près de même style et de mêmes matériaux que leur si joli bungalow, s'appliquant à l'entourer de gazon et d'arbustes, seulement, ayant englouti toutes leurs économies dans l'achat de cette propriété, autant les siennes à lui que les siennes à elle qui, avant le mariage, avait travaillé et gagnait bien sa vie, ils avaient dû le faire avec très peu de moyens, y suppléant par leur ingéniosité, et ils avaient réussi de la sorte à se donner dans la rue une originalité par la verdure. En fin d'avril, chaque année, ils allaient se chercher dans le repoussis des champs abandonnés et les bois des alentours des arbrisseaux qu'ils transplantaient au seul prix de leur peine et qui repoussaient tous. Évidemment Baron s'en attribuait tout le mérite; il avait présidé à la tâche, choisissant les espèces, décidant de tout, et elle n'avait fait que l'aider avec une efficacité qu'il n'avait pas remarquée. Autour des ruines d'une maison de cultivateur, dans un bout de rang isolé où il ne semblait plus y avoir personne, ils avaient trouvé des lilas, des lys rouges, des cœurs-saignants et des roses sauvages. Les premiers allèrent dans la cour, mais Baron avait tenu à planter ces dernières sur l'étroite lisière de terre qu'il y avait entre les fenêtres de leur chambre et le rectangle d'asphalte où il mettait son auto. Les roses qui vivotaient depuis des années, peut-être depuis un siècle et même davantage, se trouvèrent ravigotées par la transplantation et se mirent à retiger si bien que la deuxième année, dès la troisième semaine de juin, moment de leur floraison, elles cachaient presque les fenêtres de la chambre qui désormais, jusqu'aux neiges, et d'une année à l'autre s'épaississant, s'en trouva de plus en plus assombrie.
>
> Jacques Ferron, *Les roses sauvages*,
> Montréal, © VLB éditeur & Succession Jacques Ferron,
> 1990, p. 25-26.

Le roman au féminin[9]

Il faut placer dans la foulée des interrogations sur la condition humaine l'immense déferlement de la littérature féminine/féministe depuis la décennie 1970. Les aspirations légitimes des femmes, longtemps refoulées dans «leurs» cuisines ou dans des emplois subalternes ou sous-rémunérés, ne pouvaient pas ne pas faire surface et s'exprimer

[9] On consultera avec profit Suzanne Lamy et Irène Pagès (dir.), *Féminité, subversion, écriture*, Montréal, Les Éditions du remue-ménage, 1983, 288 p., ainsi que Gabrielle Pascal (dir.), *Le roman québécois au féminin* (1980-1995), Montréal, Triptyque, 1995, 196 p.

dans des registres variés, avec véhémence et amertume souvent, dans tous les domaines d'activités, en particulier celui de la littérature, où elles ont l'occasion de faire entendre leurs voix. C'était inévitable et nécessaire, surtout depuis la création à Montréal, en 1970, du Front de libération des femmes. Celui-ci est suivi de la publication du *Manifeste des femmes québécoises* et du premier numéro de la revue *Québécoises deboutte!*, de la première célébration au Québec de la Journée internationale des femmes (1972), de la création du Conseil du statut de la femme (1973), de la rencontre internationale des écrivains sur le thème «La femme et l'écriture» (1975), de la fondation du journal *Les Têtes de pioche* (1976), qui deviendra *La Vie en rose* en 1980. Toutes ces manifestations, et beaucoup d'autres, ne sont pas restées lettre morte. L'engagement des femmes écrivains — des écrivaines — adopte plusieurs tons et plusieurs degrés. Certaines femmes revendiquent l'insoumission à grands cris, presque blasphématoires parfois, diraient les moralistes, à preuve *L'Euguélionne* (1976) de Louky Bersianik, sorte de Bible au féminin. Les pures de dures, fort engagées, condamnent sans rémission la société mâle qui les a asservies, corps et esprit, dénoncent une langue créée par et pour les hommes, témoins les noms de fonctions et de carrières ou métiers qui ne portent que la marque du masculin. Bersianik, d'ailleurs, s'en moque gentiment et avec humour en imaginant des féminins qui conduisent volontairement à des loufoqueries ou à des contresens. La satire, l'ironie et parfois le sarcasme emportent le morceau et permettent d'éviter l'invective. La parodie du *Banquet* de Platon, *Le pique-nique sur l'Acropole* (1979), autorise toutes les fantaisies et tous les défoulements:

> À mon avis, c'est une déviation masochiste pour les femmes que de faire l'amour avec les hommes, car la plupart d'entre elles n'en tirent pas ou peu de satisfactions. Pour commencer, les hommes ne présentent dans leur anatomie aucun organe spécifiquement conçu pour s'adapter au clitoris qui est l'organe féminin de la jouissance. Par contre, elles ont la super-magnanimité d'offrir une gaine au pénis, qui lui va comme un gant... En effet, tout se passe comme si nous étions constituées pour être en même temps le lieu et le véhicule de l'orgasme masculin, et le lieu de notre propre orgasme. Malheureusement, l'homme n'a ni lieu ni véhicule pour notre orgasme à nous. En ce sens, on pourrait parler de son incomplétude et pasticher une phrase célèbre en disant: *L'homme n'est pas toute.* Mais au lieu de le rendre modeste, cette constatation lui fait voir le clitoris d'un mauvais œil, voire d'un œil critique: il trouve ce clitoris bien gênant... pour lui! Ou bien il l'excise, ou bien il l'ignore, ou encore il assimile ce précieux organe à la peau insignifiante de son prépuce et il déclare que les femmes sont castrées! Il se trouve même des Ψ pour se scandaliser qu'on fasse campagne contre la clitoridectomie. Ils ne perçoivent cette atroce mutilation que comme une «humiliation», comme une «blessure symbolique» au même titre que la circoncision. Alors que c'est une blessure réelle, mortelle pour la sexualité, alors que c'est une véritable castration qui n'a rien de symbolique pour la femme, mais qui est nécessaire à l'ordre symbolique de la mâle domination patriarcale. Cet ordre symbolique, dit Édith, est un palindrome: qu'on le lise dans un sens ou dans un autre, la

Louky Bersianik

représentation se fait toujours au profit du mâle pour subjuguer ses peurs à lui, exorciser ses angoisses à lui, son complexe à lui de castration, ou d'infériorité vis-à-vis du pouvoir féminin de reproduction. Et cet ordre, il l'inscrit dans la chair des femmes à leur corps défendant, il ne veut voir ni entendre leur visage révulsé et hurlant, car c'est lui, c'est lui le plus fort! Pour conclure, dit Édith, je considère qu'il n'est pas déshonorant de s'unir à un homme si l'on veut se reproduire. En dehors de ce cas limite, je ne vois absolument pas l'intérêt qu'ont les femmes de coucher avec eux.

Louky Bersianik, *Le pique-nique sur l'Acropole*,
Montréal, © l'Hexagone, TYPO roman, 1992, p. 123-124.

Parmi les chefs (mot masculin!) de file, Nicole Brossard résume pour ainsi dire le credo féministe en deux phrases clefs dont l'une ouvre son roman *L'amèr ou le chapitre effrité* (1977): «J'ai tué le ventre» et dont l'autre est reproduite en quatrième de couverture: «Écrire *je suis une femme* est plein de conséquences».

Nicole Brossard

J'ai tué le ventre. Moi ma vie en été la lune. Moi ma mort. Trente ans me séparent de la vie, trente de la mort. Ma mère, ma fille. Mamelle, une seule vie, la mienne. Réseau clandestin de reproduction. Matrice et matière anonymes.

le même jour. Un sexe noir, un sexe blanc. L'un que je caresse, l'autre que je lave. La cyprine, l'urine. La jouissance et le travail comme versants d'une même unité. Vos corps, amante et fille. J'écris pour ne pas vous abîmer vos corps et pour y trouver mon vide, mon centre.

Les mesures de guerre. Internement par la matrice. Le corps de… comme un maillon perdu, retrouvé dans l'eau. Leur industrie de fantasmes lui ont fait perdre le sens de la réalité. Le corps de… pourrit. Il en récupère le fantasme. Corps recyclé.

un autre jour. L'alphabet. À l'origine. C'est que désirer m'y ramène sans cesse et fuite vers l'avant, c'est mon présent. Que peut-il en être d'une femme qui reconnaît le processus et qui, de fait, d'âge et d'histoire, de corps en rencontre l'inexorable?

Nicole Brossard, *L'amèr ou le chapitre effrité*,
Montréal, © l'Hexagone, TYPO roman, 1988, p. 19.

Brossard refuse la prise de possession du corps de la mère par l'homme (voir l'évident jeu sémantique: la mère, la mer, l'amer, avec tous les sens implicites qu'il comporte), elle renverse ou annihile l'opposition dominant/dominée et propose à la femme d'assumer désormais sa différence. Elle amorce ainsi une problématique de refus et d'insoumission, qui niera l'emprise traditionnelle de l'homme sur le corps de la femme et son assujettissement, pour ensuite prendre possession entière de son corps. Certaines féministes vont même jusqu'à couper entièrement les ponts avec les hommes, dans leur désir de se prendre en mains et d'assurer elles-mêmes leur destin, comme on le constate par exemple dans les deux romans de Bersianik.

Nombreuses sont les femmes qui ont suivi le mouvement sans toujours se rattacher nécessairement à une formule étroite et rigoureuse. Plus que jamais, en ce cas-ci, il faut éviter la tentative, dangereuse, simpliste et réductrice qui consisterait à nier ou à abolir les marges, c'est-à-dire les tendances mitoyennes ou modérées qui se sont exprimées à ce sujet. Citons, pour faire bonne mesure, les noms et les romans de plusieurs écrivaines dont les propos, fort variables en intensité et en émotion, se rattachent en quelque sorte aux revendications des femmes: Monique Bosco (*La femme de Loth*, 1970), Jovette Marchessault (*Comme une enfant de la terre I, Le crachat solaire*, 1975), Michèle Mailhot (*La mort de l'araignée*, 1972, *Veuillez agréer...*, 1975), Yolande Villemaire (*La vie en prose*, 1980), Madeleine Gagnon (*Lueur. Roman archéologique*, 1979), Germaine Beaulieu (*Sortie d'elle(s) mutante*, 1980), Anne Hébert (*Kamouraska*, 1970, *Les fous de Bassan*, 1982), Madeleine Ouellette-Michalska (*Le plat de lentilles*, 1979), Hélène Ouvrard (*L'herbe et le varech*), Suzanne Paradis (*Miss Charlie*, 1979), Marie-Claire Blais (*L'ange de la solitude*, 1989, *Soifs*, 1995), Josée Yvon (*Les laides otages*, 1990), Hélène Le Beau (*La chute du corps*, 1992, *Adieu Agnès*, 1993), Dominique Blondeau (*Alice comme une rumeur*, 1996) et beaucoup d'autres... Le colloque «Le roman au féminin» (1980-1995), tenu à l'Université McGill en 1995, révèle un parcours presque initiatique des femmes par rapport au corps et à l'écriture, à tel point que la libération de leur corps évolue bientôt vers sa prise de possession par la femme, puis vers l'érotisme, comme par exemple chez Pauline Harvey (*Pitié pour les salauds*, 1989, *Un homme est une valse*, 1992), et la pornographie chez Anne Dandurand (*Un cœur qui craque*, 1990). Le cheminement suggéré par la publication des actes du colloque est inscrit clairement dans les intertitres: «L'identité», «Le corps», «Au-delà du corps», «La passion», exclusion faite de «L'enfance» comme retour.

Anne Hébert

La sexualité

La libération sexuelle qui se produit dans la société québécoise depuis les années soixante se répercute automatiquement dans les œuvres de ses romanciers. Des gestes ordinaires de l'amour, on passe sans vergogne à toutes ses cérémonies intimes, quand on ne tombe pas dans des déviations de plus en plus courantes telles l'homosexualité masculine, le lesbianisme et pratiques assimilées, ou dans des violences physiques comme l'inceste et le viol. Le «singe nu», l'homme, triomphe dans tout son naturel. Quelques écrivains versent dans l'érotisme et la pornographie, cette dernière franchissant la barrière parfois ténue qui les sépare l'un de l'autre. Et surtout, les romanciers nomment les choses crûment, par leurs noms, ce qu'une société bien-pensante n'aurait jamais toléré auparavant.

L'expression la plus percutante de la sexualité se retrouve entre autres chez Victor-Lévy Beaulieu, Jean-Yves Soucy, Marie-Claire Blais, Louise Maheux-Forcier, Roger Fournier, Robert Lalonde et Michel Tremblay.

Toute l'œuvre de Beaulieu semble placée sous le signe du sexe: de *Race de monde!* à *Una*, de *Oh Miami, Miami, Miami* à *Steven le hérault*, d'*Un rêve québécois* à *L'héritage*, c'est le même acharnement que mettent les personnages à copuler sans arrêt, à se noyer dans des mares de sang et de sperme, pour tenter d'échapper à leur triste et pitoyable destinée, comme si ce moyen demeurait le seul exutoire, la seule échappatoire à leurs malheurs et à leurs déboires.

Dès son premier roman, *Un dieu chasseur* (1976), où le trappeur s'accouple avec une ourse, Soucy plonge dans l'animalité brute, voisine de la bestialité. Mais cet accouplement est vu par Mathieu comme une poussée instinctive spontanée et naturelle. L'écrivain développera le thème de la perversion dans le recueil de «récits» *La buse et l'araignée* (1988), jusqu'à la sexualité exacerbée, la totale prise de possession du corps, dans sa novella *Amen* (1988). Comparons les deux extraits suivants:

> Mathieu se redresse et inspecte le plateau. Il est seul! Seul avec une ourse qui ne sera bientôt plus que des quartiers de viande, une peau mise à sécher et une panse abandonnée aux renards et aux corbeaux. Mais en ce moment c'est encore chaud; c'est un ventre femelle encore vivant. Il glisse son index dans la vulve humide d'urine; à l'intérieur c'est brûlant et terriblement doux. L'homme baisse son pantalon, son sexe jaillit, raide et vibrant. Sans hésiter il le plonge entre les lèvres velues, au cœur de la chair mourante. Il agrippe ses doigts dans le poil, pompe avec ses reins, s'étend sur le corps moelleux et ferme les yeux. Un immense bien-être s'installe en lui qui ne réussit pas à assouvir son envie d'amour et de tendresse. Les femmes! Les femmes qu'il connaît à Mont-Laurier ont le cul tendre et brûlant elles aussi. Mais elles parlent tout le temps! Mais elles n'aiment pas; elles ne comprennent rien à l'âme de l'homme. Si le sperme coule, que ce soit sur le drap, sur leur ventre ou dedans, elles ont gagné leur argent. L'homme peut s'en retourner avec ses faims intactes, même grandies, elles ont gagné leur argent. On garde les yeux ouverts quand on travaille ces femmes-là.
>
> Sous ses reins en feu Mathieu imagine une femme au corps indéfini mais au sexe formidablement présent. C'est comme s'il s'accouplait avec toute la nature, avec les arbres, les mousses, les animaux, la terre et l'air; avec la Vie même. Une maîtresse toute-puissante qui dit: «Arrête de tuer une minute, cesse de courir, couche-toi sur mon ventre vert. Pénètre-moi, j'ai besoin de ta semence pour enfanter d'autres vies, pour faire des mondes. En retour je te bercerai, je t'endormirai, je t'aimerai. Tu oublieras un instant qu'il faut marcher, qu'il faut peiner, qu'il faut tuer».
>
> Jean-Yves Soucy, *Un dieu chasseur*,
> Montréal, © Les Presses de l'Université de Montréal, 1976, p. 13.

> Disparue la Marguerite Robitaille! Finie la maîtresse d'école guindée et corsetée. Finis les conventions et le respect. Finie la femme timide et réservée. Finie la femme. C'est une femelle que l'homme enlace. Une femelle en chaleur, une femelle d'animal qui désire une étreinte d'animal. Fébrilement ses doigts ouvrent la combinaison de l'homme, l'écartent. Elle lime ses seins sur la peau rude et velue du mâle. Ses lèvres cherchent les lèvres, les trouvent, les saisissent; elle s'enivre du souffle chaud. Mathieu glisse ses mains le long du corps offert, caresse et palpe; tour à

> tour effleure ou broie. Entre ses doigts, les seins se tordent et fuient, les mamelons durcissent et roulent. Marguerite saisit le membre-racine, le sort, le frotte sur son sexe qui fait mal. Mathieu la soulève, la porte et la dépose sur le lit. Et il la monte comme il n'a jamais monté une femme: rudement, brusquement, bestialement.
>
> Elle ploie, s'ouvre, l'accueille, l'agresse de sa croupe.
>
> L'homme sent des rivières et des fleuves qui coulent en lui; les troupeaux qui le broutent; des meutes qui y courent. Il se gonfle, se distend, engloutit la forêt, le pays, déborde la terre. Tous les soleils et toutes leurs planètes accourent s'engouffrer en lui. Le voici univers, le voici Mâle suprême.
>
> Et il saillit la femelle, deux fois, trois fois, jusqu'à épuisement. Jusqu'à ce qu'il ne soit plus qu'un homme haletant à côté d'une femme assouvie.
>
> *Ibid.*, p. 106.

Chez Blais, après la démonstration misérabiliste en même temps que compatissante d'*Une saison dans la vie d'Emmanuel*, où les enfants se livrent à des débauches d'adolescents en puberté, où déjà la putain occupe une place contestée, on retrouve des personnages ambigus et ambivalents dans des romans fondés sur l'homosexualité masculine comme *Le loup* (1972) et sur le lesbianisme, dans *Les nuits de l'Underground* (1978), ou sur l'hétérosexualité initiatrice dans *Une liaison parisienne* (1975). Maheux-Forcier, quant à elle, présente aussi des amitiés féminines interdites et marginales dans des œuvres élégantes et passionnées (*Une forêt pour Zoé*, 1969, *Paroles et musiques*, 1973, *Appassionata*, 1978), où les êtres essaient d'assumer sans contraintes leurs désirs amoureux.

Dans *Le dernier été des Indiens* (1982) et *Le diable en personne* (1989) de Robert Lalonde, le sexe et la nature se donnent rendez-vous dans des scènes d'initiation décrites dans tous les détails avec une sensualité peu commune. Roger Fournier, de son côté, verse largement dans les secrets d'alcôve en décrivant des aventures tant extraconjugales que conjugales dans un climat de franche libération des tabous, de licence sexuelle presque totale (*La marche des grands cocus*, 1971, *Les cornes sacrées*, 1976, *Le cercle des arènes*, 1982, *Pour l'amour de Sawinne*, 1984). Il rejoint jusqu'à un certain point le rire gras et rabelaisien, le rire du ventre, de *La guerre, yes sir!* de Carrier. Déjà pointe ce que, depuis Mikhaïl Bakhtine, on désigne sous l'appellation de «carnavalesque».

Le carnavalesque

Selon Bakhtine[10], «le carnaval [...], c'est la vie même présentée sous les traits particuliers du jeu» (p. 15). «Le carnaval, c'est la seconde vie du peuple, basée sur le principe du rire. C'est sa "vie de

[10] BAKHTINE, Mikhaïl, *L'œuvre de François Rabelais et la culture populaire au Moyen Âge et sous la Renaissance*, Paris, Gallimard, 1990, 471 p. Voir l'Introduction, p. 9-67, surtout p. 15-16, 24-28.

fête"» (p. 16). L'auteur y ajoute plus loin «certains phénomènes et genres du vocabulaire familier» (p. 24), sobriquets, tutoiement, grossièretés, blasphèmes et jurons, obscénités et autres manifestations verbales. D'où un mélange de sublime et de grotesque, un renversement du tragique et du comique, du sérieux et du rire, une interaction des langages.

Jacques Godbout

Avant la Révolution tranquille, une telle disposition d'esprit aurait été presque impensable. Rappelons-nous pourtant l'exemple typique de cette dérogation irrespectueuse au discours officiel de l'idéologie dominante de l'époque, *Marie Calumet* (1904) de Rodolphe Girard qui, justement, encourut les foudres du clergé. Dénoncer les travers de la société en gardant ses distances au moyen d'un rire décapant, n'est-ce pas un moyen efficace pour mieux faire avaler la pilule? Les Rodolphe Girard, Arsène Bessette (*Le débutant*, 1914), Albert Laberge (*La Scouine*, 1918), Jean-Charles Harvey (*Les demi-civilisés*) l'avaient pratiqué à des degrés divers, autrefois, puis les Carrier (*La guerre, yes sir!*, *Le jardin des délices*), Blais (*Une saison dans la vie d'Emmanuel* et surtout *Un Joualonais, sa Joualonie*, 1973), Beaulieu (*Race de monde!*, *Monsieur Melville*, *Una*), Godbout (*D'amour, P. Q.*, *Les têtes à Papineau*), Ferron (*La charrette*), Antonine Maillet (*La Sagouine*, *Pélagie-la-charrette*, etc.).

Michel Tremblay représente à un haut degré une des formes du carnavalesque, le travesti(ssement): l'homme et la femme cachent leur déchéance derrière des masques pour dissimuler leur mal à vivre, leur douleur, leur angoisse, leur solitude, afin de retrouver des valeurs refuges désormais abolies ou disparues comme la famille, la religion, la morale, mais la société bien-pensante, encore vivace malgré ses avatars, semble leur refuser le bonheur auquel ils aspirent. De là une structure aux multiples ruptures, baroque, voisine du picaresque et du rocambolesque, où s'entremêlent les situations les plus bizarres ou loufoques, presque invraisemblables même, dans un procès(sus) de métaphorisation absolument hors norme, qu'une écriture aussi éclatée («sautée», «flyée», selon la terminologie postmoderne) accompagne dans des phrases plus ou moins enchaînées, à la ponctuation erratique ou nébuleuse, au vocabulaire carrément provocateur ou «néo-quelque chose». Par-dessus tout, un rire énorme, incommensurable, qui adopte les formes les plus irrationnelles ou déraisonnables, dérisoires souvent, de l'ironie, de la satire, légère, grinçante ou noire, de l'humour désaccordé, du sarcasme, qui traduisent on ne peut mieux, ou paradoxalement, la désinvolture, le désemparement ou la désespérance des personnages. Ceux-ci sont aux prises avec eux-mêmes et avec la vie, une vie souvent désordonnée et bouffonne qui les enserre et risque de les étouffer. La grimace et le rire leur donnent l'illusion, provisoire, de s'en sortir.

Le mythe et le mirage américains[11]

Pour échapper à ces milieux sclérosants(és), étouffants, invivables, pauvres et stériles, quoi de mieux que de chercher ailleurs, de se tourner vers l'Amérique, terre de toutes les illusions, terre des mirages et des espoirs insensés, vers l'Amérique des commencements avec ses mythes fondateurs, ou même antérieurs aux fondations, puis vers l'Amérique plus récente des promesses et des «miracles» du bonheur, de la richesse démesurée, des vastes espaces, du gigantisme séduisant, du Pouvoir et de la réussite? Plusieurs romanciers se lancent dans cette voie de l'errance, de l'Ailleurs, refusant un sédentarisme rapetissant (l'herbe paraît toujours plus verte et plus tendre chez le voisin — fable, mythe célèbre). Voyons quelques exemples.

Les personnages de Poulin, Jack et Pitsémine, la Grande Sauterelle, dans *Volkswagen blues*, un Blanc et une Amérindienne, refont le parcours des fondateurs de l'Amérique (continentale) pour retrouver leurs racines respectives, à partir de Gaspé, en suivant la «route des pionniers» — ainsi nommée selon la toponymie officielle québécoise avec ses pictogrammes représentant une roue de chariot —, puis ils empruntent l'Oregon trail (la piste de l'Oregon) et descendent jusqu'à San Francisco. Au cours de leur errance, ils découvrent une foule de symboles et de signes qu'ils essaient tant bien que mal de déchiffrer sans jamais y parvenir tout à fait.

Vingt ans après, s'inspirant du même livre *The Oregon Trail Revisited* de Gregory M. Franzwa, Carrier met en scène un Blanc, professeur d'histoire en instance de divorce, et un vieil Amérindien des États-Unis surnommé Petit Homme Tornade, qui donne son titre au roman (1996), dépossédé de ses biens aux dépens du profit «américain» tout-puissant. Ces personnages essaient l'un et l'autre, avec des objectifs différents mais qui finiront par s'entrecroiser d'une façon tout à fait inattendue, de remonter aux mythes fondateurs qui, au-delà de l'Histoire, trouvent leur origine dans la vieille Europe, en France particulièrement, mère de toutes les patries depuis au moins le Moyen Âge. Le périple qu'ils effectuent adopte un vaste mouvement de va-et-vient entre le Québec et les États-Unis, la France et les États-Unis, le Québec et la France, dont le romancier — ou le narrateur — noue habilement les fils les plus solides en recourant à divers «documents» historiques ou protohistoriques des «premières nations» autochtones qui ont déferlé par vagues successives sur d'immenses territoires vierges.

[11] Consulter l'étude de Jean Morency, *Le mythe américain dans les fictions d'Amérique. De Washington Irving à Jacques Poulin*, Nuit blanche éditeur, 1994, 261 p. Voir aussi le dossier «L'errance», dans *Québec français*, n° 97 (printemps 1995), p. 70-86.

L'historien suit encore la piste des explorateurs, aventuriers, missionnaires et prospecteurs à la recherche d'un autre monde aux richesses abondantes et prometteuses (l'or, le pétrole, les terres agricoles, l'eau, le gibier, les forêts...) aux mœurs «exotiques» et aux modes de vie primitifs.

Roch Carrier

> «Venu du Canada, par quels détours Joseph Dubois avait-il abouti au milieu des montagnes inaccessibles du Colorado?» se répétait Robert Martin. «Le fermier Dubois est probablement parti d'une campagne de la province de Québec. Pourquoi s'est-il dirigé vers le Colorado? Il a fait comme des milliers d'autres aventuriers venus des continents étrangers. Y aurait-il une voix qui circule comme un vent sur le monde pour chuchoter aux désespérés d'aller là où leur vie sera meilleure?» se demande l'historien. Quelle recherche à entreprendre! Quel moyen privilégié de s'immiscer dans l'âme de l'Amérique, de s'infiltrer comme un microbe curieux dans les fibres profondes du tissu américain! Quelle épopée! Raconter l'histoire du fermier Dubois raviverait la fabuleuse légende de millions de Canadiens français émigrés aux États-Unis.
>
> Des centaines de milliers de Canadiens français exploraient les sentiers de l'Illinois, de l'Indiana, du Wisconsin, de l'Arkansas, de la Californie, du Nouveau-Mexique et de la Louisiane. Ils inventaient les métiers qu'il fallait pour survivre. Un Ruelle découvrit l'or de Sutter Mills, ce qui déclencha la ruée de centaines de milliers d'aventuriers en Californie. À Santa Fe, au Nouveau-Mexique, les premiers commerçants furent des Canadiens français comme Henri Mercure, né à Québec. Le célèbre Frémont, qui conduisit en 1840 une expédition scientifique dans l'ouest des États-Unis, fut guidé par des Canadiens français. Des Canadiens français ont combattu les Mexicains pour consolider la domination des États-Unis sur la Californie. Ménard, un riche Canadien français, se fit construire un château à Gavelston, au Texas. Chabot, qui n'avait pas longtemps fréquenté l'école de son village québécois, est devenu millionnaire après avoir inventé des systèmes hydrauliques. C'est lui qui installa dans la ville de San Francisco son premier système d'approvisionnement en eau. Aubry établit le premier réseau de circulation commerciale entre la Californie et le Nouveau-Mexique. Né à Maskinongé, au Québec, il est mort en 1854, à l'âge de trente ans, tué par l'homme avec qui il avait une chaude discussion au sujet de l'endroit le plus approprié où tracer le futur chemin de fer vers Santa Fe. Exaspéré par ses arguments tenaces, son interlocuteur lui enfonça son couteau en plein cœur. Un autre Canadien français, Nadeau, faisait le transport de l'argent et du plomb en Arizona, au Nevada et en Californie; il possédait cent mules et une centaine de chariots à hautes roues cerclées d'acier. Aurait-on appelé Provo cette ville de l'Utah si le trappeur Provost, un autre Canadien français, n'avait pas le premier posé ses pièces à cet endroit?
>
> Ces hommes, sans avoir chaussé les bottes de sept lieues du géant, ont parcouru comme le Petit Poucet du conte de vastes étendues. En passant, ils distribuaient des noms français aux rivières, aux vallées, aux montagnes, aux villes nouvellement surgies. Robert Martin s'est penché ce matin sur ses cartes géographiques pour relever les noms français que ces hommes rudes à la langue belle ont laissés sur leur passage et qui ressemblent à des fleurs précieuses: Nez Percé, Washington; Fort Défiance, Arizona; la rivière Purgatoire, Colorado; le lac Pomme de terre, Missouri;

Roch Carrier, *Petit Homme Tornade*,
Montréal, © Stanké, 1996, p. 20.

> la rivière Bon Beurre, Missouri; la rivière Qui Court, Missouri; Cache à poudre, Colorado; Plume Rock, Wyoming; Bruneau Dunes, Oregon; Bellefontaine, Ohio; Bonne terre, Missouri; Crèvecœur, Illinois; Pigeon, Michigan; Grand Téton, Montana; la rivière Marais de Cygne, Kansas; Terre Haute, Indiana; Missouri; les monts Cœur d'Alène, Montana; Belle Vallée, Ohio; Pend Oreille, Idaho; Poteau, Oklahoma; le lac Malheur, Oregon; Racine, Wisconsin; Grande Prairie, Texas; Des Plaines, Illinois; Gros Ventre, Wyoming; Belle Fourche, Dakota du Nord; Eau Claire, Michigan; Des Moines, Nouveau-Mexique; Ledoux, Nouveau-Mexique; Bouse, Arizona... Ces noms français ont été distribués par des aventuriers fatigués, affamés, égarés et ivres de rêves. Les gens qui les répètent aujourd'hui font écho à ces voix disparues. Ces noms français qui flottent sur la mémoire du temps sont les belles épaves de ces aventures englouties dans l'oubli.
>
> *Ibid.*, p. 82-83.

Godbout, à la suite d'un séjour d'études à Berkeley, en Californie, en plus de produire un documentaire filmé, *Comme en Californie* (1983), qui s'attache à décrire l'activité culturelle de cet État «américain» (peuplé d'ailleurs de dizaines de milliers de Québécois de souche), écrit *Une histoire américaine* (1986), dans laquelle un professeur canadien invité, mêlé à une sombre histoire de réfugiés clandestins d'Éthiopie, est finalement expulsé par les autorités, intraitables sur le rapport de l'intégrité du territoire et de son image. Monique Larue, dans *Copies conformes* (1989), et Lise Tremblay, dans *La pêche blanche* (1994) poursuivent la démythification du rêve américain.

Le roman historique

Les thèmes du pays et de l'Amérique entraînent forcément dans leur sillage les références à l'Histoire et suscitent une nouvelle vogue pour le roman historique, presque délaissé depuis Léo-Paul Desrosiers (*L'ampoule d'or*, 1951, son dernier), comme si tous les moments forts de l'histoire québécoise et canadienne avaient été revisités à fond: les exploits des explorateurs et missionnaires aux XVIe et XVIIe siècles, la Déportation des Acadiens en 1755, la Défaite de 1760, la guerre de 1812-1813 avec les États-Unis, les Rébellions de 1837-1838 au Haut et au Bas-Canada, la pendaison du chef métis de l'Ouest, Louis Riel, en 1885, et autres événements remarquables du XXe siècle tels les deux grandes guerres et la conscription forcée, la Révolution tranquille, la Crise d'octobre 1970... Or, si l'on en croit l'exceptionnel regain de vie du genre depuis 1980, il semble qu'on puisse revivre les mêmes moments en creusant davantage, en révélant des faits méconnus, en renouvelant les approches par un traitement encore plus accentué des personnages secondaires, en y alliant des figures imaginaires mais plausibles, en y accolant de plus en plus des aventures amoureuses qui gravitent autour de personnages principaux et de personnes/personnages historiques réels et, enfin, en faisant en sorte que le narrateur (double du romancier, en l'occurrence) réinvestisse les événements socio-politiques qu'il raconte. Il est facile de reconnaître ce réinvestissement dans la manière avec laquelle il rapporte et décrit faits et personnages, le degré de son implication dans l'histoire, ses prises de position, une subjectivité que l'historien ne peut se permettre. Le romancier historique n'est pas neutre, malgré les efforts apparents que met le narrateur/romancier pour paraître objectif. Ses prises de position ne peuvent faire autrement que ressortir, ne serait-ce que par l'arrangement de la matière romanesque, la présentation des personnages et de leurs projets, la narration de leurs actions et exactions, mais également par des intrusions, des apartés, des jugements portés explicitement sur leurs attitudes et comportements. On rappelle souvent, à cet égard, les commentaires de Marguerite Yourcenar dans ses «Carnets de notes des *Mémoires d'Hadrien*», commentaires qui font autorité et justifient la pertinence du genre: «Ceux qui mettent le roman historique dans une catégorie à part oublient que le romancier ne fait jamais qu'interpréter, à l'aide des procédés de son temps, un certain nombre de faits passés, de souvenirs conscients ou non, tissus de la même matière que l'Histoire[12]». «De notre temps, ajoute-t-elle, le roman historique, ou ce que, par commodité, on consent à nommer tel, ne peut être que plongé dans un temps retrouvé, prise de possession d'un monde intérieur[13]». À ce propos, il est nécessaire de rappeler que les objectifs des romanciers historiques forment un ensemble de constantes et de variables qui ont indiscutablement évolué au fil du temps: ranimer et reconstituer le passé dans un souci d'enseignement, de vulgarisation et de glorification de l'histoire (nationale), en la mettant à la portée de tous, attester et (r)établir la vérité historique en donnant au roman un ton incontestable de véracité et d'authenticité, présenter des modèles de vertus civiques et morales, enfin, proposer plus ou moins explicitement une interprétation valable des événements passés. Il va de soi que ces objectifs, reliés à un certain nombre de stratégies romanesques, forment les éléments essentiels d'un programme narratif cohérent. Généralement, les romans trouvent leur point de départ dans des événements importants de l'Histoire, mais il n'est pas exclu que l'un ou l'autre des écrivains s'attache à un moment «oublié». Dès lors, dans la mesure où le romancier souhaite que ses lecteurs trouvent crédibles les faits qu'il raconte, il doit au moins, s'il n'en peut attester l'authenticité et la véracité, respecter le caractère incontournable de la vraisemblance. Aussi les auteurs de romans historiques éprouvent-ils le besoin de justifier leur démarche et de nommer leurs sources, soit dans une préface, un avertissement ou une note.

[12] YOURCENAR, Marguerite, «Carnets de notes des *Mémoires d'Hadrien*», faisant suite à *Mémoires d'Hadrien*, Paris, Gallimard, Folio, 1974, p. 330.
[13] *Ibid.*, p. 331.

C'est Claire de Lamirande qui ouvre la voie, en publiant en 1980 *Papineau ou l'épée à double tranchant*, où elle insiste sur les questionnements inquiets du chef rebelle et de son entourage sur la solution de l'exil qu'il a choisie. Contrairement aux autres qui vont suivre, elle ne sent pas le besoin de justifier sa démarche. L'année suivante, Louis Caron amorcera sa trilogie demeurée célèbre des *Fils de la Liberté* (on en a même fait une série télévisée), parue sous les titres *Le canard de bois, La corne de brume* (1982) et *Le coup de poing* (1990), et qui parcourt l'histoire du Québec depuis les événements tragiques de 1837 jusqu'à la Crise d'octobre 1970. D'un tome à l'autre, l'auteur juge nécessaire d'expliquer son projet: «On aura compris que je ne cherche pas à faire œuvre d'historien. Je ne veux pas servir de cause politique non plus» (t. I, p. 10, de l'édition originale). Vérifions cette assertion:

Louis Caron

> — Vous savez aussi que le curé a fait enlever mon enfant parce qu'il me croyait indigne de l'élever. Je l'ai repris. Il n'a plus osé y toucher depuis. Faites la même chose. Ne vous laissez pas ôter ce que vous avez payé de votre sueur. Pour ceux qui ne le sauraient pas, je tiens à rappeler qu'il y en a parmi vous qu'on menace d'arracher à leur terre parce qu'ils ne peuvent pas verser leurs redevances. Et, pourtant, leurs pères l'ont largement payée de leur peine, cette terre. Et s'il leur manque quelques sous, au bout de l'année, pour satisfaire le seigneur, ce sont les gros marchands et les notaires qui devraient débourser pour eux. Mais, chaque fois qu'on commet une injustice à l'endroit d'un homme, c'est une dent nouvelle qui lui pousse. Un jour ou l'autre, il mordra.
>
> Hyacinthe se tut, étonné d'avoir tant parlé. Son regard croisa celui de son père. Ce qu'il y vit était de la peur. Il sauta en bas de la charrette. Le major l'interpella tandis qu'il s'éloignait:
>
> — Qui t'a chassé, Hyacinthe, de la terre que tu avais défrichée dans les Bois-Francs?
>
> — La misère.
>
> — La British American Land, rectifia Hubert. À qui appartient le quai du Port Saint-François? Le magasin général? L'auberge? À la British American Land. Et vous, vous êtes propriétaires de quoi? Vous n'êtes même pas chez vous sur la terre que vos pères ont défrichée de leurs mains. On vous laisse la faire fructifier avant de vous la reprendre.
>
> Louis Caron, *Le canard de bois*,
> Montréal, © Éditions du Boréal Express, 1981, p. 181.

Au début du deuxième tome, Caron affirme: «Comme dans *Le canard de bois*, j'ai tenté de ne pas trop prendre de libertés avec l'histoire, j'ai déjoué la chronologie seulement quand il était impossible de faire autrement et que cela n'altérait pas le sens des événements. Ce qui me permet de dire encore une fois que tout est vrai dans ce livre; je l'ai tissé avec la fibre naturelle des saisons et des émotions» (*La corne de brume*, Montréal, Boréal Express, 1982, p. 9-10).

Il complétera son argument dans l'avant-propos du troisième tome: «J'ai d'abord rassemblé un faisceau de faits connus, de façon à dessiner une toile de fond si précise que personne ne puisse douter de son authenticité puis, dans ce décor, j'ai jeté pêle-mêle des personnages imaginaires et l'ombre d'individus ayant réellement existé» (*Le coup de poing*, Montréal, Boréal, 1990, p. 9).

Voilà qui annonce et résume bien la pensée de (presque) tous ceux et celles qui pratiqueront le genre. Soulignons aussi que la plupart s'inspireront des Rébellions de 1837-1838. Y a-t-il un lien à établir avec la Crise d'octobre 1970? Très sûrement en ce qui concerne l'atmosphère d'insécurité et violence qui régnait à cette époque de même qu'en ce qui a trait à une «insurrection appréhendée», selon les communiqués officiels.

C'est en philosophe qu'il est que Pierre Gravel aborde le roman historique avec *La fin de l'Histoire* (1986), en tissant la trame de son «récit» avec de larges pans du *Journal d'un exilé politique aux terres australes* qu'a laissé Léandre Ducharme en 1845.

Feux de brindilles (1990) de Ginette Paris place à l'avant-scène une double histoire d'amour mettant en évidence un couple de serviteurs et un couple de «bourgeois», à l'ombre du deuxième épisode des Rébellions, en 1838-1839, avec les Frères chasseurs. Encore une fois, une «notice» sert à replacer les faits dans leur temps de même qu'à en souligner l'authenticité.

En 1987 et 1993, le journaliste Louis-Martin Tard livre deux imposants romans historiques, *Il y aura toujours des printemps en Amérique* et *Le bon Dieu s'appelle Henri*. Retenons la dédicace de son second roman à sa petite-fille: «Elle y trouvera une part de l'histoire de son pays et un roman d'amours: amour des êtres, amour de la liberté, amour des patries. C'est aussi le livre de l'indépendance rêvée et conquise, du souvenir perdu et retrouvé, le livre des fidélités qui sont la précieuse mémoire du cœur». De même, signalons les importantes sources bibliographiques qu'il cite à la fin de son roman, alors qu'il avait également tracé une carte géographique des lieux traversés (Canada et États-Unis).

Quant aux romans de Chrystine Brouillet, passée du roman policier au roman historique avec *Marie La Flamme* (1991), ils évoquent les débuts de la Nouvelle-France.

Ce n'est pas sans une compassion mutuelle qu'on lit *L'été de l'Île de Grâce* (1993) de Madeleine Ouellette-Michalska, qui raconte le destin horrible et tragique des milliers d'Irlandais frappés par le typhus et le choléra à bord des bateaux qui les amenaient vers la «terre promise», le Québec, à l'été 1847.

Les torrents de l'espoir (1995) de Pierre Turgeon, sous-titré *Les paradis perdus*, oppose vainqueurs et vaincus des Rébellions de 1837-1838 et exploite le désir de vengeance des Talbot, dépouillés de leur seigneurie de Chambly aux dépens du militaire arriviste Henry Black que le fils adoptif des Parker poursuivra de sa vindicte jusqu'aux confins de l'empire victorien. Un long prologue met en place «les morceaux du puzzle» qui serviront à écrire le roman, en particulier les abondantes et précieuses archives familiales datant du XIXe siècle.

Avec *Le roman de Julie Papineau* (1995) de Micheline Lachance, nous voici de nouveau mêlés à la Rébellion de 1837 mais, cette fois-ci, en suivant le destin personnel de la femme du chef révolutionnaire Louis-Joseph Papineau et celui de sa famille. Précédé d'un double arbre généalogique, ceux des familles Papineau et Bruneau (Julie), le roman s'ouvre après une importante «Note de l'auteur» qui résume son projet, présente des arguments attestant l'authenticité des lettres qu'elle reproduit, trace un rapide portrait de son héroïne et explique le point de vue qu'elle adopte. L'auteure cite finalement ses principales sources (p. 14), qu'elle détaille à la fin de son roman (p. 517-518), qualifiée de «biographie romancée» (p. 13), mais que la quatrième de couverture présente comme un «roman historique».

Enfin, *Les cahiers d'Isabelle Forest* (1996), de Sylvie Chaput, est le dernier en lice de cette abondante production. Encore une fois, les années 1830 servent de toile de fond au récit, qui s'ordonne autour de la figure du peintre québécois Joseph Légaré et de sa nièce Isabelle, qui fait son apprentissage de la peinture. La romancière donne une suite tout à fait originale et inattendue à l'histoire: les amours d'Isabelle et du romancier Philippe Ignace Aubert de Gaspé. Dans une «notice» finale, elle décrit ses sources et raconte les nombreuses démarches qui l'ont conduite dans son travail d'écriture.

Faut-il mentionner, à travers cette profusion d'œuvres, les romans de Jean-Alain Tremblay, *La nuit des Perséides* (1989) et *La grande chamaille* (1993), qui s'inscrivent dans l'histoire des luttes syndicales qui ont opposé les ouvriers du Saguenay à la Price Brothers au début du XXe siècle? Romans sociaux sur fond d'histoire et d'amour, rivalités patrons/employés, voilà la trame de ces deux romans, qui s'écarte des sources habituelles du genre.

Ne convient-il pas d'ajouter le roman «de fureur et de neige» d'Anne Hébert, *Kamouraska*, qui se déroule sur un arrière-plan historique? Ou même *Les fous de Bassan*? Et *Le chemin Kénogami* (1994) de Cécile Gagnon, *La très noble demoiselle* (1992) de Louise Simard et *Le secret d'Hélène* de Thérèse Cloutier (1994)? Et d'autres, cités plus loin sous un autre thème, tels les romans de Bernard Assiniwi, Pierre Goulet et Jean-Jacques Gagné? À quoi attribuer cette floraison exceptionnelle du genre historique au Québec? Au néo-nationalisme québécois qui veut retrouver ses sources et s'y retremper, en raison des nouvelles poussées indépendantistes qui se font jour? Au désir des romanciers de répondre aux goûts du jour en écrivant de longues fresques historiques ou des sagas familiales fondées sur la petite histoire? Aux lecteurs et lectrices de juger.

Sagas familiales et best-sellers

Il convient de rattacher aux romans du pays et de l'Amérique, ainsi qu'aux romans historiques, les nombreuses sagas familiales, qui se déroulent sur fond d'Histoire, et qui ont paru et continuent de paraître depuis les années soixante-dix. La plupart font d'ailleurs partie de la liste des best-sellers populaires et ont une caractéristique commune: un nombre considérable de pages ou de tomes. Ils répondent ainsi aux attentes d'un lectorat friand d'une abondance de personnages et de situations, de péripéties innombrables, où les personnages se heurtent dans d'interminables conflits familiaux ou politiques, se cherchent dans l'amour ou se fuient dans la haine. D'une façon générale, ces romans forment une fresque humaine et sociale reproduisant assez fidèlement — sur le mode de l'affabulation, de l'imaginaire, ne l'oublions pas — les préoccupations et les grands moments d'une famille, voire d'une époque. Plusieurs de ces œuvres ont été portées au petit écran dans des téléséries qui ont parfois tenu l'antenne pendant des semaines ou des années.

Victor-Lévy Beaulieu (encore!) a donné le coup d'envoi au genre avec «La vraie saga des Beauchemin», qui compte à ce jour (1996) six romans, depuis *Race de monde!* (1969) jusqu'à *Steven le hérault* (1985) et relate la vie quotidienne d'une famille rurale qui a déménagé à la ville. Il a poursuivi dans la même veine avec *L'héritage* (2 tomes, 1987 et 1991) en racontant les démêlés d'une autre famille, les Galarneau. Yvette Naubert, dans sa suite romanesque *Les Pierrefendre* (3 tomes, 1972-1977), suit les traces d'une famille confrontée à divers événements socio-politiques des années soixante tout particulièrement avec les violences felquistes, et, par analepse, les épisodes passés de l'histoire de la Nouvelle-France et du Québec. Jacques Lamarche, dans son roman en quatre tomes, *La dynastie des Lanthier* (1973-1982), raconte l'évolution d'une famille pauvre devenue riche et puissante après trois générations.

Arlette Cousture devient rapidement la grande vedette du genre avec les deux tomes (1985 et 1986) des *Filles de Caleb*, dont l'action, sur point de vue féministe, se déroule au début du XXe siècle, surtout dans des chantiers forestiers et en pays de colonisation. Présenté en télésérie, le roman obtient un succès phénoménal tant en France qu'au Québec. Cousture récidivera avec *Ces enfants d'ailleurs*, en 2 tomes également (1992 et 1994), en racontant l'histoire d'immigrés polonais. Ses sagas figurent parmi les grands succès de la littérature populaire.

Francine Ouellette, avec *Au nom du père et du fils* (1984) et *Le sorcier* (1985), développe, elle aussi, une saga familiale. Parmi les romans à grand succès, retenons encore, de Marthe Gagnon-Thibodeau, *Pure laine, pur coton, Le mouton noir de la famille* et *La boiteuse* (1994), et de Marcelyne Claudais, entre autres *Comme un orage en février* (1990) et *La grande Hermine avait deux sœurs* (1995). Enfin, devons-nous classer les trois derniers romans d'Yves Beauchemin, *Le matou* (1981), *Juliette Pomerleau* (1989) et *Le second violon* (1996) parmi les romans grand public, aux aventures baroques et aux péripéties multiples, ou parmi les romans psychologiques?

Yves Beauchemin

Retour aux sources: l'enfance, la nature, l'Indien

Est-ce par un urgent sentiment de nostalgie que le romancier de cette génération éprouve l'impérieux besoin de se retremper aux sources de son existence en effectuant un retour à son enfance ou à son adolescence, qu'il reconstitue par bribes de souvenirs personnels et d'anecdotes originales mettant en scène des événements qui l'ont initié à la vie, qui l'ont façonné, lui ou son narrateur-personnage? Les exemples abondent. Qu'on se rappelle, entre autres, *Il est par là, le soleil* (1970) de Roch Carrier, *Une chaîne dans le parc* (1974) d'André Langevin, *L'emmitouflé* (1977) et *Le bonhomme Sept-heures* (1978) de Louis Caron, les romans de Réjean Ducharme, *La sablière* (1979) et *Le gamin* (1990) de Claude Jasmin, *Les chevaliers de la nuit* (1980) de Jean-Yves Soucy, *Une enfance à l'eau bénite* (1985) de Denise Bombardier, *L'enfant chargé de songes* (1992) en plus des *Fous de Bassan* d'Anne Hébert, le cycle autobiographique, *Le cœur découvert* (1986), *Le cœur éclaté* (1993) et *La nuit des princes charmants* (1995), voire *Thérèse et Pierrette à l'école des Saints-Anges* (1980) de Michel Tremblay, *Dessins et cartes du territoire* (1993) de Pierre Gobeil.

Ce retour aux sources et aux années d'apprentissage s'effectue très souvent au sein de la nature accueillante, généreuse et pacifiante avec laquelle la communication s'établit d'une façon aussi constante qu'avant la Révolution tranquille. Depuis le développement du roman urbain, les romanciers et leurs personnages évoluent dans le milieu naturel ambiant, qui est une des marques les plus caractéristiques de la littérature romanesque québécoise. Celle-ci lui est restée fidèle, dans une proximité, un voisinage qui engendre une osmose toujours recherchée, toujours réalisée. Ce retour aux sources de l'enfance et de la nature s'accompagne fréquemment d'une rencontre avec l'Indien qui, lui, est demeuré dans son élément. Les cycles amérindien et inuit d'Yves Thériault en constituent, cela va de soi, la plus éclatante illustration. Nombreux ont été par la suite ceux qui ont introduit un ou des Indiens dans leurs romans. Jean-Yves Soucy, dès son premier, *Un dieu chasseur*, unit dans un destin commun le trappeur Mathieu Bouchard et l'Indien cri Philippe Saganash. Cette présence de l'Indien, on la retrouve dans *Una* et *Discours de Samm* de Victor-Lévy Beaulieu, où la

Montagnaise Samm voue un amour à la fois passionné et maternel à l'écrivain-narrateur de *Monsieur Melville*. Dans *Le canard de bois*, Louis Caron «accouple» Hyacinthe Bellerose et Marie-Moitié, une métisse dont la conduite est sévèrement réprouvée par le curé Mailhot. Dans *Au nom du père et du fils* de Francine Ouellette, Sam aime l'Indienne Biche Pensive, en dehors des liens du mariage.

Une célèbre figure d'Indien, celle de Pontiac, est ranimée par Bernard Assiniwi dans *L'Odawa Pontiac* (1994) et par Pierre Goulet dans *Le lys rouge* (1994), tandis que Jean-Jacques Gagné évoque les héros du Long-Sault et de leur chef opposés aux Iroquois dans *Dollard des Ormeaux. Le guet-apens* (1995). Dans le cas de ces trois romans historiques, le projet des auteurs n'est pas le même, on le devine: il sert plutôt à reconstituer une page de l'histoire canadienne.

Dans *Le dernier été des Indiens* (1982) et *Le diable en personne* (1989) de Robert Lalonde, l'adolescent subit des épreuves initiatiques des mains d'un Indien. Chez Jacques Poulin (*Volkswagen blues*), Pitsémine l'Amérindienne accompagne Jack dans sa traversée de l'Amérique à la recherche simultanée de ses origines et de l'écriture. De son côté, le personnage-historien de Roch Carrier entre en contact étroit avec un Indien de l'Arizona, Petit Homme Tornade, dans sa quête acharnée des ancêtres québécois établis aux États-Unis. Beaulieu, Poulin et Carrier ont ceci en commun que leur activité d'écriture dépend intimement des liens qu'ils nouent entre narrateurs et Amérindiens.

Soulignons enfin que la plupart des romans autobiographiques, écrits au «je», s'inscrivent dans la même problématique de retour aux sources, aux temps heureux ou malheureux de l'enfance et de l'adolescence, bref aux époques d'apprentissage indispensables menant au monde des adultes.

L'écriture romanesque dans tous ses états

Au cœur du questionnement de l'écrivain depuis la décennie 1960 se trouve le problème de l'écriture. Les nouvelles manières de penser, de réfléchir ne peuvent que déboucher sur une nouvelle conception et un exercice renouvelé de l'acte d'écrire. Bien entendu, ce sont les écrivains qui les premiers sont interpellés par cette question, tant les romanciers que les essayistes. En effet, les passages consacrés à la réflexion sur le sujet forment pour ainsi dire des enclaves dans les œuvres romanesques, des intrusions en quelque sorte où le romancier délaisse momentanément sa narration pour livrer un «essai» plus ou moins étendu sur le (son) travail de l'écrivain, l'écriture elle-même, les conditions dans lesquelles il s'effectue, les difficultés inhérentes à son métier. Le point de départ de cette réflexion réside la plupart du temps dans les difficultés qu'éprouve l'écrivain d'assumer la parole parmi de multiples formes d'expression. Son «message» souffre souvent d'interférences de tous ordres qui résultent de la difficulté pour l'écrivain de s'intégrer dans la société, vu que son travail exige silence et solitude, réflexion et approfondissement, qui semblent l'isoler de ses proches d'abord, puis de la foule, le distancier, l'éloigner à tel point que son attitude, son comportement, son mode de vie, sont incompris et méjugés, considérés comme dédaigneux ou hautains, ou hors de la norme habituelle. Le romancier doit concilier amour et travail, vie quotidienne et production, donc une rupture fréquente ou continuelle engendrant facilement incompréhension, difficulté de vivre «normalement». C'est ce qu'exprime avec angoisse Victor-Lévy Beaulieu dans plusieurs de ses romans, dont *Race de monde!, Don Quichotte de la démanche, Discours de Samm, N'évoque plus que le désenchantement de ta ténèbre, mon si pauvre Abel, Una, Monsieur Melville,* où l'on découvre le sentiment d'impuissance qui tenaille sans cesse l'écrivain. Celui-ci, déchiré entre son affection pour sa femme et ses filles et sa passion dévorante pour l'écriture, exprime son tourment intérieur dans le texte qui suit:

> Sans doute est-ce parce que *Melville* est terminé et que je me refuse à cette fin qui n'abolit pas le livre malgré tous les efforts que j'y mets, mais m'indétermine dans le présent. Une coquille, c'est ce que je suis devenu, et le vent qu'il y fait est si insoutenable que je creuse le manuscrit, pour m'y rouler dedans, comme si je voulais par cet acte manqué le ravaler alors que tout ce que j'ai pu faire, cela a été de le vomir, par grandes secousses furieuses, afin que la blessure dans mon estomac me laisse enfin tranquille. Comment être assez fou pour croire à de telles sornettes? Comment penser sérieusement qu'un livre fait peut être de quelque réconfort que ce soit quand il n'est venu que de la pesanteur qu'il y a dans les choses, en soi et hors de soi? Et s'imaginer qu'après son écriture, l'on pourra, délesté enfin de tout, s'asseoir sur le pas de sa porte et fumer sereinement sa pipe, n'est-ce pas là la pire des aberrations, celle qui voudrait qu'il y ait satisfaction de soi dans le fait d'écrire, et bien davantage: la traversée lumineuse des apparences, aussi bien dire la réconciliation? En arriver là c'est avouer qu'on n'est jamais venu au monde de l'écriture, sinon qu'en tromperie, donc pour de mauvaises raisons; l'écriture, même quand elle commence, ne peut être que l'écriture de la fin, celle de la mort qui, parce que se perpétrant enfin, s'y abolit, dans l'heureuse insignifiance de son être, faisant triompher le rien, ce qui a toujours été là et n'a été là que dans la déraison dont il est issu. Et lorsque cela s'est appris en soi, comment croire encore qu'il est possible, en écrivant, de le désapprendre, et de vivre enfin la vie de tous, dans la solidarité précaire bien que banalisée? Tout mon manuscrit sur Melville est là pour le crier: l'écriture est mortelle et doit l'être, mais on n'y meurt jamais dedans, quelque chose de soi demeurant toujours à l'extérieur, ce qui dit bien pourquoi elle n'est pas un apaisement mais que le gonflement de la mort qui, bien qu'y mourant, ne fait jamais qu'y vivre davantage. De sorte que je me retrouve là où je me retrouve, à relire mon manuscrit pour tenter d'y trafiquer dérisoirement cette mort qui n'est pas venue de lui et ne pouvait y venir parce que, lovée dans mon estomac, elle était bien trop confortable pour lâcher prise et m'advenir définitivement. Quel désastre! Et j'y vocifère absolument, mon stylo feutre pareil à un

Victor-Lévy Beaulieu

> poignard pour frapper dans le dos tous ces mots pitoyables qui ne me disent plus rien pour être trop pareils à moi.
>
> Victor-Lévy Beaulieu, *Discours de Samm*, Montréal, © VLB éditeur, 1983, p. 143-144.

C'est sur un autre mode, celui de la fébrilité créatrice, de l'absorption du romancier par son écriture, dans laquelle il s'abolit presque, que Jacques Poulin donne sa «définition» de l'acte d'écrire, en proposant une magnifique allégorie de l'écriture, dans *Le vieux Chagrin*:

Jacques Poulin

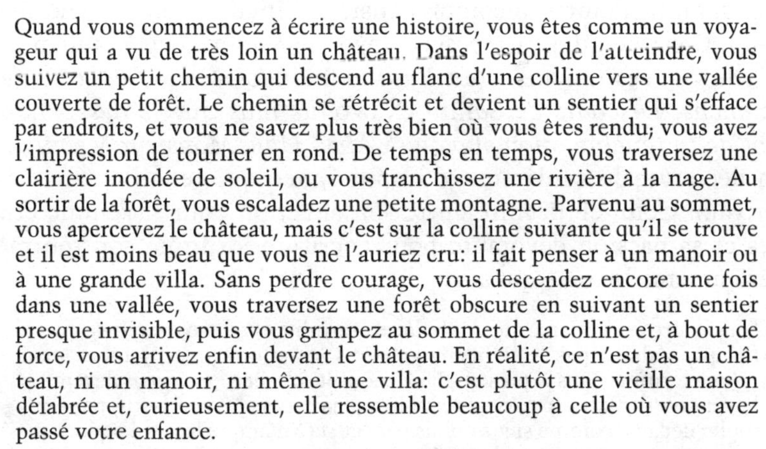

> Quand vous commencez à écrire une histoire, vous êtes comme un voyageur qui a vu de très loin un château. Dans l'espoir de l'atteindre, vous suivez un petit chemin qui descend au flanc d'une colline vers une vallée couverte de forêt. Le chemin se rétrécit et devient un sentier qui s'efface par endroits, et vous ne savez plus très bien où vous êtes rendu; vous avez l'impression de tourner en rond. De temps en temps, vous traversez une clairière inondée de soleil, ou vous franchissez une rivière à la nage. Au sortir de la forêt, vous escaladez une petite montagne. Parvenu au sommet, vous apercevez le château, mais c'est sur la colline suivante qu'il se trouve et il est moins beau que vous ne l'auriez cru: il fait penser à un manoir ou à une grande villa. Sans perdre courage, vous descendez encore une fois dans une vallée, vous traversez une forêt obscure en suivant un sentier presque invisible, puis vous grimpez au sommet de la colline et, à bout de force, vous arrivez enfin devant le château. En réalité, ce n'est pas un château, ni un manoir, ni même une villa: c'est plutôt une vieille maison délabrée et, curieusement, elle ressemble beaucoup à celle où vous avez passé votre enfance.

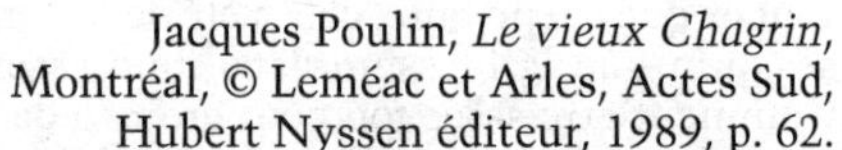

> Jacques Poulin, *Le vieux Chagrin*, Montréal, © Leméac et Arles, Actes Sud, Hubert Nyssen éditeur, 1989, p. 62.

Poulin, ou plutôt son double, le romancier en train d'écrire une histoire d'amour dans une vieille maison délabrée, se rappelle le départ de sa femme de la résidence familiale, qui avait enlevé tous ses livres de la bibliothèque. Cet événement formera la matière de son roman:

> Je me demande pourquoi les images du passé, même quand elles sont vieilles, jaunies et poussiéreuses, sont capables de nous faire si mal. En plus, celle de la bibliothèque était très tenace et je dus recourir à un vieux truc pour m'en débarrasser. C'est un truc que tous les écrivains connaissent: il s'agit tout simplement de prendre la résolution d'inclure l'image dans l'histoire qu'on est en train d'écrire. Dès que j'eus résolu d'inclure l'image de la bibliothèque dans l'histoire que j'écrivais au grenier, je me sentis beaucoup mieux. Quels que soient les malheurs qui s'abattent sur la tête de l'écrivain, qu'il soit trompé par sa femme, abandonné par ses amis, envié par ses collègues, traqué par ses créanciers, il peut toujours se consoler à la pensée que son infortune deviendra la matière d'un prochain livre.
>
> *Ibid.*, p. 49.

Dans *Soifs*, Marie-Claire Blais s'interroge sur les idées que véhicule l'écriture et sur les transformations qu'elle subit en cette fin de siècle et de millénaire:

Et eux seuls étaient encore assis autour d'une même table, dans le scintillement des lampes, le vent de la nuit relevant la nappe sous leurs doigts agiles et nerveux pendant qu'ils commentaient leurs travaux, des traductions de Dante, de Virgile, un ouvrage en vers ou en prose que l'un ou l'autre avait écrit, le temps, la renommée littéraire Charles, Adrien et Jean-Mathieu ne les avaient-ils pas rendus vénérables, pensait Daniel, ils avaient atteint, tous les trois, sans doute les plus hauts niveaux de l'acuité de la conscience, l'existence et ses trivialités ne leur semblaient-elles pas une armure de lourdeur qu'ils déposeraient sans lutte aux portes de l'éternité, et que pensaient-ils, eux si à l'aise avec ces mots qu'ils avaient élus, dans leurs œuvres multiples, que pensaient-ils de Daniel, de cette nouvelle génération d'écrivains s'appropriant avec désinvolture le langage qu'ils défaisaient et reconstruisaient à leur manière?

Marie-Claire Blais, *Soifs*,
Montréal, © Boréal, 1995, p. 196.

L'acte d'écrire est souvent le propre d'un personnage fictif lui-même écrivain, sans conteste le double de l'écrivain, tels Abel Beauchemin dans «La vraie saga des Beauchemin» ou Jack Waterman dans *Volkswagen blues*. Dans celui-ci, Jack dessine le portrait de «l'écrivain idéal» (chapitre IV), pris dans le tourbillon, la frénésie de l'écriture, d'où d'ailleurs il sort épuisé.

Comme on le constate, ce cheminement intérieur conduit le romancier à présenter un «écrivain écrivant», c'est-à-dire à incorporer l'œuvre dans l'œuvre par une sorte de procédé de «mise en abyme», qui forme le livre que le lecteur est en train de lire et qui se compose au fur et à mesure qu'il le lit[14]. Le procédé n'est pas nouveau, mais il est désormais exploité par de nombreux romanciers, tels André Brochu (*Adéodat I*, 1973), Dominique Blondeau (*L'agonie d'une salamandre*, 1979), Fernand Ouellette (*Tu regardais intensément Geneviève*, 1979), Gaétan Brulotte (*L'emprise*, 1979), Michèle Mailhot (*Le passé composé*, 1990), Robert Lalonde (*Le petit Aigle à tête blanche*), Louis Hamelin (*La rage*, 1989), outre Beaulieu et Poulin déjà nommés.

Louis Hamelin

Depuis les années 1960, le roman québécois est devenu un véritable laboratoire d'écriture permettant toutes les expériences stylistiques et toutes les audaces formelles. Jamais les romanciers n'étaient allés si loin dans le domaine. Jouant avec les mots, puis avec les phrases, les chapitres, enfin avec la structure générale de l'œuvre, les écrivains passent graduellement d'une langue correcte à une langue qui se défait. De cette métamorphose fondamentale naît une langue humiliée reflétant les conditions difficiles de son évolution en contexte nord-américain, le «joual». Des zones intermédiaires existent cependant, où les romanciers transcrivent le parler populaire ou exécutent eux-mêmes des pirouettes avec les mots en les déformant. Victor-Lévy Beaulieu en est

[14] Voir André Belleau, *Le romancier fictif. Essai sur la représentation de l'écrivain dans le roman québécois*, Sillery, Les Presses de l'Université du Québec, 1980, 155 p.

une bonne illustration, lui qui passe, dans toute son œuvre romanesque, par toute la gamme des déformations phonétiques du français, ainsi que Godbout (*D'amour, P. Q.*) et Ducharme (tous ses romans). Ce procédé, essentiellement ludique, les entraîne sans conteste du côté de l'humour et de l'ironie. Il arrive toutefois que du langage populaire on passe facilement au trivial, au vulgaire ou à l'obscène tels Beaulieu, Yvon Boucher (*L'obscenant*, 1974), Roger Fournier (*La marche des grands cocus*) et autres. Il arrive aussi que les romanciers s'en tiennent aux jeux de mots, intelligents ou plats (c'est selon...), ou aux calembours gratuits, parfois ratés. Le vocabulaire évolue tellement qu'à la dérive des sons correspond unc dérive du sens (et des sens).

Robert Lalonde

Au-delà des mots, c'est toute la structure, l'architecture des phrases, des chapitres, du livre entier qui est mise en question. Les écrivains délaissent peu à peu l'écriture (considérée comme) conventionnelle/traditionnelle, à partir de Gérard Bessette, (depuis *L'incubation*, 1965, jusqu'au *Semestre*, 1979) et Gilbert La Rocque (tous ses romans), pour adopter un rythme intérieur reproduisant en quelque sorte la respiration interne du texte, le déroulement de la pensée (*stream of consciousness*), la dérive de la conscience. Cela engendre des phrases, des paragraphes, des chapitres en apparence déstructurés, mais, en réalité, structurés autrement ou restructurés, obéissant aux exigences profondes de la tête et du cœur. Pour ce faire, les romanciers pratiquent une ponctuation «dénormée», souvent absente ou capricieuse, sinon erratique, provoquant parfois chez le lecteur tâtonnements ou hésitations devant un texte devenu hermétique. Par exemple, la virgule tient souvent lieu de point, ce qui entraîne de longues phrases qui s'étirent interminablement (Bessette, La Rocque, Beaulieu, Blais), sur plusieurs pages même. Ou bien apparaissent une avalanche de marques de ponctuation, habituellement employées avec parcimonie, tels les points de suspension (Normand Rousseau, *La tourbière*, 1975), les parenthèses, simples ou multiples (Beaulieu, *Un rêve québécois*, *La nuitte de Malcomme Hudd*), mais tout cela sent le procédé car ces entraves visuelles cherchent à traduire des états d'âme et ne sauraient devenir la règle. Ne va-t-on pas également jusqu'à supprimer la division en chapitres dans une tentative de suivre intégralement le rythme de la pensée, le monologue intérieur ou le rêve? *Soifs* de Marie-Claire Blais l'illustre fort bien.

Devenus monnaie courante, ces procédés apportent un cachet nouveau et original au roman québécois en conférant à l'écriture un caractère ludique certain, dont le moindre n'est pas la désacralisation du texte écrit par le carnavalesque, tel que je l'ai décrit plus haut. Ces innovations formelles, ces transformations novatrices, parfois teintées d'impertinence, résultent hors de tout doute d'une contestation des formes établies, des structures conventionnelles, où au déroulement linéaire on oppose des ruptures chronologiques à l'ordre de la pensée cartésienne, le désordre et le brouillage des idées et des émotions (Bessette, Brossard, Beaulieu et autres). Une certaine marginalité se fait jour (chez Jean-Marie Poupart, par exemple), qui explique (et justifie?) les prouesses stylistiques les plus étourdissantes, en plus de l'éclatement, puis de la mixité des genres et des formes.

En somme, le roman québécois offre toute la gamme de l'expérimentation du langage et manifeste ainsi une vitalité peu commune. L'esthétique romanesque s'en trouve en conséquence profondément bouleversée: parmi les littératures de la francophonie, la littérature québécoise est devenue celle de toutes les audaces et de toutes les démesures.

Les écrivains «migrants»[15]

L'apport des écrivains dits «migrants» est important et remarquable, mais ne serait-ce pas leur faire offense que de ranger dans une catégorie à part les Bernard Andrès, Jean Basile, Dominique Blondeau, Monique Bosco, Pan Bouyoucas, Ying Chen, Gérard Étienne, Jacques Folch-Ribas, Robert Gurik, Naïm Kattan, Sergio Kokis, Dany Laferrière, Mona Latif Ghattas, Marco Micone, Émile Ollivier, Alice Parizeau, Thomas Pavel, Stanley Péan, Alain Pontaut, Philippe Porée-Kurrer, Negovan Rajic, Alix Renaud, Régine Robin, Jean-François Somcynsky (Somain), Alain Stanké, Vasco Varoujean, Élisabeth Vonarburg (et j'en passe...)? Ces écrivains se sont parfaitement intégrés à la société québécoise (ou canadienne) non sans rappeler leur trajectoire personnelle et leur quête identitaire en même temps que leur sentiment de nouvelle appartenance: leur «exil», volontaire ou non, leur périple géographique et intellectuel depuis leur pays d'origine, les raisons qui ont milité en faveur de leur émigration/immigration, les difficultés de tous genres qu'ils ont éprouvées dans leur pays d'accueil (la/les langue(s), les conditions de vie, le climat, les démarches ponctuées trop souvent de refus pour se faire éditer...), la place qu'ils devraient occuper dans leur nouveau pays, les problèmes socio-politiques auxquels ils sont confrontés et auxquels ils doivent s'acclimater (indépendantisme/fédéralisme, emploi/chômage, racisme latent, sécurité sociale, etc.).

Par leurs écrits fort nombreux, répartis en d'autres genres aussi (poésie, théâtre, essai), les romanciers migrants contribuent efficacement à façonner et à transformer l'imaginaire en apportant des points de vue neufs et originaux, des sensibilités différentes sur les thèmes de prédilection des Québécois: le rêve doré de l'Amérique (Bouyoucas, *Le dernier souffle*, 1975, *Une bataille d'Amérique*, 1976; Kattan, *Adieu, Babylone*,

[15] Voir le dossier spécial intitulé «De l'autre littérature québécoise», *Lettres québécoises*, nº 66 (été 1992).

1975, *Les fruits arrachés*, 1977, *La fiancée promise*, 1983; Ollivier, *Passages*, 1991), les problèmes socio-politiques (Parizeau, *Les militants*, 1974, *Blizzard sur Québec*, 1987; Pontaut, *La sainte alliance*, 1977).

L'accueil fait aux immigrants les préoccupe au premier chef comme chez Laferrière (*Cette grenade dans la main du jeune Nègre est-elle une arme ou un fruit?*, 1993) et Mona Latif Ghattas (*Les lunes de miel*, 1996), etc., alors que certains parmi eux ou d'autres s'interrogent sur leur identité, tels Stanley Péan (*Le tumulte de mon sang*, 1991, *Zombi blues*, 1996), Sergio Kokis (*Le pavillon des miroirs*, 1994, *Negão et Doralice*, 1995, *Errances*, 1996), Ying Chen (*La mémoire de l'eau*, 1992, *L'ingratitude*, 1995). Dans *La vraie couleur du caméléon* (1991), Jean-François Somcynsky (Somain) s'interroge sur l'écriture. D'autres enfin abordent des thèmes universels (des *topoï*), tel Rajic dans *Les hommes-taupes* (1978), ou pratiquent un genre particulier comme la science-fiction (Somain, Vonarburg). Blondeau, Bosco, Chen, Latif Ghattas, Parizeau touchent, à des degrés divers, à des problèmes liés à la condition de la femme. L'éventail très varié de leurs thèmes et de leur écriture apporte une contribution et un enrichissement considérables à la littérature d'accueil dont ils font désormais partie. Voici un témoignage de Naïm Kattan à ce sujet:

> Toujours oriental, je suis écrivain québécois. Québécois, je suis un écrivain de la francophonie. Les mots nouveaux m'appartiennent et me lient. Ils sont aussi porteurs de sens. L'histoire en fait des emblèmes et des éveilleurs. Un pays, la France, les avait choisis et les avait imposés à une population autrement disparate et en a fait un instrument de liberté. J'ai découvert l'égalité des hommes à travers une langue qui fait de ses usagers des citoyens.
>
> Au-delà de l'origine, des convictions religieuses, du lieu de naissance, il existe entre francophones une alliance tacite. Ils défendent la valeur d'expression, une liberté qui se communique et se transmet.
>
> Riche dans l'humilité, l'écrivain francophone est à l'orée d'une ère qu'il n'entrevoit pas encore clairement. Il vit pourtant une évidence. Il est le gardien d'un bien et il lui incombe de le partager. Les mots que j'ai acquis sont mes alliés. Je dois me battre pour les apprivoiser. Ils me possèdent autant que je les possède. Ils me relient au monde du moment que je plonge dans mon monde pour le découvrir et le donner.
>
> Naïm Kattan, «Comment on devient un écrivain francophone», dans *La licorne*, (Poitiers), n° 27 (1993), numéro spécial intitulé «Littérature de langue française en Amérique du Nord», p. 404.

La nouvelle génération

L'ensemble des thèmes divers que j'ai évoqués manifeste hors de tout doute le profond malaise d'une génération désabusée, agressive souvent, qui désespère de la société censée l'encadrer: observation critique quelquefois gouailleuse et irrespectueuse d'une société de consommation dont les valeurs essentielles reposent sur l'argent, l'emploi, la réussite à tout prix, qui ignore les aspirations véritables de la jeunesse, les besoins fondamentaux des démunis, des laissés-pour-compte; écriture contestataire et revendicatrice, en accord avec ce mal de vivre.

En un peu plus d'une dizaine d'années, c'est tout un groupe d'écrivains qui entrent de plain-pied dans la littérature romanesque du Québec et qui ont quelque chose à dire, à clamer, à dénoncer avec bruit et fracas. Cette génération apporte un souffle nouveau à la littérature québécoise, balaie d'un puissant vent de renouveau des thèmes qui lui semblent désuets et met de l'avant les préoccupations qui la tracassent. Jean-Yves Dupuis et Christian Mistral parlent de *Bof génération* (1987) et de génération vamp (*Vamp*, 1988)[16]. Aurélien Boivin et Cécile Dubé[17], de même que Jean Morency[18], nomment ces écrivains les «romanciers de la désespérance». «Sombre et pessimiste», cette littérature? À parcourir quelques-uns des romans chocs de la jeune génération, on retrouve les mêmes thèmes qu'avant les décennies quatre-vingt et quatre-vingt-dix, mais avec des accents presque désespérés: solitude, désœuvrement, pauvreté, déchéance physique et morale, et les moyens dérisoires et paradoxalement destructeurs que les personnages emploient pour tenter d'améliorer leur sort, soit le sexe, l'alcool et la drogue, qui les conduisent inéluctablement vers l'échéance fatale de la mort.

Si Dupuis et Mistral ont caractérisé la jeune génération avec ses angoisses et sa détresse, d'autres romanciers exploitent la même veine au moyen de techniques à peu près semblables. Ils se nomment, entre autres, Louis Hamelin (*La rage*, 1989, *Ces spectres agités*, 1991, *Betsi Larousse ou l'ineffable eccéité de la loutre*, 1994), Lise Tremblay (*L'hiver de pluie*, 1990), Louise Desjardins (*La love*, 1993), Anne Dandurand (*Un cœur qui craque*, 1990), Emmanuelle Turgeon (*L'instant libre*, 1995), Francis Dupuis-Déri (*Love & rage*, 1995), Hélène Monette (*Unless*, 1995), François Gravel (*Miss Septembre*, 1996)... Cette «génération perdue» représente la décadence d'une fin de siècle, d'un siècle constamment bouleversé par les guerres, la violence, le chômage, les crises financières à répétition, qui gonflent d'une manière effarante le nombre des assistés sociaux (les B. S.). C'est cela que traduisent tous ces romans, parfois avec colère ou avec rage, souvent avec amertume et défaitisme.

Christian Mistral

---

[16] Lise Gauvin et Gilles Marcotte lui consacrent chacun un bref article dans Lise Gauvin et Franca Marcato-Falzoni (dir.), *L'âge de la prose. Romans et récits québécois des années 80*, Roma, Bulzoni editore et Montréal, VLB éditeur, 1992, 229 p.

[17] Aurélien Boivin avec la collaboration de Cécile Dubé, «Les romanciers de la désespérance», dans *Québec français*, n° 89 (printemps 1993), p. 97-99.

[18] MORENCY, Jean, «Trois romanciers d'une génération perdue: Sylvain Trudel, Christian Mistral, Louis Hamelin», dans *La Licorne* (Poitiers), n° 27 (1993), p. 135-146, numéro spécial intitulé «Littérature de langue française en Amérique du Nord» coordonné par André Maindron.

À côté de cette génération de mal nantis, d'oubliés de la société, de sans-travail, de pauvres, d'itinérants et de désœuvrés, vit tout de même une couche sociale moins éprouvée, que décrivent une foule d'autres romanciers. Pensons à Marie Laberge qui place ses œuvres sous le label de l'amour passion (*Juillet*, 1989, *Quelques adieux*, 1992, *Le poids des ombres*, 1994, *Annabelle*, 1996), à Suzanne Jacob (*Laura Laur*, 1983, *La passion selon Galatée*, 1986), à Lise Bissonnette (*Marie suivait l'été*, 1992, *Choses crues*, 1995), à Noël Audet, qui trace des portraits successifs de l'Amérique dans *Frontières ou tableaux d'Amérique*, 1995), à Yves Beauchemin, cité plus haut dans les best-sellers, à André Brochu (*Fièvres blanches*, 1994, *Adèle intime*, 1996), à Gaétan Soucy (*L'Immaculée Conception*, 1994)...

Bref, une génération entière, mais pas entièrement «nouvelle», représentant différemment, avec des points de vue parfois convergents, les diverses strates qui la composent, voilà comment m'apparaît la génération des romanciers des deux dernières décennies.

Conclusion

Au terme de cette étude forcément rapide, de ce survol panoramique où j'ai tenté de classer par affinités un certain nombre d'auteurs et d'œuvres, se dégagent des constantes qui donnent une coloration très vive à la littérature romanesque du Québec. C'est d'une évidence incontestable que le roman québécois a connu une évolution significative de 1968 à 1996. Après le procès intenté à la ville, les romanciers pratiquent largement le roman psychologique qui rend compte à sa manière du climat d'incertitude qui plane sur toute une génération après la Révolution tranquille des années soixante. Si l'on a pu croire que les tentatives de solution des problèmes collectifs avaient entraîné une sérénité provisoire, en quelque sorte une «affirmation tranquille», on s'aperçoit, avec un peu de recul, que la société n'a pu satisfaire entièrement les attentes individuelles. D'où un nouveau vent de libération qui véhicule de nouvelles «valeurs», des pratiques généralisées telles l'alcool et la drogue, un affranchissement désordonné des pulsions sexuelles, palliatifs de l'inquiétude et du désenchantement de cette génération.

De même, de nombreux romanciers éprouvent le besoin d'effectuer un retour aux sources de la nature, de l'enfance, des années d'apprentissage de la vie. D'autres se tournent vers le mythe de l'Amérique, sans doute inspirés par les événements socio-politiques qui bouleversent la société québécoise, par un néo-nationalisme plus réfléchi ou, probablement, par un souci évident de réappropriation du patrimoine collectif. Le nomadisme plusieurs fois séculaire des Québécois les entraîne vers un ailleurs séduisant propre à leur offrir ce qu'ils trouvent difficilement dans les limites de leur pays. Cette quête s'accompagne d'une manipulation sans précédent de leur manière de traduire le monde par l'écriture, sur laquelle ils s'interrogent avec de plus en plus d'acuité et d'angoisse. Notons surtout que se manifeste un réalisme cru en même temps qu'un individualisme multi-directionnel par essence.

Après avoir franchi avec succès les étapes obligées les conduisant à la modernité, puis à la post-modernité, les romanciers québécois doivent s'interroger dorénavant sur les problèmes que leur pose, ainsi qu'à leurs lecteurs, un appareil social complètement transformé par l'arrivée massive des nouvelles technologies. La littérature est-elle morte? Heureusement, on n'en est pas encore là.

Gilles Dorion, critique, historien et pédagogue, est né à Québec en 1929. Après ses études classiques à Saint-Jean-Eudes (B.A. 1953), il poursuit ses études de lettres à l'Université Laval où il décroche successivement une licence en lettres (1955), un D.E.S. en grec (1965) avec un mémoire sur Xénophon, un diplôme E.N.S. (1968) et un doctorat ès lettres (1974) avec une magnifique thèse sur la *Présence de Paul Bourget au Canada* (P.U.L., 1977). Sa carrière d'enseignant débute par les humanités gréco-latines, à Nicolet, se poursuit à Rosemont et à Saint-Jean-Eudes. En 1967, il est nommé professeur à l'Université Laval, poste qu'il occupe jusqu'en 1994; et en 1997 il est nommé émérite. Durant ces années actives, il enseigne à plus de 40 universités à travers le monde; il collabore à 14 grandes revues; il fonde et dirige *Québec français* (1985-1991) et *Dialogues et cultures* (1978-1984); il est directeur adjoint au prestigieux *D.O.L.Q.*; il fait paraître seul ou en collaboration plus d'une trentaine d'ouvrages: anthologies, répertoires, essais, éditions critiques, et des centaines d'articles sur les lettres québécoises, tout en étant membre d'une douzaine d'associations et sociétés savantes. En plus de ces énormes contributions à l'historiographie littéraire, depuis 1978 jusqu'à nos jours, il n'a cessé de promouvoir à travers le monde des accords bénéfiques à la culture et aux lettres françaises et québécoises.

TROISIÈME PARTIE

LITTÉRATURE JEUNESSE: «DU NÉANT À L'EXCELLENCE»

MADELEINE BELLEMARE

La formule appartient à Cécile Gagnon, rencontrée au Salon du livre de Montréal en novembre 1996. De ses débuts dans la carrière avec l'illustration du *Secret de Vanille* de Monique Corriveau (1959) à son dernier livre *Mille ans de contes, Québec*, paru chez Milan en 1996, Cécile Gagnon a vécu tous les soubresauts et les succès de la littérature pour la jeunesse au Québec: illustratrice, auteure d'albums, de romans pour enfants, pour adolescents et pour adultes (pas moins de 100 titres à son actif), directrice de collection, elle a connu de l'intérieur la difficile résurgence de la littérature pour la jeunesse.

HISTORIQUE

Les années difficiles

Rappelons brièvement cette histoire. À la fin du siècle dernier, le gouvernement du Québec, par voie de règlement, achète et distribue des livres comme prix de fin d'année. Ces livres constituent un stimulant pour la lecture, stimulant de portée limitée, il est vrai, car l'école n'est pas encore obligatoire. En 1925, la Loi Choquette impose une proportion de 50 % de livres canadiens. Or, en 1965, la subvention gouvernementale, quoique modeste, disparaît. L'impact de cette décision provoque une chute dramatique de la production de livres pour la jeunesse. Claude Aubry, préfacier de la première édition du livre de Claude Potvin, parle «d'une littérature qui agonise»[1]. Louise Lemieux écrit que «les doigts d'une seule main sont plus que suffisants

[1] POTVIN, Claude, *La Littérature de jeunesse au Canada français*, p. 7.

pour dénombrer les livres parus en 1971.»[2] Adrien Thério fulmine dans *Livres et auteurs Canadiens 1967*: «À l'heure actuelle, autant dire que la littérature de jeunesse est morte et enterrée. Quelqu'un l'a tuée et m'est avis que ce quelqu'un s'appelle colonisation.»[3]. Le retrait des subventions et la place occupée par les maisons de distribution européennes (dont traitera en 1963 le rapport Bouchard), ouvrent une brèche par laquelle les éditeurs français et belges entrent en pleine force. Ce problème touche également l'édition pour adultes. L'*Historique* publié pour le 50e anniversaire de Fides parle de «l'invasion massive de la production française et belge qui faisait concurrence aux éditeurs d'ici.»

Paule Daveluy, qui avait décrit «l'agonie de la littérature de jeunesse»[4] convoque, en 1970, une «réunion des personnes intéressées au sort de cette littérature: auteurs, concepteurs, illustrateurs, éditeurs, libraires, bibliothécaires et critiques; elle les invite à s'unir pour relancer la production»[5]. Sous son impulsion, celle de Suzanne Martel, de Cécile Gagnon et de Monique Corriveau, entre autres, Communication-Jeunesse est fondé en 1971. La mission actuelle de l'organisme, dans le prolongement de celle de 1971, est de «promouvoir auprès des jeunes la lecture d'œuvres québécoises et canadiennes-françaises pour la jeunesse et de promouvoir auprès des intervenants les moyens de faire découvrir et aimer ces œuvres.»[6] Ses activités, dont la Sélection annuelle, s'avèrent un précieux soutien pour tous les fidèles de la littérature de jeunesse, notamment pour ceux qui sont loin des grands centres. En témoignent, par exemple, les gagnants du club de la Livromagie, pour 1992-1993 (Saint-Denis-sur-Richelieu, Laval, Cap-Rouge, Trois-Rivières). Irremplaçables, les Livromagie et Livromanie[7] sont, bon an mal an, devenus le baromètre de la popularité des auteurs auprès de leur public. Communication-Jeunesse a par ailleurs assuré une visibilité internationale à cette littérature en assumant, durant quelques années, la responsabilité du stand du Québec à la foire de Bologne.

Cécile Gagnon nous rappelait que, durant cette période de reconstruction, le rôle des écrivaines a été primordial. Sur 100 livres publiés de 1950 à 1970, selon l'évaluation de Paule Daveluy, 62 % étaient écrits par 42 femmes. Femmes au foyer pour plusieurs d'entre elles, selon

Cécile Gagnon
Photo: © KÈRO
Parallèlement à un intense travail de création, Cécile Gagnon anime des ateliers d'écriture au Québec, à Genève, à Turin…
«Je voudrais faire découvrir aux jeunes le plaisir de la lecture sans contrainte et, en même temps, le jeu de la création. J'ai la conviction profonde que stimuler l'imagination des jeunes est la seule façon d'en faire des adultes inventifs qui sauront un jour utiliser leur créativité dans tous les domaines de l'activité intellectuelle.» (Dossier Dimédia).

---

2 LEMIEUX, Louise, *Pleins feux sur la littérature de jeunesse au Canada français*, p. 52.
3 THÉRIO, Adrien, *Livres et auteurs canadiens 1967*, p. 8-10.
4 *Le Devoir*, 9 décembre 1967.
5 LEMIEUX, Louise, *Op. cit.*, p. 77.
6 Dépliant publicitaire, 1996.
7 Parrainés par Communication-Jeunesse, Livromanie et Livromagie sont des clubs de lecture, d'animation et de promotion du livre québécois pour la jeunesse, le premier pour les 12-16 ans, le second pour les enfants. À la fin de l'année, un jury décerne des prix aux écoles et bibliothèques qui se sont distinguées par l'originalité et le dynamisme de leur club de lecture. En plus, les clubs établissent, chaque année, à l'échelle nationale, les dix titres les plus aimés parmi les nouveautés en lice.

l'expression consacrée et un tantinet méprisante, elles écrivent et leur ténacité n'a d'égal que leur talent. «Nous pouvions alors écrire sans être payées. Et nous pouvions assumer des fonctions de bénévolat et tenir la littérature à bout de bras.» Avec un sourire, Cécile Gagnon rappelle que, en 1964, elle a reçu 21,74 $ en droits d'auteur, ajoutant: «Quand ça a commencé à être payant, on a alors vu apparaître des hommes.»

Après la suppression des subventions en 1965, la plupart des maisons d'édition générale ont mis en hibernation leur secteur jeunesse, se rabattant sur l'édition proprement scolaire. Ainsi Bernadette Renaud signe 18 albums pour illustrer la méthode de lecture du Sablier, en 1978-1979, en même temps que paraissent *Le Chat de l'Oratoire* (Fides, 1978), *La Maison tête de pioche* et *La Révolte de la courte pointe* (Héritage, 1979). Durant cette période, tiennent le fort: 1) Fides, qui édite Monique Corriveau, Paule Daveluy, Suzanne Martel et Bernadette Renaud dans la collection du *Goéland*; 2) Les Éditions Paulines (maintenant Médiaspaul et dont on célébrera le 50e anniversaire en 1997), qui publient plus de 150 titres au cours des années 1970: albums, romans pour enfants et, dans la collection «Jeunesse-Pop», romans pour adolescents. «Son apport mérite d'être plus reconnu», écrit Claude Potvin[8]; 3) Les Éditions Héritage, où Cécile Gagnon et Henriette Major alimentent les collections *Brindille* pour enfants et *Pour lire avec toi* pour pré-adolescents, (elles se partageront la direction de ces collections durant plusieurs années), alors que Serge Wilson popularise les contes québécois. Leméac propose les *Pitatou* de Louise Pomminville et les *Citrouillards* de Rita Scalabrini de même que *Ma vache Bossie* de Gabrielle Roy. Cette romancière récidivera avec deux contes: *Courte-Queue* chez Stanké (1979) et *L'Espagnole et la Pékinoise* chez Boréal (1987). *Les Quatre Saisons de Picot* (1979) de Gilles Vigneault, aux Éditions de l'Arc, figure également dans les albums de qualité. Au cours de cette période, les illustrateurs se forgent une excellente et durable réputation.

La reprise

C'est donc en bonne partie par l'album et le conte que l'édition pour la jeunesse reprend vie. Retour du balancier: alors qu'en 1996, le roman occupe une place prépondérante, le nombre de nouveaux albums régresse, même si les éditeurs multiplient les tirages de leurs succès des années antérieures.

L'Année internationale de l'enfant (1979) provoque la parution de nombreuses publications «de circonstance»; la qualité toutefois n'est pas toujours au rendez-vous.

Pour les années 1980-1996, Édith Madore[9] relève 16 maisons d'édition, dont cinq publient «exclusivement des livres pour la jeunesse».

---

[8] POTVIN, Claude, *Le Canada français et sa littérature de jeunesse*, p. 41.

[9] MADORE, Édith, *La Littérature pour la jeunesse au Québec, Annexe I*, p. 113 *ss.*

Hormis les pionnières (Fides en 1944, Les Éditions Paulines en 1947, Les Éditions Héritage en 1968), toutes ont créé des sections jeunesse entre 1983 et 1989; toutes regroupent la production en «collections» qui apparaissent dorénavant incontournables. Selon le créneau d'âge à qui sont destinés les romans, elles s'appellent «Atout», «Bilbo», «Conquêtes», «Écho», «Gulliver», «Inter», «Junior», «Maboul», «Tête-Bêche», «Titan», etc. Chez Pierre Tisseyre, on imagine un quartier, le «Faubourg Saint-Roch», avec sa carte géographique reproduite à chaque publication, à l'intérieur duquel les romans s'inscrivent. La courte échelle s'en tient à une appellation traditionnelle: «Premier Roman», «Roman Jeunesse», «Roman+». Ces collections regroupent indifféremment les genres policier, psychologie, aventure, mystère, fantastique, science-fiction, l'âge constituant la seule porte d'entrée dans la collection.

Avant 1969, des «séries» gravitent déjà autour d'un personnage, comme «Max» de Monique Corriveau, par exemple. Actuellement, beaucoup de romans s'organisent en séries, quoique la plupart des livres peuvent être lus de façon autonome. Il n'est pas rare qu'un auteur mette quatre ou cinq romans pour boucler un cycle. Daniel Sernine remporte la palme à cet égard: sa série «Neubourg et Granverger» comprend pas moins de dix romans, répartis sur quatre siècles d'histoire et, soit dit en passant, il ne s'agit pas de «plaquettes». Chez quelques éditeurs, chaque roman a un nombre égal de pages, série ou pas. Choix éditorial? Standardisation en fonction d'impératifs financiers: coûts de production, prix de vente? Par ricochet, une telle façon de faire rassure sans doute le jeune lecteur devenu familier avec le format du livre.

La littérature de jeunesse et l'école

Les nouveaux programmes de français au primaire, depuis 1979, et au secondaire, depuis 1980, ont valorisé la lecture et ont eu un effet certain sur la diffusion des romans. De nouvelles directives se sont ajoutées, en 1992-1993, imposant entre autres, la lecture de quatre œuvres complètes par année au secondaire. Dans la foulée de ces réformes, des cours universitaires en formation des maîtres, sur la littérature de jeunesse, sont offerts à l'Université Laval, à l'UQAM, à l'UQAT et à l'Université de Sherbrooke. On voit aussi naître des «modules d'exploitation pédagogique», entre autres chez Graficor, HRW Éducalivres et HMH Jeunesse dont le catalogue présente des pistes à explorer et dont la collection «Plus» propose un dossier d'analyse d'une dizaine de pages. Par ailleurs, Héritage Jeunesse offre même gratuitement aux élèves de 6e année un matériel pédagogique pour les *Frissons*, avec concours à la clé, malgré la qualité parfois discutable des traductions.

Disons franc et net que la lecture n'est pas en soi une activité scolaire, prise en charge par une pédagogie parfois invasive, mais d'autre part utile pour les instituteurs responsables de l'enseignement de plusieurs «matières». Force est de constater toutefois que, pour bon nombre de jeunes, l'école reste souvent le lieu unique où ils peuvent, pour la première fois, prendre contact avec un roman. Qui aura lu *L'Arrivée des Inactifs* de Denis Côté empruntera peut-être *Le Retour des Inactifs* à une prochaine visite à la bibliothèque scolaire. À la condition que, comme dans certaines écoles hors des grands centres, le local n'ait pas été attribué à la micro-informatique, les livres étant alors dispersés dans les classes devenues elles-mêmes de mini-bibliothèques forcément moins fournies et moins accessibles à l'ensemble des élèves; ou que l'on n'ait pas procédé à «l'élagage» des rayons sous prétexte de renouvellement de l'inventaire. Bibliothèques et bibliothécaires — souvent des animatrices dans leur milieu — ont également subi le contre-coup des compressions budgétaires.

Les Éditions de la courte échelle ont fortement contribué au renouveau de la littérature de jeunesse. D'abord vouées aux livres pour enfants, elles ont fait le pont entre les albums de la décennie précédente — avec *Jiji* et *Pichou*, de Ginette Anfousse et les livres-jeux de Roger Paré — et les romans — avec la collection «Roman Jeunesse» (1984) pour les 9-12 ans, suivie de «Premier roman», pour les 7-9 ans (1988) — dont la série Ani Croche, de Bertrand Gauthier avec ses 200 000 exemplaires vendus — et de «Roman+» pour les 12-16 ans (1989). De telles divisions, à La courte échelle ou ailleurs, tiennent plus de la suggestion que de balises strictes. L'acte de lecture présuppose des habiletés individuelles si différentes d'un lecteur à l'autre que la référence exclusive au créneau d'âge proposé pourrait rebuter les lecteurs moins habiles aussi bien que les lecteurs plus autonomes. D'autre part, ces suggestions sont utiles pour les parents, qui achètent souvent eux-mêmes les romans.

QUOI LIRE?

Pour aider au choix des livres, on peut procéder par coup de cœur ou par disponibilité à la librairie du quartier. Ou consulter des «guides».

Depuis sa fondation, en 1978, *Lurelu*, revue consacrée exclusivement à la littérature de jeunesse, demeure un phare. Analyses, entrevues avec les auteurs, dossiers, informations générales: la qualité ne se dément jamais.

En 1985, paraît *Romans et contes pour les 12 à 17 ans*[10]: 411 titres. Tolkien, Fennimore Cooper, Assimov, Lucie Maud Montgomery: pourquoi pas? Jules Verne, Le Clézio, Boileau-Narcejac: question de goût. Monique Corriveau, Yves Thériault, Félix Leclerc, Suzanne Martel, Antonine Maillet: bien sûr! Mais l'ébahissement est total quand on analyse la sélection: 55,7 % des titres sont des livres en traduction; 35,7 % ont des auteurs français. Les livres *d'ici* comptent pour **7,5 %**.

[10] TURGEON, Raymond et Alvine Bélisle. *Romans et contes pour les 12-17 ans. Cf.* «Bibliographie analytique sommaire».

Cette même année 1985, Michelle Provost plaide en faveur du choix de romans québécois «parce qu'il y en a de bons et de très bons [...] parce que de nombreux référents culturels, lexicaux et géographiques enrichiront les lecteurs, [...parce que] la qualité est équivalente»[11] à celle d'ouvrages étrangers.

Le corpus de romans québécois pour la jeunesse s'est enrichi, depuis 1985, parfois de 200 titres annuellement. De quoi alimenter une bibliographie de «trésors pour les 9 à 99 ans». Dans sa sélection de 1995, Dominique Demers (cf. «Bibliographie analytique sommaire») propose, sur quelque 280 titres en littérature, 37,5 % de traductions (10 livres du Canada anglais publiés par Pierre Tisseyre, les autres par des éditeurs français), 28,1 % de livres publiés en France. Un peu plus du tiers (**34,3 %**) est réservé aux livres québécois. À la section des classiques («des œuvres parues il y a plusieurs années et étudiées dans les écoles»), seuls trois auteurs francophones figurent: la comtesse de Ségur, Saint-Exupéry et Jules Verne. N'allons pas y chercher de classiques québécois: trop jeune, la littérature québécoise, pour figurer dans une telle liste? Pourtant, Michelle Provost, à propos de *Surréal 3000*, écrit: «ce roman est devenu un classique de la littérature québécoise pour la jeunesse.»[12]. Et *Le Visiteur du Soir* de Robert Soulières, constamment réédité depuis 1980, et *Jeanne, Fille du Roy* de Suzanne Martel, toujours à l'étude, *Le Wapiti* de Monique Corriveau, encore réédité récemment?

Communication-Jeunesse publie une Sélection annuelle de livres québécois pour la jeunesse (toutes catégories comprises). Sa Sélection 1996-1997 propose six romans en traduction intégrés dans la trentaine de romans proposés. Comment concilier ce choix avec son objectif de «promouvoir auprès des jeunes la lecture d'œuvres québécoises et canadiennes-françaises pour la jeunesse»? En 1981, ces traductions étaient regroupées sous le chapitre «De bons textes du Canada anglais». Pourquoi ne pas avoir gardé cette présentation?

Pierre Monette écrivait en 1978: «La littérature de jeunesse est un phénomène d'histoire sociale qui, comme n'importe quel phénomène du genre, a des implications éminemment politiques»[13]. La remarque aurait-elle perdu sa pertinence en 1996?

DE QUELQUES THÈMES

Depuis le début de la décennie 90, le roman pour la jeunesse s'est mis à l'écoute de tous les problèmes qu'affrontent les adolescents et il y répond par des récits réalistes, décrivant le quotidien et ses tracasseries, récits qui ressemblent parfois à des

[11] PROVOST, Michelle, *Lurelu*, vol. 7, n° 3, 1985.
[12] *Id., De la littérature... à la culture,* p. 70. *Cf.* «Bibliographie analytique sommaire».
[13] Cité par Claude POTVIN, *Le Canada français et sa littérature de jeunesse,* p. 70.

«analyses de cas», solutions à la clé. Se démarquent les bons écrivains qui dépassent la «recette» du succès, bousculent les tabous et ménagent en même temps au lecteur une part de rêve, d'imagination, voire d'humour.

L'amour

En 1986, Raymond Plante frappe un coup de gong qui surprend les lecteurs ou, surtout, leurs parents pour qui parler de l'amour adolescent suppose un langage où fleure bon la lavande. François Gougeon, le héros du *Dernier des raisins*[14], décrit minutieusement sa quête de l'amour avec toutes les sympathiques maladresses de l'adolescent encore pubère, engoncé dans sa gêne viscérale, quêtant dans *Playboy* ou autres revues du genre les techniques appropriées pour séduire. Au terme d'une longue année scolaire, il réussit à conquérir Anik. «Il y avait la lune, notre seul témoin, avec sa lumière et ses ombres. Anik avait les yeux fermés. J'ai fermé les miens et je me suis perdu dans son odeur.»[15] Que vienne l'été, et François voit Anik prendre ses distances[16]: il la remplace par Caroline, en qui il cherche encore son ancienne blonde. Au retour d'un voyage de groupe à Paris dont Anik fait partie, Anik et Caroline le quitteront. «J'aime la vie. J'aime surtout les filles. Les filles... mais laquelle?»[17] Ces trois livres, avec *Le Raisin devient banane*[18], tracent un fin portrait de la psychologie d'un premier vrai amour d'adolescent.

Raymond Plante
Photo: Robert Laliberté
Le public des jeunes que j'ai rencontré dans près de 400 lieux différents, le dynamisme de Communication-Jeunesse, [...] l'éveil des enseignantes, de leurs confrères, de mes enfants, ... tout m'a poussé au roman jeunesse... puis au roman pour adolescents. [...] Je suis tout particulièrement fier de trois livres: La Machine à beauté, *qui traitait avec humour un sujet délicat;* Le Roi de rien, *qui ressemble à la vraie vie toute ramassée dans un microcosme et* Le Dernier des raisins, *parce qu'il ressemble à l'adolescence d'aujourd'hui et n'est pas si loin de la mienne.» (*Lurelu, *automne 1989).*

Le dernier des raisins *de* **Raymond Plante**
Illustration: Anne Villeneuve
Éditions du Boréal, 1993. Coll. «Boréal Inter».
«Dans un cours de français, Moins-Cinq a proposé un travail par équipes [...] Une lumière s'est allumée au-dessus de ma tête. Je venais de trouver le moyen de percer la barrière qui me séparait d'Anik. Je me suis tourné vers elle et lui ai dit:
– On fait équipe.
Elle m'a répondu:
– O.K.
C'est comme si elle avait accepté que je l'embrasse, je n'en revenais pas. [...] J'ai senti un sourire me pousser au-dessous du nez.»
(p. 47-48)

[14] PLANTE, Raymond, *Le Dernier des raisins*, Montréal, Boréal, 1986, 153 p. Coll. «Boréal Inter». Cinquième tirage: 1996. Prix de littérature de jeunesse du Conseil des Arts du Canada, 1986.
[15] *Ibid.*, p. 148-149.
[16] *Id., Des Hot-dogs sous le soleil*, Montréal, Boréal, 1991, 153 p. Coll. «Boréal Inter».
[17] *Id., Y a-t-il un raisin dans cet avion?* Montréal, Boréal, 1991, 153 p. Coll. «Boréal Inter». Publié chez Québec/Amérique en 1988, p. 100.
[18] Chez Boréal, 1989.

Les romans présentent une variété de situations amoureuses. Pour Luc, le préadolescent de *Surréal 3000*, soumis aux règles sévères de la ville souterraine[19], un sentiment nouveau, un frisson inconnu (qu'il ne peut donc nommer), l'attache à Agatha par delà la rencontre télépathique. Rosanne[20] et Sylvette[21] vivent un amour pudique et discret, fragile et romanesque à la fois. Annie a attendu Mathieu, devenu le Wapiti après un long séjour chez les Indiens. Quand il revient à Québec et lui demande d'installer «chez-nous» la statuette sculptée des années auparavant, Annie rougit: «Mathieu ne fera donc jamais rien comme tout le monde, y compris une demande en mariage»[22]. Les flirts de Cassiopée[23] et la relation vécue à New York[24] sont autant d'appels à l'amour. L'attachement un peu chargé de pitié de Marie-Lune pour Antoine[25] remplit le trou béant laissé par la mort de sa mère Fernande et se transforme peu à peu en amour fécond dont un enfant, le «moustique», sera le fruit. Marie «la vieille petite fille» décrit sobrement, sans recherche de style, son amour pour son écrivain Balthasar aux cheveux blancs[26], si préoccupé par ses personnages qu'il l'oublie. Elle consigne un aveu fervent dans une lettre qu'elle lui adresse après tant d'années de réserve, lettre qui dessillera le regard et le cœur de Balthasar.

Les ruptures sont souvent inévitables. Si François Gougeon se tire relativement bien de ses déboires amoureux grâce à un humour bon teint, Marie-Lune, en apprenant le suicide d'Antoine, s'enfuit vers les Laurentides, avec la violente envie «de faire péter la planète [...] ou de s'étendre sur le sol et se laisser mourir».[27] Tant de «tempêtes» l'assaillent: avortement ou adoption, solitude et détresse. Elle apaise sa colère et acclimate la paix intérieure dans un couvent des moniales qui

Christiane Duchesne
Photo: André Panneton
Christiane Duchesne écrit pour la jeunesse depuis 1975: des albums qu'elle a illustrés, des romans, des scénarios de films et d'émissions pour enfants, à la radio et à la télévision, des traductions...
«Ce qui est important pour moi, c'est d'écrire pour tout le monde. Que les parents expérimentent le plaisir de découvrir la littérature jeunesse.» Elle dénonce la tendance à niveler par le bas cette littérature et proteste contre l'espèce de censure imposée par la mode «éduco-pédago-psycholo et tout ce qu'on peut imaginer comme filtre.»
(Lurelu, *automne 1991).*

---

19 MARTEL, Suzanne, *Quatre Montréalais en l'an 3000*, Montréal, Éditions du Jour, 1963. *Surréal 3000*, Montréal, Éditions Héritage, 1980, 159 p. Coll. «Galaxie». 9 ou 10 réimpressions depuis, à raison de 1 500 par tirage, le dernier en 1992. Prix de l'ACELF, 1962.

20 DAVELUY, Paule, *Cet hiver-là, Cher printemps, Drôle d'automne, l'Été enchanté.* Réédités par Québec/Amérique Jeunesse, en 1996. Coll. «Rosanne».

21 *Id., Sylvette et les adultes, Sylvette sous la tente bleue.* Réédités par Québec/Amérique Jeunesse, en 1993. Coll. «Titan»

22 CORRIVEAU, Monique, *Le Wapiti*, Québec, Éditions Jeunesse, 1964. Coll. «Plein feu». Montréal, Fides, 1978. Coll. du «Goéland». Réédité par Fides, en 1995. 238 p. Coll. «Grandes Histoires», p. 238.

23 MARINEAU, Michèle, *Cassiopée ou L'Été polonais*, Montréal, Québec/Amérique 1988, 195 p. Coll. «Jeunesse/Romans plus». Prix du Gouverneur général, 1988. Traduit en suédois, en catalan, en espagnol et en basque.

24 «Sylvette, cuvée 1958, c'est Cassiopée, cuvée 1990», écrit Paule Daveluy dans la «Note préliminaire» de *Sylvette et les adultes*, p. 7.

25 DEMERS, Dominique, *Un hiver de tourmente*, Montréal, Les Éditions de la courte échelle, 1992, 156 p. Coll. «Roman+», p. 42-43, 101-102.

26 DUCHESNE, Christiane, *La Bergère de chevaux*, Boucherville, Québec/Amérique Jeunesse, 1996, 166 p. Coll. «Gulliver», p. 49, 110-111.

27 DEMERS, Dominique, *Ils dansent dans la tempête*, Montréal, Québec/Amérique Jeunesse, 1994, 154 p. Coll. «Titan», p. 38, 40.

l'hébergent un temps[28]. Confrontée à la mort accidentelle de son ami Mathieu, Annette choisit le voyage en mer à bord d'un voilier, pour se raccrocher à la vie[29]. Sara croit, à 13 ans, que l'amour est éternel et qu'elle peut suivre Serge dans la mort. «Je retrouverai Serge. Serge, mon amour». Mais «on ne revient pas de l'au-delà comme on revient de chez le dépanneur»; elle doit se «réadapter à [son] enveloppe charnelle [...], un manteau d'une taille trop petite pour [elle].»[30] Elle restaure sa confiance en elle-même et en la vie par sa participation à *Roméo et Juliette*, pièce montée à son école.

Dans le roman psychologique, l'expérience amoureuse, les valeurs de l'amitié et de la solidarité, l'autonomie personnelle, le passage de l'adolescence à l'âge adulte deviennent alors les thèmes de prédilection des auteurs. Il n'empêche que l'atteinte de ces objectifs, fiction oblige, passe par diverses étapes d'initiation dont l'originalité, (événements et récit), attire et attache les lecteurs. Les éditeurs, qui doivent soupeser tant de manuscrits pour en choisir les meilleurs, ne l'ignorent pas. Le roman psychologique pourrait être menacé de marquer le pas, si on n'y prend garde. Le défi de la prochaine décennie est posé: renouveler l'écriture romanesque, particulièrement la linéarité du récit, les dialogues, la sobriété des métaphores, et donner un peu plus de place à l'humour.

Les jeunes et leur rôle dans la société

Le récit à tendance psychologique met donc en scène des personnages plus ou moins en retrait de leur milieu familial, de leur groupe d'amis ou d'un groupe social. Les romans policier et d'aventure étendent le réseau d'influence des personnages à une communauté plus large. L'action, parfois l'engagement social, a une certaine efficacité sur leur milieu. Le roman historique opère dans le même sens. Le roman fantastique et le roman de science-fiction présentent des personnages sur qui repose souvent le sort d'une région, d'un pays, d'une planète.

Dans le premier cas de figure, les personnages dénouent les intrigues, élucident les mystères avec une habileté et une logique sans faille... ou presque. Des adolescents garçons et filles, en vacances sur la Côte Nord, tombent sur un coffret rempli de pièces d'or. Des trafiquants, un peu pirates au long cours, sont aux aguets mais ils n'auront pas le dessus sur les jeunes qui prennent l'affaire en mains et ce, avec succès. Yves Thériault — son style incisif et son art de construire une intrigue sont connus — colore d'une intrigue amoureuse ce roman

[28] *Ibid.* Ce roman devient, pour une bonne partie, celui de sœur Élisabeth tout autant que celui de Marie-Lune.

[29] BOISVERT, Nicole M., *La Dérive,* Waterloo, Éditions Michel Quintin, 1993, 153 p. Coll. «Grande Nature». Cet éditeur, spécialisé dans le documentaire, publie depuis 1991 des romans où la nature joue un rôle important.

[30] POITRAS, Anique, *La Deuxième Vie,* Boucherville, Québec/Amérique Jeunesse, 1994, 158 p. Coll. «Titan», p. 17-19. Voir aussi *La Lumière blanche*, Boucherville, Québec/ Amérique Jeunesse, 1993, 223 p. Coll. «Gulliver».

d'aventure.[31] Monique Corriveau, dont les qualités d'écriture lui ont mérité de multiples prix, met en scène des enfants qui ont du caractère et de la débrouillardise, suffisamment pour affronter de mystérieux escrocs qui tentent de dérober la carte d'une région minière cachée à l'intérieur d'une poupée nommée Vanille. Courage, astuce et amitié vaincront[32]. Jean-François et Sophie ne lésinent pas sur les moyens à prendre pour entraver la construction d'une usine qui menacerait l'environnement[33]. Plusieurs autres romans de Chrystine Brouillet décrivent l'implication de jeunes détectives dans la résolution de mystères où ils réussissent souvent mieux que des adultes. Tante Emma[34], venue de New York à Cap-des-Oursins, met à contribution les connaissances de sa nièce Stéphanie pour repérer, dans un barrage de castors, un bocal de verre contenant des pièces de monnaie rares, volées à New York justement. L'odorat bien aiguisé de Stéphanie la met ensuite sur la piste d'un autre voleur qui s'est approprié un fossile rare trouvé par Jean-Claude, jeune archéologue assistant de M. Cresson. Diane Turcotte, bien servie par l'aisance de son écriture romanesque, fait des complices de deux personnages féminins bien typés. Dans *Le Mystère de la rue Duluth* de Paul de Grosbois, Gabrielle et Benoît découvrent un message dans une bouteille vide; ils s'engagent dans une enquête avec Luc et Robert pour faire échec aux voleurs et libérer le quartier de leur présence. Leur aventure est présentée dans une écriture nerveuse, directe, pleine de rebondissements.[35] Dans un roman à connotations historiques du même Paul de Grosbois, des jeunes ont formé un groupe secret, «les Initiés», à l'île Bizard en 1853. Ils prêtent main forte aux cageux pour empêcher des maraudeurs de s'emparer d'énormes radeaux de bois en route vers Montréal[36]. Un texte intéressant par sa situation dans le temps et où l'action est habilement construite.

Lorsqu'il quitte Québec, Mathieu Rousseau recherche d'abord sa sécurité personnelle. Accusé à tort de meurtre, il tente d'échapper à l'emprisonnement ou à la potence. Au cours de son long périple, il est fait prisonnier par une tribu indienne qui l'échange aux Seskanous. Il s'imprègne de la culture du groupe. Maturité, force morale, transcendance

Chrystine Brouillet
Photo: Pierre Charbonneau
Le «roman policier pour la jeunesse» et le nom «Chrystine Brouillet» sont presque interchangeables. Andréa et Arthur, Natacha et Pierre, Catherine, Stéphanie et les autres: autant de personnages attachants que Chrystine Brouillet place dans des situations complexes où l'action devient mystère plein de rebondissements. L'intérêt des lecteurs ne se dément pas, car les descriptions succinctes et la psychologie réduite à l'essentiel n'entravent pas le déroulement de l'intrigue.

[31] THERIAULT, Yves, *L'Or de la Felouque,* Québec, Éditions Jeunesse, 1969, 138 p. Réédité par Hurtubise HMH Jeunesse, 1981, 144 p. Coll. «Atout».

[32] CORRIVEAU, Monique, *Le Secret de Vanille,* Québec, Éditions du Pélican, 1959. Ill. de Cécile Gagnon. Éditions Jeunesse, 1962 et 1972. Montréal, Éditions Fides, 1981, Coll. du «Goéland».

[33] BROUILLET, Chrystine, *Le Complot,* Montréal, Les Éditions de la courte échelle, 1985, 92 p. Coll. «Roman Jeunesse».

[34] TURCOTTE, Diane, *La Piste de l'encre,* Montréal, Éditions Paulines, 1985, 117 p. Coll. «Jeunesse-pop», 4e tirage. Un des romans populaires de la collection.

[35] GROSBOIS, Paul de, *Le Mystère de la rue Duluth,* Montréal, Éditions Paulines, 1987, 75 p. Coll. «Jeunesse-pop». «Mystère».

[36] *Id., Les Initiés de la Pointe-aux-Cageux,* Montréal, Hurtubise HMH, 1986, 120 p. Coll. «Jeunesse».

Le Wapiti de Monique Corriveau
Illustration: Mélinda Wilson
Fides, 1995. Coll. «Grandes Histoires».
«Le Wapiti a vingt-cinq, trente ans au plus. Son visage osseux, ses yeux gris vert, son front haut expriment le sang-froid et l'intelligence. Son maintien énergique et l'assurance de tous ses gestes dénotent l'habitude de l'indépendance et de l'autorité; cette attitude en impose sans doute aux Indiens.» (p. 139)

marquent son apprentissage: il devient le *Wapiti*, celui qui a tué l'animal d'une seule flèche et qui est «respecté à l'égal des plus grands»[37]. Plus fort que Chonian, le propre fils du chef décédé, qui est irascible, fourbe et guerrier, Mathieu s'emploie à consolider la paix entre les tribus indiennes et sert d'ambassadeur entre Français et Indiens: «Il importe de sauver la colonie»[38]. Une fois sa «mission» terminée et après avoir été blanchi de l'accusation de meurtre, il reprend sa place à Québec («Je reviens reprendre ma place parmi vous», p. 165) et il retrouve son amoureuse. C'est bien rapidement résumer un roman qui se déploie, telle une fresque historique, dans une maîtrise d'écriture admirable.

Le voyage de Jean-Baptiste Létourneau, de Lachine à Michillimakinac, rappelle l'histoire des coureurs de bois du siècle dernier. Robert Davidts ne brosse pas le portrait d'un jeune héros engagé au service d'une cause; il raconte plutôt l'aventure individuelle, qui n'est pas sans intérêt, d'un adolescent confronté à des difficultés importantes, certes, mais dont le but principal reste l'apprentissage du métier de coureur des bois[39]: endurance physique, maîtrise de ses frayeurs, fidélité au groupe, courage et honnêteté

[37] CORRIVEAU, Monique, *Le Wapiti*, p. 156.
[38] *Ibid.*, p. 189.
[39] DAVIDTS, Robert et Francis Back, *Jean-Baptiste, coureur des bois*, Montréal, Boréal, 1996, 132 p. Coll. «Boréal Junior».

et, bien sûr, fréquentation des Indiens, dont celle d'Onissa n'est pas la moins intéressante...

Assistons-nous à un retour du roman historique? Coïncidence-Jeunesse offre une série «Jeunesse d'autrefois» dans laquelle Susanne Julien signe deux romans, l'un à l'époque de Champlain (*Tête brûlée*, 1992) et l'autre au temps de la Révolution américaine (*Le Premier Camelot*, 1992).

Si la durée est preuve de succès, *Le Visiteur du soir* de Robert Soulières[40], sans cesse réédité depuis 1980, mérite une attention particulière. Pour gagner le trophée de la meilleure prise au carnaval de l'école,

Le Visiteur du soir *de* **Robert Soulières**
Illustration: Hélène Meunier. Tableau de la couverture: Jean Paul Lemieux, Le Visiteur du soir, Galerie nationale d'Ottawa.
Éditions Pierre Tisseyre, nouvelle version 1995. Coll. «Conquêtes». «Courir, sortir au plus tôt, tel est l'objectif. Ne jamais regarder en arrière pour ne pas perdre de temps. Fuir. Courir à bout de souffle. À toutes jambes. Enfin, le hall d'entrée. Une dernière porte à ouvrir et c'est la victoire. Une dernière porte et c'est la rue Sherbrooke et sa trépidante animation. La porte s'ouvre. L'alarme retentit effroyablement. Qu'importe, ils sont dehors. Ils respirent mieux. Ils ont réussi.» (p. 19)

Charles et Vincent «empruntent» la peinture de Lemieux au Musée des beaux-arts. Dans leur cavalcade, ils heurtent deux hommes dont ils apprendront bientôt les desseins. Charles est enlevé et libéré en échange du tableau. Durant sa captivité, il a recueilli des indices qui lui permettent, avec Vincent et l'inspecteur Jacob, de traquer et d'arrêter le vicomte Dextraze et ses acolytes. Plus que la peinture de Lemieux, c'est un microfilm sur un sabotage éventuel de LG2 qui les intéressait. Avec la complicité de la conservatrice du Musée des beaux-arts, Charles et Vincent présentent leur prise au carnaval et gagnent le premier prix.

Robert Soulières
Photo: Yves Richard
Rédacteur en chef de Lurelu *durant plus de six ans, directeur de la collection «Conquêtes», responsable des secteurs adultes et jeunesse aux éditions Pierre Tisseyre (1980-1996), Robert Soulières a depuis fondé sa propre maison d'édition. Il n'en a pas moins signé, depuis son premier album,* Max le magicien, *jusqu'au* Baiser maléfique *une vingtaine de livres, albums et romans pleins d'inventions, de sourires et d'aventures. Il écrivait, en 1989: «Les années 90 montrent le bout du nez. Soyons là, soyons prêts, fous et inventifs. [...] L'avenir nous réserve toujours d'heureuses surprises.» (*Lurelu, *automne 1989).*

[40] SOULIÈRES, Robert, *Le Visiteur du soir*, Montréal, Éditions Pierre Tisseyre, 1980, 147 p. Coll. «Conquêtes». Prix Alvine-Bélisle, 1981. Nouvelle version, 1995. Plus de 17 000 exemplaires vendus.

Un récit plein de rebondissements mais sans longueurs, d'où le quotidien n'est pas évacué, un suspense bien ficelé, une collaboration adultes/enfants où ceux-ci ont le beau rôle, un zeste d'amitié amoureuse entre Charles et Julie: voici des ingrédients qui confortent la fidélité des lecteurs.

Chaque année apporte une abondante moisson de romans policiers et d'aventure, surtout depuis 1990. Cueillons, au passage, la série des «Aventures d'Edgar Allan détective» de Yves E. Arneau, chez Pierre Tisseyre; les «Dan Rixes» d'Alain Marillac, chez Hurtubise HMH; *L'Ombre de Jérôme Delisle* de Guy Lavigne, à La courte échelle; *La Fille en cuir* de Raymond Plante, *Canaille et Blagapar* de Gérald Gagnon chez Boréal. Les «Sélections annuelles» de Communication-Jeunesse suggèrent également de bonnes pistes.

La science-fiction et le fantastique

Quand des jeunes deviennent les héros de romans de science-fiction ou de fantastique, leur destin individuel passe souvent à l'arrière-plan; ils sont investis d'une mission de «salut» ou se donnent un tel rôle à l'intérieur de leur société.

Alex Vimont de Montréal et David Kevin de Vancouver, astronautes rescapés par les Amandriens et soignés sur leur Planète verte,[41] reviennent sur terre avec deux robots pour leurs enfants. Les jouets amusent Millie, Adam et leur ami Marc, à Montréal, et Ève, à Vancouver, jusqu'à ce que des Amandriens, en orbite autour de la terre, en prennent le contrôle. Leurs ennemis, les Worlaks, ont déjà mis en route un astre missile vers la Planète verte et la terre est sur sa trajectoire. Des phénomènes inexplicables se produisent: obscurité totale, inondations, tremblements de terre. Soupçonnés de complicité avec les envahisseurs, Alex et David sont emprisonnés. À chaque extrémité du Canada, les adolescents Adam et Marc, Ève et sa tante prennent la relève et aident les Amandriens à écarter de la terre les forces de destruction: dans une atmosphère de fin du monde, ils commandent aux robots de détruire les fusées des Worlaks qui guident l'astre menaçant. La terre est sauvée.

Les Surréaliens adultes, enfermés sous le Mont-Royal, acceptent leur destin et leur réclusion; ils s'emploient à rendre la vie la plus agréable et la plus sécuritaire possible. C'est Luc, un jeune garçon sensible, qui trouve une faille dans la montagne et se glisse à l'air libre; tous les Surréaliens finiront par le suivre dans ce Montréal à reconstruire.

---

[41] MARTEL, Suzanne, *Nos amis les robots*, Montréal, Éditions Héritage, 1981, 241 p. Coll. «Galaxie». Prix de littérature de jeunesse du Conseil des Arts du Canada, 1981. Prix de l'ACELF, 1979. «Fraîcheur sans mièvrerie, si naturelle que c'est une qualité capable de séduire un critique vieilli sous le harnais de la SF», écrivait Jean-Marie Moreau, dans *Nos Livres*, en mai 1981, nº 242.

Dans les trois tomes de *Compagnons du soleil*[42] (900 pages d'une écriture vive, précise et efficace), Monique Corriveau présente un adolescent qui infléchit le destin de son peuple. À Xantou, Oakim, compagnon du soleil, appartient à une classe supérieure. Ses études le préparent à administrer la ville. Il prend conscience des problèmes de surpopulation et de rareté de ressources énergétiques. La solution envisagée pour les pallier: organiser la population en deux groupes qui, par rotation annuelle, vivraient le jour ou la nuit. Une révolte gronde, vite matée. Les Compagnons du soleil, fidèles au système, ne vivront que le jour; les mutins seront confinés à la nuit. Oakim prend fait et cause pour les rebelles. Après un exil forcé en Sitrie, il rentre à Xantou, renverse le régime et restaure la liberté en Ixanor.

Julie Martel transporte dans un lieu fantastique[43] les péripéties vécues par la jeune Szenia, l'apprentie-magicienne, choisie par le Magicien Roi pour vaincre Esfald. Écarté du pouvoir qu'il croyait lui revenir, Esfald emprisonne sa nièce Szenia, lui subtilise la Chrystale, bâton magique du pouvoir, et il conduit la guerre dans son propre pays. À travers les forêts, les montagnes inhospitalières, les batailles et les bêtes créées par la sorcellerie d'Esfald, Szenia atteint Fortera où elle livre une bataille ultime à l'oncle renégat et reconquiert le bâton magique, à la fois symbole et instrument de son destin. Parce qu'elle maîtrise la construction de son roman et rend intensément présents ses personnages, Julie Martel témoigne d'un talent prometteur.

À partir de son vagabondage dans des lieux ordinaires, Simon repère un objet curieux dont il utilise les pouvoirs. Propulsé dans un voyage interplanétaire, il se voit confier une mission à la grandeur de l'univers, car «seules les jeunes générations peuvent sauver notre monde de tous les maux qui l'accablent»[44].

Dans les romans fantastiques, les jeunes chargés de sauver leur peuple ne sont pas toujours des humains. Joël Champetier a ainsi créé Diarmuid, étrange créature née comme tous les siens de l'accouplement de l'eau et de la terre, qui entend l'appel de sa race, après un séjour chez les humains. Sa mission: libérer son peuple des liens pervers et décadents que certains sylvaneaux ont tissés avec des humains dans son pays d'origine et le conduire vers Lirevyë et la paix, au terme de batailles épiques[45].

---

[42] CORRIVEAU, Monique, *Compagnons du soleil,* Montréal, Fides, 1976, 3 volumes. V. 1, *L'Oiseau de feu*; v. 2, *La Lune noire*; v. 3, *Le Temps des chats.* Coll. «Intermondes».

[43] MARTEL, Julie, *La Quête de la Chrystale,* Médiaspaul, 1996, 158 p. Coll. «Jeunesse-pop». Fantastique épique.

[44] GAGNON, Gilles, *L'Armée du sommeil,* Montréal, Québec/Amérique Jeunesse, 1985, 124 p.

[45] CHAMPETIER, Joël, *Le Voyage de la sylvanelle,* Montréal, Éditions Paulines, 1993, 153 p.; *Le Secret des sylvaneaux*, Montréal, Éditions Paulines, 1994, 165 p. Coll. «Jeunesse-pop», Fantastique épique.

Le récit à la première personne

L'usage du narrateur à la première personne (même dans les *Baby-Sitters,* traductions de romans américains publiées chez Héritage) semble devenu un passage obligé, surtout dans le roman psychologique. Le narrateur, qui a souvent le même âge que son lecteur, se raconte. Ce *je* acteur annule la distanciation entre lecteur et personnage et facilite l'identification au héros. Il peut arriver parfois qu'un narrateur autodiégétique fasse connaître son évolution en passant d'un *je* actif à un *je* passif; un tel narrateur produit un effet saisissant, comme dans *Le Domaine des Sans Yeux* de Jacques Lazure dont nous parlerons plus loin.

Le *je* pose aussi à l'auteur une obligation de véracité tant langagière que psychologique. Sauf une ou deux expériences sans lendemain (dans la foulée du joual, vers 1975), les narrateurs homodiégétiques utilisent une langue juste et correcte, en adéquation avec l'âge du personnage. L'inimitable Ani Croche, dans la série que lui consacre Bertrand Gauthier, crée à partir de son langage quotidien les mots qui, dans leur fusion/explosion, décrivent un personnage, ramassent une situation, une action, un état d'âme. Ainsi, dans la salle des *Conférences sérieuses seulement*, située au *Musée des Horaires*, elle rencontre Gérard Menvuça, Claire Saint-Dicat, Octave Vien-Deloin.[46] Elle souhaite vieillir pour voir «tous les films» et non «les films pour tous». Délinquante, irrévérencieuse, elle décortique, en phrases lapidaires, la psychologie de ses père et mère divorcés. «Je sais quoi faire pour les rendre heureux. Rien de plus simple! Il me suffit de leur obéir aveuglément.»

Le Journal intime d'Ani Croche *de* **Bertrand Gauthier**
Illustration: Gérard Frischeteau
Les Éditions de la courte échelle, 1988. Coll. «Roman jeunesse».
Depuis sa première apparition en 1985, le visage tacheté de rousseurs et la chevelure en bataille d'Ani Croche sont devenus familiers, autant qu'Olivia, sa poupée confidente «vraie amie» qui voit clair en elle et à qui on ne peut rien cacher. Quatre titres ont paru après le premier livre éponyme. Le Journal intime d'Ani Croche, La Revanche d'Ani Croche, Pauvre Ani Croche, Le Cent pour cent d'Ani Croche *continuent à décrire avec ferveur, verdeur et bonheur le quotidien de celle qui veut «grandir tout en restant une petite fille» et qui se plaît à croire que «tous les garçons tombent facilement amoureux» d'elle.*

46 GAUTHIER, Bertrand, *Ani Croche,* Montréal, Les Éditions de la courte échelle, 1985, 86 p. Coll. «Roman Jeunesse». P. 57, 22, 13 et tout le chapitre I.

Par ailleurs, substituer le *on* narrateur au *je* ne va pas sans risques. Dans certains romans, lorsque le narrateur utilise la grammaire orale, quelques confusions se produisent, lorsque dans un même paragraphe, le *on* est tantôt substitut du *je* et tantôt substitut d'un *il* imprécis. Faut-il aussi regretter que, dans certains cas, l'usage de la négation ne soit pas respecté?

Les dialogues abondent dans les romans pour les 8-12. Or, insérer des dialogues dans une narration à la première personne ne va pas de soi, d'où parfois les formules maladroites, répétitives ou forcées usant et abusant de «je dis», «il/elle dit». Cependant, dans *Le Secret de Madame Lumbago*[47], ce roman touchant d'une belle amitié entre une vieille gardienne et la jeune Noémie, de la confrontation avec la mort et de la recherche d'un trésor (la montagne de pièces de monnaie qu'Émile avait cachée dans les murs de la maison), Gilles Tibo offre des bonheurs d'écriture, entre autres par son habileté à «donner la parole» aux autres personnages. La lecture y gagne en fluidité et en simplicité.

Dans les romans pour les 12-16 ans, un vocabulaire plus large permet l'introspection et l'analyse; les images employées reflètent la psychologie du personnage. Si dure qu'elle veuille paraître, Marie-Lune n'en trahit pas moins son âme romantique, quand elle exprime ses sentiments, le paysage lui suggérant de telles images[48]: «La forêt me ramenait le souvenir des grands sapins livrés aux vents déments»; «je ne voyais qu'un fragile croissant de lune et quelques troupeaux d'étoiles»; «Une onde de bonheur m'a submergée pendant quelques secondes». Par delà les années, ce romantisme diffère peu de celui de Rosanne et de Sylvette (Paule Daveluy) et il se réverbère dans des images de même eau: pour une adolescente, l'amour n'a-t-il donc que les mêmes éternelles formules pour s'exprimer? Peu de romans savent trouver, pour dire le sentiment amoureux, le ton approprié, sans grandiloquence, sans métaphores un peu forcées ou sans déliquescence larmoyante, comme Patricia, dès l'ouverture du *Roman de Cassandre* (1996). Se démarquent *Deux heures et demie avant Jessica* (1991), de François Gravel et *Ciel d'Afrique et Pattes de gazelles* (1989), de Robert Soulières qui, comme Raymond Plante, tempèrent le drame que peut vraiment devenir la relation amoureuse par l'humour ou par une habile déconstruction romanesque qui module de façon variée et intéressante le rythme du récit.

Le personnage qui se raconte le fait aussi selon ce qu'il est au plus intime de lui-même. L'auteur tend un miroir à son personnage; le défi, c'est que le miroir ne soit pas déformant quels que soient les défauts, les travers, les handicaps mentaux (*Victor; Roux le fou*) ou physiques

[47] TIBO, Gilles, *Le Secret de Madame Lumbago*, Boucherville, Québec/Amérique Jeunesse, 1996, 164 p. Coll. «Bilbo». Prix du Gouverneur général, 1996.

[48] DEMERS, Dominique, *Ils dansent dans la tempête*, Boucherville, Québec/Amérique Jeunesse, 1994. 156 p. Coll. «Titan», p. 75, 137.

(*Rouli-Roulant, Rouli-Roulante*, Ariane et sa chaise roulante; *Guillaume*, l'adolescent et son bégaiement). Aux prises ou non avec l'un de ces handicaps, le lecteur comprend, par exemple, le trouble de Guillaume devant sa famille et ses copains et il admire sa volonté de se corriger. Mais était-il nécessaire qu'en «Postface» de *Guillaume* l'orthophoniste Guylaine Jutras tire le roman vers le message, longuement souligné: «Merci à François Gravel de donner une nouvelle visibilité à ce problème».

Le journal intime et le point de vue

À l'intérieur d'un récit à la troisième personne se glisse parfois un narrateur à la première personne, par le jeu d'un journal intime. Suzanne Martel le fait avec plus ou moins de bonheur dans *Un Orchestre dans l'espace*[49]. Pareille intrusion (p. ex. au chapitre 28) ralentit la narration sans ajouter de détails vraiment significatifs sur la psychologie des personnages qui écrivent leur journal ou sans faire mieux comprendre leurs réactions devant la civilisation de Vania (la planète où ils ont été envoyés pour rapporter sur terre des minéraux ou des plantes et où sévit une guerre larvée pour la maîtrise de l'eau). Il en va tout autrement dans *Titralak cadet de l'espace*[50]. Dans ses «Carnets de bord», le Tachyonien, dont la soucoupe volante a quitté son orbite et s'est écrasée près de Québec, enregistre le choc des cultures et consigne l'amitié qui se tisse entre lui et Alain, le jeune Québécois qui l'a découvert. Les «Carnets» dans leur formulation même épousent bien la psychologie du personnage, rationnel et habitué à dompter ses sentiments.

La Vraie Histoire du chien de Clara Vic de Christiane Duchesne Illustration: Marc Mongeau
Éditions Québec/Amérique Jeunesse, 1990. Coll. «Gulliver» «Ce soir, le chien était un autre chien. Mon chien. Mon chien. Mon chien. J'ai perdu mon chien. Il me reste une île avec un chien perdu qui ne reviendra pas. Sans lui, j'aime autant retourner chez moi. Non. Je ne sais plus. Quitter l'île sans le chien, l'abandonner ici? Je ne pourrai jamais.» «Extrait du cahier rouge.» (p. 46).

Le même procédé se retrouve dans *La Vraie Histoire du chien de Clara Vic*[51] où Christiane Duchesne insère habilement 16 extraits, généralement brefs, du «Cahier rouge» de Clara Vic. Ils sont autant de points d'orgue au récit qui les encadre; le journal complète sobrement une description, transcrit les émotions de Clara et éclaire ses relations avec le chien, devenu personnage (Lettre au chien, p.75). C'est avec autant d'adresse que le «Cahier rouge» ponctue la narration dans *Bibitsa ou l'Étrange Voyage de Clara Vic*[52].

Dans *La Route de Chlifa*[53] Michèle Marineau utilise le journal de Karim et les lettres qu'il adresse à un ami resté au Liban, pour mieux

[49] MARTEL, Suzanne, *Un orchestre dans l'espace*, Montréal, Les Éditions du Méridien, 1985, 284 p.

[50] *Id., Titralak cadet de l'espace*, Montréal, Éditions Héritage, 1974. Deuxième édition revue et corrigée, 1979, 282 p. Coll. «Galaxie».

[51] DUCHESNE, Christiane, *La Vraie Histoire du chien de Clara Vic*, Boucherville, Québec/Amérique Jeunesse, 1990, 114 p. Coll. «Gulliver». Réimpressions 1991, 1996. Prix du Gouverneur général, 1990. Prix Alvine-Bélisle, 1991.

[52] *Id., Bibitsa ou l'Étrange Voyage de Clara Vic*, Boucherville, Québec/Amérique Jeunesse, 1991, 135 p. Coll. «Littérature de jeunesse». Réimpression 1992. Prix IBBY International 1992. Prix Christie 1992.

[53] MARINEAU, Michèle, *La Route de Chlifa*, Boucherville, Québec/Amérique Jeunesse, 1992, 245 p. Coll. «Titan». Réimpression 1995. Prix du Gouverneur général, prix Alvine-Bélisle, prix Brive/Montréal, 1993.

faire comprendre le dépaysement de ce jeune Libanais transplanté au Québec. La narratrice, compagne de classe de Karim, ne saurait que décrire les attitudes de l'adolescent: «Comme nous ne savions pas grand-chose de Karim, nous inventions à partir de ce que nous voyions, à partir de ce que nous croyions deviner.» (p. 33). Habilement, toutefois, Michèle Marineau, dans un retour en arrière racontant le voyage lui-même, renonce au *je* de Karim et adopte le point de vue du jeune Beyroutin en route pour Chlifa. Et elle traduit avec beaucoup d'émotion la transformation de l'adolescent, au cours de la traversée du pays meurtri. Peu à peu, l'égoïsme inconscient cède le pas à la tendresse; entre lui et Maha, sa compagne de voyage et Jad, frère de Maha, tous trois exilés de l'intérieur, se tisse une solidarité réelle. Après le meurtre sordide de Maha, Karim amène Jad au Québec avec lui. La réminiscence de ce voyage est libératrice pour Karim. Il peut donc recouvrer sa propre voix, dans le dernier chapitre du roman, en utilisant à nouveau le *je*.

Yves Beauchesne et David Schinkel, pour raconter les trois mois de fugue de Mathieu[54], adoptent la narration à la troisième personne et le point de vue de Mathieu. Ils ne le quittent pas d'une semelle, depuis la soirée où il a été battu par son oncle et père adoptif Réjean jusqu'à ce qu'il abandonne l'école désaffectée, froide et lugubre, son refuge depuis des semaines. Pas de «miroir» dans ce roman, mais la description efficace, sans apitoiement, d'une période tragique de la vie d'un adolescent de 15 ans, entrecoupée d'heures de paix auprès de ses employeurs, les Carrera. Le personnage de Mathieu en acquiert de la profondeur et de l'autonomie et jamais les auteurs ne le donnent comme un modèle de réinsertion familiale.

Dans la production récente, les expériences d'écriture se répètent, pour combiner l'utilisation de la première personne et d'un narrateur impersonnel. Si, à cet égard, *La Route de Chlifa* est une réussite, *Le Roman de Cassandre*[55] en illustre les difficultés. Trois narrateurs *je* se répondent (Cassandre par son journal, Patricia et Mathieu par leurs monologues intérieurs); une partie du récit est racontée par un narrateur externe. Ici, la technique dessert l'évolution des personnages et l'unité du récit. Est-ce l'abondance des dialogues entre Patricia et Mathieu, qui paraissent redondants par rapport à leurs monologues individuels? L'écriture des monologues ne va pas sans difficulté pour, à la fois, traduire

Aller Retour *de* **Yves Beauchesne** *et* **David Schinker**
Illustration: Martine Courval
Éditions Pierre Tisseyre, 1986. Coll. «Conquêtes»
«Les grosses mains de cet homme devenu étranger agrippèrent Martin par sa chemise et le secouèrent avec une telle violence que le pauvre garçon ne pouvait plus voir, ne pouvait plus penser, ne pouvait plus entendre [...]. Un long moment s'écoula avant qu'il pût rassembler ses idées. Ce qu'il éprouva alors n'était que solitude et douleur.» (p. 9, 10).

[54] BEAUCHESNE, Yves et David Schinkel, *Aller retour,* Montréal, Éditions Pierre Tisseyre, 1986, 144 p. Coll. «Conquêtes». Prix Cécile-Rouleau de l'ACELF 1986. Prix Alvine-Bélisle de l'ASTED, 1987. Prix d'excellence de l'Association des consommateurs du Québec «Livres 1988». *Id., Le Don,* Montréal, Éditions Pierre Tisseyre, 1990, 290 p. Coll. «Conquêtes» «Joëlle reçoit le journal de sa grand-tante... et le fantastique envahit sa vie». Prix du Gouverneur général de littérature de jeunesse, 1987. Certificat d'honneur de l'Union internationale pour les livres de jeunesse IBBY, 1990.

[55] DESROSIERS, Danièle, *Le Roman de Cassandre,* Montréal, Éditions Pierre Tisseyre, 1996, 165 p. Coll. «Faubourg Saint-Roch»

Paule Daveluy
Photo: JacMat
Pionnière de la littérature de jeunesse, Paule Daveluy a vu ses premiers romans réédités chez Québec/Amérique et très favorablement accueillis. Quand elle refait l'histoire de cette littérature, elle constate avec joie: «On vante à l'envi la qualité du livre québécois pour la jeunesse, la vitalité du milieu. Tout un chacun écrit, illustre pour les jeunes dans 36 disciplines; les hommes beaucoup, le croiriez-vous? Certains arrivent même à en vivre. Et les jeunes lisent ces livres, produits ici, pour eux. Et les aiment. Que demander de plus? Que ça continue...» (Lurelu, *été 1990)*

la spontanéité des personnages et s'accomoder de l'intervention de l'écrivain qui module ce réel avec plus ou moins d'aisance. Difficile donc, dans ce roman, de suivre, autrement que de façon anecdotique, la relation amoureuse (Patricia, Mathieu) et la relation filiale (Cassandre, Patricia).

Si le *je* semble presque aller de soi aujourd'hui dans certaines collections, la technique n'est pas nouvelle. En 1964, dans ses deux *Sylvette*, et en 1977, dans la série Rosanne, Paule Daveluy donne la parole à ses personnages. Grâce au *je*, le lecteur, à petites touches, avec délicatesse, s'immisce dans l'intimité romanesque des jeunes filles d'alors; il s'attache à ces personnages en pleine maturation psychologique, au demeurant assez proches de Marie-Lune, confrontée elle aussi à des questions existentielles. Les analogies entre ces adolescentes ne manquent d'ailleurs pas, pour qui fait une lecture parallèle de ces romans.

Le choix du *je* narrateur dans l'écriture romanesque actuelle n'est cependant pas entièrement «neutre». Outil privilégié du «roman miroir», il permet de vivre de l'intérieur les problèmes des familles (*Mon père et moi* de Francine Ruel, *Un monstre dans les céréales* de Marie-Francine Hébert) éclatées (*Ani Croche)*, de la violence familiale (*La Vie au max* de Susanne Julien), de l'avortement (*Les Grands Sapins ne meurent pas* de Dominique Demers), de l'écologie (*Mission audacieuse* de Joceline Sanschagrin), de la drogue (*La Marque rouge* de Marie-Andrée Clermont), de l'alcoolisme, des difficultés scolaires (*J'ai besoin de personne* de Reynald Cantin), de l'acceptation de soi et des autres, etc. La tentation de mimer simplement la vie menace parfois d'infléchir le roman vers une cause à défendre. Les auteurs n'évitent pas toujours le piège de la «fin heureuse», plus près du conte que du roman. À partir d'une généralisation évidente, Réginald Martel ne fait pas dans la nuance alors qu'il condamne avec virulence ces «aventures [...] hypocritement enrobées de morale à deux sous.» (*La Presse*, 24 novembre 1996, p. B5). Yves Beauchesne, quant à lui, ne condamne pas, mais il met en garde; il qualifie les romans qui prêchent de «bons comportements et qui se veulent édifiants et porteurs de messages de 'nouveaux didactismes camouflés'»[56] .

Dernière observation, pédagogique, cette fois. Comment mesurer l'effet de ce choix constant du récit à la première personne sur l'élève du secondaire? Tant de fois invité, après la lecture d'un roman, à écrire un texte «à la manière de», il se trouve démuni, au collégial, devant l'obligation de rédiger un texte objectif sans recourir à la première personne.

[56] Cité par Édith Madore dans *Le Roman pour la jeunesse au Québec*, p. 104.

Jointe à l'utilisation du *je*, la narration au présent constitue une autre caractéristique du roman jeunesse contemporain. Observons encore une fois que des auteurs l'ont pratiquée il y a un bon moment. Ainsi Suzanne Martel (dans *Surréal 3000* et dans *Jeanne, Fille du Roy*) et Monique Corriveau (dans *Le Wapiti*), pour ne citer que ces auteures, racontent elles aussi au présent les aventures de leurs héros.

Les temps de la narration

L'effet visé est toujours le même: superposer le temps de la lecture et le temps du récit. Les romans d'aventure et policier, par contre, sont pour la plupart écrits au passé. Denis Côté conjugue parfois le *je* et le passé; Chrystine Brouillet le fait aussi, à l'occasion. Il en va de même pour le roman fantastique et le roman de science-fiction (exception faite pour, entre autres, *Les Envoûtements* et *La Nef dans les nuages* de Daniel Sernine, écrits au présent).

Dans le roman historique, le présent de narration facilite la plongée dans le passé, annihilant les siècles qui nous séparent de Mathieu Rousseau ou de Jeanne Chatel. Pas de retours en arrière, dans *Le Wapiti.* Le passé est évoqué par un adverbe ou une courte phrase: «Il narre les événements qui ont précipité son départ.»; «Brièvement, il évoque la vie exemplaire et la mort tragique d'Augustin Cléret.»[57]. Suzanne Martel construit de «vrais» retours en arrière, formellement écrits au passé, qui lui permettent de présenter une Jeanne habile conteuse, forte tête, femme de courage et d'action[58].

Jeanne, fille du Roy de **Suzanne Martel**
Fides, 1992. Coll. «Grandes Histoires»
«Pour ces hommes rudes, une femme, ailleurs que dans sa maison, c'était un encombrement, un risque inutile, une responsabilité inévitable.
«Les yeux pleins de feux, la petite dame Rouville jura à l'instant que plus jamais elle ne se contenterait de ce rôle effacé. [...] Jeanne Chatel serait reconnue pour ce qu'elle était, ou renvoyée au Roy avec armes et bagages.» (p. 200)

Le présent de narration, comme le passé, s'avèrent aussi efficaces l'un que l'autre si l'écrivain qui les choisit maîtrise et son sujet et son art.

Faisant écho à des remarques d'instituteurs, Suzie Côté, animatrice expérimentée auprès des jeunes, note que certains lecteurs ont des problèmes pour établir ou restaurer la chronologie des événements racontés dans un roman et pour distinguer, entre deux actions passées, laquelle est antérieure à l'autre. Cette difficulté persiste lorsque, dans les romans écrits au passé, ils doivent se colleter aux différentes formes du passé. Les romans jeunesse ne doivent pas être des prétextes à des exercices grammaticaux, bien sûr, mais la bonne intelligence d'un récit ne saurait faire l'économie de la restauration de la chronologie des événements.

LES LIEUX

Si les romans réalistes et psychologiques se déroulent habituellement dans des lieux familiers, d'autres textes entraînent les personnages vers des régions obscures et souterraines. Ou encore, la

[57] *Le Wapiti*, p. 189-190.
[58] *Jeanne, fille du Roy*, p. 8-12; 18-19; 165, etc.

réalité se dédouble, et les personnages plongent dans un ailleurs pas toujours rassurant.

Les souterrains

Surréal 3000 **de Suzanne Martel**
Illustration: André Shirmer
Éditions Héritage, 1980. Coll. «Galaxie»
«Tout étourdi, Luc se retrouve au pied de ces plantes gigantesques que la botanique des anciens appelait des sapins [...]. Le chant d'un oiseau le ravit et son vol encore plus. Le grand silence de la nature assaille ses oreilles après le ronronnement de son existence motorisée. Ses sandales foulent avec plaisir le sol spongieux et bruissant de la sapinière. Il touche l'écorce rugueuse et noircit son doigt à la résine luisante.» (p. 47).

En 1964, dans le roman qui deviendra *Surréal 3000*, Suzanne Martel invente un monde souterrain. Vers l'an 2000, après une «Grande Destruction» atomique qui anéantit Montréal, quelques centaines de personnes se sont réfugiées sous le Mont-Royal. Elles ont créé, durant ces mille années de réclusion, une cité vivant en complète autarcie enfermée de toutes parts par des portes de plomb, et «tirant du roc ce dont elles ont besoin» (p. 5). Dans des espaces à la fois vastes et dénudés, pourvus de tout le confort et de tous les «appareils» requis pour le bien-être et la santé, les jeunes sont toutefois soumis à des codes stricts (nourriture, études, activités physiques, etc.) Ces restrictions n'altèrent pas leur curiosité, leur solidarité et leur courage. Par une fissure consécutive à un tremblement de terre, Luc sort de la ville et découvre les sapins, les oiseaux... et Agatha: le monde extérieur est donc habitable! Bernard, pour sa part, sauve Surréal de l'invasion d'un peuple inconnu et menaçant vivant dans d'autres souterrains. Ces deux adolescents permettent, à leur façon, aux Surréaliens de sortir du ventre de la terre et de reprendre pied dans un Montréal en ruines (dont on peut imaginer qu'ils feront une nouvelle cité technologique sur le modèle de Surréal) mais également dans un espace périphérique (la banlieue?) foisonnant de vie et d'espoir. Il en va autrement pour le jeune Daniel, personnage de Jean-Michel Liendhart[59], dans *La Mémoire des hommes*, qui découvre cupidité, violence et mensonge au sortir de son abri antiatomique et qui devra s'adapter et perdre quelques illusions dans une confrontation à la réalité humaine. Louis Sutal, dans *Révolte secrète*[60] imagine aussi des cavernes sous le Mont-Royal. Un savant montréalais, passionné par la miniaturisation, y a installé son laboratoire. Maxime Legrand y concocte des sérums qui gardent aux humains leur taille de bébés mais ne les empêchent pas de vieillir. C'est dans ces cavernes que Legrand éduque ses Minis. Mini 2-5 s'évade et entreprend la libération des siens avec l'aide de François, de Eksk-Hiz et de Paul, dans une série de rebondissements étonnants mais vraisemblables qui soutiennent l'intérêt de la lecture. Les Liliputiens fêteront leur libération *sur* le Mont-Royal, comme une certaine fête de la Saint-Jean, quelques années après la publication du roman...

[59] LIENDHART, Jean-Michel, *La Mémoire des hommes,* Montréal, Éditions Paulines, 1988, 133 p. Coll. «Jeunesse-pop». Science-fiction.

[60] SUTAL, Louis, *Révolte secrète,* Montréal, Éditions Paulines, 1974, 125 p. Coll. «Jeunesse-pop». François, Eksk-Hiz et Paul se retrouvent dans les autres romans de science-fiction de Louis Sutal: *Menace sur Montréal, Le Piège à bateaux, La Planète sous le joug.*

Chez Daniel Sernine, «la plupart des récits voient l'action principale se dérouler dans des cavernes secrètes. Qu'ils soient le refuge du mal, la cachette d'un trésor, le passage secret menant à un lieu mystérieux, comme le caveau d'un tombeau, ou encore de sinistres catacombes, les lieux souterrains exercent sur le héros une intense emprise.»[61] Pour éviter d'être capturés par la soldatesque, Esther Verrier, Anne et un groupe de «suspects» fuient dans les catacombes de la ville de Neubourg. En marche vers la liberté, ils inventorient leur passé, à travers tombes, cadavres, plaques funéraires et ossuaires.[62]

À la suite d'un cataclysme survenu des siècles auparavant, la plupart des villes du pays de Coril[63] ont disparu, sauf celles qui étaient sous terre. Dès lors, pour survivre et faire pousser leurs légumes, les gens des villes ont créé des fermes, souterraines elles aussi, alimentées en eau par un conduit commun. Coril habite une de ces fermes, Roc-Mort. Comme les filles de son âge, à 15 ans, elle commence son apprentissage. Elle a choisi d'être coursière avec Algir et de porter les messages de ferme en ferme. Des gens de «la ville» arrivent inopinément et requièrent leur aide pour trouver une fuite d'eau, en amont. On accède à la «rivière» à partir d'une bouche d'accès sous les fermes. Vaincre l'obscurité menaçante, l'eau-vie, l'eau-mère, ses tourbillons et ses sinuosités, durant des jours et des jours: tel est le défi. Au terme de la quête, à la source de la rivière souterraine, s'étale Saineterre, une ville édénique où poussent tous les légumes nécessaires à la survie. «L'endroit était de toute beauté. Mais ce n'était en fin de compte qu'une ferme. Sauf que les citadins n'étaient pas libres d'en repartir.» (p. 124). Coril se sait née pour le désert, son sable et ses tempêtes, et non pour des lieux clos, qu'ils soient sous la terre ou en plein soleil. Elle coupe les liens et repart, seule, vers son destin.

Dans un roman exigeant, *L'Étranger sous la ville*[64], Esther Rochon accompagne Anar Vranengal dans les caves de la citadelle de Frulken, où elle va rencontrer Jouskilliant Green, qui est à la veille de quitter son refuge. Elle a douze ans et doit un jour succéder au sorcier Ivendra. Après que les Asven, soumis à des entraves mythiques séculaires, eurent perdu leur puissance et furent menacés de disparition (cf. *L'Épuisement du soleil*, 1985), Green avait tenté de les sauver de leur torpeur. En vain. Devant cet échec, il s'est retiré dans les caves de la citadelle où sont

Le Rendez-vous du désert *de* **Francine Pelletier**
Illustration: Jean-Pierre Normand
Éditions Paulines, 1987. Coll. «Jeunesse-pop»
«Un appareil montait lentement vers eux [...] une plate-forme étroite mais allongée». «Sans doute les rebelles», depuis leur départ des cités souterraines, «utilisaient-ils ce porteur-glisseur» *pour s'emparer du métal des dômes des fermes souterraines et en fabriquer leurs habitations dans la vallée. Cette vallée où les cultures se faisaient en plein air, mais d'où l'on ne pouvait repartir, une fois que l'on y entrait. «Nous avons besoin de bras pour les plantations.» (p. 113, 118).*

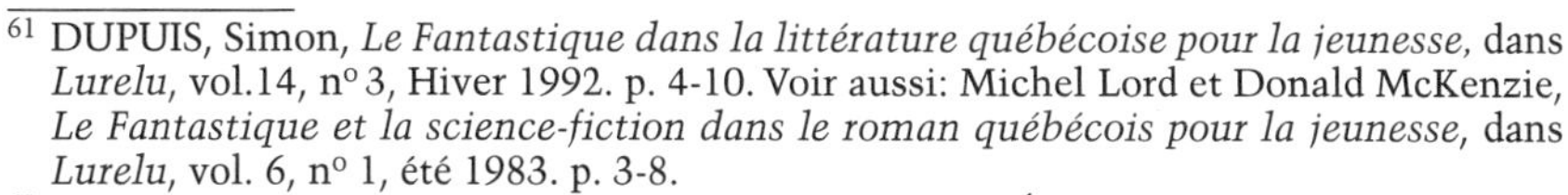

[61] DUPUIS, Simon, *Le Fantastique dans la littérature québécoise pour la jeunesse*, dans *Lurelu*, vol.14, n° 3, Hiver 1992. p. 4-10. Voir aussi: Michel Lord et Donald McKenzie, *Le Fantastique et la science-fiction dans le roman québécois pour la jeunesse*, dans *Lurelu*, vol. 6, n° 1, été 1983. p. 3-8.

[62] SERNINE, Daniel, *La Nef dans les nuages*, Montréal, Éditions Paulines, 1989, 155 p. Coll. «Jeunesse-pop». Fantastique.

[63] PELLETIER, Francine, *Le Rendez-vous du désert*, Montréal, Éditions Paulines, 1987, 127 p. Coll. «Jeunesse-pop».

[64] ROCHON, Esther, *L'Étranger sous la ville*, Montréal, Éditions Paulines, 1986, 123 p. Coll. «Jeunesse-pop». D'abord paru sous le titre *En hommage aux araignées*, 1974.

enfermés les vestiges de la ville et les bibliothèques de la puissance asven. L'ermite, reclus depuis dix-sept ans, est descendu en lui-même, à la recherche de l'essentiel: le sens de la vie et des choses. Dans son périple au long des couloirs qui le conduisent à sa définitive sortie des caves, Green transmet à Anar la sagesse acquise durant ces années. Démarche initiatique donc pour la jeune fille appelée à conseiller, un jour, le peuple asven et qu'Esther Rochon décrit avec art et maîtrise.

Wondeur Lacasse, 12 ans, cherche son père disparu. Grâce à ses pouvoirs spéciaux, elle s'envole et se retrouve dans une ville emmurée, étrange et sordide où, croit-elle, il est allé. Les enfants vivent dans des caves humides et froides. «Les grandes personnes nous laissent tranquilles si on ne fait pas de bruit.»[65], car au-delà du mur s'accumulent des déchets chimiques et radioactifs. La chute du mur serait donc catastrophique. Grâce à son astuce, Wondeur trouve le passage pour sortir de la ville; les enfants l'aident à s'enfuir, le mur se refermant derrière elle. Mais un enfant a saisi le «secret»...

Parce qu'un virus menace leur race d'extinction, les dirigeants de la planète des Gobeurs de cristaux ont envahi la planète des Yzlu, habitants des marais. Ils savaient y trouver des cristaux dont ils tirent, par fusion, le tyl, un antidote à ce virus[66]. Pour mieux les asservir, les Gobeurs ont abusé de leur naïveté et utilisé leurs croyances au dieu YI et leurs principes religieux; ils ont fait de YI un dieu vengeur dont ils se disent les messagers. Ils ont ainsi justifié la réclusion des Yzlu sous des dômes et dans des souterrains d'acier conduisant aux marais ou vers des corridors taillés dans la montagne menant au Domaine des Sans Yeux. Ce domaine est présenté comme un lieu de «fusion avec le dieu», mais il est plutôt une immense fosse où vont se décomposer les Yzlu aveuglés par les fours cuisant les cristaux. En y conduisant JIR, Glihk, le plus jeune travailleur de la cellule, s'évade du camp de travail souterrain. Repris par les Gobeurs, il apprend la vérité sur son peuple. Malgré les effets du virus dont, pour servir de cobaye, il a été contaminé par les Gobeurs, il s'engage dans une résistance passive, en attendant la délivrance de son peuple «bête rampante dans un souterrain noir». «Les rêves deviennent toujours réalité.»[67] Dans ce roman/métaphore polysémique, dont le dernier paragraphe est explicite (l'exploitation des richesses des nations pauvres par les nations puissantes), la lutte de Glihk a donc une résonance politique contemporaine. Le roman invite par ailleurs à réfléchir sur les effets de la soumission aveugle à une religion quelle qu'elle soit.

---

[65] SANSCHAGRIN, Joceline, *Atterrissage forcé,* Montréal, Les Éditions de la courte échelle, 1987. 94 p. Coll. «Roman Jeunesse», p. 29.

[66] LAZURE, Jacques, *Le Domaine des Sans Yeux,* Montréal, Québec/Amérique Jeunesse, 1989. 111 p.

[67] *Ibid.*, p. 105, 111.

Le Peuple fantôme[68] nous entraîne également dans des grottes où se retrouve confiné, après un effondrement de terrain, un groupe de jeunes lors d'un voyage en Islande. Dans ces grottes, se développe une vie mystérieuse...

Le métro de Montréal offre ses cavernes pour planter le décor d'une action mystérieuse. Sylviane[69] est attirée par un joueur de clarinette. Cet Orphée du métro l'entraîne dans une aventure terrifiante où vol de banque, prise d'otage, vengeance, poursuites et libération marquent les heures qui précèdent Noël.

Ni science-fiction, ni fantastique, d'autres romans utilisent aussi le métro de Montréal et ses lieux souterrains. *Métro-Caverne*, de Paul de Grosbois (1987) raconte la poursuite de Gabriel et de Benoît cherchant leur chat Flocon dans les «cavernes» du métro de Montréal, au demeurant quelque peu angoissantes pour des jeunes. Tout à l'opposé, la course de Catherine et d'Isabelle, parties à la recherche du lapin Alfred[70] dans le métro, devient plutôt un prétexte à découvrir un monde souterrain somme toute sympathique. *Opération Marmotte*, de la même auteure, conjugue les incursions dans le métro avec une intrigue policière et «archéologique»: des pièces de monnaie et des objets anciens ont été volés; les enfants n'avaient pas été les seuls à s'introduire dans le métro.

Dans une caverne, proche de celle d'Ali-Baba, à la fois cache et atelier, protégée par les rugissements d'un faux Windigo servant à éloigner les intrus, des bandits copient des originaux d'artefacts indiens, volés au musée local avec la complicité du conservateur, copies vendues à prix fort. Des jeunes se font détectives efficaces; ils mènent leur enquête rondement, démasquent le Windigo, accèdent à l'intérieur de la caverne et piègent les voleurs[71].

Nous passons sous silence les maisons abandonnées, la réclusion vécue dans les navettes spatiales, les cités interplanétaires, toutes les Antartis protégées par des dômes imposants.

Ici et ailleurs, tout à la fois

Denis Côté excelle dans l'art de la subversion des lieux où vivent ses jeunes personnages. Une école, un parc d'attractions, une maison bien ordinaire: et tout bascule. Après un spectacle rock, une tempête de neige oblige les élèves à passer la nuit à l'école[72]. Maxime enquête sur

[68] CHABIN, Laurent, *Le Peuple fantôme*, Montréal, Boréal, 1996, 204 p. Coll. «Boréal Junior+».
[69] PELLETIER, Francine, *Le Fantôme de l'opérateur*, Montréal, Éditions Médiaspaul, 1996,. 133 p. Coll.«Jeunesse-pop». Mystère.
[70] GAGNON, Cécile, *Alfred dans le métro*, Montréal, Éditions Héritage, 1980, 126 p. Coll. «Pour lire avec toi». *Opération Marmotte*, Montréal, Éditions Héritage, 1984, 125 p. Coll. «Pour lire avec toi»
[71] FRASER, Michèle, *Opération Windigo*, Laval, Éditions HRW, Groupe Éducalivres, 1996, 120 p. Coll. «L'Heure plaisir».
[72] CÔTÉ, Denis, *La Nuit du vampire*, Montréal, Les Éditions de la courte échelle, 1990, 93 p. Coll. «Roman Jeunesse».

Denis Côté
Photo: Pierre Charbonneau
*Depuis ses premiers romans, en 1983-1984 (immédiatement couronnés par de nombreux prix), Denis Côté a publié quelque vingt livres qui en ont fait un auteur fort en demande auprès de son public lecteur. «Le nouveau venu en littérature de jeunesse» de l'époque décrivait ainsi ses aspirations, en 1985: «Lorsque j'étais jeune, je rêvais d'être le Henri Vernes québécois [...]. Si je pouvais marquer l'imaginaire des jeunes d'aujourd'hui comme Henri Vernes l'a fait pour nous, ce serait au-delà de mes espérances.» (*Lurelu, *hiver 1985).*

une série d'indices (sang d'animaux volé au laboratoire, vitrail cassé, Red Lerouge musicien albinos complice d'un jeu ambigu). Avant de connaître le dénouement, le lecteur aura eu sa portion de frayeurs, Côté maniant avec maîtrise la construction de son intrigue. Après son anniversaire, Maxime trouve dans sa chambre une paire de bottes qu'il chausse et qui le propulsent cent ans en arrière à la rencontre d'une institutrice préoccupée de santé publique... et de magie. Encore novice dans son art, elle n'avait pu «accompagner» ses bottes qui étaient revenues, avec Maxime et Jo, à leur point de départ. Une excursion en canot de chasse-galerie pour éviter les chasseurs de sorcière... puis retour à la maison, grâce à une horloge grand-père. Cette fois, la conclusion du roman ne dissipe nullement le mystère du voyage dans le temps[73].

Pour les lecteurs mis en appétit avec ces «romans jeunesse», les œuvres de science-fiction ou de fantastique de Denis Côté promettent des heures de plaisir: la série des *Inactifs* (En 2010, un joueur de hockey transporté à Lost Ark, se mesure à des robots, mais il découvre qu'un dictateur tient sous sa gouverne un peuple réduit au chômage), *Les Géants de Blizzard*, *Les Parallèles célestes*, *Terminus cauchemar* (une fugueuse cueillie par un automobiliste est retenue prisonnière dans un complexe de recherche contre le vieillissement et y vit des jours d'horreur).

D'autres écrivains, de plus en plus nombreux, dont plusieurs sont regroupés dans la collection «Jeunesse-pop», chez Médiaspaul, signent aussi des récits de science-fiction, de fantastique ou de fantastique épique. Cette production très prometteuse convient davantage au lecteur de 14 ans et plus. Le lecteur familier avec *La Baignoire à pattes* ou le merveilleux des contes d'enfants n'est pas désorienté par le roman fantastique. Le roman de science-fiction exige plus d'attention, plus de rigueur du lecteur, même s'il circule avec aisance dans le monde de *Cosmos 1999*, *Odyssée de l'espace*, *E.T.* et autres films du genre. Pour Esther Rochon, «S'agit-il de la littérature des technocrates? En partie. C'est aussi celle des adolescents brillants qui s'ennuient à l'école.»[74]. Nous n'avons pas distingué les genres dans les exemples présentés auparavant. Classification, description, définitions: les sources ne manquent pas, ni les nuances, ni les inclusions, ni les exclusions. Nous emprunterons plutôt à Francine Pelletier[75] un tableau simple et clair qui démarque bien les genres par leurs définitions, leurs thèmes et leurs mots-clés.

---

[73] *Id.*, *Voyage dans le temps*, Montréal, Les Éditions de la courte échelle, 1989, 92 p. Coll. «Roman Jeunesse».
[74] ROCHON, Esther, entrevue avec Michel Laurin, dans *Nos Livres*, vol. 17, 1986, p. 4.
[75] PELLETIER, Francine, *Initiation aux littératures de l'imaginaire*, Montréal, Médiaspaul, 1996, 23 p.
«Ce document s'adresse aux enseignants du deuxième cycle de l'élémentaire et du premier cycle du secondaire [...] afin qu'ils soient en mesure de faire la différence entre les divers genres relevant des littératures de l'imaginaire.», p. 1.

Genre littéraire	**Science-fiction**	**Fantastique**	**Fantastique épique**
Définition	Explication scientifique Métaphore/autre lecture de notre monde Vraisemblance	Inexpliqué Étrange Irréel	Épopée/quête Époque lointaine Inexpliqué
Thèmes	Rencontre de l'autre (Altérité) Voyage temporel Voyage interstellaire Création de monde	Possession Sorcellerie Basculement de la réalité quotidienne Objet maléfique Horreur	Quête d'un objet magique, d'une créature fabuleuse ou sauvegarde d'un royaume
Mots-clés	Vaisseau Espace Planète, galaxie Avenir/futur	Fantôme(s) Démon(s) Malédiction	Roi, reine, prince, princesse Mage, magicien, sorcier Fée, lutin, ogre, etc. Anneau magique Bâton de magie

Michel Lord signe ailleurs dans ce livre un texte sur la SF dont le contenu s'applique *mutatis mutandis* à la SF en littérature de jeunesse, Esther Rochon, Élisabeth Vonarburg et Daniel Sernine, entre autres, écrivant autant pour les adultes que pour les jeunes. Le plus prolifique reste Daniel Sernine, tant en fantastique qu'en SF. Quand on lit un livre comme *La Traversée de l'apprenti sorcier*, c'est tout le monde de Merlin et d'Arthur qui se dessine en filigrane, même si l'histoire se situe en 1595. Maître Llyr, sachant que «les dieux anciens se sont éclipsés», initie Alexandre Davar aux arcanes de la magie sous la

Daniel Sernine
Photo: Michel P. Gagné
Après des études en bibliothéconomie, Daniel Sernine consacre une année à l'écriture, avant de se chercher un emploi. «Depuis je n'ai jamais retravaillé dans une bibliothèque et je suis, finalement, devenu écrivain!» (Dossier Médiaspaul). «Grand spécialiste québécois de la science-fiction et du fantastique,Daniel Sernine a produit une œuvre riche, unique et abondante en plus d'encourager de nombreux auteurs à suivre ses traces.» (Dominique Demers, Du Petit Poucet au Dernier des raisins, *p. 90).*

toute-puissante protection du dragon. Après quoi Llyr «s'évade»[76], tout comme Merlin. Dans ce roman, l'un des moins volumineux de Sernine, les allusions historiques jointes à une certaine allégresse d'écriture illustrent la «manière Sernine» et préparent le lecteur au «grand déploiement de l'imaginaire» de ses romans de SF.

Directeur de la revue *Lurelu*, directeur de la collection «Jeunesse-pop», Daniel Sernine a publié 32 livres depuis 1978 (notamment six dans la seule année 1991), dont 20 destinés aux adolescents: romans fantastiques ou de science-fiction. Les descriptions méticuleuses et méthodiques y abondent, la construction des lieux s'appuie souvent sur des cartes géographiques des mondes imaginaires créés. Il s'agit bien d'une pratique d'écriture exemplaire; faut-il la «harnacher», comme l'eau du torrent?

L'EXCELLENCE

Consciente que ce survol laisse dans l'ombre des pans importants de la production littéraire depuis 1969 à tout le moins quant au nombre de livres et d'auteurs cités, désireuse d'éviter des regroupements qui tiendraient plus du catalogue que de l'analyse, nous avons présenté une synthèse qui s'ajoute à celles qui sont parues depuis quelques années.

À l'évidence, la littérature pour la jeunesse témoigne d'une maturité et d'une vitalité indéniables. Les éditeurs sont engagés dans une saine concurrence qui repose plus sur la qualité que sur les scores d'exemplaires vendus, quoiqu'il n'y ait pas de contradiction entre les deux termes. Les illustrateurs restent à la hauteur de leur réputation.

Le roman jeunesse, plus que le roman pour adultes, a pour lui la force du temps. Nombre d'auteurs, majoritairement des auteures, se retrouvent au catalogue des maisons d'éditions depuis plus de vingt ans (Henriette Major, Cécile Gagnon, Suzanne Martel, Christine Duchesne, entre autres). La relève a la passion, le talent et la ténacité nécessaires pour durer elle aussi. Pour le peloton de tête, toutes générations confondues, **l'excellence** s'affiche. Mais il ne faut pas baisser la garde. L'histoire de la littérature de jeunesse au Québec porte en elle de dures leçons.

---

[76] SERNINE, Daniel, *La Traversée de l'apprenti sorcier*, Montréal, Médiaspaul, 1995, 172 p. Coll. «Jeunesse-pop». Fantastique. P. 18, 136.

BIBLIOGRAPHIE ANALYTIQUE SOMMAIRE

DEMERS, Dominique, avec la collaboration de Yolande Lavigueur, Ginette Guindon et Isabelle Crépeau. *La Bibliothèque des enfants. Des trésors pour les 0 à 9 ans.* Boucherville, Québec/Amérique Jeunesse, 1995, 357 p. Coll. «Explorations».

Près de 1 000 albums sont suggérés.

Une fleur de lis identifie l'auteur, l'illustrateur ou l'éditeur québécois. Une quarantaine de titres avant 1986. Plus de 40 % de traductions (de l'américain, de l'anglais, de l'italien, du japonais, de l'allemand,) publiées en France. Une cinquantaine de titres originaux des éditeurs québécois. Des Index des «Titres», des «Auteurs - Illustrateurs – Traducteurs – Adaptateurs» et des «Groupes d'âge» permettent de naviguer dans le volume.

DEMERS, Dominique, avec la collaboration de Ginette Guindon, Yolande Lavigueur, Michèle Gélinas et Gisèle Desroches. *La Bibliothèque des jeunes. Des trésors pour les 9 à 99 ans.* Boucherville, Québec/Amérique Jeunesse, 1995, 328 p. Coll. «Explorations».

«Nous avons ignoré certains livres reconnus par tous les spécialistes pour faire place à des auteurs contemporains proches des jeunes» (p. 11). La majorité des titres ont été publiés de 1990 à 1995. Tout de même «quelque 300 trésors» sont répartis en vingt-six catégories ou thèmes. Les Index suivent le même modèle que ceux du livre précédent.

DEMERS, Dominique, avec la collaboration de Paul Bleton. *Du Petit Poucet au Dernier des raisins.* Introducion à la littérature de jeunesse. Boucherville, Éditions Québec/Amérique Jeunesse/Sainte-Foy, Télé-Université, 1994, 253 p. Coll. «Explorations».

Cours sur la littérature de jeunesse, à partir du «schéma actanciel».

LEMIEUX, Louise, *Pleins feux sur la littérature de jeunesse au Canada français*, Montréal, Leméac, 1972, 337 p.

Le premier livre, incontournable, sur la littérature de jeunesse, pour en connaître l'histoire, depuis les origines, vers 1850, jusqu'à 1971. Une «Bibliographie exhaustive préliminaire [des œuvres] de la littérature de jeunesse au Canada français» (187-256) et des «Index» des illustrateurs, des auteurs et des titres complètent l'information (301-337).

MADORE, Édith, *La Littérature pour la jeunesse au Québec*, Montréal, Boréal, 127 p. Coll. «Boréal Express», 1994. 127 p.

Dans une première partie (p.15-54), Édith Madore fait «L'histoire de la littérature québécoise pour la jeunesse», des origines à 1994. La seconde partie traite du «Livre québécois pour la jeunesse et [de] ses principaux artisans». L'«Annexe I» (p. 113-117) présente les principales collections pour la jeunesse au Québec. L'«Annexe II» dresse la chronologie des événements importants en littérature québécoise pour la jeunesse.

POTVIN, Claude, *La Littérature de jeunesse au Canada français.* Bref historique. Sources bibliographiques. Répertoire des livres. Préface de Claude Aubry. Montréal, ACBLF, 1972. 110 p.

Répertoire bibliographique: avant 1920; de 1929 à 1969, par tranches de 10 ans.

POTVIN, Claude, *Le Canada français et sa littérature de jeunesse.* Préface de Cécile Gagnon. Moncton, Éditions CRP, 1981, 185 p.

Édition revue et augmentée. Historique. Extraits de revues. Bibliographie, par tranches de 10 ans, jusqu'à 1980 inclusivement.

POULIOT, Suzanne, *L'image de l'autre*, Une étude des romans de jeunesse parus au Québec de 1980 à 1990. Sherbrooke, Éditions du CRP, 1994, 170 p.

À partir de 191 romans édités par 21 maisons d'éditions, Suzanne Pouliot, professeure en didactique du texte littéraire destiné aux jeunes, analyse les représentations socioculturelles transmises à travers les personnages romanesques autres que franco-québécois de souche.

PROVOST, Michelle, *De la lecture... à la culture.* Sélection commentée d'ouvrages de fiction pour le secondaire. Montréal, Services documentaires multimédia, 1995, 188 p.

Les titres sélectionnés sont classés selon les catégories suggérées par le MEQ. Ce regroupement est aussi celui de Dominique Demers.

TURGEON, Raymond et Alvine Bélisle. *Romans et contes pour les 12-17 ans.* Montréal, Éditions du Trécarré, 1985, XII + 176 p.
Sélection de 411 titres, classés selon les catégories suggérées par le MEQ.

Madeleine Bellemare est née à Louiseville où elle a été durant cinq ans journaliste à *L'Écho de Louiseville*. Elle a été professeure de français et de latin à Nicolet et à Amos. Au cégep de Saint-Laurent, de 1968 à 1993, elle a enseigné le français et, durant quelques années, la littérature et le cinéma. Elle y a été également chef du département de français durant sept ans, présidente de la Commission pédagogique durant cinq ans et elle a fondé, avec Élizabeth Roussel, le Centre Alpha, centre d'aide en français. Secrétaire-trésorière de l'APEFC de 1988 à 1993 (Association des professionnels de l'enseignement du français au collégial), Madeleine Bellemare s'est également jointe à des équipes de recherche, pour un logiciel intégré de langue française (ministère de l'Éducation) — dont une partie du travail, *Répertoire des ressources*, avec l'auteur François Bélanger, du cégep de Joliette-de-Lanaudière, a fait l'objet en 1996 d'une publication au CCDMD (Centre collégial de développement du matériel didactique) — et pour un test d'évaluation en lecture (PAREA), sous la direction d'André G. Turcotte, du cégep Édouard-Montpetit.

Membre du comité de direction de la «revue d'analyse de l'édition nationale», *Le Livre canadien/Nos livres,* de 1970 à 1988, Madeleine Bellemare en a assumé la direction de 1975 à 1987. Elle y a signé sous son nom ou sous son pseudonyme, *Renée Cimon*, plusieurs centaines de comptes-rendus, dont bon nombre en littérature de jeunesse. C'est sous ce pseudonyme qu'elle a publié, en 1969, le dossier *Germaine Guèvremont*, dans la série «Dossiers de documentation en littérature canadienne-française», chez Fides; la «Bibliographie de Roland Giguère», dans *La Barre du Jour* (n°s 11-12, décembre-mai 1968); la «Chronologie de Gaston Miron» et la «Bibliographie de Gaston Miron», dans *L'Homme rapaillé* (1970). Elle a également publié des poèmes dans différentes revues. Collaboratrice à la revue *Dires*, du cégep de Saint-Laurent, Madeleine Bellemare est l'auteure, sous son nom, d'une «Bibliographie de Claude Mathieu», d'une anthologie de ses «Poèmes» (printemps 1986), d'articles sur Jacques Ferron(«Nationaliste... en pays incertain», automne 1994) et sur Antonine Maillet («Le Grand Retour», automne 1996).

Quatrième partie

Enquête sur le roman policier québécois

Richard Saint-Gelais

> [...] il [le roman policier] fonctionne explicitement comme un jeu entre un auteur et un lecteur, un jeu dont les intrications de l'intrigue, le mécanisme du meurtre, la victime, le coupable, le détective, le mobile, etc., sont ouvertement les pions: cette partie [...] est pour moi un des modèles les plus efficaces du fonctionnement romanesque.
>
> Georges Perec[1]

Un roman policier, c'est, à y songer un peu, une combinaison curieuse: celle d'un crime et d'une énigme. Le crime, plus souvent qu'autrement, est un meurtre; il existe bien des récits policiers où l'on tente de résoudre d'autres crimes[2], mais il faut reconnaître que, parmi tous les crimes possibles, le meurtre exerce une fascination particulière sur les auteurs — et les lecteurs — de récits policiers. Pourquoi? Voilà la première énigme que pose le genre policier.

[1] PEREC, Georges, «Entretien avec Jean-Marie Le Sidaner», dans *L'Arc*, n° 76, 1979, p. 10.

[2] Par exemple dans certaines nouvelles de Conan Doyle, où Sherlock Holmes mène une enquête sur un vol, une affaire de chantage ou de fraude.

Avant de tenter de résoudre ce mystère, revenons à l'idée de *combinaison* de crime et d'énigme. Cette idée est centrale. Le crime, dans un roman policier, doit être énigmatique. Qui l'a commis? Dans quelles circonstances au juste? Parfois l'identité de la victime devient elle-même la source d'énigmes: quelqu'un a été tué, *mais qui*? S'il y a crime mais que celui-ci n'est pas énigmatique, nous n'avons pas affaire à un roman policier — du moins au sens classique —, mais plutôt à l'un des rejetons du genre policier: à un *thriller* ou à un *suspense*. On y reviendra. Il peut aussi, inversement, y avoir énigme sans crime — mais il s'agit alors d'une devinette, ou d'un récit fantastique[3]. Résumons cela sous forme de formule pseudo-mathématique: roman policier (du moins, roman policicr classiquc) = crimc + énigme.

Ces deux ingrédients — savamment mélangés par les auteurs — concernent deux aspects différents du texte: le crime est un élément (central bien sûr) de *l'histoire*, de ce que *raconte* un roman policier; quant à l'énigme, elle repose sur la *construction* du récit, sur une *manière* particulière de raconter cette histoire. Cette façon dont l'histoire est racontée joue un rôle crucial dans le roman policier. On notera d'abord que les romans policiers sont, fréquemment, des récits inversés: ce qui arrive d'abord — le meurtre — est raconté à la fin[4]. Un roman policier est donc en quelque sorte un roman dont il manque le début — un peu comme si nous entrions dans une salle de cinéma dix minutes après le début de la projection[5]. Mieux: un roman policier, c'est un roman qui cherche continuellement son début (manquant), et qui le trouve généralement à la fin; la structure d'un roman policier est donc celle d'une *boucle* (le point d'aboutissement correspond au point de départ) et non celle d'une ligne droite.

Ce qui nous amène à notre second point: si un roman policier est un roman qui cherche à reconstituer son point de départ (le meurtre et ses circonstances), cela fait du texte un gigantesque casse-tête, dont il s'agit de rassembler patiemment les morceaux éparpillés, c'est-à-dire

---

[3] On voit donc que le récit fantastique s'apparente au récit policier par le biais de l'énigme: dans le récit fantastique, le héros — et le lecteur — se demande par exemple s'il a été témoin d'événements surnaturels, s'il a été la victime d'une hallucination, s'il n'est pas en train de devenir fou... Il arrive d'ailleurs que le texte se termine de manière parfaitement ambiguë, que le mystère ne soit pas résolu. Cela peut arriver aussi dans des intrigues policières peu orthodoxes (par exemple dans le film *Le mystère Von Bulow*, où on ne sait pas si le mari a tenté d'assassiner sa femme ou s'il a été la victime d'un coup monté), mais une telle situation tend à être perçue comme une *transgression* des règles du roman policier — alors qu'il ne sera pas considéré comme inhabituel qu'un récit fantastique se termine sans se résoudre.

[4] Une exception célèbre: les films de la série *Columbo*, où le meurtre nous est montré dès les premières minutes; pourtant il s'agit bien de films policiers. Nouvelle énigme, que nous aurons à résoudre en chemin...

[5] En France, dans les années 1920, les surréalistes s'amusaient à faire cela délibérément, de façon à rendre intrigants des films qui ne l'étaient pas pour les autres spectateurs, sagement entrés à temps. Les amateurs de romans policiers ne font pas autre chose: ce sont des lecteurs qui aiment entrer dans un texte qui semble avoir commencé avant la première page, en leur absence.

les indices disséminés à travers le roman. Cette tâche est d'autant plus délicate que tous les indices ne sont pas pertinents; plusieurs constituent des fausses pistes (laissées par le coupable ou par d'autres personnages qui ont eux aussi quelque chose à cacher, ou encore livrées de bonne foi par des témoins qui ont mal vu ou mal entendu...). De plus, les indices sont rarement transparents et doivent bien souvent être interprétés: l'ingéniosité est alors de mise!

On voit par conséquent que le roman policier est aussi un jeu avec le lecteur. La plupart des récits nous livrent progressivement tous les éléments nécessaires pour comprendre l'histoire. Les romans policiers, eux, jouent au chat et à la souris avec leurs lecteurs, qui doivent aller au-delà de ce qui est explicitement raconté s'ils veulent *reconstruire* l'histoire et comprendre ce qui s'est *vraiment* passé. Lire un roman policier, c'est relever un défi: celui d'aboutir à la solution avant que celle-ci ne soit révélée par le détective. Comme tout jeu, celui-ci engage des «adversaires»: le détective et le lecteur. L'un et l'autre peuvent recourir aux mêmes méthodes: distinguer les indices pertinents des fausses pistes, confronter les divers témoignages entre eux, démêler le vrai du faux, saisir les conséquences importantes que peuvent avoir des faits en apparence anodins, etc. Chacun peut d'ailleurs tricher: le détective, en sortant de sa manche, au dernier moment, des indices qui n'avaient pas été révélés au lecteur; le lecteur, en se contentant de deviner qui est le coupable (deviner n'est pas jouer!) ou, pire encore, en lisant à l'avance le dernier chapitre, celui où le détective raconte en détail la vérité sur le crime et sur la façon dont il l'a résolu.

Pendant les années 1920 et 1930, au moment où le roman policier classique a atteint sa plus grande popularité, certains ont même voulu proposer (imposer?) des règles strictes, de manière à éviter ces «tricheries». C'est ainsi que le révérend Ronald Knox a édicté ses «Dix commandements du roman policier», et S. S. Van Dine ses «Vingt règles du roman policier»[6]. Certaines règles nous paraissent maintenant incompréhensibles, voire loufoques (on peut par exemple se demander pourquoi Knox stipule qu'aucun Chinois ne doit figurer dans un roman policier[7]), d'autres arbitraires («Est autorisé l'usage d'une seule pièce truquée ou passage secret»), d'autres encore peuvent sembler incontournables, mais en fait *toutes les règles* ont été transgressées à un moment ou à un autre[8]. Toujours est-il que cette manière de

---

[6] On trouvera la traduction française des dix commandements de Knox dans l'ouvrage de François Rivière, *Les couleurs du noir*, p. 81, et celle des vingt règles de Van Dine dans le «Que sais-je?» récemment consacré au roman policier (VANONCINI, André, *Le roman policier*, p. 121-124).

[7] Réponse: parce que plusieurs écrivains, à l'époque, ont utilisé le «truc» consistant à attribuer le meurtre à un mystérieux Chinois, utilisant des moyens tout aussi mystérieux — et évidemment impossibles à deviner par le lecteur.

[8] Dans *Le meurtre de Roger Ackroyd*, par exemple, Agatha Christie a réussi le tour de force de transgresser l'une des règles de Knox, *sans tricher pour autant*. Mais le lecteur devra aller voir par lui-même comment elle s'y est prise: qu'il ne compte pas sur nous pour lui révéler l'astuce.

voir le roman policier comme un jeu régi par des règles a fini, selon certains, par rendre le genre quelque peu artificiel. Un jeu n'a-t-il pas *toujours* quelque chose d'artificiel? Qu'importe: pour ces critiques, le roman policier devrait se rapprocher davantage de la réalité, où il est rare que les meurtres soient tarabiscotés (une balle de revolver et le tour est joué!), où il est rare que le détective ait affaire à un ensemble bien circonscrit de suspects (tous réunis dans le manoir le jour du crime, tous suspects pour une raison ou pour une autre... rien de bien vraisemblable dans tout cela). Ces critiques — les Américains Raymond Chandler et Dashiell Hammett d'abord, puis plusieurs autres — ont voulu changer radicalement le genre policier, en écrivant des romans bien différents de la formule classique (à la Conan Doyle ou à la Agatha Christie). Des romans où les crimes n'étaient plus des meurtres «feutrés», mais plutôt des assassinats crapuleux. Des romans où le détective ne se contente plus de raisonner comme devant un problème de mots croisés, mais doit se battre, peut être menacé de mort, sans que la police ne soit là pour l'aider; au contraire, les rapports entre le détective privé et la police officielle deviennent souvent des rapports tendus. On est loin des couleurs pastel du roman policier classique; c'est pourquoi on a baptisé ces romans policiers nouvelle manière: *romans noirs*.

Le roman policier classique n'est pas disparu pour autant. Mais il a connu lui aussi toutes sortes de transformations. Un bon exemple: la série télévisée *Columbo*. Celle-ci, comme nous l'avons dit — et comme chacun le sait —, va à rebours de la tradition: la solution nous est chaque fois révélée dès les premières minutes[9]. On pourrait croire que cela exclut les *Columbo* du domaine policier. Erreur; il demeure une énigme, mais ce n'est plus la même. Nous ne nous demandons plus *qui est le coupable?*[10], mais plutôt: *comment Columbo parviendra-t-il à le pincer?* La galerie des suspects n'a pas vraiment été abolie: elle a été remplacée par une constellation d'indices potentiels, au milieu de laquelle est tapi le «bon» indice, celui qui trahira finalement le coupable.

De telles transformations ne sont pas gratuites. Il ne faut pas oublier que l'un des principes de base du genre policier est celui de la *variation*. Un roman policier ne peut pas se contenter de reprendre une idée déjà utilisée: si l'on veut conserver des chances de déjouer les lecteurs (qui sont de plus en plus aguerris à mesure qu'ils lisent des romans policiers), il faut découvrir de nouvelles astuces, de nouvelles manières de construire une intrigue qui pourra les déconcerter.

---

[9] Autrement dit, si les romans policiers sont généralement des récits inversés (où le début est reporté à la fin), les films de la série *Columbo* sont des *récits policiers inversés*...

[10] Le lieutenant Columbo non plus, d'ailleurs, puisqu'il ne «cuisine» qu'un seul suspect, celui ou celle qui se révélera coupable.

Retenez votre souffle

Une constante demeure toutefois: le roman policier *aspire* son lecteur. Lorsqu'il est bien construit, il exerce une fascination progressive qui finit par devenir irrésistible. Qui ne se souvient avoir «dévoré» les derniers chapitres, ceux où tout à coup l'enquête se précipite vers la solution et nous entraîne dans un mouvement où l'envie de savoir l'emporte sur la réflexion patiente? Accélération foudroyante, mais préparée de longue date: le roman policier est semblable à une carlingue d'avion où une fissure d'abord minuscule finit par créer un redoutable effet de succion qui attire tout ce que l'appareil renferme (objets petits et grands, membres d'équipage, passagers) en un tourbillon affolant. Remplacez la fissure par l'énigme, les objets par les indices, les membres d'équipage par les personnages, les passagers par les lecteurs, et vous obtiendrez un roman policier.

Certaines ouvertures sont particulièrement efficaces; elles exercent un pouvoir d'attraction irrésistible et le lecteur se trouve pris dans la tourmente. Ces ouvertures-là ont quelque chose de dangereux: le lecteur qui les aborde sans se douter de rien risque de remettre à plus tard des affaires pressantes et ses heures de sommeil sont menacées. Voici deux exemples particulièrement réussis: les premières lignes de «J'aimerais faire des photos de votre grange» de Jean-Marie Poupart[11]:

> Ma sœur m'a raconté que lorsqu'elle avait mon âge, elle faisait des plans pour tuer le père. Je n'ai donc rien de tellement original.
>
> J'ai treize ans (p. 63).

Et celles de «Maîtresse des hautes œuvres» d'Anne Dandurand[12]:

> Jusque-là, ma vie avait été terne, étriquée, inutile. Et puis, une nuit, cet appel, incompréhensible, mais irréversible... Expiation? Apostolat? Révélation? Je m'étais soumise. J'avais retiré mon fonds de pension, vendu mes meubles, déchiré mon passeport, quitté mon emploi, ma maison, mes rares amies. J'avais aussi tué mon chat mais il était déjà très vieux. Enfin, j'avais distribué mes vêtements d'hiver aux sans-abri: je n'en avais nul besoin là où j'allais (p. 19).

Dans la nouvelle de Poupart, tout s'enchaîne presque trop vite: après un titre anodin et (volontairement) un peu ridicule («J'aimerais faire des photos de votre grange»), la première phrase nous place devant une famille inquiétante: le père en a-t-il pour longtemps à vivre?[13] Qu'a-t-il bien pu faire pour susciter de pareils fantasmes? La narratrice a-t-elle seulement envie de tuer ou est-elle passée aux actes? Même son âge sonne comme un coup de théâtre. Tout cela en moins de trois lignes!

Même rapidité, même début énigmatique dans la nouvelle de Dandurand: «Jusque-là, ma vie avait été terne, étriquée, inutile». En

[11] POUPART, Jean-Marie, «J'aimerais faire des photos de votre grange», dans *Fuites et poursuites*.

[12] DANDURAND, Anne, «Maîtresse des hautes œuvres», dans *Saignant ou beurre noir?*

[13] Mais Poupart nous attend au tournant: ce n'est pas lui qui sera tué...

moins de dix mots, la première phrase liquide le passé du personnage d'une manière expéditive qui tranche avec la suite, rapide encore, mais plus détaillée: le récit se réduit à une énumération («J'avais retiré mon fonds de pension, vendu mes meubles», etc.) qui donne aux événements une allure précipitée et nous entraîne dans une fuite en avant dont on ne sait trop où elle nous mènera et qui laisse derrière elle des questions sans réponse. Manifestement, le point tournant dans la vie de la narratrice est cet «appel» reçu une nuit, mais de quel appel s'agit-il? Un coup de téléphone? (De qui? Qui aurait dit quoi?) Un appel du destin? Et puis, qu'est-ce qu'il y a à expier? (Un crime?) Qu'est-ce qui est «révélé»? Pourquoi cette précipitation? Le lecteur n'a pas fini de se poser ces questions que le texte lui lance, si on peut dire, un cadavre entre les jambes: celui du chat. Clin d'œil aux lois du roman policier («un roman policier sans cadavre, cela n'existe pas», disait S. S. Van Dine), humour grinçant: le pauvre chat n'a rien fait, le crime est gratuit mais il n'est pas signé: nous ne savons toujours pas qui est la narratrice (et nous ne le saurons pas davantage à la fin de la nouvelle). Et puis, où va la narratrice? Dans un pays du Sud, où le climat serait plus chaud et où elle n'aurait pas besoin de ses vêtements d'hiver? Non, car elle a détruit son passeport. Comme dans «J'aimerais faire des photos de votre grange», le passé, le présent et l'avenir ne sont pas les étapes d'un parcours linéaire et sage comme celui d'un train: chacun tire de son côté, attire vers on ne sait où, écartèle littéralement le lecteur. Plus moyen d'arrêter: il faudra aller jusqu'au bout, ne serait-ce que pour comprendre ce qui nous est déjà raconté. Devant, derrière, l'horizon dessine uniquement des points d'interrogation.

On se dira peut-être que cette précipitation est le propre de la nouvelle, qui ne s'accorde que quelques pages pour couvrir ce que le roman développe sur une bien plus grande surface[14]. C'est juste, mais il ne faut pas oublier que le *roman* policier peut, lui aussi, imposer un rythme aussi tendu. Le début de *L'Humoriste et l'Assassin*, de Pan Bouyoucas, en donne un exemple spectaculaire:

> D'abord la lettre. Dans une enveloppe blanche qui ne comporte que quatre mots, tracés au marqueur rouge:
>
> À Philippe Blais
> URGENT!
>
> Le texte est dactylographié.
>
> *Monsieur Blais,*
>
> *On m'a payé pour vous assassiner. Je ne préviens pas d'habitude ceux que je dois tuer, mais vous ne méritez pas de mourir sans savoir qui a décrété votre mort et pourquoi.*

[14] Voir, dans ce volume, le chapitre que Vincent Nadeau consacre à la nouvelle.

> *Si vous voulez mener une enquête pour le découvrir, rendez-vous au cabaret Sextase de l'avenue du Parc, aujourd'hui, lundi, 20 juin, à 17h. Si je ne vous y vois pas, je déduirai que vous avez décliné mon offre et que je pourrai remplir mon contrat.*
>
> *Si vous acceptez, je vous donne jusqu'à 17h, jeudi, 23 juin. Ensuite je vous tuerai, même si vous n'avez rien découvert.*
>
> *Ne perdez pas votre temps à me chercher. Je ne sais pas qui a payé pour l'exécution de ce contrat; il m'a été proposé par un intermédiaire. N'essayez pas non plus de vous cacher; ce serait futile et indigne de vous* (p. 9-10).

Comment laisser de côté le livre après une telle entrée en matière? En un sens, le lecteur est placé (de force!) dans la même situation que le personnage: il se demande ce qui est en train d'arriver et vers quoi on l'entraîne. En même temps, le lecteur est amené à noter la différence irréductible entre Philippe Blais et lui: Blais peut prendre des initiatives, choisir ou non d'aller rencontrer son futur assassin, alors que le lecteur n'a d'autre choix que de suivre, en imagination, les pérégrinations du personnage. Seule consolation: le lecteur sait qu'il ne risque pas de perdre la vie en cours de route...

L'abc du soupçon

Des amorces comme celle de *L'Humoriste et l'Assassin* montrent bien que le récit policier québécois contemporain n'hésite pas à inverser la formule classique — à la manière de Conan Doyle ou d'Agatha Christie — en amenant le lecteur à se demander non seulement *ce qui est arrivé*, mais aussi *ce qui va arriver*. Tourné vers l'avenir (et plus uniquement vers le passé), le récit peut alors prendre la forme du *thriller*, comme dans *L'homme trafiqué* de Jean-Jacques Pelletier:

> L'homme semblait flotter, à plat ventre, au-dessus de la rivière. Il avait les bras et les jambes en croix à la manière d'un parachutiste qui plonge.
>
> L'eau montait.
>
> Ses chevilles et ses poignets étaient retenus par des cordes attachées aux branches d'un arbre gigantesque qui surplombait le cours d'eau. Les pluies des derniers jours avaient provoqué une crue importante.
>
> À côté de lui, deux autres corps étaient attachés, chacun un peu plus bas, dans la même position.
>
> À l'extrémité de la rivière, le ciel faisait une trouée dans l'épaisse couverture de la forêt. Le soleil tombait sur l'horizon et ses rayons se noyaient dans une eau couleur de sang.
>
> L'eau montait toujours (p. 9).

Pas de doute: il y a du crime dans l'air, ou plutôt dans l'eau... Le passé recèle bien des énigmes (qui est cet homme? qui sont ses compagnons d'infortune? qui les a attachés ainsi? pourquoi?), mais le lecteur laisse temporairement ces questions en suspens. Ce qui le captive pour le moment, c'est la suite des événements: les personnages finiront-ils par être noyés? Tout le roman de Pelletier repose sur ce délicat équilibre — qui se compliquera rapidement — entre les mystères reliés au passé des personnages et un présent en mouvement vers un futur palpitant. Cet effet est d'ailleurs renforcé par la technique, très bien maîtrisée dans ce roman, de la narration parallèle, qui présente tour à tour les agissements du personnage principal, Karl Adamas Thornburn, et ceux des deux groupes rivaux qui tentent respectivement de l'éliminer et de l'aider en sous-main. Résultat: la progression du récit est constamment compliquée par un nouveau segment qui interrompt celui qu'on est en train de lire — et force donc à attendre plusieurs pages avant de connaître la suite. Mais chaque nouveau segment relance l'intérêt vers de nouvelles péripéties, à leur tour interrompues, et ainsi de suite jusqu'à la fin, où tous les morceaux du casse-tête sont enfin rassemblés[15].

Le *thriller* constitue en quelque sorte une radicalisation du roman noir en ce que l'attente de la suite des événements — qu'on imagine mouvementée — accapare davantage le lecteur que la reconstruction minutieuse et douillette d'un passé énigmatique. Pour ce faire, il suffit par exemple de susciter un climat menaçant, en mettant en scène *à mesure* les préparatifs des criminels (plutôt que de les reporter à la fin du texte, comme dans les récits à énigme où le détective expose *après coup* les détails du crime).

D'autres textes, au contraire, s'ingénient à dissimuler soigneusement leur caractère policier; rien, sinon la couverture (qui «vend la mèche»), ne permet de deviner qu'un crime, commis ou à commettre, se cache quelque part; on pourrait avoir affaire à n'importe quel type de récit, pas nécessairement policier:

> Une douzaine de canards barbotent dans l'embouchure du Saguenay, à trente ou quarante mètres de la rive. Le faible brouillard qui recouvre le fjord m'empêche de bien les distinguer. Ils nagent les uns autour des autres, plongeant le bec dans l'eau à peine saumâtre, s'aspergent, tournent souvent la tête vers l'est. Ils semblent appréhender l'heure prochaine, juste après le lever du soleil, ce moment de la journée où il fait le plus froid[16] (p. 165).

Des canards, un petit matin brumeux: sur une telle lancée, tout peut en principe advenir — et pas forcément une histoire criminelle. Mais le lecteur est prévenu: s'il ne sait pas encore quels personnages (ou quels objets?) ont été «lestés dans le fjord», il devine bien que l'auteur garde une carte dans sa manche et que la description risque fort de croiser, tôt ou tard, autre chose que des volatiles. Le *suspense*, ici, est suscité par le texte lui-même, qui reporte suffisamment toute allusion à un crime (passé ou futur) pour que la tension monte peu à peu.

Des exemples comme celui-là montrent que, pour le lecteur policier, il n'y a pas de description ou de récit anodin, il n'y a pas de phrases parfaitement fiables qui se contentent de développer une histoire

---

[15] Cette technique est reprise, de manière encore plus vertigineuse, dans le plus récent roman de Pelletier, *Blunt: les treize derniers jours*.
[16] GIRARD, Jean Pierre, «Lestés dans le fjord», dans *Saignant ou beurre noir?*

limpide. Tout semble toujours dissimuler quelque chose, tout semble laisser dans l'ombre un mystère qu'on ne devine qu'à moitié. Aussi le lecteur policier est-il un lecteur *méfiant*, au point même d'avoir des soupçons vis-à-vis de textes qui ne se veulent pas policiers. Jorge Luis Borges propose quelque part[17] l'expérience suivante: ouvrons le *Don Quichotte* et exerçons notre méfiance. Le résultat est saisissant: le roman de Cervantes semble devenir sous nos yeux un roman policier. Répétons l'expérience avec, par exemple, *L'étranger* d'Albert Camus:

> Aujourd'hui, maman est morte. Ou peut-être hier, je ne sais pas. J'ai reçu un télégramme de l'asile: «Mère décédée, enterrement demain. Sentiments distingués.» Cela ne veut rien dire. C'était peut-être hier.[18]

Trop facile? Recommençons. Ouvrons cette fois *Dans un gant de fer* de Claire Martin:

> J'ai tout pardonné. Pourtant, quand j'avais vingt ans, si l'on m'eût dit que je pardonnerais, et facilement encore, mon dépit eût été grand. J'y tenais à ma haine.[19]

Haine et pardon, passé et présent: là où la plupart des lecteurs verraient les prémisses d'un roman psychologique en forme de témoignage, le lecteur policier, lui, ouvre l'œil et dresse l'oreille: qu'est-ce que le narrateur — la narratrice, en fait, mais on ne le sait pas encore — a fini par pardonner? Contre qui sa haine était-elle dirigée? Que s'est-il passé entre autrefois et maintenant? Un crime? Plusieurs? Pourquoi pas une sombre histoire de vengeance? On en vient alors à imaginer — et c'est là une idée très borgésienne — un roman policier qui ne ferait pas que dissimuler ses indices, son coupable et sa solution, mais qui irait jusqu'à dissimuler le fait qu'il est un roman policier...

Crime et détachement

Posons-nous brutalement cette question: s'écrit-il des récits policiers au Québec? Puis celle-ci, plus délicate: s'écrit-il des récits policiers *québécois*? Pour sûr, il n'est pas besoin de chercher bien loin pour découvrir des collections spécialisées[20], des auteurs réputés — on songe immédiatement à Chrystine Brouillet —, trois anthologies, une abondante production dans le domaine de la littérature jeunesse[21], sans

---

[17] BORGES, Jorge Luis, «Le roman policier», p. 189-190.

[18] CAMUS, Albert, *L'étranger*, Paris, Gallimard, 1942, p. 9. Cette ressemblance entre le début de *L'étranger* et un récit policier n'a d'ailleurs pas échappé à Marc Lessard, qui a amorcé l'un de ses romans policiers, *Le miroir aux assassins*, d'une manière *presque* identique: «Ma mère est morte. Quand? Ça n'a pas d'importance, prétendent-ils» (p. 13).

[19] MARTIN, Claire, *Dans un gant de fer*, Montréal, Le Cercle du Livre de France, 1965, p. 9.

[20] Signalons: «Le cadavre exquis» chez Guérin (quatre titres, tous publiés en 1974), «Cahier noir» chez VLB (quatorze titres entre 1985 et 1995), «Alibis» chez XYZ (deux titres, en 1989 et en 1991), «Sextant» chez Québec/Amérique (six titres policiers entre 1994 et 1995) et «Noir» chez Guy Saint-Jean Éditeur (six titres entre 1994 et 1996).

[21] Voir, ici même, le chapitre que Madeleine Bellemare consacre au roman jeunesse.

parler d'un infléchissement sensible, ces dernières années, des séries télévisées et du cinéma vers des intrigues à saveur criminelle[22]. Tout cela suggère une indéniable présence du roman policier dans le paysage littéraire et culturel contemporain au Québec.

Mais cela ne suffit peut-être pas à dissiper un certain doute. Certes, il ne fait pas de doute qu'il s'écrit et se publie des romans policiers au Québec. Il n'est cependant pas sûr que la *visibilité* des romans policiers québécois soit telle qu'on puisse vraiment parler d'une acclimatation du genre policier: il est à parier que, pour nombre d'amateurs, l'expression «roman policier» fait plus aisément surgir les noms d'Arthur Conan Doyle, d'Agatha Christie ou de Mary Higgins Clark que ceux d'écrivains policiers québécois. Hormis Chrystine Brouillet, dont le succès et le talent sont incontestables, peu d'écrivains d'ici sont spontanément associés au genre policier[23].

Seule une patiente enquête (qu'il faudra entreprendre un jour) permettrait de déterminer les raisons de cette désaffection relative. Quelques pistes viennent toutefois à l'esprit: l'absence de classiques auxquels on pourrait se référer (ne serait-ce que pour s'en démarquer), l'absence aussi de revues spécialisées et de manifestations collectives[24], la relative rareté des séries policières mettant en scène les enquêtes successives d'un enquêteur reconnaissable[25]. Tout se passe comme si l'on avait affaire à *des* romans policiers (qui se comptent tout de même par dizaines...) davantage qu'à un *genre* policier véritablement implanté au Québec.

---

[22] Qu'on songe par exemple à la série *Omertà*, qui a d'ailleurs donné lieu récemment à une adaptation romanesque (Luc Dionne et Guy Samson, *Omertà: la loi du silence*) ou encore au film *Liste noire*.

[23] Nous ne disposons pas des informations quant aux tirages qui permettraient d'appuyer cette hypothèse sur des données fiables. Toutefois, une étude récente d'Hélène Sarrazin, Maurice Dalois et Guy Legault, *La lecture des jeunes au secondaire* (s. l., Gouvernement du Québec, Ministère de l'Éducation, 1994), permet de constater que des écrivains comme Chrystine Brouillet et Jean-Marie Poupart sont lus par un grand nombre d'adolescents et d'adolescentes, mais que leur popularité n'atteint pas celle d'auteurs comme Agatha Christie ou Mary Higgins Clark.

[24] Contrairement à la science-fiction et au fantastique qui, depuis une vingtaine d'années, ont vu le développement d'une communauté d'écrivains et d'amateurs, avec ses revues (*Solaris, imagine...*), ses prix, ses outils de référence (*L'année de la science-fiction et du fantastique québécois*), etc. Voir ici-même le chapitre rédigé par Michel Lord.

[25] Relative, car il existe quelques exceptions. Chrystine Brouillet a publié à ce jour trois romans consacrés à l'inspecteur Maud Graham: *Le poison dans l'eau, Préférez-vous les icebergs?* et *Le collectionneur*. Signalons aussi les deux romans d'André Smith mettant en scène le détective privé Caine (*Remous à l'institut* et *Caine à Paris*), les deux romans de Robert Malacci décrivant les aventures d'un photographe et détective improvisé nommé... Robert Malacci (*La belle au gant noir* et *Les filles du juge*), ainsi que ceux de Maurice Gagnon où la détective Marie Vandermeer mène l'enquête (*La mort aux yeux bleus, La mort à pas feutrés*). Mais la palme revient, d'une part, à Claude Jasmin et à son inspecteur Charles Asselin (dont on lira les enquêtes dans *Le crucifié du Sommet-Bleu, Une duchesse à Ogunquit, Des cons qui s'adorent, Alice vous fait dire bonsoir*, et *Safari au centre-ville*) et, d'autre part, à Pierre Saurel et à sa série consacrée au Manchot (en cours de réédition aux éditions Loze-Dion).

Mais, comme tout bon détective, nous devons nous demander si nous ne serions pas sur la mauvaise piste: pourquoi chercher à retrouver ici la copie conforme du genre policier tel qu'il se pratique ailleurs, en France et aux États-Unis? À bien y regarder, en effet, on constate que les récits policiers québécois manifestent, plus souvent qu'autrement, une distance par rapport aux formules toutes faites auxquelles on a parfois tendance à réduire un genre «paralittéraire» comme le roman policier. Cette distance ou ce détachement face aux conventions peuvent être interprétés négativement: il n'y aurait pas de «véritables» romans policiers québécois. Nous préférons, pour notre part, une interprétation plus positive, qui insiste sur le caractère foncièrement *inventif* de l'écriture policière au Québec.

Cette invention ne se limite pas aux environnements géographiques dans lesquels les écrivains policiers situent leurs récits. Il est vrai que le choix de Montréal ou de Québec[26] comme cadre de l'action suffit à démarquer les romans policiers québécois de leurs équivalents britanniques, étatsuniens ou français. Mais il nous paraît important d'insister aussi sur le traitement des formes mêmes du récit policier, d'autant plus que la construction de l'intrigue n'est jamais une dimension négligeable aux yeux des lecteurs.

Remarquons d'abord que fort peu de récits policiers québécois s'inscrivent dans la tradition «britannique» du roman à énigme, où il s'agit de découvrir une solution soigneusement dissimulée jusqu'à ce qu'elle soit révélée en bout de course par un détective présenté comme un virtuose de la déduction. Les récits policiers québécois s'inscrivent plus volontiers dans la tradition «américaine» du roman noir[27]. Qui plus est, il n'est pas rare qu'il n'y ait pas de mystère — ni même d'enquête, parfois — et que le récit expose, sans rien dissimuler, les événements conduisant au meurtre[28].

À cet égard, le premier roman de Chrystine Brouillet, *Chère voisine*, constitue un exemple particulièrement retors. L'habileté de ce roman tient en effet à ce que le récit joue cartes sur table (nous apprenons presque immédiatement que Roland a tué Jeanne Lesboens, qu'il n'est pas paralysé contrairement à ce qu'il prétend, etc.), mais d'une telle manière que le lecteur a constamment l'impression que des informations importantes (et spectaculaires) ne lui sont pas révélées. *Chère voisine* parvient ainsi à se démarquer passablement du modèle

---

[26] Ou même du Grand Nord québécois, comme dans *Mais qui va donc consoler Mingo?* de Paul Bussières.

[27] C'est tout particulièrement le cas d'un roman comme *La belle au gant noir* de Robert Malacci.

[28] Cette formule se trouve surtout dans les nouvelles policières. Quelques exemples, tous tirés de *Fuites et poursuites*: «L'assassin du président» de Claude Jasmin (p. 51-60), «J'aimerais faire des photos de votre grange» de Jean-Marie Poupart (p. 61-75) et «Premier Amour» de Chrystine Brouillet (p. 95-116). Voir aussi «Blues en rouge sur blanc» de Stanley Péan (dans *Meurtres à Québec*, p. 51-68).

classique — qui impose de taire jusqu'à la fin l'identité du ou des meurtriers — tout en suscitant de durables énigmes qui obséderont le lecteur. Astucieuse façon de tenir compte du modèle classique (sans lequel le lecteur ne serait pas plongé dans la perplexité) tout en prenant ses distances face à ce modèle...

Il existe d'autres manières de s'écarter du roman policier traditionnel. Par exemple, les enquêtes des romans policiers québécois n'aboutissent pas forcément à une solution nette: c'est semble-t-il le cas dans *Copies conformes* de Monique LaRue où le mystère qui entoure la mort de Bob Mason n'est pas vraiment levé:

> Que s'était-il vraiment passé alors? Le saurait-on jamais? Mason, comprenant que Joe voulait l'attaquer, avait probablement eu peur, et, déséquilibré, avait basculé dans la piscine. L'émoi s'était propagé rapidement parmi les invités. Lorsqu'on avait compris qu'il fallait lui porter secours, il était trop tard. On l'avait hissé hors de l'eau. Un filet de sang s'écoulait de sa tempe. Bob Mason ne respirait plus. Personne dans l'assistance ne connaissait les techniques de réanimation. La panique s'était répandue. Bob Mason était mort (p. 153).

On trouve un refus encore plus audacieux de la résolution dans une intrigante nouvelle de François Hébert («Ricochets»[29]), où le narrateur commence par nier avoir assassiné un certain Zimmer, puis jette le doute sur ce déni, avant de décrire la façon dont il s'y est pris pour le tuer, mais en multipliant les versions divergentes et les contradictions, de sorte que son récit semble s'autodétruire à mesure qu'il avance. Cette manœuvre troublera assurément ceux pour qui les récits policiers doivent passer de l'énigme à la solution, mais passionnera ceux qui se demandent jusqu'à quel point le genre policier peut être poussé jusqu'aux limites de ses possibilités.

«Ricochets» constitue, on s'en doute bien, un exemple extrême de torsion des lois du genre, qui sont rarement bousculées aussi fortement. Les écrivains québécois s'en tiennent plus fréquemment à des remises en question moins radicales. Par exemple, lorsqu'il y a enquête, celle-ci implique souvent un détective improvisé qui n'a rien de l'enquêteur professionnel. Dans *La belle au gant noir* de Robert Malacci, un photographe de presse au chômage se voit entraîné malgré lui dans une sombre histoire de meurtres en répondant à une offre d'emploi apparemment anodine. Dans *CQFD* de Bernard Gilbert, deux journalistes d'une station de radio communautaire de Québec découvrent l'existence d'un complot visant à faire chanter le gouvernement du Québec. Le personnage principal de *L'Humoriste et l'Assassin* de Pan Bouyoucas, l'humoriste Philippe Blais, ne se met à enquêter sur son entourage que lorsqu'il découvre qu'un tueur professionnel a été engagé pour l'abattre. Il en va de même pour le Thomas Charbonneau

---

[29] HÉBERT, François, «Ricochets», dans *Fuites et poursuites*, p. 131-140.

de *Bon à tirer* de Jean-Marie Poupart, qui doit jouer au détective lorsqu'il apprend que son éditeur, Vincent Mauger, lui a volé une scène et l'a mise dans son dernier roman — avant de se faire tuer par un inconnu, ce qui oriente les soupçons de la police vers Charbonneau, qui doit alors tenter de démasquer le véritable assassin[30]. Enfin, dans *L'art discret de la filature* d'Alain Cavenne, le personnage principal, Alain Cavoure, décide sur un coup de tête de devenir apprenti-détective après que sa compagne l'ait laissé et qu'il ait abandonné son emploi.

Ces quelques exemples suggèrent que les écrivains policiers qui décident de camper leurs intrigues policières au Québec ressentent le besoin de surmonter une réticence (réelle, ou imaginaire?) des lecteurs. Personne ne bronche devant un Hercule Poirot qui résout, d'ailleurs souvent sans être rémunéré, une quantité impressionnante (et, quand on y songe, invraisemblable) de meurtres commis au milieu de la tranquille campagne anglaise; personne ne s'étonne de ce que des villes comme New York ou San Francisco deviennent le théâtre de crimes aussi crapuleux que compliqués. Mais il semble moins aisé d'admettre que Montréal, Québec ou Drummondville puissent faire place à des détectives patentés[31] ou à des intrigues enchevêtrées, aux rebondissements multiples. Tout se passe comme si la proximité géographique imposait une exigence de réalisme, mais une exigence difficilement conciliable avec un genre aussi porté sur l'artifice que l'est le roman policier[32]. Cela expliquerait peut-être la prédilection de nombreux écrivains d'ici pour des enquêteurs qui ne gagnent pas leur vie à résoudre des crimes subtils et que seules des circonstances imprévues forcent à mener une enquête[33].

---

[30] Le prière d'insérer de ce roman mérite d'être cité: «Bien sûr, la police tiendra une enquête, qui, *en plus de révéler l'identité du coupable*, procurera au lecteur une vision à la fois insolite et réjouissante du monde de l'édition» (nous soulignons): le fait qu'on prenne la peine de signaler explicitement que l'identité du coupable sera révélée montre bien qu'on craint que le lecteur ait quelques doutes à ce sujet et qu'on tient à les dissiper. Les lecteurs se méfieraient-ils des romans policiers québécois?

[31] Il existe cependant des exceptions comme l'inspectrice Maud Graham de Chrystine Brouillet, le détective privé Caine d'André Smith ou les très britanniques détectives privés Brunelle et Brouillette d'Yves Beauchemin, qui opèrent une agence en bonne et due forme («Sueurs», dans *Fuites et poursuites*, p. 159-200).

[32] En ce qui concerne l'exigence réaliste, on méditera par exemple cette réflexion de Gilles Marcotte: «Il suffit parfois d'un détail peu crédible pour que l'intérêt menace de flancher. Quand on me parle d'un détective appelé Legros que dit 'merde' comme un intellectuel de gauche et non pas 'crisse' comme un véritable homme d'action, je subodore une galipette qui n'a pas sa place dans un roman policier.» («La prose superbe de Marguerite Yourcenar. *Fuites et poursuites*, 10 'essais' policiers québécois», dans *L'actualité*, vol. 7, nº 12, décembre 1982, p. 113, repris dans *Fuites et poursuites*, p. 208).

[33] Le cas de Robert Malacci est intéressant à cet égard puisque son personnage, «Robert Malacci», n'a d'abord rien du détective mais le devient en quelque sorte à partir du moment où il conduit des enquêtes dans deux romans différents. On peut observer par ailleurs que le fait de donner au personnage le même nom que celui de l'auteur constitue une façon de «jouer avec le réalisme» puisque l'identité des noms signale implicitement au lecteur qu'on passe de la réalité (Robert Malacci auteur) à la fiction (Robert Malacci personnage fictif). Jeu semblable dans *L'art discret de la filature* d'Alain Cavenne, où le détective se nomme Alain Cavoure. Tout ceci constitue peut-être aussi un clin d'œil à l'œuvre d'Ellery Queen (pseudonyme des cousins Frederic Dannay et Manfred B. Lee), dont les romans mettaient en scène le détective… Ellery Queen.

Le souci réaliste explique aussi l'insistance de certains romans policiers québécois sur le caractère exceptionnel et surprenant des événements que vivent les personnages: de tels événements ne devraient pas survenir dans un environnement aussi familier:

> Jamais ils n'auraient cru une telle chose possible, à Québec: des bandits de classe, de vrais internationaux à l'œuvre, là, tout près, avec eux aux premières loges. Il ne reste qu'à attendre, à agir en conséquence, tout en espérant être à la hauteur (Bernard Gilbert, *CQFD*, p. 135).

La fin de ce passage, «tout en espérant être à la hauteur», peut d'ailleurs se lire de deux manières. D'une part, bien sûr, elle renvoie au désir des personnages (Bert et Marteau) de se mesurer aux dangereux criminels qui commettent assassinat après assassinat et semblent avoir accès à un mystérieux réseau de souterrains creusés au XIXe siècle sous la ville de Québec. Mais, d'autre part, on peut être tenté de l'attribuer à l'auteur lui-même, qui tente dans *CQFD* de se mesurer aux maîtres (britanniques, étatsuniens ou français) du genre policier.

Nous avons fait allusion plus tôt au «détachement», ou plus exactement à la distance critique que les écrivains québécois maintiennent vis-à-vis de la tradition policière, même lorsqu'ils s'inscrivent dans son prolongement. Nous en avons ici un nouvel exemple: il n'est pas rare que des récits policiers québécois soient parsemés d'allusions, au deuxième degré en quelque sorte, au genre policier lui-même — comme si les écrivains québécois jouaient à construire des romans policiers, de façon à la fois sérieuse et ludique. De telles allusions peuvent être discrètes, comme dans *CQFD*, mais elles peuvent être beaucoup plus explicites, comme dans la nouvelle 'Amour maternel' de Gilles Archambault[34]:

> Mon destin a toujours été de plaire. Sur son lit de mort, ma mère m'a dit que j'étais beau, que je l'avais toujours été. Elle ne savait pas, la pauvre vieille, que ce charme tout naturel dont je dispose m'a empêché de réussir dans la vie. Comment prendre goût au travail quand les femmes mettent à votre disposition l'argent qui vous est nécessaire? Ces considérations me viennent pendant que je prends un *planter's punch* à la terrasse d'un grand hôtel de la Nouvelle-Orléans *dont je dois taire le nom par souci d'efficacité* (p. 39; c'est nous qui soulignons le dernier passage en italique).

Puis dans ce passage, encore plus net:

> Imaginez que vous lisiez actuellement un récit policier. Vous ne seriez certes pas très heureux que le narrateur vous dévoile trop tôt la clé de l'énigme. C'est pour cette raison que je ne vous dirai pas tout de suite ce qui s'est déroulé dans ma tête pendant que je buvais une bière ce soir-là au comptoir d'une buvette de la sempiternelle rue Bourbon. Faire plus de trois heures d'avion pour ne connaître finalement qu'une rue! Vous dire à quel point elle me déplaît, cette rue étroite actuellement remplie de flâneurs qui ont pour caractéristique d'être obèses, de parler fort, de boire beaucoup et de sentir mauvais (p. 44).

---

[34] ARCHAMBAULT, Gilles, «Amour Maternel» dans *Fuites et poursuites*, p. 37-49.

On aura remarqué l'habileté avec laquelle le narrateur commence par souligner les conventions du récit policier, pour ensuite endormir la méfiance du lecteur, qui ne saura pas «ce qui s'est déroulé dans [sa] tête» puisque le narrateur nous entraîne dans une digression sur la rue Bourbon et ses détestables flâneurs.

Dans d'autres récits au contraire, la mise en évidence des conventions du genre policier n'est pas passagère mais à peu près systématique. Deux exemples particulièrement éclatants: *Copies conformes* de Monique LaRue et *Meurtres à blanc* de Yolande Villemaire. *Copies conformes* raconte les derniers jours du séjour en Californie d'une Québécoise, Claire Dubé. Son conjoint a dû revenir précipitamment à Montréal, en lui demandant de régler quelques affaires avant de le rejoindre; rien de bien compliqué en principe, mais Claire se trouve bientôt impliquée dans une histoire dont les protagonistes et les épisodes ressemblent étrangement à un roman noir célèbre, *Le faucon maltais* de Dashiell Hammett. La réalité copierait-elle la fiction? Monique LaRue parvient à faire de son roman un hommage à celui d'Hammett, sans pour autant en proposer une simple imitation: *Copies conformes* n'est pas une copie conforme du *Faucon maltais*, mais une variation complexe qui déplace l'intrigue de Hammett vers un nouveau système de coordonnées fictives.

Meurtres à blanc propose aussi une réflexion sur le roman policier, mais en utilisant le dispositif du roman dans le roman: l'héroïne, un agent du contre-espionnage, se met à écrire les aventures imaginaires d'une certaine Caroline, partie au Maroc à la recherche d'un mystérieux Abdul. L'histoire de Caroline se trouve ainsi constamment interrompue par des réflexions de la narratrice sur le roman policier, sur l'écriture, sur le nom de son personnage ou sur sa machine à écrire:

> J'écris. Point. Une vague Caroline (oh! le joli nom!) marchande un collier flou (supposément en bronze) dans un souk de Tétouan. À l'heure de la sieste. J'écris et je fume des Export "A" régulier et la maudite clochette de fin de ligne me fait sursauter à tout coup. J'ai essayé de passer le temps en relisant l'Agatha Christie que j'ai lu dans le train mais, rien à faire; celui-là, comme tous les romans policiers, n'a pu résister à une seconde lecture. Puis, j'ai sagement attendu en regardant le soleil se coucher sur la terrasse Dufferin, après s'être faufilé entre les tours du Château Frontenac etc. etc. etc. Mais là je commence à être véritablement exaspérée, très, très, très exaspérée. Et je pioche sur mes «t» et mes «r» et mes «e» à en briser le clavier super-sensible de ma Smith-Corona électrique. Et ce téléphone qui ne bronche toujours pas! (p. 11; premières lignes du roman).

Le clin d'œil à Agatha Christie est on ne peut plus clair: l'intrigue qui s'amorce ici a fort peu à voir avec les enquêtes de Miss Marple. Certaines questions demeurent toutefois. Ainsi, la narratrice affirme que les romans policiers ne peuvent résister à une seconde lecture — alors que *Meurtres à blanc* est un roman assez étrange pour, lui, résister à une seconde et même à une troisième lecture[35]. Doit-on comprendre par conséquent que *Meurtres à blanc* ne serait pas un «vrai» roman policier? Doit-on au contraire considérer que la narratrice n'est pas parfaitement fiable et que, malgré ce qu'elle prétend, les romans policiers peuvent très bien demeurer énigmatiques au-delà de la première lecture?

Yolande Villemaire n'est d'ailleurs pas la seule à traiter avec humour les conventions du roman policier: autre signe de la distance — à la fois affectueuse et corrosive — que bien des écrivains québécois maintiennent face au genre. Cela s'observe particulièrement dans les romans policiers parus au milieu des années 1970 dans la «turbulente» collection «Le cadavre exquis», comme *Meurtres à blanc* justement, mais aussi *Sexe pour Sang* d'Emmanuel Cocke ou *L'arme à l'œil* de Voukirakis. *Sexe pour sang* présente une intrigue passablement échevelée (impliquant des pratiques sataniques, une super-héroïne séduisante, des machinations politiques, diverses organisations occultes, dont un certain «Service International pour la Survie Mondiale»...) qui semblent nous mener aux antipodes du roman policier classique. Pourtant, le dernier chapitre retombe miraculeusement sur ses pieds en proposant une solution qui parodie celles que nous offrent les Sherlock Holmes ou les Hercule Poirot[36]. Qui plus est, ce dernier chapitre est précédé d'un défi au lecteur, dans la plus pure tradition (ici passablement malmenée) du genre:

> On suggère ici aux lecteurs de faire une pause, d'examiner l'histoire depuis le début, de trouver la solution du mystère, puis de vérifier, au chapitre suivant, si elle est la même que celle de l'auteur... (p. 161)[37]

L'arme à l'œil est tout aussi irrévérencieux. Sa narratrice multiplie les calembours atroces («Julien, penaud maître-driveur, me ramène chez moi», p. 63), les clins d'œil («Je pense, moi, au contraire, que ça peut vouloir dire beaucoup (C'est un roman policier, oui?)», p. 34) et va jusqu'à demander aux lecteurs de lui dire comment se tirer d'un mauvais pas («Vous n'auriez pas une suggestion pertinente sur la façon de m'en dépatouiller cette fois?», p. 215).

Tout se passe comme si ces textes *jouaient à être des romans policiers*: aussi ont-ils un statut ambigu, qui les place à la fois à l'intérieur

---

[35] Ne serait-ce que parce que les deux niveaux de fiction (l'histoire que *vit* la narratrice et l'histoire de Caroline, *inventée* par la narratrice) ne sont pas étanches: toutes sortes d'interférences se produisent entre ces niveaux. Par exemple, le mystérieux Abdul que recherche Caroline finira par assassiner la narratrice elle-même...

[36] L'allusion à Sherlock Holmes est d'ailleurs présente dès le titre puisque celui-ci constitue un jeu de mots sur la célèbre solution de cocaïne à sept pour cent que Holmes s'injecte pendant ses phases dépressives, c'est-à-dire entre deux enquêtes criminelles.

[37] Ce type de défi se retrouve fréquemment, par exemple, dans les romans d'Ellery Queen. Mais on remarquera ici que la formulation donne à entendre que la solution de l'auteur ne serait qu'une version possible parmi d'autres. Jolie entorse à la tradition qui veut que l'enquête s'achève par une solution donnée comme la seule véritable...

et à l'extérieur du genre. Pour leur part, les romans policiers plus récents sont moins ouvertement ludiques[38] mais ne se tiennent pas toujours pour autant à l'intérieur des limites du genre. Il arrive souvent au contraire que les écrivains québécois combinent plusieurs genres en un même récit: *Sexe pour sang* et *Une photo vaut mille morts* de Billy Bob Dutrisac sont à la fois des romans policiers et des romans d'horreur; *L'Humoriste et l'Assassin* de Pan Bouyoucas frôle le récit fantastique dans un chapitre inquiétant dont on ne sait pas s'il est rêvé ou vécu par le personnage principal; *L'enfant du cinquième Nord* de Pierre Billon et *Le miroir aux assassins* de Marc Lessard sont à la fois, chacun à leur façon, des romans policiers et des romans de science-fiction[39]. Romans mixtes, qui ne tournent pas le dos au genre policier mais transforment au passage ses règles canoniques en s'inscrivant dans une zone frontière peu connue mais captivante.

*

De plus en plus d'écrivains québécois, depuis vingt-cinq ans, se mettent à jouer le jeu et à écrire des récits policiers. Mais on est tenté de dire que, plus souvent qu'autrement, ces écrivains *jouent avec le jeu*, changent ses règles en cours de route, proposent des récits étonnants où on en sait trop ou trop peu, où les choses ne se passent pas tout à fait comme prévu, où le mystère n'est pas toujours là où on le cherche. Ces écrivains ne sont pas les seuls: partout dans le monde, des écrivains réinventent, de toutes sortes de façons, le roman policier[40]. Les écrivains québécois le font eux aussi, avec un sens de l'invention et de l'ingéniosité qui montre à la fois leur rigueur et leur goût de la liberté[41].

[38] L'humour n'a pas complètement disparu pour autant. Par exemple, *Une photo vaut mille morts* de Billy Bob Dutrisac, *La belle au gant noir* et *Les filles du juge* de Robert Malacci sont caractérisés par un humour noir (particulièrement grinçant dans le premier cas). On peut songer aussi au *Massicotte enquête* de Michel-Pierre Sarrazin, où l'astrologie joue un rôle non négligeable dans la progression de l'enquête!

[39] On pourrait mentionner aussi *Copies conformes* de Monique LaRue et *Programmeurs à gages* de Jacques Bissonnette, qui ne sont pas à proprement parler des romans de science-fiction mais dont les intrigues respectives reposent sur les développements récents de l'informatique.

[40] Qu'on songe à des romans comme *Les gommes* d'Alain Robbe-Grillet, où le détective finit par tuer accidentellement la victime (qui n'était pas morte), *Le nom de la rose* d'Umberto Eco (où le coupable est... un livre empoisonné), *Le rhume* de Stanislas Lem (où un tueur en série se révèle être... une série de coïncidences impliquant des amandes grillées et une lotion capillaire) ou encore *Le tableau du maître flamand* d'Arturo Pérez-Reverte (où l'intrigue tourne autour d'un tableau ancien qui représente une partie d'échecs dont les coups semblent inspirer une suite d'assassinats).

[41] Les lecteurs attentifs se souviendront peut-être que nous avons laissé en plan une énigme: pourquoi les romans policiers privilégient-ils, parmi tous les crimes possibles, le meurtre? Comme dans tout récit policier qui se respecte, nous avons attendu jusqu'à la fin pour proposer une solution. Celle-ci a été formulée par Uri Eisenzweig dans *Le récit impossible. Sens et forme du roman policier* (p. 112): l'avantage du meurtre sur les autres crimes est qu'il permet de réduire la victime au silence. Or le *silence* joue un rôle majeur dans l'organisation du roman policier puisque l'énigme n'est pas autre chose qu'un silence têtu, qui durera jusqu'à ce que la parole du détective — son exposé final — vienne livrer tous les éléments manquants et relier ensemble toutes les bribes du mystère.

REPÈRES BIBLIOGRAPHIQUES[42]

a) Anthologies de récits policiers québécois

Fuites et poursuites, Montréal, Quinze (coll. «10/10»), 1985.
Meurtres à Québec, Québec, L'instant même, 1993.
Saignant ou beurre noir?, Québec, L'instant même, 1992.

b) Romans policiers québécois

BILLON, Pierre, *L'enfant du cinquième Nord*, Paris, Seuil (coll. «Points»), 1982.
BISSONNETTE, Jacques, *Programmeurs à gages*, Montréal, VLB éditeur, 1986.
BOUYOUCAS, Pan, *L'Humoriste et l'Assassin*, Montréal, Libre Expression, 1996.
BROUILLET, Chrystine, *Chère voisine*, Montréal, Typo, 1993 [1982].
BROUILLET, Chrystine, *Le poison dans l'eau*, Paris, Denoël/Lacombe (coll. «Sueurs froides»), 1987.
BROUILLET, Chrystine, *Préférez-vous les icebergs?*, Paris, Denoël/Lacombe (coll. «Sueurs froides»), 1988.
BROUILLET, Chrystine, *Le collectionneur*, Montréal, La courte échelle (coll. «16/96»), 1995.
BUSSIÈRES, Paul, *Mais qui va donc consoler Mingo?*, Paris, Robert Laffont, 1992.
CAVENNE, Alain, *L'art discret de la filature*, Montréal, Québec/Amérique (coll. «Sextant»), 1994.
COCKE, Emmanuel, *Sexe pour sang*, Montréal, Guérin (coll. «Le cadavre exquis»), 1974.
DIONNE, Luc et Guy SAMSON, *Omertà: la loi du silence*, Saint-Laurent, Éditions du Trécarré, 1996.
DUTRISAC, Billy Bob [pseudonyme de Benoît Dutrisac], *Une photo vaut mille morts*, Montréal, VLB éditeur (coll. «Cahier noir»), 1987.
GAGNON, Maurice, *La mort aux yeux bleus*, Montréal, VLB éditeur (coll. «Cahier noir»), 1985.
GAGNON, Maurice, *La mort à pas feutrés*, Montréal, VLB éditeur (coll. «Cahier noir»), 1988.
GILBERT, Bernard, *CQFD*, Montréal, VLB (coll. «Cahier noir»), 1994.
JASMIN, Claude, *Le crucifié du Sommet-Bleu*, Montréal, Leméac, 1985.
JASMIN, Claude, *Une duchesse à Ogunquit*, Montréal, BQ, 1993 [1985].
JASMIN, Claude, *Des cons qui s'adorent*, Montréal, Leméac, 1985.
JASMIN, Claude, *Alice vous fait dire bonsoir*, Montréal, Leméac, 1986.
JASMIN, Claude, *Safari au centre-ville*, Montréal, Leméac, 1987.
LARUE, Monique, *Copies conformes*, Montréal, Lacombe, 1989.
LESSARD, Marc, *Le miroir aux assassins*, Laval, Guy Saint-Jean éditeur (coll. «Noir: mystère»), 1994.
MALACCI, Robert, *La belle au gant noir*, Montréal, Québec/Amérique (coll. «Sextant»), 1994.
MALACCI, Robert, *Les filles du juge*, Montréal, Québec/Amérique (coll. «Sextant»), 1995.
PELLETIER, Jean-Jacques, *L'homme trafiqué*, Longueuil, Le préambule (coll. «Paralittératures», série «Thrillers et romans policiers»), 1987.
PELLETIER, Jean-Jacques, *Blunt: les treize derniers jours*, Québec, Alire, 1996.
POUPART, Jean-Marie, *Bon à tirer*, Montréal, Boréal, 1993.
SARRAZIN, Michel-Pierre, *Massicotte enquête*, Montréal, Libre Expression, 1996.
SAUREL, Pierre, *Le Manchot*, tome 1 (*La Mort frappe deux fois, La chasse à l'héritière, Mademoiselle Pur-sang, Allô... Ici la mort!, Le cadavre regardait la télé, Tueur à répétition*), Montréal, éditions Loze-Dion, 1996.
SMITH, André, *Remous à l'Institut*, Montréal, VLB (coll. «Cahier noir»), 1989.
SMITH, André, *Caine à Paris*, VLB (coll. «Cahier noir»), 1992.
VILLEMAIRE, Yolande, *Meurtres à blanc*, Montréal, Typo/Les Herbes Rouges, 1986 [1974].
VOUKIRAKIS, *L'arme à l'œil*, Montréal, Guérin (coll. «Le cadavre exquis»), 1974.

[42] Les listes que nous proposons ici ne prétendent pas à l'exhaustivité. Sauf pour la section «Quelques études sur le roman policier», nous n'avons retenu que les ouvrages dont il a été fait mention dans ce chapitre.

c) Études sur le roman policier

BORGES, Jorge Luis, «Le roman policier», dans *Conférences*, traduit de l'espagnol par Françoise Rosset, Paris, Gallimard (coll. «Folio essais»), 1995, p. 188-202.

EISENZWEIG, Uri, *Le récit impossible. Sens et forme du roman policier*, Paris, Christian Bourgois, 1986.

LACASSIN, Francis, *Mythologie du roman policier*, Paris, Christian Bourgois, 1993.

POUPART, Jean-Marie, *Les récréants. Essai sur le roman policier*, Montréal, Éditions du Jour (coll. «Littérature du Jour»), 1972.

RIVIÈRE, François, *Les couleurs du noir. Biographie d'un genre*, Paris, Éditions du Chêne, 1989.

Tangence, numéro 38, décembre 1992 (numéro intitulé «Fiction policière et roman actuel»).

VANONCINI, André, *Le roman policier*, Paris, Presses Universitaires de France (coll. «Que sais-je?»), 1993.

Né en 1961, Richard Saint-Gelais a obtenu un doctorat en sémiologie (UQAM, 1990). Il a enseigné au Département de français de la University of Western Ontario de 1990 à 1993 et enseigne au Département des littératures de l'Université Laval depuis 1994. Membre du CRELIQ, ses recherches portent sur la science-fiction, le roman policier et la théorie des genres, envisagés sous l'angle des processus de lecture. Il a fait paraître en 1994 *Châteaux de pages: la fiction au risque de sa lecture* (Hurtubise HMH) et prépare actuellement deux ouvrages consacrés respectivement à la science-fiction et aux paradoxes de la lecture.

Chapitre VII

LA POÉSIE ET LA CHANSON

PREMIÈRE PARTIE

TRENTE ANS DE POÉSIE QUÉBÉCOISE 1967-1996

CLÉMENT MOISAN

1970 est une date dans l'histoire de la poésie québécoise contemporaine, à la fois l'aboutissement d'une décennie et le départ d'une autre. Cette année-là paraît avec une préface de Georges-André Vachon *L'Homme rapaillé* de Gaston Miron, qui sera réédité en 1981 chez Maspéro à Paris, puis en 1994 à l'occasion des «40 ans de l'Hexagone» (édition revue, corrigée et augmentée). Le recueil de 1970 rassemble les poèmes et proses publiés dans des revues et journaux de 1953 à 1969. En 1970 paraissent *Suite logique* (l'Hexagone) et *Le centre blanc* (Éditions d'Orphée) qui donnera le titre de la rétrospective des recueils publiés par Nicole Brossard de 1965 à 1975, ainsi que *Au nord constamment de l'amour*, de Pierre Morency, *Charmes de la fureur*, de Michel Beaulieu, *Corps accessoires*, de Roger des Roches, *les Mangeurs de sable* (Éditions du Jour), de Louis-Philippe Hébert, et *Cannelle et craies* (Paris, Jean Grassin éditeur) de Cécile Cloutier. C'est en 1970 aussi que Raoul Duguay publie son *Manifeste de l'Infonie* (Éditions du jour) qui sera suivi et illustré par *Musique du Kebek* et *Lapokalipsô* en 1971. Un recueil de textes poétiques et théoriques de 26 poètes des années 1950 et 1960, rassemblés par Guy Robert sous le titre *Poésie actuelle* (Deom, 1970), clôt cette période et annonce les développements à venir.

C'est le 28 mars 1970 qu'a eu lieu la «Nuit de la poésie», une lecture collective de plusieurs dizaines de poèmes d'autant de poètes différents, dont Jean-Claude Labrecque a tiré un film qui en a étendu la renommée. La reprise de cet événement dans les années suivantes

(Page de gauche) *Gaston Miron (1928-1996)*
«Une œuvre souveraine». (Jean Roger)
(Photo: Josée Lambert)

n'aura jamais plus l'éclat qu'il a acquis alors. L'automne 1970 est aussi le moment des «mesures de guerres» qui font suite au terrorisme du Front de libération du Québec (F.L.Q.), à l'enlèvement d'un diplomate britannique et l'assassinat du ministre Pierre Laporte. Des écrivains et en particulier des poètes, dont Gérald Godin et Gaston Miron, sont alors mis en prison sans procès en raison de leurs prises de position en faveur de l'indépendance du Québec. Mais ce moment marque la fin d'une époque. À l'engagement politique que Paul Chamberland avait prôné depuis les débuts de *Parti pris* en 1963, suivra un engagement dans d'autres combats; au «Manifeste du Front de libération du Québec» (F.L.Q.) d'octobre 1970, le poète répond par un «Manifeste des enfants libres du Kebek» (F.L.K.), en janvier 1971. Par la suite, Chamberland se consacrera à une «Fabrike d'ékriture» qui devait stimuler chez les enfants (libres du Kebek) la lutte contre la bêtise, par un retour à la vie primitive, seule manière de retrouver les valeurs essentielles du monde. La poésie de la résistance, souvent identifiée au «pays», fait place à une poésie de la libération, à laquelle ces mots de Paul-Émile Borduas pourraient s'appliquer: «notre sauvage besoin de libération» (*Refus global*, 1948).

Déjà dans les années 1960, une tendance vers des formes de poésie formaliste ou expérimentale était née, autour des éditions de l'Estérel et de l'éphémère QUOI (1967). En tête du deuxième et dernier numéro de cette revue, on peut lire: «L'œuvre d'art n'est engagée qu'à partir d'une invention redonnant à l'objet une existence dans le langage» (n° 2, 1967, p. 5). En somme, la déclaration prend l'allure d'un manifeste indiquant qu'il faut (ré)inventer la pensée en même temps que son expression, l'une correspondant exactement à l'autre. Certains des écrivains qui se regroupent autour de ces deux lieux d'édition, Michel Beaulieu, Raoul Duguay, Nicole Brossard, Louis Geoffroy, Jean Basile et Victor-Lévy Beaulieu, seront à la tête d'une lignée de poètes dits formalistes. Autre phénomène à l'origine de ce changement d'orientation est la naissance en 1965 de la revue *La Barre du Jour* qui cesse de paraître en 1990 et dont le dernier numéro rassemble dans une sorte d'anthologie les textes majeurs parus durant ces vingt-cinq ans. Les fondateurs et les animateurs qui se sont relayés durant cette période à la tête de la revue représentent toutes les tendances de la poésie de 1967 à 1996. Avec *Estuaire*, *La Barre du Jour* est une revue essentiellement consacrée à la poésie (poèmes et manifestes, théories, essais).

Claude Beausoleil définit la poésie des années 1970: «Des écritures insoumises». «Écritures qui déferlent et refont à leur manière les règles de nouveaux codes qui eux-mêmes deviendront en fin de compte objet de transformation. Écritures du désir et du corps. Écritures de la lucidité et de la dérive. Écritures de la langue déjouant ses obstacles pour aller mener ailleurs les figurations de la significance. Écritures qui tendent vers la diversité, vers l'éclatement des réseaux établis autant au niveau du sens, au niveau visuel, qu'au niveau d'inscription dans le procès social global» (*Extase et déchirure*, Trois-Rivières, Écrits des Forges, 1987, p. 79). La poésie des années 1980 délaisse de plus en plus cette recherche formelle pour investir dans de nouvelles formes de lyrisme où le je prend une place importante. Les poèmes adoptent alors des formes appropriées à ce changement, comme le journal intime, la confession, la complainte, la confidence. On peut regrouper les poètes de cette période (1967-1996) en sept catégories qui par leur hétérogénéité soulignent l'éclatement de ces recherches fourmillantes: 1) la poétique du texte; 2) la poétique du plaisir; 3) la poétique des femmes; 4) la poétique du réel; 5) la poétique du *je*; 6) la poétique des maisons d'édition; 7) la poétique d'une revue de poésie: *Estuaire*.

1 — LA POÉTIQUE DU TEXTE

À partir de 1965, le texte (poétique) est devenu un objet d'attention particulière et a suscité une poétique aux mille visages. La rhétorique, longtemps associée à la poésie, avec ses règles et ses contraintes, a disparu au profit de libertés et de licences de toutes sortes où les jeux de langage, en particulier, sont apparus les plus aptes à exprimer toutes les nouvelles formes d'émotion et de révolution. Dans «15 astérisxtes/kotextes», André Gervais publie à *La Barre du Jour* des extraits de son recueil *Hom Storm Grom*, un exercice total de manipulation de la langue où les mots «jeux», «corps», «texte», «écriture», «sexe», se retrouvent dissimulés ou mis en évidence partout, sous diverses formes. Cette poétique du texte est: «page blanche maquiproquos / de toutes pratiques / jeux / celle événemancienne / celle heavynementielle / et celle / investir / non travestir / traverser / non inverser» (p. 15). Il y a là une problématique nouvelle: les jeux ne sont pas gratuits, ils donnent lieu à une volonté de changer (le monde), les conditions de l'existence, les mentalités, et surtout à des poussées vers les profondeurs de l'être, vers une connaissance neuve et non à un recul vers une certitude.

Transgresser est un thème fréquent qui a fait l'objet d'un numéro de *La Barre du Jour* (automne 1973), en tête duquel André Beaudet parle du «texte comme transgression ou la transgression du texte» (p. 2). Il faut «tisser le possible du texte, le trajet de sa pratique, réseau textuel où écrire le jeu de la trace et son fonctionnement» (p. 4). Dans ce même numéro, Beaudet et Paul Chamberland proposent deux textes avec le titre «Sans titre», pour bien montrer l'indéfini et l'ambiguïté de cette pratique du texte, qui devient, selon Chamberland, un «Ordre nouveau»

(p. 32). «Il faut être absolument moderne», écrit-il (p. 29), à ce moment (1973) où le terme «postmoderne» n'était pas encore en vigueur. Pour Nicole Brossard, la modernité consiste à: «De préférence, transgresser toutes les idéologies, la dominante plus nécessairement que toute autre. Transgresser: traverser, aller vivre plus loin, avec assez de bonheur pour être bientôt obligé de changer de terrain quand tous arrivent, quand il n'y a plus assez de découverte, de plaisir, de conscience, QUAND LA VIANDE COMMENCE À SE TRAFIQUER» (p. 11). Pour d'autres collaborateurs, le thème prend une valeur politique (François Charron, «Transgresser et/ou littérature politique»), ludique (Raoul Duguay, «La transe et la gression»), ou stylistique (Patrick Straram, «Précisions maximales minimales»).

Sous-jacent à cette poétique du texte, se retrouve la citation, reprise, intégrée, digérée, de Roland Barthes: «Le texte, c'est la théorie du texte», qui prend le sens de: «le texte coïncide avec la théorie du texte». Le mot: *trace*, lu plus haut, ou celui d'*interstice* (Roger Des Roches, *L'enfer d'yeux* suivi de *Interstice*), reviennent souvent aussi pour indiquer un moment de l'écriture où se fixe le sens, d'où il émerge et s'étend pour envahir tout l'espace du texte et de son rayonnement chez l'auteur et le lecteur. Nicole Brossard décrit ainsi ce phénomène: «cette fois le temps le blanc le blanc / le centre le centre trouant de partout éblouis- / sante en moi participante silencieuse atten- / tive cette fois l'énergie l'énergie résumée dernière acceptation force ultime dans ce corps / soulevé vibrant comme si se dilatant ne fixant plus rien cette / fois rien du tout aboutit en cet instant cette / creuse seconde» (*Le centre blanc*, 1978, p. 207). François Charron et Roger Des Roches ont résumé cette pratique en disant que le poète «mime la représentation poétique». Ce faisant, il fait entrer dans son texte le sens et l'explication de sa propre création; il garantit à la fois l'exercice poétique et le savoir qu'on en tire, un savoir théorique/pratique. D'un poète à l'autre, la poétique varie, prend des formes diverses et de multiples directions. Certaines tendances vont des exercices plus ou moins ludiques à des exercices dits *politiques*, pour reprendre le terme de Charron, les deux n'étant pas du tout contraires, bien au contraire.

Le terme *ludique* signifie une volonté de jouer avec les mots, ce jeu n'étant jamais innocent. «Quand l'écrivain branche et débranche les mots et les phrases au fur et à mesure qu'il avance dans le réseau linguistique, intervenant alors au fils (sic) des événements sémantiques qu'il produit», comme le dit Nicole Brossard, «les mots circulent et s'épaulent les uns les autres (non les uns contre les autres) pour un meilleur partage entre la connaissance et d'inquiétantes retrouvailles dans un monde inédit» (*Liberté*, n° 84, 1972, p. 22). Les poètes de *La Barre du Jour* (1965-1990) et de la maison d'édition l'Esterel (1967) ont posé les premiers jalons de cette orientation qui s'est poursuivie aux éditions L'Aurore, dans la collection «Lecture en vélocipède» (premier titre: *l'espace de voir*, d'André Roy, 1974; le titre de la collection vient du recueil d'Huguette Gaulin, *Lecture en vélocipède*, aux Éditions du Jour, 1972). Ils manifestent vraiment leur présence et s'imposent durant ces premières années de la décennie 1970: Michel Beaulieu, Gilbert Langevin, Luc Racine, Raoul Duguay, Nicole Brossard, Roger Soublière, Jean-Yves Collette, Yolande Villemaire, France Théoret. En tête du deuxième numéro de *QUOI*, le mot «laboratoire» est lâché: «Nous intensifions, depuis peu, le laboratoire» (printemps-été 1967, p. 4). Michel Beaulieu décrit la (sa) poésie comme un des gestes quotidiens, «mais un geste codifié selon certaines données extrêmement variables». Raoul Duguay, lui, définit sa poétique de l'*oralité* en la fondant sur les ressources sonores et rythmiques du langage. Le postulat de base est le suivant: «toute œuvre d'art suppose une technique et même une théorie de cette technique, car toute théorie suppose une technique d'apprentissage capable de l'incarner» (p. 20). Quant à Luc Racine, il propose des «variations (sur un poème de Rimbaud) impliquant une transposition du principe sériel à l'écriture poétique» (p. 40). Sans vouloir «développer une esthétique poétique explicite et globale», il tente «d'exposer les "règles" assez strictes de composition élaborées à l'occasion d'une suite de poèmes publiés dans le précédent numéro de cette revue» (QUOI, n° 1, janvier-février 1967, p. 34-38). Si l'on voulait qualifier ces recherches, on pourrait prendre le titre de l'essai (critique) de Philippe Haeck: l'*Action restreinte de la littérature* (L'Aurore, 1975). Haeck d'ailleurs représente aussi cette tendance formaliste en poésie québécoise (*Tout va bien*, L'Aurore, 1975).

Derrière ces activités ludiques, il existe une intention de révolution, qui atteint les idéologies, les systèmes de pensée, morale et politique. Constestation et vision du monde, que François Charron indique comme un rejet d'une «société qui fonctionne selon un mode de production capitaliste» («Transgression et/ou littérature politique», *La Barre du Jour*, automne 1973, p. 34). Les conditions de ce changement s'appuient sur deux points: le *champ textuel*, comme pratique de l'écriture et le *champ social*, comme pratique idéologique (*ibid*., p. 39). Sur ce dernier point, la stratégie de transgression est «avant tout militante. Elle lutte, saccage, démantèle l'idéologie bourgeoise [...] Ceci implique que les contradictions textuelles soient exacerbées et mises en relation avec les contradictions de classes» (p. 39-40). Dans cette décennie 1970, les expériences et les réflexions poétiques se redoublent, se répètent et parfois dans les mêmes termes. La configuration obéirait à deux pôles d'attraction, souvent confondus, l'un rassemblant les *moyens stylistiques*, l'autre définissant les *objectifs idéologiques* que visent, sans le dire toujours, les premiers. Car l'expérimentation rhétorique ou stylistique n'est jamais gratuite; elle est un moyen d'expression, un moyen de persuasion. Dans son texte «Sans titre», André Beaudet écrit: «Ce texte n'est qu'un jalon dans le parcours de la transgression du texte et en même temps une saisie du texte de la transformation sociale en train de se faire» (*La Barre du Jour*, automne 1973, p. 10). À la limite, il est impossible de dissocier les deux *pratiques* qui s'emboîtent, s'enferment l'une dans l'autre comme des poupées russes.

La poésie qui en découle (ou en «dérive», pour ne pas s'écarter du vocabulaire des poètes), unit les deux et se définirait d'un seul mot souvent repris par les poètes: ÉCRITURE. «Oh que multiple est écrire aujourd'hui», s'exclame Michel Garneau dans son recueil *la Plus Belle Île* (p. 17). Multiple, certes, mais aussi désormais contrôlé, maîtrisé. «J'attends que l'écriture permette», dit Nicole Brossard, c'est-à-dire qu'arrive «CETTE ÉCRITURE» (en capitales dans le texte) qui obéit aux lois du corps: «ainsi que converge / tout blanc tout texte s'étirant striant la dimension / blanche des choses» (*Mécanique jongleuse*, 1974, p. 20). Ou pour ajouter un autre exemple, de François Charron: «voilà mon tour de vous inventer / l'écriture à tâtons / qui est prête à c'que vous voulez / pourvu que ça perfore / pourvu que ça vous abîme le profond» (*Pirouette par hasard la poésie*, 1975, p. 72-73). Dans *Interventions politiques* (L'aurore, 1975), le même poète explicite ses intentions: «Je refuse de reproduire / les idéologies du beau et du sensible [...] toute écriture dénonce les intérêts / de classe qu'on le veuille ou non» (*ibid.*, p. 19).

On ne s'attendrait pas de joindre Paul-Marie Lapointe à ce mouvement. Et pourtant, *Le Vierge incendié* (1948) a été une œuvre de révolte et de libération exprimée dans une langue travaillée. Les *Tableaux de l'amoureuse*, parus en 1974, reprennent sous d'autres formes le thème central de l'amour chez Lapointe. C'est *écRiturEs*, en 1980, qui, comme son titre l'indique et avec son jeu sur les lettres, inscrit le poète dans cette tendance où le double jeu devient ludique et moral, doit remettre en question le discours simple. Comme il le dit lui-même, son œuvre est «une machine à imaginer le monde» non pour l'expliquer mais pour «que le monde s'explique» «Dans *écRiturEs*», confie-t-il à Jean Royer, «j'ai décidé d'aller au bout de la forme et d'essayer d'éliminer toute subjectivité. Pour que l'écriture devienne une révolte de la langue même contre le discours habituel. C'est une révolte du langage en soi. Où ne devrait entrer aucune subjectivité. Une révolte à l'intérieur même du langage» (*Poètes québécois. Entretiens*, L'Hexagone, 1991, p. 161).

Le formalisme et les poètes dits formalistes qui ont défini et caractérisé le mouvement dans les années 1970, dont Claude Beausoleil,

Nicole Brossard, François Charron, Roger Des Roches, continuent dans la même veine par la suite. Pour citer quelques autres exemples, Guy Gervais publie en 1987 un recueil au titre significatif, *Verbe silence*. Aux recherches formelles proprement dites, s'ajoute ici une métaphysique du langage poétique. Les thèmes du minéral, du végétal, du figé et de l'immobile sont comme des effets du verbe qui les dit ou les énonce. André Roy, lui, a publié aux Herbes Rouges près d'une vingtaine de recueils, dont *Action Writing* qui a obtenu le prix du Gouverneur général en 1985. *Les amoureux n'existent que sur la terre* (1989), qui fait suite à *L'accélérateur d'intensité* (Grand Prix de poésie de la Fondation Les Forges en 1987), modifie le visage du formalisme. À la relation étroite et imbriquée du corps et du langage, fait place désormais une attention plus précise à l'humain face à la nature dont le poète tente une exploration toujours guidée par le langage. La structure du recueil en sept parties présente les types d'amoureux dont il est question dans le titre: «Les suspects», «Les imparfaits», «Les ennemis», «Les impudiques», «Les infirmes», «Les impénitents», et «Les malheureux». L'expérience humaine, particulière ou universelle, devient la préoccupation poétique par excellence et surtout déplace le regard du poète de son écriture propre vers ceux que doit atteindre la poésie: «Menacé par le ciel où se reposent les dieux / je fais la proposition d'écrire pour les autres, de rêver de la même / éternité pour tous, / d'aimer pour vous tous parce que je suis imparfait» (*L'accélérateur d'intensité*). Pierre Nepveu qualifie ce renouveau d' «ère de la sensation vraie» qui, poursuit-il, «n'est pas sans rapport avec cette danse, que l'on pourrait retrouver au propre et au figuré dans la poésie québécoise récente, et notamment dans *Catégoriques* de Normand de Bellefeuille» (*Estuaire*, n° 47, hiver 1987-1988, p. 19). Dans ce même numéro de la revue *Estuaire*, Claude Beausoleil note que «si le nationalisme et le féminisme semblent de manière évidente correspondre à une rencontre entre le social et la poésie, il se pourrait bien que ce qui s'écrit actuellement soit également une rencontre, moins voyante, justement autre, tramée dans les replis de l'intime, là où la voix s'énonce» (*ibid.*, p. 32-33). Le caractère expérimental de la poésie, la recherche de formes plus propices à renouveler l'expression de préoccupations et de thèmes toujours liés à la société, le langage, la sexualité, ne dominent plus et ne sont plus aussi constants dans les textes. Le premier colloque d'*Estuaire*, du 20 novembre 1987, résume bien ces changements d'orientation. La présentation des objectifs et des sujets le précise: «Alors qu'elle avait cultivé la fragmentation, la rupture, l'autoréférentialité, qu'en est-il dans la poésie d'aujourd'hui du recours aux mythologies personnelles, à l'intime, de la récupération du texte continu, de la linéarité, du retour au biographique, au romanesque et au descriptif?» (automne 1987, p. 97). On peut voir cette transformation dans l'œuvre de François Charron qui, dans les années 1980, ouvre un nouveau terrain de création et de réflexion. Lui qui, auparavant, liait engagement et recherche sur la langage, commence alors une autocritique prudente vis-à-vis les systèmes qu'il mettait jadis en cause, grâce à la peinture qu'il pratique, ce qui entraîne dans son œuvre une dispersion ou mieux une diversion qui crée une reconciliaton paisible des antinomies précédentes. Le formalisme n'est pas mort, mais il a pris un virage qui lui donne un nouveau visage.

2 — LA POÉTIQUE DU PLAISIR

Le texte est aussi plaisir, la réalisation d'un désir profond qui y trouve son expression et sa fin. Encore ici, Roland Barthes a donné le branle avec son livre *Le plaisir du texte* (Gallimard, 1966). Chez les poètes québécois des deux décennies, le plaisir est à la fois descente vers des zones primitives de l'être pour une exploration de ses instincts (pornographie, érotisme, sexe) que le mot *underground* a identifiés, et élévation vers des zones mystiques mais profanes, qu'alimentent les cultes ésotériques, le recours aux drogues et hallucinogènes. Il faut dire que cette orientation «poétique» ne s'oppose pas à la précédente, en ce sens que cette poésie est elle aussi travail sur la langue et sur le *corps* individuel et social. Comme l'écrit Patrick Straram, le bison ravi, cette écriture est aussi un «travail d'action politique» (*4X4 /4X4*, les Herbes Rouges, 1974). Mais cette fois indirectement, subrepticement, pour ainsi dire. Les signes écrits sont un processus d'affranchissement; par leur éclatement même, ils traduisent l'abolition de tout ce qui avait été un joug: suppression des interdits, des tabous, soif de liberté morale, religieuse, sexuelle; soif de bonheur surtout, d'un bonheur *actuel*, non à venir, *concret*, non spirituel ou désincarné, *immédiat*, non à espérer. Les causes de ces transformations de mentalité sont communes à beaucoup de pays industrialisés: l'hyperdéveloppement de la société, les moyens de communications de masse, la croissance rapide de l'économie de marché et en même temps le constat d'échec des techniques qu'on disait les plus prometteuses pour un monde meilleur, la dépréciation de la vie où l'homme est un élément indifférent dans un système de robotisation. La réaction, que traduit cette nouvelle poésie, est la recherche d'une qualité d'existence, que les poètes semblent trouver dans le retour aux sources primitives de la vie, aux anciens mystères chrétiens ou aux pratiques des religions orientales, dans l'usage des drogues et dans la vie des *communes*.

On a déjà cité Patrick Straram; il faudrait aussi ajouter des poètes comme Paul Chamberland qui, on l'a dit plus haut, a pris cette orientation après 1970. Mais tous ne voient pas le plaisir du texte de la même façon; les uns, Roger Des Roches, André Roy, Claude Beausoleil en font une autre théorie du texte (écrit ou lu) qui se donne lui-même comme «théâtralité sexualisante», «métonymie du jeu sexuel», «processus éminemment sensuel», «mise en jeu pré-coïtale», «copie conforme à l'acte sexuel», «lit de procuration érotique», «extension trans-linguistique de la libido», etc.; d'autres en donnent une manifestation directe, une exposition vivante. Trois poètes de ce dernier groupe servent d'exemples et d'illustration. Lucien Francœur, chanteur rock fasciné par l'Amérique où il a vécu et voyagé, s'est imprégné d'une certaine culture qu'il identifie par des noms célèbres: Jack Kerouac, James Dean, Marylin Monroe, Elvis Presley, entre autres. *Les néons las* (l'Hexagone, 1978) est, comme il le dit, «l'aboutissement de toute cette poésie nord-américaine, du langage rock'n'roll qui est le mien, du poète maudit, du Rimbaud américain, du Billey (sic) the Kid littéraire» (Jean Royer, 1991, p. 100). La libération sexuelle comme thème a donné lieu à des exercices poétiques provocateurs. Dans *Minibrixes réactés*, un recueil qui a donné naissance à un «Club des jeunesses minibrixes», lequel a publié un tout petit recueil, *la libération technique de Suzanne Francœur* (1973), sous le pseudonyme de Machine Gun Susie, on voit se démener des violents, des passionnés et des déchaînés sexuels. La couverture des *Crimes de Billy the Kid* représente une photo de «products and services for a growing immoral America»: une caisse enregistreuse, une seringue, un fusil et des balles, une épée, des dés et une femme sexy. C'est dans ce texte qu'il affirme: «Je suis un bum d'acide et pas un intellectuel français [...]. Je suis le Arthur Rimbaud /Billy the Kid du rock' / n' roll, le Jim Morrison / Elvis Presley de la poésie» («Les crimes de Billy the Kid», *La Barre du Jour*, n° 42, automne 1973, p. 63). *Snack Bar* (les Herbes Rouges, 1973) propose un anagramme avec LSD, réunissant *L*ucien *S*uzanne et *D*eath, une sorte de triangle où la mort jouerait le rôle du tiers destructeur. Dans ces œuvres, l'amour n'est jamais heureux, mais tragique; il a un côté morbide, instable, toujours en mouvement et en rupture. Au début de *Drive-in*, publié en 1976 à Paris chez Seghers, Francœur écrit: «des malaises de cerveau / avec une fille chaude comme un juke-box / (i.e. Machine Gun Susie / une fille belle comme une T-Bird '59». Les deux «comme» (comparatifs) renvoient à des choses du monde de ce poète: le juke-box et l'auto. À quoi on peut ajouter la moto et le rock. Le texte de présentation du recueil aux Français rassemblent les éléments de cet univers: «Avec lui (Francœur), les autoroutes géantes, les stations de gazoline, les drive-in, les sandwiches recouvertes de Ketchup et d'oignons frits, les T-Shirts aux marques de bière, les filles en bottes de vinyle, le heavy metal rock font leur entrée en poésie». Par la suite, deux autres recueils, *À propos de l'été du serpent* (Le castor astral, 1980) et *Exit pour nomades* (Écrits des Forges, 1985), ramènent l'attention sur des thèmes moins exotiques et moins érotiques. Là aussi, les années 1980 apportent des modifications à cette poétique.

Mieux que des exemples, Denis Vanier et Josée Yvon font la somme des aspects les plus spectaculaires de ce courant. Le premier recueil de Denis Vanier, *Je*, publié en 1965 par les Presses sociales de Michel Chartrand, avec une préface de Claude Gauvreau et des dessins de Reynald Connolly (du groupe Zirmate de Claude Péloquin) est suivi par *Pronographic Delicatessen* (Estérel, 1968) avec cette fois deux postfaces de Gauvreau et de Straram. Préface et postfaces indiquent une prise en charge mais aussi une forme de lancement d'une comète, mieux d'une fusée. Le poète avait d'ailleurs révélé ses intentions: «L'art doit tendre à devenir un acte de terrorisme; il nous faut tout dynamiter». Straram écrit: «Je tiens le cri-cœur de Denis Vanier pour déflagrateur, prémonitoire et sublime au Québec». Gauvreau, lui, classe Vanier parmi ses disciples, dans le sillage de *Refus global*. Mais si l'on veut comparer les deux poètes, Vanier n'utilise pas l'image *exploréenne* de Gauvreau; il tient souvent ses moyens du dépaysement produit par des hallucinogènes et des expériences sexuelles. Il a dit en boutade: «Depuis qu'on me lit, j'ai l'impression qu'on fait plus l'amour, qu'on prend plus d'acide, qu'on pose plus de bombes». Le titre du recueil paru en 1972, *Lesbiennes d'acid* (Parti Pris) résume un peu tout cela, et dans un langage neuf qui est lui aussi une révolution: «pour l'ultime libération des astres en nous» (*ibid.*, p. 49). «Ceci est tout doucement une invitation / à venir suspendre vos lèvres / dans une clôture d'enfant / pour que la révolution soit un piège de farine chaude / une tente d'oxigène pour les indiens sous les bisons» (p. 54). Et plus loin, le poète se situe dans un autre monde, le sien: «Adossé au divin / je baise les voies radieuses» (p. 84). Il faut aussi signaler l'illustration photographique du recueil qui joue un rôle de relais ou d'ancrage dans ce texte dynamiteur, celui de l'antithèse. Comme l'explique Yves Bolduc: «La maquette de la page couverture s'impose par son caractère insolite. Cette femme allongée dans les voiles, entourée de lis et de cierges fait songer à une quelconque Ophélie. Mais à une Ophélie particulière: elle sourit. [...] Par rapport à l'ensemble des illustrations, cette page couverture fonctionne à la façon d'une antiphrase. Tout y est légèreté, pudeur, pureté même. Mais lorsque nous feuilletons le recueil, les voiles sont tombés, les cigarettes abandonnées; les illustrations étalent crûment le sexe, prônent le marijuana et nous mènent tout droit à la page quatre qui est l'antithèse nette de la page couverture» (*Livres et auteurs québécois 1972*, p. 161). Ce sont ces manipulations écriture/dessin qui font dire à Lucien Francœur que *Lesbiennes d'acid* «tend radicalement vers le film d'épouvante, une poésie plus souvent qu'autrement antimusicale, aussi détestable et délicieuse que la mienne, mais plus près de Frank Zappa et de Frankeinstein que du rock'n' roll de velours» (NBJ, automne 1973, p. 63). Il en est de même pour le recueil *Le Clitoris de la fée des étoiles* (les Herbes Rouges, 1974) où les illustrations ressemblent à des planches de vieux dictionnaires médicaux montrant les organes féminins. Mais soudain paraissent des photos pornographiques qui détruisent le premier effet des reproductions anciennes. Comme dans les textes poétiques, elles sont la *profanation* de la femme mais également sa *libération*.

Josée Yvon qui collabore souvent avec Vanier a produit une œuvre provocante et excentrique où se retrouvent ensemble la culture des clubs et des bars et un féminisme axée sur le sexe. Tout cela baigne dans une atmosphère de déchéance urbaine, de drogues, de subversion et de révolte faites d'excitations voulues. Elle a commencé à publier en 1976 et le premier recueil, *Filles-commandos bandées*, donne déjà le ton. *Travesties-kamikazes* (1980), *Danseuses-mamelouk* (1982) et *Filles-missiles* (1986), en plus de continuer cette double appellation féminine, poursuivent cette description où les associations bizarres de choses souvent dégoûtantes et de parties d'êtres humains donnent le frisson ou froid dans le dos. Ainsi cette scène du poème: «Civilisation de la terreur», de *Filles-commandos bandées*: «la plus belle des pigmées sticfke sa langue épaisse pas longue/ dans de grandes oreilles blanches de touristes / raisonnables on s'habitue à se laisser vider / ce sont toutes des femmes de négation / losers châtelaines-lumberjacks / déploguées d'avec le réel [...]».

3 — LA POÉTIQUE DES FEMMES

À sa manière, radicale, Josée Yvon travaillait à la cause des femmes. Elle n'était pas la première, ni la seule. Déjà, dans les années 1960, le mouvement féministe s'amorçait, mais c'est dans les années 1970 et 1980 qu'il s'est imposé à la conscience de tous. Les auteurs féminins ont d'abord fait la critique d'une poésie qui, en particulier à l'Hexagone d'avant 1970, faisait de la femme un objet muet pour militant du pays, une sorte de métaphore du territoire national. Puis elles sont entrées dans le domaine du politique, avec un *Manifeste pour la libération des femmes*, en 1972, suivi de manifestations nombreuses pour la libéralisation des lois sur l'avortement, le divorce, les droits de garde des enfants, les garderies publiques. Ce travail a abouti à la création du Conseil du Statut de la femme et du Ministère de la condition féminine. Une anthologie de textes du Front de libération des femmes (1969-1971) et du Centre des femmes (1972-1975), *Québécoises deboutte!*, a consacré ces efforts (Véronique O'Leary et Louise Toupin, Éditions du Remue-ménage, 1982). Trois pièces de théâtre, *La nef des sorcières* (Éd. Quinze, 1976), une pièce collective composée de monologues écrits par sept écrivaines (dont les poètes Nicole Brossard et France Théoret) et *Les fées ont soif* (Denise Boucher, Éd. Intermède, 1978), ainsi que *La saga des poules mouillées* (1981) de Jovette Marchesseault, ont surtout attiré l'attention sur le mouvement.

En poésie, Nicole Brossard a voulu être militante en inscrivant la problématique de la libération de la femme dans son texte même, dans et par le langage. Elle a depuis imposée sa poétique féministe, dont on trouve les meilleures représentantes dans une *Anthologie de la poésie des femmes*, qu'elle a publiée en 1991, en collaboration avec Lisette Girouard (Éditions du remue-ménage). À cet égard, «Femme et langage», le premier de neuf titres de *La Barre du Jour*, paru en 1975 à l'occasion de la Rencontre québécoise internationale des écrivains consacré au thème «La femme et l'écriture», expose les problématiques propres à la poésie et à l'écriture des femmes. Le titre du texte qui ouvre le numéro, de Nicole Brossard, «E Muet Mutant», signifie déjà cette «présence (de la femme) ensevelie sous des tas de paroles qui commandent, régissent, oblitèrent, sectionnent, mesurent» (*NBJ*, n° 50, hiver 1975, p. 11). Les femmes poètes prennent la parole pour plaider leur droit à l'existence par l'affranchissement de leur corps qui devient un «nouvel imaginaire» (Laurent Mailhot, Pierre Nepveu, *La poésie québécoise, Anthologie*, l'Hexagone, 1990 [1986], Typo, p. 32). France Théoret l'exprime directement: «J'écris d'où je viens. Je parle d'où je suis. Le passé ne m'intéresse que pour agiter le devenir [...] La marge me sert de cadre. Je me regarde dans les lignes, miroir, narcissisme. J'y force ce qui se cherche se court après ce qui se cache paraît disparaît un coin en œil ma culotte se mouille lettre blanche. Mon corps écrit d'un souffle chaud une langue» (*NBJ*, hiver 1975, p. 26; *Une voix pour Odile*, les Herbes Rouges, 1978, p. 9).

Dans l'Introduction de leur anthologie, Nicole Brossard et Lisette Girouard nomment celles des femmes poètes et de leurs œuvres qu'elles jugent avoir marqué les «années 70» et les «années 80». «De cette période (1970-1980), on retiendra une parole au centre de laquelle la sexualité crie, proteste, provoque, enlace. La langue active les liquides et les sécrétions [...] Du recueil Slurch (1970) de Marie-France Hébert, en passant par *Filles-commandos bandées* (1976) de Josée Yvon, *Que du stage blood* (1977) de Yolande Villemaire, *Bloody Mary* de France Théoret, *En beau fusil* (1978) de Francine Déry jusqu'à *Slingshot* (1979) de France Vézina, les titres se font évocateurs d'un corps sexué décodant la violence qui en régit les mouvements et les approches» (*op. cit.*, p. 22). Elles soulignent aussi la publication de *Signe et rumeur* (1976) et *L'outre-vie* (1979) de Marie Uguay, deux recueils intimistes qui annoncent «les retouches de l'intime» auxquelles donnera lieu la poésie des années 1980. Celles-ci verront apparaître deux nouvelles générations de poètes, la première composée de femmes nées autour de 1949, qui puisent leur expérience dans une mémoire de l'avant féminisme: Anne-Marie Alonzo, Germaine Beaulieu, Louise Cotnoir, Denise Desaultels, Louise Desjardins, Louise Dupré, Jocelyne Felx, Célyne Fortin, Ghislaine Pesant, Julie Stanton. Cette première génération pratique abondamment une intertextualité féminine. La deuxième génération rassemble «les noms de Marie Belisle, Hélène Dorion, Marthe Jalbert, D. Kimm, Marie-Christine Larocque, Rachel Leclerc, Nadine Ltaif, Hélène Monette, Élise Turcotte, Louise Warren» (p. 24). Dans les œuvres de ces dernières femmes poètes, on ne voit «plus de grands débordements, de colères, d'emportements utopiques, seulement une douce inquiétude, une étrange quiétude où l'on s'étudie et s'observe dans la mise en scène amoureuse et existentielle, frôlant le quotidien, frôlant là l'enfance, la mort et le réel hyperréel» (p. 24). Ces deux moments de la poésie féminine sont aussi identifiés par Laurent Mailhot et Pierre Nepveu et correspondent à l'évolution de la poésie québécoise des deux décennies: «Même l'écriture des femmes, après une brève phase parfois très critique et virulente, en viendra à se poser simplement dans sa positivité et n'exclura pas le retour d'un certain lyrisme qu'avait banni le formalisme» (*op. cit.*, p. 33).

4 — LA POÉTIQUE DU RÉEL (ABSOLU)

C'est le titre du recueil de Paul-Marie Lapointe, *Le réel absolu* (l'Hexagone), paru en 1971, qui sert à identifier cette tendance hybride, appelée «réel», où le lyrisme, le formalisme et le féminisme servent aussi à sa manifestation. Ce retour au réel, qu'il ne faut pas assimiler à la réalité, semble annoncé par ce poème de Lapointe «Épitaphe pour un jeune révolté»: «tu ne mourras pas un oiseau nidifie / ton cœur / plus intense que la brûlée d'un été quelque part / plus chaud qu'une savane parcourue par l'oracle / tu ne mourras pas ton amour est éternel» (p. 224-225).

Le «réel» dont il est question pour regrouper des poètes très différents les uns des autres ne renvoie donc pas aux réalités, matérielles ou autres, mais à des préoccupations essentielles et existentielles que la poésie a toujours privilégiées. À cet égard, dans l'introduction de leur anthologie, Mailhot et Nepveu appellent ce courant «faute d'un meilleur terme, d'*humaniste* (par opposition au matérialisme des *Herbes Rouges*, précisent-ils)» (*op.cit.*, p. 31). Ils remarquent d'ailleurs que «depuis 1975, la poésie s'est tournée vers la vie privée, les mouvements les plus secrets de la subjectivité, ses fantasmes, ses pulsions, ses plus infimes soubresauts» (p. 32). En fait, il s'agit d'un abandon du formalisme pour revenir à une poésie de l'intérieur et du métaphysique, qui se remarque en particulier dans les changements de thématique d'un poète comme François Charron, dans l'apparition d'un quotidien plus épuré, moins cru, chez Marie Uguay ou Anne-Marie Alonzo, Yolande Villemaire et Claude Beausoleil, qui contraste avec une certaine tradition des *Herbes Rouges*, ou encore dans l'union d'une thématique universelle, dont l'amour, et de rythmes musicaux, comme chez Suzanne Paradis, Marie Laberge, Jean Royer, Pierre Nepveu. C'est ce qui fait dire encore aux deux auteurs de l'anthologie que «le réel prolifère, s'emballe, se réfléchit dans mille miroirs» (p. 34).

Quelques œuvres poétiques serviront d'exemples et d'illustrations d'une tendance multiforme dont l'unité ne paraît pas évidente à prime abord. C'est dans cette thématique que prennent place des poètes des années 1960 et même 1950, tels Jacques Brault, Fernand Ouellette, Rina Lasnier, Alphonse Piché entre autres. De Jacques Brault, trois recueils, dont d'abord *La poésie ce matin*, (1971), une poésie du quotidien, qui mélange la tendresse à la mélancolie grâce à des formes de composition variées, où un petit matin propre au poète est aussi celui de tous les hommes: «il dort le matin encore / chassé de neige abrié de froid / une volée aux yeux d'avoines noires / rembellit ses paupières où déjà / les nuages ouvrent des lézardes aux lézards de soleil». En 1975 paraissent *Poèmes des quatre côtés* (Noroît, 1975) où le poète propose une façon originale de traduire des poèmes anglais sans les traduire, les quatre textes (côtés) étant précédés d'une note: *Nontraduire 1, 2, 3, 4*, et *L'en dessous l'admirable* (P.U.M., 1975), que le poète Alexis Lefrançois rassemble sous le titre: «Accueillir le plus profond rêve du temps» (*Liberté*, n° 100, juillet-août 1975, p. 100-111). Les poèmes de Fernand Ouellette parus durant cette période se retrouvent sous deux titres de la collection «Rétrospectives»: *Poésie, poèmes* 1953-1971 et *En la nuit, la mer*, poèmes 1972-1980, tous deux parus à l'Hexagone. Du dernier recueil, la poésie se loge entre la mer et la nuit pour faire surgir des réalités physiques et naturelles qui renvoient aux sonorités de Varèse que le poète a fait connaître et aux grands de la renaissance italienne, sans oublier Novalis qu'a commentés à souhait Ouellette durant cette période. Une poésie hors du temps, mais qui en est pleine, une poésie qui se situe entre deux mondes, l'ancien et le moderne, pour mieux les rallier, la poésie d'un poète *À découvert*, qui est le titre d'un recueil paru en 1979, aux Éditions parallèles du poète Marcel Bélanger. Durant cette période également, Rina Lasnier continue de publier des recueils qui font une marque dans la production poétique. Après les deux tomes de *Poèmes* (1972) qui rassemblent les recueils parus avant 1971, Lasnier donne deux autres séries dont chaque tome a un titre:

Matin d'oiseaux, volume I (Fides, 1978), *Paliers de paroles*, volume II (Fides, 1978) puis *Entendre l'ombre*, volume I et *Voir la nuit*, volume II (1981). Les titres rappellent la poésie antérieure de Lasnier, où les oiseaux font surgir toute la nature, que les paroles du poète évoquent dans une sorte d'extase, en leur donnant les couleurs préférées de l'ombre et de la nuit. Le recueil *Sursis* (Écrits des Forges, 1987) d'Alphonse Piché marque un retour du poète et le début d'une nouvelle manière. La première partie, «Strates d'éternité» est composée de poèmes courts, du genre haïku: «Blessure / un clocher déchire / la chair nue du paysage» (p. 13). Ou encore: «La vie dans leurs mains / deux amoureux / balisent le chemin» (p. 21). La deuxième partie «Aux tessons des désirs» où se trouve le poème «Sursis», est formée de poèmes plus longs mais éclatés: successions de mots, propositions tronquées ou souhaits: «Que la poulpe de tes gestes / enlace mon être [...]». Le lecteur se sent loin des *Ballades de la petite extrace* (1946) ou des *Remous* (1947), et cela est tout à l'honneur du poète.

Dans cette catégorie, poétique du réel, quelques autres poètes méritent une place à part, dont, entre autres, Pierre Morency, le poète de l'intériorité, Marcel Bélanger, poète de la parole retrouvée, Michel Beaulieu, qui explore les sensations du monde à travers les siennes, Gilbert Langevin, poète de l'amour et de la révolte, Pierre Nepveu qui tente d'explorer tout le réel, et Suzanne Paradis, qui a donné un ton moins engagé et plus symbolique à la poésie féministe.

5 — LA POÉTIQUE DU *JE*

L'utilisation du pronom je n'est pas la marque de cette nouvelle poétique qui apparaît dans les années 1980. Écrire un poème au *je* est une habitude séculaire et la personne qui parle ainsi n'est pas le poète lui-même. Cette poétique met toujours en cause un être imaginaire qui se dit, se cherche, et pour cela tend à se dépersonnaliser et à dépersonnaliser les autres, afin d'arriver à dévoiler une vérité cachée, enfouie dans le secret de la conscience ou de l'inconscient. La poésie qui en découle n'est pas une autobiographie déguisée, mais une fiction où celui ou celle qui dit *je* est la somme d'une foule de personnes. Les thèmes abordés, l'amour, la mort, la douleur, le dépaysement, l'angoisse, la mémoire et l'oubli, sont le lot à la fois de soi et de l'autre, et entraînent une recherche d'identité qui exige de trouver une voix, moyen de passage, exprimant ce dilemme. Il ne s'agit pas d'une poétique du réel, comme on l'a vu précédemment, mais d'une poétique des voix qui dialoguent sur le destin du monde et des êtres afin de les comprendre et de se faire une raison. Et pour rendre cette expérience plus complexe, les poètes n'hésitent pas à se servir de genres ou de sous-genres, tels la confession, le témoignage, la complainte, la confidence, qui, un peu comme des ombres chinoises, entraînent une certaine confusion.

Un des exemples de cette poétique est Madeleine Gagnon qui fut d'abord la parole publique de la poésie féministe avec *Pour les femmes et tous les autres* (L'Aurore, 1974). Le travail sur le langage dont se réclame le poète s'appelle *Poélitique* du titre de son poème-affiche paru en 1975 aux Herbes Rouges. Dans ce texte, et dans d'autres, comme «Des mots plein la bouche» (*La Barre du Jour*, n°s 56-57, mai-août 1977, p. 140-147), l'engagement pour la cause des femmes est total et direct, mais il ne néglige jamais la difficulté de dire, même pour celles qui ont «des mots plein la bouche». D'où l'appel à sortir du silence, à proférer les «mots pour le dire», mots du corps, mots de l'imaginaire. Sans mots, dit-elle, c'est le vide. Dans un texte plus didactique, paru aussi dans *La Barre du Jour*, elle traite précisément de «La femme et le langage: sa fonction comme parole en son manque» (n° 50, Hiver 1975, p. 45-57). De cet «extérieur», Madeleine Gagnon est passée à l'intérieur, au privé, à la poésie du moi comme «corps dans l'écriture», où le manque est celui d'un corps qui se refuse à l'écriture. (*Antre*, Herbes Rouges, 1978), mais qui doit nommer les choses pour leur donner du sens: «je nommerai aussi / l'améthyste/ celle que j'avais perdue / et retrouvée / pas seulement en rêve / je nommerai ma pierre / mes pierres / celles qui pensent / et qui me font songer» (*Pensées du poème*, 1983). Cette fonction poétique exige un effort constant de mise à distance de soi, ce que Gagnon appelle: «Dépersonnaliser d'abord / dans ce corps sans organes / puis signer de son nom propre / dans ce hors-corps / hors-champ, hors-site / des mille pores / et des mille plateaux» (*L'instance orpheline*, Éditions Trois, 1991, p. 85). L'auteure parle alors d'*autographie*, l'absence du *bio* explicitant l'idée de soi comme écriture de l'autre et des autres.

Louise Warren adopte le ton et les manières de la confidence pour élargir le territoire de la poésie. Les fragments de la vie de tous les jours, les détails d'une existence familière, deviennent des voix multiples et symboliques qui produisent une émotion sourde ou une sensation insistante. Le *je* toujours présent dans ces poèmes n'est là que pour signaler une présence, un regard qui scrute la réalité ambiante pour la faire signifier. Dans *L'Amant gris* (Tryptique, 1984), toutes sortes de scènes familières se déroulent, où le «il» est une ombre vivante, toute l'attention étant portée sur le «je» qui parle. «Je m'étire une dernière fois / avant d'enfiler la panoplie de lainage, son jeans qui sent / la sciure [...] J'ouvre la parenthèse rose». Et plus loin: «Je ferme la parenthèse rose», celle de la vie des amants. L'exergue tiré de Louis-Ferdinand Céline résume ce parcours: «L'amour n'est que l'infini mis à la portée des caniches». *Le lièvre de mars* (l'Hexagone, 1994) est aussi formé de fragments de vie où des lieux, des personnages, des moments sont évoqués, tous reliés par la présence de l'énonciatrice. Ce quotidien, ce familier en vingt-huit mouvements, deviennent soudain symboliques et porteurs de signification. C'est le langage simple qui crée la confidence et lui donne ce rythme de succession d'images, de tableaux et de sensations en marche. Le caractère cyclique du recueil le referme sur lui-même. Au début: «J'ai rêvé qu'il y avait un cadavre dans ma chambre». À la fin: «Pesons-nous ensemble et gardons le silence pour celles disparues». Au début, le lac, à la fin, le feu.

Jean Charlebois, lui, publie au Noroît depuis 1971, dont *Popèmes...* (1972), *Tête de bouc* (1973), *Tendresses* (1975). Dans *Hanches neige* et *Rémanences* (1977), Charlebois explique qu'un poème n'est pas «un plein char d'images parfumées, à l'essence de tendresses». Durant cette époque, la poésie de Charlebois est un objet fabriqué, l'organisation d'un contenu. Tout le travail du poète consiste à intervenir dans son texte: les parties de *Hanches neige* adoptent successivement le style de communiqués de presse, celui de la parodie et de la caricature et enfin de la critique dogmatique. Son dernier recueil, *De moins en moins l'amour de plus en plus* (l'Hexagone, 1996) est une suite de poèmes d'amour qui prend les dimensions d'une géographie américaine et adopte les soubresauts d'un univers bouleversé. La poésie axée sur des thèmes universels, dont l'amour, bien sûr, mais aussi la naissance et la mort, se mêle à la narration qui marque le temps de la passion et des êtres en présence, le passé, le présent et le futur. Il s'agit d'un lyrisme épuré, d'une confidence murmurée: «Tes seins comme des aimants attirent les lumières noires / de la nuit / pourtant la lampe est éteinte / ton coprs encore, à l'ablution, mange dans mes mains / sculpture incessante, pourvue d'une fente bruissante [...]» (p. 121).

La mort était extravagante (Le Noroît, 1975) de Geneviève Amyot est un recueil extravagant, en ce sens que le poète joue sur les mots, avec des formules toutes faites: «Un point pour l'ennui et un autre à l'envers kyrie eleison les femmes voilaient leurs produits sous l'ampleur des tabliers barrés [...] kyrie eleison les rites des garçons troubles se perdant aux tasseries équivoques et nos souffles kyrie eleison [...]» (p. 57). Une poésie de clichés aussi («les voyages forment la jeusesse») et de lieux communs («ce n'est pas Noël tous les jours au prix où va la vie la cire n'est plus pour les blonds Jésus mais pour les pots de confitures»). En 1994, Amyot publie *J'écrirai encore demain* (Le Noroît), un recueil sous forme de lettres, de septembre à septembre, adressées à un «tu» disparu, rappelant avec un profond regret les menus faits d'une vie antérieure à deux. La dernière lettre donne le ton et la manière de cette complainte: «Tu as rejoint maintenant la puissante chair des fables. Quelque part, au centre de la terre, tu as rejoint le feu des fables qui forgent les bagues et déploient les tapis. Moi, je retrouve ici la vivacité de ton image [...] je me proposais de terminer cette lettre comme ceci: mes enfants, quand ce sera mon tour, tenez-moi fermement la main je vous en supplie, restez un peu puis partez voir les arbres» (p. 116).

En 1976, Denise Desautels publie un receuil, *Marie, tout s'éteignait en moi...* (Le Noroît), qui est une exploration de la psyché féminine. Le ton est à la fois impulsif, rêveur, déjà lyrique. *L'écran*, en 1983, situe la recherche du moi dans un monde imaginaire où Io intervient comme aide ou complice: «son corps de gré ou de force bouge et sa main pour tracer des signes, le bout du monde et l'idée du voyage elle revient: la résistance prend la parole» (p. 47). *Mais la menace est une belle extravagance* (Le Noroît, 1989) a pour thèmes l'incompréhension (1. La couleur du mensonge), la rencontre de l'autre (2. Tableaux d'inachèvement), la parole (l'écrit, la voix) comme seul lieu d'union (3. La rumeur étrangement). Une dernière partie du recueil, «Le signe discret» est précédée d'un exergue de Roland Barthes: «Or, il n'y a d'absence que de l'autre». «Une impression d'absence / répète septembre une dernière fois: les mains / les corps et les désastres / imagine un vaste trou de mémoire où / se rompt le fil des récits de voyage / imagine septembre au milieu de nous» (p. 109).

Pierre Nepveu, auteur avec Laurent Mailhot d'une *Anthologie de la poésie québécoise*, et lui-même poète défiant les traquenards des lieux communs, des réalités trompeuses, cherche des appuis extérieurs pour atteindre le cœur du monde environnant, Montréal en particulier (*Couleur chair*, l'Hexagone, 1980). Avec *Mahler et autres matières* (Le Noroît, 1984), il tente de lire ce «territoire» qui est le sien, ce «siècle condensé» qui «se traduit en symboles lourds de / présence qui font pleurer si on les / touche du bout de la langue» (p. 29). Creusant toujours le sens à travers les symboles du réel, cette poésie est une quête de l'autre et des objets qui se dérobent sans cesse «à mesure que je les nomme». «Je n'ai plus d'écho / j'embrasse tout» (p. 28), constate-t-il. Dans une réflexion intitulée «L'ère de la sensation vraie», publiée dans *Estuaire*, Pierre Nepveu définit cette poétique des années 1980 comme une recherche en pays perdu. On aura remarqué que cette poésie adopte souvent la narration comme mode d'écriture et Pierre Nepveu fait remarquer que le sens moderne du mot «récit» nous fait peut-être oublier que «réciter» est un acte qui concerne la poésie. Mais «le terme qui conviendrait le mieux à cette pratique, poursuit-il, c'est celui du *récitatif*, où la mélodie obéit à la coupe des phrases et aux intonations de la voix parlée» (Hiver 1987-1988, p. 14). Il s'agit d'une poésie-prose ou d'une prose-poésie qui, s'interrogeant sur le réel, réfléchit à distance. Aussi, «le vaste, multiple et interminable récitatif des années quatre-vingt dit en ce sens non plus une révolution, mais une apocalypse tranquille. Tranquille, parce qu'elle est précisément sans coups d'éclat, sans grande violence, sans déchaînement de révolte».

6 — LA POÉTIQUE DES MAISONS D'ÉDITION

L'Hexagone, en 1953, inaugure une tradition dans l'édition de la poésie. Cette maison continue toujours son travail d'édition de poètes, même si elle y a ajouté celle d'essais et de romans. Durant cette période, elle poursuit les publications prestigieuses qui rassemblent dans la collection «Rétrospectives» l'œuvre d'un poète dispersée dans plusieurs recueils. Au début associée à la poésie dite du pays, les éditeurs, sous l'influence de Gaston Miron, ont vite fait place à toutes les tendances et amené chez eux les poètes importants de la poésie québécoise contemporaine. Ainsi l'anthologie de Lucien Francœur, *Vingt-cinq poètes québécois 1968-1978* (l'Hexagone, 1989) regroupe des poètes appartenant aux revues *La Barre du Jour*, *Les Herbes Rouges* et *Hobo-Québec*, dont plusieurs ont publié aussi à l'Hexagone. En 1991, dans la deuxième édition de *La poésie québécoise contemporaine*, Jean Royer met davantage encore l'accent sur les poètes de l'Hexagone, sans toutefois oublier les autres. Dans la collection «Rétrospectives», de 1970 à 1990, paraissent les œuvres de Michel Beaulieu (Desseins, 1980), Louis Geoffroy (*Le saint rouge et la pécheresse*, 1990), Cécile Cloutier (*L'écouté*, 1986), Juan Garcia (*Corps de gloire*, 1989), Gérald Godin (*Ils ne demandaient qu'à brûler*, 1987), Isabelle Legris (*Le sceau de l'ellipse*, 1979), Pierre Morency (*Quand nous serons*, 1988), Fernand Ouellette (*Poésie*, 1979), Pierre Perreault (*Gélivures*, 1977), Alphonse Piché (*Poèmes*, 1976), Guy Gervais (*Gravité. Poèmes* 1967-1973, 1982), Yves Préfontaine (*Parole tenue*, 1990). Durant la même période, l'Hexagone publie des recueils de poètes déjà cités, et d'autres: d'Anne-Marie Alonzo, France Boisvert, André Brochu, Guy Cloutier, François Dumont, Gérald Gaudet, Patricia Lamontagne, Susy Turcotte. Depuis la fusion de VLB avec l'Hexagone sous le Groupe Ville-Marie Littérature, les poètes de VLB, dont Philippe Haeck ou Élise Turcotte (Prix Émile-Nelligan pour son recueil *La voix de Carla*, 1988), Jean-Paul Daoust (*111, Wooster Street*), restent distincts tout en étant désormais proches de leurs confrères. Il faut dire aussi que tous ces poètes publient aussi ailleurs, dont certains aux Herbes Rouges.

Les Herbes Rouges (1968-1993) ont d'abord commencé à publier sous la forme d'une revue de poésie avant de consacrer à partir de 1972 chaque numéro à un seul recueil de poésie et de devenir une maison d'édition en 1978. La maison dirigée par les deux frères François et Marcel Hébert a englobé en 1974 l'Aurore dont ils étaient aussi les directeurs. Toutes les tendances décrites plus haut s'y retrouvent et les poètes représentatifs de chacune s'y retrouvent aussi: Normand de Bellefeuille, Roger Des Roches, André Beaudet, Claude Beausoleil, François Charron, Hugues Corriveau, Madeleine Gagnon, Patrick

Straram, Denis Vanier, Lucien Francœur, Renaud Longchamps, André Roy, Yolande Villemaire, Philippe Haeck, France Théoret, Josée Yvon. En 1975, Richard Giguère décrivait ainsi l'orientation et les caractères particuliers de ces publications, qui valent en gros pour toute la période:

> L'ombre (l'esthétique, la thématique) de Paul-Marie Lapointe et de Nicole Brossard se profile partout dans les pages des *Herbes Rouges* [...] Le plaisir — physique, matériel, intellectuel —, la jouissance de créer, d'inventer, de jouer avec les mots est au centre de tous ces textes, et le nom de Roland Barthes (*Le plaisir du texte*) n'est certainement pas étranger à cette euphorie du langage. De l'utilisation des clichés de la publicité, de la BD et du discours public jusqu'aux disciplines scientifiques les plus éloignées de ce qu'on considère généralement comme «poétique» en passant par une conscience sociale et politique toujours en éveil, en n'oubliant pas l'emploi d'un lexique et d'une syntaxe explosés, d'une mise en page et d'un graphisme soignés, *tout est matière à poésie* (*Livres et auteurs québécois 1975*, p. 121).

Depuis lors, les Herbes Rouges sont devenues la maison d'édition des poètes d'avant-garde. Celle-ci pourrait se définir comme une volonté de détruire les frontières entre les genres, la poésie devenant au besoin narration, essai, discours, déclaration manifestaire. Elle prend aussi le parti de provoquer les lecteurs potentiels, en déjouant les tabous, sexuels en particulier, et en dénonçant les parti-pris, les lieux communs, les stéréotypes, que véhiculent en particulier les messages publicitaires ou autres. Effort de dénonciation que les poètes prennent sur eux délibérément, non sans savoir qu'ils risquent de s'aliéner le mince public lecteur de poésie.

Ajoutons enfin les recueils de poésie parus dans d'autres maisons d'édition générale, dont Hurtubise HMH, une maison connue surtout pour ses *Écrits du Canada français* où de jeunes et de moins jeunes conteurs et poètes ont été découverts. Dans les années 1970, HMH a publié quelques recueils par année, de Monique Bosco, Pierre Nepveu, Guy Lafond, Guy Désilets, Paul Chanel Malenfant. D'autres éditeurs généraux ont fait place à la poésie dans leurs collections. Beauchemin a publié *Le premier tiers* de Claude Péloquin (1976), VLB, la poésie de Madeleine Gagnon, de Jean-Paul Daoust (*111 Wooster Street*, 1996), le recueil de Robert Melançon, *Peinture aveugle* (1979). Garneau, à Québec, a fait place à des femmes poètes, Madeleine Guimond, Georgette Lacroix, Alice Lemieux-Lévesque, Suzanne Paradis, Fides également où Cécile Chabot, Marie José Thériault ont publié, et enfin les Éditions de l'Arc et Nouvelles Éditions de l'Arc, de Gilles Vigneault, où tous ses poèmes et ses chansons ont paru. Guérin éditeur ajoute depuis plusieurs années à ses collections et ouvrages scolaires une collection de poésie, dont quelques-uns des premiers recueils sont de Janou Saint-Denis (*Hold up mental. Textes vivants et déplacés*, 1988) et de Guy Désilets (*La grâce du regard*, 1988, avec des illustations de Claude Jasmin).

Durant cette période, deux maisons se sont surtout consacrées à la seule édition de la poésie: Le Noroît, fondé en 1970 et animé par René Bonenfant et Célyne Fortin et les Écrits des Forges, fondés en 1971 par Gatien Lapointe qui a trouvé des successeurs, dont Louise Blouin, Bernard Pozier et le patronage d'Alphonse Piché et de Rina Lasnier. En 1978, Bonenfant et Fortin faisait un premier bilan des sept premières années d'existence de la maison dont le catalogue comprenait alors vingt-huit titres et une vingtaine d'auteurs, dont la plupart publiaient pour la première fois (*Estuaire*, n°s 9-10, décembre 1978, p. 83). Hélène Dorion, elle-même poète, est directrice littéraire de la maison. Elle a publié en France et en Belgique, souvent en co-édition avec le Noroît. En 1993, elle donne une anthologie des poètes du Noroît, *Le souffle du poème*. Dans son Introduction, elle reprend la devise de la maison pour dire que «le poème [...] souffle où il veut», en direction du sens, d'un sens qui ressemble à celui de la vie. Elle dégage aussi une thématique particulière des poèmes rassemblés dans ce recueil: «L'enfance, la nature, les traces du quotidien, l'amour, le voyage, l'art, la fragilité de la vie: tels sont quelques-uns des corridors explorés dans les poèmes offerts ici à lire. Autrement dit, cette grande et petite aventure humaine qui est nôtre» (10). Les poètes retenus comme représentant cette orientation poétique sont identifiés au Noroît: Geneviève Amyot, Jacques Brault, Denise Desautels, Jocelyne Felx, Célyne Fortin, Rachel Leclerc, Alexis Lefrançois, Paul Chanel Malenfant, Joël Pourbaix, Marie Uguay et Robert Yergeau. Manquent à l'appel: Jean Charlebois, Jean-Noël Pontbriand, qui ont publié presque uniquement au Noroît, d'autres qui appartiennent aussi à d'autres maisons: Jean-Yves Collette, Michel Beaulieu, Claude Beausoleil, entre autres.

Les Écrits des Forges, selon Gatien Lapointe, leur fondateur avec Gaston Bellemarre et Bernadette Guillemette, voulaient publier les premiers livres de jeunes poètes. Le premier lancement a eu lieu en avril 1971 (recueils d'Yvon Bonenfant, Gaston Bellemarre et André Dionne). «Moment unique», affirme Lapointe, pour cette maison située «au cœur du Québec», à Trois-Rivières. En 1977, vingt-cinq recueils ont paru. L'objectif a été maintenu depuis les débuts et sous-tend toujours l'orientation de cette maison d'édition. L'esprit de Gatien Lapointe domine d'ailleurs et continue même après sa mort survenue en 1981. Tout juste avant, il avait repris son œuvre interrompue depuis 1967, avec *Arbre-radar* (1980), qui adopte la prose poétique au lieu du vers libre, ou *Corps et graphies* (l'Hexagone, 1980) et *Barbare inouï* (1981). Louise Blouin, animatrice des Écrits de Forges avec Bernard Pozier et Yves Boisvert, a publié une anthologie de vingt poètes de la maison d'édition «qui rassemblent, écrit-elle, une variété de sujets: amour de l'autre, de la nature et de l'univers, violence, solitude, mort, maladie, peur, abandon, monde en péril, plaisir de vivre, inscription d'une intimité dans un monde urbain anonyme, intégration dans une réalité d'ici, informatique, rock...» (*Les mots pour rêver*, 1990, p. 7). «Ces vingt voix différentes, poursuit-elle, d'une grande lisibilité, d'écritures connexes et à la fois divergentes, empruntent pour explorer ces thématiques, l'humour, le sarcasme, la tendresse, la révolte, la sobriété ou le superlatif». On perd ici le fil de la poésie dominante des décennies précédentes, le formalisme, la déconstruction du texte, l'intertexte, les réalités crues de l'existence urbaine, la contre-culture, au profit de sujets qui font rêver et en même temps réagir aux réalités simples et complexes du quotidien, à la joie et à la douleur. Dans cette anthologie, reviennent des poètes dont il a déjà été question, Claude Beausoleil, Nicole Brossard, Madeleine Gagnon, Gérald Godin, Alphonse Piché, Yves Préfontaine, Yolande Villemaire, qui font mentir l'idée qu'on publie de jeunes poètes, mais d'autres sont bien de la nouvelle génération: Yves Boisvert, Jean-Paul Daoust, Daniel Dargis, Hélène Monette, Élise Turcotte, Claude Paradis, Bernard Pozier, Hélène Dorion. Il en manque d'ailleurs et de plus jeunes encore: Janou Saint-Denis, Denuis Saint-Yves, Jean-Sébastien Huot, Alberto Kurapel, Jean Duval, François Vigneault. Et d'autres encore. La maison devient une pépinière de nouveaux poètes qui y trouvent leur banc d'essai.

7 — LA POÉTIQUE D'UNE REVUE DE POÉSIE: *ESTUAIRE*

En mai 1976, un groupe de création formé de Claude Fleury, Jean-Pierre Guay, Pierre Morency et Jean Royer, fondait à Québec la revue *Estuaire*, essentiellement consacrée à la publication de poèmes, la plupart du temps inédits, ce qui faisait de cette publication un outil de connaissance de la poésie en marche. Le premier numéro comprend deux parties: «Pour manifester» et «Pour durer», entrecoupées d'un poème de Jacques Garneau et d'un texte de Jean Royer sur «Les poètes de la parole» de Québec, qui lisaient leurs poèmes au café Chantauteuil. Les quatre membres du groupe de création publient aussi un texte poétique relié au thème de chacune des parties de ce premier numéro. L'objectif de la revue est donné en clair: diversifier d'une façon inédite le travail poétique des créateurs; entretenir le dialogue entre les poètes du groupe; dissiper l'ignorance des œuvres et des créateurs chez ceux qui auraient intérêt à les connaître. Le regroupement initial s'est fait chez les créateurs de Québec où la revue a eu son siège jusqu'en 1985, au moment de son déplacement à Montréal où une équipe de rédaction formée d'Anne-Marie Alonzo, Jean-Paul Daoust et Gérald Gaudet l'a prise en charge. Même si *Estuaire* était au départ de Québec, elle a tout de suite attiré des poètes de partout. Son comité de rédaction comprenait non seulement Marcel Bélanger, et Gilles Pellerin, qui agissaient un certain temps comme directeur et secrétaire, ainsi que Suzanne Paradis, tous de Québec, mais aussi Michel Beaulieu, Hélène Dorion, et Paul Chanel Malenfant. En 1988, présentant une anthologie des poètes publiés par la revue, Gérald Gaudet, directeur de la revue, rassemble une cinquantaine de poètes de toutes tendances et de toutes générations. Il précise que «s'il est dommage que la plupart des ainés aient refusé notre invitation, il n'en demeure pas moins que ce document témoigne avec force [...] des mutations que la poésie est en train de connaître. Toute revue est un atelier de recherche et affiche un parti pris anthologique constant» (n° 50, automne 1988, p. 5). Formulée par les fondateurs, la proposition de départ «Pourquoi Estuaire donc?», est un manifeste qui vaut pour toute la période de la revue: *Estuaire* propose — pour la poésie, pour le Québec, pour le lecteur — une ouverture qui trouve son sens le plus large dans l'accent que nous mettons sur la *création*, sur une *pratique* incarnée de la poésie, de l'écriture. Le lieu qui est ici évoqué par le nom de la revue est davantage un dépassement des frontières qu'une simple référence géographique. Il n'en demeure pas moins que la culture québécoise, dans sa réalité d'existence, dans ses désirs immenses, sera dite avec toute la lucidité et toute la générosité qui conviennent à une poésie délestée des tentations du passéisme tout autant que des grelots mystificateurs des amateurs de modes. La vie est notre choix premier. Nous explorons avec passion un espoir qui ait du sens». Déjà en 1985, *Estuaire* avait publié des textes de plus de 125 poètes, parmi les ainés (Gaston Miron, Roland Giguère, Fernand Ouellette, Paul-Marie Lapointe) et les plus jeunes (Christiane Frenette, Geneviève Letarte, Élise Turcotte, Hélène Dorion, Marie Belisle, Robert Yergeau).

****

Cette synthèse de trente ans de poésie québécoise commençait par *L'Homme rapaillé*; il se termine en décembre 1996, avec le décès du poète, à qui le Gouvernement du Québec accordait des funérailles nationales. Gaston Miron mérite bien cette reconnaissance officielle pour sa poésie et son action poétique. Il a non seulement préparé les voies à la poésie moderne, mais il l'a accompagnée tout au long de sa carrière. À l'Hexagone, il a accueilli les poètes de toutes les générations et de toutes les tendances, les encourageant tous dans leur travail. Il était ouvert aux innovations sans les adopter nécessairement, il a été rassembleur, diffuseur et porte-parole de la poésie québécoise contemporaine. Il l'a incarnée. Il en est devenu le symbole, la figure presque mythique. Cette fin n'est qu'un début.

NICOLE BROSSARD

(Photo: Josée Lambert)

Deux recueils, *Mécanique jongleuse suivi de Masculin grammaticale* et *La partie pour le tout*, parus en 1974 et 1975, ont réuni dans la poésie de Nicole Brossard les courants formaliste, déjà présent, et féministe qui s'ébauche. Deux orientations non pas contraires mais complémentaires, la recherche de formes au service d'une cause que la poésie prend en charge et inscrit dans un langage qui lui est propre. *Le centre blanc*, en 1970, avait pour ainsi dire, mis un terme à une thématique du recommencement perpétuel, du rythme erratique, du corps en mouvement et en transformation, cette espèce d'aller et retour (c'est le titre du premier poème) où se situent les rencontres, les croisements, les mutations, dont le poème se fait la mémoire active et plurielle. Le *blanc* est un lieu de neutralisation (il est au centre), qui permet de rendre présente cette activité extérieure/intérieure de l'être et ses métamorphoses successives. À l'automne 1973, Nicole Brossard donnait sa version du thème d'un numéro de *La Barre du Jour*, la transgression. Une première proposition exprime son intention et rejoint le titre du recueil publié en 1974: «Je dis qu'il est difficile d'écrire la vérité — qu'elle est impossible — et que si je transgresse c'est par plaisir, pour en connaître davantage sur *moi*, *ça*, les personnes, les systèmes, LA MÉCANIQUE qui m'entoure et qui machine en même temps que moi la destruction lente de moi comme d'eux». Le corps et le texte sont précisément l'objet de cette «mécanique jongleuse», où les deux éléments se renvoient sans cesse l'un à l'autre sous toutes sortes de synonymes et d'analogies. Et comme il arrive qu'on doute si un mot est masculin ou féminin, ainsi l'habituel souligné et mis en évidence déroute et surtout met en cause les sexes dans les textes. Roland Barthes qu'elle cite avait écrit: «L'Histoire que nous mettons très sottement au féminin». C'est précisément cette incongruïté qui est le sujet du poème «Masculin grammaticale»; grammaticale est au *féminin* malgré le *masculin* masculin qu'il qualifie. La langue permet ici une agression; le poème est lutte, défi, assaut, reddition. Les quatre autres poèmes du recueil, «Mécanique jongleuse», «Dérive / Inverse», «La verge au beau tarif», «Me couler douce l'échine», s'inscrivent dans les mêmes aventures psychiques et linguistiques. Le regard, l'œil, tout ce qui est perçu par cet organe, semblent ici privilégiés. À dessein d'ailleurs, car le langage traduit ce jeu d'aller et retour vers l'objet qui suscite lui-même un mouvement (verbal ou amoureux) parallèle. Le poète élargit par le regard la portée du texte qui devient fourmillement liquide (eau, rivière, méandre, s'écoula, saline) ou «mécanique jongleuse», une mécanique verbale (dissiper, disperser, cligner, renverser, fixer, découvrir, s'écouler, etc.). Ainsi, à la fin de «Dérive / Inverse», le poète, après quelques hésitations nécessaires et des recherches (involontaires) d'associations verbales, arrive à des trouvailles (formelles) heureuses qui clarifient et précisent l'attente de l'autre et du sens: «si gravité insiste comme pour séduire / et se fondre ensuite / sans usage parmi les mots / alors l'épaule s'endort et ne cherche / plus de victime à renverser par / plaisir et privation».

La partie pour le tout approfondit cette recherche d'une union difficile. Le recueil se divise en trois parties qui n'ont guère de lien entre elles sinon par ce qu'on pourrait appeler leurs mêmes structures de langage; la première reprend le titre, la seconde s'intitule: «elle était lors sans narrateur», et la troisième: «Texte 24 1 74». Ces deux derniers titres révèlent déjà une intention de brouiller les pistes qu'indiquent les textes eux-mêmes: il s'agit de parcourir un «champ ludique», où les «renversements séquentiels» sont la matière d'un «texte espion». Cette «narration» *sans narrateur* est une «chronique éparse» où l'on «écarte deux lignes de mots de plus à dire» pour que « circule en même temps le mythe et l'inconnue du miroir». En recollant ainsi des syntagmes épars, on définirait l'entreprise verbale et intellectuelle que représente ce texte volontairement disloqué où manquent sans cesse les jointures logiques.

Mais c'est aussi et surtout un texte féminin, une poésie volontairement féminine, en ce sens que désormais le langage se disloque ou se creuse pour laisser enfin apparaître celle qui était toujours restée en retrait ou dans l'ombre. La partie (le langage) renvoie au tout (la figure de la femme absente). Toute la rhétorique (la partie pour le tout est une figure de rhétorique) va servir ce dessein de «renverser» le langage, de le retourner afin qu'il sorte des sentiers battus qui ne menaient jamais à l'essentiel féminin. De ces figures, l'inversion (de l'adjectif, de l'épithète, du complément) semble privilégiée. Le procédé est familier à Nicole Brossard: «évanouie le ravin la menstrue / elle cède par les reins d'avance [...]».

Les *et*, *or*, *mais*, qui commencent un poème ne sont pas l'effet d'une continuation du monologue ou de la réflexion, le début d'une proposition contraire à la précédente, (non exprimée), mais d'un renversement de la structure de la phrase. «or d'amour sorcelle m'y convoque [...] mais elle en sort [...]». Les êtres féminins, seuls présents dans ce recueil, sont neutralisés ou idéalisés par l'article, que renforce parfois la parenthèse, ou encore la mise en relief par les italiques; ainsi à différents endroits du texte: «l'im*pute* / (la lésée), / la léchée / (la mouillée) / la menteuse / la jouisseuse / la molle lamentante, la folle lamentée[...]». Le pronom devient nom: l'*elle*. Et cette elle, femme, est abondamment détaillée dans ses traits physiques, physiologiques: corps, reins, bouche, œil, cou, gorge, ventre, cul. Elle se présente dans des postures ésotériques (érotiques) ou familières qu'indique le choix du lexique: «femme/isoloir/vergeture: quel beau / bébé! / elle s'étire jusqu'à se toucher sans doigt».

La poésie devient alors un texte stratégique, comme Nicole Brossard dit: «pause stratégique», en ce sens qu'il veut imposer la partie (pour les parties) du corps, la partie (pour les parties) du discours. La subversion attaque délibérément l'une ou l'autre des parties de la langue (lexique, sémantique, syntaxe) afin de donner au tout un *sur-sens*, une surimpression de signification. Pour reprendre encore une formule poétique de Nicole Brossard: «dans la phrase découpée [...] / ainsi ton corps *cellule* et multiplication / des sens».

Dans les dernières années de la décennie 1970 et après, Nicole Brossard s'est consacrée à la fois à l'écriture de romans (*Le désert mauve*, l'Hexagone, 1987) et de textes ou d'ouvrages sur les femmes (*La lettre aérienne*, Éd. du Remue-ménage, 1985), sans dire adieu toutefois à la poésie. En 1984, paraît *Double impression* (l'Hexagone) qui vaut à l'auteure le prix de poésie du Gouverneur général, qui consacre cette publication et l'ensemble de sa production poétique.

percevant du domaine textuel
    l'engageante
surface
est-ce transparence ou plutôt écran
et trace de mauve et d'humide désir
    jouxtant
là au centre et cerne de moi
ÉTREINDRE
alors que dure en la démence
ce connaître éprouvé vacillant
avance et s'étend presque comme jailli
                                        le blanc de toi

TEXTE: BROSSARD, Nicole, «Masculin grammaticale», *Le centre blanc*, l'Hexagone, 1975, p. 287.

CLAUDE BEAUSOLEIL

Au milieu du corps l'attraction s'insinue, qui paraît en 1980, marque un point important dans l'ascension du poète Claude Beausoleil. Le recueil, préfacé par Lucien Francœur et Paul Chamberland, prix Émile-Nelligan, est l'aboutissement d'une recherche poétique qui a trouvé son ton (multiple), sa manière (fulgurante) et sa thématique (propre), dont l'écriture, l'urbanité et l'américanité. Les premiers recueils de cette décennie, *Intrusion ralentie* (1972) et *Les bracelets d'ombre* (1973) ont pour ainsi dire été l'annonce par l'utilisation presque systématique d'un langage qui se retourne sur lui-même et donne prétexte à un discours sur l'écriture: signes, paroles, plaisirs. C'est durant ces années que les rapports texte-sexe, le plaisir du texte, avaient cours et le titre du premier recueil, comme son contenu, en rapproche les deux mouvements dans une «intrusion ralentie». 1974 est une année faste, qui voit paraître trois recueils de Beausoleil à trois maisons d'édition différentes: *Dead line* (Danièle Laliberté), *Journal mobile* (Éditions du jour) et *Avatars du trait* (L'Aurore). Cet événement a inscrit le poète

Claude Beausoleil
(*Photo: Josée Lambert*)

dans le courant formaliste alors en plein essor. *Dead line* contient explicitement l'équation en vigueur, texte-sexe, où le travail sur la langue est aussi celui de la langue, pour ajouter au jeu de mots. L'introduction au recueil s'intitule: UN TEXTE NE SERT À RIEN, sinon à travestir, déformer, se moquer, c'est-à-dire à démystifier. *Journal mobile* approfondit la technique des jeux linguistiques, des déconstructions syntaxiques, des déplacements de mots, pour déjouer les clichés des mass-media ou des formules journalistiques.

Avatars du trait marque un progrès ou une avancée par rapport aux deux autres. Le lecteur, déjà visé auparavant, est désormais mis à contribution dans l'écriture. Le travail d'invention qui lui est proposé porte d'abord sur le (son) texte et le dévoilement de ses stratégies en vue d'une appropriation effective. Présenté par une maquette du poète Roger Des Roches et augmenté de cinq dessins de Jean Lussier, le recueil prend l'allure d'une entreprise collective où l'écriture verbale se joint à l'écriture picturale et d'un manifeste sur la nécessité (désormais) de lier les activités de lecture et d'écriture. Il s'agit d'un chassé-croisé de textes où auteurs, disciples, confrères, travaillent dans un laboratoire commun d'écritures. Le titre indique cette intention par le mot «trait», une ligne qu'on trace à la plume, qui peut unir deux mots, qui renvoie aussi à la ligne du tableau, qu'«avatars» précise par ses sens de métamorphoses sous la forme de réincarnations successives.

En 1975, Beausoleil publie à l'Aurore *Motilité et Anacoluthes*, puis aux Herbes Rouges *Ahuntsic Dream* suivi de *Now*. Ce dernier apporte une nouveauté que l'introduction intitulée: «Inside: poésie historico-fictive» décrit comme «texte historique, nié/faux/branchages en état de FICTION». En fait, les suites mettent en scène et en œuvre des mythes amérindiens, illustrés de photos et de vignettes tirées de l'ouvrage des Clercs de Saint-Viateur: *Histoire du Canada. Les missionnaires au pays des Indiens*, ainsi que par des citations de voyageurs, d'historiens, canadiens, anglais et américains, que Beausoleil appelle «documentalistes». La poésie n'est pas historique, car elle prend prétexte de l'histoire pour jouer sur elle à l'aide cette fois d'idiomes, d'images, de toponymes mélangés, mixés, tronqués. *Now* est une autre suite en trois fragments: «S'enfoncer», «Jusqu'au vide», «Du texte» qui annonce «Au milieu du corps», «L'attraction», «S'insinue», construit sur le même modèle du triptyque.

Sens interdit, de 1976, retourne une fois de plus l'écriture sur elle-même et, en ce sens, après une sortie vers l'extérieur, l'histoire mythique, elle revient au texte. Le «texte ne sert à rien» devient ici «le langage: aucune obligation». Le poète s'interdit d'exprimer et surtout de communiquer. *Le temps maya* (1977), publié à Cul Q, pourrait donner l'impression de revenir à une histoire fictive. Il n'en est rien. Le recueil est d'abord un objet à voir autant qu'à lire. Les textes se présentent sur un fond vert-eau où se trouve reproduite une citation de la mythologie maya. Dans ce cas, ce n'est pas l'histoire qui est évoquée mais une civilisation tropicale où la géographie devient textuelle. Beausoleil d'ailleurs cite plus qu'il n'écrit, comme s'il voulait réaliser son propre défi: «Se croire à la fois Maya et Lecteur», à savoir mettre ensemble mémoire, voyage, rêverie. «Faire avancer *le temps maya* jusqu'à ce qu'il me cite dans ses ramages (feuilles étalées, verts différents, écritures se pénétrant dans une convulsion, figées)».

La surface du paysage (1978) est une collection de «textes et poèmes» qui commence par une autre réflexion théorique sur l'écriture. Dans «La surface du paysage», le poète définit la «modernité» de sa poésie comme un faux semblant. Les trois dernières parties du recueil servent précisément à ce jeu préféré du poète, où l'ordre des parties du discours donne l'impression de la «mornalité», alors que le texte renverse cet ordre pour accentuer l'éphémère, la contradiction, l'exclusion. *Au milieu du corps l'attraction s'insinue* (1980) se présente en deux parties: «Écrire» et «Des avalanches.» La première a pour thème général, l'écriture («Dictable», «Un appel au désordre», «Morceaux», «Aspects») et c'est dans cette partie que se trouve le poème éponyme «Au milieu du corps l'attraction s'insinue». La seconde a pour thème la VILLE, plus précisément Montréal («Montréal, l'été», «Ville improvisée», «Odeur de la ville», «Centre-ville», «Scènes techniques», etc.). Le poème central, qui donne le titre à l'ensemble, se présente comme une phrase normale en situation d'inversion (complément, sujet, verbe), acceptée par la grammaire et même plus, reconnue comme figure de style. Les trois groupes de poèmes, précédés chacun d'un exergue (Monique Wittig, Jean-François Lyotard et Jean Leduc) correspondent exactement à ces trois éléments de la phrase. Chaque mot signale déjà un thème: le «corps» est un «je», face à un «tu» qu'il désire dans un projet de rencontre charnelle, de corps à corps. Cette trame est également celle du texte qui, comme le corps, comporte trois parties, le haut, la tête, le milieu, le sexe et le bas, cuisses et jambes, que l'organisation des poèmes reproduit matériellement: la partie haute du texte est disposée sur trois lignes, la partie du milieu, sur deux lignes droites ou une seule, comme une flèche, et la partie basse, sur huit lignes. L'«attraction» met en relation les mots et le sens qui s'attirent, s'appellent, comme d'ailleurs les sens, eux aussi, se renvoient l'un à l'autre. Le SUJET, le LIVRE, la PAGE sont les lieux de cette «filature», de cette «fable policière» où les sens se dissimulent dans les idéogrammes, les jeux d'isotopies, les désordres et les discontinuités du texte. Enfin, la troisième partie, «s'insinue», se présente comme une ligne placée au-dessus d'un texte continu, une ligne au travers de laquelle on «s'introduit doucement» grâce à une certaine adresse de gestes, de manières, de langage. L'insinuation est aussi une figure de rhétorique qui laisse croire d'entrer dans le sentiment ou l'idée de l'autre pour ensuite les détourner vers son idée ou son sentiment à soi.

Dans les années 1980, Beausoleil poursuit son œuvre poétique dans la recherche de formes et de thèmes nouveaux. Les poèmes de 1973 à 1983 sont rassemblés sous le titre *Une certaine fin de siècle* (Éditions du Noroît, 1983), où le poète raconte en trente-trois chants «le temps des nuits», dans «un monde en feu». Par la suite, sa production est aussi abondante qu'avant, presqu'un recueil par année, à quoi s'ajoutent plusieurs articles de revues au Québec et à l'étranger (où il a beaucoup voyagé et séjourné) sur la poésie québécoise ancienne et actuelle. Quoique devenu le représentant exemplaire de la poésie actuelle du Québec, il n'en poursuit pas moins une écriture solitaire et personnelle. Ses poèmes interrogent le présent et dépassent la réalité d'ici; ils développent quelques thèmes universels, la solitude, l'indifférence, l'étrangeté comme quête d'identité. Sur ce point, *Grand Hotel des Étrangers* (Les Écrits des Forges, 1988) est un livre typique de cette période. Il s'agit bien en effet d'un séjour dans ce «grand hotel» qu'est le monde d'aujourd'hui où les êtres sont seuls face à l'indifférence de gens aux «figures crayeuses». En raison de cette situation, le sentiment d'étrangeté devient plus vif, plus aigu et met en cause l'existence même: «Ce que je veux comprendre / c'est la douleur du vide / le refus du mépris / et pourtant de l'existence». Étranger parmi des étrangers, habitant d'un monde où les contacts n'existent plus ou ne sont que surface, le poète se sent aller vers la mort. Mais la deuxième partie du recueil apporte un vent d'espoir qui semble soustraire pour un moment (la mémoire demeure) le poète de cet état vertigineux et le ramener vers Montréal qu'il réinvente «à même ce qui persiste».

MICHEL BEAULIEU

Michel Beaulieu est un autre représentant de la poésie formaliste qui veut faire servir le langage et ses possibilités au renouvellement de la thématique. Mais il a pris un certain moment ses distances vis-à-vis cette tendance pour conserver à sa poésie un lyrisme personnel. *Les charmes de la fureur*, de 1970, poursuit les expériences verbales et textuelles des années précédentes (une dizaine de recueils depuis 1961). Dans *Strates* et *0. 00*, qui appartiennent aussi à ce recueil, les jeux de langage, de sonorités surtout: allitérations, assonances, rimes intérieures, répétitions, mais aussi les rythmes, contribuent à créer des images obsessionnelles, en particulier des métaphores telles: «cercle des jours et des semaines», «sables de veines», «broche des jours et des gratte-ciel», «anémie des gestes forclos», annonciatrices de nouveaux thèmes.

En 1973, la revue *Études françaises*, qui avait attribué son premier prix à Gaston Miron en 1970, l'accorde cette année-là à *Variables*. En même temps, paraît *Pulsions* (l'Hexagone), où le poète déploie tous ses instruments et dévoile ses secrets poétiques. Mais cette fois, il s'agit non pas d'une exploitation du langage mais d'un questionnement que commande le thème des «pulsions». Comment dire ces avancées à l'intérieur de l'être? Jusqu'à quelles limites aller et lesquelles peut-on franchir dans cette quête? Ainsi, le poète joue sur la parenthèse et les signes graphiques qui l'expriment ou d'autres équivalents: barres obliques, flèches, et ainsi de suite. *Variables*, pour sa part, est un recueil composé de quatre suites beaucoup moins expérimentales, intitulées: «sept poèmes», «songe et os des os», «au jour dit» et «y a-t-il». On y trouve des vers faits de mots simples, presque familiers: «je t'aime un peu plus au matin qu'à la nuit / un peu moins hier qu'aujourd'hui je t'aime», ou encore de vers connus: «va chercher la cruche à l'eau / qu'à tant boire elle s'est cassée», ou enfin de jeux de mots: «mon cocon mon quota mon angoisse perlée/ je te dévide au rouet des poudreries». Le langage de *Variables* se plie au déroulement de la langue et ne cherche pas, plus haut, les vertiges des structures complexes. Les poèmes se rapprochent du récit, de la confession (de l'amour, entre autres), de la «leçon des choses».

Aux Éditions du Noroît, Michel Beaulieu publie en 1976 *FM/Lettres des saisons III*. Cette fois, le poète renvoie à un moyen de communication, la «fréquence modulée», pour communiquer dans le genre épistolaire, ses «lettres des saisons». Le recueil est composé de vingt-huit poèmes non paginés, en page recto seulement, accompagnés de figures géométriques qui collent au texte, liant ainsi le visuel et le textuel.

Anecdotes (Le Noroît) et *L'octobre* suivi de *Dérives*, ainsi que *Le Cercle de justice* (l'Hexagone) de 1977, sont une somme des deux voies explorées jusqu'alors: la formelle et l'existentielle. *Ancedotes* poursuit les formules poétiques du morcellement, des ruptures de la logique, des mises en page signifiantes et dérangeantes. *L'octobre* et *Dérives*, grâce encore à des structures graphiques, tendent à une sorte d'incantation. Le rythme ternaire («voici le pain, voici le vin, voici la sentinelle») rejoint celui du temps, de l'homme et de son histoire. Le quotidien prend ici une place prépondérante: pain, vin, sentinelle, comme on vient de le voir, sucre, café, pomme de pin, cigarette, feuille de maïs. Par ailleurs, les deux parties du recueil, *Dérives* et *L'octobre*, se renvoient la même structure de 31 strophes, comme s'il s'agissait d'un effet de miroir où «le poème se replie / sur mille petits riens / mille petites choses lancées / sur l'afflux du quotidien / *tissent la trame du temps* qu'il fait». *Le cercle de justice* revient toutefois à la linéarité de l'écriture, à une syntaxe ordonnée, pour exprimer la confidence, la connivence, la simplicité du monde.

Oracles des ombres, de 1979, et *Desseins*, de 1980, mettent un terme à la démarche poétique, dans une sorte de clôture du texte, dont on parlait beaucoup durant cette décennie. Comme son titre l'indique, *Oracles des ombres* est la métaphore du voyage intérieur, dans la nuit et les brouillards du temps. Dans ce périple en soi, les «oracles» sont des moments privilégiés où l'Autre soi-même se révèle, où «l'instant s'amenuise au plaisir absolu d'être ici dans ce lieu même où les voix pillent le moindre mouvement». *Desseins* est le premier tome de la rétrospective des poèmes parus de 1961 à 1966. Le temps, que les recueils des années 1970 ont modulé, était alors métissé d'éternité; c'était le temps de l'homme et celui de «l'homme dépossédé du monde». Ce thème aura donc été central: un temps à la fois réel et mythique, un temps linéaire et vertical. Tous les autres se recoupent avec le temps: temps-corps, temps-nuit, temps-ennui, temps-suicide, temps-printemps. Ces amalgames prennent place dans ce temps-poésie qui les subsume toutes. La poésie, c'est le temps du temps, une expérience éprouvée, une lutte contre l'écoulement des choses et la mort.

Rien d'étonnant que ce thème soit poursuivi dans ces années qui ont précédé son décès, en 1992. Toujours au Noroît, les titres des recueils renvoient au temps: *Indicatif présent et autres poèmes* (1993) et *Fuseaux: poèmes choisis* (1996).

> *tu t'éprends*
>
> tu t'éprends tu t'éprends
> tu te retournes et il fait nuit
>
> cette rue (cette rumeur)
> ici (où, ailleurs, où?)
> (dans la rumeur) toujours
> encore un peu de pierre
> la gélivure l'asphalte
>
> l'asphalte?
>
> les dents meurent seules
> (prosternez-vous)

un peu de pierre de pierre
sur le tain des ombres
(tu ne sens rien?
cette odeur dans l'âme?
le soufre.
la suie.
la cendre.
il ne sent rien, poreux.)

petits cris coincés dans les oreilles
petites échardes insinuées

TEXTE: BEAULIEU, Michel, «tu t'éprends», *Pulsions*, l'Hexagone, 1973, p. 14.

GILBERT LANGEVIN

(*Photo: Josée Lambert*)

Gilbert Langevin est le poète de l'amour et de la révolte. Pierre Nepveu qualifiait sa poésie de «surréalisme de l'idée» et Gilles Marcotte la définissait comme «une poésie de l'ombre, du malheur, de la nostalgie [...] une poésie généreuse, parce qu'en elle la parole ne cesse de renaître de ses cendres, vive et vraie, d'une foudroyante générosité». Langevin lui-même affirmait: «La poésie, c'est ce qu'on ne peut pas tuer chez l'être humain. C'est le noyau central» (Jean Royer, *op. cit.* p. 148).

En 1971 paraissent trois livres: *Origines*, qui rassemble les œuvres parues de 1959 à 1967, *Ouvrir le feu*, qui réunit trois recueils, *Suicide graduel*, paru en 1967, *Transvivre*, de 1969-1970, l'*Univers du presque*, de 1970 également, et enfin *Stress*, une toute petite plaquette. «Ouvrir le feu», c'est s'exposer soi-même à soi-même, s'ouvrir à soi, à la fois tireur et cible, et c'est toujours et encore revenir à ses origines. Le poète en effet marche vers ses sources, non pour les retrouver, mais pour les reprendre, en main, pour ainsi dire. C'est l'idée de «transvivre», qui suppose délire, fièvre et ivresse. Et la démarche privilégiée par la poésie est celle du dédoublement de l'être et de ses actions: «en droit d'atteindre une cible / j'ouvre le feu dans tous les sens [...] destinataire de mon propre tir / j'arrive au temps de ma tombée [...] fuite et retour / au point premier silence».

Griefs, paru en 1976, ainsi que *L'avion rose*, permettent de revenir à *Origines* et à ce poète tendre et amoureux, épris de fraternité. Mais les temps actuels, où règnent les maladies et les désordres, ont rendu impossible ce retour à un certain Eden. Pour ne pas collaborer avec le mal, pour continuer à défendre les valeurs aimées, il faut se faire provocateur et dénonciateur. C'est ce que vont exprimer les recueils suivants où s'affirme une poésie du désespoir tendre, une révolte teintée d'ironie et de contrastes. Comme toujours chez Langevin, la poésie est tournée vers la naissance, ce qui est le plus originel chez l'homme: cet «espace renatal» (*Stress*, 1974). L'allure mordante et lapidaire de son langage caractérise parfaitement cette quête d'un bonheur toujours repoussé, sinon perdu d'avance: «Je me fais crieur assez souvent / pour une clef qui brille / mais ne peux oublier que je représente / l'écho d'un rendez-vous qui tourna mal» (*Stress*). Ou encore, ce court poème intitulé «Une île entre mille»: «Le vol d'un oiseau fou / ne changera pas la couleur du ciel / lucarne ou cachot l'ouvert et le clos / images-sœurs de soif / un tombeau respire au milieu de nos vies / cet enfer amical est notre domaine». Cet extrait est tiré de *Mon refuge est un volcan*, paru en 1978, qui regroupe sept suites de poèmes courts, précédées d'un «liminaire» et suivies d'un «corollaire». On retrouve partout des paysages sombres, de noirs présages, un désespoir profond, toujours exprimés avec une vivacité proche de l'ironie.

Depuis 1970, Langevin s'adonne aussi à la chanson qu'il cultivera jusqu'à sa mort, survenue en 1994. C'est ce qui donne à sa poésie son ton familier et son langage volontairement provocateur. *La douche et la seringue* de 1974, présente une série de miséreux, dont certains sont pris entre l'écrit et le vécu, ou entre le «livre» et le «vivre». Leurs noms, Cartebloc, un poète sans volonté, Agode, sa femme, Stictass, Nado, Gazelle, Eddimus, Donat Celeste, désignent des personnages de bandes dessinées, enserrés dans un destin dont ils ne peuvent contrer le cours. *Chansons et poèmes* 2 donne la parole ou le chant à d'autres personnages, un concierge, un chômeur inconnu. Il se dégage de ces histoires un «art poétique»: «Ajournement de la pitié / je violente la matière / j'attaque l'opaque / je talonne les rebuts / dans l'obscur ici / je n'épargne en vérité / que les épaves de la rue».

Dans le dernier volet des *Écrits de Zéro Legel*, *Confidences aux gens de l'archipel* (Tryptique, 1993), Langevin écrit: «Avoir tant écrit de poèmes et ne toujours pas savoir comment dire *je t'aime*» (p. 9). Quel que soit le ton adopté, le poète n'arrive jamais à une parole juste et efficace. D'où la question pratique posée à tout poète: «La poésie vaut-elle plus cher que ce qu'elle coûte?». Mais cela n'empêche pas Langevin de poursuivre sa marche vers une libération de la matière, vers une ouverture, un dépassement des frontières. Les quatre recueils en un seul, *Le cercle ouvert*, suivi de *Hors les murs*, *Chemin fragile*, *L'eau souterraine* (l'Hexagone, 1993) sont un programme. Leur forme est celle de poèmes brefs, aux phrases hachées, des bribes de discours qui, par leur discontinuité même, permettent de suggérer, sont matière à rêver, à imaginer un monde meilleur. Il s'agit d'une poésie rendue bouleversante par ses images drues, surgies d'on ne sait où, qui laissent songeur mais aussi très conscient de l'urgence d'exister, avec ses douleurs et ses plaisirs, sa brièveté et sa gravité. Ces nouveaux thèmes de Langevin: liberté, tendresse, chaleur humaine se nouent avec ceux de l'époque précédente, la violence, la rage, les réalités sordides de la vie, pour faire place à une conciliation: «la colère sans fusil».

Odeurs des rues grises
et la claque du vent dru au visage
et l'imaginable coup de couteau
et le fracas des chambres qu'on démembre
dans des hurlements si denses
que ça vous donne des crampes au ventre
et des frissons de glace
odeurs mixtes
odeurs d'ombre de sang séché
odeurs en liberté
odeurs de cuisine du locataire d'à côté
qui ne ferme pas sa porte l'été
ni la semaine ni le dimanche
et dans ce salmigondis
la colère sans fusil

TEXTE: LANGEVIN, Gilbert, «L'eau souterraine», *Le cercle ouvert*, l'Hexagone, 1993, p. 164.

FRANCOIS CHARRON

Avant d'entrer en poésie, François Charron a senti le besoin de faire table rase et surtout de définir ce qu'en 1973, dans un numéro des Herbes Rouges, il donnait comme un «projet d'écriture pour l'été '76»: «l'travail textuel vient 1- d'la pratique sociale des hommes 2- d'l'intervention d'un discours lié à cette pratique/reflet qu'y'active position politique dans l'texte on doit câsser la pipe aux intellectuels de salon qu'y'en connaissent pas plus long qu'leur nez accoutumés à répéter lé mêmes schèmes fictions d'illuminés» (n° 12, septembre 1973). Dans cette déclaration en langage parlé, les mots «travail textuel» et «action politique» indiquent que l'un doit servir l'autre et vice versa. Le recueil *littérature/obscénités* de 1974 précisait de nouveau l'objectif: «Tout mon travail ne vise qu'une chose: le démontage du rôle idéologico-politique des discours. Il y a donc violation des textes officiels, consacrés, reconnus par notre élite nationale». L'auteur indiquait par la suite comment il entend faire pour démonter ces «monuments», par pillages de livres canoniques, «insération de sacres, de slogans commerciaux, non-respect de la grammaire» et de l'orthographe, la négation des lois du genre, renversant ainsi l'inspiration par le plagiat, la beauté par la vulgarité.

Les deux recueils parus en 1975 à l'Aurore, *Interventions politiques* et *Pirouette par hasard poésie*, reprennent ce projet d'écriture critique, dont le premier recueil est la théorie et le second la pratique. Toutefois, la séparation entre les deux n'existe pas, «la brouette théorie/pratique» étant indissociable, aux dires de Charron. La citation de Bertholt Brecht qui ouvre *Interventions politiques* est un signal: «Un auteur qui n'apprend rien à un écrivain n'apprend rien à personne». Le recueil se compose de trois textes qui démystifient ces éléments du système social que sont la poésie, l'art et la littérature. Le premier adopte deux temps: dénoncer les «idéologies du beau et du sensible», que la littérature a toujours reproduites afin de maintenir le pouvoir des classes dominantes; et renouveler la pratique, par la création d'une nouvelle dynamique littéraire, une «pratique militante» qui précisément dénonce l'inégalité des rapports sociaux. L'écrivain doit donc *intervenir* dans et par le politique. Le deuxième texte, «Ici plus tard ailleurs maintenant», tente de définir cette révolution à venir, tandis que le dernier, «Affiches», concrétise le travail de l'écrivain dans l'arène révolutionnaire.

Pirouette par hasard poésie fait intervenir la théorie dans la pratique de la poésie. Le poète concentre son action sur l'écriture qui est elle-même une lutte. Les mots sont des armes par excellence et la démesure nécessaire à l'action subversive se traduit par des cris et des hurlements, rendus sensibles par les onomatopées, les ruptures de la phrase, les rythmes saccadés. Il s'agit bien d'un (autre) combat, qui met en cause, verbalement, tous les moyens physiques (piquer, trancher, couper) et militaires («je vous aurai par/la grenade»), et dont le terme est de détruire un ennemi identifié afin d'obtenir une victoire totale.

Le recueil de 1977 poursuit dans la même veine avec deux textes, *Du commencement à la fin*, axé sur l'histoire des êtres, «cet univers qui croît et/se détruit dans son animation», où la violence et le désir se relaient sans cesse, et *Propagande* qui se compose de quatre parties intitulées: «agitation», «propagande», «soulèvement» et «depuis toujours». On revient dans ce dernier texte à la pratique révolutionnaire: «prendre sa part dans le débat socialiste», «s'unir au peuple pour saper les têtes de porcs». La poésie de Charron est alors au faîte de son engagement, une poésie militante, qui pèse ses mots et s'organise dans un discours à la fois et toujours politique et poétique.

On pourrait croire que le recueil de 1978, *Feu* (Herbes Rouges), allait poursuivre cette lutte contre les pouvoirs socio-politiques, comme s'il s'agissait de tirer («feu!») sur eux. En fait, le «feu» dont il est question est celui de la passion, du désir amoureux, et celui d'une langue brute, voire argotique, qui mime le feu roulant du discours. Les deux paradigmes se relient partout dans ces textes où le corporel et le langagier sont toujours parties prenantes du renouveau en vue de la levée de l'interdit, des tabous et du stéréotype, «la figure majeure de l'idéologie». Il s'agit, entre les «jambes animées de l'énonciation», de se faire sauter, de «tirer profit de toute locution».

L'année 1978 marque un sommet dans la carrière de Charron. Lauréat du Prix Émile-Nelligan, il publie *Blessures* (Herbes Rouges), qu'il illustre lui-même, étant devenu depuis peu peintre. La nouveauté du recueil formé d'une soixantaine de textes, semble le didactisme, une volonté de transmettre plus explicitement encore une expérience et des connaissances approfondies dans une quinzaine de livres depuis 1972, et une rhétorique qui appelle à l'action, à l'engagement. Toute la rhétorique classique est mise à contribution, les interrogations, les exhortations, les apostrophes, les impératifs, afin d'amener le lecteur à se remettre en question et à agir. En ce sens, *Peinture automatiste* précédé de *Qui parle dans la théorie?*, est un aboutissement dans ce parcours d'«interventions», de «traversée», de «propagande» de «feu», d'action. Cet hommage à Paul-Émile Borduas et au *Refus global* de 1948, est une occasion rêvée pour reprendre un combat qui doit s'adapter à une autre situation, les cibles ne sont plus les mêmes, et donc changer les termes du manifeste, ce qui n'apparaît pas évident: «Mon hypothèse est que cette résistance, cette incapacité de repenser la culture à travers la *matérialité spécifique* de ses pratiques, se bute en premier lieu, inconsciemment, aux valeurs qui desservent le nationalisme: chauvinisme, racisme, sexisme, familialisme, ressentiments de toutes sortes vis-à-vis des autres, haine de la différence (selon l'expression même de Gauvreau), contingentement du désir».

À partir de 1982 et de *Toute parole m'éblouira* (Herbes Rouges), la recherche formelle s'atténue; la syntaxe perd de sa complexité, se ramenant à des phrases simples au rythme monocorde. Le poète cherche davantage le lisible en s'adonnant à un lyrisme qu'il cultive depuis quelques années déjà. Le recueil de 1985, *François* (Herbes Rouges), comme son titre l'indique, verse dans une autobiographie déguisée où les situations de l'enfance donnent lieu à des réflexions générales: «Tout ce que nous savons c'est qu'il y a un passage». *Le fait de vivre ou d'avoir vécu* (Herbes Rouges, 1986) cherche à émouvoir à partir de tableaux familiers où la sensation, la vue et le toucher sont objet de désir, élan vers l'autre et la réalité. Il s'agit bien dans tous ces recueils d'une révolution dans l'écriture de Charron, qui correspond à celle de la poésie des années 1980.

j'entends un consentement fleurir
et se joindre à l'air
j'entends l'été qui brûle avec soin
dans mes gestes

le mutisme des routes gouverne
mon pas a soif de chaleur

à l'ouest
la cime d'une montagne
me rappelle ce qui sera

les dates longtemps priées s'achèvent
comme une même illusion
posée sur les épaules du jour

TEXTE: CHARRON, François, «J'entends un consentement fleurir», *Clair génie du vent*, Herbes Rouges, 1994, p. 103.

ROGER DES ROCHES

Corps accessoires (Éditions du jour, 1970) est une borne dans la poésie formaliste qui s'est développée autour de la maison d'édition Esterel, de la revue *La Barre du Jour*, au milieu des années 1960. Le titre du recueil rappelle la thématique du corps comme texte, mais plus précisément des corps (du texte), au pluriel, qui sont comme des accessoires du et des sens. Tous les recueils suivants (1969-1973) seront réunis dans une rétrospective des Herbes Rouges sous un titre à peine modifié: *Tous, corps accessoires,* en 1980. L'idée de corps, dans le recueil de 1970, prend sa signification dans la citation en exergue de Tristan Tzara: «car jamais parole n'a franchi le seuil des corps». Ainsi, le langage est à travailler dans les corps qui sont les lieux des échanges sexuel et textuel, des transformations de la matière verbale et sensible. Mais où sont les seuils de ces «corps accessoires»? C'est le travail sur le langage et sur les parties du corps qui le dira.

Des organes du corps, les yeux sont l'occasion de montrer le rapport d'imprévisibilité qui s'établit entre le regard et la chose vue. Dans *Corps accessoires*, l'équation était déjà posée entre *yeux/jeux*: «de mes yeux/des jeux que je veux pas deviner». En 1971 paraît *l'Enfance d'yeux* où l'idée d'enfance appelle celle de jeux, mais aussi de jeux sur le langage, les images, la syntaxe. Le désordre est ici porté au point limite, les brisures de la phrase donnent au texte une allure éclatée, tandis que l'utilisation fort complexe des espacements entre les mots, les vers, lui procure une respiration caractéristique. Le recueil joue également sur les genres, en particulier sur le récit ou la narration, eux aussi brisés. La même année 1971, Des Roches publie *Interstice,* autre titre signifiant, qui ramène le texte au corps, ou à ce très petit espace vide entre ses parties ou entre différents corps. Pour marquer ce rapport, le texte crée des resserrements, des intervalles, rendus sensibles par la disposition des poèmes au centre de la page. La concision est ici de rigueur.

Space-Opera (1973), contrairement à son titre, renvoie à la science-fiction, ce genre de récit où, pour reprendre les mots de Philippe Sollers qui ouvre le recueil, «j'avais décidé de changer la langue dans la même langue [...]». La même année, *Les problèmes du cinématographe* (1973), allie sonorités et images, ces figures propres à la poésie, métonymie et périphrase, auxquelles s'ajoutent les jeux sur la graphie: italiques, guillemets, tirets, parenthèses. Les stratégies textuelles importent plus que le message qui se restreint au cinéma et suggère le cadrage des films de Renais. Le poème devient objet à voir plutôt qu'à lire, à voir en spectateur, toujours avec les yeux, cette fois des «YEUX COMBLES», en spectateur qui doit suivre un mouvement et un rythme organisés par le langage lui-même, comme s'il s'agissait d'un scénario de film que le montage met en forme. Les problèmes de la poésie ne sont pas étrangers à ceux du cinéma, tous les deux doivent permettre d'imaginer autre chose. De ce médium on revient à la prose et au récit, avec *Autour de Françoise Sagan indélébile*, des poèmes et des proses rédigés entre 1969 et 1971 et publiés en livre en 1975. Mais on revient aussi au plaisir d'écrire dont Françoise Sagan est un prétexte. «Au réveil (le lit est pétrifié de peur sortant du froid) je pense à Françoise Sagan nue je bois mon lait mamelon par mamelon en l'imaginant totalement nue péristaltique molle partout molle (moleskine frère c'est à fumer debout) encore à son bain à ma table au déjeuner c'est le ciel qui en crève je me lève on dirait des hérissons épithètes durs comme des clous et affreusement sexués Françoise Sagan habite mon caleçon du dimanche c'est une ruse pour écrire calmement...». Une partie de ce recueil, «l'Architexte dur», reprend cette mécanique de la sexualité corporelle que le texte imite ou copie. Le sens de ce recueil est pour ainsi dire donné par le poète lui-même: «Une suite d'égarements utiles à son ventre, tout comme ce genre de récit fait pour les plaisirs de la tête».

La vie de couple et *la promenade du spécialiste* (1977) continuent cette recherche sur le langage et les genres. À nouveau, le poète inventorie le corps comme langage. *La vie de couple* est composé de trois suites de textes: «la vie de couple», «en danger de plaisir» et «choix de notes sur le mors du p». Comme dans les autres recueils, les titres renvoient à des réalités communes que la poésie transmue en symboles et en allégories. Le recueil de 1979, *Les livres de n'importe qui*, poursuit la quête du sens des œuvres; on y trouve une sorte de poétique où dialoguent le commentaire et l'interprétation dans la recherche du «Quoi dire» et du «Comment dire».

La volonté de faire de la poésie le lieu des lieux communs, afin de pervertir la réalité littéraire, se remarque dans les titres. On a déjà noté *Les problèmes du cinématographe* (1973), ajoutons *L'imagination laïque* (1982), *Poème, attention* (1984), *Le soleil tourne autour de la terre* (1985), *Tout est normal, tout est terminé* (1987). Mais la poésie doit aussi coller aux réalités quotidiennes, ou mieux, comme le titre du recueil de 1993, l'indique, à *La Réalité*, avec un grand R (Herbes Rouges), qui est un thème contre nature par excellence. Mais cette réalité n'est pas que matérielle, elle appartient à la vie, celle du poète, du lecteur et de tout le monde. Comme le dit Louis-Philippe Hébert en quatrième de couverture: «En définitive, quand vous ouvrirez ce recueil saisissant, vous trouverez un Roger Des Roches délicieusement hors de lui. Lisez-le. Plusieurs fois. Votre plaisir n'en sera que multiplié: dans ces pages, il n'y a pas de réalité sans feu».

> La réalité,
> c'est le poids de l'air, la science de l'air,
> la saveur des oiseaux qui circulent
> et cisaillent le ciel,
> la rue forte, dure, de gauche à droite,
> de l'avant-plan à l'arrière-plan,
> les groupes en chair,
> les groupes en feuilles,
> les groupes en vent,

les grandes pluies pleines d'idées,
lait, fumée, le son de la voix,
les confidences de ce qui ne bouge plus:
confort absolu, miroir aboli, doigts qui pointent.

TEXTE: DES ROCHES, Roger, *La Réalité*, Herbes Rouges, 1993, XXXVI, p. 46.

CÉCILE CLOUTIER

Les premiers recueils de Cécile Cloutier, *Cuivres et soies*, paru en 1964, et *Cannelles et craies*, en 1970, mettent en liaison, mais non pas en opposition, deux éléments, l'un dur, sec et froid, l'autre mou, chaleureux et sensuel. La nécessité d'inverser les noms dans les titres et de ne pas les placer symétriquement en fonction de leur sens, répond à une nécessité poétique. *Craies et cannelles* n'aurait pas sonné beau, *Soies et cuivres*, non plus. La poésie de Cécile Cloutier est minimaliste, c'est son caractère permanent. Le titre du recueil de 1972, *Cablogrammes*, ces condensés de messages verbaux, résume cette poétique dense, brève, elliptique, voire laconique. Le poème qui ouvre *Cannelles et craies* définit bien une écriture liée à une thématique d'objets individuels, posés là pour eux-mêmes, pour leur seule mais nécessaire présence: «J'écrirai / de la craie de mes os / Le seigle libre / Créant sa fleur / En hiver / Et ses fils de pain».

Tous les poèmes de ce recueil et des autres se ramènent à quelques lignes et la Rétrospective de l'Hexagone, *L'écouté* (1991), prix du Gouverneur général, qui rassemble la plupart des recueils, présente un poème court, de quelques lignes, souvent disposé dans le haut d'une page blanche. En ce sens, Cécile Cloutier fait sa marque dans le paysage poétique du Québec, et fait aussi cavalier (ou cavalière) seul. Le lyrisme des grands espaces, du pays, des thèmes de l'amour fou et des périples sans fin, prend fin ici; mais l'amour, le pays, la nature sous tous ses aspects, le voyage, ne sont pas absents de cette poésie. Mais ces sujets sont ramenés à une dimension minimale qui n'exclut pas le sentiment et même la sensation. On sent les objets et les personnes évoqués, leur nature, leur parfum, leurs odeurs, «seigle libre», «glaïeuls», «poupée d'avoine chaude», veille dame «au corsage de cognac/et jambe de frêne dur», «édifices de patience», «des paquebots pleins d'ailleurs».

Paupières (1971) poursuit les formes et la thématique du recueil précédent. Les images opposées s'y retrouvent, souvent avec les mêmes mots; d'une part, les «glaïeuls», les «blés chauds», les flammes, les fourrures, les fruits et les fleurs, les soies et les épices; de l'autre, les «noces calcaires», les «épis de craies», l'«asphalte». Tendresse, sensualité, joie resssortent des premières images, dureté, sécheresse et matérialité, des dernières.

Cablogrammes est formé de 89 poèmes, toujours courts. Plusieurs de ceux-ci sont repris de *Cannelles et craies* et de *Paupières*, le poème qui termine ce dernier recueil ouvrant *Cablogrammes*. Ce procédé peut donner l'impression d'une continuité, mais pour qui a lu les recueils précédents, il s'agit plutôt d'une reprise. *Chaleuils*, en 1979, continue le trajet poétique, fondé sur une expérience directe et une écriture lapidaire. La trame du recueil ne situe plus le lecteur soit d'un côté, soit de l'autre, mais dans l'entre-deux. Les chaleurs de l'œil (d'abord un jeu de mots, ou d'un mot-valise, qui donne «chaleuils») sont celles d'objets multiples qui défilent devant lui, où apparaissent tout à coup ces chaleuils réelles, ces petites lampes rustiques, qui sont douces à l'œil. Ce monde chaleureux est propice à l'évocation de moments de ferveur, de symboles signifiants et d'objets évocateurs. Mais tout n'est pas rose, car il y a toujours l'autre versant des choses qui s'éteignent, se perdent ou disparaissent. Le monde n'«embaume [plus] de possibilité»: «Tu connus la difficile joie / Des pollens refusés / Et la coupante extase / Des trémas empêchés».

Ce milieu des choses et des êtres («Être au milieu/Et l'espace pluriel en anneau/Autour d'une attente») est le lieu d'une réflexion plus grave sur la vie et l'existence, rendue dans des métaphores qui sont typiques de la manière de Cécile Cloutier: «La grande scie de la nuit / Termine la fin / Pleuvront les couteaux bleus du temps / Des épices parallèles».

L'énigme de la vie et du temps est inhérente à la poésie elle-même: «Toute parole / M'était». Le langage peut tout suggérer, à condition qu'on le travaille et même qu'on le malmène: «L'univers silençait», «Et chaleura», «Et s'apporta»; «une esquimaude tendresse / d'une herbe / Après».

J'écrirai
De la craie de mes os
Le seigle libre
Créant sa fleur
En hiver
Et ses fils de pain
Je tuerai tous les chevaux dressés
De mon pays
J'abolirai les édifices de patience
Des villes mortes

Je lui donnerai
Des paquebots pleins d'ailleurs
Aux ailes de toile
Glissant sur la fourrure des neiges
Jusqu'au soleil

TEXTE: CLOUTIER, Cécile, «Cannelles et craies», *L'écouté*, l'Hexagone, 1986, p. 83.

JEAN ROYER

Si pour les poètes formalistes, le corps était le symbole du texte, chez Jean Royer il est le lieu de la parole et cette parole raconte tous les sujets et toutes les péripéties de l'amour. Le terme «amour» est pour Royer plus qu'un thème, c'est un letimotiv qui revient dans les titres de recueils: *Depuis l'amour* (1987), *Poèmes d'amour* (1988), mais reste toujours central dans les autres recueils. *La parole me vient de ton corps* suivi de *Nos*

Jean Royer
(*Photo: Josée Lambert*)

corps habitables, en 1974, se situait encore dans la lignée de la poésie du pays qui associait souvent la femme, l'amour et le pays: «femme tu es source / aux arbres de mon pays / ton langage effeuille mes naissances [...] femme tu ressembles à mon pays déchiré / à peine né de lui-même / mon pays de naissance bleue / dans le sang des hivers silencieux [...] femme que je pénètre en mon pays habitable [...]».

L'amour est à la fois quête et rédemption; il est une marche vers un idéal qui rendra possible la possession de l'objet désiré. Il se prête à merveille au lyrisme qui appelle les alexandrins:

> je t'aime au chant des algues et libre ma mémoire
> à piller les soleils couchés dans l'œil du soir
> je t'aime au paysage des lumières voilées
> je t'aime dans mon âge debout sur mon passé...

Mais si les strophes sont bien dessinées, si les vers aux mètres réguliers se terminent sur des assonances, les formes libres viennent varier les cadences et montrer que l'amour est un mouvement à la fois de tranquilité et d'impatience.

Le recueil paru en 1979, *Les Heures nues*, se divise en trois sections: «Les heures nues» (8 poèmes), «Retour à l'île» (3 poèmes) et «l'Œil vif» (9 poèmes). La première se place sous le signe de la femme et de l'amour et rappelle encore le recueil précédent. L'amour est à la fois l'affirmation et le constat de la distance entre celui qui dit et qui ressent ce sentiment. L'amour sensuel de *Nos corps habitables* fait place ici à une tendresse émue. La deuxième partie reprend le thème du pays qui se présente sous la forme d'une île, celle de l'enfance: «nous sommes des îles retrouvées». La dernière section met un terme à ce voyage vers le passé en ramenant le lecteur au présent et au futur, unissant du coup le souvenir au devenir. Ce dernier prend le signe de la mort, inévitable, qui,thématiquement, rejoint la naissance liée de près à l'enfance: «je m'enfonce dans l'enfance pour ne pas mourir».

L'année suivante, paraît *Faim souveraine*, qui comprend quatre parties: «Faim souveraine» (13 poèmes), «Corps nouveau» (11 poèmes), «Nous l'Amour» (3 poèmes) et «le Dernier Poème». Le corps, l'amour et la poésie sont les objets de cette «faim souveraine» d'être et de vivre. Ici encore, les trois grands moments de la vie et du temps servent d'images. Mais, ce qui distingue ce recueil des précédents c'est le recours plus accentué à la nature: la neige, l'eau, les rivières, les herbes, les épis, les sources, l'ébène, les oiseaux, etc., qui figurent des situations d'attente, d'exil, de désir et d'inexorable: «Envisage ta mort / Partage tes braises / Ta poésie porte un futur / Endosse chaque silence [...] Il n'y a qu'une issue / Ta parole ferme la blessure / Ta mémoire à patience d'aimer / Ta vie mûre dans la nuance des mots / Ton langage pour notre présence».

La poésie de Royer est familière, brève, comme ramassée sur elle-même; elle rend bien ce caractère immédiat de l'expérience, comme si elle en était la manifestation spontanée. C'est le caractère même du désir amoureux qui n'a pas besoin de réfléchir longuement pour s'exprimer, qui demande une réponse au lieu de questionner.

Depuis l'amour, le recueil paru en 1987, semble un retour sur ce passé de l'amour à redécouvrir et surtout à reconstruire. La première partie, «Plus proches dans l'énigme», reprend dans une autre relation les trois thèmes de l'amour, de l'écriture et de la mort. Dans la deuxième, «Les corps heureux de l'inédit», le poète revient à son enfance, en particulier à ses parents, qu'il suggère par des notations rapides de bonheurs perdus ou envolés. L'idée de reconstruction de l'enfance trouve ici sa parfaite expression, à la fois simple et trouble, celle d'une «présence réelle». La troisième partie «Depuis l'amour», reprend les thèmes des deux premières parties mais en leur donnant un ton plus affirmatif. Le poète a réussi son voyage au pays du passé, il a reconquis l'objet de son amour qui, au fond, est toujours resté «le seul fait d'aimer/et d'avoir été aimé», une sorte d'«éternité».

FEMME EN MON PAYS

Femme que j'aime en mes paysages traversés
femme que je peuple en mes automnes tombés
mot à mot

femme toi muette blessure
femme que j'habite en des yeux crevés d'espérance

le pays te ressemble
qui se couche dans ses neiges
se prépare à dormir
sur les os de mon père

femme tu es racine et vent
où je me trouve où je me perds
voilier des neiges voilier d'oiseaux noirs

femme tu es source
aux arbres de mon pays
ton langage effeuille mes naissances

TEXTE: ROYER, Jean, «Nos corps habitables», *Poèmes d'amour*, l'Hexagone, 1988, p. 40.

ALEXIS LEFRANÇOIS (Yvan Steenhout)

En 1977, paraissent deux livres d'Alexis Lefrançois, *Remanences*, un recueil de poésies, et *La Belle été* suivi de *La Tête*, un album de «Petites choses» qui s'inscrit dans la foulée des *36 petites choses pour la 51*, de 1972. Le premier recueil du poète, *Calcaires*, de 1971, avait annonçé une manière d'écrire et de publier: les Éditions du Noroît ont fait de ce livre un objet à voir et à lire et les *36 petites choses* répéteront l'expérience d'une disposition graphique originale. *Calcaires* est fait non pas de blancs seulement, ces espaces entre des mots, des vers, des phrases, mais de pages blanches qui sont comme de longs soupirs ou respirations, ou encore qui font penser à ces espaces terrestres où le «calcaire» domine. La dureté du métal se retrouve partout sous les mots: marbre, ivoire, fer, rocaille, dent, granit. Quatorze dessins de Miljenko Horvat s'insèrent entre les blancs et les écrits qui dialoguent entre eux.

36 petites choses pour la 51 (1972) est un montage de 36 poèmes dans un livre qui prend la forme de l'autobus 51 du titre. Les «petites choses» dont il est question sont de l'ordre du quotidien, celui du transport en commun dans un autobus, avec ses départs, ses arrêts, ses soubresauts, ses habitués. Pour rendre plus sensible cet itinéraire, les poèmes adoptent la forme de chants populaires, leurs interrogations et affirmations, leurs répétitions, qui sont familières dans la vie de tous les jours.

Les recueils parus en 1977, *La belle été* suivi de *La tête* et *Remanences* sont une poésie spontanéiste, immédiate, qui veut rompre avec un courant de réflexion ou de théorisation inscrites dans les poèmes, qu'on a appelé la poésie formaliste, et aussi avec un courant de poésie engagée dans le social et le politique. Pour ce faire, Lefrançois met l'accent, dans *La Belle été*, sur les jeux de langage qui font surgir des surprises de mots et de sens. Cette poésie est à lire comme une suites d'attentes, de rencontres fortuites, d'affrontements, d'escapades, de boutades, qui sont des façons de déjouer la lecture linéaire et de surprendre. En ce sens, le poète écrit pour son plaisir et celui de son lecteur. Plusieurs stratégies d'écriture, des procédés de langage qui relèvent de l'inclusion, de la substitution et de l'enchaînement, des assonances, des anagrammes ou des lipogrammes, créent des insinuations ou suggèrent des messages plus ou moins secrets, inscrits à l'intérieur des mots. Ainsi, le poète «commet des impairs / il commet de belles paires / des vers pairs et verts / et son livre s'envole/ quand il le lance en l'air/ et son livre est mouillé / quand il le jette à l'eau / et tous ses mots s'effacent chaque fois qu'il les écrit». Les jeux sur l'orthographe ou le lexique, les mots-valises, les formes argotiques sont autant de moyens de faire appel au lecteur: janviembre, marvredi; elle s'enflissait la tête: noix / noirceur; bris / bribe, et ainsi de suite. Les parodies, les détournements de sens, les répétitions syntaxiques et sonores, sont des formes d'ironie tendre. Ainsi de ce poème «les Exquimaus»: «C'est le froid qui les foque/ c'est le gel qui les foque/ c'est la nuit qui les foque/ c'est le blanc qui lcs foque / c'est les phoques c'est les phoques».

Remanences, un recueil plus intime, est constuit sur les mêmes jeux de langage. Le poème de la première partie, introduit par une citation d'Octavio Paz sur le mystère du corps de la femme, se lit à partir des mots en capitales qui servent de divisions ou de repères, entre les strophes ou les versets, et de trame thématique: «seuil extrême / et plus loin / les choses / se défont / blanc / et plus loin /ce serait aussi bien / la mort». Ce poème dans le poème se subdivise au milieu, après «blanc», par l'accumulation sur une page de la phrase en italique «*quelqu'un marche*» apparue quatre fois au bas des pages précédentes. La deuxième partie, dont l'épigraphe d'Alain Borne, «ils sont venus pour la mort», balise la lecture, est aussi formée d'un seul poème où les pronoms je (moi), tu (toi) et il (ils, eux) se retrouvent divisés comme des passants, des marcheurs liés par leur solitude. La troisième partie reprend le thème de la marche combiné à celui de la poésie: «ces mots ces jeux et ces nuances / ce chant d'un autre temps, ce rituel sur soi / fermé / cette musique surperbement futile / ce dérisoire et froid tracé». Enfin, la quatrième partie développe une poétique de l'exploration des choses, des êtres qui sont les miroirs des uns et des autres mais dont la transparence reste trompeuse. Comme l'exprimait Roland Bourneuf, dans un compte rendu: «Alexis Lefrançois est un homme grave qui cherche à aller au bout de son langage et au bout de sa vie» (*Livres et auteurs québécois*, 1977, p. 174).

PIERRE MORENCY

Pierre Morency est un explorateur du monde physique et naturel et du monde secret de l'être qui se cache derrière les apparences. Il veut donner une voix aux réalités mystérieuses comme à celles qui, parce que trop visibles, disparaissent du regard ordinaire. Il confie à Jean Royer: «Mes poèmes m'ont révélé le monde, ils m'ont révélé la plongée dans le réel, dans mon réel» (*op. cit.*, p. 195). Poète tant du réel humain, qu'il appelle aussi «le lieu de l'homme», que du réel matériel, il a trouvé sa matière dans ce «torrentiel» de ses *Histoires naturelles du Nouveau Monde*, dont le titre du premier tome, *L'œil américain* (Boréal, 1989), dit bien ce poète du regard qui se place toujours au centre de son univers, comme s'il était cet «œil» qui voit les choses et les êtres en les épousant: «c'est ici que je me trouve et que vous êtes / c'est sur cette feuille / où je suis ici plus moi que dans la peau de l'ours / où je suis ici plus creux que l'ancre du chaland / et plus crieur et plus mêlé au monde [...] (*Lieu de naissance*, 1973)».

Pierre Morency

En 1968, Pierre Morency a reçu le Prix du Maurier pour son recueil *Poèmes de la grande merveille de vivre*. La vie dont il est question est à la fois merveille, car amour, et froideur, car mort. Elle est donc le lieu et l'espace d'une lutte pour briser ces «cages dorées» qui «Ont des glaçons collés aux chambres». Dans la suite du recueil, *Poèmes de la vie déliée*, les deux contraires sont reliés et donnent lieu à une fusion amoureuse des êtres. Cette œuvre en deux parties sera rééditée en 1972 avec *Au nord constamment de l'amour*, qui se présente encore comme un dédoublement entre la solitude et l'amour, cette fois dans la grande froideur du nord. Déjà s'annonce ici le thème de la naissance, d'une double naissance, difficile et éblouissante, qui sera le titre du recueil suivant: *Lieu de naissance* (1973), encore divisé en deux parties: «Le plus difficile» et «Le squelette des horloges». La première explicite l'amour du corps féminin où le poète pourrait se réfugier pour fuir un monde cruel. La seconde est centrée sur le poète lui-même, ses hantises, sa passion et tout ce qui les entoure. Comme son titre l'indique, le temps est un facteur de corrosion qui joue contre les désirs et éloigne les êtres au lieu de les rassembler.

Le dernier recueil de cette décennie 1970, *Torrentiel*, paru en 1978, met fin au cycle poétique. Le poème liminaire prépare cette thématique des eaux tumultueuses, qui symbolisent la vie, de la naissance à la mort, et le dernier texte ferme le parcours: «ceci est un texte d'adieu». Pierre Morency décrit lui-même son trajet poétique: «C'est toujours le même noyau essentiel des grands symboles qui est présent dans l'œuvre et qui vient [...] de mes premières découvertes du monde» (Donald Smith, «Entrevue», *Lettres Québécoises*, novembre 1978, p. 15). L'Hexagone a publié en 1988 l'ensemble de cette production poétique dans la collection «Rétrospectives» sous le titre *Quand nous serons*. Le futur marque bien cette orientation constante de la poésie de Morency, toute centrée sur une intériorité recherchée et toujours à venir.

Si *Torrentiel* se terminait par un poème d'adieu, ce n'était pas un adieu à la poésie, puisque Morency publie en 1987 *Effets personnels* suivi de *Douze jours dans une nuit* (l'Hexagone), et en 1994, *Les paroles qui marchent dans la nuit* précédé de *Ce que dit Trom* (Boréal). Les titres révèlent une redondance de la *nuit*, faite de douze jours et espace où circulent les paroles. Ce thème est, comme le disait plus haut

Morency, un des symboles qui sont à l'origine de sa découverte du monde.

Toi absente couchée en rond de chien loin

ce furent nuits d'oiseaux buvant sous les décombres
nuits de sueurs sèches nuits de chenilles
nuits de crocs de gueules nuits d'ongles
nuits d'un corps fouillé d'aiguilles

ce sont nuits affalées dans les mares
nuits de pain souillé nuits de vin noir
nuits qui s'écroulent nuits grugeantes nuits battues
nuits de marteau nuits d'enclume nuits dures
voici venir encore les nuits d'immondices
nuits maudites sans portes nuits battantes
nuits qu'on ferme à coups de triques
nuits immobiles nuits de plomb nuits rances

je te touche le jour et te rejoins souvent
la nuit me sépare
longues nuits de couteaux

TEXTE: MORENCY, Pierre, «Torrentiel», *Quand nous serons*, l'Hexagone, 1988, p. 243.

SUZANNE PARADIS

Suzanne Paradis a commencé de publier des recueils de poésie avant le début des années 1960: *Les enfants continuels* (1959), *La chasse aux Autres* (1961), *La malebête* (1962, Prix de la Province de Québec), *Pour les enfants des morts* (1964), *Le visage offensé* (1966). Six autres recueils paraîtront durant les années 1970, d'une densité égale et d'une recherche verbale toujours maîtrisée, qui culminent avec *les Chevaux de verre*, en 1979. *Pour voir les pectrophanes naître* est une interrogation passionnée de la vie faite de contradictions, de déchirure, d'incertitude et de détresse, qui sont symbolisées par les plectrophanes, ces oiseaux blancs qui combattent les noirceurs de l'existence, les déceptions, les amours impossibles, les solitudes intenables. *Il y eut un matin*, en 1972, renverse la vision pessimiste du recueil précédent dans une sorte d'apothéose à la vie: «[...] un jour nous vivrons dans l'excès de lumière / de nos âmes faites de flamme [...]». Le poème éponyme «Il y eut un matin» résume ce renouveau, cette ardeur de vivre et d'aimer.

Avec *La voie sauvage* (1973), Suzanne Paradis atteint cette unité de ton et d'inspiration, cette sûreté dans l'agencement des images que les recueils précédents préparaient. À la trop grande richesse, luxuriante et mal contrôlée, de *Pour les enfants des morts* et *Le visage offensé*, correspondent ici une concision, une condensation de la vision que l'écriture rend plus sensibles et plus pénétrantes. La première partie présente un personnage, Mara, autour duquel les images se regroupent en faisceau. Mara est un centre dynamique, à la fois humain et matériel, qui repousse et attire, qui départage les choses et les êtres, qui détermine les réactions: «[...] l'été sera noir Mara l'été sera chaud [...]. L'univers vacille Mara aux ailes de ton empire...». Le poète dialogue avec son personnage comme pour lui faire dire son secret. Mais Mara parle et répond en termes obscurs ou en images voilées que le poète doit interpréter, comme par exemple: «Tu n'auras de refuge qu'en la mer», cette mer qui est à l'origine du nom même de Mara: «ce nom Mara / qui court de bouche en bouche / n'appelle plus personne» La deuxième partie du recueil s'intitule «L'homme de ma mémoire». Il s'agit de poèmes d'amour, d'un amour mûr, mûri par le temps et transformé par la mémoire, une cristallisation de moments, d'actes, de désirs qui lentement prennent l'allure d'une éternité vivante.

Noir sur sang (1976) est un recueil volcanique, à la fois par les thèmes de la violence, de la chaleur excessive, des flammes et par des images où le désordre règne dans une sorte de fulgurance qui éblouit. Le titre, déjà, annonçait la contradiction, le noir sur le rouge, liée à l'être de sang qu'est l'humain qui doit «tendre les doigts à cette flamme quand l'appel de la colombe le change en soleil». *Poèmes* en 1978, rassemble les recueils précédents, en remontant jusqu'aux premiers. Cette réédition sera suivie par *Les chevaux de verre*, que la critique a salué avec éloges. La femme est encore au centre de ces poèmes; elle prend conscience d'elle-même et de son désir de liberté. Elle évolue dans un monde onirique, où courent ces grands «chevaux de verre», irréels mais étonnamment vivants, qui sont les signes de métamorphoses et de quête d'un monde caché derrière les apparences. Le recueil comprend aussi trois parties: «Les cheveaux de verre», «Point de rupture» et «L'homme périphérique». Dans cette dernière partie, l'homme dont il est question entoure la femme dans une prise en charge qui est un moyen de libération. Il n'y a plus de combat ou de lutte, mais une réconciliation entre ces contraires qui créaient une tension dans la poésie de Suzanne Paradis. Désormais froid et chaleur, désir et oubli, cri et silence s'allient pour créer une unité nouvelle.

En parallèle à cette production poétique abondante, Suzanne Paradis a multiplié les romans où la symbolique prend tout autant de place. Elle revient à la poésie en 1983 (*Un goût de sel*, Leméac) et en 1986 (*Effets de l'œil*, Leméac), où l'on retrouve la production précédente, proliférante, recherchée, musicale. Une écriture moderne, avec ses thèmes de la ville, de la violence, modulés par des effets de voix, des formes brèves et des *cryptogrammes*.

LA VOIE SAUVAGE

quel que soit son nom cette voie je la prends
faste musique d'ailes qui se gonflent
avec le plomb et le cristal de mes os je l'affronte
je ne veux pas dormir dans des abris de terre opaque

je romps la cicatrice délivre la blessure
et le pavot géant jette le même feu
ton souffle a des cris de jeunesse extrême
on dirait que le temps n'a pas rôdé ici
si fraîches ruissellent les aubes futures
on marche à pas très bleus dans les villes rouvertes.
le vent a des délires d'infini septembre
des abris d'ailes ivres s'élèvent au zénith

je ne m'étonne plus Mara que tu sois belle
car la griffe de l'aigle t'a fleuri le front

TEXTE: PARADIS, Suzanne, *La voie sauvage*, Québec, Garneau, 1973, p. 44.

MARCEL BÉLANGER

(*Photo: Josée Lambert*)

Marcel Bélanger s'inscrit dans les années 1960 comme un poète de la parole. *Prélude à la parole*, en 1967, paraît deux ans après *L'âge de la parole* de Roland Giguère. Il s'agit d'une quête de l'écriture, de ces mots fuyants, difficiles à saisir, qui sont comme des signes sur une toile sans fond et sans fin, au haut de laquelle se trouve le silence. Pour dénouer cette trame, le poète doit recourir au cri: «je suis d'une écriture stridente», affirme-t-il. *Strates* publié chez Flammarion en 1985 réunit les œuvres poétiques, depuis *Pierre de cécité* (1962) jusqu'à *Fragments parallèles* (1980). Ce titre général indique que les recueils sont comme des «strates» et que le poète est un géologue qui enlève chacune des couches de matériaux d'un terrain afin de découvrir le fond, la strate première de cette «chose étendue» que sont la poésie et son sens. La recherche commence à l'horizontale, sur ce terrain plat et indéfini, qu'elle tente de délimiter. Puis elle va à la verticale, vers le fond de cette «chose», en soulevant chacune des couches stratifiées: «Du fond d'une mémoire de schiste / parmi les strates et les stries / signes d'oiseau et de fleurs fossiles...». L'action poétique consiste donc en une déconstruction qui permet de substituer la parole au silence et, par l'écriture, de découvrir le sens de l'être et de l'Autre qui est aussi soi-même. Bélanger est un poète des paysages intérieurs, mais ses paysages sont incendiaires, brûlants, et même parfois terrifiants. Sa poésie est une interrogation constante, un questionnement perpétuel, qui remettent en doute l'existence même. Le rôle de la poésie est d'arrêter le temps, de permettre à ce regard intérieur de creuser les fonds mystérieux de la conscience.

Le premier recueil, *Pierre de cécité*, est centré sur le cri, *Prélude à la parole*, sur l'écriture comme exploration du silence par la voix, une voix «de feu», de «sang». C'est alors que le poète peut aller «plein-vent» (*Plein-vent*, 1970), affronter le monde, la vie, l'air et surtout affronter l'homme qui est «ombre et [...] mirage» de tout ce qui est visible. Une quête, en forme d'errance, «errer si longtemps», dans cet espace où l'on est à la fois poursuivi et poursuivant, où l'on revient à l'enfance, à son être le plus caché et le plus lointain, auquel on ne peut accéder que par des «tunnels».

Saisons sauvages (1976) n'a pas été reproduit dans *Strates*, sans doute parce que les illustrations de Roland Bourneuf (lui aussi poète) ne pouvaient accompagner le texte. Marcel Bélanger y parle des saisons sans les nommer explicitement, mais en donnant à chacune sa couleur et son rythme. Avec *Infranoir* et *Fragments paniques* parus en 1978, on passe du vers libre et fort varié à une prose poétique large et toujours rythmée. Dans le premier recueil, le poète annonce «le temps de la parole» où il est permis de «retrouver la mélodie du vol dans la phrase / faire chanter la voyelle à la fenêtre de l'œil», ce qui est «parle[r] toujours d'autre chose», car «tout langage se condamne à de studieux déraillements». Le verbe poétique dans *Fragments paniques*, quoique plus libre, reste plein d'embûches: «Ne traversez pas cette page; elle est pleine de mines solitaires», prévient le poète. Son texte est «un baril de poudre». C'est le moyen pour le poète de s'inscrire dans un destin à la fois personnel et collectif: «[...] sur les mots qui m'écorchent, je fonde notre demeure à tous». C'est dans ce recueil que le poète propose son art poétique, où il dit écrire «entre les lignes», se fonder dans les mots, ces «mots coincés dans l'étau des lèvres», qu'il suffirait de fausser pour que le texte parte «en folie». Marcel Bélanger est le poète des «fragments». Les *Fragments parallèles*, de 1980 ne provoquent plus la panique, mais sont de l'ordre de la confession publique, comme dans une sorte de résumé d'un parcours poétique: «Ce fut l'époque où je vivais de noirs expédients...».

Après être allé vers le roman et l'essai, Marcel Bélanger revient à la poésie avec *D'où surgi* (l'Hexagone, 1994), des textes surgis de partout et de nulle part («ici même», «quelque part»), ou de soi et d'autrui («même et autre»), de souvenirs dédoublés («double mémoire»), qui génèrent un «opus incertum», décrit «ainsi»: «je ne suis pas loin de croire que l'œuvre est une manière d'œuf au féminin du moins au travers de la perception ovale que j'ai d'elle et qui souvent me fait confondre cercle et triangle» (p. 122).

> qui es-tu
>
> pour que je m'obstine à tracer
> tout autour de toi
> à coups de langue
> les lignes sinueuses d'une phrase
> forçant tes plus sombres replis
>   ovales et losanges
>   et les formes quelles
>
> et mes mains chercheuses
> en vain palpent les surfaces
> où dans une présence étale
> on dit que tu gis

des pierres plates
contre mes paumes
ou d'une sphère l'île enclose
la septième
te souviens-tu
une simple baie

TEXTE: BÉLANGER, Marcel, «Qui es-tu», *D'où surgi*, l'Hexagone, 1994, p. 49.

MARIE UGUAY

Avant son décès prématuré, Marie Uguay a écrit trois recueils, *Signe et rumeur* (1976), *L'outre-vie* (1979) et *Autoportraits* (1982). Dans l'Avant-propos de la réédition de ces recueils sous le titre *Poèmes* (1986), Jacques Brault se demande si Marie Uguay est morte trop jeune pour donner sa mesure. Cette question peut paraître obscène mais elle se pose. Et Marie Uguay elle-même y a répondu: «J'ai souvent cette sensation étrange que le temps m'est compté et que je n'atteindrai jamais cette maturité de l'écriture à laquelle j'aspire. Ce n'est pas à vingt-six ans qu'on devient écrivain. C'est un apprentissage, l'écriture»

Marie Uguay est la première à donner vers la fin des années 1970 le signal d'un changement qui caractérise la poésie de la décennie suivante. On voit alors apparaître un nouveau lyrisme, sage, sérieux, intime et ouvert sur le monde. *Signe et rumeur* est fait de courts poèmes de quelques lignes qui sont comme des *flashes* sur le temps, la fatalité, le silence, la nature (la neige, les forêts), l'autre et son absence. «Aucun recours mais l'envahissement de ton visage»; «hors de toi le temps est une prolongation difficile». Les signes et les rumeurs sont un appel à (a)percevoir une présence qui s'évanouit sans cesse mais que l'on sent tout de même à quelques détails significatifs: «douceur d'épaule [...] et ton corps, la mer»... «paroles abordables / et l'oubli que tu engendres».

L'outre-vie est précédé d'une citation de *La femmne du Gange* de Marguerite Duras: «écartelée entre les termes du désir, sa démence est d'avoir cru possible, même le seul temps de son cri, que cet écartèlement pouvait se rompre pour l'accueillir». Tel est bien cette situation du poète qui vit dans l'entre-deux de l'aspiration et du refus. Le poème liminaire décrit cette «outre-vie», «quand on n'est pas encore dans la vie, qu'on la regarde, que l'on cherche à y entrer». C'est cet espace entre la mort et la naissance (et non l'inverse), «dans ce passage hors frontière et hors temps qui caractérise le désir. Désir de l'autre, désir du monde». Le titre appelle de soi l'outre-mer et l'outre-tombe, ce lointain, cet au-delà qui ne peuvent être atteints que par un dépassement des habitudes, des peurs, des évidences, pour «entrer dans une réalité à la fois plus douloureuse et plus plaisante, dans l'inconnu, le secret, le contradictoire». Après avoir traversé la vie, brisé le silence, inventé des amours et supprimé la fatalité, le poète peut affirmer à la fin du recueil: «Je n'ai plus d'imagination / ni de souvenirs forcément / je regarde finir le monde / et naître mes désirs».

FRANCE THÉORET

(*Photo: Josée Lambert*)

La poésie de France Théoret, comme celle de Nicole Brossard, prend délibérément le parti d'une écriture de femme. Dans *Une voix pour Odile* (1978), un des douze textes du recueil annonce un: «Plaidoyer pour le droit à l'existence des femmes». Et ce droit ne peut s'obtenir que par le langage. Celui de France Théoret est d'abord une *voix*, celle d'une femme qui se «déniaise», qui a peur d'écrire mais qui écrit parce qu'elle a peur (p. 43). Par là, ce texte devient subversion, parce qu'il met en cause, pour la dénoncer, la situation d'oppression de la femme, «la mère hystérique, la tante ouvrière et même les vieilles filles religieuses» (p. 24). Et toutes sortes d'autres femmes qui masquent leur dépression, qui acceptent douloureusement ou voluptueusement, c'est selon, la domination sous toutes ses formes. À chacune, France Théoret veut donner une voix, encore mince, fragile, mais toujours révoltée. Ces femmes ont toutes connu le mutisme, le bégaiement, qui exprime le «cri du dedans». Aussi, la parole poétique reste toujours au ras du sol, tout en étant fort orientée vers la dénonciation, perceptible partout.

Deux des tois parties de *Bloody Mary*, «Histoire pour dire» et «Que je déparle», montre la difficulté de dire cette situation, de la rendre perceptible par les mots. C'est pourquoi le langage est désordonné, comme ce regard à distance qui tente de suivre la réalité (une *elle* pronom sans nom), une réalité évanescente mais disparate, parce que vécue. Du début à la fin du texte, ce regard passe du «dedans» («je me voyais me voir») au dehors («je me tiens à l'œil»). Le poète doit lui aussi savoir comment tenir la réalité pour lui donner corps, pour apprendre quoi dire et comment le dire.

Nécessairement putain, en 1980, poursuit la démarche de libération par la parole. Les deux premières parties, sur pages blanches, ont pour titre: «Feu de langues» et «L'honneur des pères»; les deux dernières: «À celles qui ont trop travaillé» et «La guerrière». Au centre «La marche», avec ses onze textes qui commencent par «Elle», est une célébration de la conquête de la femme sur le monde: «Elle n'a d'autre raison d'exister que sa propre existence» (p. 29). L'ensemble propose l'image (é)mouvante d'une femme qui occupe pleinement l'espace environnant. Plus rien n'obstrue sa marche. Et celle-ci devient, par surcroît, la figure même de l'écriture qui a vaincu son leurre. Mais les autres textes qui encadrent cette marche montrent qu'il est requis pour y arriver de sortir du pouvoir ou des pouvoirs. Ils indiquent entre autres choses ce fait brutal que dans cette société, la nôtre, le corps féminin égale le *cul* et que le rapport de commerce entre maître et servante est fondamental: «—Tu m'as donné ta parole — Il n'y a pas de paroles parce qu'il y a mon cul» [...] Où est ton honneur, ma fille? Dans mon cul papa» (p. 18). L'écrivaine aussi est «nécessairement putain», car elle doit entretenir un rapport avec le maître-langage: «Le tableau se meut de nuances mangé d'écriture» (p. 9). Écrire au féminin devient une entreprise impossible: «Les mots ne me sont plus donnés. L'imagination morte depuis toujours. Que reste-t-il? Des lignes d'impossible fuite. Il n'y a plus d'issue sinon peut-être à venir de la vigilante guerrière. Ah! Naître armée.» (p. 52)

Cette écriture poétique, faite de textes-flots, de narrations courtes, sans narrateur, donnant la parole à tout le monde sauf au personnage, trouve son expression dans *Nous parlerons comme on écrit*, un roman de 1982. Toujours, dans la poésie de France Théoret, c'est l'écrit qui parle, c'est lui qui dicte les règles. Deux textes de 1984, *Intérieurs* et *Transit*, sont la quête d'une conciliation entre une écriture qui veut dire et une écriture pour elle-même. *Entre raison et déraison* (1987), qui regroupe des essais écrits entre 1979 et 1987, explique cette prise de conscience de la femme et du langage qui s'est traduite après les efforts du formalisme par une réinsertion d'un *je* qui «inclut la pensée et l'émotion», qui explore de «nouvelles formes de la subjectivité» Dans la poésie de Théoret, il est toujours question de l'être intérieur (féminité, sociabilité) soumis au pouvoir du langage. Écrire pour une femme impose l'obligation de chercher et de trouver une voix, un lieu et un territoire où habiter, se sentir chez soi, percevoir directement ses émotions et sans réfraction. Où être libre enfin, être *Je*, non plus la figure d'un autre mais celle de soi-même, trouvée et retrouvée.

> Et je me suis exilée volontaire dans un autre monde que je croyais nécessairement meilleur. Excédée d'être vieille de porter l'accouchement de la vieille petite fille. Nécessairement putain. Celle qui va danser avec l'autre homme. Celle qui ne va pas danser avec l'homme. Celle qui se maquille outrageusement. Mauvais goût rime. Ailleurs, d'autres milieux soi-disant plus subtils là où s'épanouit le bon fond. Ah! les sentiments venus. L'essentielle bonté déborde enveloppe absout on la dit nymphomane et elle ne comprend rien à ce qu'elle enseigne car comment pourrait-elle comprendre quoique ce soit d'autre?
>
> TEXTE; THÉORET, France, *Nécessairement putain*, Les Herbes Rouges, 1980, p. 38.

Clément Moisan est professeur de littérature à l'Université Laval de Québec et membre du Centre de recherche en littérature québécoise (CRELIQ) du département des littératures de la Faculté des lettres. Il est l'auteur de plusieurs ouvrages, parmi lesquels *Poésie des frontières. Étude comparée des poésies canadienne et québécoise* (Montréal, Hurtubise, HMH, 1979), *Qu'est-ce que l'histoire littéraire?* (Paris, Presses universitaires de France, 1987), *Comparaison et raison. Études sur l'histoire et l'institution des littératures canadienne et québécoise* (Montéal, Hurtubise HMH, 1987), *L'histoire littéraire* (Paris, Presses universitaires de France, «Que sais-je?», 1990) et *Le phénomène de la littérature* (Montréal, l'Hexagone, 1996). Il a fait des tournées de conférences et de séminaires dans plusieurs pays et participé à des colloques internationaux en France, en Belgique, en Italie, en Allemagne, au Maroc, en Inde, en Israël, au Brésil et au Japon. Clément Moisan est membre de l'Académie des lettres et sciences humaines de la Société Royale du Canada depuis 1980. Il a obtenu en 1996 la Médaille Lorne Pierce décernée par la Société Royale du Canada «pour souligner une œuvre d'une importance particulière et d'un mérite exceptionnel dans les genres littéraires de la fiction et de la critique.»

Deuxième partie

La chanson québécoise de 1968 à aujourd'hui

Benoît Le Blanc

À vous qui dans dix ou cent ans chanterez encore en français — cette langue du cœur — sur ce coin de la planète aujourd'hui à l'agonie, apprenez votre folklore, que j'évoque ici du mieux que je peux, il servira à vous mieux connaître.

Le Big Bang: un rappel

1968: c'est l'année où Robert Charlebois a pris tout le Québec par surprise avec son spectacle/happening, éclaté et irrévérencieux, pluridisciplinaire avant la lettre *l'Osstidcho*. Ce n'était pas la première fois qu'on utilisait la musique rock dans la chanson québécoise, ce n'était pas non plus la première fois qu'on y employait l'expression quotidienne, toutefois Charlebois avait du génie et savait s'entourer de collaborateurs de grand talent: Mouffe, Marcel Sabourin, Claude Péloquin, l'ensemble du **Jazz libre du Québec**, etc. Au diapason de son époque, Charlebois, il est important de le rappeler, avait d'abord fait partie — tout comme Pierre Létourneau et Stéphane Venne — de la deuxième vague des chansonniers, celle qui commençait à puiser son inspiration davantage chez les Américains. Il avait déjà réalisé quatre albums entre 1965 et 1967.

La première vague des chansonniers avait débuté en 1960; c'était le temps des boîtes à chansons. Phénomène culturel d'importance, l'avènement des chansonniers et des boîtes à chansons avait contribué à donner aux Québécois, en pleine *révolution* dite tranquille, une conscience d'eux-mêmes, un sentiment de fierté, surtout une envie profonde, car trop longtemps réprimée, de se libérer à tous les niveaux et de se prendre en mains. Nous retrouverons plusieurs de ces *acis* (auteurs-compositeurs-interprètes) durant les années soixante-dix: Gilles Vigneault, Jean-Pierre Ferland, Claude Léveillée, Clémence Desrochers, Pauline Julien, Claude Gauthier, Pierre Calvé... Leur inspiration était souvent française. Ils s'étaient exercé l'oreille en écoutant Trenet, Brassens, Béart, Brel et d'autres. La mémoire collective a un peu oublié certains des meilleurs chansonniers de cette époque. Ils ont légué une œuvre d'une qualité poétique remarquable qu'on ne retrouvera presque pas par la suite, sauf aux alentours de 1990 quand la parole chantée reprendra ses droits avec des poètes de l'envergure de Richard Desjardins. Retenons parmi ces pionniers quelques noms qui méritent une place dans l'histoire: Monique Miville-Deschênes, Hervé Brousseau, Laurence Lepage, Marie Savard, Jean-Paul Filion, Jacques Blanchet et Marc Gélinas.

On a dit de ces chansonniers qu'ils étaient les premiers créateurs de chansons authentiquement québécoises. Jusque-là on disait chansons, ou chansonnettes françaises. Pour tout dire, les ondes radiophoniques étaient inondées de succès français ou américains. Les Québécois, de plus en plus urbanisés, vivaient une certaine aliénation. C'est en 1956 que Robert L'Herbier, chanteur populaire au style «crooner» qui avait connu, avec Fernand Robidoux, ses heures de gloire durant les années quarante, lança le premier concours — commandité par Radio-Canada — de la chanson nommément canadienne. Pourtant Félix Leclerc — surnommé «le Canadien» — connaissait déjà un succès retentissant en France depuis 1950 avec ses chansons originales. Sa poésie était effectivement profondément enracinée dans son pays. Raymond Lévesque s'était aussi fait remarquer là-bas notamment avec *Quand les hommes vivront d'amour*, *Les trottoirs* et *À Rosemont sous la pluie*.

Durant les années trente, Mary Travers, mieux connue sous le nom de La Bolduc, avait obtenu un succès immense avec ses chansons écrites dans une langue populaire. Les gens ordinaires se reconnaissaient dans ses thèmes, ses mots, ses expressions, et son accent. On adorait son humour tonifiant. Mais elle était méprisée par les élites et ignorée par les médias: le miroir était peut-être trop fidèle. Ainsi retrouvera-t-on dans le Charlebois de 1968 cette même magie du verbe vernaculaire qui suscitera une forte adhésion d'abord davantage fondée sur le son que sur le sens des mots. Il fascinera tout le monde, élites et médias inclus. C'est un point tournant important dans l'histoire de notre chanson: Luc Plamondon, pourtant formé à l'école française — Aznavour, Trenet, Ferré, Brel, Brassens —, insistera sur ce fait particulier pour dire qu'il écrit des chansons dans une langue parlée. Cette langue, notons-le, moins littéraire, se moulera avec une surprenante aisance aux rythmes des nouvelles musiques américaines. Ce n'est que dix ans plus tard que les Français réussiront à adapter leur langue à la musique rock.

Le rock fera une percée remarquée au Québec surtout à partir de 1964 avec la vague des groupes britanniques, les **Beatles** en tête. Cette vague provoquera l'émergence d'un nombre renversant de groupes appelés yé-yé. Bien que pour la plupart ils jouaient des versions françaises de succès anglais ou américains, certains d'entre eux étaient de solides rockers (les **Hou-Lops**), d'autres avaient un sens du professionnalisme très développé (les **Classels**), d'autres encore s'aventuraient avec bonheur à chanter leurs propres compositions (les **Bel-Canto**), et si la musique était presque toujours empruntée, l'émotion, elle, n'en était pas moins très sincère (**César et les Romains**). On retiendra que si les chansonniers ouvrirent de grands espaces poétiques en se délivrant de valeurs désuètes, d'autre part les groupes yé-yé canalisèrent et libérèrent une énergie sexuelle non négligeable. On parlait à l'époque d'une guerre yé-yé versus chansonniers. Le Charlebois de 1968 a admirablement su effectuer la synthèse de ces deux tendances, ces deux pôles de l'homo quebecensus qui jusque-là s'étaient apparemment opposés. Au vrai, le compositeur de *Lindberg* a su intégrer plusieurs fragments de la culture québécoise qui s'étaient rarement retrouvés jusque-là dans un même refrain. Comme si la révolte de Paul-Émile Borduas (*Refus global*, 1948) rejoignait l'humour de Willie Lamothe. Le disque *Lindberg* ressemble à un album de famille de la grande famille québécoise. La voici réconciliée le temps d'un party psychédélique californien. Pour tout dire, la beauté du phénomène Charlebois/*Lindberg* est qu'il y aura un merveilleux dépassement des anciennes formes: elles seront assimilées, récupérées, réinventées. C'est un processus créatif classique courant. Curieusement peu emprunteront cette voie. Ici on aura tendance à embrasser de nouvelles formes sans d'abord digérer ce qui s'est fait avant. C'est un phénomène très touchant et très paradoxal que d'entendre ce refrain du groupe **Harmonium** entonné par des milliers de voix au milieu des années 70:

Où est allé tout ce monde qui avait quelque chose à raconter
On a mis quelqu'un au monde faudrait bien peut-être l'écouter

Un musicien parmi tant d'autres

Connaissait-on le musicien du café évoqué dans la chanson? Il n'est pas déplacé, ici, de se demander pourquoi si peu d'*acis* au Québec ont passé par l'école de la chanson québécoise. Si la mémoire chansonnière avait été plus vive, les années quatre-vingt auraient-elles été la traversée du désert qu'elle fut pour la chanson francophone? Encore une fois il faudra attendre 1990 pour voir apparaître une musique populaire intégrant ou réintégrant plusieurs fragments épars ou oubliés de la culture laurentienne.

Avertissement

Avouons-le, il est un peu difficile d'aborder la chanson comme genre littéraire seulement. Nous savons que la chanson a joué un rôle important dans la société québécoise moderne. Cela a été énoncé ailleurs et souvent: ce que les indépendantistes et les poètes de l'Hexagone espéraient provoquer chez les Québécois afin de les éveiller à eux-mêmes, les porteurs de paroles chantées l'ont fait avec un impact inespéré. Ce que des décennies, voire des siècles, de conditionnement catholique étouffant ont imposé, l'énergie du rock l'a fortement ébranlé. La chanson est énergie en mouvement. Si elle sait si bien éveiller, c'est qu'elle est à la fois geste, musique et parole. C'est l'oreille, la langue, le cœur, voire le ventre, qui reçoivent et retiennent les mots bien avant les yeux et l'intellect. Luc Plamondon a certainement écrit des grands textes pour Diane Dufresne, mais c'est tout de même l'interprétation qu'en a fait cette dernière qui a touché le cœur des gens. On pourrait ajouter: la magie et la force de sa personnalité.

Ne tuons pas la beauté du monde
Chaque fleur chaque arbre que l'on tue
Revient nous tuer à son tour

Hymne à la beauté du monde

Notons toutefois ce fait: la chanson dont il est question présentement est d'expression française, et bien que partant d'une révolution poétique en 1968 — la langue parlée prenant le maquis —, elle sera encline à rejoindre les formes traditionnelles françaises, à tout le moins l'esprit de la tradition française. On peut vérifier cette tendance chez des auteurs comme Michel Rivard, Plume Latraverse et Stephen Faulkner qui emprunteront au début un langage très familier:

1978

A m'a donné une claque en pleine face
A m'a dit Jo moé j'en ai plein l'cas'
J'sacre mon camp, j'paqu'te mes p'tits
J'débarasse

En claquant la porte

S. Choquette S. Faulkner.

1992

De verre en verre et contre tous
Et paf, une autre fiole s'achève
J'boirais la mer pour que ton souvenir s'émousse
Mais il y a si loin de la coupe aux lèvres

Chanson en vain

G. Bélanger, S. Faulkner.

On remarquera chez eux de plus en plus l'influence par exemple d'un Georges Brassens, parfois celle d'un poète moyenâgeux comme François Villon. C'est particulièrement vrai chez Plume qui sera l'un des rares à susciter une progéniture enviable. Leur musique par ailleurs sera très étatsunienne.

Rappelons que c'est en France, plus précisément dans le pays d'Oc, qu'est née au XIIe siècle la chanson des troubadours.

Cet art, bien que d'abord élitiste, aura un impact profond sur la chanson populaire. Plus qu'ailleurs en Europe on aura tendance, en France, à concevoir et considérer la chanson comme un art s'intégrant à la poésie. L'esprit même de la langue de Rutebeuf et de Ronsard semble appeler cette propension. C'est peut-être ce qui la différencie de la chanson anglaise et américaine, et qui explique aussi le fait que, par exemple, dans le monde la chanson française est classifiée comme un genre au même titre que le rock, le blues, le jazz, etc. Il n'existe d'ailleurs pas de catégorie «*song*» chez les Anglo-Saxons. Ainsi quand la langue française s'empare d'un style musical, elle cherche à le soumettre à sa poésie. On peut constater cette tendance chez un rocker comme Jean Leloup. À tout prendre, la chanson est musique (même sans accompagnement), elle est énergie. Elle agit sur le système nerveux, peu à peu sa poésie nous pénètre et s'imprime en nous. C'est ce qui a fait dire à Sylvain Lelièvre qu'on arrive à une chanson par sa musique mais qu'on y reste par ses mots.

Mais qui saura jamais le poids de nos chansons
Mais qui saura jamais qu'elle n'aurait pas de voix
Sans toi
Qu'elles n'auraient pas de mots,
qu'elles n'auraient pas de sons

Qui saura jamais
Sylvain Lelièvre

Le Big Bang: suite

Ainsi ce n'est pas le tour d'avion surréaliste, modulé sur un mode rock et avec des mots familiers à l'oreille québécoise, qui sera l'aspect le plus révolutionnaire du microsillon *Lindberg*. C'est cette façon totalement nouvelle et déchaînée de littéralement «caller», turluter, voire hurler, des bouts de phrase sur une musique afro-américaine rythm & blues:

Pis l'autre bord
Ça féraille
Ça s'décocrisse
Ça s'défuntifise
C'est-y pas crisse

Engagement
Paroles Marcel Sabourin

Cela ne s'était jamais fait avant: James Brown chantant en joual. Le rapport langue/musique en était bouleversé. Diane Dufresne le reprendra dans plusieurs chansons (*À part de ça. Tiens-toé ben j'arrive*). Tantôt avec ses propres mots, tantôt avec ceux des autres, Garou ouvrira des chemins que d'autres ensuite pourront explorer. Son association avec le romancier Réjean Ducharme, ce spécialiste du mal de vivre résumé en quelques mots, fut l'une des plus heureuses. Aussi n'hésitera-t-il pas à chanter dans la langue du terroir, en cadien de Louisiane, à adapter du Rimbaud sur un rythme de valse country, à psalmodier des versets de l'Apocalypse sur une musique fort inspirée, à emprunter l'accent hispanique, créole, etc. Une de ses plus belles réussites demeure sa magnifique mise en musique du poème de Claude Gauvreau — grand forgeron de mots inventés à la manière du poète belge Henri Michaux — *Trop belle pour mourir*: «*Soudé padé vafe, Soudé padé vafe/Sing aling a tizaille zou/* (...) *Elle a étranglé le bedeau.*» La mémoire collective a retenu *Ordinaire*, *Les ailes d'un ange*, *Conception*, *Fu man chu* et plusieurs autres. Tour à tour chansonnier, rocker, «crooner» et vedette pop, le «gars ben ordinaire» de la rue Fabre a changé le visage musical du Québec — et aussi fait des vagues en France — pour longtemps. Un des moments forts de sa *Maudite tournée* de 1994 fut l'interprétation très sentie de l'une de ses chansons les plus visionnaires, *Le mur du son*: «*Donner la note qui fera chanter/Tout l'univers à l'unisson/Nous cesserons d'être mortels/Pour devenir enfin éternels*» (paroles de Mouffe).

Robert Charlebois.
Entouré de gens de grand talent, il a su redéfinir la chanson d'expression française au Québec. Le joual et le rock devaient se rencontrer un jour et l'Osstidcho leur a donné cette opportunité. Par son audace et son imagination Garou a ouvert plusieurs chemins que d'autres plus tard pourront emprunter.

Chansonnier de la première heure, Jean-Pierre Ferland sera parmi les *acis* les plus prolifiques et aguerris à l'art de la scène des années soixante. S'inscrivant d'abord dans la lignée des créateurs français, il aura tendance à épouser le genre pop, à américaniser l'enveloppe musicale. C'est au moment où sa chanson *Je reviens chez nous* connaît un succès resplendissant des deux côtés de l'Atlantique, qu'il encaisse le choc Charlebois. *L'Osstidcho* remettra en question sa façon de concevoir la chanson. En 1970, fruit d'un travail de recherche musicale et sonore (emploi du synthétiseur moog), paraît *Jaune*, une référence dans le domaine de la musique populaire d'ici. La face A contient cinq titres qui sont autant de grandes chansons: *Le petit roi*, *Quand on aime on a toujours vingt ans*, *Sing Sing*, *God is an American* et *Le chat du café des artistes* dont le refrain, composé sur la gamme chromatique et entonné par Les petits chanteurs du Mont Royal, laissera une impression durable dans l'esprit de toute une génération:

Quand on est mort c'est qu'on est mort
Quand on ne rit plus c'est qu'on ne vit plus

L'album double *Soleil* suivra (1971). Un peu plus ambitieux — orchestrations ampoulées, chœur, etc. — et empreint d'un certain idéalisme propre au début des années soixante-dix, cette œuvre donnera quelques titres forts également, entre autres *Si on s'y mettait* et *Mon ami J.C.*

Par la suite Ferland flirtera à nouveau avec la chanson pop commerciale: *T'es mon amour, t'es ma maîtresse*, *Y a pas deux chansons pareilles*... En 1992 il sort *Bleu blanc blues* où figure sa première chanson nationaliste: *Pissou*. Survient deux ans plus tard cette étonnante surprise: *Écoute pas ça*. Il a besoin de dire les choses simplement, crûment, un peu à la manière de Richard Desjardins. Enregistré, comme il le dit lui-même, dans sa cabane à sucre en très petite formation, *Écoute pas ça* renoue avec le chansonnier à la guitare des premiers temps, celui qui voulait mourir sa vie et non pas vivre sa mort (*Avant de m'assagir*):

> *C'est fort, on brûle tout ce qu'on désire*
> *On tue tout c'qu'on adore*
> ***Écoute pas ça***
>
> *Il faut qu'après la bitte*
> *Les hanches brûlent encore*
> ***Faut pas aimer trop vite, faut pas aimer trop fort.***

Le thème de la femme maîtresse sera une constante chez lui.

La carrière de Gilles Vigneault a le même âge que celle de Ferland. Ce dernier est né à Montréal, Vigneault est venu au monde à Natasquan sur la Côte-Nord, là où les chemins ne se rendent toujours pas...[1] Il y a peu d'exemples autant dans la francophonie que dans l'anglophonie d'un chanteur engagé à la manière de Vigneault. L'homme a des racines profondes et il les chante. Racines dans la tradition folklorique du chanteur, du gigueur et du conteur dans une veillée; racines dans la tradition poétique française qui remonte jusqu'au Moyen Âge ainsi que dans la littérature classique des Grecs et des Latins; racines dans la tradition musicale occidentale qui prend sa source dans le chant grégorien. L'homme est poète et visionnaire. Jamais à la mode mais toujours profondément engagé dans la société moderne, il fera preuve dans son œuvre d'une admirable constance. Il chantera le pays à faire, cette notion mouvante, cet idéal qu'on atteint pas mais auquel il faut tendre:

> *Homme! Un jour tu sonneras*
> *Cloches de ce pays-là*
> *Sonnez femmes joies et cuivres*
> *C'est notre premier repas*
> *Voilà le pays à vivre*
>
> ***Il me reste un pays***

Son premier pays est la langue française qu'il maîtrise avec génie. Il s'en servira pour dénoncer les injustices sociales et la folie de l'homme destructeur de sa propre planète. Comme il le dit si bien: si vous ne vous occupez pas de politique, la politique s'occupera de vous. Bien sûr cet outil sera au service de lui-même puisque cette langue — qui est l'un des fondements de l'identité — est, en Amérique, fragile et

[1] Au moment où l'auteur de ces lignes mettait le point final à ce texte, il apprenait que la route était enfin inaugurée, quoique pas encore pavée.

menacée. Si Charlebois a amené la chanson en ville, lui a fait reconnaître son américanité, Vigneault a révélé à l'habitant de ce coin-ci de la planète ses origines, son appartenance, ses responsabilités vis-à-vis de lui-même, sa mémoire. Les Français le trouvent à la fois étrangement exotique et familier. Certaines de ses chansons d'amour, dès la première écoute, ont des airs de classiques, d'immortelles:

Je t'ai racontée à des pierres
Qui n'en ont pas perdu un mot
Et qui gardent de ta lumière
Comme des âmes des animaux

Maintenant

Sa livraison de 1996 — *C'est ainsi que j'arrive à toi* — révèle un artiste qui n'a pas peur de se renouveler autant sur le plan musical (emprunts au blues, au jazz, à la musique country) que celui des idées. En effet *Chacun porte son âge* chante ceux qu'il n'a pas nommés et «*que voici chez nous pour avoir fui des guerres.*»

Peu suivront ses pas mais plusieurs seront marqués par la volonté de l'homme, sa vision, ses valeurs. Un géant: «*Je suis ce grand feu/Qui tue et qui mange/L'arbre l'eau et l'air/La chair et le sang/Je suis ce faux dieu/Entre l'homme et l'ange/Qui meurt en naissant*» (*Dans la nuit des mots*).

Fin orfèvre, Sylvain Lelièvre construit et cisèle des textes qui traversent bien le temps. À ce chapitre il est proche parent de Vigneault. Comme le poète de la Côte-Nord, ses préoccupations sont sociales, politiques, humanitaires. Il a cependant une corde de plus à son arc: il est musicien et compose avec intelligence en empruntant souvent à l'idiome jazz. Aux Francofolies de 1996 on dira de lui qu'il est passé du statut de marginal à celui de classique. Pourtant *Marie-Hélène*, *Programme double*, *Petit matin*, *Tu danses trop vite* et *Je flâne en chemin* ont bien marché. Admirez le travail de ce magnifique faiseur de vers:

Je te salue Damn' Old Canuck
Hobo banni et bum sacré
Clochard céleste et saint baroque
D'un occident agonisé

Kérouac

Un jour on entendra sur une autre planète
Dans l'immense dérive de l'heure et des comètes
Une chanson qui dira comment c'était joli
Ce caillou dans l'espace où s'ébattait la vie

Tôt ou tard

Il y a une maturité, une profondeur et un souffle poétique chez Lelièvre le pianiste/poète. Ses créations sont davantage des semences que des fruits: elles mûriront à temps dans la conscience des gens: «*On défilait pas toujours sages/En entonnant "Le déserteur"/Se peut-il qu'en prenant de l'âge/On déserte son propre cœur»* (*Qu'est-ce qu'on a fait de nos rêves?*)

Il écrit sa première chanson — *Notre sentier* — en 1934, il offrira son testament musical — *Mon fils* — en 1978. Félix Leclerc n'appartient à aucune catégorie sinon celle des défricheurs, des grands troubadours, des poètes qui ont maintenu intact en eux l'enfant. Qu'il parle de la mort, de la femme ou du pays, il le fait avec une simplicité pleine de candeur, celle qui va au cœur des choses. On dirait qu'il a trouvé la clef du langage des profondeurs — le sien. Indubitablement Leclerc est un géant de la chanson qu'on place aisément aux côtés d'un Brassens et d'un Ferré. En 1969, il a 55 ans et lance *J'inviterai l'enfance*, rare bouquet de chansons fortes qui traitent de l'enfance et de la mort:

Voilà ce que je t'offre
Des deuils pleins les coffres
Un vieux règne en lambeaux
Pour ton monde nouveau

En attendant l'enfant

Secoué par la crise d'octobre en 1970 («Mais on est pas chez nous ici!»), il écrit *L'alouette en colère* et *Un soir de février* qu'il reprendra lors du spectacle mémorable de la Superfrancofête avec Vigneault et Charlebois (1974, disque double: *J'ai vu le loup, le renard, le lion.*)

J'ai un fils dépouillé
Comme le fût son père porteur d'eau
Scieur de bois, locataire et chômeur
Dans son propre pays

L'alouette en colère

Le tour de l'île suit avec des chansons engagées (*Chant du patriote*), tendres (*Comme une bête*), drôles (*Les poteaux*), féministes (*Sors-moé donc Albert*), et surtout cet hymne, la chanson-titre:

L'île c'est comme Chartres
C'est haut et propre avec des nefs
Avec des arcs, des corridors
Et des falaises

Le tour de l'île

Un peu comme pour Vigneault, peu suivront ses pas mais tous lui seront redevables: Leclerc a ouvert les chemins de la chanson authentique d'ici. Monique Miville-Deschênes, rare poétesse à l'envergure félicienne, lui rendait hommage en 1994 et 1996 dans son spectacle *Sors-moé donc Albert* qui présentait des textes inédits du sage de l'Île d'Orléans.

Il le dira lui-même: quand Félix reprendra *Le phoque en Alaska*, Michel Rivard sentira qu'il se situe dans une continuité. Bien qu'il ait le talent de ceux qui écrivent des grandes chansons — *Le retour de Don Quichotte, Je voudrais voir la mer, L'inconnu du terminus* — Rivard aura tendance à privilégier la simplicité, ce qu'il appelle la naïveté. L'esprit de *Bozo* n'est pas loin. Déjà au sein du groupe **Beau Dommage** il a le tour de recréer une ambiance, un tableau, un instant fugitif: «*Dans l'escalier de ton appartement/Ta main cherchait ta clé en tremblant/ Les voisins d'à côté criaient/Tout de suite on est entré*» (Chinatown).

Michel Rivard.
C'est d'abord au sein du Groupe Beau Dommage qu'il se fait remarquer. Sa chanson La complainte du phoque en Alaska *devient vite un classique que Félix Leclerc reprendra par la suite — tout un hommage. Rivard sait se renouveler tout en restant fidèle à lui-même. Tantôt poète naïf, tantôt sacripant, il est un bel exemple de l'artisan d'une chanson authentique et de qualité. (Photo: Victor Pilon)*

Rivard ne perdra pas cette touche unique. Aussi le grand public se reconnaîtra-t-il dans ces pièces-clin d'œil: *Oh petits enfants, Je suis un sacripant, La p'tite vie*:

> On a beau faire nos têtes enflées
> Dans une panne d'électricité
> Tout le monde au monde a peur
> De rester pris dans l'ascenseur

Certainement une source majeure de la chanson, le chansonnier/guitariste/ comédien est comme un ruisseau qui zigzague mais suit fidèlement son cours. Bien qu'il ait chanté la désillusion, il n'a pas renié ses idéaux, il n'a pas non plus cessé de peaufiner son art, soit en suivant les courants de la modernité quand il le fallait, soit en l'épurant à la manière de ses maîtres qu'il a d'ailleurs chanté (Brassens et Leclerc).

> Ailleurs le monde est en hiver
> Les cœurs se gèlent
> Et se déchirent contre le fer
> Petit homme tu dors et moi je veille
> Il n'y a pas que des lapins blancs
> Au pays des merveilles
>
> ***Petit homme***

Claude Léveillée, l'auteur de *Frédéric* et *Des vieux pianos* est, en 1976 lorsqu'il chante sur le Mont Royal aux côtés de Vigneault, Ferland, Charlebois et Yvon Deschamps (disque *1 fois 5*), un grand ambassadeur culturel. On l'entendra la même année pianoter et harmoniser sa voix avec celle de Leclerc sur l'album double *Le temps d'une saison* capté sur le vif au Théâtre de l'Île d'Orléans. Il a représenté le Québec en Pologne, en Russie, aux États-Unis, au Japon, en Belgique et en France où il a déjà travaillé avec Piaf. Grand pianiste autodidacte, chanteur/crieur généreux sur scène et poète idéaliste, Léveillée ressemble à un chevalier de la liberté éperonnant une Amérique imaginaire, brûlant de refaire le monde les yeux fixés sur une étoile à l'image de celle qui est accrochée à son cœur. La symbolique du cheval et de l'étoile occupe d'ailleurs une large place dans son répertoire. Écoutez sa «cavalcadence» dans *L'étoile d'Amérique*; entendez-le piaffer et s'emporter dans *Ce matin un homme*, sa besace déborde:

Toi tu me dis: «J'ai plaidé pour la justice»
Moi je te dis qu'il fallait se faire métis
Toi tu me dis: «J'ai puni les anarchistes»
Moi je te dis qu'il fallait se faire sudiste

L'école féconde des chansonniers lèguera nombre d'airs mémorables: *La complainte de la Manic* de Georges Dor, *Le plus beau voyage* de Claude Gauthier, *Un nouveau jour va se lever* et *Amène-toi chez nous* de Jacques Michel, *Vivre en ce pays* de Pierre Calvé, *Le frigidaire* (chanté par Paul dit Tex Lecor) et *Acadiana* de Georges Landford, *Le début d'un temps nouveau* et *Le temps est bon* de Stéphane Venne, (interprétés par Isabelle Pierre et Renée Claude respectivement), *Les aboiteaux* de Calixte Duguay...

La génération folk & rock

Aux alentours de 1973-1974 naîtra une nouvelle vague de musiciens dont la sensibilité est marquée par le courant folk-rock anglo-américain. Toute une jeunesse se reconnaîtra dans cette génération de ménestrels qui aiment laisser parler la musique autant sinon plus que les mots eux-mêmes. C'est le cas du groupe **Harmonium**. Étiquetté «folk progressif» lors de son bref passage en Californie, l'ensemble mené par le barde doué, Serge Fiori, obtient au Québec un succès phénoménal de 1974 à 1978. Car **Harmonium**, qui baigne dans l'air du temps, c'est de la musique et encore de la musique: planante, enivrante, à la limite de l'improvisation. Les mots eux-mêmes sont musique, peu littéraires, approximatifs, ils évoquent l'évasion, une naïve quête du vrai, une délivrance des conformismes suffocants de la société: «*J'viens d'sauter dix pieds dans les airs/J'vais me r'trouver comme un fou sur terre*» (*Comme un fou*). C'est l'atmosphère transcendante (l'élément air ici est dominant; l'harmonium n'est-il pas un instrument à soufflerie?) qui compte: «*Comme un sage/Monte dans les nuages/ Monte d'un étage/Viens voir le paysage/Laisse-moi voir ton visage*» (*Comme un sage*, disque *L'heptade*). Fiori quittera la scène pour se consacrer à sa musique là où il est le plus à l'aise, dans le studio. Vingt ans plus tard une autre génération, sans doute à la recherche elle aussi d'une cinquième saison, nourrira le culte **Harmonium**. Le grand public, lui, se rappelle de cette jolie aria: «*Pour un instant j'ai oublié mon nom/Ça m'a permis enfin d'écrire cette chanson*» (*Pour un instant*).

Inventeur d'un folk-rock québécois — brillamment harmonisé vocalement — aux accents country et aux relents parfois beatlesques, le groupe **Beau Dommage** (interjection archaïque qui signifie *certainement*) a avec **Harmonium** quelques points en commun: il jouit d'une popularité exceptionnelle (le premier disque se vend à 300 000 exemplaires), rejette le star-système à l'américaine, et nourrit une certaine idée du pays à faire. Cependant **Beau Dommage** se différencie sur un plan, celui de l'écriture. Elle est aux antipodes de l'univers du créateur de *Lumières de vie* et *Histoires sans paroles*. En effet, on pourrait presque qualifier de montréaliste la poésie — plus rigoureuse — de **Beau Dommage** tant elle décrit par le détail la ville, le quotidien, l'ordinaire: «*M'as prendre le métro jusqu'à Beaubien*» (*Tous les palmiers*), «*J'ai dans la tête un vieux sapin, une crèche en d'sous/Un saint Joseph avec une canne en caoutchouc*» (*23 décembre*), «*Pogné à écouter la t.v. du voisin d'à côté*» (*Assis dans' cuisine*), «*La pluie tombe tranquillement sur l'asphalte noire du stationnement*» (*Motel «Mon repos»*), etc. Le quintette dira les p'tits bonheurs et les blues de la métropole mais aussi la tendresse (*J'ai oublié le jour*) et le profond mal de vivre (*Un incident à Bois-des-Filions*). Les Québécois fredonneront encore longtemps, comme en famille, ces airs simples et chaleureux: *Harmonie du soir à Châteauguay*, *Tous les palmiers*, *Ginette*, etc.

Loin de l'asphalte noire mais proche de l'esprit félicien, le chant des jumeaux Richard et Marie-Claire Séguin, recèle une innocence qui finit par ressembler à de la sagesse. Leurs textes véhiculent des préoccupations qui sont aujourd'hui d'une brûlante actualité: l'acculturation des Amérindiens, le viol de la nature, la paix planétaire. Cette lucidité n'est pas fortuite, les Séguin ont le sens d'une appartenance profonde. Non seulement chantent-ils Raôul Duguay (*Les saisons*), Leclerc (*Le train du nord*) et Vigneault (*Chanson démodée*), mais ils sont enracinés dans la Terre-mère (*Prière à la terre*), dans le passé amérindien (*Génocide*), dans le folklore (*V'la l'bon vent*) et dans la chanson médiévale (*Alison*)... Guy Richer et Francine Hamelin seront de précieux paroliers. L'arrangeur Richard Grégoire, cet alchimiste des sonorités acoustiques, créera une magie toujours prenante. La puissante voix de Marie-Claire atteindra sa cible: notre être entier, notre cœur, notre ventre et notre esprit. *L'homme du nord*, *Som Seguin* et *Les enfants d'un siècle fou* sont encore des chansons fortes:

> Nous sommes les enfants d'un siècle fou
> Et d'une terre patiente (...)
> Les enfants d'un grand printemps
> Et de milliers d'hivers

Le son folk et le folklore (de l'anglais *folk-lore*, science du peuple), auront la cote durant une bonne partie des années soixante-dix. Jim (Corcoran) et Bertrand (Gosselin) pratiquent un style inspiré du folk anglo-américain; Gilles Valiquette n'est pas loin du folk-pop des Beatles; les **Karriks** réinventent le genre chansonnier/folkloriste; J.-F. Lamothe se situe entre le folksinger Dylan et le poète Vigneault, et le Capitaine Nô entre le folk-blues et le rock; **Beausoleil-Broussard** d'Acadie mêle intelligemment reels et poésie moderne; **Breton-Cyr** redonne vie à la tradition a cappella; Jocelyn Bérubé modernise l'art du conteur; **Garolou** propose un traitement «rock symphonique» au répertoire ancestral; **Le Rêve du diable** ranime l'esprit de la fête; Alain Lamontagne redonne souffle à l'harmonica de nos pères; Zachary Richard nous emmène en Louisiane; Robert Paquette en Ontario du nord et **La Bottine souriante** amorce une démarche musicale des plus intéressantes.

C'est le violoneux Monsieur Pointu — qui a déjà accompagné Gilbert Bécaud — qui s'enflammera dans l'inoubliable *La bitt à Tibi* de Raôul Duguay. Duguay n'est pas folkloriste, il est inclassable. Ce philosophe doué d'une extraordinaire voix et d'une rare imagination ressemble à un arbre qui a des racines partout et dont les branches chatouillent le ciel. Prophète («& *voici que l'ôeuf se fend* & *que sôn fruit est l'ère de l'amôur*»), explorateur de sons («*ô cacôphônie le chaôs de cris qui éclattt*»), véritable chantre («*dônne-nous chaque jôur de ne jamais chôisir celui celle qu'ôn aime*»), poète de la Renaissance («*milll hirôndelll ritôurnell le cielll*»), l'inventeur du mot Belgik, comme le dit affectueusement son complice Julos Beaucarne, est un communicateur du cœur qui a du génie.

Le vôyage qu'il chante avec le poète Michel Garneau (ce dernier, qui a déjà donné la magnifique *Chanson d'amour de cul*, en a signé la musique) a la force d'un psaume, la beauté d'une prière, la grandeur d'un hymne: «*Tu marches au fônd de toi et derrière tes pas et tu ne bôuges pas seul tôn regard avance/La vérité (...) est une tittt pôignée d'eau de la sôurce.*»

Duguay, qui est aussi trompettiste, fréquentera les meilleurs orchestres novateurs de la décennie — dans la veine du collectif **Ville Emard Blues Band** et qui annoncent le «world beat» — tels **Maneige, Conventum, Toubabou et Contraction.**

De leur côté les quatre musiciens chevronnés qui forment **Octobre**, réussiront un notable tour de force en mariant chanson, rock progressif, jazz fusion et funk. On ne peut, en vérité, imaginer meilleure représentation musico-lyrique du dur désir de durer — cet hurlement à travers la nausée — dans l'enfer moderne des villes. Suivre le rythme d'**Octobre**, c'est traverser la nuit noire «comme de l'huile» de la jungle urbaine. Il faut préciser ici que la rage de vivre et la rébellion sont bien articulées: quand le compositeur/claviériste Pierre Flynn s'en prend à la maudite machine à casser, au son de la fanfare des klaxons ou à l'étouffement dans nos murs pâles, on peut être assuré que l'énergie musicale qui l'accompagne transmet exactement le même message. L'accord qui unit les quatre musiciens s'appelle intensité. Le flot d'images et de mots portés haut et fort par Flynn sait peindre le malaise dans la cité — *Les vivants, Dans ma ville, La maudite machine* — tout autant que l'autre pôle, l'envers de l'univers affolé: l'ailleurs, la chaleur, la femme. Mais qu'il soit question de romantisme ou de survivance, le ton dominant est le rouge — le mois d'octobre au vingtième siècle, si l'on songe à la Révolution russe et à la crise provoquée par le FLQ en 1970, n'est-il pas associé à cette couleur? Après la dissolution du groupe en 1981, Flynn entamera une carrière solo (*Le parfum du hasard*, 1987; *Jardins de Babylone*, 1991) et composera pour des troupes de théâtre et de danse ainsi que d'autres artistes tels Louise Forestier et Johanne Blouin.

«*Je chante comme un coyote debout entre deux dunes dans le désert des villes*» chantera feu Gerry Boulet, du groupe **Offenbach,** sur *Traversion* (1978), un classique du corpus de rock-blues québécois. **Offenbach** offre en effet une musique bétonnée sans pareille marquée par le cri rauque et puissant surgi de la gorge du plus grand chanteur de blues en Amérique francophone. Le «band» de Boulet aurait pu se contenter de conter des histoires simples de rockers, il a su choisir des auteurs pertinents: Pierre Huet (*Je l'sais ben, Je chante comme un coyote*), Gilbert Langevin (*La voix que j'ai*), Pierre Harel (*Faut que j'me pousse*),

Plume Latraverse (*Pauvre mari*), Michel Rivard (*Seulement qu'une aventure*) et André Saint-Denis:

> Ayoye tu m'fais mal
> À mon cœur d'animal
> L'immigré de l'intérieur
> Tu m'provoques des douleurs
> Tu m'fais mal au cœur

Ayoye, Le blues me guette, Câline de blues, braillés par Boulet, mais aussi *Mes blues passent pu dans porte*, déchargé par Breen Lebœuf, sont des blues considérables qui marqueront nos cœurs comme autant de brûlures. Plus tard la voix d'écorché de Dan Bigras chantera — la facture est plus pop — Langevin (*Ange-animal*), Frank Langolff (*Tue-moi*) et Christiam Mistral.

Corbeau, formé d'anciens membres d'**Offenbach**, ira vers un style moins blues et plus tranchant avec la chanteuse Marjo. Pierre Harel quittera **Corbeau**, lancera son disque solo *Tendre ravageur* puis se joindra à **Corbach**. Il fait partie de la race des premiers rockers: les Amérindiens; indompté de l'âme, juste d'esprit et sincère de cœur; par son souffle nous parvient l'espoir du Nord. L'originalité de **Aut'chose** sera d'entendre Lucien Francœur — ses héros sont Jim Morrisson et Rimbaud — réciter sur des rythmes rock des poèmes urbains en joual. Michel Pagliaro — *J'entends frapper, Émeute dans la prison, Ti-bedon* — ne cessera pas de nous épater avec son rock solidement chevillé dans la tradition des **Rolling Stones** et Chuck Berry. Pagliaro: une référence dans le rock franco.

Rocker à ses heures — mais aussi à l'aise dans mille autres styles — Michel Latraverse se donne comme nom de plume... Plume. Et avec raison: il la maîtrise en éblouissant chroniqueur de «l'hostie de réalité» peuplée de bons à rien, crétins, assassins, malsains, éternels coureurs de dot, «robineux» fumeurs de pot, «freaks», «bums» et autres amis du démon. Ce mauvais compagnon, qui s'insinue comme le mal dans la sainte famille normale, est de la lignée des tendres anarchistes et des farouches individualistes: «*Pharisiens éborgnés/Grandes âmes corrompues/Publicains écorchés/Ou impuissants œillus*» sont des vers voisins du vieux Villon auquel il fait un clin d'œil dans *La ballade des caisses de 24*; «*Dans n'importe quelle maudite ville/Y a une trâlée d'imbéciles/Faite pour suivre leu' chefs de file*» fait écho à *Les imbéciles heureux qui sont nés quelque part* de Brassens. Comme ce dernier, Plume nourrit un amour pour les mots (*Tango pital*) autant qu'une compassion pour les exclus (*Les pauvres*), ses images nous émeuvent et nous chavirent:

Laissant pleurer des gouttes de sang
En chap'let sur la neige blanche
Elle gagna son appartement
S'enferma dans son avalanche

Fait d'hiver (ti-minou d'amour)

Et depuis ce jour malheureux
Dans le fond d'la cours du bon Yeu
Elle fouille encore dans les vidanges
En cherchant son costume d'ange

Gisèlle avec 2 L

Stephen Faulkner — jadis alias Cassonade — coécrira avec le prolifique Plume la succulente gaudriole *Jonquière*. Il est un musicien qui a de l'âme comme on dit en américain «to have soul». Il a dans le sang les meilleurs musiques d'âme d'Amérique: country, blues, soul, folk-rock, rock n'roll originel. Cowboy urbain, «guenillou» dans son cœur et exécutant ludique, Faulkner endisque peu. Il n'en est pas moins un écrivain de chansons inspirées et de haut calibre. Une force brute, une passion l'anime: «*Faut que j'chante, ou ben j'm'en vas mourir* (...) *Du moment que j'chante/J'suis comme une étoile filante/Y a pus rien pour m'arrêter*» (*Doris*); «*Brûlant comme un météore/Petite comète/* (...) *T'es tellement pressé de vivre/De partir sur ton orbite*» (*Le météore*). Qu'il soit assis à l'arrière du fourgon de queue, pardon, de la «caboose», ou au bout du quai, loin des galas et du fla-fla, l'auteur de *Si j'avais un char* et *Cajuns de l'an 2000* chante toujours avec une générosité poignante.

L'un des moments forts du Festival de musique traditionnelle de Montréal à l'automne 1975 (disque double *La veillée des veillées*), sera l'interprétation de la turlutte d'Antonio Bazinet par le groupe

Ruine-babines. Paul Piché se servira de cette même turlutte puissante pour la création de *Heureux d'un printemps*. Le parcours de Piché est celui d'un homme de parole et d'un porteur de paroles partagé entre deux pôles, deux pays: le politique et le personnel, l'engagement social («*Entends-tu la voix de tous ceux qui murmurent/Derrière le mur de ceux qui parlent trop fort*», *Nouvelles d'Europe*) et amoureux («*Pour te dire, pour me commettre/C'est que plus rien ne m'arrête*», *Cette lettre*). Entre «*On est pas maître dans nos maisons car vous y êtes*» (1978) et «*Non, c'est pas le bout de nos peines se tenir droit sans déployer*» 1993), on reconnaît un même appel à la justice, un même besoin de liberté. Homme de conscience (*Cochez oui, cochez non*), de cœur (*L'escalier*, *Car je t'aime*, *Avec l'amour*) et de courage (*Quand je perdrai mes chaînes*), Piché inspire et nourrit l'espoir d'un printemps possible à l'exemple d'un Vigneault.

Art populaire par excellence, la chanson durant les années soixante-dix aura largement contribué à donner aux Québécois une identité. Elle aura été à la fois miroir et catalyseur de leur émancipation. Les anglophones seront peu sensibles à cette voix. Cela mériterait une étude approfondie. La France, par contre, se montrera ouverte à cette autre façon de chanter l'Amérique, cette sensibilité ni tout à fait française ni tout à fait américaine. Pauline Julien, Charlebois, Vigneault et d'autres seront applaudis à Paris. Jean-Louis Foulquier, inspiré et impressionné par nos grands rassemblements (SuperFrancofête, la Saint-Jean sur le Mont Royal), lancera quelques années plus tard à La Rochelle les FrancoFolies.

Luc Plamondon est peut-être celui qui incarne le mieux ce nouveau rapport d'estime mutuelle entre la France et nous.

Versificateur sagace et sensible, il a fourni un nombre prestigieux de rimes à des artistes des deux côtés de l'Atlantique: Diane Dufresne, Petula Clark, Renée Claude, Catherine Lara, Céline Dion, Barbara, Françoise Hardy, Julien Clerc, Diane Tell, etc. Avec le compositeur français Michel Berger, il se fera librettiste. Ensemble ils monteront l'opéra-rock *Starmania*. Cette œuvre lyrique contemporaine sera reprise plusieurs fois et même adaptée en anglais. Les succès *Le monde est stone*, *La complainte de la serveuse automate*, *Le blues du businessman*, *Les uns contre les autres* et *Les adieux d'un sex-symbole* sont tous des titres extraits de *Starmania*. En 1990 Berger et Plamondon récidivent avec l'opéra *La légende de Jimmy*. Ardent défenseur des droits d'auteur, l'apport immense de Plamondon à la chanson mérite toute notre reconnaissance et tout notre respect.

La chanson au féminin

Monique Leyrac enregistre son premier disque en 1949. Grande professionnelle de la chanson, voici une artiste exigeante qui a du métier. Son interprétation sublime de *L'hiver* (Vigneault-Léveillée), sa participation sur le dernier disque de Leclerc (*Chanson de femme d'autrefois et d'aujourd'hui*, l'air est country, le thème féministe), son interprétation des poèmes de Nelligan font, entre autres, de Leyrac une dame très digne de la chanson à la vocation presque pédagogique. Tout comme cette dernière, Renée Claude a donné une voix aux meilleurs auteurs d'ici et de France. Elle chantera d'abord Stéphane Venne, Michel Conte (*Shippagan*) et Plamondon mais touchera une corde sensible lorsqu'elle rendra hommage à Clémence Desrochers. Elle se révélera dans toute sa splendeur quand elle s'attaquera au répertoire de Ferré et de Brassens, qu'elle n'a jamais quittés. Par leur passion et leur sens de l'excellence Leyrac et Claude ont apporté à l'art lyrique populaire du Québec ses lettres de noblesse.

Pauline Julien, qui grave son premier 45 tours en 1958, commencera par remanier quelque peu les textes qu'elle choisit pour finalement devenir elle-même auteure. Ceci marque non pas une évolution mais une sorte de révolution qui est loin d'être terminée. Il faut beaucoup de courage pour être artiste dans une société qui se déshumanise, il faut quelque chose de plus si on est femme. Dans un monde d'hommes — business ou show-business — vouloir prendre sa place, quand on est femme, demande qu'on en mette deux fois plus: talent, effort, détermination, foi, etc. Plusieurs chanteuses qui sentiront le besoin de se dire elles-mêmes seront découragées par les avis professionnels — au masculin bien sûr. Le plus sensible des poètes ne saurait écrire «*J'écoute dans mon sang*» (*Je veux tourner la terre*, Suzanne Jacob) ou «*Je sens la terre/Que c'est drôle de la porter en-dedans*» (*Au cœur de vous*, Marie-Claire Séguin, Hélène Pedneault). La plupart diront qu'elles écrivent avec leur corps, leur ventre, ou alors elles laissent parler l'inconscient. Leur rapport à l'acte de chanter est très proche de celui qu'entretient la comédienne avec son corps. Plusieurs d'entre elles d'ailleurs sont comédiennes. C'est le cas de Pauline Julien qui a été une pionnière. Bien qu'elle n'endisque plus depuis 1985, son œuvre demeure la plus audacieuse de toutes: «*Danser avec mon amie d'fille/L'empoigner entre mes bras/Sentir monter le sensuel/Et aimer ça à part de ça*» (*J'pensais jamais qu'j'pourrais faire ça*). Avec sa complice Denise Boucher, elle se permettra même de déjouer les règles grammaticales afin de trouver une manière propre aux femmes de se dire. L'engagement politique puis féministe de Julien a été total. Elle a chanté Ducharme (*Déménager ou rester là*), Vigneault (*La Corriveau*), Tremblay (*La croqueuse de 222*). Il est incompréhensible que l'auteure de *L'âme à la tendresse* n'ait pas participé aux grands rassemblements des années soixante-dix aux côtés de Vigneault, de Charlebois et des autres.

L'Acadienne Angèle Arseneault, dans un tout autre registre, simple, directe, enjouée, dans un esprit très proche de celui de La Bolduc, ne cessera pas de parler aux femmes des femmes. Elle a peut-être, mine de rien, transformé bien des vies par ses histoires conjuguées au quotidien: «*Où sont mes bas et mes pantalons/Tu t'occupes plus de la maison/* (...) *Et c'est comme ça qu'ils parleront*» (*Ah! Ah! les hommes*), «*Je ne peux plus passer mes années/À me dire qu'un beau matin/Tout cela va changer, non/Je veux laisser mon nom/Je veux faire quelque chose/Quelque chose de ma vie*» (*Je veux laisser mon nom*). L'humour sera son arme, l'amour sa quête. Il y a chez elle un sens du sacré qu'on retrouve peu ailleurs sauf chez Marie-Claire Séguin, Jacqueline Lemay et chez Chantal Pary. Elle signe toutes ses chansons. Certaines ont récolté un énorme succès (*De temps en temps moi j'ai les bleus, Je veux toute, toute, toute la vivre ma vie*). En 1994 elle propose *Transparente* — titre qui lui sied à merveille — qui dévoile une femme qui s'interroge profondément sur le sens de la vie et la folie de l'homme en cette fin de millénaire.

Angèle Arseneault.
La chanson québécoise a été marquée par plusieurs non Québécois tels Michel Conte, Daniel Lavoie, Zachary Richard, Robert Paquette, Édith Butler et Angèle Arseneault. Cette dernière, d'Acadie, a su rejoindre et peut-être même changer la vie de plusieurs femmes durant les années soixante-dix. Sa manière simple et enjouée d'exprimer son féminisme rappelle celle de La Bolduc. (Photo: Yves Renaud)

On l'appelle Clémence. Fille du poète Alfred DesRochers (*À l'ombre de l'Orford*), l'auteure de *Je ferai un jardin, La vie d'factrie, La robe de soie*, est d'abord connue comme monologuiste. Au début des années 1960, avec Monique Miville-Deschênes, Christine Charbonneau et Jacqueline Lemay, elle fait partie de celles — rares et courageuses — qui chantent leurs propres textes. Si par ses monologues elle a le don de démasquer et démystifier nos travers, elle sait dans ses chansons rire d'elle-même (*La femme accordéon*) mais surtout communiquer une tendresse infinie: «*Nous regarderons pousser les fleurs/ Les légumes et les fruits/Avec la foi des tout-petits*» (*Je ferai un jardin*); «*Y a l'été qui sent l'automne/Plus sa grosse voix qui fredonne/Plus le bruit du bois qu'on fend: Un silence triste et lent*» (*Full day of mélancolie*). *L'amante et l'épouse* chantée avec Marie Michèle Desrosiers est déchirante de beauté. Renée Claude, dans un spectacle qu'elle présentera dans les années 1980 et 1990 intitulé *Moi, c'est Clémence que j'aime le mieux*, rendra hommage à Clémence qui déplore que «*La radio m'joue pas j'ai pas l'son*» (*Le monde aime mieux Mireille Mathieu*). Il ne faut pas s'étonner de l'amnésie culturelle d'un peuple quand les radios effacent des pans d'histoire à coups de «ça n'entre pas dans notre son».

Avant Marjo et Nanette Workman mais après Jenny Rock, Louise Forestier a chanté du rock. C'était avec Charlebois dans *l'Osstidcho*. Elle entamera une carrière solo où elle se démarque par un son folk-rock (*Les bûcherons, La prison de Londres*) un peu à l'image du Québec des années 1970. Déjà elle signe ou cosigne plusieurs textes de son répertoire qui signalent une auteure très près de ses tripes («*Dans la chapelle ardente/Au jardin de mon ventre*», *Plainte d'amour*), soucieuse d'un langage qui soit vrai («*Je parle mal la mécanique/De leurs robots/Je parle en "moi"*», *En flèche et en pourquoi*). Celle qui dans *Starmania* sera Marie-Jeanne s'affirmera durant les années 1980 comme l'une des grandes interprètes passionnées du Québec et comme une écrivaine maîtrisant avec maturité la parole féminine. En font foi *Alerte, Junkie Lady* mais surtout *Le diable avait ses yeux*: «*J'ai excusé ses relents d'adolescence/Sous l'oreiller j'ai caché mon impuissance/ J'ai acheté son amour sans la tendresse/Et j'ai vendu mon cul à ses caresses*». Dans son tour de chant *Vingt personnages en quête d'une chanteuse* (1993 — disponible sur disque), elle démontrera toute l'étendue de son talent. Plusieurs chanteuses, en effet, savent se faire valoir pleinement sur scène avec un accompagnement minimal. On l'a constaté chez Sylvie Tremblay (*Caprices et classique* et *Viens on va se faciliter la vie* avec Hélène Pedneault) et Marie-Claire Séguin.

Il y a chez Marie-Claire Séguin un sens de l'appartenance, de la responsabilité et de la spiritualité qui rappelle beaucoup Félix Leclerc. Son disque en spectacle (1995) porte d'ailleurs le titre d'une de ses chansons: *Présence*. On la surnomme la Diva sauvage. Sa voix, pure et puissante, est tout aussi à l'aise dans des incantations amérindiennes que dans des airs bluesés ou français. Parfois auteure mais surtout compositeure, on peut parler ici d'une artiste qui sculpte une œuvre dévoilant la femme, l'humaine, l'être essentiel dans toutes ses dimensions. Dès son premier disque solo (1976) elle annonce sa quête: «*J'arrive au bord d'un grand torrent (...) /Je prends mon corps comme une offrande*» (*Premier jour*). Plus tard *Longue lune* chantera les menstruations; *Un ange en exil* traitera de la mort; *Passez messieurs* déshabillera les hommes; *Du pain et des roses* sera un appel à la solidarité des femmes, etc. Avec *Présence* — dépouillé et pourtant si fabuleusement riche — Marie-Claire Séguin se révèle comme une grande éveilleuse de conscience. Par sa voix pleure la terre, murmure l'enfant, s'amuse la diva et s'élève l'âme: «*Déesse de vie, je te salue Marie/Le creux de ton corps appelle l'aurore*» (*Mater Maria*).

On retrouvera la signature de l'écrivaine Hélène Pedneault sur plusieurs titres de Marie-Claire Séguin et quelques-uns de Sylvie Tremblay. Cette dernière crée toutefois la plupart de ses pièces (*Le fil de lumière, Du feu au fond de moi, Je chanterai pour elles*) depuis qu'elle enregistre (1983). Il y a chez Tremblay un alliage fin de technique — cette voix qui monte en volute et nous envoûte —, d'émotion et d'intelligence. Plusieurs, comme elle, surtout à partir des années 1980, auront, c'est le cas de le dire, leurs mots à dire: Louise Portal («*Corsets trop serrés/Les pieds emprisonnés/Cette histoire infâme a assez duré*», *Histoire infâme*); Joe Bocan («*Personne ne devrait mourir/Sans qu'on ait vu leur sourire*», *Les femmes voilées*); Fabienne Thibault («*Tant de voix qui se parlent/Sans jamais se toucher*», *Femme-musique*); Marie-Denise Pelletier («*T'as la tête remplie d'histoires préfabriquées*», *T'es pas Brando*) et d'autres telles Geneviève Paris, Sylvie Paquette, Marie Michèle Desrosiers, Francine Raymond, etc. Marjo sera une ouvreuse de chemins autant par son énergie mordante (côté rock) que ses mots à fleur de peau (côté folk). Le style simple et personnel de l'auteure de *Chats sauvages* saura parler au cœur de milliers de jeunes qui se reconnaissent en elle: «*Elle vit sa vie/Impoésie/Elle vit sa vie sans savoir la respirer*». France D'Amour et Laurence Jalbert reconnaissent en elle une chef de file. Elles recevront elles aussi des témoignages d'admiratrices disant leur gratitude d'exprimer ce qu'elles vivent: «*Je l'ai vu dans leurs yeux/L'envie folle de te faire du mal/De te blesser/Je les ai vus t'arracher/Ce qui restait de ton âme et de tes poupées*» *Encore et encore*, L. Jalbert).

Une des particularités de l'écriture féminine est qu'elle a tendance à d'abord chanter le «je»; elle part du particulier avant d'aller vers le général. Diane Dufresne commencera par assumer son «je» grâce à la plume de Plamondon: «*J'ai la cervelle/Qui s'envole/Je monte au ciel/ Sur les ailes/Du rock n'roll*» (*J'ai vendu mon âme au rock n'roll*); «*J'entreprends un long voyage de lumière*» (*L'exécution*). Il y a des artistes qui sont entiers, leur soif d'amour est absolue, ils reçoivent la vie comme une bombe et la redonne comme une bombe. Ils ont le sens cathartique et sacré de la scène où se jouent nos tragédies et nos fantasmes les plus secrets. *Tiens-toé ben j'arrive* — le titre du disque qui l'a lancée en 1972 — résume bien la volonté de cette showwoman complète. «Somewhere over the rainbow» entre Marilyn et Rimbaud, la cantatrice électrique ne cessera pas de repousser les limites de son art, et sur scène et sur disque. De *La chanteuse straight* à *Délinquante* en passant par *J'ai douze ans* et *Seule dans mon linceul*, on peut mesurer l'extraordinaire chemin qu'elle a parcouru. En 1993 — avec l'aide de la musicienne Marie Bernard — elle enfante *Détournement majeur*. Tous les textes sont d'elle. À son tour, elle écrit ce qui lui chante: «*Cette fois c'est moi qui cherche les mots/J'prends l'émotion qui sort du ventre/ Ou je l'invente/Je ne fais plus ce qu'on attend de moi*» (*J'écris ce qui me chante*). La Dufresne exprimera toute sa rage contre les fausses valeurs et la mesquinerie de cette société malade. La Diane d'Amérique est ici au sommet de son art. La musique la porte puissamment. Avec des titres comme *Cendrillon est au coton* et *Les scélérats*, on ne peut s'empêcher de faire un rapprochement avec les deux grands Jacques: Brel et Higelin. Diane Dufresne: une artiste vraiment totale.

Diane Dufresne.
Une des caractéristiques de l'écriture féminine est qu'elle a tendance à d'abord chanter le «je». Bien que Diane Dufresne ait chanté superbement des grands textes de Luc Plamondon, elle donnera toute sa mesure lorsqu'elle décidera de défendre ses propres chansons, à assumer son «je» — une démarche fondamentale chez plusieurs chanteuses au Québec depuis Pauline Julien.

Créatrice de la plupart de ses chansons aux relents souvent romantiques, aux accents parfois brésiliens et aux rythmes du jour, Diane Tell — *Si j'étais un homme*, *Savoir*, *Gilberto* — pourra se vanter de mener une belle carrière autant en France qu'en Nouvelle-France. L'Acadienne Edith Butler ne perdra jamais son exubérance sur scène — ce qui séduira les Français — en présentant une musique enracinée, de plus en plus riche et actualisée où se mêlent les two-steps louisianais, la turlutte acadienne et les accords folks. Avec l'aide précieuse de la parolière Lise Aubut, Butler sera l'une des rares chanteuses à savoir toucher le cœur des Français d'Amérique, de Lafayette à Caraquet.

Détermination, maîtrise vocale et grosse artillerie d'offensive promotionnelle feront de Céline Dion la première Québécoise à faire danser la planète et même, à l'occasion, à damer le pion à certaines stars américaines. Ce n'est pas un mince exploit.

Bien qu'elle se confine la plupart du temps au genre pop, Ginette Reno demeure l'une des plus grandes voix de ce pays. Elle a quelque chose d'universel — les gens l'arrêtent dans la rue pour lui déclarer leur amour — et peut avec conviction s'attaquer à un rock, moduler un blues ou «scatter» un jazz. D'abord interprète, elle cosigne son succès *J'ai besoin d'un ami*. Diane Juster, cette *aci* intense et romanesque, lui prêtera cette chanson-aveu dont Reno fera son hymne personnel: «*Mais moi je ne suis qu'une chanson/Je ris je pleure à la moindre émotion/*(...) *Ni plus ni moins qu'un élan de passion/*(...) *Je donne l'amour comme on donne la raison*» (*Je ne suis qu'une chanson*).

Les années quatre-vingt

Au début des années 1980, entre la déprime post-référendaire et la récession économique, la montée des valeurs de droite et la désertion des «majors» (les multinationales de l'industrie du disque) du marché québécois, la deuxième invasion britannique (punk et new-wave) et la nouvelle chanson française (Higelin, Renaud, Lavilliers), la chanson québécoise aura l'air perdu, sinon k.-o. On parlera désormais de produit francophone, de contenu canadien exigé par le CRTC, d'industrie culturelle subventionnée par l'État, de son formaté pour la radio commerciale (lire: mercantile; commercer veut d'abord dire avoir des relations sociales) et autres réalités d'où la poésie aura franchement foutu le camp. Pour l'audace et l'imagination il faudra aller voir du côté de la danse contemporaine et du théâtre expérimental. Le grand public, lui, choisira les humoristes. Le temps sera à la consolidation d'acquis encore fragiles et à une réorganisation de l'industrie à partir de pouvoirs locaux. C'est ici que l'ADISQ, par exemple, fondée en 1978, trouvera toute sa raison d'être. Claude Dubois, qui a commencé à chanter à la fin de la période des boîtes à chansons (*J'ai souvenir encore*), se bâtira petit à petit une notoriété avec des airs parfois pop, parfois rock ou même reggae, souvent repris dans les fêtes chantantes: *Comme un million de gens*, *Besoin pour vivre*, *Artistes*, *Femmes de rêve*, etc. Il chantera dans *Starmania Le blues du businessman*. Il se distinguera comme l'une des figures dominantes de la chanson pop à partir de 1982 avec des titres comme *Plein de tendresse*, *Femmes ou filles* et plus tard *Lettre à l'univers*.

Troquant la blouse indienne pour la veste de cuir, Richard Séguin s'inscrira en francophone nord-américain; et il sera un habile artisan de «tounes» bien tournées dans la tradition des Springsteen, Mellencamp et Tom Petty. Comme eux il sera fils spirituel de Woody Guthrie en prenant la défense des gens ordinaires, des travailleurs, des laissés-pour-compte. *Double-vie*, *J'te cherche*, *Ici comme ailleurs*, *Journée d'Amérique*, *L'ange vagabond* et d'autres titres propulseront Séguin à la tête des palmarès et des vedettes en demande de par toute la province et ailleurs.

Le Franco-Manitobain Daniel Lavoie, qui connaît des débuts discrets à la fin des années 1970 avec des ballades mélancoliques et attachantes comme *La vérité sur la vérité*, *Dans l'temps des animaux* et *Berceuse pour un lion*, frappera fort en 1984 avec son 33 tours *Tension Attention*. Outre la chanson titre on y retrouve l'hypnotisante *Ils s'aiment* (collaboration avec l'auteur Daniel Deshaime) qui traversera les frontières et se vendra à plus de deux millions d'exemplaires. On a dit de ce disque qu'il fût le premier à concurrencer les méga-productions américaines. Lavoie indique donc une nouvelle voie à suivre pour la chanson francophone surtout si elle veut survivre à l'ère de Michael

Jackson. *Vue sur la mer* (1986), avec ses synthétiseurs et ses rythmes programmés, présente des chansons bien construites (*Je voudrais voir New-York*), parfois cinglantes: «*Ferdinando Marcos a une villa sur la mer/Aurait-il lu Machiavel pour faire de si bonnes affaires*» (*La villa de Ferdinando Marcos*). Excellent claviériste, l'auteur de *La danse du smatte* ira par la suite vers des pièces plus introspectives, spirituelles ou aériennes mais toujours solides et recherchées.

Jim Corcoran, cet anglophone francophile qui avec brio s'amuse avec la musicalité des mots de Molière, surprendra agréablement avec ses chansons rythm & blues et pop-rock réalisées avec finesse dans les studios de Memphis.

Aux alentours de 1986 on sentira un nouveau vent souffler. C'est l'année du premier Coup de cœur francophone organisé par les gens de la revue *Chansons*; Musique Plus, la première télé à présenter des vidéo-clips en français (25 % de son contenu) entre en ondes; les concours Rock-Envol et L'Empire des futures stars, parrainés respectivement par la SRC et CKOI, permettent à de nouveaux talents pétant le feu de se faire valoir (**Les Taches, Vilain Pingouin, Laymen Twaist**). Luc De Larochelière, qui a passé par le Festival de la chanson de Granby, prouve avec *Amère América* que le français n'est pas démodé et qu'il y a une génération montante dans la suite des Paul Piché et Richard Séguin. Jean Leloup injecte du sang neuf («*Les sorcières et les loups/Ont pris une partie de mon âme*»), de la folie («*Les petites culottes c'est le bonheur*») et une saine révolte («*Je sais où les trouver ces salauds/Y aura du sang dans leur bureau*») à une industrie devenue par trop sage et prudente. Enfin, apparaîtra le disque audionumérique qui, paraît-il, aurait un son plus «pur»... À la fin de la décennie Gaston Mandeville posera avec pertinence la question *Où sont passés les vrais rebelles*: «*On était beaucoup au départ/Très peu à l'arrivée/S'ils se sont perdus quelque part/C'n'est pas moi qui va les chercher*».

Les années quatre-vingt-dix

La force, la grandeur de la chanson — voire l'avantage qu'elle a sur les autres formes d'art — est qu'elle se définit comme l'art du commun. C'est son rôle. Elle n'exige pratiquement pas d'initiation. Elle est la culture de l'homme sans culture, ultimement la voie d'expression du peuple. L'industrie ou les élites auront beau tenter de lui imposer leurs goûts, toujours surgiront des voix qui sauront toucher le cœur et la conscience de la majorité, en ceci défiant les lois du marché et de l'esthétique. 1990 semble indiquer un moment d'éveil important au Québec. L'accord constitutionnel du lac Meech mort et enterré, on sent renaître une nouvelle fierté nationale et avec elle un besoin de se reconnaître, de se dire. Apparaîtra — comme surgi d'une mine avec son casque de fibre sur la tête —, des entrailles du pays occulté, un Richard

Desjardins qui, dans une langue aux accents d'asphaltes et d'anarchie, abreuvera un vaste public soudain avide de cette eau jaillie d'un puits profond.

La popularité du groupe de musique traditionnelle **La Bottine souriante** procédera de ce même mouvement de retour aux sources, à l'inconscient collectif, à l'âme retrouvée. L'arrivée de Michel Faubert, présentant un répertoire de chants profondément inscrits dans la mémoire populaire, n'est pas étrangère non plus à ce phénomène nouveau tout comme l'explosion de jeunes ensembles rock et folk-rock qui ouvriront grandes les écluses de leurs fleuves intérieurs. On ne veut plus du toc. On veut du vrai stock. On croit ouïr en arrière-plan: «*Pis l'autre bord/Ça féraille/Ça s'décocrisse...*»

Platon aurait dit que «la musique n'est autre chose que la parole et le rythme, et le son en dernier lieu, et non pas dans l'ordre contraire»[2]. Cette conception rejoint l'esprit qui soufflait sur la chanson poétique des années soixante, et qui maintenant anime l'art de Richard Desjardins. Merveilleux conteur des bas-fonds sublimes où survivent les derniers expropriés de cette planète prise en otage par les nouveaux inquisiteurs et grand oiseau soliste des hauteurs d'ivresse vertigineuses, il a le souffle et la fougue d'un Ferré lorsqu'il forge ses fresques comme dans *Nataq et Akinisi*, où le Nord devient allégorie idoine pour mieux témoigner de sa déférence et de sa tendresse sans borne pour la Femme donneuse de vie et de chaleur. Inventeur d'un théâtre bourrés de «bums», de barbares et d'autres bouffons qui par leur bouche vomissent le pus de la vie et la vérité, ce paraboliste profane blasphème allègrement pour mieux marquer son courroux devant le viol du sacré. Fils de Villon et cousin de Dylan, frère des pauvres et ennemi juré de la loi de la compagnie («*Il faudra que tu meures/Si tu veux vivre mon ami*») et de la règle d'or («*Si tu as de l'or, tu fais la loi; et corollaire de cette règle, si t'as pas d'or, tu fais le nègre*»), on peut difficilement imaginer meilleur manieur d'images magnifiquement contrastées: «*Nous avons traversé des continents/des océans sans fin/sur des radeaux tressés de rêves/et nous voici devant vivants/fils de soleil éblouissant/ la vie dans le reflet d'un glaive*» (*Les Yankees*); «*Comment dormir dans un lit/Où t'as baisé des anges/Je sens monter la folie/Je descend dans le lounge*» (*...Et j'ai couché dans mon char*). Son sens aigu du drame ne l'empêche cependant pas de se servir avec maestria de l'arme des faibles, l'humour: «*In God we trust, others pay cash!*» (*Miami*). Suivant!

«And now ladies and gentlemen: John The Wolf». «Hooligan» et Nelligan, verbo-rocker et fou du roi et même roi lui-même d'une nouvelle race d'affranchis d'un trop long esclavage, voici Jean dit Leloup né

[2] HOFMANN, Michel-R., *in Histoire de l'opéra*, Paris, Pierre Walefe éditeur, 1967, p. 6.

Leclerc toutefois sans la félicité du premier. Génial jongleur de mots — Brassens n'est pas loin — et d'images attrapées au vol en état d'apesanteur (lui, pas les images), par son hurlement lupulin et son cri nerveux la chanson retrouve ici tout son sens et sa bienheureuse et bienvenue délinquance. Jean le voyou avec son anarock et sa pop éclatée plus planétaire (reggae, rap, british, latin, etc.) qu'américaine, nous fait visiter le dôme, le manoir bizarre et la jungle maudite comme hier (le loup) Garou nous emmenait sur les ailes de Québec air, Transworld, Northern Eastern, Western... «*Je suis né à l'envers dans une maison bizarre/Une sorte de vieux manoir où rien n'est à l'équerre/Le plafond est par terre/Les escaliers tournants ne mènent nulle part*» (*Le castel impossible*).

Cette fin de millénaire est intenable pour les angoissés; et ne le sommes-nous pas tous? Le grand fatal, c'est d'être dedans. Notre fauteur trouble et saltimbanque pilleur de banques, n'est pas un autre annonciateur d'apocalypse universelle et personnelle, il en est un témoin exacerbé. Curieux comment le désespoir engendre les plus grands espoirs de la chanson... «*J'ai une épaule bourrée de pouvoirs/Il paraît qu'elle peut t'aider à pleurer dans le noir*».

Scat du Lac, babil habile, big band, be-bop, blues, mambo, rockabilly, boogie, shuffle, swing gitane, casserole fêlée et beaucoup d'et cætera et d'excitation: les **Colocs** déménagent. Entre la joute oratoire et la joute de hockey, la bande à Dédé Fortin déboule et débite ses fables comme dans une bande dessinée: du rock n'roll pour auditifs «buzzés» et visuels hallucinés. C'est ici que Bobby Lapointe rencontre Dizzy Gillespie; Oscar Thiffault côtoie Plume Latraverse dans cet esprit festif qui n'est pas étranger à celui de *l'Osstidcho*. Par leur langue, nos chambreurs sont ancrés dans le pays; par leur musique, ils sont en transformation constante. En fait, ils ouvrent de grands espaces de canalisation créatrice qui, soyons franc, manquait à notre culture chansonnière. Il y a une fraîcheur et une force qui se dégagent de ce «combo» contagieux, une originalité voire un mouvement qui porte un message sans ambiguïté: on étouffe dans votre société trop confortable, trop indifférente et trop embourgeoisée. Derrière la caricature, la danse à claquettes et le «capotage» de bon aloi, il y a un regard sévère, un propos critique, un certain sarcasme. Beaucoup d'intelligence. Les **Colocs**: surtout pas de la musique de chambre.

Les **French B** s'immiscent sur la piste de danse en techno-guérilleros efficaces. La technique de l'échantillonnage est au service de la conscience, de la mémoire, d'un renversement imminent: «*Ça viendra-tu d'en-haut/Ça viendra-tu d'en-bas/Ou par la violence/Ou l'innocence*». Dans tout ceci on retrouve l'esprit des chansonniers français du XIXe siècle, comme Béranger, qui se mêlaient de politique. À ce verbe véhément à la Gauvreau, à cet appel à l'ivresse à la manière de Rimbaud, on croit entendre en écho cette phrase célèbre de Claude Péloquin: «*Vous êtes pas tannés de mourir bande de caves*?»

La nécessité exige de plus en plus que l'art soit moins une transposition d'un état douloureux qu'une expression (on *ex*-prime ce qui est *im*-primé) urgente et directe d'un mal de vivre grandissant. Le rock devient soupape, planche de salut, torpille pour se protéger. **Les Mauvais quarts d'heure** en ont soupé des poètes sans message, de l'impôt et de son esclavage, de l'incapacité d'avancer, de ce cul-de-sac qui mène au suicide. Le rock primaire de **Banlieue rouge** crache une énergie fébrile, vocifère la colère des derniers combattants insoumis, des opprimés qui se lèvent. Leurs discours sont très bien articulés. Les (irrécupérables) **Secrétaires volantes**, avec fiel sur fond sonore brut, se moquent des artistes dont la mission devient une compromission. Le rock des **3/4 Putains** — guitare surf, influence de la chanson française — émet une certaine étrangeté. Leur langage est libidineux et sarcastique. On sent une fatigue, une tristesse devant la lourdeur de la vie, l'envahissement du pouvoir bourgeois chez **Les Parfaits salauds**. Leur musique poursuit une certaine tradition rock et folk. «*J'ai besoin d'air*!» crient-ils. Ils seront les joyeux accompagnateurs de Plume en 1996. On sent une base de rythm & blues dans le rock de **Possession simple**; on se laisse saisir par une sensualité et une irrésistible syncope musicales. Les arrangements dépassent les structures carrées du rock pour épouser les formes plus rondes du blues et du jazz. Ils résument le malaise: «*Les temps sont durs* pour *ma génération*», laquelle dispose de peu de lieux de diffusion, résultant d'une industrie sclérosée et peu ouverte.

Plus choyé, le quatuor **Zébulon** défend une sorte de néo-blues musclé à la québécoise. Vocalement, on sent une continuité avec les années 1970 (**Beau Dommage** avec des dents et des griffes). Une autodérison, une ironie et un humour fataliste marquent leur prose. *Job steady* et *Les femmes préfèrent les Ginos* sont de véritables bijoux. Les titres plus récents — *Casino*, *Adrénaline* — révèlent cependant une écriture plus noire, plus amère. Zébulon: à surveiller. **Les Frères à ch'val** donnent dans un folk urbain qui raconte dans une parlure plumesque des historiettes colorées: la vie, vue des hauteurs du Plateau Mont-Royal, comme une virée, un vagabondage. L'exubérant **Henri Band** fera l'inverse: du rock carrément rural. La réthorique de ces ménétriers de la région De Lanaudière sera toutefois plus caustique: on s'en prend à la bêtise humaine et à l'apathie devant la question nationale.

Mémoire et transmission

La mémoire n'est pas un grenier aux souvenirs; au contraire, elle est un rappel de nos origines. Le temps n'est pas linéaire, le passé n'est

Michel Faubert.
La chanson québécoise (et acadienne) n'est pas française que d'expression mais aussi d'appartenance. En actualisant leur son, Michel Faubert a redonné vie à des chants et des complaintes puisés dans le fond de la mémoire populaire qui remonte parfois jusqu'au Moyen Âge français. Sa propre écriture d'ailleurs, originale et très imagée, est marquée par cette quête. (Photo: Danielle Bérard)

pas derrière, il est là devant nous, présent comme un présent. Pour qui sait le retrouver il devient outil de connaissance de soi. S'il sait le transmettre il entre dans la tradition (du latin traditio: action de transmettre) des bâtisseurs de ponts, des passeurs et des initiateurs. Le chanteur de complaintes, conteur et *aci* Michel Faubert, sans jamais en altérer l'essence, offre une relecture — rock mâtiné de musique actuelle — du chant du monde. Le sacré et le profane, le fantastique et le banal, la vie et la mort, le carême et le mardi gras s'unissent ici en une danse où l'âme se reconnaît comme devant un miroir. Mémoire: miroir? Mais là ne s'arrête pas le labeur du chantre — ora et labora — car Faubert, à partir d'un imaginaire plus que millénaire, pose aussi sa pierre à l'édifice, et il invente son verbe: «*Levez les yeux/gens des villes et villages/pour voir voler/les revenants les damnés*» (*Sabbatique*).

Durant les années d'amnésie — *the eighties* — **La Bottine souriante** a battu la semelle dans le circuit folk nord-américain et européen. Ainsi — ô paradoxe — c'est loin du foyer que cette formation originaire de la région De Lanaudière (une pépinière de musiciens dits traditionnels) a pu se forger un style et redéfinir sa propre conception de la musique traditionnelle. Par la suite, **La Bottine souriante** a pu faire apprécier à la culture même dont elle est originalement issue — la québécoise —, la dense richesse de sa musique désormais métissée, modernisée. Par exemple la façon qu'a **La Bottine souriante** de greffer un reel à une chanson à répondre est tout à fait inédite. Le travail de recherche de l'orchestre ne s'arrête cependant pas là. Les formes traditionnelles sont ici élargies grâce à l'ajout d'éléments jazz. Le rythme de base subit un traitement latin qui incite à la transe...canadienne (Michel Faubert dixit). L'intégration des instruments à cuivre — presque jamais associés à la musique de gigue et de reel — apporte une coloration inusitée à la texture sonore. Le tout crée une sonorité musicale totalement neuve et originale qu'on peut nettement nommer québécoise. Cela manquait car des trois Amériques, il était plutôt difficile pour une oreille étrangère de reconnaître un rythme, un son qui nous distingue comme on reconnaît un son cubain, afro-américain, latino-américain, antillais, etc. Notre identité culturelle hier probablement trop diluée, ou oubliée voire déniée, retenait sans doute cette émergence. C'est enfin chose faite. Avec génie, un grand sourire et un vigoureux coup de talon.

Des îles de la Madeleine, **Suroît** suit une démarche parallèle à celle de **La Bottine souriante**. Le fond est à peu près le même: airs celtiques, chansons populaires françaises transplantées au XVIIe siècle et complaintes de marins. La forme toutefois évolue autrement car l'inspiration contemporaine provient davantage de l'Amérique rurale: country, bluegrass, two-steps louisianais, etc. Insulaires, leur imaginaire est plus marin; Acadiens, leur sensibilité rejoint un public plus français d'Amérique et de France que québécois. Musiciens virtuoses et eux-mêmes auteurs, les thèmes qu'ils abordent se font de plus en plus modernes. L'accordéoniste Danielle Martineau, avec un sens de l'excellence et une conscience sociale très éveillée, innove en combinant rythm & blues, zarico, two-steps cadiens et ballades. Le jeune groupe **La Galvaude** — dans le sillage de **La Bottine souriante** — renouvelle à sa manière la tradition tout comme Jean-François Bélanger, **Ni sarpe ni branche, Légende, La Volée d'castors** et plusieurs autres qui incorporent diverses influences folk plus récentes, ou rock. Avec le groupe rock **Groovy Aardvark** c'est l'inverse: il invite des membres de **La Bottine souriante** à chanter avec eux sur *Boisson d'avril.*

(«*Je suis d'Amérique et de France,*» Claude Gauthier)

La pop

Le premier chante dans une langue vernaculaire («*ciboire!*») et terre à terre un univers où la vie est comprise en termes dualistes; le second solfie dans les hauteurs avec un phrasé français («*juste ciel!*»), évoque un monde diffus, flottant, il cherche un vent favorable. Celui-ci vit l'amour comme une tension, s'adresse directement à Dieu et se perçoit comme un autre membre de la «gang»; celui-là conçoit l'amour comme un refuge, trouve Dieu intrigant et cherche son alvéole. L'un est rural, confesse ses mauvaises habitudes de «bum» et joue un rock fringant; l'autre est troublé par la frénésie urbaine, paraît fragile comme le Petit Prince et s'enfuirait volontiers sur le dos de Pégase. Le jeune rocker parle de sa Gaspésie et veut profiter de l'été; le chanteur pop rêve de Paris, chez lui les saisons sont de pures métaphores. Les deux jonglent avec le sujet du suicide. Ils représentent bien les deux pôles du spectre et emplissent le Spectrum: ce sont Kevin Parent et Daniel Bélanger.

Une magie émane de Marie-Jo Thério, cette bohémienne chez elle tout autant à Moncton — où elle est née — qu'à Moscou ou Montréal, quoiqu'elle préfère franchement le vent des îles et la chaleur de la Louisiane. En vérité, son pays est la voyagerie, sa religion la féérie, sa quête l'Étoile. Bête de scène, auteure et compositeure d'un talent exceptionnel, musicienne douée et comédienne, l'originalité fondamentale de son langage prend sa source dans son désir de vivre sa vie librement — comme une naïve aventure. Chercheuse d'or et mendiante du merveilleux, on la dirait de passage sur terre pour se trouver un amant et nous dire qu'il y a là-bas au loin un monde meilleur...

Le country

Leur pays est le country. Les médias les marginalisent et pourtant l'activité économique qu'ils génèrent feraient bien des envieux. On estime leur musique très américaine et pourtant ce sont eux qui écoutent le plus de chansons francophones: jusqu'à 64 % de leur temps d'écoute — ce qui est énorme. Les critiques les jugent selon des critères industriels

— ce qui est une erreur. De Marcel à Renée Martel, de Paul Brunelle à Georges Hamel, de Willie Lamothe à Patrick Norman et de Julie à Dani Daraîche, un même chant du cœur, une musique véritablement populaire. Comme disait le regretté comédien Robert Gravel: «Quand c'est sincère c'est pas quétaine». Or la chanson country n'est que ça, sincère. Presque trop pour les non initiés. Elle est l'expression des humbles. Or plus l'expression est humble plus elle est généreuse.

Si l'on peut à notre tour faire preuve d'un peu d'humilité, la chanson country peut alors nous offrir ce cadeau, nous apprendre cette leçon précieuse, nous rappeler cette vérité simple et élémentaire: chanter est un geste nécessaire de l'âme, un appel direct du cœur mis à nu afin de se libérer de l'un des plus grands maux de notre culture, la solitude, l'isolement.

BIBLIOGRAPHIE

ARSENAULT, Angèle, *Première*, Montréal, Leméac, 1975.

AUCHER, Marie-Louise, *Les plans d'expressions*, Paris, Épi, 1983.

BAILLARGEON, Richard, et Christian Côté, *Une histoire de la musique populaire au Québec, Destination ragou*, Montréal, Triptyque, 1991.

BARBEAU, Marius, *Le rossignol y chante*, Ottawa, Musée national de l'Homme, 1979.

CALVÉ, Pierre, *Vivre en ce pays*, Montréal, Leméac, 1977.

CÔTÉ, Gérald, *Les 101 blues du Québec*, Montréal, Triptyque, 1992.

CÔTÉ, Jean, *Quand on est en amour — Patrick Norman*, Montréal, Les éditions du Plateau, 1987.

COTMAN, Jacques, *Poètes du Québec*, Montréal, Fides, 1969.

DAUZAY, A., J. Dubois et H. Mitterand, *Dictionnaire de poche de la langue française étymologique et historique*, Paris, Larousse, 1971.

DESJARDINS, Richard, *Paroles de chansons*, Montréal, VLB Éditeur, 1992.

DESROCHERS, Clémence, *Le monde aime mieux...*, Montréal, Les Éditions de l'Homme, 1977.

DESROCHERS, Clémence, *Sur un radeau d'enfant*, Montréal, Leméac, 1978.

DILLAZ, Serge, *Béranger — Chansons d'aujourd'hui*, Paris, Seghers, 1971.

DUGUAY, Raôul, *Chansôns d'ô*, Montréal, L'Hexagone, 1981.

ERISMAN, Guy, *Histoire de la chanson*, Paris, Pierre Walefe éditeur, 1967.

FERLAND, Jean-Pierre, *Chansons*, Montréal, Leméac, 1969.

FILION, Jean-Paul, *Les murs de Montréal*, Montréal, Leméac, 1977.

FOGLIO, Hélène, *Approches de l'univers sonore*, Paris, Le courrier du livre, 1985.

GAUTHIER, Claude, *Le plus beau voyage*, Montréal, Leméac, 1975.

GIROUX, Robert, Havard, Constance, Lapalme, Rock, *Le guide de la chanson québécoise*, Montréal, Triptyque, 1991.

GIROUX, Robert, (collectif sous la direction de), *Les airs de la chanson québécoise*, Montréal, Triptyque, 1990 (?).

GUÉRARD, Daniel, *Aux trapèzes des étoiles — Claude Léveillée*, Montréal, Les Éditions de l'Homme, 1990.

HOFMANN, Michel-R., *Histoire de l'opéra*, Paris, Pierre Walefe éditeur, 1967.

LARSEN, Christian, *Chansonniers du Québec*, Montréal, Beauchemin, 1964.

LATRAVERSE, Plume, *Chansons pour toutes sortes de monde*, Montréal, VLB Éditeur, 1990.

LECLERC, Félix, *Cent chansons*, Montréal, Fides, 1978.

LELIÈVRE, Sylvain, *À mots découverts*, Montréal, VLB Éditeur, 1994.

LÉVEILLÉE, Claude, *L'étoile d'Amérique*, Montréal, Leméac, 1971.

L'HERBIER, Benoît, *La chanson québécoise*, Montréal, Les Éditions de l'Homme, 1974.
MAILLÉ, Michèle, *Blow-up des grands de la chanson au Québec*, Montréal, Les Éditions de l'Homme, 1969.
MILLIÈRE, Guy, *Québec, chant des possibles*, Paris, Albin Michel, collection Rock & folk, 1978.
RHÉAULT, Michel, *Les voies parallèles de Pauline Julien*, Montréal, VLB Éditeur, 1993.
RIOUX, Lucien, *Robert Charlebois*, Paris, Seghers, 1974.
RIVARD, Michel, *Chansons naïves*, Montréal, Lanctôt éditeur, 1996.
ROBIDOUX, Fernand, *Si ma chanson*, Montréal, Éditions populaires, 1974.
ROY, Bruno, *Et cette Amérique chante en québécois*, Montréal, Leméac, 1978.
THERRIEN, Robert et Isabelle D'Amours, *Dictionnaire de la musique populaire au Québec*, Montréal, IQRC, 1992.
TOMATIS, Alfred, *L'oreille et la voix*, Paris, Robert Laffont, 1987.
TREMBLAY-MATTE, Cécile, *La chanson écrite au féminin*, Montréal/Laval, Trois, 1990.
VASSAL, Jacques, *Chanteurs à l'affiche — 100 artistes en scène*, Paris, Albin Michel, 1996.
VIGNEAULT, Gilles, *Bois de marée*, Québec/Montréal, Nouvelles Éditions de l'Arc, 1992.
VIGNEAULT, Gilles, *Les neufs couplets*, Québec, Nouvelles Éditions de l'Arc, 1973.

Revues

Rendez-vous 92, 93, 94, 95, 96 (Sarma inc.) dirigée par Richard Baillargeon, Québec.
Chansons (1988 à 1996), Montréal, Ces éditions-ci, rédacteur en chef Alain Chartrand.
«La chanson» dans *Présence francophone* n° 48, (Sherbrooke), 1996.

Benoît LeBlanc est auteur-compositeur-interprète. Il lançait en 1995 un premier disque intitulé *Poursuivre.* La critique l'a salué en ces termes: «Sa musique s'abreuve aux meilleures sources pour rejaillir claire pourvue d'un son riche et original». (Corinne Bénichou, *Images*, juillet 1995); «(...) LeBlanc sculpte un langage chansonnier témoignant d'un profond enracinement nord-américain». (Alain Brunet, *La Presse*, avril 1995); «Une profonde fidélité, un enracinement qui l'amènent à un propos fondamental lorsqu'il chante (...) "c'est un rayon que je poursuis/c'est une chanson qui m'a suivi/c'est une maison aussi mamie/qu'un jour mon père a bâtie". C'est beau, c'est bon, c'est fort comme du Félix.» (Francis Chenot, *Une autre chanson* (Belgique), décembre 1995). On a pu l'apprécier en spectacle aux FrancoFolies de Montréal (1995), au Club Soda, à La Licorne et à l'édition 1996 de Coup de cœur francophone.

**Benoît LeBlanc produit et anime depuis 1990 une émission hebdomadaire sur les ondes de CIBL-FM, à Montréal, qui porte sur la musique de Louisiane et le folk. Il a également réalisé plusieurs émissions spéciales qui traitaient de divers styles musicaux: country, folklore, l'époque des boîtes à chansons, etc.
Il a été durant deux ans chroniqueur «français d'Amérique» pour la radio de Radio-Canada.**

Collaborateur régulier depuis 1991 à la revue *Chansons*, il a présenté des articles portant sur la chanson francophone en Amérique, le folklore, etc. En 1996 paraissait dans la revue internationale *Présence francophone*, un article de fond portant sur la chanson francophone en Louisiane signé Benoît LeBlanc.

Chapitre VIII

LA CRITIQUE (1968-1996)

ROBERT DION
NICOLE FORTIN

1968. S'il est une année de notre passé récent qui, avec le recul, nous paraît une date charnière, c'est bien 1968. Cette année-là, en France, en Europe et aux États-Unis, la jeunesse issue du baby-boom, nouvellement instruite de son poids démographique et portée par l'irrésistible ascension de sa culture spécifique (le rock'n'roll, le cinéma, la bande dessinée, la publicité, et ainsi de suite), investissait la rue et manifestait sa volonté d'ébranler les fondations du vieux monde légué par l'après-guerre. En France, la révolte étudiante de mai 1968 prenait à la fois pour cible la culture bourgeoise et les archaïsmes sociaux et politiques: les slogans «Sous les pavés, la plage», «Il est interdit d'interdire», «Les structures ne descendent pas dans la rue», témoignaient d'une volonté de changement radical qui allait entraîner la réforme de l'université, la révolution des mœurs et un processus général de modernisation des institutions. En Allemagne et en Italie, la radicalisation de l'aspect politique de la crise sociale allait donner naissance à des mouvements terroristes d'obédience communiste (la «Fraction armée rouge», les «Brigades rouges») qui frapperaient tout au long de la décennie suivante. Aux États-Unis, la contestation étudiante, dont le foyer fut d'abord l'Université de Berkeley en Californie, allait gagner l'ensemble du pays et s'allier aux luttes raciales et aux mouvements pacifistes anti-Viêt-nam pour troubler la fin de la décennie, à peine une année après les utopies du «Flower Power» et du «Summer of Love» de 1967.

Au Québec aussi, les choses bougeaient. Si l'on reconnaît généralement que la «Révolution tranquille» s'essouffle dès 1966, il ne faut pas

(Page de gauche) *André Laurendeau (1912-1968)*
Un regard lucide et critique sur la société québécoise
(Photo: Archives de l'Université de Montréal)

croire que les réformes sont stoppées net et que les jeunes Québécois ne vibrent pas au diapason de la jeunesse du monde: le grand moment de communion interculturelle que constitue l'Exposition universelle de 1967 (sous le thème «Terre des hommes») suffirait d'ailleurs à prouver le contraire. Il semble, de plus, que certains jeunes du Québec subissent la même tentation de l'action violente que leurs contemporains (les attentats du «Front de libération du Québec» commencent dès le début de la décennie) et qu'ils aient les mêmes récriminations à formuler à l'égard d'un système éducatif étriqué.

Mais revenons à 1968 et particulièrement à l'enseignement supérieur, fer de lance du développement québécois et enjeu symbolique de la modernisation du Québec (de son «rattrapage», pour reprendre l'expression de Marcel Trudel). Dans ce domaine, l'événement majeur est sans conteste l'adoption par l'Assemblée nationale, en décembre 1968, de la loi créant l'Université du Québec. D'un seul coup, le réseau universitaire québécois s'enrichit d'une université publique de statut laïque (contrairement aux autres institutions) formée de plusieurs constituantes situées l'une à Montréal, les autres en région, qui vont assurer l'accès aux études supérieures sur tout le territoire. Cette nouvelle structure vient parachever la réforme de l'éducation amorcée avec le Rapport Parent (1963-1966) et qui avait conduit, l'année précédente, à la mise sur pied des Collèges d'enseignement général et professionnel (cégeps). Si nous insistons sur les réformes de l'éducation et spécialement de l'université, c'est qu'il s'agit, à l'échelle du monde occidental, d'un lieu privilégié où se jouent les rapports de force entre la jeunesse et l'«ordre établi»; tout au long de la décennie 1970, l'université, qu'elle soit française, allemande, américaine ou québécoise, sera marquée par les luttes (sociales, politiques et culturelles) qui agitent nos sociétés. Nous insistons également sur ce point parce que l'université sera le terrain où se développera le phénomène qui nous retient dans ces pages: la *critique littéraire* — autre expression du besoin de critique et de remise en question caractérisant l'époque.

La critique telle que nous l'entendons est en effet impensable sans l'université. À partir de la fin des années 1960, l'institution universitaire fournit à la critique un cadre d'exercice propice, à savoir: des *professeurs qualifiés*, qui peu à peu se forment à l'étude de la littérature québécoise[1] et se mettent à l'enseigner, créant d'abord des cours puis des programmes; des *structures* (départements, fonds d'archives, éditions, etc.), qui facilitent les activités de *recherche*[2]; et, parmi ces

[1] Rappelons que jusqu'aux années 1960 il n'y avait pratiquement pas de cours de littérature québécoise dans les universités. Les professeurs qui ont commencé à l'enseigner systématiquement à partir de cette décennie sont donc pour une large part des autodidactes en la matière. Pour des témoignages à ce sujet, voir Brochu (1974a) et Allard (1991).

[2] Plus tard, les gouvernements (fédéral et québécois) encourageront la recherche en accordant des subventions spécifiques aux centres et aux équipes de recherche.

structures, des *revues savantes*, qui offrent un débouché aux recherches des professeurs, ceux-ci trouvant là un cadre pour des travaux spécialisés que les journaux et les revues culturelles[3] ne sauraient accueillir. Les principales revues universitaires qui commencent alors à publier les recherches sur la littérature québécoise (mais non exclusivement en ce qui concerne la première et la troisième) sont *Études françaises*, revue de l'Université de Montréal fondée en 1965, *Voix* et *images du pays*, revue de l'Université du Québec à Montréal fondée en 1967 et rebaptisée *Voix et Images* en 1975, et *Études littéraires*, revue de l'Université Laval lancée durant cette année jalon que représente pour nous 1968[4].

Ainsi, au terme de la décennie 1960, se met en place cette critique universitaire qu'un Roger Duhamel, au début des années 1950, appelait encore en ces termes:

> Il est clair que n'existe pas encore ici une véritable critique universitaire. L'étude des textes, étude intrinsèque et extrinsèque, la comparaison des différentes leçons, l'analyse des variantes, la recherche approfondie des sources et des influences subies, les tentatives de littérature comparée, l'établissement définitif d'un texte, nous n'avons rien de tout cela. (Duhamel, 1951: 30)

C'est donc la critique universitaire (ou «savante») qui nous intéressera surtout dans le présent chapitre, en premier lieu parce que son action de légitimation de la littérature québécoise (comme ensemble d'œuvres valables et dignes de l'attention des spécialistes) est plus durable et plus profonde que celle de la critique journalistique; en deuxième lieu, parce que la critique des universitaires, critique en profondeur des œuvres plutôt que jugement de valeur rapidement esquissé et souvent lié à l'humeur du moment, a eu tendance, durant la période qui nous occupe, à éclipser la réflexion des écrivains sur leur propre travail ou sur celui de leurs pairs (bien que plusieurs universitaires soient aussi écrivains: Gérard Bessette, Pierre Ouellet, Pierre Nepveu, par exemple); en dernier lieu, parce que ce sont les travaux des critiques universitaires qui tendent à fonder les *traditions de lecture* du corpus québécois[5], c'est-à-dire les façons de comprendre telle ou telle œuvre qui se transmettent dans l'enseignement secondaire, collégial et universitaire.

Pendant l'année repère 1968 sont bien sûr publiés plusieurs articles importants, certains dans les jeunes revues universitaires, d'autres dans des publications plus largement littéraires ou culturelles comme

---

3 Voir à ce propos le chapitre du présent ouvrage consacré aux revues culturelles.

4 Au sujet de ces trois revues, voir l'ouvrage de Nicole Fortin (1994).

5 *Cf.* Vachon (1969[1968]). Voir aussi *la Lecture et ses traditions* (1994), ouvrage collectif paru sous la direction de Joseph Melançon, Nicole Fortin et Georges Desmeules, et auquel ont entre autres participé Georges-André Vachon et Robert Dion. Le mot *corpus* désigne l'ensemble des œuvres qui sont reconnues appartenir à la littérature québécoise.

Liberté ou *la Barre du Jour*; pensons notamment au commentaire du poème «Roses et Ronces» de Roland Giguère par André Brochu (1968), aux lectures de Saint-Denys Garneau par Jacques Brault (1968) et par Roland Bourneuf (1968), à l'étude de *Maria Chapdelaine* par Nicole Deschamps (1968) ou au fameux article d'Albert LeGrand, «Anne Hébert de l'exil au royaume» (1968). Mais il serait tout à fait artificiel de faire de cette seule année un moment de particulière efflorescence de la critique et de lui conférer, à cause de son statut de borne temporelle, plus d'importance qu'elle n'en a en réalité; aussi faut-il voir que ce qui se produit en 1968, dans le domaine socio-politique comme dans celui de la critique, est fortement déterminé par ce qui vient avant et ne trouve son véritable sens que par rapport à ce qui vient après. Nous commencerons en conséquence par un bref retour sur la décennie 1960, avant de poursuivre notre histoire de la critique jusqu'à aujourd'hui.

«VERS CE QUE NOUS SOMMES»[6]: L'AVANT-1968

Les quelques années qui mèneront à 1968 s'esquissent comme celles des remises en question: la modernité québécoise, soudainement éveillée par la Révolution tranquille, trouve lentement son assise; l'identité québécoise, qui succède à la condition canadienne-française, s'affine et s'affirme vers 1965. Dans la foulée de ce projet de société aux accents d'utopie, les titres des ouvrages critiques invitent à la mise en place d'un «temps nouveau»: *le Temps des poètes* (Marcotte, 1969), *Une littérature qui se fait* (Marcotte, 1962), *Une littérature en ébullition* (Bessette, 1968). Malgré le désir de tout faire basculer et renaître, l'avant-1968 demeure donc une période d'hésitations où l'avenir reste flou, où l'on ne sait pas encore exactement quel point de vue tenir sur l'œuvre, où l'on ne sait même pas encore quelle est cette nouvelle littérature — est-elle canadienne-française? est-elle québécoise? existe-t-elle? — que l'on doit juger. La période traîne parfois, tel un boulet, les réflexes de défense de l'après-guerre et, comme le dit un critique, «l'homme moderne, celui qui est né intellectuellement de la dernière guerre, celui qui (même au Québec) appartient à la génération des fours crématoires, a peur de lui-même, peur de se voir tel qu'il est, et de se connaître» (Éthier-Blais, 1967: 9). Quelque peu en retard sur l'esprit de découverte et de connaissance de soi qui anime ces années, cette citation montre bien que l'époque est encore celle de la *transition* où toutes les marques — de ce que l'on veut être, de ce que l'on veut effacer — ne sont pas encore connues. De plus en plus consciente d'elle-même, l'époque s'embrouille encore parfois entre ce qui fut et ce qui sera:

---

[6] Éthier-Blais, 1967: 9.

Il est assez facile de savoir d'où vient le Canada français; il est désormais impossible de prévoir où il va.

Il n'est pas question d'analyser longuement ici cette évolution récente de la société canadienne-française; il est d'ailleurs trop tôt pour tout saisir de cette époque de transition où s'entremêlent encore inextricablement ce qui dure, ce qui naît et ce qui meurt. Les idées nouvelles et les plus anciennes, les aspirations les plus récentes et les traditions les mieux établies, tout cela se trouve dans les œuvres des écrivains comme dans celles des autres artistes qui, eux aussi, sont des interprètes d'une société en mouvement autant que de leurs démons intérieurs. Pour saisir le sens et la portée des œuvres, il faut savoir qu'elles sont souvent le témoignage d'hommes marqués par cette révolution qui touche à tout: économie, enseignement, politique, religion. C'est souvent l'homme même qui est remis en question. (Sylvestre, 1964: 9)

À l'égard de la littérature nationale sur laquelle on veut poser un regard critique, les assurances ne sont pas plus grandes. Plus d'un doute sera soulevé à propos de sa légitimité comme objet d'étude: «Lecteurs d'aujourd'hui, secrètement humiliés d'être un peuple sans littérature, nous essayons de prouver, à coup d'analyses méthodiques, de gloses, de commentaires, que ces œuvres existent, et qu'on a eu tort de ne pas les lire, de ne pas les aimer» (Vachon, cité par Mailhot, 1966: 328). Comme le dira Laurent Mailhot dans l'un des premiers textes à parler de la critique au Québec, «serions-nous en train d'accorder une importance démesurée à notre propre littérature et de donner naissance à un nouveau mythe?» (1966: 328). Conscients d'appartenir à une époque où «changement» signifie aussi «rêve» et «utopie», les critiques se montrent en droit de se demander si «les œuvres présentent une substance littéraire assez riche pour justifier les lourdes armatures critiques dont on les affuble. [...] Il semble que l'étude des «petites littératures» comporte, à cet égard, de réels dangers» (Marcotte, 1966: 12). L'élection de la littérature québécoise au rang de «littérature nationale» ne se fera pas sans heurts, mais, loin d'être néfaste, la mise sur la défensive, l'hésitation et les différences de vues à propos de son statut sont peut-être à l'origine de certaines tendances et de certaines forces de la critique au Québec.

Dans un tel contexte, on ne peut expliquer la naissance de la critique québécoise par la parution d'un seul titre ou l'apparition d'un seul lieu de publication. Dans cette époque transitoire, la critique œuvre déjà sur plusieurs fronts — universités, revues, histoires et anthologies, recueils de textes critiques, études, critique impressionniste, etc. —, affichant ainsi sa vivacité et jetant les bases de ce qu'elle deviendra.

1) *L'université: institution d'un contexte de parole*

Le point de vue universitaire sur l'œuvre québécoise ne naît pas en 1965 mais déjà en 1920. Si ses fondateurs[7] inventent alors une critique

[7] Ses pères fondateurs s'appellent notamment Camille Roy, Émile Chartier, Guy Frégault, Émile Bégin et Séraphin Marion.

canadienne-française, c'est que l'époque s'y prête: les premières facultés des lettres sont fondées à ce moment (Université Laval, Université de Montréal, Université d'Ottawa) et, à côté des littératures française, latine et grecque, apparaît une jeune littérature que, par élan patriotique, on rêve de faire connaître: la littérature canadienne. Les alentours de 1920 étaient en soi l'époque des grands élans nationaux: cette critique côtoie idéologiquement la littérature du terroir, qui regroupe romanciers et poètes exaltant la terre et les valeurs canadiennes-françaises. Aujourd'hui, on doit forcément constater que les élans qui guidaient ces gens ressemblent souvent à ceux qui animeront la jeunesse des années de la Révolution tranquille. Cette jeunesse des années 1960, qui se forme en donnant forme au discours universitaire, sera elle-même guidée par l'ardeur nationaliste qu'adopte la société et par l'effervescence et la créativité que provoque l'apparition de nouvelles universités (Université du Québec), de nouveaux programmes, de nouveaux collèges (les cégeps) et d'œuvres de plus en plus nombreuses. L'écart entre ces deux époques se mesure cependant à la dénonciation des valeurs de la Grande Noirceur où l'appartenance française et catholique était le vecteur de l'identité nationale: «Camille Roy l'érudit [...] [aura] vécu [sa] vie dans une pathétique et rigide absence, sévèrement grillagée de valeurs artificielles. La "clarté française". Le "génie de la race". La "raison classique". Quoi encore? L'"équilibre latin". Et le "bon goût". Et le "bon langage". Toutes notions proprement incompréhensibles, qui ne résistent pas à l'examen» (Hoog, 1968: 358). Officiellement de plus en plus laïque, l'université invite à chercher dans la sociologie, la psychanalyse, la linguistique, etc., un point de vue nouveau sur la littérature. En tant que lieux rassemblant des chercheurs, les universités permettront un éveil et un bouillonnement de la pensée et donneront sa nécessaire légitimité à l'évolution subséquente de la critique.

2) *Les revues: institution de lieux de parole*

Aussi rassembleuses que les universités sont les revues qui, en plus de fournir un espace de publication aux critiques, permettent de regrouper, à partir d'une pensée éditoriale, les chercheurs autour d'une conception commune de la littérature. Avant 1965, des lieux d'éditions d'articles critiques existent. Lorsqu'elles sont universitaires, les revues d'alors ne sont cependant pas strictement littéraires et couvrent l'ensemble des sciences sociales: c'est le cas de la *Revue de l'Université Laval* (1946-1966). Lorsqu'elles se disent plus littéraires, comme *Liberté* (1959), *Parti pris* (1963), *Écrits du Canada français* (1954) ou *la Barre du Jour* (1965), elles ne sont pas seulement des lieux de parole pour le critique, mais ouvrent leurs pages à des créations d'écrivains. La revue *Cité libre*, fondée en 1950, sera un de ces lieux partagés par la réflexion politique et la critique littéraire. Hors de l'université, ces revues sont le creuset d'une formation critique qui sera étoffée par la suite sur un mode universitaire. On l'a noté, l'année 1965 marque la fondation de la première revue universitaire exclusivement littéraire: à l'Université de Montréal est créée *Études françaises*; deux autres publications, de l'UQAM et de l'Université Laval, suivent aussitôt: *Voix et images du pays* et *Études littéraires*. Toujours publiées de nos jours, ces revues et plusieurs autres constitueront un des ciments de la parole critique universitaire.

3) Les histoires et les anthologies: institution d'une tradition littéraire

La première moitié du XXe siècle vécut sous l'autorité de Camille Roy, dont le *Manuel d'histoire de la littérature canadienne-française* (1918) servit de base à la vision d'ensemble que l'on pouvait avoir de la littérature: une «histoire» a en effet comme répercussion de définir des textes classiques, des époques, des dates, et donc les relations que l'on peut inscrire entre des œuvres. Les années 1960 se donneront à leur tour leurs propres histoires et anthologies: *Littérature canadienne-française* de Samuel Baillargeon (1957), *Histoire de la littérature canadienne-française* de Gérard Tougas (1960), *Panorama des lettres canadiennes françaises* de Guy Sylvestre (1964), *Histoire de la littérature française du Québec* de Pierre De Grandpré (1967-1969). Habitées de plus en plus par le nouveau regard savant que l'on porte sur la littérature, ces histoires se donnent aussi pour objectif la connaissance de la littérature moderne, issue du Québec de l'après-guerre comme de l'après-duplessisme. La tradition littéraire s'élargit alors jusqu'à son présent et, à travers ces ouvrages, la forme actuelle de la littérature prend corps: «De nos jours, en tous cas, disait Georges-André Vachon, une littérature se présente d'abord comme un ensemble, auquel une certaine tradition de lecture et de critique a imposé une structure» (1967: 28). Plus journalistique, la parution *Livres et auteurs canadiens* (à partir de 1961) entreprend annuellement une revue critique des nouveaux livres publiés: à peine écrites, les œuvres ne trouvent pas seulement des lecteurs, mais des critiques qui les classent, les évaluent, les indexent dans une littérature. Les projets de recherche des années 1970-1990 poursuivront cette démarche, ne cherchant pas seulement à comprendre des textes isolés et anciens mais l'ensemble d'une tradition, d'une institution littéraire, d'une «littérature qui se fait», comme le disait Gilles Marcotte.

4) Les recueils de textes critiques: institution d'une tradition critique

Une autre tendance d'époque se manifeste par la publication de plus en plus fréquente de recueils regroupant des articles critiques initialement parus çà et là dans des journaux et revues. On peut penser à *Une littérature qui se fait* (Marcotte, 1962), à *Signets II* (Éthier-Blais, 1967), à *Présence de la critique* (Marcotte, 1966). La critique relit — relie — ses propres textes, car non seulement aspire-t-on à une critique nouvelle mais aussi à «rapailler» (Miron) des textes anciens et à baliser ainsi les formes de la critique. Suivant le même mouvement, Réginald Hamel (1966) entreprend de constituer à l'Université de Montréal la *Bibliographie des lettres canadiennes-françaises* qui se veut un outil retraçant la totalité des textes critiques parus sur la littérature nationale. Ainsi, encore toute jeune, la critique d'alors n'est pas moins consciente de sa tradition, de son évolution et de ses transformations.

5) Les études littéraires: institution d'une lecture critique

Si la critique d'avant 1960 a surtout été historique et, partant, intéressée à retracer les grands faits d'armes de la littérature, celle qui suivra s'attardera de plus en plus au texte pris isolément. Les premiers regards seront notamment le fait de gens comme Paul Wyczynski et Luc Lacourcière, qui envisagent les textes comme des objets à significations formelles et sociologiques. L'origine de ces lectures n'est pas avant tout littéraire, mais provient des sciences sociales — sociologie (Lukács, Goldmann); psychanalyse; anthropologie (Lévi-Strauss); linguistique (Saussure, Formalistes russes). L'un des textes fondamentaux de l'époque, *Notre société et son roman* (1967), n'émane d'ailleurs pas d'un «littéraire» mais d'un sociologue, Jean-Charles Falardeau. En périphérie, la critique déborde parfois la littérature pour englober le discours de la société: *le Lieu de l'homme* (Fernand Dumont, 1968), *Convergences* (Jean Lemoyne, 1961), etc., alimentent la réflexion des critiques littéraires. En veillant à s'attarder aux œuvres elles-mêmes, la critique devient paradoxalement davantage perméable aux influences des sciences qui lui sont voisines: c'est néanmoins par ce biais qu'elle spécifiera de plus en plus sa lecture, s'éloignant du passé et des autres formes de critique que tiennent les médias, les journaux, les écrivains — soit ceux que l'on regroupe sous le nom de *critiques impressionnistes*.

6) La critique impressionniste: institution de la subjectivité

Dès 1960, la critique savante québécoise se heurte à un paradoxe: alors qu'elle cherche à asseoir sa tradition universitaire, elle ne trouve chez ses prédécesseurs universitaires (Camille Roy) que des modèles désuets, symptomatiques d'une idéologie que l'on ne veut plus reproduire. Il serait donc faux de dire que la critique universitaire de l'après-1968 respectera aveuglément ses origines universitaires. La critique ne cessera d'être en porte-à-faux entre deux tendances critiques, de *type savant* ou de *type impressionniste*, qu'il n'est d'ailleurs pas toujours facile de démêler: alors que la première — issue d'un spécialiste — lit les textes selon un point de vue «scientifique» construit à renfort de «grilles de lecture» *objectives*, la seconde — le plus souvent tenue par un écrivain, un essayiste ou un journaliste — repose plutôt sur une écriture personnelle qui tire des œuvres une interprétation *subjective*, intuitive, basée sur des impressions de lecture. Il est intéressant de noter que la critique verra davantage dans l'œuvre des premiers écrivains-critiques des années 1920 et 1930 (Albert Pelletier, Alfred Desrochers, Louis Dantin, Marcel Dugas, etc.) le discours à l'origine de la pensée moderne: «Certains passages des articles de Pelletier peuvent s'appliquer intégralement à notre évolution actuelle» (Le Blanc, 1973: 49); «Je dois admettre que Desrochers avait déjà pressenti des choses que nous croyons découvrir aujourd'hui» (Bérubé, 1973: 7); on doit «tenir l'œuvre de Desrochers pour une œuvre critique majeure de son temps, et [...] penser que celui-ci était autrement mieux doué pour le travail critique que la plupart des critiques "nationalistes" de l'époque, dont les conceptions sur l'art et la littérature étaient, et de loin, moins modernes que les siennes» (Pelletier, 1973: 136). Les critiques de 1960 verront ces écrivains comme des critiques entièrement tournés vers la recherche d'une originalité et vers la rupture vis-à-vis de l'idéologie régnante: c'est donc par rapport à eux que la critique moderne cherchera à délimiter son lieu de parole.

Dans l'extrait suivant donné à titre d'exemple, Jean Éthier-Blais (*Signets II*), l'un des chefs de file de la critique impressionniste durant les années 1960, prend nettement le parti de la subjectivité en établissant *son* palmarès des œuvres essentielles de la littérature du Québec. Ce faisant, il adopte un point de vue à l'opposé de l'histoire littéraire: il se prête plutôt à un jeu («quelle œuvre apporteriez-vous sur une île déserte?») et trahit ainsi combien la critique est pour lui une lecture personnelle, individuelle, liée à son identité de Canadien-français:

> Mais venons-en aux livres; j'ouvre ma petite valise. Il faut qu'elle soit petite, sinon le jeu n'en vaut pas la peine. Et, de toutes façons, je ne pars pas. Je reste. Ma valise n'est qu'une catégorie de l'esprit. Voyons. Qu'y mettrais-je d'abord? Sans hésiter, l'*Histoire du Canada français* de l'abbé Groulx.
>
> C'est avec son précurseur, l'*Histoire* de Garneau, notre grande œuvre épique; mais je connais Garneau et je ne l'emporterai pas, puisque l'abbé Groulx le reprend, accélère son rythme, le dépasse par la connaissance sous-jacente des faits. Et je ne m'en vais pas dans mon île déserte comme Chinois, mais comme Canadien-français; si je veux savoir quel je suis, parcelle d'une transhumance historique, c'est l'abbé Groulx que je dois lire.
>
> Bien sûr, on dira (et j'entends déjà cette voix aigre): «Mais c'est une image fausse que donne l'abbé Groulx du Canadien-français». Et puis? Est-ce que tous les peuples ne vivent pas avec une image fausse d'eux-mêmes? [...] Je l'emporte donc; il me donnera des heures exquises de rêve sur ce qui a été, sur ce qui aurait pu être, sur ce qui, en dépit du passé, sera. (Éthier-Blais, 1967: 11-12)

Cette tendance critique perdurera donc, bien que, de 1970 à aujourd'hui, les critiques choisissent le plus souvent d'adopter, *de façon consciente*, une attitude plus détachée, objective, savante. Mais la critique elle-même n'échappe pas à la critique et celle-ci, de 1960 jusqu'à nos jours, ne se reposera jamais sur l'assurance de sa force et de son bon droit: elle cherchera sans cesse à expliquer et à raffermir sa position en se donnant des lieux de parole solides — revues, départements, etc. — et, aussi, en justifiant son écriture. Un certain «esprit critique», issu de la Révolution tranquille — et de mai 1968 —, n'est sans doute pas étranger à ce choix.

LA CONSTITUTION DE LA «NOUVELLE CRITIQUE» QUÉBÉCOISE

On l'a vu: l'extraordinaire développement de la critique littéraire québécoise après 1968 avait été préparé de longue main par nombre d'acteurs qui, parfois de manière délibérée, parfois sans bien s'en rendre compte, avaient créé les conditions nécessaires à un rapide épanouissement. Nous voudrions maintenant esquisser le portrait de la critique telle qu'elle se dessine de 1968 à nos jours, en faisant apparaître quelques lignes de force qui organisent ce champ discursif, qui règlent l'échange des points de vues et opinions. Nous aborderons la critique comme un vaste espace où se croisent des discours convergents ou divergents, où les principaux acteurs se citent et/ou se corrigent, dialoguent et/ou se contestent. Afin de structurer notre propos, nous avons retenu deux axes principaux qui nous permettent de «traverser» le corpus de la critique: il s'agira d'abord d'observer la constitution et l'évolution au fil de la période du *sujet* critique, et ensuite d'appréhender les transformations et les variations de l'*objet* de la critique. Nous verrons ainsi comment de nouvelles conceptions du sujet, de l'objet et de leur rapport dialectique déterminent les formes que prendra la critique dans les décennies 1970, 1980 et 1990.

La constitution du sujet critique: qui énonce la critique?

Il peut sembler *a priori* curieux de parler *du* sujet critique, alors qu'il ne saurait y avoir que *des* sujets critiques, aussi divers que les subjectivités elles-mêmes. Mais on sait que, durant la période qui nous occupe, l'un des soucis majeurs de la critique a justement été de «contrôler» la subjectivité du lecteur savant afin de donner quelques bases solides à l'activité d'interprétation des œuvres littéraires. Il s'est agi de transformer un discours jusque-là dominé par les impressions personnelles (et pour cette raison qualifié d'«impressionniste») en un savoir sûr, validé par des procédures d'analyse qui, sans nécessairement atteindre à la rigueur de la «science de la littérature» tant souhaitée par les «nouveaux critiques» français (Roland Barthes, Tzvetan Todorov, entre autres), pourraient garantir une minimale adéquation de la critique à son objet, c'est-à-dire à l'œuvre lue. Désormais, la critique allait s'attacher au détail du texte plutôt qu'aux méandres de la psyché du lecteur.

Dans un article intitulé «l'Œuvre littéraire et le critique» d'abord publié à la revue *Parti pris* en 1963 (repris dans Brochu, 1974a), le jeune André Brochu s'en prenait aux critiques impressionnistes établis, «cloportes» idéalistes et dogmatiques dont la parole aurait été de nature essentiellement prescriptive[8]. À ces critiques et à leurs admirateurs, Brochu, paraphrasant André Breton — le chef de file des écrivains surréalistes français —, rappelait au terme de son article que «La critique désormais sera intelligente ou ne sera pas» (1974a: 38). En fait, la littérature du Québec ayant fait l'objet, depuis le début des années 1960, d'une réévaluation systématique, elle apparaissait dès lors *viable*, apte à accueillir, tout comme les tragédies de Racine selon Barthes (1963), les discours critiques modernes, si bien qu'il fallait dorénavant, signalait encore Brochu dans un texte de 1972 (repris dans Brochu, 1974a),

> [...] la soumettre à une interrogation instruite des avenues nouvelles du savoir. La «nouvelle critique», alors en plein essor, nous offrait les moyens d'une récupération dynamique de notre tradition littéraire. Le structuralisme formaliste, dans les études littéraires, ne devait triompher que quelques années plus tard. Je me demande s'il eût été bien conforme à nos aspirations d'alors, qui s'inscrivaient dans le contexte politique d'un effort de décolonisation. (Brochu, 1974a: 83)

Le nouveau type de critique prôné par Brochu, mélange d'analyse formelle et thématique[9], quoique différent par certains aspects du «structuralisme» français[10] (*cf. infra)*, n'avait plus grand-chose à voir avec, par exemple, les premiers textes de Gilles Marcotte dans *le Devoir* ou encore avec les critiques de Jean Éthier-Blais, dont nous citons ici un passage du compte rendu du *Temps des poètes*:

> J'ai appris à connaître M. Gilles Marcotte. Non pas l'homme mais l'écrivain. Chaque fois qu'il m'est donné d'ouvrir l'un de ses ouvrages, et même si je ne suis pas d'accord avec lui, je me rends compte qu'il y a là une source de vérité d'abord, d'amour savant de la littérature ensuite. Cela est rarissime dans notre pays. Il faut le dire. Pendant longtemps, pour ma part, j'ai eu à l'endroit de M. Gilles Marcotte une prévention. Nous n'appartenons pas à la même famille d'esprit. Je suis très soupe-au-lait. Je me laisse emporter par mes goûts et mes dégoûts, et surtout lorsque je sais, au fond de moi-même, que j'ai tort. (Éthier-Blais, 1970: 105)

Dans cet extrait — retenu non pas pour ce qu'il révèle de la pensée d'Éthier-Blais à l'égard du travail de Marcotte, mais pour ce qu'il exprime de l'attitude du critique et de sa *position d'énonciation*, c'est-à-dire de son rapport à son propre discours — affleure partout la

8 Ces critiques sermonnaient les auteurs qui péchaient contre Dieu ou contre la morale.

9 L'analyse thématique est celle des «thèmes» telle que la pratiquaient en France et en Suisse entre autres Jean-Pierre Richard (le directeur de la thèse de doctorat de Brochu sur Hugo — 1974b), Georges Poulet et Jean Rousset (dont l'ouvrage intitulé *Forme et Signification*, publié en 1962, a eu au Québec une énorme influence).

10 À ce propos, voir l'ouvrage de Robert Dion (1993).

subjectivité triomphante de l'auteur, qui se pose comme sujet devant un autre sujet (Marcotte), expose et impose ses parti pris et préférences, fussent-ils non fondés, injustes, capricieux. On a ici affaire à une critique d'humeur, où le jugement personnel du critique, garanti par sa personnalité (sa notoriété, et donc son autorité), se déploie librement, voire péremptoirement. Il s'agit d'une critique de l'immédiateté, qui ne cherche aucunement à se donner le recul de la science et qui cultive plutôt l'intuition, guidée par le «bon goût», par une large culture et une longue pratique.

C'est donc en réaction à une critique surtout attentive à l'écho de l'œuvre répercuté dans la personne du commentateur que va principalement s'élaborer le *métadiscours*[11] littéraire de l'après-1968. Une autre conception du sujet critique se mettra progressivement en place, sans toutefois balayer dans tous les cas le modèle qui prévalait auparavant: si la majorité des critiques — surtout les plus jeunes, qui au début des années 1970 intègrent en masse l'université — adhère au nouveau credo «scientifique», d'autres restent attachés à l'ancienne pratique et ne modifieront que légèrement et progressivement leur mode de lecture et d'écriture.

Quelle est au juste, du point de vue du sujet, cette façon dite «scientifique» de faire la critique qui, développée en France à la fin des années 1950 et pendant la décennie suivante, s'impose dans l'université québécoise (et à sa périphérie: dans les revues littéraires telles *la Barre du Jour*, dans les revues «militantes» telles *Chroniques* et *Socialisme québécois*) au cours des années 1960 et encore davantage après 1968? Disons que la «nouvelle critique» québécoise va promouvoir, parallèlement aux «grilles» d'analyse linguistique, sémiotique, sociologique, etc., un type d'énonciation particulier inscrivant une rupture radicale par rapport à la subjectivité alors dominante. Dès le début de la période, on assiste en effet à un effacement de la présence du sujet dans le texte critique — à ce qu'en termes techniques on désignera comme un phénomène de *désénonciation* ou de *délocution*[12].

Tout se passe comme si la «science» (nous mettons ce terme entre guillemets, conscients que parler de «science» à propos de la critique littéraire, fût-elle savante et universitaire, n'est pas sans soulever de multiples problèmes) ne pouvait s'accommoder d'une présence manifeste du sujet, qui est pourtant à l'origine de tout savoir, que ce soit en littérature ou dans les sciences pures. La tendance, au cours des années

[11] Le *métadiscours* est un discours qui porte sur un autre discours: la critique constitue de ce fait un métadiscours, puisqu'elle porte sur le discours littéraire.

[12] Précisons ce que nous entendons par ces termes: l'énonciation désignant l'acte même de produire un discours (oralement ou scripturalement), ainsi que les traces que laisse cet acte (pronoms, indications spatiales et temporelles, etc.) dans le discours, la désénonciation va renvoyer à l'atténuation des traces de l'énonciation. «Délocution» est pris ici comme synonyme de «désénonciation».

1970 et de la décennie suivante, sera donc d'en effacer les marques les plus visibles, notamment le pronom *je*. Cela n'ira cependant pas sans poser quelques difficultés, l'époque étant aussi celle de l'affirmation nationale et de la célébration du sujet collectif québécois, dont l'expression la plus directe se révèle bien sûr le pronom *nous*. Les articles publiés dans une revue comme *Voix et images du pays* recourent abondamment à cet actant collectif pour fonder le pays du Québec en même temps que sa littérature[13] (il importe au reste de distinguer ce *nous* collectif, pluriel — qui, incluant le critique, désigne *je+les autres* —, de ce qu'on appelle le «*nous* de majesté» ou «*nous* emphatique», qui renvoie à la seule personne qui énonce et qu'on rencontre également beaucoup dans la critique; distinguons-le encore du *nous* que nous utilisons dans le présent survol de la critique, qui se réfère concrètement aux deux auteurs). Un exemple particulièrement remarquable de cette utilisation du «nous-actant collectif» se retrouve dans la contribution de Georges-André Vachon qui, significativement, a pour titre «Une tradition à inventer», et qui traite de la nécessité, pour la collectivité québécoise, de relire sa tradition littéraire afin de se réapproprier les textes qu'une définition trop restrictive de la littérature avait eu pour résultat d'écarter du corpus national (pensons aux *Relations* du père Lejeune et aux écrits de la Nouvelle-France en général):

> En renonçant au critère de la gratuité, nous nous accordons tout simplement la permission de lire tous les ouvrages imprimés et tous les manuscrits anciens qui ont quelque rapport avec la culture québécoise. Les écrits de Champlain, de Marie de l'Incarnation, de Marguerite Bourgeoys, de Pierre Le Moyne d'Iberville, de La Vérendrye, du sieur de Bienville, de Gabriel Sagard, du père Marquette, de Radisson, ont-ils jamais été lus, autrement que par des chercheurs qui leur demandaient des renseignements objectifs ou des anecdotes [...]. [...] Une œuvre peut entrer dans notre tradition, dès qu'elle exprime, en français, un destin vécu en contexte nord-américain. Certes, nous ne devons pas nous attendre à trouver là, en grand nombre, de pures œuvres-témoins. (Vachon, 1969[1968]: 286)

Cela dit, au fil des ans, le critique aura de plus en plus tendance à parler en son propre nom, même s'il se dissimule et paraît laisser parler la seule science, et le recours au *nous*, quand il ne sera pas proscrit au nom de la sacro-sainte objectivité, aura valeur d'autodésignation

[13] On trouvera aussi des articles qui, bien qu'écrits au *je*, ne renoncent pas pour autant à la «représentativité générationnelle»; c'est le cas par exemple de l'article de Jacques Pelletier (1970) ayant pour titre «André Major, écrivain et Québécois», où le critique se met en scène à la première personne tout comme il met en scène la *personne* d'André Major, désignant de la sorte une génération de Québécois, celle de la revue *Parti pris*, et donnant à voir les parcours du critique et de l'écrivain comme exemplaires sociologiquement. Cette façon d'aborder André Major sous le double aspect de l'homme et de l'œuvre peut paraître démodée en 1970; mais il semble qu'elle perdure notamment dans les travaux d'obédience sociologique, les sociologues ayant peut-être plus à cœur de situer les «personnes sociales» qui parlent et dont on parle.

emphatique[14], se trouvant en quelque sorte dirigé contre le *je* trop particularisant et trop envahissant des journalistes et autres critiques impressionnistes.

Après avoir évoqué le *je* de la critique journalistique et les diverses valeurs du *nous* employées dans la critique, revenons à la propension de la critique des années 1970 à produire des métadiscours *désénoncés*, où celui qui parle tente soigneusement d'effacer ses traces. L'époque est alors au rêve d'élaborer une «science de la littérature» qui, loin de se contenter, comme la critique, d'«"engendrer" un certain sens en le dérivant d'une forme qui est l'œuvre» (Barthes, 1994[1966]: 44), veut décrire «selon quelle logique les sens sont engendrés d'une manière qui puisse être *acceptée* par la logique symbolique des hommes» (Barthes, 1994[1966]: 43). Cette science ne cherche donc pas *un* sens précis, fixe, mais une logique du sens, c'est-à-dire une loi d'engendrement de la signification par le truchement des formes linguistiques. Comme il n'y a de science que du général, selon la règle bien connue, il convient donc de délester le texte littéraire de tout ce qui le particularise, notamment de la personne de l'auteur et *a fortiori* de la personne du critique. La science est au prix d'un sacrifice du sujet de connaissance, du moins: de son sacrifice *apparent* — car on sait que ce sont des sujets qui, même dans le domaine des sciences pures et malgré l'anonymat des équipes et laboratoires, déterminent les problématiques de recherche, formulent les hypothèses, font les manipulations nécessaires et interprètent les mesures et résultats.

Dans le domaine de la critique littéraire, la «scientifisation» va passer par une adhésion assez large aux méthodes d'analyse issues de la linguistique structurale (Saussure, Hjelmslev, Benveniste, etc.) et acclimatées en sciences humaines *via* l'anthropologie de Lévi-Strauss, tout particulièrement. Elle s'accompagnera d'un dispositif énonciatif qui, sans nécessairement éliminer complètement les pronoms *je* et *nous*, donne préséance aux procédés suivants:

- utilisation des verbes impersonnels: *il convient maintenant d'analyser..., il faut constater que..., il importe à ce stade de l'analyse..., il appert ainsi que..., il s'agit de...*, etc.
- utilisation du pronom indéfini *on*, dont la valeur reste souvent ambiguë: *on verra que..., on sait que..., on doit maintenant passer à...*, etc.
- mise en scène de l'énonciateur ou de l'énonciataire[15] par un substantif neutre: *l'analyste est forcé d'admettre que..., le lecteur remarquera que...*, etc.
- passivation des verbes: *il a été montré que..., les structures qui ont été dégagées...*, etc.
- utilisation des verbes à l'infinitif: *écrire que le signe est vide revient à constater que..., affirmer qu'il s'agit d'une isotopie constitue un...*, etc.

[14] En tant que «*nous* de majesté».

[15] C'est-à-dire: de celui à qui s'adresse en principe l'auteur de l'article critique — de son public-cible, pour ainsi dire.

- utilisation de la première personne du pluriel de l'impératif: *soulignons maintenant que..., commençons d'abord par dire que...*, etc.

La liste des procédés n'est évidemment pas exhaustive; nous n'avons relevé ici que les plus visibles. Il n'est d'ailleurs pas exclu que certains textes ouvertement et volontairement subjectifs y recourent aussi, comme à des possibilités expressives inscrites dans la structure même de la langue. Voyons maintenant quelques exemples d'articles faisant une large place à l'analyse «scientifique» de la littérature et tentons d'y discerner la configuration du sujet critique.

L'un des premiers textes à mettre en application les méthodes de l'analyse structurale est sans doute celui que Joseph Bonenfant a consacré, en 1973, à un poème de Fernand Ouellette. Publié dans *la Barre du jour*, une revue de création littéraire avant tout, plutôt que dans une revue universitaire, comme on aurait pu s'y attendre, cet article, s'il affiche d'emblée sa relative technicité, s'amorçant par une sorte de tour d'horizon de la critique structurale, ne renonce pas tout à fait au *nous*, du moins pas dans les premières pages, où est mis en place le dispositif analytique et où l'instance d'énonciation fonde son droit à la parole — parole quasi originelle en l'occurrence, puisque, note à juste titre Bonenfant, «La littérature québécoise n'a pas encore été l'objet d'analyses structurales» (1973: 7). Son droit à énoncer, le critique le justifie ainsi (nous incluons quelques éléments d'analyse au sein même de la citation, en italique et entre crochets):

> Qu'il suffise d'ajouter un signe de la validité de cette méthode [*passage complètement désénoncé*]: le plaisir que nous avons pris à cette étude [*contraste du réembrayage sur le* nous, *expression emphatique du sujet* je; *introduction de la notion très subjective de «plaisir»*]. Plaisir franchement naïf, enthousiaste qui s'est gardé de la complication. Il est plus difficile de confesser notre inexpérience dans cette sorte de tentative. Nous le faisons sans fausse honte, avec la certitude que ce n'est pas la méthode qu'il faut censurer. L'application de voies et de procédures nouvelles nous fait douter fortement de la validité des méthodes et des discours anciens, plus d'ordre critique que théorique [*«théorique» renvoyant ici à la «science de la littérature»*], très dichotomisés, parcellaires, approximatifs. Un lecteur sans préjugé [*substantif neutre*] voudra faire avec nous ce parcours structural [...]. [...] Il n'est pas exagéré de dire que l'analyse structurale est la manière moderne d'apprendre un poème par cœur. [...]. [...] la voie structurale ouvre sur la plus large et la plus profonde opération de lecture qu'on puisse imaginer. Ceci [*sic*] est vrai en principe et en pratique, nonobstant la naïveté et les manques avoués plus haut. (Bonenfant, 1973: 7)

Malgré cette confession où le sujet pèse de tout son poids sur son discours en indiquant rigoureusement les limites de celui-ci (discours du plaisir, de la naïveté, de la modestie), la suite du texte, c'est-à-dire l'analyse proprement dite du poème de Fernand Ouellette, gomme à peu près l'ensemble des marques de la subjectivité, de sorte que le discours, comme souvent dans les articles critiques très techniques, semble s'énoncer de lui-même, sans que personne ne le profère. Le métadiscours littéraire manifeste alors la posture énonciative typique du discours scientifique: tout se passe comme si la science parlait par sa propre bouche, comme si l'objet lui-même s'énonçait — en toute objectivité! On conçoit aisément à quel point un tel discours est susceptible de persuader l'énonciataire, d'emporter son adhésion: car si l'erreur est humaine, quand il semble ne pas y avoir d'humain à la source du discours, peut-il y avoir seulement erreur?

Un grand nombre de textes critiques des années 1970 et 1980 vont ainsi adopter un dispositif énonciatif visant à produire un tel *effet* d'objectivité[16]. La critique d'inspiration scientifique est sans conteste le discours dominant de ce segment de la période, sinon en nombre absolu d'articles publiés, du moins en crédibilité. Sans doute la transformation de l'ensemble des sciences sociales et humaines sur le modèle des sciences pures n'est-elle pas étrangère à ce phénomène, et bientôt — au tournant de la décennie 1980 — on verra se constituer des équipes de recherches[17] et des laboratoires sur le modèle des disciplines scientifiques.

S'il fallait encore caractériser les décennies 1970 et 1980, fort marquées par l'apport des théories littéraires structurales françaises et souvent critiquées pour cette appropriation massive d'une réflexion élaborée à partir d'un corpus très différent du corpus québécois, on pourrait donner deux exemples représentant de façon exemplaire quelques tendances «lourdes» de la critique: les articles de Robert Giroux sur un poème d'Anne Hébert (1975) et de Louis Francœur sur le théâtre québécois (1975)[18].

La lecture immanente[19] de «la Fille maigre» d'Anne Hébert par Robert Giroux (1975) comporte un long préambule théorique. Ce type d'ouverture, très courant dans les années 1970 (dès que la nouvelle critique, acclimatée en milieu québécois, devient un signe d'appartenance à la génération montante), constitue un espace textuel stratégique, où s'énonce une définition spécifique de l'œuvre littéraire et/ou de la critique, où s'exhibent aussi les signes de la maîtrise: maîtrise du texte analysé, certes, mais aussi maîtrise des codes et du jeu intellectuel. Faisant écho aux mots d'ordre qui se répandent dans la communauté des jeunes critiques vers le milieu de la décennie 1970, Giroux, dès le premier paragraphe de son étude, disqualifie la lecture thématique

[16] Nous parlons d'*effet* d'objectivité, car il n'est pas sûr que les discours désénoncés soient en réalité plus objectifs que les autres.

[17] Disons que la décennie 1980 représente un moment d'accélération du processus de constitution des équipes de recherche. Cela dit, le processus était amorcé depuis les années 1970; pensons entre autres au gigantesque chantier (1978-1994) du *Dictionnaire des œuvres littéraires du Québec* (*DOLQ*).

[18] Le passage sur les contributions de Robert Giroux et de Louis Francœur est adapté de Dion (1995).

[19] On désigne par «lecture immanente» ou «critique immanente» un type de démarche qui aborde le texte littéraire comme une totalité close, autosuffisante; une démarche immanente se refuse à «sortir» du texte pour faire appel aux données de la vie de l'auteur, de l'état de société dans lequel celui-ci a vécu, etc.

qu'avaient pratiquée les premiers nouveaux critiques québécois. Est aussi particulièrement remarquable dans son étude une négativité qui s'exprime dans des formules telles que «Il n'est pas inutile d'insister sur le fait que des lectures préliminaires ne consistent pas à trouver d'abord et avant tout un *sens* au texte» ou «Le titre peut être trompeur», ou encore «les fonctions logiques sont souvent peu pertinentes: où, quand, comment, avec qui..., questions naïves dont les multiples réponses ne manquent jamais de dissoudre ou d'effriter le sens univoque» (1975: 73). Toute l'argumentation semble marquée par une volonté de ne pas être dupe, de ne pas se laisser prendre au mirage des «faux» sens, de ne pas commettre de méprises en accréditant, par exemple, une conception périmée de la poésie, du langage, du sens. Il y a chez Giroux un côté «surveillé» très présent dans le milieu universitaire québécois, un côté «bon élève» craignant d'être pris en flagrant délit d'hétérodoxie théorique par quelque instance supérieure dépositaire des codes légitimes; de sorte que, contrairement à l'opinion commune, la critique québécoise de l'époque ne se caractérise pas seulement par une dilution ou une dénaturation des codes de la nouvelle critique française, mais aussi, pour une certaine part tout au moins, par un respect ostensible de ces derniers. Ces deux attitudes contradictoires cohabitent chez Giroux: on discerne à la fois chez lui une tendance à indiquer ses emprunts, à faire acte d'adhésion, à décrire ses opérations de manière à en montrer la conformité aux *diktats* méthodologiques en vigueur, et une propension à prendre des libertés vis-à-vis des usages établis.

Publiée la même année que celle de Giroux, l'étude de Francœur sur «le Théâtre québécois: stimulation ou communication?» (1975) correspond à ce que les adversaires des nouveaux critiques québécois ont d'abord caricaturé, puis stigmatisé: elle contient 25 citations de nature théorique dont *aucune* n'est québécoise, et elle «réduit» une part du corpus national à des abstractions tout juste bonnes à servir d'exemples au fil de la discussion; l'analyse des œuvres, au surplus, est presque totalement reportée dans des tableaux regroupés à la fin de l'article — autre trait d'époque. Francœur souhaite dans cet article élaborer un modèle du phénomène de la communication théâtrale «qui en rendra possible l'analyse [...] de la façon la plus rigoureuse qui soit»; il veut dévoiler «cette polysémie pour en dégager les structures signifiantes» (1975: 220). Bien qu'il tente de rattacher cette visée à un corpus québécois, en particulier dans la première des trois propositions théoriques formulées au début de l'étude, il privilégie néanmoins la réflexion théorique[20]. Il cite ou mentionne d'entrée de jeu Buyssens, Saussure et Jakobson; puis il conteste la conception du phénomène théâtral de Georges Mounin, qui associait le théâtre à une

[20] Il écrit: «Nous esquisserons à grands traits ce que pourrait être ce modèle théorique, synthèse des recherches actuelles en sémiologie, en recourant le plus souvent possible à des applications que nous avons faites dans le théâtre québécois» (1975: 222).

stimulation plutôt qu'à une communication (1975: 221). Tout l'article, y compris le titre, procède de cette discussion pied à pied, d'égal à égal, avec Mounin, et tout l'arsenal théorique déployé tend à montrer que le théâtre représente une authentique communication. Le modèle que construit Francœur met en jeu la quasi totalité de la réflexion sémiologique de l'époque, se révélant l'amalgame des apports de Propp, Chomsky, Greimas, Ruwet, Hamon, Bremond, pour ne nommer que ceux-là. S'il y a ici emprunt à la critique étrangère, ce qu'on ne saurait contester, il y a aussi réorganisation et synthèse des apports théoriques dans un tout qui les surdétermine. Cette tendance à la «fusion» des théories va d'ailleurs s'affirmer au cours de la décennie 1970 et après 1980.

C'est donc sur le fond de cette critique «techniciste»[21], où le *je*, voire le *nous* du sujet de connaissance ont tendance à s'éclipser et à faire place à la figure quasi autonomisée de la science, que vont se détacher les autres voies de la critique (toujours du point de vue de la subjectivité). Les différences entre les formes du discours sur la littérature tiennent non seulement, comme nous l'avons déjà mentionné, à l'appartenance générationnelle des critiques et à la diversité de leurs allégeances méthodologiques et théoriques, mais aussi aux *lieux* où ils sont amenés à exercer leur magistère. Il va en effet de soi qu'on n'écrit pas la même chose dans une revue comme *Études littéraires* que dans *Livres et auteurs canadiens/québécois*; de même, un article destiné à la revue *Europe* (et donc aux lecteurs du Vieux-Continent) ne construira pas l'énonciateur et l'énonciataire comme le ferait une étude rédigée pour *Voix et Images*, revue uniquement vouée à la littérature québécoise et visant le public des spécialistes et des passionnés du corpus national. Bref, même si une tendance à l'abstraction et à l'objectivité semble caractériser les décennies 1970 et 1980, il ne faut pas s'enferrer dans une conception monolithique de la critique de cette époque: de fait, les spécialistes québécois sont, pour une large part, des *polygraphes*, des auteurs qui écrivent dans plusieurs revues, pratiquent autant le discours structuraliste que les discours sociologique et historique, manient le style savant et au besoin le style journalistique[22], s'adonnent parallèlement à l'interprétation des textes et à la rédaction de romans ou de poèmes[23].

[21] Critique «techniciste» dont on pourrait bien sûr citer de nombreux autres exemples: ajoutons seulement pour faire bonne mesure le livre de sémiotique de Jean Fisette, *le Texte automatiste* (1977), le *Petit manuel des études littéraires* de Guy Laflèche (1977) et l'ouvrage d'Hugues Corriveau *Gilles Hénault. Lecture de* Sémaphore (1978).

[22] Pensons par exemple à Gilles Marcotte et à Jacques Allard, qui ont tous deux tenu une chronique au *Devoir* à plusieurs décennies d'intervalle, ou encore à Robert Melançon et à François Hébert, qui ont régulièrement publié des comptes rendus de lecture à *Liberté*.

[23] Les professeurs-critiques-écrivains sont devenus monnaie courante dans l'université québécoise depuis 20 ans, ce qui n'est pas sans avoir profondément transformé l'institution de la littérature québécoise, certains de ses membres participant à la fois à la production et à la réception des œuvres. Au nombre de ces critiques-créateurs, nommons entre autres Pierre Nepveu, Pierre Ouellet, André Brochu, Yvon Rivard, Paul Chanel Malenfant, Jacques Brault, Jean Marcel [Paquette].

Parmi les contributions qui s'éloignent du «type» scientifique que nous venons de décrire (et qui se révèlent même atypiques), signalons le long compte rendu de *l'Homme inchangé* de Placide Gaboury par Jean-Louis Major, compte rendu éloquemment intitulé «Essai et contre-essai. Journal d'une lecture inachevée» et publié en 1973 dans *Livres et auteurs québécois*. Titre d'autant plus éloquent que le compte rendu de Major en remplit exactement le programme, se détournant bientôt du livre de Gaboury, en interrompant la lecture pour en prendre le contrepied et développer, au *je*, ce que certains théoriciens québécois ont nommé un «récit *idéel*» (Belleau, 1980: 539) ou encore une «*réflexion de type lyrique*» (Marcel, 1972: 87), c'est-à-dire un essai — ou plutôt, en l'occurrence, un «contre-essai » explicitement dirigé contre *l'Homme inchangé*. En plus de mettre au premier plan les opinions et, partant, la personnalité du scripteur, le texte de Major a ceci de particulier qu'il adopte la forme du journal intime (ou journal d'écriture):

> 19 janvier
>
> Relu la première partie de *l'Homme inchangé*; en ferai probablement le compte rendu pour [Adrien] Thério [directeur de *Livres et auteurs québécois*]. Mais sur quel ton? Le professeur en moi voudrait analyser, confronter, contredire, mais celui qui écrit ici, en-deçà de tout propos didactique, voudrait n'écouter que sa propre voix intérieure pour rejoindre la part silencieuse de ce métier qu'on croit tout de façade et qui, pourtant, n'est vrai que par la méditation dont il s'alimente. (Major, 1973: 320)

Dans son «contre-essai», l'énonciateur ne se contente pas de se représenter comme sujet[24], il met en représentation son propre texte, le compte rendu qu'il est en train d'écrire, évoquant les divers tons et formes que celui-ci pourrait prendre: «Dans un compte rendu de *l'Homme inchangé*, je parlerais moins du livre que je ne poursuivrais une réflexion en marge du texte. En quoi je ne tricherais peut-être pas tellement, me semble-t-il» (Major, 1973: 316).

Le cas du texte de Major n'est certes pas isolé: il se trouve bien d'autres articles atypiques dans la production de cette période, au nombre desquels nous pourrions encore évoquer le compte rendu de l'ouvrage de critique de Maurice Émond par Renald Bérubé, toujours dans *Livres et auteurs québécois* (1974: 215-217)[25]; consacrée à un livre sur *Yves Thériault et le combat de l'homme*, la recension de Bérubé tente de se rapprocher de la forme du dialogue avec l'auteur, empruntant pour ce faire le format de la lettre personnelle:

---

[24] Encore que l'on assiste, comme dans la citation précédente, à une légère mise à distance de soi, le *je* étant scindé en deux acteurs, le «professeur» et «celui qui écrit», figurés par la troisième personne du singulier.

[25] Le fait que nos deux exemples proviennent de *Livres et auteurs québécois* ne doit pas être interprété comme une particularité de cette publication; le caractère atypique des textes évoqués ici tient sans doute davantage à l'aspect moins «normé» de la recension comparativement à l'article savant.

> Monsieur Émond,
>
> Nous ne nous sommes jamais rencontrés et nous ne nous connaissons pas. Si je prends la liberté de vous écrire cette lettre, c'est qu'on m'a demandé de faire le compte rendu de votre livre, *Yves Thériault et le combat de l'homme*, pour *Livres et auteurs québécois 1973*. En lisant votre livre et en réfléchissant à la courte analyse que je devais en faire, j'en suis arrivé à la conclusion que la forme épistolaire était celle dans laquelle je pouvais le mieux formuler mes remarques: constamment, en vous lisant, je me voyais en train de vous écrire et de discuter avec vous. (Bérubé, 1974: 215)

Après la très théoricienne décennie 1970, les années 1980 semblent marquer, déjà, un léger changement de cap, bien sûr progressif: le structuralisme et ses avatars, dont la sémiotique littéraire[26] et la narratologie, semblent en effet commencer de battre en retraite (quoique la revue *Protée*, publiée à l'Université du Québec à Chicoutimi, prenne une orientation nettement sémiotique après 1985), remis en cause en même temps que la croyance en une éventuelle «science de la littérature». Lié à la prise de conscience du caractère utopique d'une telle science, le reflux de la sémiotique et, plus généralement, des méthodes d'inspiration linguistique et logique, tient également jusqu'à un certain point à leur banalisation: comme le note Gilles Thérien, «les méthodes de la sémiotique littéraire sont de plus en plus intégrées et ont de moins en moins besoin de se signaler comme méthode» (1992: 390); et il ajoute: «il y a une sémiotique qui est devenue comme la prose de Monsieur Jourdain» (1992: 392). Le recul des méthodes, des «grilles» d'analyse «pures et dures» n'est donc pas à comprendre comme une *tabula rasa* ni comme un retour du pendule vers une subjectivité totalement décomplexée, mais plutôt comme un émoussement de leur caractère polémique (dirigé contre la souveraineté du sujet critique), comme une contestation de la rigidité et de la lourdeur de leurs procédures, comme une acclimatation de leurs avancées les plus fécondes à l'entreprise de lecture et de relecture du corpus québécois. L'un des apports fondamentaux de ces méthodes d'analyse, qui ne sera pas perdu pour les générations suivantes, consiste à avoir fait prendre conscience, à qui veut comprendre le fonctionnement du discours littéraire, de l'importance de suspendre au moins provisoirement le jugement de valeur subjectif pour s'attacher aux caractéristiques internes de l'œuvre: faute de quoi, c'est toute une partie du corpus québécois qu'on s'interdit de (re)lire et d'étudier, c'est toute une somme d'expériences (de vie, d'écriture) et de connaissances (historiques, linguistiques, esthétiques, etc.) dont on se prive, sous prétexte que ces œuvres sont maladroites, décevantes ou ratées[27].

[26] Qui fait l'objet d'un programme de doctorat (mis sur pied en 1979) à l'Université du Québec à Montréal.

[27] Comme l'indiquait déjà André Brochu dans un article de 1965 (repris dans Brochu, 1974a: 39-53), «La critique littéraire nouvelle, non plus dualiste mais dialectique, se doit d'envisager les œuvres selon leur continuité profonde qui les sauve d'être simplement un échec, quand bien même elles le seraient au plan esthétique. D'ailleurs, à ce moment, le critique doit pouvoir montrer *de l'intérieur*, et non par référence à de pseudo-critères objectifs, comment l'œuvre manque à elle-même, aux exigences qu'elle s'impose» (1974a: 41).

Dans un article de 1980 consacré à la pensée critique de Gilles Marcotte, Joseph Bonenfant, que nous avons déjà cité plus haut à titre de représentant de la critique structurale, traduit très bien, une fois de plus, le changement de cap qui caractérise l'époque; voyons son introduction:

> La critique aussi est un discours de fiction. Elle peut moins que la poésie, ou le roman, s'abstenir d'idées, ou se retenir de refléter l'humeur de son auteur, ou cacher sa science. Mais là n'est pas l'important. J'aurai l'occasion de signaler, chez Gilles Marcotte, les idées, avec leur constance et leur force, d'évoquer son attitude de lecteur et sa vaste culture. Comme ces choses-là pourront être claires! Il y a risque qu'elles dessinent les configurations d'*un savoir* qui serait bien l'image la plus fausse qui se dégage de cette critique. Là, pas d'arcane, pas de recette, ni de théorie lourde. Plutôt une œuvre de fiction, mettant en action mille personnages vivants: les écrivains, les travailleurs littéraires et leurs mondes de papier. Comme toute critique, la sienne est une prospection du monde au deuxième degré, une exploration incertaine et, malgré les apparences, un des plus fascinants domaines du non-savoir. Jamais cette critique ne souffre (ni ne jouit) de la «crampe» théorique. (Bonenfant, 1980: 51)

Entre science et humeur, théorie et fiction, culture et non-savoir, la critique dont le portrait est esquissé ici semble appartenir aussi bien au passé qu'à l'avenir; Bonenfant intègre en effet à son discours sur Marcotte (critique établi de longue date), des éléments qui proviennent des écrivains dits «de l'avant-garde», qui à la même époque tentaient de fonder dans *la Nouvelle Barre du Jour* un nouveau genre littéraire: la théorie-fiction, ou fiction théorique, qui reconnaissait à la théorie littéraire un aspect fictif et à la fiction une composante nécessairement théorique (puisque l'écriture littéraire devait porter avant tout sur son propre avènement, son propre engendrement). L'assertion du caractère fictif de la critique — voire *du* critique —, de l'aspect incertain de son savoir annonce, certes encore timidement, les audaces de la critique «postmoderne» (*cf. infra*) de la fin des années 1980 et de la décennie suivante.

De même que la fin des années 1960 et la décennie 1970 avaient remis en cause la critique antérieure, les années 1980 et 1990, tout en prolongeant par certains côtés la période précédente (pensons au développement des équipes de recherche et à la multiplication des grands chantiers: *DOLQ, Bibliothèque du Nouveau Monde, Édition critique des œuvres d'Hubert Aquin*, etc.), reviennent sur les «acquis» de la réflexion littéraire et en entreprennent la réévaluation. Du point de vue qui nous retient ici, rappelons d'abord la remise en question de l'objectivité en critique littéraire et dans les sciences humaines. À l'heure où certains historiens des sciences pures mettent au jour les déterminations individuelles et sociales du travail scientifique (voir par exemple *Laboratory Life* de Latour et Woolgar —1979), il devient certes de plus en plus difficile, s'agissant des études littéraires, de soutenir que le sujet critique est en mesure de s'abstraire du processus de connaissance; l'énonciation «objective» apparaît dès lors comme un leurre, comme un simulacre trompeur. Mieux vaut donc, au dire des critiques, assumer la présence du sujet, la tenir pour un facteur d'imprécision ou au contraire d'enrichissement, plutôt que d'essayer de la dissimuler par des artifices grammaticaux et syntaxiques.

La critique féministe, très importante à partir du milieu des années 1970 (avec des représentantes comme Madeleine Gagnon, Suzanne Lamy, Patricia Smart, Louise Dupré, etc.), y est pour beaucoup dans la revalorisation du sujet de connaissance, cette critique dénonçant le sujet de savoir neutre et universel comme un sujet essentiellement mâle, et cherchant à imposer un sujet féminin qui s'investit pleinement dans sa lecture des œuvres et sa relecture de la tradition. Emblématiques de la critique féministe contemporaine (mais ne rendant bien sûr pas compte des ramifications de ce courant) nous apparaissent ces propos de Patricia Smart:

> De mon texte sur Aquin aujourd'hui je voudrais faire une sorte de «reflet au féminin» de cette écriture fragmentée: non pas des fragments érigés contre le vide, mais plutôt quelque chose comme une série de retailles, où je tenterai de tisser ensemble des éléments trop souvent disparates: la vie et l'écriture (les miennes et celles d'Aquin), la certitude féministe et le questionnement inhérent au processus critique. (Smart, 1992a: 215)
>
> Et je rêve encore d'un langage critique qui abolirait le cloisonnement étanche entre la vie et l'œuvre, le critique et l'écrivain, la théorie et la lecture de l'œuvre. (Smart, 1992a: 216)
>
> Je décide sur-le-champ de me donner une nouvelle permission en écrivant ce texte, celle de parler de moi-même et de ma propre réalité de lectrice, espérant ainsi faire entrer un peu de la complexité du réel entre les grilles de ma lecture féministe. De plus, en posant des questions à l'œuvre plutôt qu'en prétendant en offrir une analyse définitive, j'arriverai peut-être à entamer un dialogue avec cette œuvre ambiguë et violente, qui ne cesse de me déranger depuis le jour où j'ai ouvert *Prochain épisode* (1965), il y a plus de vingt-cinq ans. (Smart, 1992a: 216)

On mesure aisément la distance entre cette posture énonciative centrée sur le *je*, sur l'expérience intime et collective des femmes, sur un rapport étroit à l'écriture de la critique et à la lecture de l'œuvre, et la posture «scientifique» des années 1960 et 1970. Ici, il n'est plus question pour le sujet de s'éclipser derrière les structures du texte, mais de «dialoguer» avec lui. L'œuvre, de même, n'est plus un objet neutre, mais quelque chose qui sollicite le critique, le «dérange», le provoque.

Tous les «retours au sujet» ne se révèlent cependant pas aussi spectaculaires, et ceux auxquels on assiste durant la décennie 1980 demeurent en général plus discrets que celui de Patricia Smart dans cet article de 1992. L'étude de Ginette Michaud intitulée «Récits postmodernes?» et consacrée à deux romans de Jacques Poulin semble caractéristique de cette décennie en ce qui a trait à la mise en scène de la subjectivité par l'utilisation modérée mais constante du *je* (d'un *je* qui réfléchit sur ses modes de pensée, d'analyse et d'écriture) et surtout par un dispositif d'interpellation des énonciataires (les lecteurs, les autres critiques): bref, par la construction d'une véritable «scène énonciative» où le critique n'est qu'un actant — amusé souvent — parmi d'autres:

> Voilà en tout cas pourquoi j'ai voulu, entre autres raisons, garder le postmodernisme comme question dans mon titre, et non comme une donnée de fait indiscutable: ce n'est pas le postmodernisme qui trouve ainsi à s'illustrer de manière avantageuse dans les récits de Poulin, ce sont plutôt ces fictions qui peuvent nous dire quelque chose de précis sur le postmodernisme. Les lecteurs de la seconde catégorie — ceux qui pensent que cette notion ne leur sera d'aucun profit pour lire les récits de Poulin — seront donc eux aussi déçus [...]. [...] En fait, ces fictions désarment souvent les critiques qui, s'ils s'entendent avec un remarquable accord pour louer les qualités précitées (il ne faudrait pas oublier l'inévitable «tendresse»!), n'osent pas, devant ces textes pudiques, sortir leur artillerie lourde. [...] Or, je l'ai appris à maintes reprises à mes dépens, la naïveté n'est pas rémunératrice dans le cas des textes de Poulin. (Michaud, 1985-1986: 70)

Ajoutons que le retour du sujet n'est pas seulement lisible dans les articles et études, mais aussi dans les ouvrages de critique; la mode des recueils d'articles atteint en effet un sommet au cours de la décennie 1980, avec notamment la collection «Papiers collés» des Éditions Boréal[28]. Dans ces collections d'études publiées et inédites, mises en ordre et partiellement réécrites, précédées d'avant-propos et de présentations, s'élabore tout un discours qui rattache les contributions isolées des critiques, d'ordinaire suscitées par les circonstances (colloques, commandes, etc.), à une entreprise unifiée, quasi préméditée, émanant d'une *personne*, sinon d'une *personnalité* du milieu littéraire. Ce n'est sans doute pas un hasard si deux des plus importants recueils publiés dans la décennie, ceux d'André Brochu et d'André Belleau, s'ouvrent par des récits autobiographiques: *la Visée critique* de Brochu (1988) porte du reste le sous-titre *Essais autobiographiques et littéraires*, alors que le premier texte de *Surprendre les voix* de Belleau (1986[29]), qui a pour titre «Mon cœur est une ville», commence comme suit: «La rue Saint-Denis m'est douce et je la sais par cœur. Elle me permet de dormir en marchant» (1986: 11). Chez ces professeurs-écrivains (et ce second statut n'est sans doute pas étranger à leur *stratégie* énonciative), il s'agit d'abord d'ériger le sujet, de le manifester non plus tel un *je* relativement anonyme mais tel une personne concrète, historique, avec son passé, ses goûts et ses dégoûts, avec son «vécu» hors des livres

[28] Sur la collection «Papiers collés», lire l'article de François Dumont (1992); pour l'analyse d'un recueil d'articles de la décennie 1980, voir Clément, Dion et Fortier (1996).

[29] Recueil posthume de l'auteur, qui reprend en l'augmentant et en le remaniant un recueil de deux ans antérieur intitulé *Y a-t-il un intellectuel dans la salle?*; on mentionne cependant dans un «Avertissement» que la refonte du recueil a été «voulue et approuvée par l'auteur», qui est mort juste avant la sortie de l'ouvrage.

et du travail de réflexion. Il s'agit en fait de rendre la personne du critique intéressante et «désirable», étant entendu qu'une adhésion à la personne garantira l'adhésion à son discours (on voit ici à l'œuvre une rhétorique totalement opposée à celle de la critique «scientifique»); pour cette raison, il paraît juste de parler de *stratégie* énonciative — vraisemblablement plus ou moins consciente de la part du critique.

Toujours à propos de ces deux critiques — qui se voient eux-mêmes avant tout comme des *essayistes* et non comme des *chercheurs*, ce qui explique leur position dans le débat sur la critique —, il est intéressant de noter qu'ils sont parmi ceux qui se sont élevés de la manière la plus articulée contre la «scientifisation» du discours critique, c'est-à-dire contre la «recherche». Belleau publie en 1985 dans *Liberté* un texte intitulé «Pourquoi je ne demanderai pas de subventions numériques pour des recherches digitales (et vice versa)» (repris dans Belleau, 1986), dont le titre, déjà, traduit sa distance ironique par rapport au phénomène des équipes de recherche subventionnées. Quant à Brochu, son attitude vis-à-vis de la recherche apparaît clairement dans ces lignes:

> À cette époque [les années 1960 et 1970], il faut le dire, la critique, qui se donnait pour tâche de lire ou d'interpréter les textes, pour mieux les comprendre, occupait une position assez confortable, dans le champ des études littéraires. Elle l'a passablement perdue, depuis le développement de ce qu'on appelle la recherche qui est une institutionnalisation de la réflexion sur la littérature (et, souvent, sur les autres productions textuelles), laquelle se fait dans une perspective délibérément scientifique et positive. En littérature comme ailleurs, est recherche ce qui peut être subventionné, donc ce qui répond à des critères d'inspiration scientifique. On imagine mal Georges Poulet ou Jean-Pierre Richard dirigeant une équipe de recherche se donnant pour tâche de renouveler la compréhension de telle œuvre (de tel auteur). (Brochu, 1992: 21)

La critique constituant pour Brochu la rencontre de deux subjectivités, celle de l'auteur et celle du critique, on conçoit difficilement que la «recherche» au sens où il l'entend puisse être valorisée par lui. Après une décennie où les subventions de recherche ont représenté pour les critiques l'indice absolu de leur valeur sur le marché aux idées, les prises de position de Brochu, de Belleau et de plusieurs autres sont venues mettre un bémol à l'euphorie positiviste, questionnant la pertinence du modèle de la recherche scientifique eu égard à un objet tel que la littérature.

Au tournant des années 1990, les coupures budgétaires aux deux paliers de gouvernement portent un dur coup aux équipes de recherche et *ipso facto* à la «recherche» elle-même: l'argent se faisant rare, les sommes disponibles sont désormais affectées en bonne partie aux grandes entreprises d'édition critique et d'histoire littéraire. Cette transformation des conditions d'exercice de la réflexion littéraire a des répercussions sur la pratique et ne contribue pas peu à accélérer, voire à exacerber, le mouvement de retour à la subjectivité du critique, de nouveau seul devant l'œuvre offerte telle une insistante énigme. Mais ce retour ne signifie pas un balayage radical des autres formes de critique: il faut plutôt voir l'histoire de la critique depuis 1968 comme une *succession* de dominantes, d'une part, et comme une *addition* de positions critiques, de l'autre; à notre époque de flou idéologique et d'unanimisme *soft*, diverses tendances critiques parviennent à cohabiter sans problèmes et l'on voit se développer côte à côte, au sein même de l'université, une critique plus subjective (thématique, psychocritique et psychanalytique, etc.) et une critique «objective» (sémiotique, rhétorique, narratologique, etc.).

Par ailleurs, ce serait une erreur que d'associer le retour au sujet à un simple retour à la case départ. Le sujet qu'on redécouvre à la charnière des décennies 1980 et 1990 n'est pas celui des années 1950 et 1960: la psychanalyse de Jacques Lacan et les théories de la postmodernité (Jean-François Lyotard et Guy Scarpetta surtout, dans le domaine francophone) sont passées par là. Il ne s'agit pas d'un sujet unifié, ayant la cohérence d'une *personne*, mais d'un sujet instable, démultiplié ou scindé, doté de plusieurs voix: *polyphonique*. Ce sujet postmoderne a été sommairement évoqué par Janet M. Paterson dans un ouvrage qui a fait date, *Moments postmodernes dans le roman québécois* (1990); à propos de l'énonciation du roman dit postmoderne, elle écrit:

> [...] dans le roman postmoderne, l'acte d'énonciation ne se caractérise pas uniquement par la mise en place d'un «je» narratif mais par une *pluralité* de voix narratives. Ces voix sont soit scindées, dédoublées, fragmentées, comme dans *Comment c'est* de Beckett, soit carrément multiples, comme dans *Pale Fire* de Nabokov et *Trou de mémoire* d'Hubert Aquin. Relevant dans certains textes tant de la narration (au sens propre) que d'une annotation fictive, ces voix produisent rarement un discours unifié. Elles refusent, au contraire, d'admettre une seule vision et une seule autorité et elles subvertissent toute notion de contrôle, de domination et de vérité [...]. [...] Voilà pourquoi la voix du narrateur postmoderne est souvent plurielle, diffuse et contradictoire. (Paterson, 1990: 18-19)

Ce qui est dit ici de l'énonciation et, par ricochet, du sujet postmoderne pourrait être étendu à l'énonciation de la critique: si la fiction, comme le mentionne Paterson dans ce passage, est susceptible d'imiter la critique en se donnant pour une «annotation fictive», rien n'empêche la critique d'adopter quelques procédés de la fiction (la brèche ayant de toute façon été ouverte avec les «théories-fictions» des écrivains d'avant-garde). C'est ainsi qu'on verra des critiques de la jeune génération — celle qui fait son apparition au milieu des années 1980 — se mettre en scène comme sujets dialogiques (c'est-à-dire scindés en deux ou en plusieurs parts qui engagent un dialogue), comme personnages de fictions, multipliant les trompe-l'œil, jouant de l'impossibilité de se fonder en tant que sujet plein et de parvenir à un savoir sûr, mettant au premier plan la dimension ludique et, comme le demandait Brochu dans l'article précité de 1992, celle de l'écriture. Nous ne donnons, pour terminer ce survol de la dimension subjective de la critique depuis 1968, qu'un seul exemple tiré de la revue de sémiotique *Protée* (comme quoi les contraires — la sémiotique et la postmodernité — ne sont pas incompatibles):

> — *Je me souviens.*
>
> Cela vous rappelle-t-il quelque chose?
>
> — *Je me souviens.*
>
> Supposez que cet énoncé, je le laisse un moment résonner seul; comme le mot d'ordre d'une nation, par exemple, ou sa devise.
>
> — *Je me souviens.*
>
> Est-ce là prologue, promesse, annonce ou simplement la première phrase d'un dévoilement... qui vient... qui va venir?
>
> — *Je me souviens.*
>
> Dans quel temps sommes-nous? Celui du commencement, de l'ouverture dont cette phrase ne serait que le léger retard, le différé infime? [...]
>
> [...]
>
> Comment interpréter cet énoncé qui insiste, tourne à l'obsession et appelle, semble-t-il, le déploiement de rien? (Cliche, 1992: 77)

Ici, le sujet critique, qui tient les deux parties du dialogue, et qui édifie ce qui est à interpréter tout autant que l'interprétation même, affirme certes son caractère défaillant et scindé, mais asserte du même coup sa toute-puissance — et tourne à vide.

La constitution de l'objet critique: ce dont parle la critique

Aucune littérature ne saurait exister si ses textes restaient inconnus, sans lecteurs, sans instances de réception chargées de leur donner sens. Dans la vie d'une littérature, le critique remplit un rôle fondamental qui lui est propre: celui de *choisir* et de *juger*, dans la somme des textes qu'une société produit, ceux qui ont les qualités nécessaires pour être désignés comme *littéraires*. C'est dès les années 1960 que la critique, de plus en plus influencée par la pensée issue de l'existentialisme sartrien, du structuralisme et de la sociologie, acquiert cette certitude qu'une littérature *n'existe pas* tant que ses commentateurs n'ont pas œuvré pour la mettre en forme. L'homme, disait Sartre, n'existe que par le regard des autres; de même, «l'acte créateur n'est qu'un moment incomplet et abstrait de la production d'une œuvre; si l'auteur existait seul, il pourrait écrire tant qu'il voudrait, jamais l'œuvre comme *objet* ne verrait le jour [...]. [...] Il n'y a d'art que pour et par autrui [...]. [...] En un mot, le lecteur a conscience de dévoiler et de créer à la fois, de dévoiler en créant, de créer par dévoilement» (1948: 49-50). De plus, sous l'impulsion d'un théoricien français comme Barthes (1964), on distinguera de mieux en mieux l'*écrivant* — celui qui écrit pour lui-même, sans être lu et qui reste de la sorte un étranger pour la littérature — de l'*écrivain* — celui que l'édition, puis la critique, prennent sous leur aile et font en quelque sorte entrer dans la littérature. Toute personne sachant écrire peut produire des textes; ceux-ci ne seront pas pour autant jugés comme ayant les qualités nécessaires pour enrichir le patrimoine littéraire d'une société. Sans lecteur critique, un texte, si bon soit-il, reste un texte parmi d'autres; il ne sera jamais une *œuvre*. L'écrivain, comme l'œuvre, sont donc des *créations* de la critique. Forte de ces considérations, l'instance critique prend dès lors une importance qui ne sera pas démentie par la suite, la sociologie elle-même ne tardant pas, dans les années 1980, à se l'approprier en ne définissant plus la littérature comme une simple collection d'œuvres, mais comme une «institution», une «structure sociale» peuplée d'écrivains, d'éditeurs, de critiques et d'enseignants chargés, à parts (presque) égales, de définir la signification des textes. Ainsi, lorsqu'on veut expliquer ce qu'est une littérature, on ne peut pas négliger d'observer ces textes dont l'objectif fondamental est de débattre, sur la place publique, la valeur des œuvres, des écrivains, des courants, des formes qui animent la vie littéraire.

Dans le contexte québécois, ce regard que les commentateurs ont posé sur les textes a été et est toujours particulièrement fondateur. Depuis ses débuts dans la décennie 1960, la critique savante est consciente de son rôle de «fabriquant» de la littérature et, ainsi que le disait François Ricard, «Sans [la] naissance d'une critique enfin compétente et tournée vers la vraie vie des œuvres, notre littérature n'aurait pu en si peu de temps franchir un si long pas» (1974: 7) et devenir cette littérature nationale qu'on lit aujourd'hui. La littérature que *crée* la critique n'est pas seulement celle qui lui est contemporaine, mais est constituée de textes exhumés du passé et dont la réappropriation participe de l'édification d'un patrimoine. C'est la critique qui fait redécouvrir les textes anciens qu'on avait oubliés, qui attire l'attention sur des formes et des tendances nouvelles, et qui établit, entre des textes, des liens auparavant insoupçonnés: par conséquent, comme le disait narcissiquement un critique important, «Une revue est un lieu où la littérature se fait» (Vachon, 1970: 3).

Une chose essentielle est cependant à noter: dire que le sens d'une littérature n'est pas fixé au départ et que la critique a son mot à dire dans sa signification finale, c'est aussi dire que le sens de la littérature risque d'être soumis à des *modes*, à des *époques*, à des *idéologies* qui orientent le regard de chaque critique. Selon le pays où l'on habite, selon les événements politiques et sociaux que l'on vit, selon la théorie que l'on applique, le point de vue sur la réalité change, évolue, s'adapte, faisant en sorte que l'on ne regarde jamais deux fois une chose — la littérature par exemple — sous un éclairage tout à fait similaire. Lue à 20 ans d'intervalle, une œuvre n'est plus tout à fait la même et ce que l'on y découvre se trouve teinté par les intérêts et les connaissances du moment. En presque 30 ans, de 1968 à 1996, le Québec s'est transformé: témoin de l'éclatement des valeurs et de la pluralité grandissante de ce Québec, la critique sera multiforme, multipliant les différentes *lectures* qu'elle fait d'une littérature elle-même de plus en plus variée.

La lecture identitaire

Une des premières actions de la critique a été de *nationaliser* la littérature: c'est ainsi que l'adoption du vocable «québécois», critère essentiel de la distinction du peuple, s'est imposé; c'est aussi parce que le regard critique a su saisir la littérature québécoise comme un objet d'analyse différent de la littérature française qu'elle a pu prétendre à une existence autonome. Vers 1965, «fonder une littérature nationale» représente un cri de ralliement autour duquel se regroupent les critiques comme autour d'un projet commun. À l'instar de la poésie qui, à la même époque, s'articule comme une *littérature identitaire* — par sa thématique du «pays à bâtir et à nommer» et grâce à des porte-parole tels que Gaston Miron, Gatien Lapointe, Paul Chamberland, etc. —, la critique d'avant 1975 fut identitaire, grâce à de gens tels que Gilles Marcotte, André Brochu, Georges-André Vachon. Leurs arguments s'apparentent à ceux des poètes et, dès lors, c'est notamment par les thèmes de la littérature identitaire qu'on tente de saisir l'unité de la littérature: «Si l'on cherche un thème qui puisse faire l'unité de la poésie canadienne-française, depuis une vingtaine d'années, celui du pays s'impose aussitôt à l'esprit. [...] Cette unanimité, ou plutôt cette convergence, fait qu'il n'est pas possible, aujourd'hui, d'étudier la thématique de la poésie canadienne-française actuelle, ou québécoise, comme on aime dire de plus en plus, sans débrouiller d'abord l'écheveau de sens que constitue le thème du pays» (Marcotte, 1971: 11); «cette fatalité du pays, ajoute Maximilien Laroche, pèse indistinctement sur tous» (1967: 99). Plus qu'un thème, le pays devient la raison d'être de la *cohésion* des textes en un seul ensemble: le titre de la seule revue universitaire strictement consacrée à la littérature québécoise, *Voix et images du pays*, souligne d'ailleurs toute la portée de ce projet conditionné par l'expression d'une nation.

À la même époque, former sa conscience historique — en un pays comme en une littérature — acquiert une signification accrue: dans la foulée de la «quête des origines» poursuivie par les poètes, on juge qu'il importe d'inventer une «tradition de lecture» (Vachon, 1969[1968])[30], c'est-à-dire d'entreprendre une démarche d'établissement des textes premiers qui fondent l'origine de la pensée, de l'écriture et de la conscience québécoises: «si donc il doit y avoir une littérature québécoise,

[30] Pour saisir les modalités de cette invention, voir Nicole Fortin (1994)

observons qu'elle naît maintenant sous nos yeux parce qu'elle a désormais un passé auquel les écrivains et les lecteurs d'aujourd'hui se mesurent» (Robert Melançon, 1974: 202). Les principales revues littéraires publieront des inédits anciens, des éditions critiques seront mises en chantier, l'édition s'affairera à rééditer des textes introuvables[31]: le souci avoué est, à l'aune de la conscience nouvelle acquise après 1960, de reconstruire la logique d'une tradition que la pensée étroite des années antérieures, dit-on, n'était pas apte à cerner.

On pourrait résumer les visées de départ de ce projet identitaire en trois points majeurs:

> *1) imbrication du projet de constitution de la littérature avec le projet de constitution de la nation québécoise, l'un devenant le corollaire obligé de l'autre.* Pour la critique d'alors, l'écriture crée le pays: «Ainsi l'écrivain d'ici doit-il s'inventer le pays et non pas le découvrir. Il le crée de toutes pièces, à partir de lui-même» (Laroche, 1973: 181).
>
> *2) prise de distance de plus en plus grande à l'égard du monopole littéraire de la France,* notamment en créant, autour de la littérature du Québec, une logique fondée sur l'histoire, la mentalité et les événements typiquement québécois: «la nécessité d'inventer une tradition [...] oblige à réinventer tout d'abord la notion de littérature» (Vachon, 1969[1968]: 288), notion de littérature que la métropole française a souvent tendance à standardiser.
>
> *3) conscience de la qualité toute relative des œuvres nationales qui seront, dès lors, justifiées moins par des critères esthétiques que par des critères identitaires.* «Nous y voyons le signe de la lente mais sûre édification du pays intérieur qui précède et conditionne la naissance du Pays. Dans l'âpre conquête de la Parole, même le balbutiement a son prix» (Turcotte, 1969: 27); même si c'est avec maladresse, «chaque pays, dans le balbutiement de ses premières paroles, tente ainsi de formuler sa vocation collective» (Aylwin, 1967: 37).

L'extrait suivant de Jean-Marcel Paquette — notamment auteur de l'important *Joual de Troie* (1973, sous le pseudonyme de Jean Marcel) — est fort représentatif de toute l'ambiguïté d'un projet alors jugé tout à la fois nécessaire et utopique:

> Il convient d'être généreux: la notion de corpus englobera ici toute manifestation qui a pris un jour ou l'autre la trace et la forme de l'écriture, depuis 1534 jusqu'à ce jour. Cette générosité nécessaire est même l'indice, dirait-on, à quoi se reconnaissent les littératures de constitution récente: il

[31] Les textes que cette époque redécouvre sont notamment les textes des découvreurs (les *Relations des Jésuites* (édition critique de Guy Laflèche), les écrits de Jacques Cartier, etc.), les premiers textes de l'après-Conquête (*les Anciens Canadiens*, de Philippe Aubert de Gaspé (père), etc.), les textes oubliés (d'Arthur Buies, Marcel Dugas, Albert Laberge, etc.). Dans la foulée de ces projets, notons l'apparition, dans les années 1980, de collections en livre de poche (collections «Bibliothèque québécoise», «Typo», etc.) qui mettent en œuvre la réédition de textes qui sont soit anciens et introuvables, soit récents mais suffisamment importants pour être rendus accessibles à peu de frais pour un large public. Ce phénomène d'édition n'est pas sans rapport avec la critique: ces rééditions seront pour la plupart accompagnées de préfaces, écrites par des critiques; telles des *modes d'emploi*, elles donnent des pistes aidant à la compréhension et «orientent» le sens que les lecteurs pourront accorder aux textes.

> n'intervient dans le processus de leur formation aucun de ces grands principes culturels de discrimination des textes qui, partout ailleurs, servent à simplifier la multiplicité de la production littéraire en la départageant entre la mémoire et l'oubli. [...] Pour la littérature d'un peuple conquis, *tout* concourt à fonder son identité; l'identification y devient le fondement même de l'activité littéraire, et son histoire est le plus souvent l'histoire même de son extrême difficulté à se constituer sur un autre projet que celui-là. [...] Jamais, pourtant, ne s'est-on posé la question fondamentale: pourquoi faudrait-il donc qu'il y ait littérature? [...] Le peuple est, en dernière instance, le créateur de l'univers qui hante les lettres et [...] toute littérature, en conséquence, ne peut être conçue que comme l'expression d'un peuple, d'une nation [...]. L'intérêt pour la littérature nationale [est] moins l'intérêt que l'on porte à la chose écrite que la satisfaction déguisée de l'intérêt que l'on porte à soi-même, promu au rang d'être collectif. (Paquette, 1974: 343-345)

Avec les années, la critique abandonnera progressivement ses doutes en ce qui a trait à la pertinence et à la valeur d'une tradition québécoise: la poursuite du projet visant à donner à la littérature sa propre histoire donnera naissance aux entreprises critiques les plus monumentales des années 1970 à 1990. Autour de Maurice Lemire, de l'Université Laval, est entreprise, en 1978, l'édition du *Dictionnaire des œuvres littéraires du Québec*, vaste répertoire «généreux» — plus de 6000 pages — regroupant la presque totalité des écrits produits en terre québécoise: l'enjeu est collectif, des chercheurs de tout le Québec étant conviés à participer à cette grande entreprise qui se poursuivra, dans la décennie 1990, par l'écriture de la *Vie littéraire du Québec* (à partir de 1991) où l'on esquisse les circonstances sociales et historiques d'apparition de la littérature québécoise. Auteur d'une histoire de la littérature dont on attend depuis longtemps la parution, Laurent Mailhot intégrera de son côté la littérature québécoise dans la prestigieuse vitrine internationale que constitue la collection «Que sais-je?» (1974). Les années 1970 seront donc celles où la «tradition de lecture québécoise», que les années 1960 voulaient mettre en place, aura trouvé ses principaux repères.

Cependant, souvent basée sur la volonté de trouver dans les textes des traces de notre identité, l'approche nationaliste n'évitera pas toujours l'écueil de l'émotivité. Le texte suivant, rédigé par l'écrivain Jacques Brault mais publié dans une revue universitaire, *Études françaises*, témoigne bien de la dimension sentimentale que plusieurs accoleront à l'appartenance collective des auteurs: il en résulte que la «québécité» décrite ressemblera parfois à une «québécité» imaginaire tenant moins compte de la *réalité* que du *désir*[32]. Dans l'extrait de

[32] Des auteurs comme Nelligan et Saint-Denys Garneau — ce dernier étant relu grâce à la sortie remarquée de l'édition critique de son œuvre (Brault et Lacroix, 1971) — sont vus par certains critiques successivement comme des amis et des visionnaires qui furent et vécurent *comme des Québécois* avant même l'invention de cette identité: «De nos jours, je verrais très bien Nelligan [...] faisant partie, et très activement, de l'équipe de la *Nuit de la poésie.* Accompagné d'autres frères, Nelligan aurait sans doute pu opter, dans les années soixante, *pour la vie,* se libérant ainsi des impassibles chenêts de fer» (Smith, 1974: 119).

Brault apparaît une confusion entre la réalité et la fiction littéraire (référence ici au *Torrent* d'Anne Hébert); entre les verbes au présent de l'indicatif et à l'imparfait qui font du poète un être toujours vivant; entre la solitude de la mort du *je* et la collectivité vivante du *nous*. De la sorte, cet exemple montre que la critique ne donne pas toujours au mot «québécois» l'explication raisonnée et sociologique que formuleront les historiens:

> Il y a vingt-cinq ans, mourait Saint-Denys Garneau. Seul avec l'automne, par un beau dimanche d'octobre, non loin de la rivière Jacques-Cartier. Ce cœur qui flanchait pour la dernière fois ne fit pas grand bruit, on le devine, 1943 étant une année de guerre totale au fascisme. Le torrent, celui des enfances partagées avec sa cousine Anne Hébert, le torrent rageait ainsi qu'il rage encore. On ne trouva pas tout de suite son corps ; il reposait — enfin. Le temps a passé. Sous un peu de terre québécoise, Saint-Denys Garneau a peut-être achevé de mourir. Seul. [...] Ce projet dépasse le déterminisme instinctuel et la détermination suicidaire. Un Québécois des années trente a vu ce qui lui arrivait, ce qui nous arrive, et il regarde sans fermer les yeux. (Brault, 1968: 403-404)

Les critiques ne sont pas ignorants du fait que ce qu'ils décrivent relève parfois d'une façon imaginaire de traiter la réalité québécoise. Jacques Allard l'avouera après coup, comparant son travail de critique à celui des poètes du pays utopique: «C'était au temps de la québécité galopante, garrochée, rêvée. *Voix et images du pays*, c'est-à-dire celles projetées par les écrivains du passé et du présent. Soit: le territoire imaginaire, fictionnel et poétique» (1991: 136).

Subissant les fluctuations des idéologies, la critique verra l'effritement graduel de ses objectifs nationaux. Les lendemains de la crise d'Octobre, qui présente le projet national sous un nouveau jour teinté de sang, marquent la fin d'une certaine vision idéalisée du pays, alors que novembre 1976 remet «officiellement» le projet national entre les mains du politique. «On ne peut plus lire, après cet événement [Octobre 70], un essai, comme on l'aurait fait avant. La conscience a acquis une nouvelle dimension critique» (Bonenfant, 1972: 101). En 1975, le changement du titre de la revue *Voix et images du pays* en *Voix et Images* concrétise le fait que l'identité nationale des œuvres n'est plus l'unique argument permettant d'expliquer la logique de la littérature: les revues deviennent de plus en plus thématiques[33]; les approches socio-historiques, qui participent à l'édification matérielle (et non émotive) du patrimoine culturel en constituant dictionnaires

[33] Voir notamment: la revue *Voix et Images* qui, immédiatement après son changement de titre en 1975, axera ses numéros sur un auteur québécois (par exemple: Hubert Aquin (I, 1); Paul Chamberland, (II, 2); Victor-Lévy Beaulieu (III, 2); etc.), puis, plus tard, sur un thème (Québec-Amérique latine (XII, 1); l'édition littéraire au Québec (XIV, 2); etc.); la revue *Études françaises* devient plus thématique dans les années 1970.

et anthologies[34], prennent le relais du discours militant; les points de vue sur la littérature sont toujours plus nombreux. Les théories littéraires, pendant longtemps liées à l'étude des thèmes typiquement québécois ou de l'histoire littéraire, se développent: la sociologie, l'analyse discursive (sémiotique, narratologie, stylistique, etc.), la psychanalyse, la mythanalyse, etc., aspirent à devenir des «sciences de la littérature» et diversifient par la même occasion les types de regards que l'on peut poser sur les textes: la vision de la littérature n'est plus collective ni liée à une unité de vue; des querelles, notamment entre les sociologues et les sémioticiens, rendront compte de la fin des unanimités. En 1988, Pierre Nepveu publie son livre au titre symptomatique de l'éclatement des appartenances nationales: *l'Écologie du réel. Mort et naissance de la littérature québécoise contemporaine*. Il s'agit maintenant, imprime-t-on en quatrième de couverture, de «repenser le mode d'être de la littérature et de la culture québécoises, moins en tant que littérature ou culture *nationales* qu'en tant que *contemporaines*, sur un fond de catastrophe et d'étrangeté, d'éclatement et de burlesque».

Pour la critique, il ne s'agit pas de dire que la littérature québécoise n'aura vécu que le temps d'une révolution tranquille: il s'agit de dire non à la nostalgie facile et de replacer la littérature dans la série des enjeux multiples et pluridisciplinaires qui secouent le monde et la littérature actuels.

La lecture sociale

Les liens de la littérature québécoise avec le projet national ne pouvaient que conduire la critique sur un terrain contigu à celui de la *lecture identitaire*: celui de la lecture de *la société inscrite dans les textes*[35]. Bien que la critique, comme on vient de le voir, ait abandonné relativement tôt ses arguments purement nationaux de nature émotive et politique, elle a investi rapidement, et avec force, le champ des

[34] Voir entre autres: *Dictionnaire des auteurs de langue française en Amérique du Nord* (Hamel, Hare et Wyczynski, 1989); *Anthologie de la littérature québécoise* (Marcotte, 1994); *Répertoire des œuvres de la littérature radiophonique (1930-1970)* (Pagé et Legris, 1975); *la Poésie québécoise. Anthologie* (Mailhot et Nepveu, 1986); *Écrivains québécois contemporains* (Miron et Gauvin, 1989); etc. À ces manuels et anthologies littéraires, s'ajoutent aussi des répertoires sur la critique: *Répertoire des thèses littéraires canadiennes-françaises de 1921 à 1976* (Naaman, 1978); *Guide de la littérature québécoise* (Fortin, Lamonde et Ricard, 1988); etc.

[35] *Lecture identitaire* et *lecture sociale* ne sont pas jumelées qu'au Québec. En Europe, et plus particulièrement en France, les premières approches sociologiques naissent au XIXe siècle grâce à des auteurs tels que Balzac (*la Comédie humaine*) et Zola (*les Rougon-Macquart*), qui définissent la littérature comme la vitrine d'exposition des mœurs et des déterminismes de la société. Le critique Taine, à la même époque, résume en trois mots ce que la littérature doit refléter: la race, le milieu, le moment. Or, au même moment, en France comme en Europe, apparaît l'idée selon laquelle il faut définir les littératures comme des *littératures nationales*, appartenant à des peuples dont elles illustrent la vie, la culture, l'histoire, etc. Il semble qu'une littérature qui cherche à définir les voies de sa distinction soit tout naturellement conduite à expliquer les rapports de l'écriture et de la société.

études sociales de la littérature. Cette perspective sociologique suppose que, même s'il repose sur l'imaginaire, tout texte se définit, dans son contenu et dans sa forme, comme 1) un *lieu de représentation* de rapports et de déterminismes sociaux entre les individus — la littérature reproduisant les valeurs d'une société —, et 2) un *lieu de production* de l'idéologie et des valeurs de sa société d'appartenance — la littérature incitant à «penser» selon la vision qu'elle invente.

a) Littérature et revendication politique: le concept d'aliénation

Issu d'une conception marxiste de l'histoire où la société est un espace conflictuel guidé par les luttes entre les classes (prolétaires/bourgeois, dominants/dominés, etc.), cette idéologie servira, dans ses premières applications, d'outil essentiel à la lutte politique menée par la littérature. Dès le début, on retient la notion sartrienne d'«écrivain engagé», par laquelle est attribué à l'écrivain un rôle fondamental dans l'édification de la conscience collective. Pour le critique formé à cette idéologie, est Québécois celui qui s'engage dans l'écriture afin de révéler et transformer l'état de la société dans laquelle il vit. Comme on peut le voir, l'extrait suivant ne parle pas seulement de la valeur de Claude Gauvreau comme écrivain conscient de sa société, mais témoigne de la lecture idéologique que la critique de 1970 pouvait tirer du passé collectif des Québécois:

> Claude Gauvreau paraît avoir pris conscience très tôt des mécanismes d'une telle société, la sienne, historiquement et sociologiquement située dans le no man's land, tournée vers le passé sclérosant, vivant le présent comme une répétition perpétuelle, tournant le dos au futur comme à toute forme de liberté qui sortirait des cadres rigides qu'une collectivité s'était assignés. [...] Derrière l'œuvre de Claude Gauvreau, avant et en-dessous de cette œuvre, il y a cette prise de conscience première, ce refus d'être téléguidé à coups d'axiomes, de lois et de règles. (Bélanger, 1972: 481-483)

Pour les critiques, les écrits de la prise de conscience collective seront nombreux; ils seront de toute époque et signés Gauvreau, Borduas (*Refus Global*), Anne Hébert, Saint-Denys Garneau, Nelligan, Miron, etc., qui, à leur manière, rendent compte d'un travail de transformation de l'idéologie canadienne-française en une idéologie nouvelle et toute québécoise.

Dans la foulée des réflexions qui animent, à la même époque, les littératures des colonies africaines et antillaises[36] — chez qui la

[36] Les critiques québécois ont souvent analysé les littératures antillaises et africaines dont la définition est soumise à des problèmes similaires à ceux de la littérature nationale: définition d'une identité dans un contexte de colonisation, affranchissement face à la métropole française, particularisation de *leur* langue en regard des normes linguistiques françaises (créole *et* joual), etc. À cet égard, on se rappellera du titre *Nègres blancs d'Amérique* de Pierre Vallières (1968), qui posait le Québécois comme frère de lutte des nations noires. Dans le contexte critique québécois, on doit avant tout souligner l'apport de la revue *Présence francophone* (fondée en 1970), entièrement consacrée aux littératures minoritaires de la francophonie.

conscience collective se voit affirmée par le concept de la «négritude» (Senghor) —, la critique (notamment à *Parti pris*, à *la Barre du Jour* et à *Voix et images du pays*) reprendra avec force la notion marxiste d'«aliénation», qui dénonce la résignation des peuples à vivre sous un régime de domination politique et culturelle, tel qu'imposé au Québec par la Conquête de 1760: une lecture de la tradition littéraire québécoise est entreprise afin de dénoncer l'identité de colonisé du Canadien-français. «C'est que, dans une collectivité totalement aliénée, on ne pouvait manifester sa liberté qu'en exprimant son aliénation — mais dans des structures romanesques qui forcément la reflétaient. [...] Ainsi Laure Conan [dans *Angéline de Montbrun*], lorsqu'elle exprime le présent — son présent à elle, qui est celui de son milieu —, ne peut vraiment écrire de romans car celui-ci implique toujours, Sartre l'a montré, l'expression d'une liberté» interdite aux colonisés (Brochu, 1974a: 119). Pour plus d'un, l'absence relative de littérature véritable avant 1960 (au même titre que l'usage du langage de l'acculturation qu'est le joual) devient un symbole dénonçant un état de société avec lequel il faut rompre. Écrire en joual, par exemple, c'est rendre compte du besoin d'évolution sociale du Québécois: «le blasphème et l'incorrection du langage sont intimement liés et procèdent d'une longue dégradation de l'être humain. Dans cette optique, *le Cassé* repose sur des éléments vrais et ne trahit pas la réalité d'un milieu canadien-français bien défini. Mais son langage ne peut durer qu'à partir du moment où les Canadiens-français refusent tout nivellement par le haut» (Éthier-Blais, 1967: 243). À l'instar de l'écrivain engagé, la critique québécoise s'est donc aussi voulue *engagée*, c'est-à-dire qu'elle a cherché à dévoiler, par ses analyses, toutes les forces contraignant l'éclosion d'une pensée québécoise: outre l'aliénation, des thèmes négatifs comme ceux de la mort, du silence, de l'exil, de la folie, etc., deviendront le fer de lance d'une lecture critique qui, à partir de ceux-ci, montrera combien les auteurs québécois ont su révéler ou dénoncer l'état de la société dans laquelle ils ont vu le jour.

b) La sociocritique

La démarche sociologique n'est pas seulement un instrument de combat politique. Elle repose surtout sur une conception du langage, vu comme structure de sens reflétant inévitablement la réalité. Dans la foulée des instigateurs européens de la sociocritique (Lukács, Sartre, Goldmann), la littérature sera lue en tant que *reflet* du social: dans les décennies 1970 et 1980, cette lecture se développera autour de critiques tels qu'André Belleau, Gilles Marcotte, Régine Robin et Marc Angenot. Dans un premier temps, il faut voir que lire la société représentée dans un texte participe d'abord d'une volonté de compréhension de ce que nous sommes: même inventés, les personnages — grâce aux données de leur identité, de leur cadre de vie ou de leurs actions — contribuent à une compréhension de l'identité québécoise: «Étant confronté aux problèmes sociaux, politiques, linguistiques même, l'écrivain sent qu'il ne peut créer de personnages s'il ne les fait sortir de la vie réelle» (Moisan, 1969: 145). La *littérature régionaliste* — illustrant (ou dénonçant) l'idéologie et les valeurs canadiennes-françaises telles la religion, la langue et la tradition — comme les *romans de la ville* — témoignant de l'accession du Québec à la modernité et au capitalisme urbain et ouvrier — seront parmi les premiers à susciter cette lecture sociale: d'un côté, on analyse Ringuet, Félix-Antoine Savard, Albert Laberge; de l'autre, Gabrielle Roy, Roger Lemelin, André Langevin. Mais cette lecture ne sera pas seulement axée sur la compréhension des rapports sociaux thématisés dans les textes: on s'attardera aussi aux dispositifs de la mise en discours. Comme le montre l'extrait suivant, il est possible de reconnaître dans ces dispositifs les choix d'une société, ainsi que l'évolution sociale d'une écriture à l'autre:

> Enfin, il va de soi — ou il devrait aller de soi — que la lecture, faite par un roman, de la réalité sociale ou du texte social est marquée de façon décisive par les formes, par les conventions qu'il adopte; et que ces formes, que ces conventions portent déjà un sens, du seul fait de leur emploi. Le roman à la troisième personne et au passé simple (le *Bonheur d'occasion* de Gabrielle Roy), par exemple, implique une vision de la société qui n'est pas celle du roman à la première personne (*l'Avalée des avalés* de Réjean Ducharme). [...] On peut définir *Poussière sur la ville* comme un roman de la phrase — de la phrase complète, organisant le sens de son origine à sa fin, le conduisant pas à pas à travers les méandres de la syntaxe. *Don Quichotte de la démanche*, à l'opposé, est le roman du mot [...]. Parler, s'abandonner à la «folie du langage», laisser venir les mots, c'est assurément libérer des énergies nouvelles, construire l'espace libre de la communication. [...] [Ces deux romans] ne représentent pas seulement deux états historiques, très différents l'un de l'autre, voire antithétiques, du texte social québécois. Ils constituent également, en synchronie, des modèles d'action sociale, également actifs dans le Québec d'aujourd'hui. (Marcotte, 1989: 154; 161-162)

Selon ce point de vue sociocritique, analyser un texte signifie comprendre le parcours dans lequel il s'inscrit, et donc voir des liens entre différents textes qui, mis bout à bout, racontent la progression d'une société. Mais les œuvres donnent aussi des pistes pour comprendre l'évolution de la littérature: afin de saisir la fonction de la littérature dans la société — question fondamentale pour tout sociologue littéraire —, des chercheurs tels André Belleau, en s'inspirant du théoricien russe Mikhaïl Bakhtine, tentent notamment d'expliquer la position du code littéraire à l'intérieur des autres usages de la langue. La place de la littérature dans la société ne va pas de soi; il y a une certaine «incompatibilité» — un «conflit des codes» — entre l'usage quotidien et populaire de la langue et son usage savant, cultivé, littéraire. Au Québec, cette incompatibilité n'est pas sans être liée à un certain état de notre société: le conflit n'a jamais été vraiment résolu entre la culture populaire et la culture des élites[37]; de même, la question de la valeur «douteuse» de la langue québécoise en regard de la prestigieuse langue de France subsiste malgré toutes les «défenses et illustrations» de l'idiome national:

> On pourrait faire un très long commentaire sur cette cassure qui traverse le roman québécois et en vertu de laquelle le *savoir-dire* et le *devoir-dire*, ou parfois le *pouvoir-dire* et le *vouloir-dire*, ne se trouvent jamais du même côté, réunis dans la même personne, mais au contraire donnés comme à jamais séparés et irréconciliables. Si la société fictive, intratextuelle, ne réussit pas dans ces romans à donner aux [*sic*] discours littéraire imaginaire un statut ferme, assuré, unifié, c'est peut-être parce que le discours littéraire occupe une place homologue vis-à-vis [*sic*] le discours social dans la société réelle. Les conflits de la société, est-il besoin de le rappeler, se trouvent transposés et transformés selon le jeu des catégories fonctionnelles des formes littéraires. Tel personnage, telle position narrative peuvent devenir la figure fictive de la possibilité ou de la difficulté du langage. [...] mais pour me limiter à la question du conflit des codes et de l'institution littéraire, il m'apparaît clair [...] que l'institution n'arrive pas ici à déterminer une représentation de la fonction d'écrire qui ne soit pas profondément conflictuelle [...]. (Belleau, 1986; 184-185)

D'abord tournée vers la lecture de textes typiquement littéraires, la sociocritique s'ouvrira aux discours de toutes formes: mise en place par Marc Angenot, la théorie du «discours social» occupera un secteur important de la critique au cours des années 1990. Le critique part du principe suivant: la littérature n'est pas la seule qui, dans ses textes, peut se faire le lieu de représentations sociales; en fait, tout ce qui se dit, s'écrit, se lit, se chante dans une société trahit en quelque sorte un «esprit du temps», voire l'*idéologie* en usage à un moment donné. Selon cette perspective, que reprendra notamment Micheline Cambron dans son ouvrage *Une société, un récit* (1989), le mot «texte» retrouve le sens multiple que lui donne la société: les textes qu'analyse Cambron sont autant poétiques (Gaston Miron), romanesques (Réjean Ducharme) et théâtraux (Michel Tremblay), que liés au journalisme (Lysiane Gagnon), à la chanson (Beau Dommage) et à l'humour (Yvon Deschamps). Étudiés de concert, ils illustrent toute la complexité de la société: «Le récit commun que nous avons dégagé confirme donc d'une certaine manière le caractère, appréhendé, de pivot de la période

[37] Cette question ne touche pas seulement à la littérature, mais concerne tout le discours au Québec: ce qui est ouvertement «intellectuel», «élitiste», «savant» semble ne jamais avoir eu très bonne presse au Québec. Le titre de l'ouvrage de Belleau, *Y a-t-il un intellectuel dans la salle?* (repris plus tard sous le nom de *Surprendre les voix*), est propice à ouvrir le débat; notons aussi le texte polémique de Jean Larose, *l'Amour du pauvre* (1991), qui suscita bien des lettres ouvertes à propos de la valeur de la culture au Québec. Pour plusieurs critiques québécois formés à l'école de Bakhtine, la littérature sera un terrain d'analyse pour débattre ces questions, notamment à travers la notion savante de «carnavalisation», qui permet de rechercher la présence de la culture populaire dans les textes.

étudiée dans la percolation idéologique. C'est l'ère des choix entre le monolithisme et le pluralisme, entre l'indépendantisme et le fédéralisme, entre l'avant-garde et le folklore» (Cambron, 1989: 178).

Il va de soi qu'une pareille démarche répond à une conception des idéologies qui prendra de plus en plus de force dans le Québec des années 1980: après une Révolution tranquille au cours de laquelle la définition de la société était confiée presque entièrement à la littérature, la critique redonne aux autres textes leur pouvoir temporairement délaissé à cause, sans doute, de l'absolue nécessité qu'il y avait eu à «faire la littérature» (Vachon). Mais, on le verra, cette ouverture de la critique rend aussi compte d'une autre tendance: les textes que l'on analysera seront toujours plus multiples, allant de la science-fiction jusqu'au roman d'amour et d'aventures en passant par la chanson — genres populaires qu'on n'aurait jamais pensé, à une certaine époque, associer à la littérature.

c) La sociologie des institutions littéraires

Une littérature est une machine complexe qui repose sur autre chose que des textes: à côté des écrivains et des textes, gravite un monde d'éditeurs, de journalistes, de critiques, d'enseignants et de lecteurs ordinaires qui entretiennent la circulation des livres; s'ajoutent aussi de complexes réseaux de prix littéraires (Prix David, Prix du Gouverneur général, etc.), de subventions à l'édition, de mise en marché du livre (Salons du livre, enquêtes sur le lectorat, listes des best-sellers, politique d'exportation du livre québécois, etc.), de programmes d'enseignement de la littérature, etc. Selon l'expression du théoricien français Pierre Bourdieu (1971), chef de file — avec Robert Escarpit et Jacques Dubois — de l'approche institutionnelle, la littérature peut être vue comme un *marché des biens symboliques*: la culture est envisagée comme une structure sociale et économique, liée à l'élitisme petit-bourgeois de nos sociétés de consommation. Il s'agit de comprendre les systèmes de lutte de pouvoir entre les différents intervenants du monde littéraire: «Les gens heureux n'ont pas d'histoire, dit-on. Des rapports harmonieux ne créent pas d'institution» (Robert, 1989: 155). Les années 1980 seront marquées, au Québec, par l'éclosion d'équipes de recherche tournées vers l'étude des phénomènes d'édition (Jacques Michon et Richard Giguère), d'enseignement (Joseph Melançon, Clément Moisan et Max Roy), de lectorat (Roger De La Garde et Denis Saint-Jacques).

En quelque sorte, on pourrait dire que la critique, après avoir longtemps cherché à *inventer* une littérature et à trouver des arguments émotifs pour la justifier, s'est tournée vers son explication matérialiste en parlant de statistiques, de structures économiques, de réseaux d'influences, et ainsi de suite. Ne pourrait-on pas dire que, comme toute critique, celle du Québec a ressemblé à la société dans laquelle elle a vu le jour, les années 1970 et 1980 au Québec ayant été celles de la consolidation progressive des institutions? Suivant cette logique, on ne s'étonnera pas si la décennie 1980 fut celle où la critique québécoise a assis son influence et s'est donnée des structures de recherche puissantes et intitutionnalisées: appuyées par des organismes de subventions gouvernementaux, des équipes, sinon des centres de recherche en littérature[38], ont rapidement vu le jour, réunissant, dans une approche concertée, professeurs et étudiants de maîtrise et de doctorat. Ce n'est donc pas non plus un hasard si, au moment même où les théories de l'institution prenaient forme, la critique tendait de plus en plus à s'analyser elle-même: «en tant qu'utilisation particulière du langage sur le texte, en tant que discours autonome sur le littéraire, la critique est susceptible d'être décrite au moyen de propositions et de méthodes analogues à celles auxquelles recourent les analyses littéraires elles-mêmes» (Hébert, 1992: 168)[39].

La lecture littéraire

Les années 1960 ont annoncé, avec l'apparition du structuralisme (Barthes, Benveniste, Todorov, Genette, etc.) puis de la sémiotique (Greimas), le début d'une certaine agonie de la littérature telle que les décennies précédentes pouvaient la comprendre. D'après cette perspective, l'écriture,

> Ce n'est pas autre chose que le choix des mots et de leur ordre. C'est de ce choix et de cet ordre que dépend la valeur d'un texte — toute l'activité de l'écrivain est concentrée sur les mots, l'écrivain pétrit le langage. C'est le dynamisme de cette activité sur le langage que nous voulons tenter de cerner car elle est la seule qui pour nous fait la valeur d'une œuvre: nous n'avons que faire des bons sentiments, des belles idées ou des confessions plus ou moins attendrissantes. (Haeck, 1973: 96-97)

Se profile déjà, derrière de semblables propos, un conflit possible entre les partisans de la «lecture littéraire» et les partisans de la «lecture nationale», pour qui la valeur des textes réside dans le rapport identitaire entre écriture et lecture, ou encore de la «lecture sociale», qui commande des liens nécessaires et signifiants entre le texte et le contexte. Comme nous l'avons vu plus haut avec la citation de Paquette, la «valeur littéraire» des œuvres québécoises est souvent sujette à caution. Plus d'une fois dans les années 1980, des discussions animées opposeront théoriciens du discours et théoriciens du social, ces derniers jugeant que le statut de littérature québécoise nécessite toujours de la replacer dans son contexte d'émergence. Bien que la

[38] Centre de recherche en littérature québécoise — CRELIQ (Université Laval); Centre d'études québécoises — CÉTUQ (Université de Montréal); Centre interuniversitaire en analyse de discours et sociocritique des textes — CIADEST.

[39] Pour plus de renseignements sur la sociologie de la littérature québécoise, voir Pelletier (1994).

lecture sociale ait été très répandue, il ne faudrait pas conclure que l'œuvre québécoise a rarement été lue *en soi* et *hors contexte*, c'est-à-dire comme une production dont on analyse essentiellement les composantes formelles: les procédés discursifs, les réseaux sémantiques, les structures génériques (roman, essai, poésie, etc.) seront à la base d'une myriade d'études visant à comprendre les mécanismes de l'écriture. Donné à titre d'exemple d'une démarche sémiotique usuelle, l'extrait suivant vise à montrer les tenants et les aboutissants théoriques de cette conception du texte littéraire:

> Comme exemple, nous proposons le fragment suivant [de Paul-Marie Lapointe]: «... le pied le mollet le genou» (p. 48). Ce fragment, pour paraphraser Jakobson, apparaît comme la simple projection, dans le syntagme linguistique, d'une partie du paradigme (champ lexématique) du corps humain [...]: aucun adjectif, aucun déterminant qui ouvriraient le fragment sur une isotopie sémémique. Cependant, ce fragment n'est pas absolument neutre pour autant: la métonymie – ici la contiguïté de ces trois parties du corps dans la réalité – évoque, par le phénomène langagier nécessaire de la nomination, un mouvement ascendant de la «découverte» (dans tous les sens du mot) du corps; d'autre part, la juxtaposition de ces lexèmes, précédés de l'article défini, suggère la sensation de la progression ralentie dans le mouvement ascendant de la découverte, de la jouissance visuelle ménagée selon un rite codifié culturellement: le «strip-tease». (Fisette, 1977: 49)

Lectures linguistiques débouchant parfois sur des considérations culturelles — comme ici — ou sociales, ces analyses littéraires ne seront souvent pas les plus faciles à lire, en raison du système formel abstrait qu'elles cherchent à illustrer, en raison aussi de leur emprunt du vocabulaire de la linguistique: elles répondent plus que toutes autres à la définition de lecture savante et objective que nous faisions plus tôt. On remarquera aussi que la difficulté proviendra fréquemment de l'œuvre traitée: difficiles d'approche même pour le lecteur exercé, des œuvres comme celles d'Hubert Aquin, de Réjean Ducharme ou «de la modernité» (Nicole Brossard, Normand De Bellefeuille, etc.) seront parmi les premières à soutenir la lecture formaliste des critiques. Si l'on relit la critique québécoise entre 1970 et 1990, on constatera rapidement qu'Aquin et Ducharme sont sans doute les auteurs les plus étudiés par les chercheurs: à ces écrivains sont aussi consacrés le plus grand nombre de travaux universitaires (maîtrise et doctorat). Au Québec, l'importance des lectures narratologiques, sémiotiques ou rhétoriques ne correspondront pas seulement à une *mode* venue des mouvements structuraliste et telquelien[40] en France: avec ces théories advient une nouvelle définition de l'écriture, à travers

---

[40] Tiré du nom d'une revue, *Tel quel* correspond en France à une *pratique critique*, axée sur l'analyse structurale des discours (Sollers, Kristeva, Derrida, etc.), et à une *pratique littéraire*, issue du Nouveau Roman (Ricardou, Robbe-Grillet, etc.) et de la Modernité (Sollers, Duras, etc.); l'accent y est invariablement mis sur l'écriture.

laquelle la maîtrise des formes par l'écrivain devient garante de sa maîtrise et de sa compréhension de la réalité. Les considérations suivantes sur la structure formelle de l'écriture de Ducharme et d'Aquin le montrent bien: «écrire — et lire aussi bien —, dans cet alphabet que nous avons, c'est voir, c'est-à-dire confier à la vue le soin d'organiser le monde selon l'ordre séquentiel et linéaire qui est le sien; c'est *faire l'histoire*» (Marcotte, 1975: 269); «c'est dans sa forme même que *Prochain épisode* opère une critique de la littérature» (Lefebvre, 1972: 147). Non seulement axée sur un texte, cette lecture permet, pour plus d'un, la compréhension des phénomènes textuels en général:

> Aussi avons-nous voulu éviter toute référence qui ne se rapporterait pas directement au poème, afin de nous attaquer à une compréhension «littérale» du texte. Nous avons pu dégager une ligne de force essentielle qui nous permettra par la suite de mieux situer le poème dans l'ensemble de l'œuvre de Roland Giguère. Il nous sera alors possible à partir du fil directeur que nous avons découvert, d'esquisser certaines interprétations qui ne pourront qu'enrichir notre lecture des autres poèmes. (Lajoie, 1972: 419)

Une autre raison de l'importance de Ducharme, d'Aquin ou de Brossard tient sans doute à la fortune manifeste de la notion d'«intertextualité[41]» durant les années 1980. Ce concept sous-tend que tout texte littéraire n'est pas sans liens avec ceux qui l'ont précédé: il les imite, les cite, les parodie, les pastiche, esquissant tout un réseau de lecture qui nous emmène d'un texte à l'autre. Dans la forme de chaque texte se profile une participation à une tradition d'écriture, à une bibliothèque (québécoise ou internationale). Mais, de l'importance de cette lecture formelle, il faut aussi retenir les réflexions soutenues sur le statut du texte littéraire: qu'est-ce que la «littérarité»? en quoi, formellement, le texte littéraire se différencie-t-il des autres textes[42]? Cette qualité étant, pour plusieurs critiques, le résultat d'une création du lecteur, naîtront plusieurs démarches axées directement sur l'acte de lecture[43]. En bref, on remarque que les premières «analyses internes» se sont développées jusqu'à s'ouvrir sur une réflexion générale sur l'essence du littéraire, des rapports entre les textes, sur le statut du lecteur, mais aussi sur les genres littéraires.

À cet égard, il ne faudrait pas oublier de noter que la période de 1960 à 1990 a également marqué la lente sortie du théâtre du monde restreint de la littérature. Longtemps considéré comme partie intégrante de la littérature[44], le théâtre prendra progressivement ses distances jusqu'à en venir à se donner des revues qui lui sont propres: la fondation des *Cahiers de théâtre Jeu* (1976), notamment, est l'indice

[41] Voir les travaux d'André Lamontagne sur Aquin (1992).
[42] Voir Milot et Roy, 1991 et 1993.
[43] Voir Gervais, 1993.
[44] Molière, Racine, Goethe (auteur entre autres de *Faust*), Corneille et Shakespeare ne sont-ils pas les symboles mêmes de leur littérature nationale respective?

que le théâtre peut être analysé hors de la littérature et, surtout, *hors de l'écriture*. Les développements récents du théâtre, depuis les créations collectives jusqu'aux spectacles multidisciplinaires du Théâtre Repère de Robert Lepage, ont forcé la critique à réévaluer son objet, à élargir sa lecture à autre chose que le texte en abordant les phénomènes globaux de la théâtralité: élargissement de la notion d'«auteur» à celle de metteur en scène, de comédien, de spectateur; apparition de sémiotiques visuelles tenant compte de la gestuelle ou de la scénographie comme éléments signifiants, et ainsi de suite.

Lectures plurielles

Symboliques de la pensée «fin de siècle» qui agite aujourd'hui l'Occident — de la même manière qu'il fut agité par mai 1968 —, les années 1980 et 1990 ont été marquées au Québec par une certain éclatement des valeurs: fin des ethnocentrismes, reformulés à la lumière de la fin des empires (par exemple, l'URSS) et de l'internationalisation des cultures (*via* les médias électroniques); nostalgie du passé née de l'incertitude éveillée par le nouveau millénaire; etc. Le Québec se fait de plus en plus multiculturel, ce qui oblige à la redéfinition des identités: en littérature, la notion d'«écrivain québécois» se fait plus ambiguë et force la critique à des réajustements. La pensée «postmoderne», on l'a dit, remplace la modernité des années 1970. Derrière ce concept vague se cache la conscience qu'il faut redéfinir les acquis et réinterroger les certitudes: «perte des solidarités, solitude du moi, fragmentation, destruction permanente, conflit insoluble entre sens du progrès et sentiment du vide, entre affirmation du nouveau et conscience de la répétition» (Nepveu, 1988: 176). L'unité de la littérature québécoise — voire ses «trois unités», soit 1) écrite en français, 2) par un *je* québécois et 3) au Québec ou à propos du Québec — est mise à rude épreuve. Comme l'indique le titre d'un ouvrage de Wladimir Krysinski, *Carrefours des signes* (1981), la littérature devient un objet multiple dans lequel peuvent se rencontrer diverses démarches de lecture. Les phénomènes connus en art — comme les oeuvres éclatées des Robert Lepage, La La La Human Steps, Carbone 14 — ont leurs équivalents en critique: des revues telles *Protée*, de l'Université du Québec à Chicoutimi, ou *Spirale*, présentent des critiques pluridisciplinaires et publient des illustrations d'art. Dans les années 1990, un phénomène culturel comme l'hebdomadaire *Voir* (qui a fêté ses 10 ans en 1996) marque également une certaine disparition de la distance entre les critiques savants et les critiques plus «populaires».

a) Lecture des altérités

«Lire un roman à la lumière du phénomène postmoderne, c'est implicitement le situer au sein d'une production artistique internationale» (Paterson, 1990: 5). Ce repositionnement de la littérature québécoise dans l'«international» n'est pas que le fait du lecteur postmoderne mais rend compte d'une démarche critique généralisée, de plus en plus ouverte à l'*altérité*. Altérité veut dire «autre» et, en regard de la littérature nationale, cet «autre» pourra être multiple, c'est-à-dire autant de France, du Canada anglais, d'Amérique, d'Afrique (voir *Présence francophone*) que d'ailleurs dans la francophonie ou en dehors d'elle. Tournée vers la spécificité francophone de la culture et de la littérature nationale, la critique n'oubliera pas, par exemple, grâce à une démarche comparatiste, de rendre compte de la cohabitation du Québec avec cette «autre solitude», soit la culture canadienne-anglaise: on doit notamment à Clément Moisan (1986), spécialiste en histoire littéraire, de même qu'à Richard Giguère (1984), d'avoir couvert le champ de la comparaison.

Bien qu'elle ait cherché, dans les années 1960, à se «spécialiser» dans l'étude de la littérature nationale, la critique québécoise n'a jamais pour autant abandonné l'étude du corpus français: on pourrait notamment retenir les exemples du Camus de Mailhot (1973), du Hugo de Brochu (1974b), du Zola d'Allard (1978), du Rabelais de Belleau (1990). L'étude de la littérature française se poursuit donc parallèlement aux études québécoises. Avec la décennie 1980, ces chemins parallèles deviennent cependant de moins en moins bien tracés: ce que cette décennie introduit de nouveau, c'est la conscience qu'une littérature n'est pas seulement présente parmi d'autres littératures, mais que, fondamentalement, elle inscrit ces *autres* dans sa propre littérature. Notons à cet égard les travaux de Gilles Thérien (*Figures de l'indien*, 1995[1988]) et de Sherry Simon, Pierre L'Hérault, Robert Schwartzwald et Alexis Nouss sur les «fictions de l'identitaire» (1991); signalons aussi la grande importance accordée aux études sur l'américanité de la littérature québécoise (Morency, 1994)[45].

Tiré d'une communication prononcée dans un colloque sur Montréal, le texte suivant de Simon Harel illustre toute la multiplicité de cette reformulation de l'objet littéraire: réflexion sur la ville (qui succède au pays); réflexion sur l'identité québécoise en regard de l'étranger; réflexion sur l'hétérogénétité de la culture et de l'écriture:

> À tenter de saisir les paramètres qui déterminent la constitution de la littérature québécoise, un lecteur «étranger», n'ayant pas une connaissance directe de ce corpus, ne manquerait pas d'être surpris et de «nous» surprendre. C'est qu'il se verrait représenté à plus d'un titre dans les motifs qui parcourent cette littérature. La fascination pour l'extraterritorialité et la pérégrination en territoire non familier, l'écriture de «l'arrivée en ville» qui autorise la rencontre de l'étranger — immigrant ou réfugié — et du Québécois autochtone, le caractère frénétique de l'écriture urbaine, privilégiant des images de morcellement et de

[45] Ici, la critique n'invente rien car des poètes tels que Lucien Francœur et Claude Beausoleil avaient déjà entamé la réflexion sur l'appartenance de la culture québécoise à l'Amérique.

dissociation, autant de motifs qui font retour de façon symptomatique dans la littérature québécoise contemporaine.

En somme, la littérature québécoise contemporaine nous montre de manière particulièrement complexe — et quelquefois ambivalente — que l'identité n'est pas simplement la langue (française) ou la fidélité, toujours nostalgique, à des origines (raciales ou filiales) qui tiennent lieu de culture. La littérature, c'est l'activité d'un sujet énonçant dont la fonction est de (se) situer dans la culture et d'éprouver cette dernière comme pluralité. En témoigne le caractère composite de la littérature québécoise qui s'est peu à peu imposé et qui fait de l'identité un ensemble ouvert à de multiples potentialités. (Harel, 1992: 373-374)

b) *Lectures féministes*

Signe des temps et des mouvements d'émancipation, la décennie 1970 a vu l'appropriation de l'écriture littéraire par les femmes (Brossard, Théoret, Villemaire, etc.): la critique en rendra compte, notamment en s'inscrivant dans le mouvement amorcé par la critique anglo-saxonne, laquelle insiste sur les rapports de l'écriture au *corps* ainsi que sur la notion de *gender*. Traduisible en français par *genre*, ce terme convie à des lectures idéologiques multiples. Il évoque d'abord la différence sexuelle, mais laisse aussi libre cours à des réflexions sur le *genre littéraire* (roman, théâtre, essai, etc.) comme sur le *genre linguistique*: chacun sait qu'en français, «le masculin l'emporte sur le féminin» et que la marque de la différence se trouve dans le «e muet»; ces traits se révèlent fort évocateurs de l'aliénation et du mutisme contraint des femmes. D'une certaine façon, les questions que pose la critique à propos de l'écriture des femmes ne nous éloignent guère de la recherche identitaire entreprise par les nationalistes des années précédentes: il s'agit toujours de chercher les justifications d'une appartenance, ici liée à l'identité sexuelle. La «critique-femme» — selon l'expression de Louise Dupré — n'est pas un secteur marginal de la critique, bien au contraire; l'extrait suivant (posthume) de Suzanne Lamy illustre clairement les similitudes entre la réflexion sur la «québécité» et la «féminité»:

Le lecteur, la lectrice de ce texte-ci s'attendent-ils à ce que soit montrée la spécificité de ces écritures, la cohérence de l'ensemble? Mais ailleurs, n'a-t-on pas *d'abord* fait confiance? Pour lutter pour son existence, a-t-on demandé à la littérature québécoise autre chose que d'être issue du Québec, d'y avoir pris corps et durée? En a-t-il été autrement pour d'autres littératures, italienne, occitane ou de la négritude? La pluralité ne serait-elle pas, ici comme ailleurs, gage de profusion et de vie? Se pourrait-il qu'on en juge selon deux poids, deux mesures? (Lamy, 1994: 32)

Comme la «littérature-femme», la «critique-femme»[46] trouve donc ses sources dans un militantisme qui, d'une certaine manière, a repris

[46] D'ailleurs, très souvent les femmes critiques seront également écrivaines: Suzanne Lamy, Louise Dupré, Madeleine Gagnon, Nicole Brossard conjuguent les deux activités. Ce n'est pas lié au hasard: l'écriture au féminin implique dans son projet une redéfinition et une réflexion nécessaires sur l'écriture, le langage, l'appartenance littéraire, qui font en sorte que l'on doit à la fois juger leurs textes comme des écritures et des critiques.

le flambeau des réflexions identitaires précédentes. L'analyse d'une œuvre de Madeleine Gagnon par Louise Dupré le souligne; la figure si importante du *pays* est toujours présente, mais elle n'est plus celle des hommes: «Tout en allant récupérer la métaphore femme-pays si présente dans la poésie nationaliste, Madeleine Gagnon la déborde, la détourne et la réinvestit dans un contexte féministe» (1989: 201). Ce qu'il faut retenir, c'est surtout le travail de redéfinition accompli par la critique: la littérature prend ici la forme d'un tout *nouvel objet* que l'on peut *déborder, détourner, réinvestir* de nouvelles significations. Loin de se complaire dans la marginalité, cette critique se constituera comme une attaque à toute la tradition littéraire consacrée: il s'agit d'un geste de réappropriation du langage et du sens, comme le montre la citation suivante de Patricia Smart – notamment auteure d'*Écrire dans la maison du père* (1988) – où la redéfinition féministe d'Anne Hébert intervient dans la redéfinition générale de la littérature:

> De telles tentatives de définir la spécificité de l'écriture des femmes ne peuvent qu'être approximatives, et comme il se doit elles relèvent autant de la célèbre intuition féminine que de la science. Elles jettent cependant un éclairage nouveau et fascinant sur des œuvres littéraires que nous croyions connaître. Ainsi, par exemple, l'œuvre poétique d'Anne Hébert — dont on a maintes fois affirmé la portée universelle, ainsi que la spécificité québécoise — livre une nouvelle cohérence et une portée autrement révolutionnaire lorsqu'elle est regardée selon une perspective féministe. (Smart, 1992b: 178)

Effectuée essentiellement par des femmes — sujets presque obligés de cette démarche —, la lecture féministe n'est pas seulement l'une des plus fécondes des dernières années: elle est sans doute le symbole et l'instrument du travail de refonte et de dénonciation des valeurs qu'a livré la critique québécoise au cours des dernières décennies.

BIBLIOGRAPHIE

ALLARD, Jacques, *Zola, le chiffre du texte: lecture de* l'Assommoir, Grenoble, Presses universitaires de Grenoble, 1978.

——, *Traverses*, Montréal, Boréal (coll. «Papiers collés»), 1991.

AYLWIN, Ulric, «Au pays de la fille maigre. *Les chambres de bois* d'Anne Hébert», *Voix et images du pays I*, 1967, p. 37-50.

BAILLARGEON, Samuel, *Littérature canadienne-française*, Montréal/Paris, Fides, 1957.

BARTHES, Roland, *Sur Racine*, Paris, Seuil (coll. «Points»), 1963.

——, *Essais critiques*, Paris, Seuil (coll. «Points»), 1964.

——, *Critique et Vérité, Œuvres complètes. Tome 2 (1966-1973)*, Paris, Seuil, 1994[1966], p. 15-51.

BÉLANGER, Marcel, «La Lettre contre l'esprit ou quelques points de repères sur la poésie de Claude Gauvreau», *Études littéraires*, vol. 5, n° 3, 1972, p. 481-497.

BELLEAU, André, «Approches et situation de l'essai québécois», *Voix et Images*, vol. 5, n° 3 (printemps), 1980, p. 537-543.

——, *Surprendre les voix*, Montréal, Boréal (coll. «Papiers collés»), 1986.

——, *Notre Rabelais*, Montréal, Boréal (coll. «Papiers collés»), 1990.
BÉRUBÉ, Renald, «Avant-propos. Cohérence et continuité ou fatigue et piétinement?», *Voix et images du pays VII*, 1973, p. 7-10.
——, «Yves Thériault et le combat de l'homme», *Livres et auteurs québécois 1973*, 1974, p. 215-217.
BESSETTE, Gérard, *Une littérature en ébullition*, Montréal, Éditions du Jour, 1968.
BONENFANT, Joseph, «L'essai — Entre Montaigne et l'événement», *Études françaises*, vol. 8, n° 1, 1972, p. 101-108.
——, «Lecture structurale d'un poème de Fernand Ouellette», *la Barre du Jour*, n°s 39-40-41 (printemps-été), 1973, p. 4-25.
——, «Gilles Marcotte ou la pensée critique de l'inachèvement», *Voix et Images*, vol. 6, n° 1, 1980, p. 51-61.
BOURDIEU, Pierre, «Le Marché des biens symboliques», *l'Année sociologique*, XXII, 1980, p. 49-126.
BOURNEUF, Roland, «Saint-Denys Garneau lecteur de Baudelaire», *Études littéraires*, vol. 1, n° 1, 1968, p. 83-112.
BRAULT, Jacques, «Saint-Denys Garneau 1968», *Études françaises*, vol. 4, n° 4, 1968, p. 403-405.
BRAULT, Jacques et Benoît LACROIX. *Saint-Denys Garneau. Œuvres. Édition critique*. Montréal, Presses de l'Université de Montréal (coll. «Bibliothèque des lettres québécoises»), 1971.
BROCHU, André, «Commentaire de "Roses et Ronces", *la Barre du Jour*, n°s 11-12-13 (déc. 1967-mai 1968), 45-64; repris dans Brochu (1974a), p. 275-301.
——, *l'Instance critique*, Montréal, Leméac (coll. «Indépendances»), 1974a.
——, *Hugo. Amour/Crime/Révolution*, Montréal, Presses de l'Université de Montréal, 1974b.
——, *la Visée critique. Essais autobiographiques et littéraires*, Montréal, Boréal (coll. «Papiers collés»), 1988.
——, «Critique et Écriture», dans Annette Hayward et Agnès Whitfield (dir.), *Critique et littérature québécoise*, Montréal, Triptyque, 1992, p. 19-24.
CAMBRON, Micheline, *Une société, un récit. Discours culturel au Québec (1967-1976)*, Montréal, l'Hexagone (coll. «Essais littéraires»), 1989.
CLÉMENT, Anne-Marie, Robert DION et Frances FORTIER. «l'Architecte du lisible. Lecture de *l'Écologie du réel* de Pierre Nepveu», *Tangence*, n° 51 (mai), 1996, p. 123-143.
CLICHE, Anne Élaine, «D'un sujet en souffrance ou la transmission antiphonée», *Protée*, vol. 20, n° 1 (hiver), 1992, p. 77-83.
CORRIVEAU, Hugues, *Gilles Hénault. Lecture de* Sémaphore, Montréal, Presses de l'Université de Montréal, 1978.
DE GRANDPRÉ, Pierre, *Histoire de la littérature française du Québec*, tomes I à IV, Montréal, Beauchemin, 1967-1969.
DESCHAMPS, Nicole, «*Lecture de* Maria Chapdelaine», *Études françaises*, vol. 4, n° 2, 1968, p. 151-167.
DION, Robert, *Le Structuralisme littéraire en France*, Candiac, Balzac (coll. «l'Univers des discours»), 1993.
——, «La Critique (québécoise) sous influence: convergences et interférences», *Discours social/Social Discourse*, vol. 7, n°s 3-4 (été-automne), 1995, p. 139-155.
DUHAMEL, Roger, «La Critique et le Critique», *la Nouvelle Revue canadienne*, vol. 1, n° 2, 1951, p. 23-34.
DUMONT, Fernand, *Le Lieu de l'homme*, Montréal, HMH, 1968.
DUMONT, François, «L'Essai littéraire québécois des années quatre-vingt: la collection "Papiers collés"», *Recherches sociographiques*, vol. 33, n° 2, 1992, p. 323-335.
DUPRÉ, Louise, *Stratégies du vertige*, Montréal, Éditions du Remue-Ménage (coll. «Itinéraires féministes»), 1989.
ÉTHIER-BLAIS, Jean, *Signets II*, Montréal, Cercle du livre de France, 1967.
——, «*Le Temps des poètes* de Gilles Marcotte», *Québec: le Canada français aujourd'hui*, vol. 7 (mars), 1970, p. 105-107.
FALARDEAU, Jean-Charles, *Notre société et son roman*, Montréal, HMH, 1967.

FISETTE, Jean, *Le Texte automatiste. Essai de théorie/pratique de sémiotique textuelle*, Montréal, Presses de l'Université du Québec, 1977.

FORTIN, Marcel, Yvan LAMONDE et François RICARD. *Guide de la littérature québécoise*, Montréal, Boréal, 1988.

FORTIN, Nicole, *Une littérature inventée. Littérature québécoise et critique universitaire (1965-1975)*, Québec, Presses de l'Université Laval (coll. «Vie des lettres québécoises»), 1994.

FRANCŒUR, Louis, «Le Théâtre québécois: stimulation ou communication?», *Voix et Images*, vol. 1, n° 2, 1975, p. 220-240.

GERVAIS, Bertrand, *À l'écoute de la lecture*, Montréal, VLB Éditeur (coll. «Essais critiques»), 1993.

GIGUÈRE, Richard, *Exil, révolte et dissidence. Étude comparée des poésies québécoise et canadienne (1925-1955)*, Québec, Presses de l'Université Laval (coll. «Vie des lettres québécoises»), 1984.

GIROUX, Robert, «Lecture de "la Fille maigre" d'Anne Hébert», *Présence francophone*, n° 10, 1975, p. 73-90.

HAECK, Philippe, «Naissance de la poésie moderne au Québec», *Études françaises*, vol. 9, n° 2, 1973, p. 95-113.

HAMEL, Réginald, *Bibliographie des lettres canadiennes-françaises, 1965*, Montréal, Presses de l'Université de Montréal, 1966.

HAMEL, Réginald, John HARE et Paul WYCZYNSKI. *Dictionnaire des auteurs de langue française en Amérique du Nord*, Montréal, Fides, 1989; paru en 1976 sous le nom *Dictionnaire pratique des auteurs québécois*.

HAREL, Simon, «La Parole orpheline de l'écrivain migrant», dans Pierre Nepveu et Gilles Marcotte (dir.), *Montréal imaginaire: ville et littérature*, Montréal, Fides, 1992, p. 373-418.

HÉBERT, Pierre, «Présentation», *l'Âge de la critique, 1920-1940. Voix et Images*, vol. 27, n° 2 (n° 50), 1992, p. 166-168.

HOOG, Armand, «Du mythe d'hier et réel d'aujourd'hui», *Études françaises*, vol. 4, n° 3, 1968, p. 349-360.

KRYSINSKI, Wladimir, *Carrefours de signes*, La Haye, Mouton, 1981.

LAFLÈCHE, Guy, *Petit manuel des études littéraires. Pour une science générale de la littérature*, Montréal, VLB Éditeur, 1977.

LAJOIE, Yvan, «Roland Giguère, à la recherche de l'essentiel», *Études littéraires*, vol. 5, n° 3, 1972, p. 411-428.

LAMONTAGNE, André, *Les Mots des autres: la poétique intertextuelle des œuvres romanesques d'Hubert Aquin*, Québec, Presses de l'Université Laval (coll. «Vie des lettres québécoises»), 1992.

LAMY, Suzanne, «Des enfants uniques, nés de père et de mère inconnus», dans Lori Saint-Martin (dir.), *l'Autre lecture: la critique au féminin et les textes québécois*, tome II, Montréal, XYZ (coll. «Documents»), 1994, p. 31-42.

LAROCHE, Maximilien, «Le pays: un thème et une forme», *Voix et images du pays* I, 1967, p. 99-119.

——, «Sentiment de l'espace et image du temps chez quelques écrivains québécois», *Voix et images du pays VII*, 1973, p. 167-182.

LAROSE, Jean, *L'Amour du pauvre*, Montréal, Boréal (coll. «Papiers collés»), 1991.

LATOUR, Bruno et Steve WOOLGAR. *Laboratory Life: The Social Construction of Scientific Facts*, Londres, Sage, 1979.

LE BLANC, Alonzo, «L'Œuvre d'Albert Laberge: une satire sociale des années 1930», *Voix et images du pays VI*, 1973, p. 33-49.

LEFEBVRE, Jocelyne, «*Prochain Épisode* ou le refus du livre», *Voix et images du pays V*, 1972, p. 141-164.

LEGRAND, Albert, «Anne Hébert de l'exil au royaume», *Études françaises*, vol. 4, n° 1, 1968, p. 3-29.

LEMIRE, Maurice (dir.). *La Vie littéraire au Québec*, tomes I à III (collection en cours), Québec, Presses de l'Université Laval, 1991-1996.

LEMIRE, Maurice (dir.) avec l'assistance de Michel LORD. *L'Institution littéraire*, Québec, IQRC-CRELIQ, 1986.
LEMIRE, Maurice, Gilles DORION *et al. Dictionnaire des œuvres littéraires du Québec*, tomes I à VI, Montréal, Fides, 1978-1994.
LEMOYNE, Jean, *Convergences*, Montréal, HMH, 1961.
MAJOR, Jean-Louis, «Essai et contre-essai. Journal d'une lecture inachevée», *Livres et auteurs québécois 1972*, 1973, p. 316-326.
MAILHOT, Laurent, «Une critique qui se fait», *Études françaises*, vol. 2, n° 3, 1966, p. 328-347.
——, «La Critique», *Études françaises*, vol. 6, n° 2, 1970, p. 259-276.
——, *Albert Camus ou l'imagination du désert*, Montréal, Presses de l'Université de Montréal, 1973.
——, *La Littérature québécoise*, Paris, Presses universitaires de France (coll. «Que sais-je?»), 1974.
MAILHOT, Laurent et Pierre NEPVEU. *La Poésie québécoise. Anthologie*, Montréal, l'Hexagone (coll. «Typo»), 1986.
MARCEL, Jean, «Forme et fonction de l'essai dans la littérature espagnole», *Études littéraires*, vol. 5, n° 1 (avril), 1972, p. 75-88.
——, *Le Joual de Troie*, Montréal, Éditions du Jour, 1973.
MARCOTTE, Gilles, *Une littérature qui se fait*, Montréal, HMH, 1962.
——, *Présence de la critique*, Montréal, HMH, 1966.
——, *Le Temps des poètes*, Montréal, HMH, 1969.
——, «Notes sur le thème du pays», *Voix et images du pays IV*, 1971, p. 11-25.
——, «Réjean Ducharme contre Blasey Blasey», *Études françaises*, vol. 11, n°s 3-4, 1975, p. 247-284.
——, *Littérature et Circonstances*, Montréal, l'Hexagone (coll. «Essais littéraires»), 1989.
——, (dir.) *Anthologie de la littérature québécoise*, Montréal, l'Hexagone, 1994.
MELANÇON, Joseph, Clément Moisan *et al. la Littérature au cégep (1968-1978). Le statut de la littérature dans l'enseignement collégial*, Québec, Nuit Blanche éditeur («Cahiers du Centre de recherche en littérature québécoise», série «Recherche»), 1993.
MELANÇON, Joseph, Nicole Fortin et Georges Desmeules. *la Lecture et ses traditions*, Québec, Nuit blanche éditeur (coll. «les Cahiers du CRELIQ»), 1994.
MELANÇON, Robert, «Supplément à la Relation de 1643», *Études françaises*, vol. 10, n° 2, 1974, p. 201-218.
MICHAUD, Ginette, «Récits postmodernes?», *Études françaises*, vol. 21, n° 3 (hiver), 1985-1986, p. 67-88.
MILOT, Louise et Fernand ROY (dir.). *La littérarité*, Québec, Presses de l'Université Laval, 1991.
——, *Les figures de l'écrit. Relecture de romans québécois des HABITS ROUGES aux FILLES DE CALEB*, Québec, Nuit blanche éditeur, 1993.
MIRON, Gaston et Lise Gauvin. *Écrivains québécois contemporains*, Paris, Seghers, 1989.
MOISAN, Clément, «le Roman canadien de 1945 à 1960», *Études littéraires*, vol. 2, n° 2, 1969, p. 143-156.
——, *Comparaison et Raison. Essais sur l'histoire et l'institution des littératures canadienne et québécoise*, Montréal, Hurtubise HMH (coll. «Constantes»), 1986.
MORENCY, Jean, *le Mythe américain dans les fictions d'Amérique. De Washington Irving à Jacques Poulin*, Québec, Nuit blanche éditeur (coll. «Terre américaine»), 1994.
NAAMAN, Antoine, *Répertoire des thèses littéraires canadiennes-françaises de 1921 à 1976*, Sherbrooke, Éditions Naaman, 1978.
NEPVEU, Pierre. *l'Écologie du réel. Mort et naissance de la littérature québécoise contemporaine*, Montréal, Boréal (coll. «Papiers collés»), 1988.
PAGÉ, Pierre et Renée Legris. *Répertoire des œuvres de la littérature radiophonique (1930-1970)*, Montréal, Fides, 1975.

PAQUETTE, Jean-Marcel, «Écriture et histoire — Essai d'interprétation du corpus littéraire québécois», *Études françaises*, vol. 10, nº 4, 1974, p. 343-357.

PATERSON, Janet M., *Moments postmodernes dans le roman québécois*, Ottawa, Presses de l'Université d'Ottawa, 1990.

PELLETIER, Jacques, «André Major, écrivain et Québécois», *Voix et images du pays III*, 1970, p. 27-62.

——, «Alfred Desrochers, critique», *Voix et images du pays VII*, 1973, p. 121-136.

——, *Littérature et Société* [anthologie], Montréal, VLB Éditeur (coll. «Essais critiques»), 1994.

RICARD, François, «Présentation» dans André Brochu (1974a), p. 7-16.

ROBERT, Lucie, *l'Institution du littéraire au Québec*, Québec, Presses de l'Université Laval (coll. «Vie des lettres québécoises»), 1989.

ROUSSET, Jean, *Forme et Signification. Essais sur les structures littéraires de Corneille à Claudel*, Paris, José Corti, 1962.

ROY, Camille, *Manuel d'histoire de la littérature canadienne-française*, Québec, Action sociale, 1918.

SARTRE, Jean-Paul, *Qu'est-ce que la littérature?*, Paris, Gallimard (coll. «Folio»), 1948.

SIMON, Sherry, Pierre L'HÉRAULT, Robert Schwartzwald et Alexis Nouss. *Fictions de l'identitaire au Québec*, Montréal, XYZ (coll. «Études et Documents»), 1991.

SMART, Patricia, *Écrire dans la maison du père: l'émergence du féminin dans la tradition littéraire du Québec*, Montréal, Québec/Amérique (coll. «Littérature d'Amérique»), 1988.

——, «Les Romans d'Hubert Aquin: une lecture au féminin», dans Louise Milot et Jaap Lintvelt (dir.), *le Roman québécois depuis 1960. Méthodes et Analyses*, Québec, Presses de l'Université Laval, 1992a, p. 215-227.

——, «La Poésie d'Anne Hébert: une perspective féminine», dans Lori Saint-Martin (dir.), *L'Autre lecture: la critique au féminin et les textes québécois*, tome I, Montréal, XYZ (coll. «Documents»), 1992b, p. 177-184.

SMITH, Donald, «Nelligan et le feu», *Voix et images du pays VII*, 1974, p. 113-119.

SYLVESTRE, Guy, *Panorama des lettres canadiennes françaises*, Québec, Ministère des Affaires culturelles, 1964.

THÉRIEN, Gilles (dir.), *Figures de l'Indien*, Montréal, l'Hexagone (coll. «Typo»), 1995 [1988].

——, «Grandeurs et misères de la sémiotique», dans Annette Hayward et Agnès Whitfield (dir.), *Critique et littérature québécoise*, Montréal, Triptyque, 1992, p. 385-395.

THÉRIO, Adrien (dir.), *Livres et auteurs canadiens*, Montréal, Jumonville, 1961-1968; suivi de *Livres et auteurs québécois* (1969-1981).

TOUGAS, Gérard, *Histoire de la littérature canadienne-française*, Paris, Presses universitaires de France, 1960.

TURCOTTE, Raymond, «L'Âpre conquête de la parole», *Voix et images du pays II*, 1969, p. 11-30.

VACHON, Georges-André, «Le Domaine littéraire québécois en perspective cavalière », dans Pierre De Grandpré (dir.), *Histoire de la littérature française du Québec*, tome I, Montréal, Beauchemin, 1967, p. 27-33.

——, «Une tradition à inventer», *Littérature canadienne-française. Conférences J.-A. de Sève*, Montréal, Presses de l'Université de Montréal, 1969 [1968] p. 267-289.

——, «Faire la littérature», *Études françaises*, vol. 6, nº 1 (février), 1970, p. 3-6.

VALLIÈRES, Pierre, *Nègres blancs d'Amérique*, Montréal, Éditions Parti Pris, 1968.

Professeur de littératures française et québécoise à l'Université du Québec à Rimouski, Robert Dion a dirigé une recherche consacrée à l'«Adaptation des modèles théoriques étrangers dans la critique littéraire québécoise (1950-1980)». Il poursuit actuellement des travaux sur les «Dispositifs énonciatifs du discours critique québécois depuis 1980». Récemment, il a dirigé un ouvrage collectif sur Jacques Brault (*Cahiers d'*Agonie, Nuit blanche éditeur, 1997); il publiera bientôt un essai sur *Les Moments critiques de la fiction.* Il a aussi publié des études sur divers sujets dans des revues telles *Littérature, RS/SI, Voix et Images, Études littéraires, Tangence, Discours social/Social Discourse, Québec Studies,* etc. En 1993, il faisait paraître deux ouvrages: *le Structuralisme littéraire en France* (Éditions Balzac, coll. «l'Univers des discours») et *le Droit du sol. Carnet de Berlin* (Nuit blanche éditeur).

Chercheure en littératures française et québécoise, Nicole Fortin a participé à plusieurs recherches sur l'enseignement de la littérature au collégial (*La littérature au cégep*, Nuit blanche éditeur, 1993) et à l'université (*Le discours de l'Université sur la littérature québécoise*, Nuit blanche éditeur, 1996). En 1994, ses travaux sur la critique littéraire québécoise, publiés aux Presses de l'Université Laval sous le titre *Une littérature inventée. Littérature québécoise et critique universitaire (1965-1975)*, se sont vu décerner le Prix Gabrielle Roy (Association des littératures canadiennes et québécoise) pour le meilleure ouvrage critique de langue française. Elle a été coresponsable de l'organisation de nombreux colloques, notamment *La lecture et ses traditions* (Nuit blanche éditeur, 1994). Chargée de cours pendant plusieurs années à l'Université Laval et à l'Université du Québec à Chicoutimi, Nicole Fortin enseigne maintenant aux collèges de Limoilou et François-Xavier Garneau.

Chapitre IX

LES ESSAIS

PREMIÈRE PARTIE

LA PHILOSOPHIE AU QUÉBEC DEPUIS 1968

Esquisse d'une trajectoire

GEORGES LEROUX

À la mémoire de Louise Marcil-Lacoste

La philosophie au Québec s'est considérablement développée depuis les années où elle était confinée à quelques institutions, dont elle couronnait le cours classique. Même si quelques figures d'écrivains et d'essayistes jalonnent son histoire de manière dispersée avant 1970, — on pense surtout à François Hertel ou même à Hermas Bastien —, la philosophie a d'abord été liée en effet aux structures institutionnelles de l'enseignement. Quelques exceptions ne parviennent pas à invalider le jugement général qui voit dans cette philosophie scolaire un exercice académique jusqu'à l'orée des années soixante. L'écriture philosophique demeurait rare en dehors des manuels, ainsi que l'ont montré les travaux historiographiques de la période contemporaine, en particulier les études de Yvan Lamonde (LAMONDE, 1972 et 1980). Dans le présent survol, qui tente de recenser la période qui s'amorce à la fin des années soixante, la conjoncture se transforme entièrement. On assiste d'une part à l'éclatement des anciennes orthodoxies et au développement de recherches dans presque tous les domaines de la réflexion et on voit se former des œuvres qui par leur singularité ne sont tributaires d'aucune école et qui ne doivent rien à l'enseignement.

Ce double phénomène est riche et complexe. On peut chercher à le mettre en lumière en insistant d'abord sur la transformation radicale de l'enseignement de la philosophie qui résulte de l'avènement des collèges en 1969. La création des départements de philosophie dans ces collèges,

(Page de gauche) *Fernand Dumont*
Un humanisme transcendantal
(Photo: Archives de l'Université Laval)

où l'enseignement de la discipline fait désormais partie de la formation générale de tous les étudiants, qu'ils soient engagés dans une filière préuniversitaire ou professionnelle, amène une modernisation complète des contenus de l'enseignement. Les professeurs de philosophie œuvrant dans ces collèges apportent à l'évolution de la discipline une contribution qui ne saurait être négligée. Plusieurs œuvres importantes se sont formées dans ce milieu marqué durant au moins les vingt premières années de son existence par une grande effervescence: la liberté y était grande, le désir d'explorer entraînait une ouverture très féconde à tous les courants venus d'Europe et d'Amérique. Cette modernisation était en effet elle-même engagée avec les progrès de la sécularisation et elle a été accélérée par le développement d'une pensée ouverte sur l'évolution contemporaine de la réflexion philosophique. À l'établissement de ces collèges, il faut joindre la création de l'Université du Québec en 1969, qui provoque le développement de programmes d'enseignement et de recherche nouveaux, en rupture complète avec les orientations traditionnelles. Le marxisme, la psychanalyse, qui avaient jusque-là été tenus sous le boisseau, prennent leur essor au grand jour.

C'est dans cette situation qui se caractérise par une certaine turbulence que la philosophie va évoluer à un rythme extraordinaire durant les quelque trente années qui nous occupent ici. D'un monde relativement fermé, captif de la scolastique et où les voix individuelles sont des exceptions souvent étouffées, on passe à une situation de réflexion et de recherche où la majorité des grands courants sont représentés et où plusieurs œuvres individuelles revendiquent leur place. Dans un article depuis lors souvent cité, le poète Jacques Brault, alors professeur à la Faculté de philosophie de l'Université de Montréal, appelait de tous ses vœux la naissance d'une philosophie québécoise, libérée de la peur, critique des mythes: «Philosopher au Québec a toujours été le contraire d'une délivrance, car la vérité préexistait si purement et si extérieurement à la conscience que nulle initiative de la liberté n'était possible, et par là j'entends non pas le doute, mais ce moment de rigueur et d'angoisse où le moi se pose par un non radical et irréversible(...) Il y avait, il y a une tâche ici pour les philosophes: nous désapprendre la peur en donnant à notre peur des objets vrais et durs comme le réel[1].» Dans la période qui s'ouvre après 1968, on peut dire que cette philosophie est advenue.

Il est sans doute vrai que comme dans le cas de beaucoup de pays semblables, d'Europe ou d'Amérique latine par exemple, cette philosophie demeure en un sens périphérique. On peut dire en effet que ses problématiques principales sont déterminées par des courants qui ont

[1] BRAULT, Jacques, «Pour une philosophie québécoise». Texte publié d'abord dans la revue *Parti pris* (2,7 Mars 1965), et repris dans Lamonde, 1972; p. 176.

leur centre ou leur origine aux États-Unis ou en Europe. C'est le cas par exemple de la philosophie analytique ou de la phénoménologie. Mais cette remarque perd toujours plus de son tranchant, quand on prend note du rythme croissant de la mondialisation des problématiques. La fin du vingtième siècle connaît un effort philosophique sans précédent, auquel on ne saurait assigner un centre national particulier et la communication universelle de la pensée en constitue le paradigme déterminant. Au cours de ces années, la philosophie qui s'écrit au Québec a rompu avec l'angoisse de devoir être une philosophie nationale et elle a accédé sereinement à l'expérience de la discussion ouverte et libre. La libération d'avoir à être pour se poser a eu principalement pour effet de rendre possible une volonté d'universalité qui paraissait interdite dans la période précédente.

À cet effort, les philosophes québécois apportent une contribution non négligeable. La publication d'études spécialisées, dans presque tous les secteurs, n'a cessé de croître. En quel sens peut-on continuer de dire dès lors que la philosophie qui s'écrit au Québec est marginale? Non seulement n'y a-t-il pas de philosophie canadienne ou québécoise, au sens où l'entendrait un nationalisme mal venu dans la discipline, mais encore le caractère distinctif ou particulier de la recherche demeure-t-il toujours ténu et fragile. La philosophie qui s'écrit au Québec en langue française se signale plutôt par son projet de contribuer de manière originale et rigoureuse aux grandes discussions philosophiques contemporaines. Cette originalité, dans plusieurs secteurs, est de plus en plus perceptible et il convient de ne pas négliger l'ouverture de certaines perspectives, manifestant à l'endroit des mouvements dominants un scepticisme, une résistance et même une ironie susceptibles de favoriser l'émergence d'un point de vue nouveau.

Il n'est certes pas facile de proposer des critères en vue de la constitution d'un corpus de la philosophie au Québec. Voudrait-on ouvrir ce corpus à l'ensemble du domaine de la réflexion et de la prose d'idées, on se trouverait rapidement débordé. Dans une étude remarquable, Louise Marcil-Lacoste avait déjà montré la complexité de ce problème, tout en prenant le risque d'une dilatation du concept même de la philosophie aux dimensions de l'essai en général (MARCIL-LACOSTE, 1985). Ce n'est pas le chemin qu'on suivra ici, pour des raisons évidentes. Une définition de la philosophie qui étend son domaine à toute la réflexion sur l'existence sociale, culturelle, politique et spirituelle ne peut que conduire à une forme d'éclatement. Prenant le risque inverse d'un rétrécissement du point de vue, nous en limiterons l'extension à l'œuvre philosophique produite dans le cadre de la discipline. Les noms de très grands essayistes, comme Jean Tétreau, Ernest Gagnon, Fernand Ouellette ou Pierre Vadeboncoeur, qui méritent pleinement le nom de

Fernand Dumont
Université Laval
(*Photo: B. Vachon*)

philosophes ou de penseurs dans une considération large de la philosophie, ne se retrouveront pas dans le bilan plus disciplinaire et moins littéraire que nous proposons ici.

Pour illustrer ce point, nous pouvons considérer brièvement, en manière de préambule, l'œuvre de quelques figures marquantes. La période qui s'ouvre en 1968 voit paraître cette année même un essai fondateur, qui à beaucoup d'égards peut être considéré comme le signe de l'avènement d'une nouvelle pensée au Québec. Il s'agit du *Lieu de l'homme. La culture comme distance et mémoire* (Hurtubise HMH, Collection Constantes). Son auteur est Fernand Dumont. Sociologue de formation, mais profondément nourri aux sources de la philosophie européenne contemporaine, il n'a jamais renié cette identité philosophique et en lui toute la génération des années soixante au Québec a voulu reconnaître un philosophe majeur. Professeur d'université (Université Laval, Québec), il a cherché à réconcilier l'humanisme chrétien avec la situation toujours plus sécularisée des institutions et de la pensée. «Dès que l'unanimité est à jamais perdue, tout homme est jugé sur la qualité de ses incertitudes... En nous conjuguant, la langue, le monde et ma parole sommes la voix d'un ailleurs. C'est cet ailleurs, béant sur toutes les paroles de ce temps, que chacun de nous essaie d'évoquer comme la qualité suprême du dialogue, du conflit et de l'écriture, et dont nous chercherons indéfiniment le chemin[2].» Cette recherche, tendue par une quête profonde du sens de l'existence historique, Fernand Dumont n'a fait que la poursuivre dans la suite de son œuvre. Cet effort, d'abord manifeste dans un ouvrage qui interpellait l'expérience chrétienne (*Pour la conversion de la pensée chrétienne*, 1964), s'est développé dans des travaux d'anthropologie philosophique et d'épistémologie (*La dialectique de l'objet économique*, 1970; *Les idéologies*, 1974; *L'anthropologie en l'absence de l'homme*, 1981; *Le sort de la culture*, 1987.) Critique d'un rationalisme dominateur et totalisant, la pensée de Dumont cherche une «via media» qui ferait sa place à une philosophie authentique de la culture, capable de répondre aux objections de la critique des idéologies et des sciences humaines jugées réductrices dans leurs excès. Liberté, historicité et dialectique sont au centre de ce projet philosophique nourri aux sources de l'humanisme et qui a constitué au Québec le premier exemple d'une philosophie forte et indépendante de la pensée scolastique. Le contexte libertaire et à bien des égards anti-humaniste de la pensée des années soixante-dix ne représentait pas un milieu d'accueil favorable au projet de Fernand Dumont, qui apportait néanmoins les conditions concrètes d'une libération intellectuelle. Avec le recul, on voit combien sa contribution fut

---

2 DUMONT, Fernand, *Le lieu de l'homme*. Montréal, Hurtubise HMH, Constantes, 1968; p. 19.

profonde et déterminante. Ce projet, faut-il y insister par ailleurs, s'est développé dans une interaction constante avec la discussion sur l'avenir du Québec comme nation (*Raisons communes*, 1995; *Genèse de la société québécoise*, 1994) et s'est placé dans un rapport intime autant que libre avec la réflexion de l'auteur comme croyant (*La foi partagée*, 1996).

Claude Lévesque
Université de Montréal
(*Photo: Josée Lambert*)

Claude Lévesque représente de son côté le développement au Québec de la pensée de la différence. Professeur de philosophie (Université de Montréal), formé à l'école de la phénoménologie et lecteur de Husserl et de Merleau-Ponty, il a construit son œuvre au cœur de la problématique des rapports de la littérature et de la philosophie. L'influence de la psychanalyse dans son approche est présente dès ses premiers travaux. En rupture profonde avec la pensée scolastique, il propose dans le sillage des pensées de Georges Bataille et de Jacques Derrida une philosophie hétérogène, qui résiste autant à l'hégémonie de la philosophie analytique qu'à l'idéalisme traditionnel. Cette pensée est une pensée du risque et de l'audace, dans l'affrontement toujours déjà marqué par un certain vertige avec la perte du sens, la dissolution des repères anciens, l'abîme de la différence. Portée par une protestation véhémente à l'endroit de toute certitude comme de toute orthodoxie, elle accepte de prendre le risque du nihilisme s'il constitue la seule issue hors de la métaphysique. (*L'étrangeté du texte*, Édition revue et augmentée, 1978; *Dissonance, Nietzsche à la limite du langage*, 1988; *Le proche et le lointain. Essais*, 1994).

Charles Taylor
Université McGill
(*Photo: Éditions Bellarmin*)

Charles Taylor constitue une figure philosophique québécoise exemplaire, encore que sans doute atypique. Professeur à l'Université McGill et à l'Université de Montréal, il intervient en effet aussi bien dans le milieu francophone que dans le milieu anglophone. Son engagement actif dans un parti politique de gauche (Nouveau parti démocratique) le place par ailleurs dans la catégorie, toujours assez restreinte, des intellectuels militants. Invité à l'université d'Oxford de 1976 à 1982 (Chichele Professor of Political and Social Theory), sa réputation est internationale. Sa pensée constitue une réflexion critique, alimentée aux meilleures sources de l'herméneutique, sur la théorie contemporaine de l'action et de la subjectivité. Dès son premier livre (*Explanation of Behaviour*, 1964), il soutenait contre le behaviorisme ambiant que l'explication du comportement humain exige une référence aux intentions et implique une composante interprétative. Son œuvre imposante est une contribution aux débats actuels sur l'intentionnalité, l'identité personnelle et l'historicité. (*Pattern of Politics*, 1970; *Hegel*, 1975; *Hegel and Modern Society*, 1975; *Philosophical Papers*, 2 volumes, 1985; *Sources of the Self:The Making of Modern Identity, 1989; Grandeur et misère de la modernité*, 1992).

Même si plusieurs de ses ouvrages demeurent encore non-traduits en langue française, son influence dans le développement de la pensée herméneutique et de la philosophie politique au Québec demeure considérable. Depuis plusieurs années déjà en effet, sa réflexion se porte vers les questions des droits de la communauté et cherche à produire une pensée de la culture dans laquelle le langage trouverait sa pleine justification eu égard à l'identité.

Ces trois exemples de philosophes, dont l'œuvre a atteint sa maturité dans la période qui nous occupe, manifestent dans leur différence même l'extraordinaire explosion de la réflexion philosophique depuis les années soixante-dix. Ils présentent également les traits d'œuvres élaborées dans un contexte disciplinaire en évolution, mais authentiquement libres et ouvertes au regard de la philosophie universelle.

1. PERSPECTIVES SUR LE DÉVELOPPEMENT DE LA PHILOSOPHIE AU QUÉBEC

L'habitude fait placer vers 1950 le point de départ de la modernité au Québec. Cette date, qui marque le début de l'après-guerre et constitue une époque de grands changements dans la culture, coïncide avec la publication du *Refus Global* (1948), manifeste dans lequel un groupe d'intellectuels exprima sa volonté de se libérer du joug de l'orthodoxie religieuse. Ce texte est considéré comme l'acte de naissance de la pensée moderne au Canada français et le mouvement auquel il contribua allait conduire à la Révolution tranquille des années soixante. Il n'est guère étonnant de n'y trouver la signature d'aucun philosophe. Durant ces vingt années d'ébullition, une évolution rapide consacra la rupture du lien traditionnel entre la philosophie et les institutions religieuses d'enseignement et la fin des orthodoxies et des dogmatismes qui y étaient associés. Très rapidement, l'exercice de l'enseignement se sécularisa partout à travers le Québec. Avant 1950 en effet, la plupart des établissements d'enseignement où la philosophie avait une place étaient des collèges ou des universités privées, dirigés par des communautés religieuses. Au Québec, l'enseignement de la philosophie se faisait en latin à partir de manuels appartenant au mouvement du néo-thomisme. En dépit de toutes ces servitudes, la période qui fut marquée par la pensée scolastique vit paraître les travaux de penseurs importants comme Louis-Marie Régis. L'éclatement des années cinquante mit un terme à cette homogénéité et permit l'avènement de structures institutionnelles nouvelles qui allaient se consolider en 1969 avec la création des collèges.

L'histoire de la philosophie au Québec a donné lieu, pour la période antérieure à 1950 comme pour la période de transition qui allait suivre, à quelques grands travaux historiographiques et sa perspective est d'abord celle d'une histoire des institutions et de l'enseignement. (LAMONDE, 1972 et 1980) Dans certains secteurs et pour certaines périodes ont commencé de paraître des études d'histoire des idées, impliquant à la fois la recherche philosophique académique et l'histoire des idées religieuses, sociales et politiques.(WYCZINSKI, GALLAYS & SIMARD, 1985; THIBAULT, 1972) On peut donc trouver quelque légitimité à situer vers la fin des années soixante le seuil au-delà duquel la philosophie au Québec, autant par le volume des activités que par l'importance des travaux publiés, apporte une contribution intégrée à la recherche philosophique internationale.

Cet effort est soutenu par un organisme subventionnaire (le Fonds pour la formation de chercheurs et l'aide à la recherche) qui a joué un rôle important dans la formation des jeunes chercheurs et dans le développement de la recherche et de la publication depuis les années soixante-dix. Dans cette conjoncture, la philosophie est devenue de plus en plus l'objet d'une profession, consacrée à l'enseignement, à la recherche et à la publication. La Société de philosophie du Québec fut fondée officiellement en 1974 et elle tient un congrès annuel dans le cadre du Congrès général de l'Association canadienne-française pour l'avancement des sciences. La revue *Philosophiques*, qui avait été créée à l'Université d'Ottawa en 1974, devint la revue officielle de la Société en 1977. Cette revue publie semestriellement des articles en langue française. En plus de cette association et de sa revue officielle, il faut compter nombre de sociétés locales et de publications périodiques à diffusion moins étendue. La revue *Philosopher*, par exemple, publiée par l'Association des professeurs de philosophie du niveau collégial. À ces activités, il faut enfin ajouter la multiplication de congrès internationaux, de plus en plus nombreux au Canada. (CAUCHY, 1988)

Dans le contexte de cette évolution rapide, il était naturel que les institutions en croissance fassent appel à des philosophes étrangers pour soutenir leur effort. En général, on peut dire que le Québec a accueilli plus de philosophes étrangers qu'il n'a envoyé de philosophes québécois dans des métropoles, encore que cette notion de «philosophe québécois» puisse faire problème. Les échanges avec la France et la Belgique ont toujours été importants et la tradition des professeurs invités a fortement favorisé le renouvellement des problématiques de réflexion et de recherche. On pense notamment au rôle de grands maîtres médiévistes (Étienne Gilson, Raymond Klibansky, Paul Vignaux, Henri-Irénée Marrou, Édouard Jeauneau) dans le développement d'institutions comme l'Institut d'Études médiévales de l'Université de Montréal, dirigé par les Pères dominicains, devenu rapidement une véritable pépinière de formation philosophique. La collaboration avec les médiévistes québécois, parmi lesquels on peut noter les noms de Benoit Lacroix et d'Albert M. Landry, fut riche et féconde, même si l'Institut ne put être protégé des conflits qui marquèrent son histoire dans les années quatre-vingt. Sa disparition récente signe la fin d'une époque dans la pratique de l'histoire des idées.

Ces échanges ne constituent pas un facteur anecdotique dans le développement de la philosophie au Québec: le fait qu'après 1950 la plupart des institutions aient voulu faire appel à des ressources extérieures montre assez le grand remous intellectuel dans lequel la philosophie allait s'engager au cours des années soixante, prenant contact avec l'ensemble des courants philosophiques européens et américains dont elle avait été coupée auparavant. Au Canada anglais, par comparaison, le lien organique avec la pensée américaine n'a fait que se développer, conséquence naturelle de la discussion de pensées américaines et de la connaissance approfondie de la tradition anglo-saxonne. Au Québec, la rencontre avec la grande tradition herméneutique européenne, à travers l'enseignement de Paul Ricœur et de plusieurs autres, a favorisé la préséance au cours des années soixante-dix de la philosophie dite «continentale». La phénoménologie et l'herméneutique constituaient alors le paradigme le plus significatif et le rôle de la pensée de Paul Ricœur ne saurait être sous-estimé, comme en témoigne l'ouvrage collectif publié en son honneur (GERAETS, 1985). Penseur du symbole et de l'interprétation, profondément enraciné dans la tradition chrétienne, Paul Ricœur offrait à une philosophie crispée les moyens d'un réel épanouissement, tout en rendant possible une certaine forme de continuité dans la pensée du sens. Mais assez rapidement cette situation allait se modifier, en raison notamment du contact avec les discussions toujours plus nombreuses de la pensée anglo-saxonne, mais également sous la pression de la critique de l'humanisme qui se développait dans la pensée française dite structuraliste. Les œuvres de Jacques Lacan, de Louis Althusser, de Michel Foucault se trouvèrent au centre de discussions qui allaient profondément modifier le paysage intellectuel. Gilles Deleuze et Dominique Lecourt, pour ne nommer qu'eux, firent des séjours turbulents au Québec, alors que soufflait le vent de ce qu'on appelait «la contestation». Au tournant des années quatre-vingt, on peut dire qu'un nouvel équilibre s'est créé: les départements francophones reçoivent de nombreux philosophes américains, surtout dans les domaines de la philosophie du langage et de l'esprit (par exemple John Searle et Daniel Dennett), mais ils font également accueil à Michel Foucault et Jacques Derrida. Une nouvelle génération, formée précisément par ceux qui étaient venus à l'enseignement en 1968, arrive à maturité et elle amène avec elle un profond renouvellement des problématiques, principalement inspiré par la philosophie anglo-saxonne.

On jugera que cette génération, lyrique si on veut reprendre l'expression de François Ricard, s'est trop assagie et qu'elle a renié les grandes inspirations de sa période de libération. Cette turbulence ne pouvait durer et elle devait sans doute laisser place à une période de travail plus rigoureux, au risque de la restauration d'une nouvelle scolastique, à tout le moins d'une professionalisation. Dans cette situation nouvelle, le philosophe s'est éloigné des rôles intellectuels qui lui étaient proposés par les modèles européens de la pensée critique et il s'est rapproché du travail du spécialiste et du savant.

Le terme de cette évolution, brossée ici à grands traits, est une situation dans laquelle la plupart des traditions sont désormais représentées, même si cela n'est le fait que de quelques personnes, et où il devient difficile, sinon impossible, de désigner des hégémonies rigides ou même des courants dominants. L'homogénéité est définitivement chose du passé et on ne peut parler d'une école particulière. L'histoire de ces échanges et des influences nombreuses qui se sont exercées sur le développement de la philosophie au Québec entre 1950 et 1990 demeure à faire. Plusieurs éléments mériteraient qu'on s'y attarde, qu'on pense seulement aux séminaires organisés à Montréal par Alan Montefiore d'Oxford, dans le but précis de stimuler la discussion entre les traditions continentale et analytique. La variété des travaux publiés et des recherches en cours demeure cependant le meilleur témoin de la diversité qui caractérise maintenant l'entreprise philosophique au Québec.

2. COURANTS IMPORTANTS ET RECHERCHES CONTEMPORAINES

Depuis la fin des années soixante, les échanges avec les institutions d'autres pays ont dépassé le caractère ponctuel ou informel des périodes précédentes et depuis les années quatre-vingt, la contribution du Québec à la recherche internationale est devenue significative. Sur le plan de l'orientation philosophique, on peut proposer l'esquisse suivante. La période des années soixante nous fait les témoins d'une rupture entre la philosophie et la religion, rupture qui coïncidait avec le processus général de sécularisation des institutions. Avant la coupure des années soixante, la philosophie demeurait l'apanage d'un enseignement dominé par la pensée néo-scolastique et elle ne cherchait pas une vocation autre que celle de l'*ancilla theologiae*. La métaphysique spéculative en était le couronnement et tout l'édifice en dépendait. Quelques exceptions (par exemple, Jacques Lavigne, *L'inquiétude humaine*, 1953) ne suffisaient pas à introduire le pluralisme souhaitable. L'œuvre de Jacques Lavigne est précisément l'exemple d'une écriture très personnelle, qui se place au confluent de la tradition réflexive des grands maîtres français comme Louis Lavelle, René Le Senne et Emmanuel Mounier. Son inspiration personnaliste ne parviendra pas cependant à l'imposer et à lui assurer une suite. On peut penser que cette œuvre arrivait de manière prématurée dans une société qui n'était pas prête à la recevoir. Sa bibliographie (voir BEAUDRY, 1985) offre plusieurs textes d'une grande richesse, on pense notamment à son fragment «La figure du monde», paru en 1954, dans lequel il propose une réflexion sur l'historicité. Il fut le professeur d'Hubert Aquin à la Faculté de philosophie de l'Université de Montréal.

Au cours des années soixante-dix, une nouvelle génération arrive dans les universités. La logique formelle prend une place qui lui avait été niée jusque là (Yvon Gauthier, *Fondements des mathématiques*, 1976; *Théorétiques*, 1982). Rappelons que plusieurs logiciens avaient choisi de faire carrière dans des universités américaines, tant la place de la logique paraissait réduite dans les institutions placées sous la domination de la scolastique. C'est le cas de Hugues Leblanc, et aussi de Roland Houde. L'épistémologie cesse d'être dépendante de la philosophie spéculative et on voit se développer plusieurs recherches d'épistémologie générale (Serge Robert, *Les révolutions du savoir*,1978) et d'histoire des sciences (François Duchesneau, *L'empirisme de Locke*, 1973; Camille Limoges, *La sélection naturelle*, 1970). Mais le fait le plus important est la pénétration de la philosophie européenne, surtout d'inspiration phénoménologique qui apparaît comme la relève la plus naturelle de l'humanisme traditionnel. À travers les travaux de Theodore Geraets (*Vers une nouvelle philosophie transcendantale*, 1971) et de quelques autres, les débats de la philosophie continentale prennent racine au Québec. La pensée de Heidegger notamment prend un relief significatif (Fernand Couturier, *Monde et être chez Heidegger*, 1971).

Au même moment, on assiste à une remarquable recrudescence de la recherche en histoire de la philosophie ancienne (LAFRANCE, 1977) et moderne, mouvement qui illustre bien la recherche d'une ouverture et la nécessité de racines autres que celles du Moyen Âge chrétien. Luc Brisson a fait ses études à l'Université de Montréal, il a été l'élève de Vianney Décarie, qui avait déjà entrepris une étude rigoureuse de la pensée aristotélicienne à une époque où elle se trouvait asservie à la scolastique. L'essentiel de sa recherche a été accompli au sein du CNRS à Paris (*Le même et l'autre dans la structure ontologique du Timée de Platon*, 1974; *Le mythe de Tirésias*; 1976; *Platon, les mots, les mythes*, 1982; *Inventer l'Univers*, 1991; *Introduction à la philosophie du mythe*, 1996), où il dirige maintenant une nouvelle édition en français des dialogues platoniciens. Prenant la relève d'Harold Cherniss, dont il reprend l'interprétation standard, il est responsable de la publication de la bibliographie platonicienne et peut être considéré comme un des grands spécialistes de Platon de notre époque. Kant (LABERGE, 1978), Leibniz, Hegel, Rousseau, Jacob Boehme, Nietzsche, Heidegger, Bergson et Blondel comptent parmi les penseurs qui firent l'objet durant cette période de monographies importantes.

Cette période voit aussi l'avènement d'une pensée sociale et politique, alimentée principalement au marxisme (parmi de nombreux travaux, on doit noter l'œuvre de Jean-Marc Piotte, *La pensée politique de Gramsci*, 1970; *Sur Lénine*, 1972) Ce courant donna lieu à plusieurs débats, compte tenu notamment des liens étroits entre la pensée marxiste et la conjoncture politique des années soixante (LAGUEUX, 1982). Les revues d'action politique se multiplièrent, représentant des orthodoxies rivales dans lesquelles la philosophie occupait une position souvent stratégique. L'œuvre de Louis Althusser, aussi bien que les travaux de ses disciples, était alors beaucoup lue et demeure discutée (Donald Martel, *L'anthropologie d'Althusser*, 1984). Un travail récent montre par ailleurs la fécondité d'une réflexion critique sur la pensée de Marx (Serge Cantin, *Le philosophe et le déni du politique*, 1992). La critique des idéologies domine ces débats, comme en témoignent les recherches nombreuses sur ces questions au cours des années soixante-dix et en particulier celles du Groupe de recherches sur les idéologies (Josiane Boulad-Ayoub, *Vers une redéfinition matérialiste du concept de culture*, 1987; *Mimes et parades*, 1995; Claude Panaccio et Claude Savary, éds. *L'idéologie et les stratégies de la raison*,1984).

Julien Bigras
(*Photo: Éditions du Boréal*)

La discussion des idéologies et du marxisme occupe, durant cette période, toute la scène de la philosophie politique au Québec, contrairement à ce qui se passe au même moment aux États-Unis et en Europe, où la tradition de la pensée libérale commence à retrouver de sa vigueur. La théorie critique de l'École de Francfort avait néanmoins commencé à percer, ne serait-ce que par le relief considérable de la pensée de Herbert Marcuse, inspirateur important de la culture contestaire des années soixante-dix (André Vachet, *Marcuse: la révolution radicale et le nouveau socialisme*, 1986). Cette pensée mit cependant beaucoup de temps à s'imposer, et c'est de date tout à fait récente que l'œuvre de ses penseurs les plus importants, notamment Benjamin et ensuite Habermas, a commencé d'exercer une certaine influence. De la même manière, la discussion du libéralisme émerge à peine depuis quelques années, à compter de discussions récentes sur les droits et la citoyenneté. La psychanalyse pénètre également l'enseignement de la philosophie, en particulier suite aux travaux de Noël Mailloux, d'André Lussier et de Claude Lévesque, sans donner lieu cependant, malgré les efforts interrompus de la revue *Interprétation* fondée par Julien Bigras (1967), à plusieurs publications significatives. Jusqu'à l'avènement récent de la revue *Trans (1992)*, plusieurs revues se sont relayées pour garder vivant l'héritage de la pensée psychanalytique (*Brèches, Bordures, Frayages*) et chacune a été le lieu d'une rencontre de la philosophie et de la psychanalyse qui n'aurait pas été possible autrement.

On voit par ailleurs les différents courants de la philosophie anglo-saxonne s'implanter progressivement dans les départements de philosophie, ouvrant la voie à la recherche en philosophie du langage, en philosophie de l'esprit, en théorie de l'action et en éthique d'orientation analytique. Étalé sur une période d'à peine vingt années, l'ensemble de ce renouvellement équivalait pratiquement à une révolution et on ne saurait prétendre en présenter, même brièvement, les nombreuses ramifications. Par ailleurs, il est clair que l'omniprésence de l'informatique et des modèles computationnels dans le traitement de l'information influence considérablement les analogies et les modèles en science cognitive et en théorie de l'intelligence artificielle, produisant des effets profonds sur la discussion du rapport corps-esprit en métaphysique et sur la théorie sociale des groupes et de la communication. Un pionnier dans ces domaines depuis 1975 est Jean-Guy Meunier, professeur à l'UQAM.

Ces mouvements de fond détermineront sans doute l'ensemble des recherches à venir en philosophie. La tension qui s'y déploie de manière fondamentale fait s'opposer un courant naturaliste, héritier de l'ancien positivisme, en vertu duquel le travail philosophique doit d'abord servir le projet d'une naturalisation de la connaissance, et un courant critique dans lequel se retrouvent toutes les formes d'épistémologie et de philosophie qui ne croient pas pensable la dissolution du travail philosophique dans une extension de la science naturelle. La mosaïque est complexe, à proportion du développement fulgurant des paradigmes nouveaux de recherche dans les sciences. Jamais autant qu'aujourd'hui les rapports de la philosophie avec la connaissance scientifique n'auront-ils été aussi riches et ramifiés. On peut néanmoins proposer quelques remarques sur le développement en cours dans certains secteurs spécialisés de la discipline.

Histoire de la philosophie

Avec le décloisonnement contemporain de la pensée, l'intérêt pour l'interprétation et la critique des philosophes et des mouvements de pensée qui ont jalonné l'histoire de la philosophie, depuis la Grèce ancienne jusqu'aux discussions les plus récentes, est allé croissant. Les travaux publiés au Québec en histoire de la philosophie sont trop nombreux pour être présentés ici; ils apportent une contribution, aussi bien philologique que critique, au développement contemporain de l'histoire de la philosophie et de ses méthodes. On notera cependant dans ce travail une grande rigueur exégétique, accompagnée d'un intérêt de fond pour le développement de la pensée herméneutique; influencés par la recherche européenne, surtout française et allemande, les travaux d'histoire de la philosophie recherchent le plus souvent un point de vue interprétatif contemporain et manifestent un intérêt très mitigé, contrairement à ce qui semble la norme au Canada anglais, pour l'évaluation analytique. Les historiens acceptent plus facilement de situer leur travail à l'intérieur des traditions dont ils commentent les œuvres (par exemple, Jean Grondin, *Le tournant dans la pensée de Heidegger*, 1987), ou adoptent une méthode historique dont ils veulent garantir l'objectivité (Yvon Lafrance, *Méthode et exégèse en histoire de la philosophie*, 1983). Il y a cependant de riches exceptions (Claude Panaccio, *Les mots, les concepts et les choses. La sémantique de Guillaume d'Occam et le nominalisme d'aujourd'hui*, 1991). Dans l'ensemble de ces travaux, l'œuvre récente de Jean Grondin se signale par une exceptionnelle rigueur et la complexité d'un parcours qui croise, dans une interpellation réciproque, les œuvres de Heidegger et de Gadamer et l'histoire de la pensée herméneutique. (*L'universalité de l'herméneutique*, 1993; *Kant et le problème de la philosophie: l'apriori*, 1989).

Logique, Métaphysique, Épistémologie et Philosophie des sciences

Après 1950, la logique symbolique moderne, constituée essentiellement par le calcul de Russell et Whitehead (logique extensionnelle des énoncés et des prédicats du premier ordre) , de même que la notion d'un langage idéal pour la philosophie, assortie de prescriptions de rigueur et de précision, ont assuré leur emprise sur une portion importante de la philosophie canadienne anglophone. Cette caractéristique allait de pair avec un traitement des problèmes philosophiques «à la pièce», en réaction avec la construction traditionnelle de systèmes, et la logique en vint à déterminer non seulement l'élaboration de théories, mais également le style même du travail philosophique. Cette évolution d'une recherche en logique propositionnelle standard vers une augmentation des travaux en logique non-standard fut certes beaucoup plus lente dans la logique francophone, mais on peut l'observer dans les travaux de Daniel Vanderveken (Université du Québec à Trois-Rivières) en logique illocutionnaire (*Les actes de discours*, 1988; *Meaning and Speech Acts*, 1990-91) et de Yvon Gauthier (Université de Montréal), qui a élaboré une logique constructiviste qu'il appelle logique arithmétique (*De la logique interne*, 1991; *La logique interne des théories physiques*, 1992). Il faut aussi mentionner les recherches de François Lepage (Montréal) en logique intensionnelle et de Jean-Pierre Marquis (Montréal) en logique philosophique et théorie de l'approximation de la vérité.

Yvon Gauthier
Université de Montréal

Des développements concomitants en philosophie du langage méritent également mention; c'est le cas des travaux de François Latraverse (Université du Québec à Montréal) sur Wittgenstein et en pragmatique, de Michel Seymour et de Daniel Laurier (Université de Montréal) en sémantique et théorie de l'intentionnalité.

Le domaine de la métaphysique et de l'ontologie semble être devenu le parent pauvre de la pensée philosophique, alors même qu'il constituait à l'époque de la pensée scolastique le paradigme de la réflexion. Cette situation va de pair avec le reflux de la théologie naturelle et spéculative dans les travaux des théologiens. On se doit néanmoins de signaler les travaux de Thomas de Koninck, de Jean Theau et de Marc Renault (*Le singulier. Essai de monadologie*, 1979), qui chacun à leur manière poursuivent une analyse historique et critique de l'histoire de la métaphysique classique.

La discussion ontologique demeure liée aux changements importants dans les domaines de la théorie de la connaissance, de l'épistémologie et de la philosophie des sciences. Des distinctions cardinales (propositions analytiques et synthétiques, savoir a priori et a posteriori) se sont fracturées et les normes antérieures de la rationalité ont été mises en question. La structure de la connaissance ne consiste plus en un édifice de connaissances particulières, construit sur la base de fondements certains ou nécessaires selon la manière cartésienne ou aristotélicienne; cette structure ressemble plutôt à un tissu de croyances, dont le critère de vérité devient ou bien la cohérence, ou encore un vaste équilibre réflexif. La physique cesse de constituer le paradigme de tout savoir, même si elle continue de stimuler la recherche en philosophie des sciences. Les travaux sur l'épistémologie de la physique sont nombreux (Jean Leroux, Yvon Gauthier, Mario Bunge). Place est faite à des modèles empruntant à la biologie (épistémologie évolutionnaire), à l'anthropologie, à la sociologie et à l'histoire. On pense également aux recherches de Robert Nadeau et Maurice Lagueux en épistémologie des sciences humaines, et en particulier de l'économie. L'histoire des sciences a joué un rôle important dans cette discussion, comme on peut le voir dans les travaux de William Shea sur Galilée, de François Duchesneau sur la physiologie de la période des Lumières, sur Locke et sur Leibniz.

Cette discussion conduit à un certain pluralisme, position toujours risquée dans la mesure où l'anarchisme épistémologique découle toujours de la relativisation de la rationalité et de la vérité. Ce pluralisme semble assujetti à ce qui constitue sans doute un trait commun de la recherche épistémologique au Québec: une attention forte à l'histoire et à la philosophie des sciences sociales, comme on le voit dans les travaux de Robert Miguelez, J. Nicolas Kaufmann, Paul Dumouchel, Maurice Lagueux et Robert Nadeau. Le courant dominant est celui de l'épistémologie historique. On doit noter par ailleurs l'émergence de nombreuses recherches dans le domaine de la philosophie de l'esprit et des sciences cognitives, qui ne manqueront pas d'influencer le développement de la réflexion épistémologique. Des recherches récentes, comme celles de Denis Fisette sur l'intentionnalité, menées dans le contexte d'une réévaluation de la phénoménologie, paraissent très prometteuses (*Lecture frégéenne de la phénoménologie*, 1994).

Éthique, philosophie sociale et politique

Les philosophes canadiens ont manifesté beaucoup d'intérêt pour ce que David Braybrooke a appelé l'intersection ethno-politique; il s'agit de ce point où l'histoire de la philosophie et les sciences sociales recoupent l'éthique et la philosophie sociale et politique. Dans un pays à la fois bilingue et multiculturel, ce fait n'a rien de surprenant, encore que peu de philosophes aient publié des travaux sur le fédéralisme. On peut néanmoins citer quelques exemples au Québec (Stanley French, Éd. *La Confédération: qu'en pensent les philosophes?*, 1980; Charles Taylor, *Rapprocher les solitudes. Écrits sur le fédéralisme et le nationalisme au Canada*, 1992; *Multiculturalisme: différence et démocratie*, 1994). En fait, même si cela semble paradoxal, la question nationale ne semble pas avoir beaucoup requis les philosophes au Québec. Des travaux comme ceux de Louis Lachance (*Nationalisme et religion*, 1936), construits à compter d'une position scolastique, mais qui prenaient le risque d'une intervention philosophique dans le politique, sont demeurés longtemps privés de postérité. Les essais politiques ne manquent certes pas, mais ils ne sont pas l'œuvre de penseurs travaillant avec les instruments de la philosophie politique. Cette situation est cependant en train de changer, en raison du caractère de plus en plus déterminant de la question nationale (voir par exemple, sous la direction de Michel Seymour, le numéro spécial de la revue *Philosophiques*, «Une nation peut-elle se donner une constitution de son choix?», réédition 1995). Sur ce terrain, un livre, plutôt marginal par son projet, a vite conquis une place importante dans la réflexion sur l'identité: c'est le travail de Claude Bertrand et Michel Morin (*Le territoire imaginaire de la culture*, 1979). Ce livre met en place des éléments décisifs pour une critique du nationalisme, effectuée à compter d'une position alimentée aux sources de l'individualisme et de la pensée de Nietzsche.

Depuis la fin des années soixante, on peut par ailleurs observer une autonomie quasi-complète de l'économie et de la science politique. Le travail de réflexion et d'analyse de la vie politique provient désormais des départements de sciences sociales et les philosophes ont plutôt tendance à écrire sur des problèmes plus généraux, le plus souvent dans une perspective non-nationale (par exemple Joseph Pestieau, *Essai contre le défaitisme politique*, 1973; *L'espoir incertain*, 1983 et plus récemment les essais de Daniel Jacques).

Dans la philosophie anglo-canadienne, le débat entre une tendance de gauche et une tendance plus conservatrice se tient surtout sur le terrain de la théorie de la justice et du libéralisme, mais au Québec

Louise Marcil-Lacoste
Université de Montréal
(Photo: Bernard Lambert)

l'éthique semble avoir beaucoup de mal à trouver un terrain contemporain de discussion. Peu de publications méritent d'être signalées, si ce n'est les travaux en éthique sociale (Jocelyne Couture, *Éthique et rationalité*, 1992; R. Lambert, *La justice vécue et les théories éthiques contemporaines*, 1994). La question de l'égalité en constitue l'enjeu majeur. L'influence des débats autour de la pensée de John Rawls demeure active dans ces discussions, mais les philosophes francophones, peut-être plus influencés que les anglophones par la pensée de l'école de Francfort, cherchent à relier la discussion sur la justice au grand débat européen sur la rationalité sociale et sur la post-modernité (Michel Freitag, *Dialectique et société*, 1986). La recherche sur les fondements historiques et conceptuels de l'égalité apporte une contribution intéressante à ce débat (Louise Marcil-Lacoste, *La thématique contemporaine de l'égalité*, 1984). En conjonction avec cette orientation, on assiste à la naissance d'une philosophie de la culture dans les travaux de Fernand Dumont (cf. supra) et de Josiane Boulad-Ayoub (*Contre nous de la tyrannie...*, 1990). La discussion sur les droits et leur fondement demeure très vivante (Alain Renaut et Lukas Sosoe, *Philosophie du droit*, 1991). La philosophie de l'histoire, enfin, a été marquée par les nombreux travaux de William Dray (Université d'Ottawa).

L'éthique appliquée connaît actuellement un grand essor, principalement en raison des requêtes communiquées par les institutions médicales et juridiques suite à la prolifération de nouvelles technologies et à la croissance du pouvoir expert dans les sociétés post-industrielles. La première grande vague de recherche fut celle de l'éthique médicale et de la bio-éthique. Les enjeux de la contraception, de l'avortement, des technologies de reproduction, de l'euthanasie et la rareté des ressources dans l'allocation des soins ont engendré une recherche philosophique très abondante (Guy Bourgeault, *L'éthique et le droit face aux nouvelles technologies biomédicales*, 1990; Marie-Hélène Parizeau, *Les fondements de la bioéthique*, 1992; Thomas de Koninck, *De la dignité humaine*, 1995). La deuxième vague a été produite par la croissance de l'éthique administrative, suite à la discussion de problèmes de corruption et de malfaisance, autant dans l'entreprise que dans la bureaucratie publique. L'examen des codes d'éthique de la profession médicale fut rapidement suivi de l'analyse déontologique des codes d'autres secteurs de la vie publique. Il faut enfin noter un intérêt grandissant pour l'éthique environnementale. Des ouvrages sur des sujets controversés, comme le sexisme (L. Marcil-Lacoste, *La raison en procès*, 1987), constituent des exemples de recherches de pointe.

Ce bilan ne doit pas laisser de côté de nombreuses œuvres de philosophes dont le travail se situe hors des grands courants que nous avons esquissés. En esthétique par exemple, la riche réflexion de Pierre

Gravel. Lecteur érudit de la poétique d'Aristote et de l'histoire de la tragédie, il a développé une œuvre marquée au coin par un souci constant de faire entendre la voix de l'esthétique dans l'histoire du texte théâtral (*Pour une logique du sujet tragique*, 1980). L'œuvre de Robert Hébert mériterait une étude particulière, en raison de sa grande originalité. Formé dans le cadre de la phénoménologie, il a esquissé les motifs généraux d'une métaphilosophie dans un ouvrage sur le langage de l'œuvre spéculative. Cette recherche, qui s'articule autour du thème de la réflexion et de la réflexivité, met en relief la substance métaphorique inhérente au travail philosophique. (*Mobiles du discours philosophique*, 1978). Dans plusieurs publications subséquentes, il a engagé un travail parallèle en vue de la constitution d'une ethno-philosophie, alimentée principalement dans une lecture historique et philosophique de l'histoire des idées au Québec. Cet effort va de pair avec une tentative de reconstituer ce qui serait la trame d'une identité, dans l'histoire d'une pensée marquée par un réflexe en apparence indépassable d'auto-négation. Il faut également mentionner le travail de Pierre Bertrand, qui a construit au fil de nombreux livres de pensées et d'aphorismes une œuvre d'écrivain philosophe, cherchant des modèles de sagesse et d'écriture dans la tradition philosophique et dans la littérature. Sa réflexion sur la nature du travail de la pensée et de la création constitue un parcours d'une grande richesse (*Méditations*, 1995; *À pierre fendre: essais sur la création*, 1994; *Une vraie rupture*, 1987). Laurent-Michel Vacher apporte de son côté une contribution critique, qui se signale par le projet d'un matérialisme scientifique d'une grande austérité. Prenant le contrepied de la pensée continentale, il défend les vertus du pragmatisme et de la pensée scientifique. (*L'empire du moderne: actualité de la philosophie américaine*, 1990) Il faut enfin mentionner le travail de Michel Morin, souvent associé dans l'écriture à celui de Claude Bertrand (*Les pôles en fusion*, 1983). La voix très personnelle et très exigeante de Michel Morin revendique la liberté souveraine de l'individu, contre tous les conformismes, aussi bien sociaux qu'intellectuels. Son travail, très solitaire, emprunte parfois la forme du fragment (*Désert*, 1988), parfois celle de l'essai (*L'étrangeté de la raison*, 1993). Le choix de ces auteurs présente certes le risque d'un regard injuste sur l'écriture philosophique au Québec. Dans les marges de l'institution, dans les bordures de la discipline, on retrouve les noms de plusieurs autres écrivains dont l'œuvre se réclame d'un projet philosophique et qui méritent une place dans une histoire de la pensée contemporaine au Québec. On mentionnera par exemple les noms de Alexis Klimov, lecteur de la tradition mystique; de Julien Bigras, psychanalyste; de Marcelle Brisson, féministe; de Claude Lagadec, critique de la morale.

Robert Hébert
Cégep de Maisonneuve
Photographe: Michel Neveu

L'avenir de la recherche philosophique au Québec conservera sans doute plusieurs des traits qui la caractérisent actuellement: pluralisme, ouverture aux courants européens et américains, intérêt pour la recherche historique, volonté de contribuer aux grandes discussions épistémologiques et éthiques, souci de pertinence dans les secteurs de la philosophie appliquée, richesse des entreprises individuelles. On peut penser aussi que des traits qui émergent dans le moment deviendront centraux, comme la préoccupation des droits des personnes et des communautés et le projet d'apporter une contribution philosophique au renouvellement des idéologies. Une pensée de la justice, une pensée de la liberté, telles que les appelaient déjà Jacques Brault et Fernand Dumont, constituent l'horizon irréductible de la philosophie dans une société inquiète de son destin et protectrice de sa démocratie.

BIBLIOGRAPHIE SÉLECTIVE

Dans les indications bibliographiques qui suivent, j'ai regroupé des travaux qui se signalent ou bien par leur richesse bibliographique et historiographique propre, ou bien par leur aspect anthologique. Le lecteur intéressé pourra facilement reconstituer une bibliographie quasi exhaustive en cheminant à travers la riche recherche de mes devanciers.

BEAUDRY, Jacques, *Autour de Jacques Lavigne, philosophe. Histoire de la vie intellectuelle d'un philosophe québécois de 1935 à aujourd'hui.* (accompagnée d'un choix de textes de Jacques Lavigne), Trois-Rivières, Éditions du Bien public, 1985.

BRODEUR, Jean-Paul, «Francophone Philosophy, Article Canada», dans John R. BURR (ed.) *Handbook of World Philosophy. Contemporary Developments since 1945*, Westport, Conn., Greenwood Press, 1980; p. 342-349.

CAUCHY, Venant, «La philosophie au Québec et au Canada français», dans *Doctrines et concepts. Cinquante ans de philosophie de langue française. Actes de l'ASPLF, 1937-1987*, Paris, Librairie philosophique J. Vrin, 1988; p. 17-34.

COLLAB. *Figures de la philosophie québécoise après les troubles de 1837*. Montréal, Université du Québec à Montréal, «Cahiers Recherches et théories», 3 volumes, 1986-1988; diffusion Presses de l'Université du Québec.

COLLAB. Article Philosophy. *The Canadian Encyclopedia*, 2nd Edition. Edmonton, Hurtig Publishers, 1988.

DÉCARIE, Vianney, «La recherche en philosophie au Canada français», dans Jean-Louis BAUDOIN, (éd.). *La recherche au Canada français*, Montréal, Presses de l'Université de Montréal, 1968; p. 143-48.

GARCEAU, Benoit, «La philosophie analytique de la religion: la contribution canadienne (1970-75)», *Philosophiques* II, 2(1975) p. 301-340.

GERAETS, Th.(sous la dir. de). *À la recherche du sens/In search of Meaning*, Ottawa, Éditions de l'Université d'Ottawa, 1985. Numéro spécial de la *Revue de l'Université d'Ottawa*, vol. 55. nº 4.

HOUDE, Roland, *Histoire et philosophie au Québec. Anarchéologie du savoir historique*. Trois-Rivières, Éditions du Bien public, 1979.

JOOS, Ernest (éd.), *La scolastique: certitude et recherche*, (en hommage à Louis-Marie Régis), Montréal, Éditions Bellarmin, 1980.

LABERGE, Pierre, «Dix années d'études canadokantiennes (1968-78)», *Philosophiques*, V,2 (1978) p. 331-381.

LAFRANCE, Yvon, «Les études platoniciennes: contribution canadienne (1970-1977)», Philosophiques IV (1977) p. 51-59.
LAGUEUX, Maurice, *Le marxisme des années soixante*, Montréal, Hurtubise HMH, 1982, «Brèches».
LAMONDE, Yvan (éd.), *Historiographie de la philosophie au Québec*, 1853-1970, Montréal, Hurtubise HMH, 1972, «Cahiers du Québec».
LAMONDE, Yvan, *La philosophie et son enseignement au Québec (1665-1920)*, Montréal, Hurtubise HMH, 1980, «Cahiers du Québec».
LANDRY, Albert M., «La pensée philosophique médiévale: la contribution canadienne (1960-73),» *Philosophiques*, I,2 (1974) p. 111-139.
LANGLOIS, Jean, «La philosophie au Canada français,» *Sciences ecclésiastiques*, 10 (1958) p. 95-104.
MARCIL-LACOSTE, Louise, «Essai en philosophie: problématique pour l'établissement d'un corpus», dans WYCZINSKI, GALLAYS ET SIMARD (1985); p. 211-242.
MATHIEN, Thomas, *Bibliography of Philosophy in Canada: a Research Guide/ Bibliographie de la philosophie au Canada: guide de recherche*, Kingston, Frye Publishing, 1989.
PANACCIO, Claude et P.A. Quintin (éds). *Philosophie au Québec*, Montréal, Éditions Bellarmin, 1976.
RACETTE, Jean, *Thomisme ou pluralisme? Réflexions sur l'enseignement de la philosophie*, Montréal, Éditions Bellarmin, 1985.
RUELLAND, Jacques G., *Philosopher à Montréal. Histoire de la Société de philosophie de Montréal*, Montréal, Humanitas, 1995, «Circonstances».
THIBAULT, Pierre, *Savoir et pouvoir. Philosophie thomiste et politique cléricale au XIX*[e] *siècle*, Québec, Presses de l'Université Laval, 1972, «Histoire et sociologie de la culture, vol. 2»
WYCZINSKI, Paul, François Gallays et Sylvain Simard. *L'essai et la prose d'idées au Québec*, Montréal, Éditions Fides, 1985, (Archives des Lettres canadiennes, Tome VI).

REVUES PRINCIPALES

Dialogue
Laval théologique et philosophique
Philosopher
Philosophiques
Science et Esprit

Georges Leroux est professeur titulaire au Département de philosophie de l'Université du Québec à Montréal, où il enseigne depuis 1969. Spécialiste de l'histoire de la philosophie grecque, et en particulier du néoplatonisme, (*La liberté et la volonté de l'Un*, Paris, Librairie philosophique J. Vrin, 1990) il s'intéresse à la formation de la subjectivité dans la métaphysique. Codirecteur avec François Latraverse de la collection d'essais Brèches chez l'éditeur Hurtubise HMH, il a également dirigé chez le même éditeur la publication «Sédiments» en collaboration avec Michel van Schendel et Jean-Jacques Courtine. Il est le responsable du Centre canadien francophone pour la *Bibliographie de la philosophie*, publiée sous l'égide de l'Institut International de Philosophie (Paris, Librairie philosophique J. Vrin, trimestriel).

Deuxième partie

La francophonie

Michel Tétu

Depuis 1960, la francophonie tient une place non négligeable dans la vie des Québécois. Il n'est de journée que le mot ne soit employé comme substantif ou sous sa forme adjectivale pour désigner tantôt le fait de parler français au Canada et dans le monde, tantôt l'institution que couronne le Sommet des chefs d'État et de gouvernement tous les deux ans. Toutefois, c'est dans le secteur associatif que le Québec s'est particulièrement illustré et qu'il a souvent vivifié la francophonie.

Octobre 1963
Jean-Marc Léger *et*
André Malraux *à l'AUPELF*

Les textes sur la francophonie sont nombreux dans les journaux, revues et périodiques. Plus rares sont les essais et les réflexions de longue haleine. Cependant, là encore, le Québec s'est montré un des chefs de file. Il fait souvent figure de pionnier et à tout le moins de référence.

Avant 1960

La deuxième moitié du XXe siècle se caractérise, entre autres, par la naissance et le développement des organisations internationales gouvernementales (OIG) et, de plus en plus, non gouvernementales (OING). Avant la guerre de 1939-45, la Société des Nations (SDN) avait entraîné dans son sillage à partir de Genève, dans une Suisse traditionnellement neutre, la création de quelques ensembles internationaux destinés à regrouper en vue d'une action commune et d'une plus grande efficacité des responsables d'associations, de syndicats ou de mouvements des pays industrialisés. On connaît la Croix-Rouge, le Bureau international du travail (BIT) et quelques autres regroupements d'envergure mondiale qui sont nés lorsque les nations impliquées dans la guerre ont pris conscience de la nécessité de se réunir pour reconstruire le monde pacifiquement et solidairement dans des domaines spécialisés tels que la santé, la culture, la nourriture, le travail, etc.

Toutefois, dès la fin du XIXe siècle en France et dès le début du XXe siècle au Canada, des associations avaient été imaginées à des fins éducatives et culturelles, pour regrouper les francophones et les francophiles. Il faut souvent remonter jusqu'à elles pour comprendre ce qui est arrivé avec la Révolution tranquille. Ainsi, à l'imitation de l'Alliance française (1883), naissait l'Alliance Champlain au début des années 1980 d'où est sorti l'actuel Québec dans le monde. C'est pour contrer l'influence de la franc-maçonnerie qu'avait été créé au Canada français l'Ordre Jacques-Cartier en 1926, appelé plus couramment la «Patente» dans le parler populaire; de lui naîtra en 1966, à l'imitation des clubs sociaux anglo-saxons, le Club Richelieu qui regroupe aujourd'hui plus de 6500 membres à travers le monde.

Aussi n'est-il pas inutile de rappeler la fondation à Québec et à Montréal de nombreuses associations destinées à défendre la langue française, à la promouvoir, à en favoriser le développement au Canada et en Amérique du Nord. En 1901 à l'issue d'une rencontre à Québec sur la langue française, naissait la Société du parler français qui se développa en association militante pour devenir quelques années plus tard l'Association Parlons mieux, stimulant l'étude des particularités du français au Canada afin de recommander les «canadianismes de bon aloi». Elle prépara un glossaire et se dota d'un bulletin régulier.

À Montréal en 1910 avait lieu du 6 au 11 septembre le XXIe Congrès eucharistique international; ce devait être l'occasion d'un discours remarquable qui justifia désormais le militantisme francophone en favorisant une sorte de messianisme à l'échelle nord-américaine. La manifestation avait attiré des milliers de visiteurs et l'Église Notre-Dame était pleine à craquer lorsque le Cardinal Bourne, archevêque de Westminster, souligna l'influence et le prestige de la langue anglaise à la stupeur de son auditoire. L'Église catholique avait tout intérêt selon le Cardinal britannique, à utiliser l'anglais pour prêcher et répandre cette langue au Canada! On sait la suite: Henri Bourassa, le fondateur du journal *Le Devoir*, se fit le porte-parole de ses compatriotes pour répliquer dans un brillant discours qui souleva un enthousiasme délirant: ce n'était pas parce que les anglophones étaient plus nombreux en Amérique du Nord que les Canadiens devaient renier leur race et leur langue. Le Christ était tolérant: une poignée de pauvres hommes, les douze apôtres, avaient révolutionné le monde. Le Québec ne voulait pas conquérir l'Amérique, mais vivre en paix dans sa foi et dans sa langue.

FOI CATHOLIQUE ET LANGUE FRANÇAISE

[...] Sa Grandeur a parlé de la question de langue. Elle nous a peint l'Amérique tout entière comme vouée dans l'avenir à l'usage de la langue anglaise; et au nom des intérêts catholiques elle nous a demandé de faire de cette langue l'idiome habituel dans lequel l'Évangile serait annoncé et prêché au peuple.

Ce problème épineux rend quelque peu difficiles, sur certains points du territoire canadien, les relations entre catholiques de langue anglaise et catholiques de langue française. Pourquoi ne pas l'aborder franchement, ce soir, au pied du Christ et en chercher la solution dans les hauteurs sublimes de la foi, de l'espérance et de la charité? [...]

De cette petite province de Québec, de cette minuscule colonie française, dont la langue, dit-on, est appelée à disparaître, sont sortis les trois quarts du clergé de l'Amérique du Nord, qui est venu puiser au séminaire de Québec ou de Saint-Sulpice la science et la vertu qui ornent aujourd'hui le clergé de la grande république américaine, et le clergé de langue anglaise aussi bien que le clergé de langue française du Canada. [...]

Que l'on se garde, oui, que l'on se garde avec soin d'éteindre ce foyer intense de lumière qui éclaire tout un continent depuis trois siècles; que l'on se garde de tarir cette source de charité qui va partout consoler les pauvres, soigner les malades, soulager les infirmes, recueillir les malheureux et faire aimer l'Église de Dieu, le pape et les évêques de toutes langues et de toutes races.

«Mais, dira-t-on, vous n'êtes qu'une poignée; vous êtes fatalement destinés à disparaître; pourquoi vous obstiner dans la lutte?» Nous ne sommes qu'une poignée, c'est vrai; mais ce n'est pas à l'école du Christ que j'ai appris à compter le droit et les forces morales d'après le nombre et les richesses. Nous ne sommes qu'une poignée, c'est vrai; mais nous comptons pour ce que nous sommes, et nous avons le droit de vivre.

Douze apôtres, méprisés en leur temps par tout ce qu'il y avait de riche, d'influent et d'instruit ont conquis le monde. Je ne dis pas: laissez les Canadiens français conquérir l'Amérique. Ils ne le demandent pas. Nous vous disons simplement: Laissez-nous notre place au foyer de l'Église et laissez-nous faire notre part du travail pour assurer son triomphe. (10 septembre 1910)

Les envolées oratoires d'Henri Bourrassa constituent, à n'en pas douter, un des premiers pas du Québec dans la francophonie militante en Amérique du Nord. Un grand Congrès de la langue française était organisé en 1912 à Québec par la Société du parler français et la Société

Saint-Jean-Baptiste qui obtint un grand succès et eut une portée internationale: des visiteurs étaient venus du Canada, des États-Unis et de France, comme cette délégation envoyée spécialement par l'Académie française. Un comité permanent fut créé pour donner suite aux principales résolutions; il fonctionna pendant une dizaine d'années. Une autre rencontre eut lieu en 1928 et surtout un très grand Congrès en 1937. Cette fois, les représentants étrangers étaient très nombreux parmi les milliers des congressistes, du gouverneur de la Louisiane aux académiciens français, des hommes de lettres aux politiciens en passant par les membres du clergé. Le 1er juillet 1937, 46 résolutions étaient adoptées concernant l'avenir du français en Amérique du Nord, dont celle qui instituait un comité permanent de ce deuxième congrès. Ce comité deviendra le «Comité permanent de la survivance française», puis en 1952 le Conseil de la vie française en Amérique (CVFA). Il existe toujours avec son siège social rue Saint-Pierre à Québec. C'est sous son égide qu'une Table de concertation s'est organisée qui voit, entre autres, à la préparation de la semaine internationale de la francophonie chaque année la semaine entourant le 20 mars.

Après 1960

La Révolution tranquille et les années 1960 marquent une période charnière dans la perception qu'ont les Québécois des francophones hors des frontières de leur province, en Amérique du Nord et dans le monde en général à commencer par la France. «L'espace francophone» prend davantage consistance alors que le Québec s'avance avec détermination vers son autonomie culturelle.

Au Canada, les francophones qui se trouvent principalement au Québec y sont alors majoritaires à 80 % de la population québécoise: peu à peu de Canadiens français qu'ils étaient ils se définissent comme Québécois. Leurs rapports avec les Anglo-Québécois changent de même qu'avec les Canadiens français. Leurs rapports culturels à l'espace canadien ne sont plus les mêmes. Tous ceux qui habitent le Québec sont bien entendu des Québécois. Il faut vivre avec eux et pour faciliter cette cohabitation, on va tenter de les franciser. En revanche les francophones du reste du Canada sont plutôt délaissés, dans les faits sinon officiellement. Le Ministère des affaires culturelles du Québec crée un service du «Canada français outre-frontières» pour leur venir en aide, mais le cœur n'y est pas tout à fait. On a trop à faire pour s'affirmer au Québec l'égal des anglo-protestants dans la technique et dans les affaires. Les Acadiens et les Canadiens français, ne pouvant se réclamer de l'identité québécoise ont tendance à se définir alors par de nouveaux termes se référant à leur origine territoriale. On parle désormais de Franco-Ontariens (plus tard même d'Ontarois), de Franco-Manitobains, de Fransaskois, de Franco-Albertains et de Franco-Colombiens. Ils se regrouperont entre eux en 1975 dans la Fédération des francophones hors Québec qui, fusionnant avec la Société des Acadiens,

M. Klibi Chedli, *ministre de la culture de Tunisie, le président* **Bourguiba**, **J.-M. Léger** — *Tunis Automne 1969*

deviendra la Fédération des communautés francophones et acadiennes, d'un nom peut-être significatif dans sa complexité du malaise des minorités. Aidé par le gouvernement fédéral, ils se situent politiquement à l'opposé des vues séparatistes, et prennent parti à l'occasion contre le gouvernement du Québec. Aux États-Unis, les communautés de Nouvelle-Angleterre dépérissent. Le taux d'assimilation est élevé; on ne peut pas compter sur des subventions comme au Canada. On en fait pratiquement son deuil. Il en est de même avec la Louisiane jusqu'à la création du Comité pour le développement du français en Louisiane (CODOFIL) en 1968. Le Québec, qui cherche alors à créer des liens internationaux, se rapprochera de cet État et l'aidera via un bureau qu'il crée à Lafayette et qui subsistera jusqu'au deuxième gouvernement Bourassa.

Du côté de la France, les rapports vont s'officialiser sur de nouvelles bases. Le Québec a pallié l'édition française pendant la guerre en se substituant aux éditeurs parisiens pour publier les grandes œuvres littéraires françaises. On veut désormais marquer ses différences linguistiquement et politiquement. Avec la visite du général de Gaulle, le Québec s'affirme comme un presqu'État et prépare un protocole de coopération qui est signé en 1967 après que les premiers échanges culturels aient eu lieu dès 1965. Le Québec utilise à plein ses champs de compétences pour négocier de nombreux accords. Après la France, le Québec s'entendra sur des bases similaires, quoique de façon plus restreinte, avec la Belgique.

Association des universités partiellement ou entièrement de langue française (AUPELF)

Il faut dire que, dès 1960, la volonté d'ouverture des Québécois vers l'international avait trouvé un champ d'action privilégié dans le monde universitaire. Après un congrès préparatoire en 1960, était fondée en septembre 1961 à Montréal l'Association des universités partiellement ou entièrement de langue française (AUPELF). Organisme non gouvernemental, l'AUPELF s'appuyait d'abord sur la volonté commune de 33 universités de langue française qui décidèrent de se retrouver périodiquement pour établir un lien permanent entre elles, facilitant ainsi les échanges d'étudiants et de professeurs, la documentation, les équivalences de diplômes et la recherche en commun. Le nom de cette association devenue prestigieuse est dû à l'ancien ministre marocain de l'Éducation Mohammed El Fasi. Mais la réalité de l'AUPELF est due à l'action conjuguée du recteur de l'Université de Montréal, Mgr Irénée Lussier, et du journaliste du *Devoir* Jean-Marc Léger, qui avait participé à la création en 1952 de l'UIJPLF (Union internationale des journalistes et de la presse de langue française) et qui voyait dans le monde associatif le meilleur moyen de tisser des liens entre les pays de langue française. L'expression «partiellement ou entièrement de langue française» allait faire fortune; on la retrouvera dans de nombreuses associations. Mais surtout l'AUPELF allait

À New Delhi, **Michel Tétu** *conférencier inaugural d'une rencontre franco-indienne, en conversation avec le ministre des Affaires étrangères, la directrice du département de français (***Mme Kunte***) et le recteur de l'Université (***M. Mahale***).*

grandir et devenir un vecteur prestigieux de la coopération francophone depuis son siège social de Montréal, relayé peu à peu par des bureaux régionaux à Paris, Dakar, Port-au-Prince, Beyrouth, etc.

Le projet de création d'un Conseil mondial des universités de langue française avait été évoqué au sein de l'Union culturelle française dès 1956 et repris en 1959. À l'heure des grands ensembles, il impose que les peuples et groupes communiant à une même langue et à une même culture instaurent entre eux une collaboration étroite, suivie, organique.

Automne 1972
Remise du prix Léopold Sédar Senghor dans le cadre de l'union culturelle française, Paris.
Jean-Marc Léger *au micro*

Jean-Marc Léger avait compris tout ce que cela pouvait représenter pour les pays francophones et pour le Québec. Pour la France, c'était la possibilité de renouer dans un domaine spécialisé avec les autres pays d'expression française qui, pour des raisons politiques, avaient brisé les liens de dépendance coloniale ou qui s'étaient éloignés d'elle en raison des alliances de l'histoire mais qui utilisaient toujours le français comme langue de travail, langue officielle ou comme langue de communication. Pour les pays en question, il fallait maintenir des contacts pour vaincre l'isolement et bénéficier de l'expérience française sans avoir à subir sa tutelle. Pour le Québec enfin, c'était l'occasion de vivifier ses universités, de les ouvrir sur un monde en pleine mutation et de se rapprocher de la France dont on avait grand besoin pour résister aux pressions constantes de l'environnement anglo-saxon. Dès 1961 d'ailleurs le Québec ouvrait à Paris sa première délégation générale.

Le dynamisme québécois fit merveille dans le milieu universitaire que l'on dit plutôt traditionaliste. Les représentants des anciennes universités européennes comme ceux des universités à peine créées dans les pays en voie de développement acceptèrent sans peine le mouvement que leur insufflait Jean-Marc Léger de manière raisonnée et diplomatique mais très décidée. «Il importait au début d'aller relativement vite», dira Jean-Marc Léger dans son rapport au Conseil d'administration de Lyon en mai 1968, «de profiter à plein d'un élan et d'un climat, de créer des

Michel Tétu, *alors directeur du département de français de l'Université Laval accueille en 1972* **Aimé Césaire**, *grand poète martiniquais, député et maire de Fort-de-France.*

instruments de travail multiples... de doter le plus tôt possible l'AUPELF de structures et de moyens d'agir... afin que l'Association prenne ainsi "date" en quelque sorte et soit équipée pour demain».

Si la volonté y est, les débuts ne sont pourtant pas faciles. Jean-Marc Léger, Secrétaire général, aidé d'André Bachand, s'installe dans des locaux prêtés par l'Université de Montréal. Il faut trouver des fonds, engager du personnel et réaliser tout de suite quelques opérations qui donnent confiance en cette association basée à Montréal, assez loin de la grande majorité des universités membres. Pour faciliter les contacts, un bureau est fondé à Paris qui va permettre d'entrer en relations suivies avec l'UNESCO et avec l'Association internationale des universités (AIU) et de développer avec elles des rapports qui s'avéreront très fructueux. L'Université de Paris (la Sorbonne) met à la disposition de l'AUPELF deux pièces au centre universitaire international, boulevard Saint-Germain.

Pour aider les jeunes universités et réaliser des opérations multilatérales, le Fonds international de coopération universitaire (FICU) est lancé à Québec en avril 1967, bénéficiant d'une assez large autonomie au sein de l'AUPELF, possédant par exemple son propre comité de gestion où siègent les représentants des gouvernements et entreprises privées contributeurs, alors que le Conseil d'administration de l'AUPELF, en tant qu'organisation non gouvernementale, n'est composé que de recteurs, présidents ou doyens d'universités membres. Dans sa conception originale le FICU devait être financé à parts égales par les gouvernements et des sociétés privées. Il s'avère rapidement que les sociétés privées hors du Canada et du Québec sont peu disposées à s'impliquer, laissant aux gouvernements la responsabilité d'une plus grande contribution.

Une autre étape extrêmement importante pour le développement de l'AUPELF est la tenue à l'Université Laval en 1972 de la première Rencontre internationale des départements d'études françaises. Les idées foisonnant au secrétariat général, Jean-Marc Léger imagine d'associer à l'action de l'AUPELF les nombreux départements de français des universités non francophones, mais qui constituent, de par la matière de leur enseignement et par la composition de leur corps professoral, des îlots de la francophonie dans presque tous les pays du monde. L'Université Laval accepte d'organiser la manifestation et charge le directeur du département de français puis directeur du département des littératures, Michel Tétu, de la responsabilité de l'opération. La rencontre est un très grand succès. Michel Tétu sera alors prêté à l'AUPELF à temps partiel puis à plein temps par l'Université Laval pour organiser un réseau à l'échelle des cinq continents, un comité international sous sa présidence regroupant les présidents de comités régionaux élus à l'occasion de congrès et séminaires spécialisés dans toutes les régions du monde (Amérique latine, Pays arabes, Europe, Asie, etc.). L'AUPELF désormais est présente dans le monde entier; elle devient une très grande association, reconnue et respectée.

Huit personnes travaillent au Secrétariat en 1970, il y en aura bientôt 25 puis une cinquantaine en 1980, au fur et à mesure que les universités et les gouvernements accepteront de mettre à la disposition de l'institution des enseignants, des chercheurs ou des administrateurs. L'Université Laval, suivant en cela la générosité de l'Université de Montréal, s'implique directement.

DISCOURS DU RECTEUR LARKIN KERWIN, UNIVERSITÉ LAVAL (EXTRAITS)

Comme ce regroupement des départements d'études françaises à travers le globe constitue la première initiative du genre réalisée dans le monde universitaire, Laval apprécie grandement l'honneur qu'on lui fait en lui accordant cette primeur. Aussi suis-je très heureux de remercier les dirigeants de l'AUPELF du témoignage d'estime et de confiance qu'ils nous ont ainsi rendu.

Et nous avions une raison toute spéciale de nous réjouir de la tenue chez nous de cette rencontre internationale. En effet, les études françaises occupent à l'Université Laval une place de tout premier choix, puisqu'elles sont en tête de la liste des grandes orientations que s'est données notre institution l'an dernier. Appelée par le Conseil des universités du Québec à faire connaître les orientations qui la caractériseraient, l'Université Laval n'a pas hésité à donner la première place aux études françaises, conjointement avec les études canadiennes et la linguistique. Ces disciplines constituent les éléments de base de la culture française que notre université s'est donné pour mission de dispenser et de faire rayonner. Les liens que nous avons établis entre ces disciplines correspondent d'ailleurs à la conception que l'on se fait aujourd'hui des études françaises et au désir de l'AUPELF en convoquant cette première rencontre internationale. En effet, dans la plupart des grandes universités l'expression «littérature et civilisation françaises» englobe désormais les littératures et les civilisations de tous les pays partiellement ou entièrement de langue française, et c'est ainsi qu'on peut parler maintenant de l'enseignement des littératures d'expression française non seulement en France, mais en Afrique, en Amérique du Nord et même dans des pays non francophones.

L'université qui vous accueille aujourd'hui est, comme vous savez, la plus ancienne université francophone d'Amérique. Au cours des trois siècles de son histoire, elle a toujours été le pôle et le château fort de la culture française en Amérique du Nord. Pour assumer ses obligations envers le milieu qu'elle avait pour mission de servir, elle s'est ajouté des volets dans tous les secteurs des sciences naturelles et humaines. Mais cette transformation de l'Université Laval ne s'est pas faite au détriment de la culture française. Cette culture représente toujours chez elle une tradition d'excellence qui se situe au cœur de sa définition et qui rencontre des engagements qu'elle a pris envers la société québécoise, canadienne et internationale. C'est alors ce milieu de Laval avec son histoire et ses traditions, avec son personnel enseignant, ses cadres et son implantation dans la vieille cité canadienne de Québec que nous voulons mettre à votre disposition pour les assises que vous tenez présentement. Et notre disponibilité pourrait même s'étendre au-delà du présent. Il se peut, en effet, qu'à la suite des présentes assises l'on songe à créer, au sein de l'AUPELF une section spéciale qui grouperait de façon permanente les départements d'études françaises à travers le monde. L'Université Laval serait heureuse d'appuyer une telle initiative, et je crois que M. le doyen Grenier verrait d'un bon œil le choix de Laval comme siège social du secrétariat permanent d'un tel organisme.

Le recteur de l'Université de Montréal, M. Roger Gaudry, membre du conseil d'administration de l'AUPELF, précise alors la vocation de l'association telle que perçue par tous les membres québécois.

Roger Gaudry, recteur de l'Université de Montréal

La vocation de l'AUPELF c'est, bien sûr, d'établir ou de créer des liens entre les universités francophones du monde.

Son rôle n'est pas d'œuvrer à la défense de la langue française mais, au contraire, d'utiliser la langue française comme véhicule d'expression et de pensée au service de la coordination universitaire et de la coopération entre les institutions universitaires du monde. Si bien qu'une réunion comme celle qui commence aujourd'hui, même si elle regroupe des gens qui viennent de plusieurs pays qui ne sont pas de langue française, de plusieurs universités qui ne sont pas essentiellement francophones, correspond parfaitement, je crois, à l'objectif fondamental que l'AUPELF s'est donné depuis le début, c'est-à-dire la coopération universitaire internationale en utilisant le français comme véhicule de pensée et de communication.

Je crois d'ailleurs que cette vocation de favoriser les contacts internationaux en est une qui correspond bien aujourd'hui au désir de tous les universitaires. Le temps est maintenant révolu où les universités pouvaient œuvrer sans se concerter, sans se rencontrer, sans se parler constamment.

Jean-Marc Léger, quant à lui, situe le rôle de l'Université Laval, du Québec et de l'AUPELF par rapport aux départements d'études françaises.

Charles de Gaulle *reçoit le conseil d'administration de l'AUPELF à l'Élysée.*

Jean-Marc Léger, secrétaire général de l'AUPELF

> D'autres tâches seront accomplies par ce secrétariat spécialisé, qui s'appuiera très largement sur le Comité international de conseillers dont le principe a été retenu et adopté par vous ce matin. À ce propos: je voudrais dire qu'il n'y aura pas d'arbitraire dans la formation de ce Comité: il est normal, il est indispensable qu'une large consultation soit engagée dès ces prochaines semaines de telle façon que les membres de ce Comité soient des personnalités qui, tant sur le plan pédagogique que du fait de leur audience dans leur propre région, seront vraiment représentatives. Ce Comité aura en fait un double rôle: d'une part, conseiller l'AUPELF dans l'application des recommandations relatives aux problèmes de documentation, d'information, etc. ou encore dans l'organisation de séminaires régionaux: d'autre part, par voie de consultation permanente d'ici trois ans environ, préparer les voies, si cela parait opportun, à la création d'une organisation permanente selon que le souhaiteront, que le voudront authentiquement, véritablement les départements d'études françaises.
>
> Donc, il faut bien distinguer les deux étapes: dans l'immédiat, de façon aussi efficace que possible, des services d'information et l'organisation de quelques rencontres de caractère régional, et, à plus long terme, du fait de cette consultation étalée sur deux à trois ans, une deuxième rencontre internationale au cours de laquelle les départements d'études françaises décideront s'ils estiment nécessaire la création d'un organisme permanent, étroitement rattaché à l'AUPELF.

Devait ainsi naître le CIDEF, d'abord Comité international des départements d'études françaises, puis Conseil international lorsqu'il acquit une certaine autonomie en 1985 comme cela avait été prévu. Son avenir fut toutefois moins long qu'on pouvait l'escompter. Après le retrait de Jean-Marc Léger de l'AUPELF en 1978, la nouvelle direction européenne mit d'avantage l'accent sur la technologie, le bureau européen fut renforcé à Paris et le CIDEF d'une certaine manière réincorporé à l'AUPELF, l'Université Laval perdant le secrétariat spécialisé qu'elle avait fondé. L'Université Laval et l'Université de Montréal accueillirent l'AUPELF pour le 25ᵉ anniversaire de l'association en 1986. Trois recteurs québécois ont présidé le conseil d'administration: Mgr Irénée Lussier, recteur de l'Université de Montréal (1961-1966), M. Paul Lacoste également recteur de l'Université de Montréal (1978-1981) et M. Michel Gervais, recteur de l'Université Laval (1994-1997).

En 1987, un autre regroupement était créé au sein de l'AUPELF, l'Université des réseaux d'expression française (UREF) qui allait entraîner un changement au nom officiel de l'AUPELF devenue depuis l'AUPELF-UREF. L'un des cinq opérateurs privilégiés de la Francophonie, l'AUPELF, idée et réalisation québécoises, a marqué incontestablement les premières années de la constitution de l'espace francophone. Elle doit continuer à y jouer un rôle de premier plan.

L'Agence de coopération culturelle et technique (ACCT)

La montée du nationalisme et la quête de l'identité sont allées pratiquement de pair en Afrique et au Québec, du moins dans la réflexion des dirigeants pour faire valoir leur originalité, après l'indépendance

Une table ronde sur la Francophonie au Salon du livre de Québec. De gauche à droite MM. **Maximilien Laroche**, **Michel Tétu**, **Réal Ouellet** *et* **Fernando Lambert.**

des anciennes colonies françaises en 1958 et après la Révolution tranquille en 1960. Parallèlement, naissaient des idées de regroupement sur une base «francophone». En 1961, la France se dotait d'un Ministère de la coopération pour aider les pays de l'UAM (Union africaine et malgache) créée en septembre, première manifestation de la francophonie sur le continent africain. En 1964, la conférence des ministres de l'Éducation nationale de ces pays s'ouvre aux trois pays ex-belges (Congo-Kinshasa qui deviendra le Zaïre, Rwanda et Burundi). Mais on tient à aller au-delà et à «étendre la francophonie à tous les États parlant français et aussi, sans tomber dans le juridisme, à lui donner une organisation institutionnelle sous la forme d'accords multilatéraux plus soucieux d'efficacité que de logique juridique».

Le premier ministre de l'Éducation du Québec, Paul Gérin-Lajoie entend bien participer à la naissance de la CONFEMEN (Conférence des ministres de l'Éducation nationale) et se faire entendre dans les domaines de la juridiction propres au Québec. «Il n'est plus admissible, dit-il, que l'État fédéral puisse exercer une sorte de surveillance et de contrôle d'opportunité sur les relations internationales du Québec». Il affirme clairement ce que souhaite le Québec, une entente institutionnelle «qui ne doit pas englober seulement la France et le Québec, mais tous les pays de langue française».

Les ministres de l'Éducation qui succéderont à Paul Gérin-Lajoie, Marcel Masse et Jean-Paul Cardinal accentueront les revendications peu du goût d'Ottawa. La confrontation ne fait que commencer, elle deviendra tout à fait épineuse au cours des années. Lorsque Léopold Sédar Senghor vient au Québec, Daniel Johnson qui a succédé à Jean Lesage lui affirme sans ambages: «le Québec est gagné d'avance à l'idée de la création d'une communauté des pays francophones». Le maire de Montréal et père de l'Expo 67, M. Jean Drapeau se fait le porte-parole du Québec pour recevoir avec faste le président de la République du Sénégal. «L'État du Québec», dit-il, «entend exercer pleinement sa juridiction et la prolonger dans les relations internationales»:

Jean Drapeau, maire de Montréal

> Il y a deux grandes conditions à la survivance rayonnante de la communauté franco-canadienne: d'abord un témoignage original et une exigence de qualité; ensuite, l'établissement de liens étroits et de relations très nourries avec le reste du monde francophone, quand ce ne serait que pour faire équilibre aux pressions énormes et inévitables de l'ensemble anglo-américain.
>
> La première condition tient à la mesure dans laquelle nous pourrons mener une vie autonome, culturellement, économiquement et politiquement et, à cet égard, les événements des dernières années autorisent l'optimisme. L'évolution en cours permet de penser que le Canada français est en voie de reconquérir la maîtrise de son destin, grâce notamment à l'affermissement de son État national, le Québec.
>
> La deuxième condition tient à la mesure dans laquelle, par la voie d'accords multiples et par de nouvelles institutions, le Canada français engagera avec tout le monde francophone, un nécessaire et vivifiant dialogue, d'où l'intérêt qui chez nous s'attache à l'idée de la constitution d'une communauté des peuples de langue française.
>
> [...] Pressés par de multiples drames, aux prises avec les conditions difficiles que vous devinez, nous n'avons point toujours gardé intacte notre langue commune, mais la volonté de la préserver, elle, est demeurée entière. Et voici que l'Afrique nous apporte aujourd'hui, par vous, une caution éclatante et la justification d'un espoir qui n'a jamais abdiqué [...] L'édification d'une communauté organique des pays de langue française ne fait pas qu'obéir à une tendance naturelle, mais elle répond à une nécessité chaque jour plus évidente.
>
> La nation canadienne-française, en raison même de la situation où elle se trouve, ressent avec une particulière acuité le besoin d'avoir avec l'ensemble des pays francophones, des liens toujours plus étroits et mesure les bénéfices d'ordre spirituel et matériel qu'une communauté francophone mondiale apporterait à tous ses membres. L'État du Québec, qui serait en cette occurrence l'expression du Canada français, entend apporter sa contribution à l'édification de la francophonie.
>
> *Extraits du discours de M. Jean Drapeau, maire de Montréal, accueillant le président du Sénégal, M. Léopold Sédar Senghor, à Montréal le 25 septembre 1966.*

Avec le fameux «Vive le Québec libre» du Général de Gaulle, le 24 juillet 1967, la compétition avec Ottawa allait devenir la «bataille de la francophonie». Pierre Eliott Trudeau qui succède à Lester B. Pearson est intraitable: «La politique étrangère du Canada ne peut être fragmentée. Il existe de grands et de petits pays: il n'existe pas de demi-pays». Une solution est pourtant trouvée pour la réunion de la CONFEMEN à Kinshasa (13-20 janvier 1969): une seule délégation canadienne, dirigée par le Québec, avec trois plaques d'identifications de la même dimension: Canada-Québec, Canada-Nouveau-Brunswick, Canada-Ontario.

Le 17 février, se réunissaient à Niamey les représentants de 28 pays francophones qui jetaient les bases de l'Agence. La délégation canadienne comprenait celles du Québec et du Nouveau-Brunswick, poussé par Ottawa pour contrecarrer les prétentions du Québec à parler au nom de tous les pays francophones du Canada. Après un magnifique discours d'André Malraux célébrant la «culture de la fraternité», Jean-Marc Léger,

Le premier ministre du Québec, **René Lévesque** *et le ministre des Affaires intergouvernementales* **Claude Morin** *rencontrent* **Jacques Chirac** *dans son bureau de l'Hôtel de ville de Paris à l'occasion d'un voyage officiel en 1977.*

alors secrétaire général de l'AUPELF et bénéficiant d'un immense prestige auprès des Africains, est choisi comme secrétaire exécutif provisoire chargé de préparer la réunion de l'année suivante et les statuts du nouvel organisme. Le 20 mars 1970, de nouveau à Niamey, une entente finale est signée par les représentants de 21 gouvernements qui deviendront les membres fondateurs de l'ACCT. Le Canada en était avec une délégation comprenant le Québec, le Nouveau-Brunswick, l'Ontario et le Manitoba. Les membres devaient par la suite doubler et le Canada bénéficier de trois sièges: Canada, Canada-Québec, Canada-Nouveau-Brunswick. Pour le folklore, on rappellera les querelles de drapeaux de l'époque et l'intervention de Pauline Julien brandissant en séance le fleurdelisé à la surprise des délégations africaines et à la fureur des représentants du gouvernement fédéral canadien.

Pour le Québec, c'était une victoire éclatante que de se voir ainsi reconnu au milieu des chefs d'État et de gouvernement de la francophonie. Cela lui permettait d'établir des droits des relations internationales et d'intervenir à l'étranger. Jean-Marc Léger qui avait habilement négocié était élu Secrétaire général. Il allait consacrer ses efforts à l'Agence pendant 4 ans, avant de retourner à l'AUPELF, préférant œuvrer dans le domaine non gouvernemental universitaire en plein développement que de poursuivre les discussions de couloir qui allaient durer plus de 15 ans avant que le Président de la République française puisse convoquer le 1er Sommet de la Francophonie en 1986.

Jean-Marc Léger avait fait l'essentiel pour le Québec, comme on peut en juger par le 1er article de la Charte de l'ACCT. La langue française n'est qu'un moyen de parvenir à une coopération fraternelle et multilatérale entre les francophones du monde parmi lesquels le Québec entend tenir, sur une base égalitaire, la place qui lui revient.

EXTRAITS DE LA CHARTE DE L'ACCT

Article 1er: Objectifs

L'Agence a pour fin essentielle l'affirmation et le développement entre ses membres d'une coopération multilatérale dans les domaines ressortissant à l'éducation, à la culture, aux sciences et aux techniques, et par là au rapprochement des peuples.

Elle exerce son action dans le respect absolu de la souveraineté des États, des langues et des cultures, et observe la plus stricte neutralité dans les questions d'ordre idéologique et politique.

Elle collabore avec les diverses organisations internationales et régionales et tient compte de toutes les formes de coopération technique et culturelle existantes.

Les premières années de l'ACCT furent assez laborieuses, par manque de moyens et souvent de bonne volonté de la part des pays les plus puissants. Chacun sait par exemple que la France préférait œuvrer directement avec les pays africains au moyen de son ministère de la coopération (bilatéral) que par le biais d'une organisation internationale comme l'Agence (multilatéral). Le Canada y trouva finalement son compte mais non sans crainte vis-à-vis du Québec. Quant à ce dernier, Louis Sabourin résume bien la situation en disant: «Le texte juridique de 1971 qui permit à Ottawa et à Québec de s'entendre sur la participation de Québec aux activités de l'ACCT a certes *confiné* l'action du Québec dans la francophonie, mais elle l'a aussi *confirmée* face à un gouvernement fédéral qui voyait dans toute expansion de la compétence internationale du Québec une menace à la souveraineté du Canada».

Après Jean-Marc Léger, trois Africains furent choisis (D. Dan Dicko, Owono N'Guéma et Okumba d'Okwatségué) avant que le Délégué général du Québec à Paris, Jean-Louis Roy, ancien journaliste du *Devoir* comme l'avait été Jean-Marc Léger, devienne à son tour Secrétaire général pour deux mandats (1989-1993, 1993-1997). L'aura dont bénéficiait Jean-Marc Léger facilita sans doute à son compatriote son élection à la conférence générale tenue à Ottawa en 1989, préféré qu'il fut par les Africains au candidat belge, Roger Dehaybe, soutenu par la France.

Fondation à Fort-de-France du CIRECCA (Centre international de recherche, d'échanges et de coopération de la Caraïbe et des Amériques, 1981).
De gauche à droite **Michel Tétu** *(Québec), le recteur* **Berthène Juminer** *(Guyane), le doyen* **Jean Bernabé** *(Martinique) et le professeur* **Alain Yacou** *(Guadeloupe).*

L'ACCT, appelée plus souvent aujourd'hui l'Agence de la francophonie voire l'Agence tout simplement, assure le Secrétariat des principales instances francophones. Lorsque la France veut réduire ses prérogatives en novembre 1996, le Québec s'y objecte fortement: la conférence de décembre à Marrakech permet un compromis; dans la nouvelle organisation institutionnelle de la Francophonie, l'Agence reste la cheville indispensable des opérations et le Québec garde ainsi son ouverture permanente sur le monde francophone.

Parmi les réussites de l'Agence, il en est une qui est restée chère au coeur des Québécois, la Super Francofête de 1974 sur les Plaines d'Abraham et à travers toute la ville. Tous les grands noms de la chanson québécoise étaient au rendez-vous, à commencer par Félix Leclerc, Gilles Vigneault et Robert Charlebois qui donnèrent un concert à trois. Ils voisinaient avec les tambourineurs du Burundi et les joueurs de *valiha* de Madagascar. Ce fut une grande réussite qui permit au festival d'été de Québec de réunir ensuite chaque année des chanteurs et musiciens de la francophonie et d'ouvrir ainsi le cœur et les oreilles des Québécois aux rythmes venus de pays lointains qu'on ne connaissait jusqu'à présent que de nom ou par le récit des missionnaires.

Les Sommets de la francophonie

L'Agence fut moins heureuse dans d'autres domaines, devant faire face à la lourdeur administrative d'une organisation gouvernementale où le poids des discours l'emporte souvent sur l'efficacité de l'action. Les associations non gouvernementales de langue française s'étaient multipliées. On attendait une rencontre au sommet qui permettrait de renforcer la cohésion de l'ensemble en décidant des grandes orientations de l'heure. P.E. Trudeau y était favorable car il s'était passablement impliqué dans les questions francophones du Canada – pas toujours à l'avantage du Québec comme on le sait! De nombreuses correspondances entre Ottawa, Paris et Dakar sont échangées. Ottawa veut un dialogue Nord-Sud, la France est d'accord mais souhaite une préparation minutieuse pour éviter un échec, ayant été échaudée dans ses rapports avec l'Afrique. Quant aux Africains, ils répugnent par dessus tout à une querelle de «Grands Blancs», entendez Canada-Québec; ils sont légalistes et se montrent peu sensibles aux arguments de René Lévesque. «Il y a évidemment la question de la participation du Québec», écrit Senghor à ce dernier. «Si le Québec, un jour, recouvrait sa souveraineté internationale dans un cadre confédéral qui l'unirait au Canada, votre droit de participer à la conférence ne ferait aucun doute. Dans la situation actuelle, il vous faut l'accord du gouvernement fédéral du Canada».

De quoi réjouir vivement Trudeau qui va jusqu'à qualifier les positions du Québec de «tribalisme», tandis que la France, sans faire de grande déclaration, maintient son soutien au Québec. Senghor est irrité: «pour le reste, le Sénégal continuera à étudier, sympathiquement mais objectivement, les problèmes relatifs au Québec qui seront discutés au sein des conférences francophones. Il le fera sans rancœur, mais, encore une fois, sans lâcheté». La France, en la personne de Jean-François Poncet, fait savoir lors de la préparation, fin 1980, de la conférence des ministres des affaires étrangères qu'elle trouve incompréhensible que le Québec ne soit pas représenté. Senghor annule la rencontre préparatoire, au déplaisir cette fois du Canada qui n'apprécie guère la politique française vis-à-vis du Québec «non-ingérence mais non-indifférence».

Il n'est plus question de Sommet pour l'instant. Mitterrand au pouvoir en 1981 relance la question: même obstination d'Ottawa, même politique de Paris: «C'est et ce sera la préoccupation constante de mon pays dans ses réflexions présentes et à venir de voir le Québec occuper la place qui lui revient dans les institutions francophones» (Pierre Mauroy).

On ne parle que du Québec dans les chancelleries, mais tout est bloqué... jusqu'au départ de P.E. Trudeau qui se retire le 29 février 1984. John Turner est battu par Brian Mulroney le 4 septembre. Québec et Ottawa vont s'entendre pour trouver une formule acceptable après quelques mois de négociations.

François Mitterrand peut convoquer le premier Sommet du 17 au 19 février 1986. On connaît la suite. Le deuxième Sommet se tient à Québec du 2 au 4 septembre 1987: les chefs d'État de la Francophonie découvrent les potentialités du Québec et du Canada. La créativité québécoise jointe aux technologies de pointe font merveille. Un nouveau logo est lancé pour la francophonie, on oriente les politiques sur la piste des affaires en réunissant parallèlement à eux des chefs d'entreprises: le Forum francophone des affaires voit le jour.

Depuis 1987, la situation s'est apaisée entre Québec et Ottawa, même si les résultats du référendum de l'automne 1995 ont relancé de vieilles querelles auprès du nouveau premier ministre canadien, ancien ministre de Trudeau, Jean Chrétien. Le Québec a appris à travailler dans la Francophonie. Il y est maintenant connu, apprécié et respecté, considéré comme un des participants les plus dynamiques des diverses instances.

L'Année francophone internationale

En 1991, une autre initiative du Québec en matière de francophonie est le lancement d'une revue annuelle, bilan à la fois politique, économique, social et culturel des pays francophones. Dans un axe Québec-Paris, centré autour de l'Université Laval et de La Sorbonne, un réseau est constitué de près de 200 collaborateurs, journalistes spécialisés et universitaires. Tous les pays membres des Sommets francophones et de l'ACCT sont couverts, mais pas exclusivement puisque sont également relatés les faits saillants de la «francophonie sans frontières». Chaque chapitre est suivi d'une bibliographie, sélective mais importante. La revue constitue une sorte d'*État du monde* francophone, plus limité dans l'espace, mais plus détaillé et plus au fait des manifestations culturelles et littéraires. La couverture (p. 4) en décrit bien le contenu:

> Voici la publication souhaitée par tout ceux qui s'intéressent à la francophonie et ne peuvent malheureusement se tenir au courant de ce qui se passe dans chacun des pays dits «francophones» à l'échelle de la planète.
>
> À défaut d'un relevé exhaustif, cet ouvrage présente les grands événements et les grandes tendances de la francophonie, propose un tour d'horizon de l'ensemble des pays et des régions, signale les congrès et les colloques, relève les adresses, statistiques et ouvrages utiles. Regroupant des auteurs dont l'expérience et la compétence ne sont plus à démontrer, elle se veut un reflet fidèle de la francophonie.

Le succès ne se fait pas attendre. Il y avait là sans doute un besoin auquel une équipe majoritairement du Québec a cru pouvoir répondre. C'est lors du lancement de TV5 à Montréal, – une autre réalisation médiatique importante impliquant le Québec – , que le ministre français de la francophonie, M. Alain Decaux, demandait à Michel Tétu de l'aider à mieux faire connaître les faits et gestes des pays francophones pour que puisse être célébrée en connaissance de cause la journée de la francophonie le 20 mars de chaque année, jour anniversaire de la création de l'ACCT. Après quelques mois de réflexion, on réunit une équipe pour lancer la nouvelle publication qui prit le nom de *L'Année francophone internationale* et qui, sur plus de 300 pages, relate chaque année la vie de la francophonie.

On ne saurait citer tous les collaborateurs du Québec. Il faut toutefois mentionner Naïm Kattan (francophonie sans frontières), Fernando Lambert (Afrique), Maximilien Laroche (Haïti), Françoise Tétu de Labsade et Gilles Dorion (Québec et francophonie nord-américaine) sans compter les collaborations épisodiques de Jean-Marc Léger, Jean-Louis Roy et autres personnalités impliquées dans la francophonie. Le laboratoire de cartographie de l'Université Laval apporte une contribution de qualité. La

Le maire de Montréal, **M. Jean Drapeau**, *explique en 1981 ses vues sur la Francophonie à MM.* **Michel Tétu**, **André Bachand**, **Paul Lacoste** *(recteur de l'Université de Montréal) et* **André Jaumotte** *(recteur de l'Université libre de Bruxelles).*

carte polychrome de l'Univers francophone insérée dans la revue en 1994 obtint le 1er prix au congrès des cartographes qui se tint l'année suivante à Edmunston. Publiée d'abord à l'occasion de la semaine de la francophonie, *L'Année francophone internationale* a décidé d'avancer la date de sa parution pour être prête désormais au Salon de Montréal et faire en sorte que les Québécois en aient la primeur.

À propos de la semaine de la francophonie, il faut saluer le travail du Conseil de la vie française en Amérique qui coordonne les activités de la Table de concertation réunissant la plupart des associations touchant à la francophonie et qui œuvrent au Québec. Mme Esther Taillon en est l'animatrice infatigable. Le CVFA a pris, ce faisant, la relève du défunt Secrétariat permanent des peuples francophones (SPPF), mort d'inanition à la suite des coupures effectuées par Gil Rémillard, ministre de Robert Bourassa.

Francophonie et francophonie

Il importe désormais de faire clairement la différence entre les deux. En France, la question ne se pose pas tellement puisque le français y est la seule langue contrairement au Québec, et qu'on y emploie très largement l'adjectif «français» de préférence à francophone. Ainsi pouvait-on lire dans *L'Événement du jeudi* (7-13 novembre 1996) un article sur les principaux ouvrages littéraires de la rentrée dont beaucoup sont écrits par des écrivains «non hexagonaux». Le texte portait un titre dont l'humour n'est pas dépourvu d'une certaine condescendance: «Littérature française: merci les métèques». On aura compris que les métèques peuvent être maghrébins, africains, antillais ou québécois comme ces nouveaux écrivains de langue française qui ont nom Sergio Kokis, Dany Laferrière, Ying Chen... On est loin du «politiquement correct» inscrit dans la pratique de «l'écriture migrante».

Le premier comité international des études françaises (CIDEF) formé après la 3e Rencontre internationale de Lomé, Togo, en 1982.
De gauche à droite, 1er rang ***Léon-François Hoffman*** *(États-Unis); 2e rang* **Marwan Mahasseni** *(Syrie),* **Michael Spencer** *(Australie),* **François Lumwamu** *(Congo),* **Mahmud Qureschi** *(Bangladesch),* **Lorne Laforge** *(Québec),* **Paul Miclau** *(Bucarest); 3e rang* **Michel Tétu** *(Québec)* **Willy Bal** *(Belgique),* **Joseph Ettey** *(Ghana),* **Italo Caroni** *(Brésil).*

Quoi qu'il en soit, il faut faire la différence entre «francophonie», «Francophonie» et «espace francophone».

> Ces trois expressions, ou syntagmes, sont parfois synonymes, mais le plus souvent complémentaires dans l'usage:
>
> la «francophonie», avec un petit f, désigne généralement l'ensemble des peuples ou des groupes de locuteurs qui utilisent partiellement ou entièrement la langue française dans leur vie quotidienne ou leurs communications;
>
> la «Francophonie», avec un grand F, désigne plutôt l'ensemble des gouvernements, des pays ou des instances officielles qui ont en commun l'usage du français dans leurs travaux ou leurs échanges;
>
> «espace francophone» représente une réalité non exclusivement géographique ni même linguistique, mais aussi culturelle: elle réunit tous ceux qui, de près ou de loin, éprouvent ou expriment une certaine appartenance à la langue française ou aux cultures francophones – qu'ils soient de souche slave, latine ou créole, par exemple. Cette dénomination d'espace francophone est la plus floue, mais aussi peut-être la plus féconde.

Les grands noms de la francophonie québécoise

Comme on l'a compris au cours des pages précédentes, nombreux sont ceux qui, de près ou de loin, touchent à la francophonie au Québec, en parlent, en écrivent et la commentent. De très nombreux articles ont été publiés et le sont régulièrement dans tous les journaux et dans certaines revues du Québec. On peut dire que la francophonie est devenue une spécialité québécoise à en juger par le nombre des intervenants, essayistes et commentateurs. Quelques-uns pourtant se dégagent de l'ensemble dont il faut reconnaître l'apport au niveau international.

Jean-Marc Léger

Le premier de tous est sans conteste Jean-Marc Léger, le fondateur de l'AUPELF et de l'ACCT. Ses écrits sont légion dans les journaux et périodiques; ses exposés et conférences très nombreux dans des réunions spécialisées et dans les journées de réflexion sur la francophonie. Impliqué personnellement pendant de longues années, il paraît un peu amer parfois, déçu du mauvais usage qu'on a fait de la francophonie dans les milieux politiques et intellectuels. Son ouvrage principal *La Francophonie: grand dessein, grande ambiguïté* montre à la fois sa perspicacité, son intelligence de la situation et ses inquiétudes face à l'avenir:

> La caractéristique la plus frappante de cet ensemble ou de cet «espace» francophone, qui en fait à la fois la singularité et la faiblesse, c'est un évident déséquilibre entre le pays qui en est le centre et le cœur, et le reste de la communauté. À elle seule la France comprend plus des trois quarts de la population des pays de langue maternelle française. Mais bien davantage, par son rayonnement politique et intellectuel dans le monde, par son économie, par son activité culturelle et scientifique, elle a à elle seule dans l'ensemble francophone un poids plus considérable que tous les autres pays réunis. À ce premier déséquilibre s'en ajoute un second, celui que représente l'Afrique noire dans l'ensemble francophone. [...]
>
> L'accroissement incontestable du nombre de francophones depuis environ un quart de siècle, notamment par l'effet de la scolarisation, ne saurait masquer un autre phénomène, beaucoup plus important, qui est la modification de la relation à la langue française et à la France de la plupart des pays du Tiers-Monde

francophone. Cette relation était beaucoup plus étroite, beaucoup plus profonde voici quelques décennies qu'elle ne l'est aujourd'hui (et, pour d'autres raisons et sur un autre plan, le phénomène se vérifie également dans le cas, par exemple, du Québec). Cela peut sembler de prime abord paradoxal mais cela était sans doute inéluctable. Le développement des rapports de tous ordres des pays francophones avec la France et entre eux s'est accompagné d'un appauvrissement et d'une banalisation de ces rapports; l'apparent rapprochement physique a coïncidé avec un éloignement psychologique et «l'explosion scolaire» s'est accompagnée d'une rapide dégradation de la qualité du français.

C'est là un phénomène extrêmement préoccupant et qui peut porter en germe, si on n'y prend garde, l'échec de la francophonie. L'usage d'une même langue ne peut fonder une communauté non plus que susciter et nourrir une solidarité s'il doit se résumer au partage d'un vocabulaire, d'ailleurs chaque jour plus restreint et à des échanges superficiels qui relèvent du tourisme de masse. Infiniment moins nombreux, certes, voici vingt ou trente ans qu'aujourd'hui, les francophones d'Afrique ou du Maghreb avaient alors une maîtrise du français qu'on ne retrouve plus aujourd'hui, tout comme les Québécois d'il y a un demi-siècle, qui n'avaient que peu de contacts avec une France politiquement et physiquement éloignée, étaient plus profondément, plus authentiquement Français que ceux d'aujourd'hui.

Prendre aujourd'hui la mesure de la francophonie, c'est aussi et peut-être d'abord reconnaître les multiples paradoxes qui la caractérisent et une diversité qui, passé un certain degré, un certain seuil, est moins enrichissement que menace d'éclatement. [...]

[...] Hier, le monde développé, la grande industrie, les nouvelles technologies avaient pour les Africains et les Maghrébins uniquement le visage de la France; le progrès, la modernité, le développement parlaient exclusivement français. Voilà bien longtemps qu'il a cessé d'en aller ainsi et cette évolution doit entrer en ligne de compte dans une appréciation réaliste des chances d'avenir de la francophonie.

Cette modification profonde, substantielle, du rapport à la France et à la langue française se manifeste aussi, en d'autres régions de la francophonie, quoique sous des formes et pour des raisons différentes, au Québec en particulier. Nous sommes ici au parfait royaume du paradoxe. Les relations et les échanges de tous ordres avec la France sont infiniment plus nombreux, plus rapides et plus faciles aujourd'hui qu'ils ne l'étaient voici deux ou trois décennies et a fortiori qu'ils ne l'étaient avant la Deuxième Guerre mondiale: or, il faut bien constater que le Québécois francophone d'aujourd'hui est nettement moins marqué de l'esprit français, beaucoup moins sensible aux valeurs françaises fondamentales, maîtrise beaucoup moins bien sa langue maternelle et y est moins attaché que voici deux ou trois générations, parce que dans le même temps où le progrès et les moyens de transport de communications, d'information le rapprochaient physiquement de la France, ce

MM. ***Jean-Marc Léger****, Secrétaire général fondateur (1970-1974) de l'Agence de coopération culturelle et technique (ACCT) et* **Jean-Louis Roy***, Secrétaire général de 1989 à 1997 s'entretenant avec des membres de la Délégation vietnamienne au 10e anniversaire de l'Agence.*

même progrès le rendait encore plus perméable aux multiples aspects et aux innombrables produits de la civilisation américaine qui faisaient irruption chez lui comme jamais encore dans le passé.

LÉGER, Jean-Marc, *La Francophonie: grand dessein, grande ambiguïté*, Montréal, HMH, 1987, 242 p. (p. 43-49).

La pensée de Jean-Marc Léger, ardent nationaliste québécois actuellement directeur de la Fondation Lionel Groulx, est généreuse. Si elle paraît parfois désabusée, c'est par souci de ne pas se satisfaire de réussites passées, célébrées à l'envie dans les discours protocolaires. Jean-Marc Léger, comme les grands penseurs humanistes de la francophonie, vise à l'universel, une civilisation métissée née du contact entre les cultures différentes que la langue française permet de rendre plus facilement perméables les unes aux autres.

«Une charte de la diversité», voilà la seule déclaration que pourrait utilement adopter la communauté des pays de langue française, voilà la difficile mais nécessaire entreprise en quoi notre langue commune retrouverait sa vocation à l'universel et en quoi notre effort de rassemblement trouverait la plénitude de sa justification. Tâche à recommencer chaque jour, il est vrai, tâche que devra reprendre inlassablement chaque génération. Le destin de Sisyphe, pourvu qu'il soit accepté lucidement et assumé sereinement, n'est-il pas plus conforme à l'honneur et à la dignité de l'homme que la résignation veule au déclin ou à l'assimilation, sous prétexte de l'inexorable et avec le pitoyable alibi de la fatalité? Allons, faisons malgré tout le pari de cet optimisme tragique dont parlait Emmanuel Mounier, pour le salut des générations futures, dont nous sommes comptables, comme le furent du nôtre toutes celles qui nous ont précédés.

Op. cit. p. 192.

Jean-Louis Roy

Ancien journaliste au *Devoir* comme Jean-Marc Léger, Jean-Louis Roy fut aussi en contact avec l'université, non celle de Montréal, mais l'Université McGill où il dirigea le Centre d'études canadiennes-françaises. Délégué général du Québec à Paris, membre du Haut conseil de la Francophonie, Jean-Louis Roy est l'auteur de nombreux ouvrages littéraires et historiques. Ses responsabilités à la tête de l'ACCT l'ont amené à prononcer beaucoup de discours et à réfléchir sur l'évolution de la Francophonie institutionnelle. Dans un style rapide, avec des phrases généralement courtes, il sait résumer ses idées pour un auditoire varié dans une pensée résolument optimiste.

L'alliance francophone n'existe pas encore. Elle n'existe pas comme réalité pleine ou achevée. Elle ne le sera jamais. Mais elle est à l'œuvre dans le monde, son cadre politique est connu, ses choix de coopération définis et ses institutions renforcées[...]

Jusqu'à tout récemment, la francophonie était une notion incertaine. Ses frontières et ses contenus mal définis alimentaient les doutes et le scepticisme au Nord, la suspicion au Sud. Bref, l'entreprise apparaissait marginale, incapable de se déployer avec un certain élan dans les domaines qui comptent, impuissants à conjuguer intelligences, pouvoirs et ressources. Certes, l'idée et le projet de la francophonie étaient toujours en réserve, des précurseurs rappelaient sa nécessité, des institutions cherchaient à l'incarner. Mais son profil était peu séduisant. L'improbable demeurait toujours son horizon.

Tel n'est plus le cas aujourd'hui. La tenue des Sommets et leur suivi ont bouleversé les données. Du coup, les représentations mythiques et les suspicions anciennes ont cédé leur place à l'analyse des faits, à la recherche et définitions des domaines prioritaires d'intervention, à la mise en dispositions des ressources. Bref, la volonté politique a créé le mouvement, la recherche a fait apparaître la complexité des réalités et l'urgence des interventions et l'imputabilité à déployer ses exigences.

La francophonie a ainsi évité le piège idéologique et la sclérose, son conjoint inévitable, la fuite dans la sublimation de la langue française et les ruptures avec le réel qu'elle nourrit.

Dans le passé les mouvements intellectuels qui soutenaient la francophonie furent toujours très limités. Les forces qui la portent désormais sont heureusement constantes et plus larges.

ROY, Jean-Louis, *La Francophonie l'émergence d'une alliance*, Montréal, Hurtubise, HMH, 1989, 132 p. (p. 105-106).

Claude Morin

Historien de la politique québécoise à laquelle il fut intimement mêlé comme haut fonctionnaire et comme ministre, Claude Morin fait partager à son lecteur le suspense des négociations, l'incertitude des intrigues et la satisfaction du résultat obtenu après des discussions parfois très longues. Dans *l'Art de l'impossible*, il fait comprendre avec beaucoup de vivacité l'évolution des mentalités et des raisons des retournements politiques:

Un grand merci à Ottawa

Allait-on assister à cette «crise grave de la francophonie» dont le Premier ministre fédéral rendait d'avance le Québec coupable dans sa lettre du 7 mars (1970) à Jean-Jacques Bertrand?

Chose certaine, Gérard Pelletier et son groupe constataient avec inquiétude que la nouvelle proposition française était perçue dans les autres délégations comme éminemment convenable. Aussi, la délégation fédérale crut-elle le moment venu de frapper un grand coup, de faire valoir devant les autres pays rassemblés la profondeur de ses convictions et la force de son autorité. Le jeudi matin, la discussion reprit à la commission juridique sur l'article 3, alinéa 3, du projet français de charte (article et alinéa concernant les gouvernements d'États non souverains). Le Canada présenta un amendement dont le contenu était de prime abord incompréhensible (selon Jean Chapdelaine, il ressemblait à un extrait de la loi de l'impôt) et, surtout, stupéfiant à la lumière des échanges de vues entre les pays depuis le début de la conférence. Ce texte fédéral, éphémère et encore inconnu jusqu'alors, prouve à quiconque en douterait que le dessein d'Ottawa à Niamey II était d'exclure à tout jamais le Québec de l'Agence, comme Ottawa le fera, une dizaine d'années plus tard, de lui bloquer l'accès au Sommet francophone. [...]

À compter de ce moment, les jeux étaient virtuellement faits. Le Canada était allé trop loin. Même les pays les moins bien informés des aspirations québécoises, même les plus hésitants, venaient de saisir une évidence dont les fédéraux, par leur comportement, les avaient mieux convaincus que n'y seraient peut-être arrivés nos propres représentants: si Ottawa était à Niamey II, il leur semblait dorénavant que son but était moins la construction de la francophonie que l'expulsion préventive du Québec.

MORIN, Claude, *L'Art de l'impossible*, Montréal, Boréal, 1987, 472 p. (p. 223-226).

Michel Tétu

Il est difficile à l'auteur de ce chapitre de parler de l'œuvre de Michel Tétu. Il ne peut que rappeler son action à la tête du regroupement mondial des départements d'études françaises dans le cadre du CIDEF et de l'AUPELF, son rôle de professeur et de directeur de département à l'Université Laval, la mise sur pied de *L'Année francophone internationale* qu'il dirige depuis sa fondation.

Parmi ses ouvrages, on notera le *Guide culturel: civilisations et littératures d'expression française* publié sous sa direction et celle d'André Reboullet, conjointement aux Presses de l'Université Laval et chez Hachette en 1976. Ouvrage précurseur, il permit à de nombreux étudiants du monde entier de s'initier aux littératures francophones, dont il était peu fréquent de parler alors, et surtout aux civilisations qu'elles véhiculaient, différentes de la civilisation française universellement enseignée.

Poursuivant ses recherches universitaires et son désir de vulgarisation, il présentait la francophonie dans le premier ouvrage conséquent sur la question *La Francophonie: histoire, problématique, perspectives*. Publié en 1987 à Montréal chez Guérin, l'ouvrage fut repris par Hachette en 1988 et réédité chez Guérin universitaire en 1992. On retiendra principalement, prolongeant la réflexion de Jean-Marc léger, sa volonté de rendre la francophonie accessible à tous: «Je ne pourrais croire, disait Nietzsche, en un dieu qui ne sache pas danser».

Michel Tétu, *président du comité international des départements d'études françaises (CIDEF) à Lomé, Togo en 1982 entouré de M.* **Émile Bessette** *(Montréal), président de la Fédération internationale des professeurs de français (FIPF) et d'une congressiste africaine.*

Autres essayistes

Antoine Naaman, de défunte mémoire, joua un rôle considérable à l'Université de Sherbrooke où il créa le Centre d'études sur les littératures d'expression française (CELEF) et une très intéressante revue *Présence francophone* qui publie deux numéros par année sur la langue et la littérature. Quelques colloques importants sont issus des recherches de Sherbrooke, entre autres, celui sur le *Roman contemporain d'expression française* qui réunit pour la première fois sur ce thème en 1970 des spécialistes de toute la francophonie.

On retiendra encore quelques noms parmi tout ceux qui ont réfléchi et écrit sur la francophonie. Axel Maugey, professeur à l'Université McGill, a étudié la francophonie dès les années 1980. Il publiait en 1987 deux intéressantes séries d'entrevues intitulées *La Francophonie en direct (l'espace politique et culturel, 26 interviews; l'espace économique 19 interviews)*. D'autres volumes suivirent qui, pour plusieurs, reprirent des publications antérieures de l'auteur. Lise Gauvin, de l'Université de Montréal, depuis les années 1990 s'est intéressée aux littératures francophones; elle rend compte des publications récentes dans *Le Devoir*. Jean-Claude Gagnon de l'Université Laval et Émile Bessette de l'Université de Montréal, tour à tour présidents de la Fédération internationale des professeurs de français (FIPF), organisèrent entre autres avec Irène Belleau, alors présidente de l'Association québécoise des professeurs de français (AQPF), plusieurs Congrès mondiaux dont un en 1984, consacré à la pédagogie du français, langue maternelle et langue seconde. La FIPF est également responsable de la publication en 1976 de la première anthologie didactique: *Littératures de langue française hors de France*.

Michel Tétu est né en 1938 à Chalon-sur-Saône (France). Installé au Canada, il poursuit ses études de lettres à l'Université Laval (D. ès L.) et il entreprend ensuite une carrière d'enseignant à l'Université Laurentienne, où il sera directeur des études françaises (1963-1967), puis à l'Université Laval où il occupe également des postes de direction de 1967 à 1974. Très tôt, il se taille une réputation internationale dans le domaine de la francophonie, en tant que conseiller technique et en tant que secrétaire général adjoint à l'AUPELF (1972-1984). Il occupe diverses fonctions prestigieuses auprès du CIDEF, du CIRECCA et du CIEF, où il sera tour à tour président, directeur ou secrétaire général. Il est membre d'une dizaine d'organismes et associations et l'auteur d'une vingtaine d'ouvrages importants traitant de la francophonie dont *Le Guide Culturel* sur les civilisations et cultures d'expression française (1977), de l'histoire de la francophonie (*La francophonie: histoire, problématique, perspectives*.1987-1992) et de la poétique afro-antillaise (1970). Sa carrière lui a mérité plusieurs décorations dont la Légion d'honneur.

TROISIÈME PARTIE

LES NÉO-QUÉBÉCOIS

MAXIMILIEN LAROCHE

Tout commence avec la publication, en 1947, de *La France et nous* de Robert Charbonneau. Ce jour-là, le Canadien-français, se regardant dans le miroir, n'y perçut plus le Français, ce double positif qu'il se donnait jusque-là. La déception de voir ainsi disparaître cette image d'eux-mêmes explique sans doute le peu d'enthousiasme que mirent les collègues de Charbonneau à le seconder dans sa charge contre certaines têtes d'affiche de la littérature française de l'époque.

La France et nous

D'une certaine façon, la Deuxième Guerre mondiale aura mis fin au syndrome de *la Capricieuse*, c'est-à-dire à cette attente d'une reprise en main de la Nouvelle-France par la France. Avoir eu à prendre, en 1940, la relève de la France dans le domaine de l'édition a peut-être été plus déterminant pour l'autonomisation de l'identité canadienne-française que bien d'autres luttes ou victoires plus verbales qu'effectives. En tout cas, il n'est pas indifférent que Robert Charbonneau, écrivain d'abord certes, mais directeur littéraire des éditions de l'Arbre aussi, ait été celui qui a été le plus spontanément porté à protester dans *la Nouvelle Relève*, en 1946, contre ce que Madeleine Ducroq-Poirier qualifie de contestation de «l'autonomie et de l'originalité de la littérature du Québec».[1]

[1] DUCROCQ-POIRIER, Madeleine, «*La France et nous*, essai de Robert Charbonneau», *Dictionnaire des Œuvres littéraires du Québec*, tome 3 p. 409-413.

S'il y a un effet de l'autonomisation d'une littérature, et en tout cas de la conscience que peuvent en avoir des écrivains, il faut en chercher un exemple dans cette polémique qui opposa Charbonneau à plusieurs grands noms des lettres françaises: Georges Duhamel, Jean Cassou, Louis Aragon, André Billy, François Mauriac, Jérôme et Jean Tharaud, étroitement associés, eux-mêmes, à l'Institution littéraire française.

Que l'objet de cette querelle ait porté d'abord sur une volonté des écrivains français «résistants» d'épurer leurs collègues accusés de «collaboration» avec les Allemands et que Charbonneau aît, pour commencer, soutenu qu'il était «hors de question que les Canadiens-français suivent une partie des Français dans l'intolérance, la division, la haine» et qu'ils continueront d'admirer «les éminents représentants de la pensée française» qu'étaient Maurras, Blainville ou Massis importe davantage pour la forme des choses, c'est-à-dire le modèle envisagé des relations entre la France et le Québec, que pour le fond, autrement dit le bien-fondé des condamnations prononcées ou rejetées. En effet, de ce point qui était, avant tout, une affaire intérieure française, on passera à celui qui devenait une affaire intérieure canadienne: le jugement que les écrivains français portaient sur la littérature et la culture du Canada français.

L'écrivain canadien, pourrait-on dire, leur déniait par avance, tout droit de juger ex cathedra les questions canadiennes puisqu'il ne se considérait pas lié par les positions officielles françaises pour juger la culture et la littérature de la France. Le titre même de son livre, *La France et nous*, plaçait en opposition, sinon en contradiction, la France et le Canada et revendiquait la différence pour ne pas dire l'autonomie du second par rapport à la première.

Charbonneau, nous dit-on, ne fut guère soutenu dans sa croisade autonomiste. Il n'est pas certain que ses propos recueilleraient tellement plus d'adhésions aujourd'hui. Mais la vision des rapports entre la France et le Québec a quand même beaucoup changé depuis. Chez les écrivains français sans nulle doute! Ils ne reprendraient plus aujourd'hui les propos de leurs prédécesseurs de 1947.

Vue du Québec, la différence québécoise d'avec la France a été définie de manière presque cinglante par un écrivain comme Jacques Ferron qui, en 1978, faisait la réponse suivante à un journaliste français, Marc Kravetz, qui l'interrogeait:

> «— D'où vient la différence québécoise?
>
> — Elle a toujours existé. Ce n'était pas pour retrouver la France qu'on venait au Québec mais pour la fuir.»[2]

[2] KRAVETZ, Marc, «Rencontre avec Jacques Ferron», *Magazine littéraire*, n° 134, mars 1978, p. 71.

En 1947, l'on ne pensait communément pas ainsi. On en était encore à la vision de Louis Fréchette, celle de *La Légende d'un peuple*, qui venait d'être rééditée en 1944. Et si l'on pensait à promouvoir «le bon parler français», ce n'était pas dans un esprit d'affirmation politique, comme aujourd'hui, mais plutôt dans une volonté d'identification culturelle avec la France.

En somme, s'il faut voir toujours et partout dans le débat sur l'identité canadienne-française hier, québécoise aujourd'hui, l'affrontement entre le français et l'anglais — pour ne pas dire de la France et de l'Angleterre — il faut reconnaître que la polémique lancée par Robert Charbonneau allait obliger à une redéfinition de l'ensemble de la lutte.

À vouloir se distinguer, pour ne pas dire se séparer de la France, on se privait moins d'un allié précieux qu'on ne s'obligeait désormais à mener son propre combat et à devoir compter sur ses propres forces. Il suffit de penser que sur le terrain de la francophonie, par exemple, là même où il s'agit d'assurer la défense et l'illustration de la langue et de la culture françaises, les stratégies québécoises et françaises en sont arrivées, ces derniers temps, à diverger quand il a fallu se décider à choisir un secrétaire général de l'ACCT ou à opter pour une politique bilatérale ou multilatérale d'aide.

Parler donc des essais néo-québécois, c'est-à-dire d'un courant de réflexion et de pensée dans les écrits d'idées qui témoigne de la présence de l'Autre ne peut pas se faire sans référence au grand débat canadien, entre francophones et anglophones, ni non plus sans songer à cet autre conflit entre Canadien et Français dont le livre de Roger Charbonneau atteste la présence.

La Deuxième Guerre aura eu des conséquences aussi bien matérielles qu'intellectuelles. On ne s'urbanise ni ne s'industrialise sans acquérir une assurance et une volonté d'affirmation de soi. Mais les flux migratoires provoqués par les conflits de basse intensité qui succéderont aux affrontements mondiaux ne provoqueront pas non plus une ouverture au monde qui soit sans conséquence pour sa propre définition de soi.

Le Québec est-il le Tiers-Monde?

On s'accorde généralement à reconnaître que le processus de décolonisation qui a été déclenché dans les grands empires coloniaux est une suite logique de la dernière guerre. Pour l'empire français, en tout cas, de l'Indochine à l'Algérie, en passant par les indépendances africaines de 1960, le lien à faire avec les bouleversements provoqués par l'effondrement de la France en 1940, sont admis. Or il est également accepté que la montée de l'indépendantisme au Québec, dans les années 60, est à mettre au compte de la fièvre décolonisatrice qui secouait le monde, à la même époque. Un peu partout éclataient des mouvements de libération et le Québec n'a pas échappé, entre 1960 et 1970, à cette fièvre révolutionnaire.

Un essai comme celui de Pierre Vallières, *Nègres blancs d'Amérique*, des poèmes comme ceux de Gaston Miron, de Paul Chamberland ou de Michèle Lalonde, et d'une manière plus particulière les écrits du mouvement Parti-pris se sont inspirés aussi bien de la lutte toute proche des Afro-États-uniens ou des Cubains que de celles des Algériens ou des écrits de ceux qui animaient ces luttes: Fanon, Sartre, Césaire, Memmi, Berque, pour ne pas parler de Marx, Gramsci, ou Mao.

La libération interne que connaissait le Québec qui se délivrait aussi bien de la censure ecclésiastique que de la tutelle des élites conservatrices permettait l'acclimatation ici des écrits de tous ces penseurs qui théorisaient la révolution du Tiers-Monde. Et le contact pouvait se faire aussi bien par l'importation sans restriction des livres autrefois mis à l'index que par l'arrivée des premiers exilés des pays où la politique de la guerre froide entreprenait de freiner les luttes de libération par la consolidation des régimes dictatoriaux.

Le Tiers-Monde et l'esprit de décolonisation étaient à la mode au Québec et de cela même le vocabulaire des dirigeants s'en ressentait. Aucun d'eux n'aurait accepté d'être classé à droite. Tout au plus pouvait-on admettre être de centre-gauche. Tout le monde affirmait avoir des sympathies sociales-démocrates. Et l'on pouvait entendre tel homme politique accuser ses adversaires d'avoir un comportement de «Rhodésiens» ou même d'être des «rois nègres». Manifestement la métaphore qui servait de titre à l'essai de Pierre Vallières ou inspirait le poème *Speak White* de Michèle Lalonde était plus ancrée dans l'imagination des uns et des autres qu'on n'aurait pu le croire. Et les nuits de la poésie ont pour beaucoup contribué à faire du Tiers-Monde une référence pour le Québec. Ce qui a porté Gilles Thérien à se demander si la littérature du Québec était une littérature du Tiers-Monde.[3]

Pour se figurer, il faut se trouver un comparant tout comme pour penser, il faut un référent. Dans le cas du Québec, celui-ci est-il le Tiers-Monde? L'article de Gilles Thérien lançait un signal, comme lorsqu'on parle de signal d'alarme. Le discours identitaire ne risquait-il pas de déraper, à poser ses termes de manière trop illusoire? Parfois on va chercher bien loin un Autre qui en fait est tout à côté de soi.

Le Tiers-monde n'est pas seulement hors de soi, réellement, et en soi, figurativement. Il peut être autour de soi. Alors il suffirait pour se le représenter de regarder en soi. Ce que l'on appelle la crise de

[3] THÉRIEN, Gilles, «La littérature québécoise, une littérature du Tiers-Monde?», *Voix et Images* 34, automne 1986, p. 12-20.

Saint-Léonard peut être considéré de différents points de vue. On peut y voir un problème d'administration scolaire ou une simple question relevant de cette distinction entre droits individuels et droits collectifs que les Chartes des Droits ne parviennent pas à trancher de manière décisive. On peut aussi y reconnaître le premier signal indiquant que la question de l'identité québécoise, symbolisée par la traditionnelle lutte des langues française et anglaise, venait de déborder du champ clos de l'opposition entre *Canadian* et Canadien. Un troisième Homme venait de s'interposer entre les deux personnages que Michel Brunet opposait par deux mots à peine différents par leur prononciation et l'orthographe de leur dernière syllabe. Car les Italo-Québécois qui optaient pour la langue anglaise étaient des descendants d'immigrants qui n'étaient venus ni de France ni d'Angleterre. On peut donc dire que c'est à partir des années 1969, et avec cette crise que la question de l'identité québécoise a fait surface, ce problème de la présence de l'Autre. Et si par la suite, «la question du Québec», pour reprendre l'expression de Marcel Rioux, a pris les dimensions que nous lui connaissons présentement, en y faisant intervenir non seulement les immigrants de toutes origines mais même ceux qui se considèrent comme les seuls non-immigrants, on peut dire que c'est avec cette crise scolaire de 1967 qu'un second tournant a été pris.

Dans l'optique de Michel Brunet, le débat ne se faisait qu'avec un double, aimé ou mal-aimé, un pseudo Autre. Quand les commissaires de Saint-Léonard, et leurs alter ego, les écrivains italo-québécois, haïtiens, irakiens, égyptiens, amérindiens, brésiliens... auront commencé à se faire entendre, alors la voix d'un Autre aura commencé véritablement à prendre part au débat. Toute la problématique de ce qu'on pourrait appeler les essais néo-québécois tient à ce double tournant pris par l'histoire récente du Québec. Sur le fond d'un conflit traditionnel entre *Canadian* et Canadien et d'un réaménagement de l'alliance entre Français et Canadiens-français, s'est imposée la nécessité d'une prise en compte: celle de ces Autres, d'hier et d'aujourd'hui, autochtones et nouveaux immigrants. En s'en rendant compte, on a commencé, par la force des choses, à s'interroger sur la manière, non plus illusoire mais pratique, de les inclure dans une réflexion sur le Québec.

La métamorphose d'une utopie

Tel est le titre donné à une série d'essais réunis par Michel Lacroix et Fulvio Caccia. Titre suggestif par l'image ainsi créée. Car si d'ordinaire une utopie est si difficile à réaliser qu'on parle plus souvent de son déclin que de son succès, bien moins souvent encore parle-t-on de la métamorphose ou de la transformation d'une utopie. Si la chrysalide doit déjà opérer une mutation fort risquée pour se transformer en papillon, voilà qu'il lui faudrait doublement se changer puisqu'il lui faudrait réorienter sa transformation. Métamorphose d'une utopie, ce n'est pas seulement se changer mais également changer de changement.

Mais peut-être comme en témoigne le parallèle que l'on peut faire entre deux titres d'articles publiés à un an d'intervalle, il s'agirait non pas tant de la mutation ou même de la double mutation d'un objet que du simple changement de question pour un sujet. En 1986, Réal Larochelle se demandait: «Le Cinéma québécois en voie d'assimilation ou de métissage?»[4] En 1987, Gilles Thérien semblait apporter sa réponse à cette question en titrant son texte: «Cinéma québécois: la difficile conquête de l'altérité.»[5]

Ce qui est difficile, parfois, ce n'est pas tant de transformer le monde mais de changer ses questions sur le monde. Au fond, dirait Marx, le plus difficile, souvent, est de cesser de vouloir expliquer le monde. Car on ne peut transformer un monde qu'on refuse.

Il y a des essais néo-québécois, pourraient penser certains, parce qu'il y a de nouveaux Québécois dont il faut faire des copies conformes des Anciens Canadiens. Mais si on s'apercevait que des nouveaux, il y en a certes mais de toutes les sortes puisqu'il en surgit même du fond du passé. Cela reviendrait à dire qu'il y a toujours du nouveau et que le nouveau est même ce qu'il y a de plus certain.

Diane Boudreau a publié, en 1993, une *Histoire de la littérature amérindienne au Québec*. Si l'on a pu penser régler sans trop de difficulté le problème d'une littérature anglophone du Québec, en ira-t-il de même quand surgissent des littératures autochtones qui ne réclament pas le droit à l'existence au nom d'une langue, majoritaire ou minoritaire, mais au nom d'un autre principe méthodologique de définition de la littérature? Écoutons ce que dit Bernard Assiniwi:

«Comparés! Voilà ce que nous sommes, nous les premiers habitants du continent. Chaque fois qu'on a voulu nous expliquer, nous montrer, nous raconter, on l'a fait en nous comparant aux autres civilisations et en évoquant les différences sur le plan de la technologie, des besoins, des formes de pensée, de la couleur de peau et des valeurs que nous attachions aux choses de la vie courante...

... en oubliant que *La littérature des Amérindiens, toute orale qu'elle fût, existe toujours et qu'elle est au meilleur de son évolution, puisqu'elle adapte à des besoins nouveaux les connaissances acquises depuis les jours où dominait l'ignorance des sauvages.*[6]

---

4 LAROCHELLE, Réal, «Le cinéma québécois en voie d'assimilation ou de métissage?» *Les pratiques culturelles des Québécois*, Québec, IQRC, 1986, p. 215-232.

5 THÉRIEN, Gilles, «Cinéma québécois: la difficile conquête de l'altérité», *Littératures* n° 66, 1987, p. 101-114.

6 ASSINIWI, Bernard, «Les écrivains aborigènes, qui sont-ils?», *Liberté* «Aux Indiens», vol. 33, n°s 4-5, août-octobre 1991, p. 87-88.

Il est frappant de constater qu'Assiniwi rejoint dans ses propos une thèse de Lu Xun selon qui la littéraütre orale, c'est la littératre tout simplement. Sans compter qu'Assiniwi met le doigt sur ce qui, dans la théorie postcolonialiste, est à la source de la lutte des littératures: le conflit entre l'oralité et l'écriture. Quand il faudra envisager la littérature dans une perspective kaléidoscopique, c'est la définition même du phénomène littéraire qu'il faudra revoir. Et alors ce qu'il faudra redéfinir, ce sera moins un objet que nos rapports avec cet objet.

Ce nouveau rapport du sujet écrivant ou lisant avec le texte littéraire, on peut constater qu'il commence à se modifier effectivement. Dans trois manuels et anthologies parus en 1996, on observe, à la table des matières, un nouveau regroupement des textes. On voit apparaître des sections ou sous-sections qu'on ne connaissait point. Des titres comme «Ruptures et pluralisme (Bouvier et Roy)», «Un nouveau Monde, dérives et pluralisme, littérature migrante» (Weinmann et Chamberland), «Société pluraliste et littérature métisse, les récits de l'ailleurs ici, l'essai: différends et différents» (Laurin)[7] font désormais une place à l'écriture dite «néo-québécoise». Mais dès 1988, Pierre Nepveu parlait de littérature migrante dans *L'Écologie du réel*, cet essai dont le sous-titre énigmatique de «Mort et naissance de la littérature québécoise» s'éclaire maintenant. Car l'évocation d'une transformation qui s'apparente à la renaissance du Phénix a sans doute trouvé son écho dans le titre de l'ouvrage collectif de Lacroix et Caccia: «Métamorphose d'une utopie».

Dans le rapport qui se noue entre langue, identité et nationalisme, il faut d'abord situer la place de la langue dans l'évolution de la problématique québécoise. Comme le dit Maurice Lemire, l'auteur de l'introduction du tome V du *Dictionnaire des Œuvres littéraires du Québec:*

«Un des points d'ancrage important de la décennie 1970, est constitué par la langue française comme langue du territoire québécois. La période précédente, dite de la révolution tranquille, [...] mettant en lumière la colonisation du Québec par la langue dominante, l'anglais.»

«... Or l'enjeu réel de la problématique des langues, c'est l'intégration même des nouveaux immigrants québécois qui ne sont ni anglophones ni francophones et que l'époque actuelle appelle des allophones...»

---

[7] BOUVIER, Luc et Max Roy. *La littérature québécoise du XX*[e] siècle, Montréal, Guérin, 1996, p. 191.
— WEINMANN, Heinz, Roger CHAMBERLAND, Sous la direction de, *Littérature québécoise des origines à nos jours*, Montréal, Hurtubise HMH, 1996.
— LAURIN, Michel, Avec la collaboration de Michel Forest, *Anthologie de la littérature québécoise*, Montréal, les Éditions CEC, 1996.

«La question linguistique devient en quelque sorte le sismographe du pouvoir francophone en train de rattraper les retards de son évolution historique»[8]

Or ce sismographe, s'il annonce la naissance, celle d'un pouvoir, d'une réalité en quelque sorte, du même coup annonce aussi une mort, celle d'une utopie. Peut-être l'utopie de vivre sur une île, d'être seul au monde. Car avoir l'autre, tout à côté de soi, contrairement à ce qu'on veut faire croire, n'est pas une calamité, mais, au contraire, une chance. L'expérience prouve, dans le domaine de la création singulièrement, que quand on ne l'a pas à portée de la main, on s'oblige à aller chercher l'Autre fort loin. Les voyages en Italie et jusqu'en Orient des écrivains européens du siècle passé n'étaient que des efforts pour sortir du Même et aller à la rencontre de l'Autre.

Passer de la problématique de la langue française, telle qu'elle était traditionnellement entendue, à celle des «langages de la création», pour reprendre l'idée de l'essai de Sergio Kokis, c'est faire subir une véritable métamorphose à l'utopie. On passe de l'obsession de la mort à la certitude de la naissance. Ou si l'on veut, on cesse de considérer un objet qui s'en va pour se tourner vers le sujet qui s'en vient.

En attendant, il faut bien reconnaître qu'il n'y a pas de critères surs pour reconnaître ce qui s'en vient, l'écrit néo-québécois. À moins d'entreprendre une enquête policière sur l'origine ethnique des écrivains. Car les patronymes ne sont pas un indice certain de classification. Pas plus que ne l'est le lieu de publication des ouvrages. Pourquoi en effet imposer ces distinctions à certains alors que d'autres en sont déjà dispensés? Même le contenu des œuvres n'est pas un critère plus certain. Peut-on en effet, interdire à quiconque de traiter le sujet de son choix?

Le *Dictionnaire des Œuvres littéraires du Québec* a essayé pourtant de réaliser la quadrature du cercle en se donnant quatre critères dont deux, au moins, devaient pouvoir s'appliquer à tout texte québécois: «a) avoir été édité par une maison québécoise; b) avoir été écrit par un Québécois ou par une personne ayant choisi de vivre au Québec; c) viser le Québec comme premier lieu de consécration; d) relever, en tout ou en partie, de l'imaginaire ou du réel québécois.»[9]

Sous la rubrique: «Naître-n'être québécois», Bernard Andrès a commenté ces critères, dans son ouvrage *Écrire au Québec: de la contrainte à la contrariété*. On pourrait ajouter que même la réception des œuvres qui est d'ordinaire un bon critère pour juger du rapport d'une œuvre

---

[8] LEMIRE, Maurice, *Dictionnaire des Œuvres littéraires du Québec*, tome 5, Montréal, Fides, 1987, p. XVll—XlX.

[9] ANDRÈS, Bernard, *Écrire le Québec: de la contrainte à la contrariété. Essai sur la constitution des Lettres*, Montréal, XYZ, 1990, p. 32-34.

avec le réel ou l'imaginaire d'un public peut s'avérer un paramètre incertain. Le livre de Nadia Khouri, *Qui a peur de Mordecai Richler?*, publié à un moment où cet écrivain québécois anglophone suscitait maintes controverses, aurait dû normalement soulever une polémique très vive. Or il n'en fut rien. De même les thèses fort originales qu'Heinz Weinmann a soutenues dans ses deux ouvrages: *Du Canada au Québec: généalogie d'une Histoire* et *Cinéma de l'imaginaire québécois: de la «Petite Aurore» à «Jésus de Montréal»* auraient dû porter tous ceux qui s'intéressent à ces questions à apporter à ces thèses leurs correctifs ou leurs additifs. Là encore il n'y a pas eu d'échos significatifs venant du public lecteur. Par contre si le livre de Giuseppe Turi, *Une culture appelée québécoise*, a largement contribué à porter Jean Marcel à écrire son *Joual de Troie*, on assiste dans ce cas à la situation plutôt paradoxale où un essai néo-québécois est attaqué pour le radicalisme qu'il met à défendre la thèse de l'autonomie culturelle québécoise.

On est donc bien forcé de constater qu'il n'y a pas de critères prescriptifs permettant de désigner par avance un essai néo-québécois. Tout au plus peut-on reconnaître une postérité à certains essais, essayer de découvrir la trace qu'aurait laissée un essai dont l'auteur se trouvait à être quelqu'un originaire d'un autre pays que le Canada. À ce titre, l'essai de Marc Angenot, *Les idéologies du ressentiment*, pourra servir d'exemple puisqu'il ne se sera pas écoulé un temps bien long avant que Jacques Pelletier ne lui fasse la réplique. Nous ne nous demanderons pas si cette réplique n'a pas été davantage inspirée par la polémique suscitée par une lettre d'Angenot sur «les nationalistes québécois et la pensée unique» publiée après le livre. Nous nous contenterons d'enregistrer cette reprise en écho d'un texte comme exemple de trace laissée par des essais «néo-québécois».

Or dans cette perspective, on peut au moins signaler une dimension, celle de l'américanité québécoise, où il est possible de penser à un effet de l'essai néo-québécois sur la réflexion générale à propos de l'identité québécoise. Même si Nicole Fortin a globalement raison d'affirmer que «la circularité et la fermeture du réseau des relations, cette *interlisibilité* [du texte québécois] ne semble que très rarement permettre [sa] mise en relation avec le texte étranger»[10], il faut cependant constater que c'est à la faveur de l'intérêt manifesté, dans les années 60, pour les pays en voie de décolonisation, que furent lus avec enthousiasme les œuvres des Caribéens: Césaire, Fanon, et puis celles des Latino-américains: Néruda, Guevara. L'enthousiasme de ces réceptions fut avivé par l'arrivée et la présence d'exilés des dictatures de

[10] FORTIN, Nicole, *Une littérature inventée*, Littérature québécoise et critique universitaire (1965-1975), Québec, Les Presses de l'Université, Laval, 1994, p. 298.

Duvalier et de Pinochet. Et à leur tour ces nouveaux arrivants trouvèrent un public attentif à leurs essais sur les littératures d'Haïti, de la Caraïbe, de l'Amérique latine et finalement aux comparaisons de celles-ci avec la littérature du Québec.

À partir des années 60, le Québec est entré sur la scène internationale comme en témoigne la création et le développement d'un ministère québécois des relations internationales. Mais on pourrait, du point de vue qui nous intéresse, parler plutôt de l'internationalisation du Québec par l'augmentation de sa population originaire de divers pays, notamment de la Caraïbe et de l'Amérique latine. C'est ce qui explique qu'en 1990, Hugh Hazelton pourra même éditer une *Anthologie des écrivains latino-américains du Québec*[11]. Tout cela aura certainement contribué à élargir la notion de l'Américanité trop souvent confondue avec l'image des États-Unis. Les revues *Études littéraires, Voix et images, Études françaises, Tangences* et *Possibles*, tour à tour consacreront à ce thème de l'Américanité un ou même deux numéros, sous des titres aussi suggestifs que «Littérature québécoise et américanité», «L'Amérique de la littérature québécoise» ou même «L'Amérique inavouable».[12]

Le Québec entretient des rapports si complexes, si troubles même, avec les États-Unis qu'on devrait tenir ce pays finalement pour un autre des doubles du Canadien-français. N'a-t-on pas entendu l'ancien premier ministre René Lévesque déclarer, lors d'un voyage aux États-Unis, que si le cours de l'Histoire du Québec s'était déroulé normalement, pourrait-on dire, les Québecois se seraient séparés de la France de la même façon que les États-Unis l'on fait avec l'Angleterre. À quelques années de retard près, les deux communautés auraient donc eu un même destin. Pourquoi ne pas avoir alors un destin commun? En tout cas, pour les immigrants québécois qui sont allés au siècle dernier s'installer en Nouvelle-Angleterre et pour les Québécois, visiteurs permanents de la Floride, en ce siècle, cela ne doit pas faire de doute. Il y a d'ailleurs eu des sondages montrant qu'une forte proportion de Québécois n'était pas hostile à l'idée d'une intégration aux États-Unis. Finalement l'attitude du Québec à l'égard de l'ALENA, différente de celle du reste du Canada, révèle quelle séduction exerce ici l'américanité états-unienne.

La conception d'une américanité dépassant la seule dimension états-unienne aura eu l'avantage de donner une dimension concrète à

---

[11] *La Présence d'une autre AMÉRIQUE*. Anthologie des écrivains latino-américains du Québec, Montréal, Les Éditions de la Naine blanche, 1989.

[12] «Littérature québécoise et Américanité». *Études littéraires*, vol. 8, nº 1, avril 1975.
— «L'Amérique de la littérature québécoise». *Études françaises*, 26, 2, automne 1990.
— «L'Amérique inavouable». *Possibles*, vol. 8, nº 4, Été 1984.

l'image plus collective de «l'Amérique des Compagnons» que le poète Gaston Miron évoquait pourtant. Car à se comparer aux seuls États-Unis, cela peut avoir, entre autres, la conséquence de se donner trop facilement bonne conscience, ou de rêver à une «exception québécoise», quand il s'agit d'évaluer ses rapports avec les autres. Or le véritable paramètre est celui d'un américanisme plus large, prenant en compte les expériences de divers pays américains. Ce qui permet de découvrir, comme le constate Zila Bernd, que, dans les discours québécois et brésiliens, finalement «c'est la même difficile inclusion de l'autre que l'on retrouve».[13]

Constat qu'un autre essayiste, Sébastien Joachim, par le biais de la comparaison de l'image du Noir dans les romans français et québécois, faisait sur un mode à la fois plus iconoclaste et plus pragmatique, dans la conclusion de son livre:

«En tout cas, objet honni ou redouté, le Noir universel correspond à un fantasme de l'ordre symbolique qui n'émergera peut-être jamais au niveau du moi pensant des Blancs au cogito perpétuellement en déroute devant le réel. Le temps est donc venu de civiliser les Blancs. Toute la littérature actuelle de l'interracialité l'affirme. Relisons ou lisons-la pour savoir où commencer ce paradoxal labeur».[14]

Bien avant Dany Laferierre, la voix de l'Autre pouvait donc se faire entendre avec humour et ironie dans un discours qui se voulait constructif par surcroît.

Auguste Viatte, en 1954, a dressé avec *L'Histoire littéraire de l'Amérique française*, le premier monument en l'honneur de cette Amérique à la fois réelle et symbolique dont on allait ainsi entreprendre de faire la topographie. Mais le véritable pionnier de cette nouvelle découverte de l'Amérique, c'est Louis Dantin qui dès 1928, faisait paraître son ouvrage sur les *Poètes de l'Amérique française*[15] où d'ailleurs il comparait les poètes d'Haïti à ceux du Québec avec une grande liberté d'esprit.

Par la suite, des essayistes, souvent nés ailleurs, ont jeté leur regard sur le Québec et sa culture, à partir du Brésil, de la Caraïbe, de l'Afrique, de l'Océanie, du Québec autochtone et même du Montréal anglophone, comme le confirme la traduction, en 1996, des essais que Josh Freed publiait depuis 1983. On boucle la boucle mais autour du seul et même nœud gordien formé par la liaison du territoire et de la langue.

---

[13] BERND, Zila, «Brésil-Québec: la difficile inclusion de la parole de l'autre», dans PETERSON, Michel, Zila BERND, sous la direction de, *Confluences littéraires Brésil-Québec: les bases d'une comparaison*, Montréal, Les Éditions Balzac, p. 97-109.

[14] JOACHIM, Sébastien, *Le nègre dans le roman blanc, lecture sémiotique et idéologique de romans français et canadiens, 1945-1977*, Montréal, Presses de l'Université de Montréal, 1980, p. 272.

[15] DANTIN, Louis, *Poètes de l'Amérique française*, Montréal, New York et Londres, Louis Carrier et Cie, Les Éditions du Mercure, 1928, p. 250.

L'avantage de ce tour du monde, ou si l'on préfère de cette perspective kaléidoscopique sur la culture québécoise, est d'aider à hausser le débat. À le placer sur des trajectoires de plus en plus exigeantes. Les essais de Naïm Kattan peuvent, à première vue, sembler des regards jetés à partir du Proche-Orient. Ils sont en réalité une reconsidération des choses où le Judaïsme et l'Islam aident à trouver un point de vue éthique et métaphysique pour parler de notre monde américain.

De même le fait de changer de langage, de passer au cinéma, pour considérer l'imaginaire québécois, est volonté chez Heinz Weinmann de changer de questionnement. Cet auteur ne dit-il pas en substance que l'ambiguïté du Québec ne tient pas à une incertitude sur son identité mais plutôt à une hésitation sur l'identité de l'autre qu'il s'agit d'éliminer? Ce qui tendrait à confirmer que l'acte fondateur de cette libération souhaitée serait cette première distanciation prise par Robert Charbonneau, en 1947, dans *La France et nous*.

La figure de l'Autre

Sur cet Autre, à éliminer pour que naisse la nation, et à concilier pour qu'apparaisse la «méga-nation», selon la formule de Weinmann, divers éclairages ont été jetés par les essayistes dits néo-québécois. Mais au fond, qui est-il, cet Autre? Peut-on s'en donner une claire représentation?

Notons, à cet égard, la vogue d'une image: celle du «pure laine». Qu'il y ait là-dessous de l'agneau et, pas loin, du Saint-Jean Baptiste, cela est tout-à-fait vraisemblable. Mais il y a surtout de la blancheur et de la pureté. Cela a pu faire réagir certains qui ont alors parlé de «laine impure» ou même de «pure laine crépue». Ce qui était commencer des variations sur blancheur et noirceur. Et peut-être est-ce ainsi que Pierres Vallières a été amené à parler de «Nègres blancs» ou que Jean Morisset a pu, lui, s'aventurer à évoquer «un nègre-rouge» dans un livre sur les habitants du Grand Nord canadien.

Peu importe, au fond, la coloration ou même la connotation que peut prendre la figure de cet Autre. Il suffit que sa présence s'impose et fasse désormais comprendre qu'il n'y a pas de réflexion, de cheminement, en somme pas de navigation possible sans référence à cette bouée qu'il constitue. Sous le titre de *L'Arpenteur et le Navigateur*[16] Monique LaRue a publié un texte, dont la signification est double. En traitant du thème de l'Autre dans la littérature du Québec, son livre en fait constater la présence dans l'essai québécois. Mais en se donnant pour un dialogue de deux écrivains présentés comme semblables mais distincts de cet Autre, le texte fait le constat d'un élargissement du cercle d'écriture.

Certains pourraient penser que c'était une évidence attestée depuis assez longtemps par l'existence de revues comme *Vice-Versa*, *Dérives*

---

[16] LARUE, Monique, *L'Arpenteur et le Navigateur*, Montréal, Éditions Fides, CETUQ, 1996, Les grandes conférences.

ou *Humanitas*, et surtout par la présence d'essayistes dits néo-québécois publiant depuis les années 60. Mais la présence de joueurs nouveaux ne signifie pas que les règles du jeu sont modifiées et encore moins que cette modification est acceptée par tous. C'est dans ce dernier sens, celui d'une acceptation des nouvelles règles du jeu, qu'on doit enregistrer non seulement la modification que connaissent les tables des matières des nouveaux manuels et anthologies mais la publication de textes comme ceux de Monique LaRue ou de Pierre Nepveu et même cet article, compte tenu de son cadre.

Dans le numéro de la revue *Humanitas* consacrée aux «créateurs ethniques et leur place dans la Cité», Pierre Nepveu, interrogé à ce sujet affirmait: que «La littérature québécoise des années 80 [correspond] à une culture qui s'internationalise»[17]. La place ou le rôle des créateurs dits ethniques ou néo-québécois, réside donc dans leur contribution à cette internationalisation. Ce qui, dans le langage de Fernando Ortiz, repris par Fulvio Caccia, correspond à la transculturation dont le Québec fait l'expérience. Ainsi peut-il parler de métamorphose d'une utopie.

Mais si on filait la métaphore de la traversée que nous incite à entrevoir le préfixe du mot transculturation, qui, parmi ceux qui arrivent sur l'autre rive, n'est pas nouveau? Autrement dit, quel sens donner au préfixe néo dans le mot néo-québécois? Si celui-ci marque la nouveauté de tout le monde, y compris de celui qui parle, alors il s'agit d'une traversée ou d'un changement collectif, historique donc. Si au lieu de désigner tout le monde, le préfixe singularisait plutôt ceux dont parle un sujet de l'Histoire, s'il ne désignait que des objets en quelque sorte de cette Histoire, il ne servirait qu'à caractériser leur étrangeté. La phrase si souvent citée de Crémazie se plaignant qu'il aurait été mieux accueilli en France s'il écrivait en huron témoigne du même paradoxe mais ressenti à rebours. Ayant traversé l'Atlantique, Crémazie parlait désormais huron mais se refusait à le reconnaître. Il croyait ne pas être cet Autre qu'il était devenu.

Si l'essai néo-québécois, dans le sens restreint de ce terme, contribue à l'internationalisation de la culture québécoise, on doit noter que cette capacité ne lui est pas exclusive. Cette internationalisation peut être l'œuvre de n'importe qui, peu importe son lieu d'origine. Après tout Louis Dantin a été le premier à faire de la littérature comparée haïtiano-québécoise. Pour cela a-t-il été aidé par le fait qu'il était exilé aux États-Unis? Mais alors Rina Lasnier n'a pas eu besoin de sortir du Québec pour écrire ses poèmes haïtiens[18] ni Anne Hébert pour évoquer l'esclave noire[19]. Le langage de la création n'exige qu'un exil intérieur. Et en ce

[17] NEPVEU, Pierre, «La Littérature québécoise des années 80: une culture qui s'internationalise?» Entrevue avec Pierre Nepveu, *Humanitas, la revue de la réalité interculturelle*, n°s 20-21, 1987, «Les créateurs ethniques et leur place dans la cité» p. 13-19.

[18] LASNIER, Rina, «Poèmes haïtiens», dans *Poèmes*, vol. 2, Montréal, Fides, 1972, p. 23-30.

[19] HÉBERT, Anne, «L'Esclave noire», *Amérique française*, 2e année, tome 2, n° 6, mars 1943, p. 41-42.

sens, l'essai néo-québécois n'est pas le discours d'un individu qui veut s'expliquer mais la voix de celui qui entend se transformer.

C'est ce sens de Néo-Québécois qui faisait, en 1963, l'objet d'un Congrès que clôturait en ces termes le ministre Pierre Laporte:

«Je termine en vous félicitant de votre esprit d'initiative dans l'organisation du présent Congrès. Vous avez fait preuve d'une maturité que d'aucuns dans la quarantaine pourraient vous envier.

Les Nouveaux Québécois, c'est vous, c'est nous, c'est toute la communauté. Vous aurez contribué par votre congrès à rendre ce concept plus présent et plus clair. Soyez-en remerciés».[20]

La nouveauté ne vient pas nécessairement d'ailleurs. Elle parle cependant d'un ailleurs.

BIBLIOGRAPHIE DE L'ESSAI NÉO-QUÉBÉCOIS

1– SOURCES:

1971

SUTHERLAND, Ronald, *Second image; comparative studies in Quebec*, Toronto, New Press.

1977

PAGÉ, Yves, «Une romancière nommée Mitiarjuk, l'Inuit qui a réinventé le roman sans le savoir», *L'Actualité*, septembre 1977, p. 53-59.

1988

NEPVEU, Pierre, *L'Écologie du réel,* Mort et naissance de la littérature québécoise contemporaine, Montréal, Boréal.

1992

JONASSAINT, Jean, Dossier: «De l'autre littérature québécoise» autoportraits, *Lettres québécoises*, n° 66, été 1992, p. 1-16.

1993

BOUDREAU, Diane, *Histoire de la littérature amérindienne au Québec*, essai, Montréal, L'Hexagone, 1993.

2– CORPUS:

1954

VIATTE, Auguste, *Histoire littéraire de l'Amérique française*, Québec, Presses Universitaires Laval, Paris, Presses Universitaires de France.

1960

WYCZYNSKI, Paul, *Émile Nelligan. Source et originalité de son œuvre*, Ottawa, Éditions de l'Université d'Ottawa.

1965

ANDERSEN, Marguerite, *Paul Claudel et l'Allemagne*, Ottawa, Éditions de L'Université d'Ottawa.

WYCZYNSKI, Paul, *Poésie et symbole*, Montréal, Fides.

1970

KATTAN, Naïm, *Le réel et le théâtral*, Montréal, Hurtubise HMH.

LAROCHE, Maximilien, *Marcel Dubé*, Montréal, Fides.

LOUIS-JEAN, Antonio, *La crise de possession et la possession vaudouesque*, Montréal, Leméac.

[20] *Les Nouveaux Québécois.* 3e Congrès des Affaires canadiennes, Les Presses de l'Université Laval 1964, p. 204.

1971
LAROCHE, Maximilien, *Le Miracle et la Métamorphose*, Montréal, Éditions du Jour.
TURI, Giuseppe, *Une culture appelée québécoise*, Montréal, Les Éditions de l'Homme.
VIATTE, Auguste, *Anthologie littéraire de l'Amérique francophone*, Sherbrooke, CELEF, Université de Sherbrooke.

1972
MAUGEY, Axel, *Poésie et Société au Québec* (1937-1970), Québec, Presses de l'Université Laval.
OHL, Paul, *Les Arts martiaux. L'héritage des samouraï*, Montréal, La Presse.

1976
KLANG, Gary, *Méditation transcendantale*, Montréal, Stanké.
HAMEL, Réginald, John Hare et Paul Wyczynski. *Dictionnaire pratique des auteurs québécois*, Montréal, Fides.

1978
IMBERT, Patrick, *Sémiotique et Description balzacienne*, Ottawa, Presses de l'Université d'Ottawa.
KATTAN, Naïm, *La Mémoire et la Promesse*, Montréal, Hurtubise HMH.
MARTEAU, Robert, *L'Œil ouvert*, Montréal, Quinze.

1979
MARTEAU, Robert, *Ce qui vient*, Montréal, L'Hexagone.

1981
LAROCHE, Maximilien, *La littérature haïtienne, Identié-Langue-Réalité*, Montréal, Les Éditions Leméac, 1981.
RENAUD, Alix, *Dictionnaire de l'audiophonie (anglais-français)*, Paris Montréal, Éditions Nathan/Éditions Ville-Marie.

1982
KAUSS, St-John, *Entre la parole et l'écriture*, Montréal, Éditions Nelson.

1983
CACCIA, Fulvio et Antonio D'Alfonso. *Quêtes. Textes d'auteurs italo-québécois*, Montréal, Guernica .
FREED, Josh and Jon Kalona. *The Anglo guide to Survival in Quebec*, Montreal, Eden Press.
IMBERT, Patrick, *Roman québécois contemporain et clichés*, Ottawa, Presses de l'Université d'Ottawa.
KATTAN, Naïm, *Le Désir et le Pouvoir*, Montréal, Hurtubise HMH.
KLIMOV, Alexis, *Éloge de l'Homme inutile*, Québec, Éditions du Beffroi.
KLIMOV, Alexis, *Diversions. Huit opérations poétiques pour une stratégie métaphysique*, Québec, Éditions du Beffroi.

1984
LAMY, Suzanne, *Quand je lis je m'invente*, Montréal, L'Hexagone.
KLIMOV, Alexis, *Veilleurs de nuit. Esquisses pour un essai*, Québec, Éditions du Beffroi.

1985
CACCIA, Fulvio, *Sous le signe du Phénix. Entretiens avec quinze créateurs italo-québécois*, Montréal, Guernica.
KLIMOV, Alexis, *De l'abîme. Petit traité à l'usage des chercheurs d'absolu*, Québec, Éditions du Beffroi, 1985.
LE SCOUARNEC, Jean-Louis, *Pause-Lecture*, Montréal, Éditions Bergeron.

1986
VONARBUG, Élisabeth, *Comment écrire des histoires. Guide de l'explorateur*, Belœil, La Lignée.

1987
MAUGEY, Axel, *La Francophonie en direct. L'espace politique et culturel*, Québec, Documentation du Conseil de la langue française.

MAUGEY, Axel, *La Francophonie en direct 2. L'espace économique*, Québec, Documentation du Conseil de la langue française.

WEINMANN, Heinz, *Du Canada au Québec, généalogie d'une histoire*, Montréal, L'Hexagone.

WYCZYNSKI, Paul, *Nelligan 1879-1941, Biographie*, Montréal, Fides.

KATTAN, Naïm, *Le repos et l'oubli*, Montréal, Hurtubise, HMH.

1988

LAROCHE, Maximilien, sous la direction de, *Tradition et Modernité dans les littératures francophones d'Afrique et d'Amérique*, Québec, GRELCA-Université Laval.

1989

IMBERT, Patrick, *L'Objectivité de la Presse*, Montréal, Hurtubise HMH.

LAROCHE, Maximilien, *La Découverte de l'Amérique par les Américains*, Québec, GRELCA.

MAUGEY, Axel, *Vers l'entente francophone*, Québec, Gouvernement du Québec, Office de la langue française.

MAUGEY, Axel, *La poésie moderne québécoise. Poésie et Société, 1937-1970*, Introduction 1970-1989, Montréal, Éditions Humanitas-Nouvelle Optique.

HAMEL, Réginald, John Hare et Paul Wyczynski. *Dictionnaire des auteurs de langue française en Amérique du Nord*, Montréal, Fides.

GARCIA MENDEZ, Javier, *La dimension hylique du roman*, Longueuil, Le Préambule.

KLIMOV, Alexis, *Le secret de Pouchkine*, Québec, Éditions du Beffroi.

1991

KATTAN, Naïm, *Le Père*, Montréal, Hurtubise, HMH.

LAROCHE, Maximilien, *La Double scène de la représentation*, Oraliture et Littérature dans la Caraïbe, Québec GRELCA-Université Laval.

LE SCOURANEC, Jean-Louis, *Entre les dieux et les hommes*, Montréal, Humanitas-Nouvelle Optique.

MAUGEY, Axel, *Berlin: de l'utopie communiste au capitalisme utopique*, Montréal, Humanitas-Nouvelle Optique.

WEINMANN, Heinz, *Cinéma de l'imaginaire québécois:* de la «*Petite Aurore*» *à* «*Jésus de Montréal*», Montréal, L'Hexagone.

1992

LACROIX, Jean-Michel et Fulvio Caccia. *Métamorphose d'une utopie*, Paris Montréal, Presses de la Sorbonne Nouvelle/Éditions Triptyque.

1993

BOUDREAU, Diane, *Histoire de la littérature amérindienne au Québec*, oralité et écriture, Montréal, L'Hexagone.

LAROCHE, Maximilien, *Dialectique de l'Américanisation*, Québec, GRELCA-Université Laval.

MAUGEY, Axel, *Le roman de la Francophonie*, Paris Montréal, Éditions Jean-Michel Place/Éditions Humanitas.

1994

LAROCHE, Maximilien, *Sémiologie des Apparences*, Québec, GRELCA-Université Laval.

1995

BISSONDATH, Neil, *Le Marché aux illusions, la méprise du multiculturalisme*, Montréal Boréal-Liber.

ÉTIENNE, Gérard, *La question raciale et raciste dans le roman québécois*, Montréal, Les Éditions Balzac.

KHOURI, Nadia, *Qui a peur de Mordecai Richler?*, Montréal, Les Éditions Balzac.

SCHWIMMER, Éric, avec la collaboration de Michel Chartier, *Le syndrome des Plaines d'Abraham*, Montréal, Boréal.

1996

ANGENOT, Marc, *Les idéologies du ressentiment*, Montréal, XYZ éditeur.

DES ROSIERS, Joël, *Théories Caraïbes*, poétique du déracinement, Montréal, Les éditions Triptyque.

FREED, Josh, *Vive le Québec freed*, Montréal, Boréal.
KATTAN, Naïm, *Culture: alibi ou liberté?*, Montréal, Hurtubise HMH.
KOKIS, Sergio, *Les langages de la création*, Québec, Nuit blanche éditeur.
MAUGEY, Axel, *Propos sur le Québec et la Francophonie*, Montréal, Humanitas.
SEMUJANGA, Josias, *Configuration de l'énonciation interculturelle dans le roman francophone*, éléments de méthode comparative, Québec, Nuit blanche éditeur.

Laroche, Maximilien (1937–). Essayiste, né à Cap-Haïtien (Haïti). Il fait ses humanités au Collège Notre-Dame de Cap-Haïtien (B.A., 1955), puis une licence en droit à l'Université d'Haïti (1958). Il obtient ensuite une licence ès lettres (1962), une maîtrise ès arts (1962) et un diplôme d'études supérieures (1968) à l'Université de Montréal, et un doctorat à l'Université de Toulouse (1971). Il a été plusieurs fois boursier du Conseil des Arts du Canada et du Gouvernement français. Il enseigne le français à Cap-Haïtien de 1955 à 1960, à Gaspé, à Saint-Hyacinthe et à Montréal (Collège Sainte-Marie) de 1962 à 1970, et il devient professeur de littérature à l'Université Laval en 1971. Il collabore à divers périodiques dont *L'Action nationale*, *Les Cahiers de Sainte-Marie*, *Voix et Images du pays*, *Modern Language Studies*, *Espace créole*. Très tôt la critique note la qualité de ses recherches avec son *Portrait de l'Haïtien* (1968) qui avait été précédé par *Haïti et sa littérature* (1963). Depuis 1970, il a fait paraître une vingtaine d'ouvrages, chez Fides, au Jour, aux P.U.L., chez Nouvelle Optique, chez Leméac, et depuis 1984 au GRELCA (Groupe de recherche sur les littératures de la Caraïbe) dont les trois derniers ouvrages: *Dialectique de l'Américanisation* (1993), *Sémiologie des apparences* (1994) et *Hier: analphabètes, aujourd'hui: autodidactes, demain: lettrés* (1996), qui furent salués comme des contributions majeures.

Quatrième partie

Les lois linguistiques dans leur contexte démographique

Michel Paillé

En 1968, les commissaires d'écoles de Saint-Léonard, une municipalité de l'île de Montréal, adoptaient «une résolution qui [faisait] du français la langue d'enseignement des immigrants»[1]. Par ce geste, ils déclenchaient très consciemment une épreuve de force qui devait passer à l'histoire du Québec sous l'appellation de «crise de Saint-Léonard». Bien que le gouvernement du Québec ait légiféré dès l'année suivante pour y mettre fin, cette crise s'est poursuivie jusqu'à l'adoption d'une loi linguistique satisfaisante.

Bien que l'aménagement linguistique déborde largement le cadre de la scolarisation en français des immigrants, il apparaît nettement que la question scolaire en est à l'origine. Après un aperçu de cette dimension, nous décrirons le contexte démographique des années 60 et 70 qui a suscité cet aménagement linguistique. Nous évaluerons les effets induits de la politique linguistique en nous limitant au choix de la langue d'enseignement au cégep et à l'usage du français au foyer. Enfin, nous rendrons compte sommairement des projections démographiques sur l'importance relative de la population francophone à Montréal et nous ferons état des tendances lourdes qui déterminent la dynamique démographique québécoise. Nous nous limiterons à la «démolinguistique», c'est-à-dire à la démographie des groupes linguistiques.

---

[1] CORBEIL, Jean-Claude, *L'aménagement linguistique du Québec*, Montréal, Guérin, 1980, p. 141.

La langue d'enseignement

En moins d'une décennie, trois grandes lois linguistiques étaient votées par autant de gouvernements. En effet, le Québec se dotait en 1969 d'une *Loi pour promouvoir la langue française* («loi 63»), d'une *Loi sur la langue officielle* en 1974 («loi 22») et, en 1977, d'une *Charte de la langue française* («loi 101»). Les deux premières n'allaient s'appliquer que pendant quelques années chacune avant que la troisième ne résiste au temps dans ses grandes lignes malgré les modifications qu'on lui a apportées[2].

La «loi 63» reconnaissait aux parents le droit de choisir l'anglais comme langue d'enseignement pour leurs enfants[3]. Cette loi empêchait donc les commissions scolaires de décider de la langue d'enseignement des enfants sous leur juridiction. Par conséquent, la reconnaissance de la pleine liberté du choix de la langue d'enseignement des écoliers du Québec ne changeait rien à l'ordre des choses: au début des années 1970, les établissements de langue anglaise accueillaient toujours entre 15 % et 16 % des écoliers du Québec[4], et le nombre de francophones qui fréquentaient l'école anglaise n'a cessé d'augmenter, pour atteindre 31 000 lors de l'année scolaire 1974-1975[5].

Mise sur pied en 1968, la *Commission sur la situation de la langue française et sur les droits linguistiques du Québec* («Commission Gendron») déposait son rapport en 1972. Faisant face à des recommandations qui révélaient «une approche timorée» et qui ne rejoignaient pas «les aspirations de la population québécoise, ni francophone, ni anglophone»[6], le gouvernement devait agir. Il l'a fait en 1974 en votant la *Loi sur la langue officielle* pour influer sur la langue du travail, des affaires, de l'administration et de l'enseignement, après avoir déclaré le français «langue officielle du Québec». En ce qui a trait à la langue d'enseignement, cette loi enjoignait les enfants qui ne connaissaient pas suffisamment la langue anglaise d'étudier en français. Afin de vérifier le degré de connaissance de l'anglais des élèves, le ministre de l'Éducation pouvait «imposer des tests»[7].

---

[2] Pour un aperçu des contestations en justice de la *Charte de la langue française* et des amendements qui y furent apportés, voir: Gouvernement du Québec, *Le français langue commune: Enjeu de la société québécoise. Bilan de la situation de la langue française au Québec en 1995. Rapport du comité interministériel sur la situation de la langue française*, Québec, ministère de la Culture et des Communications, 1996, p. 23-42. À l'avenir: *Bilan de la situation de la langue française en 1995*.

[3] GÉMAR, Jean-Claude, *Les trois états de la politique linguistique du Québec. D'une société traduite à une société d'expression*, Québec, Conseil de la langue française, 1983, p. 163-164.

[4] AMYOT, Michel, «La langue et l'école. Essai de synthèse», dans Michel Amyot, comp., *La situation démolinguistique au Québec et la Charte de la langue française*, Québec, Conseil de la langue française, 1980, p. 143.

[5] ST-GERMAIN, Claude, *La situation linguistique dans les écoles primaires et secondaires, 1971-72 à 1978-79*, Québec, Conseil de la langue française, 1980, p. 87.

[6] CORBEIL, Jean-Claude, *Op. cit.*, p. 55.

[7] GÉMAR, Jean-Claude, *Op. cit.*, p. 168.

La «loi 22» n'a pas entraîné une diminution du nombre d'inscriptions d'enfants immigrants dans les écoles anglaises du Québec. Durant les trois années scolaires où cette loi a été appliquée, les établissements où l'enseignement se donnait en anglais ont reçu entre 16 % et 17 % des écoliers allophones[8]. Les «examens du ministre», très impopulaires auprès des parents de très jeunes enfants, n'ont pas orienté les enfants d'immigrants vers les écoles françaises car «un certain nombre d'élèves qui avaient échoué aux tests [...] fréquentaient tout de même illégalement des classes anglaises»[9]. De plus, un échec au test d'anglais ne signifiait pas nécessairement une scolarisation complète en français jusqu'à la Ve secondaire, puisque rien n'empêchait un écolier de se présenter à l'examen jusqu'à ce qu'il le réussisse[10].

En 1977, un troisième gouvernement revenait sur cette question. Cette fois, le gouvernement du Parti québécois a d'abord rendu public un énoncé où il exposait les principes et le contenu de sa politique[11]. En ce qui a trait à l'accessibilité à l'école anglaise, cette loi établissait une règle générale qui s'applique encore. Cette règle donne accès aux écoles anglaises du Québec à tous les enfants dont le père, la mère ou le tuteur a fait la majeure partie de ses études primaires en anglais au Canada[12]. En outre, la «loi 101» reconnaissait un droit acquis à toutes les familles dont l'un des enfants — peu importe sa langue maternelle et son pays de naissance — étudiait déjà légalement en anglais.

Dans une société de droit comme le Québec, cette règle fut très facile à appliquer et connut un succès évident. Étant donné que la «loi 101» visait la scolarisation en français des enfants d'immigrants arrivés à l'automne 1977 ou après, il s'ensuivit que, d'une année scolaire à l'autre, les écoles françaises comptèrent une part de plus en plus grande d'enfants issus de l'immigration internationale[13]. Bien que la langue maternelle des enfants ne détermine pas la langue d'enseignement au primaire et au secondaire, on a coutume de mesurer les effets de la «loi 101» en examinant la répartition des écoliers «allophones»[14] dans les écoles françaises et anglaises.

---

[8] AMYOT, Michel, *Loc. cit.*, p. 143.

[9] ST-GERMAIN, Claude, *Op. cit.*, p. 17.

[10] *Ibid.*, p. 87.

[11] Ministre d'état au Développement culturel. *La politique québécoise de la langue française*, Québec, Éditeur officiel, 1977, iv-67-[1] pages. Le ministre chargé de l'élaboration de cette loi a prononcé d'importants discours; voir: Jean-Claude Corbeil, *op. cit.*, p. 98.

[12] Entre 1977 et 1982, le lieu des études primaires du parent ou du tuteur se limitait au Québec. Mais depuis que la *Charte des droits et libertés* du Canada s'applique, ce lieu a été étendu à l'ensemble du territoire canadien.

[13] Il s'agit ici à la fois des enfants nés à l'étranger et des enfants nés au Canada de parents immigrants.

[14] Dans les ouvrages canadiens de démolinguistique, on entend par «allophone» toute personne dont la langue maternelle ou la langue d'usage à la maison n'est pas le français ou l'anglais.

Tableau 1
Proportion (%) d'écoliers allophones étudiant en français, Île-de-Montréal et ensemble du Québec, 1976-1977 à 1995-1996

Année scolaire	Île-de-Montréal	Ensemble du Québec
1976-1977	13	20
1981-1982	40	43
1986-1987	63	64
1991-1992	75	76
1994-1995	79	79
1995-1996	79	79

Note: les écoliers allophones sont définis par leur langue maternelle.

Sources: années 1976-1977 à 1994-1995: Comité interministériel sur la situation de la langue française, *Le français langue commune. Enjeu de la société québécoise. Bilan de la situation de la langue française au Québec en 1995*, Québec, Ministère de la Culture et des Communications, 1996, p. 138; année 1995-1996: ministère de l'Éducation du Québec, données informatisées non publiées, septembre 1996.

Le tableau 1 montre la rapide progression de la proportion d'écoliers allophones dans les écoles primaires et secondaires de l'Île-de-Montréal[15] et de l'ensemble du Québec. On constate qu'en 1976-1977, dernière année scolaire avant l'adoption de la *Charte de la langue française*, seulement 13 % des écoliers allophones de Montréal étudiaient en français. Pour l'ensemble du Québec, toutefois, le pourcentage était de 20 %. Cinq ans plus tard, ces proportions étaient respectivement de 40 % et de 43 %, et au début des années 1990, les trois quarts des écoliers allophones étudiaient en français tant à Montréal que dans l'ensemble du Québec. Enfin, les chiffres des dernières années montrent que la *Charte de la langue française* a, au chapitre de la langue d'enseignement, atteint son «régime de croisière»[16] avec 79 % des écoliers allophones étudiant en langue française. Seule la communauté italo-québécoise compte plus d'enfants dans les écoles anglaises que dans les écoles françaises[17].

[15] Comme il s'agit d'une «région administrative» et d'une «division de recensement» formée de l'île de Montréal et de l'île Bizard, nous devons employer la majuscule et les traits d'union.

[16] *Bilan de la situation de la langue française au Québec en 1995*, p. 136.

[17] PAILLÉ, Michel, «Aménagement linguistique, immigration et population», dans: *Le Québec en changement*, Montréal, ministère des Affaires internationales, de l'Immigration et des Communautés culturelles, 1995, p. 189-190.

Le contexte démographique des premières lois linguistiques

Ce n'est pas un hasard si à la fin des années soixante le milieu scolaire de Montréal a suscité un débat public conduisant le gouvernement du Québec à mettre fin à l'accessibilité à l'école anglaise pour les enfants issus de l'immigration. Les fondements de ce débat sont profonds et les historiens contemporains ont fort justement remarqué qu'ils se trouvaient dans le déclin de la fécondité québécoise. En effet, à la fin des années 1960, on a observé que les immigrants choisissaient l'anglais comme langue d'intégration en envoyant leurs enfants à l'école anglaise à un moment où la chute de la fécondité ne permettait plus à la majorité francophone de compenser les gains du groupe anglophone, surtout à Montréal[18].

Au cours des décennies qui ont précédé la révolution tranquille des années 1960, le Québec maintenait un niveau de fécondité relativement élevé pour une population industrialisée et urbanisée. Comme le montre l'«indice synthétique de fécondité»[19] des années 1930, 1940 et 1950 (tableau 2), la fécondité des couples québécois était nettement au-dessus du seuil de renouvellement des générations qui est d'environ 2,1 enfants par couple. Après le déclin attribuable à la crise économique des années 1930 et à la Seconde Guerre mondiale (1939-1945), on a observé une reprise de la fécondité québécoise durant les années 1950. Cette reprise avait permis de retrouver un niveau voisin de celui de 1931, avec une moyenne de 4 enfants par couple.

Tableau 2
Indice synthétique de fécondité,
Québec, 1931 à 1994 (années choisies)

Année	Indice	Année	Indice
1931	4,1	1936	3,4
1941	3,5	1946	3,9
1951	3,8	1956	4,0
1961	3,8	1966	2,7
1971	1,9	1976	1,7
1981	1,6	1986	1,4
1991	1,6	1994	1,6

Sources: Bureau de la statistique du Québec, *Démographie québécoise: passé, présent, perspectives*, Québec, Éditeur officiel, 1983, p. 95-96; Louis Duchesne, *La situation démographique au Québec, édition 1996*, Québec, Bureau de la statistique, 1996, p. 200.

[18] LINTEAU, Paul-André *et al. Histoire du Québec contemporain. Le Québec depuis 1930*, Montréal, Édition du Boréal Express, 1986, p. 550.

[19] Il s'agit du nombre moyen d'enfants par femme en âge d'avoir des enfants, c'est-à-dire qui ont entre 15 et 49 ans lors de l'année pour laquelle l'indice est calculé.

Mais on aura remarqué au tableau 2 que la baisse de la fécondité, lente au départ, s'est accélérée par la suite pour donner — pour la première fois dans l'histoire du Québec — une moyenne inférieure à 3 enfants par femmes. «En nombres absolus, alors que le Québec comptait plus de 140 000 naissances par année à la fin des années 50, il n'en comptait pas 100 000 en 1969» ce qui fait qu'au cours des années 60, «le nombre de naissances a été réduit de 32 %»[20].

Alors que le Québec assiste à la chute de sa fécondité, l'immigration internationale est portée à des niveaux plus élevés. C'est en effet à la fin des années 60 que le Québec accueille le plus grand nombre d'immigrants internationaux de son histoire: «durant les années 1966-1970, le Québec a accueilli un plus grand nombre d'immigrants qu'au cours de toutes les autres périodes quinquennales depuis la fin de la guerre, soit un peu plus de 172 000 personnes»[21] pour une moyenne de plus de 34 000 ressortissants étrangers par année.

La conjoncture démographique des années 1960 a conduit à la rupture de ce que les démographes ont appelé l'«équilibre linguistique», qui durait depuis longtemps. La chute de la fécondité et la hausse de l'immigration internationale ont ainsi placé sous une lumière plus crue la massive intégration linguistique des immigrants à la portion québécoise de la majorité anglo-canadienne. Le recensement de 1961 avait confirmé ce phénomène, incitant le *Comité interministériel sur l'enseignement des langues aux Néo-Canadiens* à souligner les faits dans un rapport remis en 1967 au gouvernement du Québec et où l'on notait le faible attrait qu'exerçait la communauté franco-québécoise, surtout dans la région de Montréal. En effet, «on dénombrait [dans la région de Montréal] 13 000 personnes environ qui déclaraient avoir le français comme langue maternelle sans être d'origine française, alors que 108 000 se disaient de langue maternelle anglaise sans être d'origine [britannique]»[22].

Le tableau 3 montre comment la situation a évolué entre 1931 et 1961. On remarque d'emblée que, d'un recensement à l'autre, le groupe de langue maternelle anglaise devançait de plus en plus le groupe d'origine britannique. L'anglais se propageait donc de plus en plus parmi les communautés issues de l'immigration internationale. C'est ainsi qu'en 1961, le nombre de Québécois de langue maternelle anglaise

[20] PAILLÉ, Michel, «Le contexte démographique québécois dans les années 60», dans Robert Comeau, Michel Lévesque et Yves Bélanger dir., *Daniel Johnson. Rêve d'égalité et projet d'indépendance*, Sillery, Presses de l'Université du Québec, 1991, p. 330.

[21] *Ibid.*, p. 332.

[22] Ministère de l'Éducation et ministère des Affaires culturelles. *Rapport du Comité interministériel sur l'enseignement des langues aux Néo-Canadiens*, dans: Guy Bouthillier et Jean Meynaud, *Le choc des langues au Québec, 1760-1970*, Montréal, Presses de l'Université du Québec, 1972, p. 704-705.

dépassait de 23 % celui des personnes se disant d'origine britannique tandis que le nombre de citoyens de langue maternelle française dépassait de moins de 1 % celui de Québécois d'origine française.

Tableau 3
Francophones et anglophones selon la langue maternelle et l'origine ethnique, Québec, 1931, 1941, 1951 et 1961

Année		française	britannique ou anglaise
1931	Langue maternelle	2 292 193	429 613
	Origine ethnique	2 270 059	432 726
	Différence en %	1,0	-0,7
1941	Langue maternelle	2 717 287	468 996
	Origine ethnique	2 695 032	452 887
	Différence en %	0,8	3,6
1951	Langue maternelle	3 347 030	558 256
	Origine ethnique	3 327 128	491 818
	Différence en %	0,6	13,5
1961	Langue maternelle	4 269 689	697 402
	Origine ethnique	4 241 354	567 057
	Différence en %	0,7	23,0

Source: LACHAPELLE, Réjean et Jacques HENRIPIN. *La situation démolinguistique au Canada: évolution passée et prospective,* Montréal, L'Institut de recherches politiques, 1980, p. 338.

Tant que la fécondité québécoise restait élevée par le fait des familles francophones[23] très nombreuses, l'intégration des immigrants à la communauté anglophone (d'une proportion de 14 contre 3 dans l'ensemble du Québec et de 25 contre 3 dans l'Île-de-Montréal) était largement compensée. Mais à partir du moment où les facteurs démographiques fondamentaux n'avaient plus les mêmes effets sur la dynamique des groupes linguistiques, l'équilibre était rompu. En somme, la chute de la fécondité, jumelée à une hausse de l'immigration internationale, rendait nécessaire le développement de moyens pour

[23] En démolinguistique, le mot francophone renvoie, soit à la langue maternelle, soit à la langue d'usage à la maison. Il n'a jamais été réservé aux seuls francophones dits «de souche». Voir: Michel Paillé, «Des Franco-Québécois pas aussi "pure laine" qu'on le pense», *La Presse*, 9 janvier 1996, p. B-3

intégrer les immigrants à la majorité francophone. Parmi les nombreuses solutions proposées, la scolarisation en français des enfants d'immigrants a été formulée en 1966[24]. Nous avons vu qu'il a fallu 10 ans de plus pour qu'une loi d'application facile vise cet objectif et donne rapidement les fruits escomptés.

Le nouvel éclairage du recensement de 1971

La comparaison des données sur la langue maternelle avec celles portant sur l'origine ethnique des personnes interrogées aux recensements canadiens ne disait cependant rien sur les choix linguistiques récents de la population recensée. En effet, toute personne qui déclarait avoir pour langue maternelle une langue ne correspondant pas à celle de son groupe ethnique d'origine, révélait un choix que ses parents, ses grands-parents ou ses aïeux avaient effectué il y a plusieurs décennies, voire quelques générations. Le constat que nous avons fait au tableau 3 est donc «en retard d'une génération»[25] à chaque recensement.

Pour donner une image plus juste de la réalité immédiate, la *Commission royale d'enquête sur le bilinguisme et le biculturalisme*, instituée par le gouvernement du Canada, a suggéré d'ajouter aux

Tableau 4
Francophones et anglophones selon leur langue maternelle, leur langue d'usage à la maison et leur origine ethnique, Québec, 1971

	française	britannique ou anglaise
Langue maternelle	4 867 250	789 185
Origine ethnique	4 759 360	640 045
Différence en %	2,3	23,3
Langue d'usage	4 870 100	887 875
Langue maternelle	4 867 250	789 185
Différence en %	0,1	12,5
Langue d'usage	4 870 100	887 875
Origine ethnique	4 759 360	640 045
Différence en %	2,3	38,7

Source: LACHAPELLE, Réjean et Jacques Henripin. *Op. cit., p. 338.*

[24] MORIN, Rosaire, *L'immigration au Canada*, Montréal, Éditions de L'Action nationale, 1966, p. 158.
[25] CASTONGUAY, Charles, *L'assimilation linguistique: mesure et évolution, 1971-1986*, Québec, Conseil de la langue française, 1994, p. 2.

recensements canadiens une question sur la «langue habituellement parlée à la maison». Ainsi, Statistique Canada pose cette nouvelle question à tous les recensements menés depuis 1971, sauf à celui de 1976. En ce qui a trait à la population québécoise, le tableau 4 montre les premiers résultats obtenus.

La comparaison usuelle entre la langue maternelle et l'origine ethnique indiquait toujours en 1971 la suprématie de l'anglais par rapport au français. La nouvelle comparaison que l'on pouvait faire à partir du recensement de 1971 entre les données sur la langue d'usage à la maison et celles sur la langue maternelle montrait les choix linguistiques que les personnes recensées avaient faits elles-mêmes. C'est ainsi que l'on a découvert que le nombre de Québécois qui faisaient principalement usage du français à la maison ne dépassait que de 3 000 personnes le nombre de gens dont la langue maternelle était le français; un gain net de 0,1 % seulement. Par contre, du côté anglophone, les gains nets étaient de près de 100 000 personnes, soit 12,5 %.

Le recensement de 1971 permettait aussi de rapprocher les informations sur l'origine ethnique et celles sur la langue d'usage à la maison. Ainsi, l'on pouvait mesurer l'effet cumulé des choix linguistiques des générations anciennes et ceux des personnes recensées. Le tableau 4 montre avec éloquence que les gains du français étaient si lents que la nouvelle question censitaire portant sur la langue habituellement parlée à la maison n'ajoutait rien de plus à notre connaissance du sujet. Par contre, le recensement permettait de voir avec quelle rapidité l'anglais faisait des gains, tant comme langue maternelle que comme langue d'usage à la maison: de 640 000 personnes d'origine britannique, on passait à plus de 789 000 personnes de langue maternelle anglaise et à près de 888 000 Québécois parlant l'anglais dans leurs foyers[26].

L'évaluation des politiques linguistiques

À la lumière des objectifs visés, les gouvernements ont mesuré occasionnellement l'efficacité de leurs décisions. Au besoin, ils apportaient des correctifs aux programmes mis sur pied pour appliquer les lois et règlements. Parfois, les lois elles-mêmes étaient amendées. En ce qui a trait à la *Charte de la langue française*, les objectifs visés étaient de «faire du français la langue de l'État et de la Loi aussi bien que la langue normale et habituelle du travail, de l'enseignement, des communications, du

[26] C'est en dehors du Québec que le recensement de 1971 montrait davantage la toute puissance de l'anglais: tandis que la comparaison de l'origine britannique à la langue maternelle anglaise donnait un gain de 35,6 %, le rapprochement entre l'origine britannique et l'usage de l'anglais à la maison indiquait un gain global de 50,9 %. Dans le cas des francophones, on s'était habitué à des pertes d'environ 35 %; la comparaison entre l'usage de la langue française au foyer et l'origine française permettait de calculer une perte globale de 52,4 %. Calculés d'après Réjean Lachapelle et Jacques Henripin, *La situation démolinguistique au Canada: évolution passée et prospectives*, Montréal, Institut de recherches politiques, 1980, p. 340.

commerce et des affaires»[27]. Même si la politique linguistique ne se limite pas à cette seule pièce législative[28], une évaluation des effets spécifiques de la *Charte de la langue française* concerne d'abord les domaines qu'elle visait. C'est ce que nous venons de faire à propos de la langue d'enseignement.

Cependant, les effets d'une politique linguistique, comme de toute politique, peuvent aller bien au-delà de la simple application d'une loi. C'est ainsi, par exemple, que les auteurs du *Bilan de la situation de la langue française au Québec en 1995* se sont penchés sur le choix de la langue d'enseignement des allophones au cégep[29]. Bien que lors de l'inscription toute personne «soit libre de choisir le français ou l'anglais selon son désir»[30], une préférence de plus en plus marquée pour les cégeps francophones pourra être interprétée comme un effet induit de la politique linguistique. En notant qu'en 1994, on trouvait dans les cégeps francophones 46,4 % de collégiens allophones, comparativement à seulement 18,2 % en 1980, on pouvait déceler un progrès attribuable à la scolarisation obligatoire en français des enfants d'immigrants au primaire et au secondaire. Par contre, en révélant que plus de 35 % des diplômés allophones du secondaire français, qui poursuivent leurs études, ont préféré s'inscrire dans un cégep de langue anglaise[31], on faisait implicitement remarquer que les institutions collégiales anglophones recevaient trois fois plus que leur quote-part[32]. On notait également que plus de 70 % des cégépiens ayant poursuivi leurs études secondaires en français dans des commissions scolaires protestantes s'inscrivent dans un cégep anglophone.

Outre la répartition des collégiens allophones selon leur langue d'enseignement, on a coutume aussi d'examiner l'évolution générale de la population du Québec répartie selon les groupes linguistiques. Compte tenu du contexte démographique qui a incité les gouvernements du Québec à faire voter des lois linguistiques, l'intérêt pour cette question, bien antérieur aux politiques linguistiques, demeure encore présent.

Il est un aspect démolinguistique qui fait l'objet d'une attention particulière: celui des «transferts linguistiques». Il s'agit d'«un changement de langue principale [...] qui survient plus précisément lorsqu'une

---

[27] *Charte de la langue française, Lois refondues du Québec*, chapitre C-11, préambule.

[28] Ministère de la Culture et des Communications. *Le français langue commune: Promouvoir l'usage et la qualité du français, langue officielle et langue commune du Québec. Proposition de politique linguistique*, Québec, gouvernement du Québec, 1996, p. 12.

[29] *Bilan de la situation de la langue française en 1995*, p. 139-140.

[30] *Ibid.*, p. 139.

[31] *Ibid.*, p. 140.

[32] Pour l'ensemble du Québec, la quote-part des anglophones est de 12 %; toutefois, dans l'Île-de-Montréal, leur quote-part serait plutôt de 31 %. Ces proportions sont basées sur le poids respectif calculé selon la langue d'usage à la maison chez les francophones et chez les anglophones au recensement de 1991.

personne change de pratique linguistique habituelle à la maison»[33]. On s'intéresse de près aux choix linguistiques des allophones, en particulier ceux qui ont immigré récemment. Il va sans dire que ces choix ont toujours été et seront toujours tout à fait libres, car aucun état démocratique ne saurait imposer l'usage d'une langue dans la vie privée, voire dans bien des domaines de la vie publique. L'intérêt que l'on porte à l'usage des langues au foyer vient d'une simple observation: la langue d'usage des parents à la maison, en particulier celle de la mère, devient généralement la langue maternelle des enfants[34]. Or, comme «la langue française est le ciment de la société québécoise»[35], son apprentissage «dans le milieu familial et le quartier où l'enfant grandit [...] est la base sur laquelle se construira la compétence adulte»[36] et la clef du renouvellement de la majorité francophone dans les générations futures[37].

Le tableau 5 décrit l'évolution de l'attraction relative du français et de l'anglais sur les allophones du Québec. On constate qu'il y a eu progression de l'attrait relatif du français en 20 ans. En effet, parmi les allophones qui parlaient habituellement le français ou l'anglais à la maison, la proportion de ceux qui ont choisi le français plutôt que l'anglais semble avoir augmenté de 29,1 % à 39,6 %. La moitié de ce gain de plus de 10 points serait survenu entre 1986 et 1991. Mais comme les données de 1991 ne sont pas directement comparables à celles des recensements précédents, il nous faut être prudent dans l'appréciation de l'ampleur réelle de cette tendance[38]. Quoi qu'il en soit, on peut affirmer qu'il y a eu amélioration de l'attraction du français sur les allophones même s'il faut reconnaître qu'avec une attraction minimale de 60 %, l'anglais demeure très fort malgré son poids démographique moindre.

Une analyse fine des recensements canadiens permet de dégager les facteurs qui expliquent le mieux l'amélioration de l'attraction du français sur les groupes allophones. On décelle un premier facteur dans les

---

[33] CASTONGUAY, Charles, *Op. cit.*, p. 89.

[34] *Ibid.*, p. 11-21.

[35] Ministère de la Culture et des Communications. *Op. cit.*, p. 33.

[36] *Ibid.*, p. 69.

[37] On peut entrevoir l'influence du quartier dans: Michel Paillé. «L'avenir démographique des francophones de l'île de Montréal», *L'Action nationale*, LXXXI-2 (février 1991), p. 222-233.

[38] Une comparaison brute des données de 1991 avec celles des recensements précédents donnerait pour l'ensemble du Canada «plus d'un demi-million d'allophones assimilés de plus en 1991 en regard de 1986, soit en l'espace de seulement cinq ans, éventualité tout à fait invraisemblable»; de plus, on constaterait une semblable apparition instantanée de 66 000 personnes francisées de plus au Québec et une anglicisation également subite de 90 000 francophones hors Québec! Charles Castonguay, «Le français, langue d'assimilation, langue d'intégration», dans *Les actes du colloque sur la problématique de l'aménagement linguistique (enjeux théoriques et pratiques). Colloque tenu les 5, 6 et 7 mai 1993 à l'Université du Québec à Chicoutimi*, Québec, Office de la langue française/Université du Québec à Chicoutimi, 1994, p. 545.

Tableau 5
Attraction relative (%) du français et de l'anglais sur la population allophone, Québec, 1971 à 1991

Langue d'attraction	1971	1981	1986	1991
Français	29,1	31,6	34,2	39,6
Anglais	70,9	68,4	65,8	60,4
Total	100,0	100,0	100,0	100,0

Source: CASTONGUAY, Charles, «Le français, langue d'assimilation, langue d'intégration», dans *Les actes du colloque sur la problématique de l'aménagement linguistique (enjeux théoriques et pratiques). Colloque tenu les 5, 6 et 7 mai 1993 à l'Université du Québec à Chicoutimi*, Québec, Office de la langue française/Université du Québec à Chicoutimi, 1994, p. 544.

modifications de la composition de l'immigration internationale. En effet, depuis les années 1970, le Québec a accueilli des immigrants originaires de pays latins et de contrées où le français a joué un rôle important. La langue maternelle de ces immigrants est le créole, le vietnamien, le khmère, l'arabe, l'espagnol et le portugais. Ces six groupes linguistiques suffiraient à eux seuls à «expliquer la majeure partie de la francisation accrue des allophones», les trois premiers s'orientant vers le français dans une proportion de 95 % et les trois autres dans une proportion de 75 %[39]. Devant ce constat, le Québec réaffirme son intention de «sélectionner des immigrants qui sont plus facilement disposés à participer à la vie québécoise en français»[40].

Un deuxième facteur serait l'obligation faite depuis 1974, et surtout depuis 1977, de scolariser les enfants d'immigrants en français. En effet, «le changement de régime scolaire semble expliquer, à lui seul, l'amélioration de l'attrait relatif du français qui subsiste par-delà ce qui est attribuable» au premier facteur[41]. Les données qui tiennent compte de l'âge des immigrants à leur arrivée montrent que le français exerce désormais un attrait supérieur chez ceux qui ont immigré avant leur 15e anniversaire[42]. Ce facteur se manifeste parmi les immigrants arrivés dans les années 1976 à 1981[43].

39 *Ibid.*, p. 549-551.
40 Ministère de la Culture et des Communications. *Op. cit.*, p. 53.
41 CASTONGUAY, Charles, *Loc. cit.*, p. 552.
42 Environ le quart des immigrants arrivent à l'âge (ou avant) de la scolarisation obligatoire. C'est donc dire que la francisation de 75 % des immigrants doit se faire autrement que par l'école.
43 CASTONGUAY, Charles, *Loc. cit.*, p. 552-553.

La proportion de francophones décline depuis 1986

Outre la question particulière du choix d'une nouvelle langue par les allophones, on s'intéresse aussi depuis fort longtemps à la composition linguistique de l'ensemble de la population du Québec ainsi qu'à celle de la région métropolitaine de Montréal et de l'Île-de-Montréal. Le tableau 6 montre l'évolution de la proportion de francophones au cours des années 1970 et 1980 dans ces trois aires concentriques dont l'Île-de-Montréal est le centre.

Tableau 6
Proportion (%) de francophones définis selon la langue maternelle et selon la langue d'usage à la maison, ensemble du Québec, région métropolitaine de Montréal et Île-de-Montréal, 1971-1991

	1971	1981	1986	1991
Ensemble du Québec				
Langue maternelle	80,7	82,4	82,9	82,2
Langue d'usage	80,8	82,5	82,7	83,0
Montréal métropolitain				
Langue maternelle	66,3	68,5	69,8	68,5
Langue d'usage	66,3	68,6	69,5	69,4
Île-de-Montréal[a]				
Langue maternelle	61,2	59,9	59,9	56,8
Langue d'usage	61,2	60,0	61,8	58,5

[a] Comprend l'île de Montréal proprement dite et l'île Bizard; les municipalités de ces deux îles forment la Communauté urbaine de Montréal.

Sources: Gouvernement du Québec. Le français langue commune: *Enjeu de la société québécoise. Bilan de la situation de la langue française au Québec en 1995. Rapport du comité interministériel sur la situation de la langue française*, Québec, ministère de la Culture et des Communications, 1996, p. 271-272.

Dans l'ensemble du Québec comme dans la région métropolitaine de Montréal, on note une augmentation de la proportion de francophones entre 1971 et 1986, que les francophones soient définis par la langue maternelle ou par la langue d'usage à la maison. Dans le cas de l'Île-de-Montréal, cependant, on remarque entre les recensements de 1971 et de 1986 un léger déclin chez ceux dont le français est la langue maternelle (de 61,2 % à 59,9 %) et une augmentation irrégulière chez ceux pour qui le français est la langue d'usage. Cette tendance générale à la hausse entre 1971 et 1986 est brisée à partir de 1986, surtout si l'on s'arrête aux proportions selon la langue maternelle. Dans le cas particulier de l'Île-de-Montréal, la baisse relative de la majorité francophone est importante, que l'on se base sur la langue maternelle ou sur la langue habituellement parlée à la maison: il y a baisse de 59,9 % à 56,8 % du côté de la langue maternelle et de 61,8 % à 58,5 % chez ceux dont le français est la langue d'usage au foyer[44].

Anticipée dès la fin des années 1980, la diminution de la proportion de francophones dans l'Île-de-Montréal a fait l'objet d'une attention particulière[45]. En 1989, on estimait qu'il faudrait attendre 1996 avant de voir la proportion de Montréalais de langue maternelle française glisser jusqu'à 56,5 %[46]. Or, le recensement de 1991 a montré, avec les 56,8 % de francophones recensés, que cette estimation, pourtant la plus pessimiste formulée jusque-là, s'est avérée trop prudente. Cette étude révélait qu'à partir de 1986, l'Île-de-Montréal accueillait en moyenne 158 immigrants non francophones pour 100 naissances de mères dont la langue d'usage est le français[47].

D'autres projections établies à partir de la langue d'usage au foyer confirmaient cette tendance à la baisse de la proportion de francophones dans l'île de Montréal et l'île Jésus. Fait nouveau, ce déclin s'étendait à l'ensemble de la région métropolitaine de Montréal puisque la plupart des 18 scénarios établis prévoient l'amorce d'une diminution relative en 2001[48].

> Tant que les francophones maintiendront un régime de sous-fécondité par rapport aux non-francophones, et tant que l'immigration internationale sera élevée, la part des francophones diminuera inéluctablement. La dynamique démographique est particulièrement défavorable au groupe francophone de la région de Montréal où se conjuguent une nette sous-fécondité par rapport à chacun des deux autres groupes (même par rapport au groupe anglophone), une immigration internationale élevée et essentiellement non francophone et, dans le cas [des îles de Montréal et Jésus], un processus d'«étalement urbain» essentiellement francophone[49].

Une mise à jour effectuée à partir de la population recensée en 1991 montre aussi des tendances à la baisse. En effet, les 22 scénarios de la dernière étude de Marc Termote estiment que la proportion de francophones, définis selon la langue d'usage au foyer, glisse sous les 50 %

---

[44] Le fait que les données du recensement de 1991 exagèrent l'amélioration de l'attraction du français atténue le déclin observé dans l'Île-de-Montréal entre 1986 et 1991.

[45] L'intérêt porté à l'Île-de-Montréal vient de la forte concentration des immigrants qui «a pour effet de réduire la proportion des francophones et de rendre plus difficile l'intégration linguistique des nouveaux venus»; dans: *Bilan de la situation de la langue française au Québec en 1995*, p. 143.

[46] PAILLÉ, Michel, *Nouvelles tendances démolinguistiques dans l'île de Montréal, 1981-1996*, Québec, Conseil de la langue française, 1989, p. 93-99.

[47] *Ibid.*, p. 48-57.

[48] TERMOTE, Marc, *L'avenir démolinguistique du Québec et de ses régions*, Québec, Conseil de la langue française, 1994, p. 234-235.

[49] *Ibid.*, p. 259.

dans l'Île-de-Montréal, ce qui aura pour effet d'entraîner à la baisse la proportion de francophones de la région métropolitaine de Montréal[50]. La figure 1 illustre l'évolution prévue pour l'Île-de-Montréal selon quatre scénarios qui ne diffèrent que par les hypothèses d'immigration internationale et de transferts linguistiques. Deux scénarios (les 12e et 13e) font entrer 40 000 immigrants par année au Québec tandis que les deux autres supposent une immigration réduite à 26 000 personnes (scénarios 15 et 16). Quant à l'adoption par les allophones du français comme langue au foyer, les deux hypothèses vont d'une «égalité entre la force d'attraction du français et de l'anglais»[51] (scénarios 12 et 15) à une augmentation de cette force d'attraction vers une situation d'égalité avec celle de l'anglais dans le reste du Canada[52] (13e et 16e scénarios). La figure 1 montre que le plus optimiste de ces scénarios (le scénario 16) estime que la proportion de francophones dans l'Île-de-Montréal en 2021 sera de 48,7 %.

Figure 1

Proportion (%) de la population de langue d'usage française à la maison selon quatre scénarios prospectifs, Île-de-Montréal, 1991 à 2021

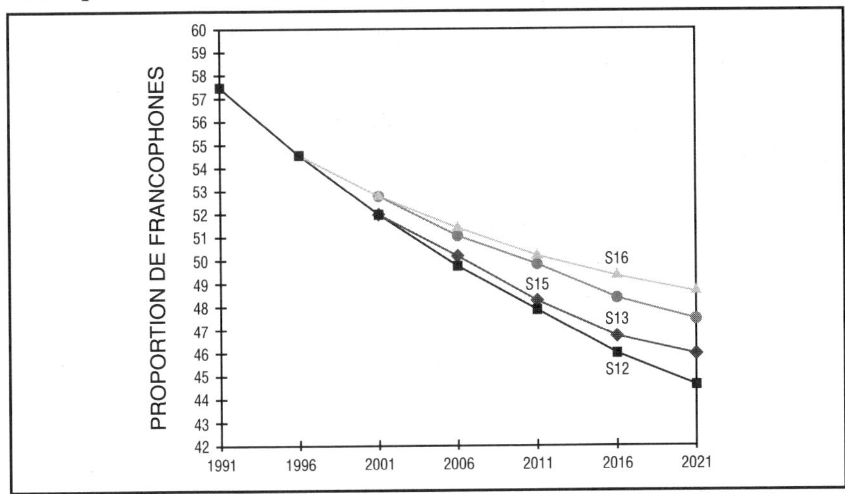

Source: TERMOTE, Marc. *Perspectives démolinguistiques du Québec et de la région de Montréal, 1991-2041*, Montréal, ministère des Communautés culturelles et de l'Immigration/Conseil de la langue française, 1995, scénarios 12, 13, 15 et 16, p. [39-42, 45-48].

---

[50] TERMOTE, Marc, *Perspectives démolinguistiques du Québec et de la région de Montréal, 1991-2041*, Montréal, ministère des Communautés culturelles et de l'Immigration/Conseil de la langue française, 1995, p. [17-60].

[51] *Ibid.*, p. 39.

[52] *Ibid.*, p. 40.

Les fichiers du ministère de l'Éducation du Québec permettent de vérifier, année après année, le déclin relatif de la majorité francophone dans l'Île-de-Montréal. Ce processus était déjà en cours durant les années 70, puisque la proportion d'écoliers de langue maternelle française est passée de 63,8 % lors de l'année scolaire 1971-1972 à 56,4 % pour l'année 1981-1982[53]. Cette tendance lourde se poursuit toujours peu importe comment on définit les écoliers francophones. En effet, entre l'année scolaire 1991-1992 et celle de 1995-1996, la proportion d'écoliers de langue maternelle française a décliné de 51,1 % à 48,7 % tandis que la proportion d'écoliers dont le français est la langue d'usage à la maison a glissé de 53,4 % à 51,8 %[54]. Les écoliers dont la langue maternelle est le français ne forment déjà plus une majorité absolue dans l'Île-de-Montréal. De plus, bien que «la mobilité linguistique des jeunes ne se confirme véritablement qu'à l'âge adulte»[55], les écoliers dont la langue d'usage est le français sont sur le point de perdre aussi leur majorité absolue. On ne s'étonnera donc pas de compter une école publique sur cinq «où plus de 50 % des élèves sont de langue maternelle autre que le français ou l'anglais»[56].

Puissance des tendances lourdes à l'œuvre

En observant le déclin de la proportion de francophones, surtout dans l'Île-de-Montréal, doit-on conclure que les politiques linguistiques n'ont pas été efficaces? Certes non; d'une part, les lois linguistiques ne pouvaient conduire à une croissance de la proportion des locuteurs du français dans la vie privée qu'à long terme. D'autre part, l'on ne saurait espérer, par une politique linguistique, faire l'économie d'une politique globale de population[57].

Pensons d'abord à une politique de la famille qui aiderait les jeunes couples à avoir le nombre d'enfants qu'ils désirent. Que l'indice annuel de fécondité soit passé de 4 à 2 enfants entre 1957 et 1970, c'est une chose; mais qu'il soit nettement tombé sous le seuil de renouvellement des générations depuis lors (voir le tableau 2 ci-haut), c'est une toute autre affaire. Au moment où l'on adoptait la *Charte de la langue française* en 1977, l'indice de fécondité descendait sous 1,7 enfant par femme et n'est jamais revenu à ce niveau depuis. Or, comme la majorité des naissances est le fait de familles francophones[58], il va sans dire

[53] PAILLÉ, Michel, *Op. cit.*, p. 107.

[54] Ministère de l'Éducation du Québec. Direction des études économiques et démographiques, fichier «Déclaration des clientèles scolaires», diverses années.

[55] *Bilan de la situation de la langue française au Québec en 1995*, p. 139.

[56] *Ibid.*, p. 138.

[57] PAILLÉ, Michel, «L'avenir de la population francophone au Québec et dans les autres provinces canadiennes», *Grenzgänge, Beiträge zu einer modernen Romanistik*, 3-1995, p. 58-59.

[58] Il importe de rappeler ici que parmi ces familles on trouve des francophones issus de l'immigration internationale ainsi que des familles de toutes origines qui ont adopté le français comme langue d'usage.

que la dénatalité affecte d'abord les francophones et en tout premier lieu les familles de l'Île-de-Montréal[59].

Au moment où la fécondité québécoise atteignait son niveau le plus bas[60], l'immigration internationale était régulièrement haussée. Avec plus de 34 000 immigrants en 1989, le Québec accueillait plus d'étrangers qu'il ne l'avait fait à chacune des 20 années précédentes. De plus, pour les années 1989 à 1993, le nombre annuel moyen d'immigrants a été porté à 44 000 personnes, un sommet dans l'histoire de l'immigration internationale au Québec[61]. Comme les immigrants privilégient toujours l'Île-de-Montréal comme lieu d'établissement, leur intégration à une société majoritairement francophone n'est assurée que par une faible partie de la population québécoise d'expression française: les Montréalais. Bien que l'immigration internationale ait déjà été réduite à moins de 28 000 personnes en 1994 et 1995, le gouvernement du Québec désire tenir compte de «la capacité d'intégration linguistique des allophones dans la région de Montréal [...] dans la détermination du volume d'immigration»[62].

En outre, les mouvements migratoires entre les diverses régions du Québec font que l'Île-de-Montréal est perdante quant à sa population de langue française. En effet, entre 1986 et 1991, l'Île-de-Montréal a accusé des pertes nettes de près de 84 000 personnes, dont plus de 68 000 dont la langue d'usage est le français. C'est donc dire que plus de 81 % des pertes nettes «sont le fait des francophones alors qu'en 1986 [...] ils comptaient pour près de 60 % de la population, soit un écart de plus de 20 points de pourcentage»[63]. Face à ce constat, le gouvernement du Québec est «à la recherche des moyens de contrer l'étalement urbain des francophones dans la région de Montréal, dans le but de restaurer la capacité des francophones d'intégrer les immigrants»[64].

Enfin, aucune politique linguistique, aussi parfaite soit-elle, ne saurait accélérer les transferts linguistiques qui s'opèrent toujours lentement. Lors de leur arrivée au Québec, environ 65 % des immigrants doivent d'abord apprendre le français. Or, la politique canadienne de bilinguisme et la concurrence continentale de l'anglais attirent une fraction importante des immigrants vers la majorité anglo-canadienne

[59] La fécondité dans l'Île-de-Montréal est plus faible que dans les régions qui l'entourent. Louis Duchesne, *La situation démographique au Québec, édition 1996*, Québec, Bureau de la statistique, 1996, p. 209-210.

[60] Le minimum de 1,35 enfant a été atteint en 1987: *ibid.*, p. 200.

[61] *Ibid.*, p. 241; cette moyenne serait inférieure de quelques milliers de personnes par année car de nombreux réfugiés dont la situation a été régularisée ces années-là étaient arrivés avant 1989.

[62] *Bilan de la situation de la langue française au Québec en 1995*, p. 232.

[63] PAILLÉ, Michel, «La migration des Montréalais francophones vers la banlieue: les faits», *Bulletin du Conseil de la langue française*, 13-2 (juin 1996): 8.

[64] Ministère de la Culture et des Communications. *Op. cit.*, p. 60.

et retardent l'adoption du français chez les autres[65]. Avant de faire usage du français dans sa vie privée, l'immigrant doit maîtriser cette langue en la parlant dans sa vie publique. Afin de mesurer globalement l'importance de l'usage du français à l'extérieur du foyer, le gouvernement du Québec a demandé de construire un indice qui «permettrait d'établir statistiquement le degré de participation des anglophones et des allophones à la vie de la société québécoise en langue française»[66].

BIBLIOGRAPHIE

AMYOT, Michel, «La langue et l'école. Essai de synthèse», dans: Michel Amyot, comp., *La situation démolinguistique au Québec et la Charte de la langue française*, Québec, Conseil de la langue française, 1980, p. 139-160.

Bureau de la statistique du Québec. *Démographie québécoise: passé, présent, perspectives*, Québec, Éditeur officiel, 1983, xxxii-457-[3] pages.

CASTONGUAY, Charles, *L'assimilation linguistique: mesure et évolution, 1971-1986*, Québec, Conseil de la langue française, 1994, xx-243-[1].

CASTONGUAY, Charles, «Le français, langue d'assimilation, langue d'intégration», dans *Les actes du colloque sur la problématique de l'aménagement linguistique (enjeux théoriques et pratiques). Colloque tenu les 5, 6 et 7 mai 1993 à l'Université du Québec à Chicoutimi*, Québec, Office de la langue française/Université du Québec à Chicoutimi, 1994, 2 vol., 692 pages, pagination continue.

CORBEIL, Jean-Claude, *L'aménagement linguistique du Québec*, Montréal, Guérin, 1980, 154-[6] p.

DUCHESNE, Louis, *La situation démographique au Québec, édition 1996*, Québec, Bureau de la statistique, 1996, 262 pages.

GÉMAR, Jean-Claude, *Les trois états de la politique linguistique du Québec. D'une société traduite à une société d'expression*, Québec, Conseil de la langue française, 1983, 201-[7] p.

Gouvernement du Québec. *Le français langue commune: Enjeu de la société québécoise. Bilan de la situation de la langue française au Québec en 1995*, Québec, ministère de la Culture et des Communications, 1996, xii-319-[5] pages.

LACHAPELLE, Réjean et Jacques Henripin. *La situation démolinguistique au Canada: évolution passée et prospective*, Montréal, L'Institut de recherches politiques, 1980, xxxii-391-[1] pages.

LINTEAU Paul-André *et al. Histoire du Québec contemporain. Le Québec depuis 1930*, Montréal, Édition du Boréal Express, 1986, 739-[1] pages.

Ministère de la Culture et des Communications. *Le français langue commune: Promouvoir l'usage et la qualité du français, langue officielle et langue commune du Québec. Proposition de politique linguistique*, Québec, gouvernement du Québec, 1996, 77-[3] pages.

Ministère de l'Éducation et ministère des Affaires culturelles. *Rapport du Comité interministériel sur l'enseignement des langues aux Néo-Canadiens*, dans Guy Bouthillier et Jean Meynaud, *Le choc des langues au Québec, 1760-1970*, Montréal, Presses de l'Université du Québec, 1972, p. 700-710.

Ministre d'état au Développement culturel. *La politique québécoise de la langue française*, Québec, Éditeur officiel, 1977, iv-67-[1] pages.

[65] L'intensité et la célérité manifestées par les immigrants dans l'adoption du français au Québec ne se compare nullement à celles avec lesquelles ils ont adopté l'anglais dans d'autres provinces canadiennes; voir: Michel Paillé, «Choix linguistiques des immigrants dans les trois provinces canadiennes les plus populeuses», *International Journal of Canadian Studies/Revue internationale d'études canadiennes*, 3, 1991, p. 185-193.

[66] Ministère de la Culture et des Communications. *Op. cit.*, p. 61.

MORIN, Rosaire, *L'immigration au Canada*, Montréal, Éditions de L'Action nationale, 1966, xi-[i]-172 pages.
PAILLÉ, Michel, *Nouvelles tendances démolinguistiques dans l'île de Montréal, 1981-1996*, Québec, Conseil de la langue française, 1989, xvi-[ii]-173-[1] pages.
PAILLÉ, Michel, «L'avenir démographique des francophones de l'île de Montréal», *L'Action nationale*, lxxxi-2, février 1991, p. 222-233.
PAILLÉ, Michel, «Le contexte démographique québécois dans les années 60», dans Robert Comeau, Michel Lévesque et Yves Bélanger dir., *Daniel Johnson. Rêve d'égalité et projet d'indépendance*, Sillery, Presses de l'Université du Québec, 1991, p. 329-334.
PAILLÉ, Michel, «Choix linguistiques des immigrants dans les trois provinces canadiennes les plus populeuses», *International Journal of Canadian Studies/Revue internationale d'études canadiennes*, 3, 1991, p. 185-193.
PAILLÉ, Michel, «Aménagement linguistique, immigration et population», dans *Le Québec en changement*, Montréal, ministère des Affaires internationales, de l'Immigration et des Communautés culturelles, 1995, p. 185-206.
PAILLÉ, Michel, «L'avenir de la population francophone au Québec et dans les autres provinces canadiennes», *Grenzgänge, Beiträge zu einer modernen Romanistik*, 3-1995, p. 42-59.
PAILLÉ, Michel, «Des Franco-Québécois pas aussi "pure laine" qu'on le pense», *La Presse*, 9 janvier 1996, p. B-3.
PAILLÉ, Michel, «La migration des Montréalais francophones vers la banlieue: les faits», *Bulletin du Conseil de la langue française*, 13-2, juin 1996, p. 7-8.
ST-GERMAIN, Claude, *La situation linguistique dans les écoles primaires et secondaires, 1971-72 à 1978-79*, Québec, Conseil de la langue française, 1980,x-117-[1] pages.
TERMOTE, Marc, *L'avenir démolinguistique du Québec et de ses régions*, Québec, Conseil de la langue française, 1994, xv-[i]-266-[1] pages.
TERMOTE, Marc, *Perspectives démolinguistiques du Québec et de la région de Montréal, 1991-2041*, Montréal, ministère des Communautés culturelles et de l'Immigration/Conseil de la langue française, 1995, [vi]-76-[66] pages.

Né à Montréal en 1941, Michel Paillé a fait ses études classiques au Collège Saint-Paul (devenu depuis le cégep Bois-de-Boulogne). Après des études en histoire (licence et maîtrise) à l'Université de Montréal, il a enseigné au secondaire à la fin des années soixante.

Par la suite, il a fait des études de 2e et de 3e cycle en démographie aux universités de Montréal et de Pennsylvanie. Après trois années d'enseignement au Département de sociologie de l'Université Bishop's, il devint agent de recherche en démolinguistique au Conseil de la langue française, poste qu'il occupe depuis 1980.

Ses ouvrages majeurs publiés par le Conseil de la langue française sont *Contribution à la démolinguistique du Québec* (1985), *Nouvelles tendances démolinguistiques dans l'île de Montréal, 1981-1996* (1989), et *Les écoliers du Canada admissibles à recevoir leur instruction en français ou en anglais* (1991). Il a collaboré à quelques revues, notamment la *Revue d'études canadiennes*, les *Cahiers québécois de démographie*, la *Revue internationale d'études canadiennes*, *Grenzgänge*, le *Bulletin d'histoire politique* et *L'Action nationale*. On l'invite régulièrement à des colloques, séminaires, interviews, etc.

Il fut témoin-expert devant le juge en chef de la Cour supérieure du Québec en août 1982. Il a été président de l'Association des démographes du Québec de 1989 à 1993.

Cinquième partie

Trente ans d'historiographie québécoise

Serge Gagnon

Dans quelle mesure l'historien a-t-il fait progresser la *connaissance* du passé? Jusqu'à quel point les valeurs du présent (les idéologies) ont-elles empêché de connaître ce passé tel qu'il fut? Retracer les idéologies qui contaminent le savoir, c'est débusquer l'anachronisme, le passéisme nostalgique ou le présentisme militant. Le métier d'historien exige un dépassement de sa propre subjectivité, celle de son temps, et même celle de l'époque étudiée. Il n'y réussit jamais parfaitement, mais cet idéal est un horizon auquel se réfère quiconque veut rendre compte de la littérature historique.

L'histoire a connu deux grandes révolutions méthodologiques. La première, l'*histoire critique*, se caractérise par des procédés de critique *externe* ou critique *d'authenticité* des documents; la critique *interne* est un test de crédibilité des témoignages. Ces opérations ont pour but d'établir la vérité des faits à une époque où l'histoire était copieusement *événementielle*. L'*histoire sociale*, aussi appelée histoire *nouvelle*, travaille à partir de textes-séries, d'où l'épithète d'histoire *sérielle* — comme des recensements, des contrats de mariages, des registres de l'état civil, des dossiers judiciaires. L'histoire sociale s'intéresse moins aux grands événements et aux personnes célèbres qu'aux masses populaires dont on reconstitue le destin à partir de témoignages indirects; l'argumentation statistique y occupe une place importante. L'étude du changement ou de la résistance au changement renvoie à la notion de longue *durée*, opposée à la durée chronique, celle qui fait les manchettes de la presse et des bulletins de nouvelles.

Au Canada, l'histoire critique s'est implantée à l'université de Toronto avec la création d'un département d'histoire en 1891. Les comptes rendus de la *Review of Historical Publications relating to Canada* (1896), remplacée par la *Canadian Historical Review* (1920), n'ont cessé de critiquer l'historiographie franco-québécoise dédiée à la louange des *héros* laïcs et religieux. Au Québec francophone, l'histoire critique s'est donné des assises institutionnelles par la création des départements d'histoire aux universités Laval et de Montréal (1947), l'année même où parut le premier numéro de la *Revue d'histoire de l'Amérique française* (plus loin, RHAF).

Pionnier de l'enseignement universitaire à Laval, Marcel Trudel (1917) a séjourné à Harvard (1945-1947) juste avant que celle-ci ne s'engage dans l'histoire sociale. Il en revient avec la conviction d'un novateur. En avant-propos de son livre d'histoire diplomatique intitulé *Louis XVI, le Congrès américain et le Canada* (Éditions du Quartier latin, 1949), il proclame la supériorité de l'histoire critique dans des termes qui trahissent sa fragilité naissante:

> Il est étrange qu'un historien en soit réduit à s'excuser d'avoir accumulé des références et une nomenclature bibliographique: l'histoire, au Canada français, est toujours confortablement assise dans la chaire de rhétorique et regarde de bien haut l'historien-chercheur qui veut être scientifique. La première s'appuie sur de belles phrases, ce dernier s'appuie sur des sources et c'est lui [...] qui pourra atteindre plus sûrement la vérité historique. En adoptant la méthode scientifique, nous ne faisons que marcher dans la voie qu'a si brillamment tracée l'érudit historien, Guy Frégault.

Formé à l'université jésuite de Chicago, ce dernier a suivi un itinéraire méthodologique comparable à celui de Trudel.

Économie et société en Nouvelle-France (Presses de l'Université Laval, désormais PUL, 1960) de Jean Hamelin (1931) constitue l'acte fondateur de l'histoire sociale. Le chanoine Groulx (*RHAF*, septembre 1961, p. 304-306) rendit hommage au jeune interprète des «soubassements de l'histoire», manière douce de souligner que l'auteur remettait en question, comme Trudel, les intentions morales et religieuses attribuées aux fondateurs du pays. Par la création de la revue *Histoire sociale/Social history* (1968, plus loin HS), Fernand Ouellet (1926) fournissait un véhicule de diffusion à la nouvelle histoire.

Le panorama qui va suivre tente de cerner les évolutions ou les réalisations marquantes en fonction des périodes étudiées et des thématiques dominantes. Pour éviter la tentation du palmarès ou de longues énumérations de titres, les ouvrages collectifs et les articles de revues spécialisées seront généralement exclus. Par convention, l'histoire de la littérature francophone du Québec ne pouvait non plus retenir, à quelques exceptions près, les œuvres de langue anglaise, même celles parues en traduction.

La Nouvelle-France

L'histoire économique et sociale de la période se terminant avec la Conquête britannique (1759-1760) a suscité de grands débats qui ont culminé avec la publication de la thèse de Cameron Nish (1927): *Les bourgeois-gentilhommes de la Nouvelle-France 1729-1748* (Fides, 1968). Jean Hamelin avait conclu *Économie et société* sur l'absence d'une grande bourgeoisie d'affaires à l'époque coloniale française, contredisant la thèse néo-nationaliste défendue par Guy Frégault (1918-1977), Maurice Séguin (1918-1984) et Michel Brunet (1917-1985). Pour ce trio, la Nouvelle-France possédait de grands entrepreneurs à l'égal des colonies américaines qui parvinrent à l'indépendance quelques années après la «catastrophe» de la Conquête. Sevrée trop tôt de sa mère-patrie, la Nouvelle-France se replia sur elle-même dans un élan de survivance après que les Britanniques en fussent devenus les nouveaux maîtres.

Habitants et marchands de Montréal (Plon, 1974) de Louise Dechêne (1932), le plus grand livre jamais publié sur l'histoire de la Nouvelle-France, a fait vieillir ces querelles idéologiques nourries du «maîtres chez nous» de la Révolution tranquille. S'inspirant des grandes monographies françaises d'histoire régionale qui exploitent les archives notariales, Dechêne propose une histoire *totalisante*, c'est-à-dire qu'elle embrasse tous les aspects de la vie collective et tente de repérer les rapports d'influence d'une sphère à l'autre: population, économie, cadres sociaux, classes sociales, famille, religion y sont successivement abordés. L'argumentation de l'ensemble subordonne, de manière classique, les structures matérielles à la sphère culturelle. Beaucoup d'interprétations tributaires des convictions nationalistes ou libérales sont disqualifiées par une grande connaissance de l'ancienne France mieux connue grâce à l'histoire sociale: le régime seigneurial canadien n'apparaît pas comme un mode de peuplement, mais institue un rapport de classe, le seigneur vivant de prélèvements fiscaux sur la production paysanne. Les bourgeois se distinguent nettement des gentilhommes. Les premiers vivent frugalement, confinant leurs désirs à l'accumulation de la richesse. Aux tissus importés, aux meubles d'ébène des intérieurs nobiliaires, s'opposent le mobilier en pin et l'étoffe du pays. La paysannerie dont les demeures sont exiguës et parfois misérables, pratique une agriculture aussi rationnelle que sa contrepartie française. Elle n'a pas ces habitudes de luxe que les élites et les historiens, à leur suite, leur ont reprochées. L'esprit d'aventure du coureur des bois a peu pénétré le monde rural. La régie des prix alimentaires n'était pas un frein à l'expansion du capitalisme, elle avait pour objectif la protection des consommateurs. Il est faux de prétendre que la mobilité sociale ascendante était élevée en Nouvelle-France. Les archives des notaires ont révélé à l'historienne une réalité différente de l'histoire écrite à partir d'essais, de mémoires et d'échanges épistolaires rédigés par les élites politiques et religieuses.

Habitants et marchands [...] est un classique de lecture agréable et plus accessible au non-spécialiste qu'un autre livre de Dechêne: *Le partage des subsistances au Canada sous le Régime français* (Boréal, 1994), une étude des rapports villes-campagnes saisis sous l'angle des approvisionnements alimentaires. Le blé est l'acteur stratégique de cette analyse dans laquelle l'auteure s'applique à départager similitudes et différences avec la société métropolitaine.

L'histoire totalisante de Louise Dechêne n'a pas eu d'imitateurs. Plusieurs historiens ont porté leur regard sur la déviance à partir des archives judiciaires. André Lachance (1937) y a consacré toute sa carrière qui a débuté avec un livre sur le bourreau. L'historien du droit Jacques Boucher (*Recherches sociographiques*, plus loin *RS*, XXVII, 3, 1986, p. 548) a souligné l'intérêt de son *Crimes et criminels en Nouvelle-France* (Boréal, 1984). *Les marginaux, les exclus et l'autre au Canada aux XVIIe et XVIIIe siècles* (Fides, 1996) traite toujours des mêmes minorités. Avec *Justice et justiciables. La procédure civile à la prévôté de Québec, 1667-1759* (PUL, 1982), John Dickinson (1948) a creusé dans le même sillon. Ces travaux sur les exclus induisent quelques lectures erronées sur la vie ordinaire de la majorité. *La vie libertine en Nouvelle-France au XVIIe siècle* (Leméac, 1972) de Robert-Lionel Séguin (1920-1982) appartient à la littérature présentiste qui reflète davantage la libération des mœurs des années 1960 que le climat moral prémoderne. Ces interprétations ne sont pas plus crédibles que l'antithèse de l'époque où l'histoire était rédigée par des prêtres. Il faut lire à ce propos Jean Blain «La moralité en Nouvelle-France: les phases de la thèse et de l'antithèse» (*RHAF*, 27, 3, déc. 1973, p. 408-416).

La vie libertine [...] insiste sur la liberté que les individus s'arrogent en bravant les interdits proclamés par l'Église et réprimés par l'État. Cette lecture libérale du passé marginal ne saurait se confondre avec une interprétation plus militante de la répression, inspirée des thèses de Michel Foucault, et dont on sent l'influence dans *Histoire de la folie au Québec de 1600 à 1850* (Boréal, 1991) par André Cellard (1958) et *Un nouvel ordre des choses: la pauvreté, le crime, l'État au Québec de la fin du XVIIIe siècle à 1840* (VLB, 1989) par Jean-Marie Fecteau (1949).

La *reconstitution des familles*, procédé mis au point par les historiens démographes, permet une lecture plus nuancée des mœurs anciennes. La méthode consiste à ouvrir une fiche de famille pour chaque mariage repéré au *registre de catholicité* dit aussi de l'état civil. L'âge des conjoints est connu par leur acte de naissance. Chaque enfant né du couple est reporté à l'histoire familiale, ce qui permet de repérer le pourcentage d'unions stériles ou encore de mesurer l'importance des conceptions prénuptiales, en calculant le nombre de premières naissances survenues moins de sept mois après le mariage. Après l'examen de cet intervalle dit *protogénésique*, l'historien calcule en nombre de mois les intervalles *intergénésiques*. Ces renseignements permettent de repérer l'existence de pratiques d'espacement, voire de planification des naissances. L'expression *famille complète* désigne les ménages dont les époux sont toujours vivants au moment où la femme atteint l'âge de la stérilité définitive (50 ans). Les fiches de familles *incomplètes* sont écartées pour l'étude de la fécondité optimale, mais elles servent à l'étude d'événements postérieurs à la mort d'un conjoint: les hommes se remarient-ils plus souvent que les veuves? À quel délai de veuvage les uns et les autres se soumettent-ils? La reconstitution automatique (informatique) des familles a permis de répondre à une foule d'interrogations. L'observation d'un intervalle intergénésique plus court par suite d'un décès à la naissance a confirmé l'hypothèse que l'allaitement prolongé était une méthode d'espacement des conceptions. À quel âge se marie-t-on? Le mariage précoce augmente d'une ou deux naissances la descendance finale en régime de fécondité naturelle (un enfant presque tous les deux ans). Le mariage tardif permet de réduire la taille de la famille. La profession des parents, le lieu d'origine, et — le cas échéant — le lien de parenté des nouveaux mariés permettent de cerner le degré d'*endogamie* sociale, géographique, familiale des populations. La méthode permet d'élargir la connaissance à beaucoup d'autres avenues qui enrichissent le savoir sur les populations anciennes.

Voué à l'informatisation des registres de baptêmes, mariages et sépultures (BMS) de la Nouvelle-France, le Programme de recherche en démographie historique (PRDH) de l'Université de Montréal a été mis sur pied à la fin des années soixante. Directeur-fondateur de l'entreprise, Hubert Charbonneau (1936) a publié *Vie et mort de nos ancêtres* (Presses de l'Université de Montréal, plus loin PUM, 1975). *Naissance d'une population. Les Français établis au Canada au XVII*e *siècle* (PUM, 1987), ouvrage collectif dirigé par Charbonneau, présente quelques conclusions tirées du fichier de population: l'espérance de vie était plus élevée en Nouvelle-France que dans la métropole, caractéristique mise au compte de la faible densité de la population coloniale, dès lors moins exposée aux risques de la contagion. L'air et l'eau potable y étaient plus salubres aussi qu'en Europe; la sélection des candidats à l'immigration est un facteur de longévité que n'annule pas la rigueur des hivers canadiens. Le marché matrimonial originel est perturbé par le déséquilibre entre hommes et femmes. Comme celles-ci sont rares, elles s'allient très jeunes à des compagnons sensiblement plus âgés. L'écart d'âge entre les époux est plus élevé qu'en France. Le remariage des veuves de moins de quarante ans y est aussi plus élevé. Écrit dans un «style [...] presque clinique», le collectif se résume souvent à des commentaires de tableaux statistiques. Pour l'historien, le quantativisme démographique est quelque peu déroutant. Celui-ci déplore le manque de mise en contexte (José Igartua, *RHAF*, hiver 1989, p. 457-459).

La banque de données montréalaise a facilité la rédaction de plusieurs monographies. Les 770 filles du roi, ces «immigrantes, filles ou veuves, venues au Canada de 1663 à 1673 [...] et ayant présumément bénéficié de l'aide royale pour le transport [...] ou l'établissement» ont été étudiées par Yves Landry dans *Orphelines en France, pionnières au Canada. Les Filles du roi au XVIIe siècle* (Leméac, 1992). La fécondité élevée de ces femmes, épousées fort jeunes, la rareté des conceptions prénuptiales font mentir l'épithète «filles de joie» (prostituées) qu'une historiographie libérale leur avait accolée (Geneviève Postolec, RHAF, hiver 1994, p. 443-444). Dans *La noblesse en Nouvelle-France. Familles et alliances* (Hurtubise, 1992), Lorraine Gadoury (1956) observe le comportement des élites coloniales; les familles nobles sont fécondes, plusieurs enfants, surtout les filles, restent célibataires et parmi celles-ci beaucoup deviennent religieuses. *Québec. Une ville et sa population au temps de la Nouvelle-France* (PUM, 1991) de Danielle Gauvreau interroge sous tous ses angles les 36 358 baptêmes, mariages et sépultures enregistrés à la paroisse Notre-Dame de Québec entre 1621 et 1765.

La démographie historique a considérablement fait progresser la connaissance du plus lointain passé québécois. Toutefois, la mise en contexte est difficile, sauf pour les minorités lettrées qui ont laissé des témoignages directs de leur vie. Les comparaisons statistiques avec d'autres populations pour y découvrir ressemblances et différences ne parviennent pas à dissiper le caractère abstrait de cette littérature savante.

La période a été étudiée sous d'autres angles, avec moins de précision certes, mais plus d'informations *qualitatives.* Dans *La civilisation traditionnelle de l'habitant aux 17e et 18e siècles* (Fides, 1967), Robert-Lionel Séguin a confondu la garde-robe de Jeanne Mance et celle du paysan. D'autres, à l'exemple de Louise Dechêne, ont appris à distinguer groupes et classes.

Avant l'avènement de l'histoire sociale, les individus appartenant aux classes dirigeantes ou dominantes faisaient l'objet d'un traitement privilégié. La nouvelle histoire a tendance à les ignorer. Dans *Pour le Christ et pour le roi: la vie au temps des premiers montréalais* (Libre expression, 1992), Yves Landry et ses collaborateurs ont exclu du «Répertoire des pionniers» les héros d'antan, Maisonneuve, Jeanne Mance, Marguerite Bourgeois, Dollard des Ormeaux, sous prétexte que ces représentants de l'élite fondatrice n'ont pas laissé de descendance (Mario Lalancette, *RHAF*, printemps 1994, p. 564-566). Ce petit monde des grands a fait l'objet d'importantes monographies, celle de Lorraine Gadoury sur *La noblesse en Nouvelle-France* (Hurtubise, 1991), celle de Jean-Claude Dubé (1925) sur *Les intendants de la Nouvelle-France* (Fides, 1984).

Ce survol a laissé dans l'ombre une foule d'articles novateurs dont ceux signés par Jacques Mathieu (1940), ou certain[e]s de ses dirigé[e]s. Dans *Les Français en Amérique du Nord XVI*^e^*-XVIII*^e^ *siècle* (PUL, 1991), Mathieu réfère à des travaux, non mentionnés ici, qui ont fait progresser la connaissance, par exemple son livre intitulé *Le commerce entre la Nouvelle-France et les Antilles au XVIII*^e^ *siècle* (Fides, 1981).

Le Régime britannique

Le mitan de la durée québécoise qui s'étale de la Conquête à la naissance de la Confédération (1867) a été à peine effleuré par les historiens démographes. La période a fait l'objet de plusieurs grandes fresques d'histoire économique et sociale. Maurice Séguin et Fernand Ouellet ont été les figures de proue d'une brochette d'auteurs plus ou moins consciemment influencés par les grandes idéologies du XXe siècle.

Commentant l'*Histoire économique et sociale du Québec, de 1760 à 1850* (Fides, 1966) par Fernand Ouellet, Pierre Savard (1936) a déploré «des affirmations massives sans indications de sources ni démonstration[1]». La remarque venait de l'auteur de *Jules-Paul Tardivel, la France et les États-Unis, 1851-1905* (PUL, 1967), monographie classique d'histoire des idées n'ayant pas d'affinités méthodologiques avec l'œuvre de Ouellet, mais elle n'en était pas moins pertinente. Comme Ouellet consolidait la position de la nouvelle histoire, certains auteurs se sentirent menacés. Dans l'avant-propos de *Les Canadiens après la Conquête, 1759-1775* (Fides, 1969), Michel Brunet écrivit de sa verve polémique habituelle:

> De nos jours, plusieurs historiens en concurrence avec les spécialistes des sciences dites exactes [...] fascinés par les prétentions de l'histoire quantitative, oublient trop souvent que les grandes découvertes sont bien plus le fruit d'une observation patiente de quelques faits dominants que le résultat d'un amoncellement de données hétéroclites et indigestes. Des colonnes de chiffres, des graphiques [...] et des tableaux [...] peuvent utilement compléter un livre d'histoire» (p.13),

mais le travail essentiel doit porter sur l'interprétation des grands événements. Le commentaire illustre à quel point le numéro deux de l'école néo-nationaliste était dépassé par la *nouvelle* histoire.

Maurice Séguin, la vedette du trio de l'Université de Montréal, affrontait les thèses ouellettiennes avec plus de rigueur. «Affronter» est un anachronisme. Soutenue au cours des années 1940, la thèse de doctorat de Maurice Séguin, *La «nation canadienne» et l'agriculture (1760-1850)*, a été publiée par les éditions du Boréal Express en 1970.

[1] Pierre de Grandpré (dir.), *Histoire de la littérature française du Québec*, tome 4, Beauchemin, 1969, p. 250.

«La déchéance incessante de notre classe moyenne» (1931) de Lionel Groulx (1878-1967), a «inspiré» (p.13) le jeune historien qui se détache du maître par son interprétation résolument matérialiste du destin national. Voulant montrer que la Conquête a eu des effets néfastes sur les Canadiens français, Séguin essaie d'expliquer leur sortie du monde des affaires comme un effet de l'annexion à l'Empire britannique. La maîtrise d'œuvre du développement laurentien par des bourgeois anglophones provoque chez les «Canadiens» un repli de survivance dans l'agriculture. C'est le début d'une interminable déchéance. «Il suffit de savoir que les Canadiens étaient surtout les paysans et les Britanniques, les commerçants, pour déduire que, plus tard, les Canadiens [français] seront les employés et les Britanniques, les patrons.» (p. 252). L'agriculture était routinière, faute de marché, soutient l'historien de Montréal, alors que Ouellet, établissant le même constat, attribuait la routine à l'incurie de l'habitant. Les deux historiens reconnaissent que trop de Canadiens embrassent le droit, la médecine, le journalisme, mais l'encombrement de ces professions est, pour Séguin, un déséquilibre induit par la Conquête: «le fonctionnarisme [étant] monopolisé par les Britanniques, les emplois dans les maisons de commerce réservés à des immigrants venus d'Écosse et d'Angleterre», les francophones n'avaient d'autres choix que l'agriculture ou, s'ils fréquentaient les petits séminaires ou collèges, une profession libérale. Pour Ouellet, l'orientation des jeunes dans ces carrières encombrées était une erreur dont les intéressés et leurs maîtres — le clergé qui dirige les collèges — étaient les seuls responsables. Autrement dit, les francophones n'auraient pas été écartés des lieux de pouvoir, mais auraient été mal préparés pour entrer de plain-pied dans la modernité capitaliste.

Des divergences apparaissent dans l'interprétation que les deux auteurs proposent de la classe seigneuriale. Selon l'interprétation (libérale) de Ouellet, cette classe dominante d'Ancien Régime exploite la paysannerie en augmentant la rente foncière et en exigeant de nouvelles charges pour concéder des terres à une population en croissance, à l'étroit dans l'espace seigneurialisé (pressions démographiques). La propriété seigneuriale freine aussi l'essor du capitalisme parce qu'elle prélève des droits de mutation sur la propriété foncière à la ville comme à la campagne et parce que les titres hypothécaires détenus par les seigneurs et autres créanciers ne sont pas enregistrés d'où la difficulté de savoir si tel immeuble est hypothéqué au moment de l'achat d'un bien foncier. Séguin, le nationaliste, incrimine plutôt l'oligarchie anglaise qui détient les immenses espaces des Cantons de l'Est et freine l'accès à la propriété foncière, cependant que, dans son esprit, le régime seigneurial rendait disponible, à bon compte, les terres non défrichées des seigneuries. Pourquoi n'a-t-on pas, se demande-t-il, seigneurialisé les

Cantons? Détesté des Britanniques, le mode de gestion seigneurial a fait en sorte que très peu d'anglophones sont devenus censitaires. Séguin en conclut que l'institution servait de rempart contre l'assimilation. Par son renouvellement de la pensée historique nationaliste, Séguin aura été l'idole des jeunes qui ont formé les premières assises du Parti québécois. Maurice Séguin, *Une histoire du Québec: vision d'un prophète* (Guérin 1995), est paru dans le contexte du référendum de 1995. Sept ans après le référendum de 1980, quatre ans après la mort de l'historien, Robert Comeau (1945) a rendu hommage à l'homme-culte dans: *Maurice Séguin, historien du pays québécois* (VLB, 1987). Le livre reproduit des témoignages et des critiques, suivis des «normes», la théorie «séguiniste» du national. Jean-Pierre Wallot (1935), son ancien élève, a courageusement regretté cet enfermement dans une «logique radicale [...] qui en venait presque à nier l'histoire en la faisant tenir tout entière dans quelques postulats généraux» (p. 58-59).

Dans *Contributions à l'étude du régime seigneurial canadien* (Hurtubise-HMH, 1987), Sylvie Dépatie, Mario Lalancette et Christian Dessureault ont heureusement dépassé les lectures idéologiques du «bon» (Séguin) et du «mauvais» (Ouellet) seigneur, en effectuant une reconstitution du rapport de classes institué par le régime, le seigneur vivant de prélèvements sur la production agricole.

Patronage et pouvoir dans le Bas-Canada 1794-1812 (Presses de l'Université du Québec, plus loin, PUQ, 1973) de Jean-Pierre Wallot et Gilles Paquet (1936) rétablit la crédibilité des classes moyennes canadiennes-françaises, cette petite bourgeoisie nationaliste malmenée par Ouellet. Avocats et notaires, concluent-ils après l'examen d'une imposante documentation, vivaient relativement bien de leur profession. En réclamant des emplois pour leurs compatriotes dans la fonction publique bas-canadienne (le Québec de l'époque), les professionnels du droit engagés dans la politique active voulaient assurer la promotion sociale d'un groupe moins bien nanti qu'eux. Le livre révèle l'existence de plantureux contrats gouvernementaux de fournitures et de services attribués à la bourgeoisie d'affaires anglophone. Le patronage exercé à l'endroit des élites francophones profite à la vieille aristocratie seigneuriale, soumise à la couronne britannique.

Ouellet s'indigna. Après avoir soutenu dans son *Histoire économique et sociale* que les entrepreneurs canadiens-français avaient été les artisans de leur propre déchéance en refusant de diversifier leurs investissements ou de consolider leur position par fusions d'entreprises, *Le Bas-Canada. Changements structuraux et crise* (Éditions de l'Université d'Ottawa, 1976) trace un portrait peu flatteur de la petite bourgeoisie politicienne du Parti canadien, devenu le Parti patriote avant les rébellions de 1837-1838. Cette classe moyenne est dévaluée à l'aide d'un vocabulaire quasi psychiatrique. La misère paysanne mise au compte des pratiques agricoles improductives dans ses premières œuvres, est ici victime du surpeuplement des campagnes; ces pressions ou tensions démographiques, déséquilibre entre population et terre nourricière, sont décrites à partir de statistiques douteuses dont la critique a démontré la fragilité. *Le Bas-Canada* est traversé par un antinationalisme exacerbé. L'éditeur de la traduction anglaise a cru bon d'atténuer le discrédit de la petite bourgeoisie patriote dirigée par Pierre Bédard auquel succéda Louis-Joseph Papineau. Serge Courville (1943), Jean-Claude Robert (1943) et Normand Séguin (1944), les auteurs de l'*Atlas historique du Québec. Le pays laurentien au XIXe siècle* (PUL, 1995), ont signalé le caractère «percutant» (p. 3) des thèses ouellettiennes, systématiquement remises en question par l'historien Jean-Pierre Wallot et l'économiste Gilles Paquet; *Le Bas-Canada au tournant du XIXe siècle: restructuration et modernisation* (Ottawa, Société historique du Canada, plus loin SHC, 1988) fait le point sur leurs études diffusées antérieurement dans plusieurs revues ou collectifs.

Les marxistes ont investi le Régime britannique d'une lecture incriminant les grands bourgeois de l'empire commercial du Saint-Laurent. *Classes sociales et question nationale au Québec, 1760-1840* (Parti Pris, 1970) du sociologue Gilles Bourque offre au lecteur le spectacle de la lutte des classes tout en avalisant la vision néo-nationaliste de Séguin. Dans *Le capitalisme et la Confédération. Aux sources du conflit Canada Québec 1760-1873* (Parti Pris,1972) de Stanley Bréhaut Ryerson (1911), on apprend l'existence d'une bourgeoisie d'affaires de langue française, en lutte contre les grands importateurs britanniques. Michel Gaumond (1934) et Paul-Louis Martin (1944) ont mis à jour la fragilité des premiers dans *Les maîtres-potiers du bourg Saint-Denis 1785-1888* (ministère des Affaires culturelles, 1978): «Se pourrait-il qu'une pensée commerciale, une conscience économique propre ait pu naître [...] autour d'un bourg artisanal comme Saint-Denis? Et que les causes du mécontentement [à l'origine des rébellions de 1837-38] aient graduellement pris force» par suite d'un «envahissement du marché par des produits d'Angleterre»? En marge de cette vision nationaliste et probourgeoise, Jean-Pierre Hardy (1945) et David-Thiery Ruddel (1943) ont affiché leur sympathie pour la classe ouvrière dans *Les apprentis artisans à Québec 1660-1815* (PUQ, 1977). L'importance du travail salarié hors de la sphère agricole a inspiré une enquête quantitative: *Entre ville et campagne. L'essor du village dans les seigneuries du Bas-Canada* (PUL, 1990) par Serge Courville. La protoindustrialisation est le concept clé de cette reconstitution magistrale. Déjà Courville et Normand Séguin avaient signalé l'importance de la production industrielle dans *Le monde rural québécois au XIXe siècle* (SHC, 1989), sans négliger pour autant le travail artisanal de la terre et le travail salarié de la forêt.

L'histoire du Québec contemporain

L'étude de la période qui débute vers le milieu du XIXe siècle est l'œuvre d'une quatrième génération d'historiens professionnels, selon une typologie élaborée par Paul-André Linteau[2] (1946). La première a surtout exploré la Nouvelle-France et, à un moindre degré, le Régime britannique. Ses chefs de file, premiers titulaires d'enseignement universitaire, se nomment Marcel Trudel et le trio néo-nationaliste montréalais, étudié par Jean Lamarre (1955) dans: *Le devenir de la nation québécoise* (Septentrion, 1993). Ces pionniers de la profession ont accédé à des postes d'enseignement universitaire durant les années 1940. Les historiens classés dans les deuxième et troisième générations sont entrés en scène au cours des années 1960-1970. Le Régime français est délaissé au profit du Régime britannique, mais la période contemporaine est nettement privilégiée.

Fernand Ouellet construit sa grande fresque, Jean Hamelin se recycle en histoire contemporaine, tandis que Jean-Pierre Wallot (1935) et Jean-Paul Bernard (1936) ouvrent des chantiers dans la période intermédiaire. Dans *Les rouges. Libéralisme, nationalisme et anticléricalisme au milieu du XIXe siècle* (PUQ, 1971), Bernard étudie les libéraux anticléricaux, ces ennemis des ultramontains auxquels l'historien Philippe Sylvain (1915) a dédié sa carrière. Les thèses de doctorat en histoire contemporaine commencent à se multiplier. Aux Presses de l'Université Laval, on en publie deux au cours de l'année 1974: *Les premières années du parlementarisme québécois* par Marcel Hamelin (1936); *L'idéologie de l'Action catholique (1917-1939)* par Richard Jones (1943). On étudie toujours le Régime français, mais le passé récent exerce une telle attraction que des spécialistes de la Nouvelle-France dont Robert Lahaise (1935), Micheline D'Allaire (1938) et Jacques Mathieu (1940) font, comme Hamelin, un grand bond en avant, sans toutefois renoncer à leur principal domaine de spécialité.

Le bilan de Linteau met en vedette une quatrième génération, la sienne, «formée d'historiens [...] nés au milieu des années 1940 [...] formés à l'université dans la seconde moitié des années 1960». Ces quinquagénaires de la fin du XXe siècle ont franchi, à ses dires, «l'étape [...] de la renommée» au début des années 1980.

Économie et société

Éminemment polyvalent, Jean Hamelin a été de tous les chantiers. Passant de l'histoire de la Nouvelle-France à celle du Québec contemporain, il a tour à tour cultivé l'histoire des travailleurs, l'histoire politique, l'histoire religieuse dans des synthèses appuyées sur des recherches originales. L'*Histoire économique du Québec 1851-1896* (Fides, 1971) publiée avec Yves Roby (1939) est un classique du genre. Albert Faucher (1915), le

[2] «La nouvelle histoire du Québec vue de l'intérieur», *Liberté*, n° 147, juin 1983, p. 34-47.

préfacier, économiste-historien formé par le grand Harold Innis à l'Université de Toronto, vient alors de publier une collection d'articles sous le titre *Histoire économique et unité canadienne* (Fides, 1970). Son *Québec en Amérique au XIXe siècle* (Fides, 1973) a le mérite de placer la vallée laurentienne dans le contexte continental. De jeunes historiens ont retenu sa démarche géographique; dans *Forêt et société en Mauricie* (Boréal, 1984), René Hardy et Normand Séguin ont montré comment la matérialité est au cœur des processus d'humanisation du territoire. Hardy a récidivé avec *La sidérurgie dans le monde rural. Les hauts fourneaux du Québec au XIXe siècle* (PUL, 1995). Cette fois, le lecteur apprend la grande diversification de l'économie rurale: des agglomérations villageoises se développent de manière extrêmement rapide puis, disparaissent en quelques années lorsque la mine n'est plus en exploitation. Le livre constitue un chapitre d'histoire sociale, tandis que *Des mines et des hommes: histoire de l'industrie minérale québécoise, des origines au début des années 1980* (Publications du Québec, 1989) par Marc Vallières (1946) explore surtout le versant technique d'un champ de recherche jusqu'alors concédé aux historiens de langue anglaise.

La prise en compte de la territorialité devait fatalement déboucher sur les différences entre villes et campagnes et les articulations entre monde rural et monde urbain. Les rapports villes-campagnes ont fait l'objet de grands colloques dont les actes ont été rassemblés dans de gros ouvrages collectifs.

Paul-André Linteau s'est imposé comme spécialiste de l'histoire urbaine. Dans *Maisonneuve ou comment des promoteurs fabriquent une ville, 1883-1918* (Boréal, 1981), il raconte l'enrichissement de francophones dans l'immobilier. Son *Histoire de Montréal depuis la Confédération* (Boréal, 1992) fait partie des grandes monographies urbaines de l'Amérique du Nord (RHAF, automne 1993, p. 286-288).

Récemment, la géographie historique s'est imposée comme nouveau champ disciplinaire. Aux Presses de l'Université Laval, deux titres importants ont paru en 1995: l'*Introduction à la géographie historique* de Serge Courville, suivi du lancement de la collection *Atlas historique du Québec*, dont le premier volume, *Le pays laurentien au XIXe siècle. Les morphologies de base* est signé Courville, Jean-Claude Robert et Normand Séguin. Aux côtés de cette macroéconomie diachronique, les auteurs d'ici ont modestement pratiqué l'histoire des entreprises. Dans *Shawinigan Water and Power, 1898-1963* (Boréal, 1994) Claude Bellavance (1956) raconte l'histoire de la multinationale absorbée par Hydro-Québec au cours des années soixante. Il s'agit d'un ouvrage analytique alors que *Québec au XIXe siècle. L'activité économique des grands marchands* (Septentrion, 1991) par George Bervin évoque, sur le mode descriptif-narratif, la bourgeoisie de la capitale au début du XIXe siècle.

Travailleurs

Faisant la critique d'un collectif intitulé *Sciences sociales et églises. Questions sur l'évolution religieuse du Québec* (Bellarmin, 1980), Jean-Paul Bernard (1936) souligne à quel point l'ouvrage «rompt [...] avec le style épique. Comme si le sort même de la religion aujourd'hui avait favorisé le développement de l'esprit critique [...] Je me demande, ajoutait-il, si le style épique ne risque pas maintenant de se manifester, par exemple, plutôt dans l'histoire dite nationale, dans l'histoire du syndicalisme et du mouvement ouvrier, dans l'histoire de la condition féminine.» (RHAF, décembre 1981, p. 428-430)

Au cours des années 1960-1980, une partie de la jeunesse étudiante occidentale a souscrit avec enthousiasme aux idéaux socialo-communistes. Mao est devenu leur idole, Castro a inspiré les intellectuels. Sortie des rangs de la Jeunesse étudiante catholique (JEC), la jeunesse militante prononça une condamnation dogmatique du capitalisme. L'histoire des travailleurs a émergé dans ce climat dopé de charge émotive. De jeunes auteurs ont dépeint la condition ouvrière avec misérabilisme. Parmi eux, Jean de Bonville (1945) a publié sa thèse de doctorat, parue sous le titre *Jean-Baptiste Gagnepetit. Les travailleurs montréalais à la fin du XIXe siècle* (L'Aurore, 1975) en la faisant préfacer par le militant syndicaliste Pierre Vadeboncœur. Relu à distance de cette fiévreuse époque, l'ouvrage demeure d'agréable lecture, mais on y perçoit la passion qui a obnubilé l'esprit critique. Les rapports de classes sont observés de manière moins subjective par Fernand Harvey (1943) dans *Révolution industrielle et travailleurs* (Boréal Express, 1978). L'auteur y retrace l'œuvre d'une commission fédérale d'enquête où ont comparu, durant les années 1880, 649 témoins dont 350 ouvriers et 150 patrons. On peut se demander si l'auteur mettrait encore des guillemets au mot «privilégié» (p. 262) pour titrer une illustration montrant des cheminots dont les conditions de travail et la rémunération auraient été jugées enviables par *Les travailleurs du coton au Québec, 1900-1915* (PUQ, 1974) de Jacques Rouillard (1945).

Le néo-libéralisme des années 1980 triomphe lorsque survient l'effondrement de l'Union soviétique; désormais, l'espérance d'une société sans classes devient rêve utopique. Pendant que l'histoire de la bourgeoisie d'affaires prend du panache, l'histoire des travailleurs perd sa tonalité militante. Rouillard symbolise l'accalmie par ses travaux ultérieurs en histoire du syndicalisme. *Les syndicats nationaux au Québec de 1900 à 1930* (PUL, 1979), publication de sa thèse de doctorat, est une œuvre où, selon la critique, «les travailleurs semblent absents» (*RS*, septembre-décembre 1981, p. 426); Jean-Pierre Charland (1954), l'un des deux signataires du compte rendu, a tenté de les rendre plus présents dans *Les pâtes et papiers au Québec, 1880-1980. Technologie, travail et travailleurs* (IQRC, 1990). De fait, l'histoire des travailleurs ne saurait se confondre avec celle du syndicalisme, même si Rouillard s'est converti en historien du monde syndical; son *Histoire de la CSN, 1921-1981* (Boréal Express, 1981), commanditée par la centrale du même nom, édulcore les épisodes les moins glorieux des luttes récentes; son *Histoire du syndicalisme au Québec: des origines à nos jours* (Boréal, 1989) est plus neutre. Bref, qu'elle soit histoire des conditions de vie ou seulement des conditions de travail, l'étude diachronique de la classe ouvrière a perdu ses griffes. L'essai ethnohistorique intitulé *Les ouvrières de Dominion Corset à Québec, 1886-1988* (PUL, 1993), sous la direction de Jean Duberger (1933) et Jacques Mathieu, marque à quel point le méchant patron est disparu des livres d'histoire, à la suite du grand virage néo-libéral des années 1980.

Femmes

Aux ouvriers «opprimés» des années 1970, ont succédé, durant la décennie suivante, les femmes «dominées» auxquelles des plumes féministes ont donné une voix; histoire présentiste, quelque peu «épique», sujette à l'anachronisme subtil. Car désirer l'émancipation des femmes peut empêcher de les voir telles qu'elles furent et imaginer des guerres de sexes qui n'ont jamais eu lieu. Que de fois a-t-on cru reconnaître, dans le passé, des populations où la femme aurait exercé un pouvoir sur sa contrepartie masculine. Pourtant, selon une historienne interrogée par la revue *L'histoire* (novembre 1992, p. 40-43), «le matriarcat n'a jamais existé». Prendre ses désirs de matriarcat éventuel pour la réalité passée est une bien mauvaise manière de comprendre la dynamique des rapports masculin-féminin antérieurs à la montée du féminisme.

Quand est parue *L'histoire des femmes au Québec depuis quatre siècles* (Éditions Quinze, 1982) du Collectif Clio (quatre historiennes), la critique a réagi vivement. «Quiconque sera capable d'endurer le petit doigt censeur et inquisiteur que secouent sans répit les auteurs [...] possédera une tolérance à l'anachronisme [...] beaucoup plus grande que la mienne», trancha l'anthropologue Jean-Jacques Simard (*RHAF*, été 1984, p. 101). La recension signée par deux spécialistes de la littérature, Réal Ouellet et Chantal Théry, est plus nuancée et généralement favorable (*Livres et auteurs québécois*, plus loin L&AQ, 1983, p. 69-73). L'historien Jean-Paul Bernard adopte une position mitoyenne qui ne manque pas de courage; une collègue l'a prévenu: «N'accepte pas de faire cette recension, ce serait suicidaire» (*RS*, septembre-décembre 1983, p. 423-428). Bernard insiste sur la faiblesse de l'ouvrage à propos de l'histoire de la natalité et celle de la vie religieuse. L'étude diachronique de la fécondité a mis au jour ce qu'on appelle la *transition démographique*. Cette mutation, «appelée aussi révolution démographique», est caractérisée «par une importante baisse de la mortalité et de la natalité», le recul de la mort commandant un ajustement des couples qui réduisent leur descendance[3]. Le Collectif Clio, s'appuyant sur les travaux démographiques, constate que la phase contraceptive de la transition a été plus lente au Québec qu'en Ontario. Les démographes qu'elles citent disaient «beaucoup plus lente», fait remarquer Bernard. Les historiennes ont atténué les motivations religieuses auxquelles il faut bien imputer la surfécondité canadienne-française, en usant de sous-titres qui majorent le désir de limiter les naissances. L'élision de la composante religieuse est plus explicite encore dans l'histoire de la vie consacrée. Les historiennes valorisent la contribution des religieuses à l'enseignement ou au soin des malades et des pauvres, travail accompli «sous le couvert de la vocation religieuse», car leur choix d'entrer en grand nombre au couvent aurait été «une stratégie pour se soustraire à la dépendance directe des hommes [...] solution de rechange à une série de situations souvent pénibles, dont le mariage et les grossesses; un moyen chez certaines de devenir "femmes de carrière" dans un monde où l'accès aux universités et aux professions était interdit».

À la recherche d'un monde oublié. Les communautés religieuses de femmes au Québec (Le Jour, 1991) de Nicole Laurin (1943), Danielle Juteau (1942) et Lorraine Duchesne est écrit de la même encre. La critique a noté que cette sociologie historique «a oublié la réalité religieuse [...] Dès lors, on comprend pourquoi» les auteures ont eu «du mal à faire rentrer les contemplatives dans une problématique de répartition et de l'organisation du travail». Le critique doute de la validité d'une analyse qui perçoit les religieuses «comme enjeu essentiel du rapport Église, État, Capital et donc comme pierre angulaire de la main d'œuvre féminine»; cette histoire enfin relègue dans l'ombre les motivations proprement religieuses de l'entrée au couvent (*Études d'histoire religieuse*, plus loin *EHR*, 1993, p. 152-153).

La nouvelle édition de l'*Histoire des femmes* (1992) par le Collectif Clio présente encore quelques affirmations gratuites à mettre au compte de la cause féministe. En voici deux, tirées de la critique de Marie-Aimée Cliche: 1) le programme de maîtrise en bibliothéconomie accueille surtout des hommes alors que les techniques de la même discipline enseignées aux cégeps sont surtout choisies par des femmes, lit-on dans l'*Histoire des femmes*. Or «[...] à l'école de bibliothéconomie de l'Université de Montréal, les filles étaient deux fois plus nombreuses que les garçons, et cette répartition se maintient bon an mal an depuis la création du programme en 1963»; 2) Il est également inexact d'affirmer qu'à partir du milieu du XXe siècle, «l'anesthésie générale est utilisée systématiquement dans tous les cas (d'accouchement), sauf pour les filles-mères, qu'on veut punir ainsi de

[3] Hubert Charbonneau, *La population du Québec. Études rétrospectives*, Boréal Express, 1973, p. 9-10.

leur péché [...] les archives de l'hôpital de la Miséricorde de Québec révèlent que le premier cas d'accouchement [d'une mère célibataire] sous anesthésie date de 1901 et que cette pratique existait dans les années 1930 et 1960.» (*EHR*, 1993, 154-157)

On ne saurait mettre en cause le mouvement féministe. Mais son inévitable charge émotive est susceptible de déformer la lecture du passé. Dans *Les religieuses sont-elles féministes?* (Bellarmin, 1995), Micheline Dumont (1935), l'une des quatre historiennes du Collectif Clio, reprend l'hypothèse suivant laquelle la vie religieuse aurait servi de substitut au féminisme qui, en Grande-Bretagne, par exemple, revendiquait le droit de vote pour les femmes. La question est bien posée: sont-elles «aujourd'hui» féministes? Oui, pourquoi pas? Mais répondre oui pour 1900, c'est prêter un attribut imaginaire aux religieuses du passé.

Avec *La norme et les déviantes. Des femmes au Québec pendant l'entre-deux-guerres* (Éd. du Remue-ménage, 1989), Andrée Lévesque (1939) convie ses lecteurs loin des couvents. Ici, les femmes ne sont pas «des vierges dévouées au bien d'autrui [...] la contraception, l'avortement, l'infanticide et l'abandon d'enfant» se situent aux marges du modèle dominant de l'épouse-mère (Danielle Laberge, *RHAF*, automne 1989, p. 268-270). *La prostitution féminine à Montréal: 1945-1970* (Boréal, 1994) de Danielle Lacasse (1960) prolonge, pour un groupe particulier, le monde féminin mis au jour par Lévesque. «Cette thèse, qui s'alimente aux sources du féminisme, nous apparaît sous certains aspects contestable», écrit le criminologue Jean-Paul Brodeur (*RHAF*, été 1996, p. 123-125). Celui-ci met en doute l'importance de l'entrepreneurship féminin; il n'est pas convaincu que les prostituées «étaient moins exploitées» lorsque le patronat était de sexe féminin. Malgré ces lacunes, ces études ont révélé la condition diversifiée des femmes d'autrefois. Qui plus est, les travailleuses du sexe ne sont plus perçues comme des nymphomanes aux appétits insatiables qui transgressent sans regret les tabous sexuels. Elles gagnent leur vie, peut-être moins durement, il est vrai, que les travailleuses du coton.

Quiconque est un peu agacé par la lecture des livres d'histoire sur fond de guerre des sexes parcourra avec ravissement *Ménagères au temps de la crise* (Éditions du Remue-ménage, 1991) de Denyse Baillargeon (1954). L'auteure a interrogé des aînées qui ont vécu les années trente aux côtés de maris solidaires. Dans *Les femmes au tournant du siècle, 1880-1940* (IQRC, 1989), par Denise Lemieux et Lucie Mercier (1943), le contexte est moins précaire. Des récits autobiographiques publiés, et dès lors témoignages d'une certaine élite, sont à l'origine de ce beau livre d'anthropologie historique retraçant les âges de la vie, la maternité et la vie quotidienne. L'élégance de l'écriture s'allie à la solidité de l'information et fait oublier les mornes froideurs des moyennes statistiques.

L'histoire des femmes débouche sur l'histoire de la famille appréhendée sous l'angle de l'histoire religieuse dans Serge Gagnon (1939), *Mariage et famille au temps de Papineau* (PUL, 1993), mais il existe d'autres avenues pour la connaissance des familles d'autrefois.

Familles

La période contemporaine a fait l'objet d'une grande entreprise de reconstitution des familles. L'entrepreneur se nomme Gérard Bouchard (1943). *Quelques arpents d'Amérique. Population, économie, famille au Saguenay, 1838-1971* (Boréal, 1996) exploite une partie du fichier (125 000 familles) conçu à partir des registres de naissances, mariages et sépultures, puis enrichi par diverses données sérielles provenant des sources les plus diverses comme les recensements et les actes notariés. L'interrogation centrale du livre renvoie à la sphère économique. Comment établit-on les enfants, comment s'effectue la *reproduction familiale* aussi appelée *reproduction sociale*? La paysannerie saguenayenne établit ses fils, les filles trouvant leur sécurité matérielle par le mariage. L'établissement de plusieurs fils (ou pluriétablissement) est un système dit ouvert, par opposition au système fermé qui consiste à établir un seul fils sur le patrimoine familial. Pour assurer à chacun un capital agricole, les enfants encore célibataires sont astreints au *service familial*: le salaire gagné dans les chantiers ou dans le service domestique est mis à contribution dans la formation de nouveaux ménages. Comme stratégie de pluriétablissement, quelques familles vendent le «vieux bien», la terre paternelle, dont la valeur marchande est élevée, puis acquièrent à vil prix de grands espaces boisés que défriche la main-d'œuvre familiale.

Le volet démographique du livre interprète les renseignements accumulés sur plus de six mille familles paysannes *complètes*. Ces familles comptent une dizaine d'enfants, si l'on écarte les cas exceptionnels de 15, voire 20 descendants. L'allaitement prolongé constitue une méthode répandue d'espacement des naissances. Les jeunes filles étant mariées au tout début de la vingtaine, elles mettent au monde un enfant presque tous les deux ans. Il s'agit de la famille normale, presque sans histoire, ce qui écarte les unions stériles (huit couples sur cent) et les ménages rompus prématurément par la mort d'un conjoint.

Observant de façon privilégiée la famille complète, Bouchard est en mesure de déceler à partir de quel moment les conjoints réduisent leur descendance. Lorsqu'il n'y a plus de terre disponible ou d'espace à coloniser? Pour répondre aux pressions démographiques, va-t-on retarder l'âge au mariage afin de faire l'économie d'une ou deux naissances? L'étude établit l'évidence statistique du maintien d'une forte natalité, malgré la difficulté croissante à établir les enfants. Dès lors, l'auteur rejette l'interprétation économique et oriente l'explication du refus «d'empêcher la famille» du côté des facteurs culturels, ou plus précisément religieux. Le décrochage des prescriptions religieuses s'effectue seulement au cours des années quarante. Des enquêtes orales ont révélé que plusieurs couples, se conformant aux exigences catholiques, ont soit cessé d'avoir des relations sexuelles après un certain nombre de naissances, soit eu recours au coït interrompu, et dès lors dérogé aux prescriptions religieuses. Ces derniers sont les précurseurs de la révolution sexuelle des années 1960 (les années-pilules), préfigurée par la montée des conceptions prénuptiales. Vers 1900, seulement trois premiers-nés sur cent étaient conçus avant le mariage. Au cours des années 1920, la proportion a presque doublé. Au milieu du siècle, sur cent enfants de premier rang de naissance, huit sont le fruit de rapports sexuels anténuptiaux. La proportion monte à neuf au cours des années 1960.

Recourant de façon systématique à l'histoire comparée, Bouchard insiste sur la ressemblance des comportements saguenayens avec d'autres populations pionnières. Même si la famille nombreuse n'est pas une exclusivité catholique, l'auteur doit reconnaître que l'hyperfécondité persistante des Québécois francophones est attribuable à la soumission aux exigences catholiques proscrivant les rapports sexuels en dehors du mariage et interdisant aux couples mariés des relations volontairement stériles.

Alors que l'ancienne historiographie mettait en relief la différence catholique, les historiens de la génération Linteau ont insisté sur la parenté culturelle des Québécois francophones avec le reste de la civilisation atlantique. Dans une plaquette intitulée *Entre l'Ancien et le Nouveau Monde* (PUO, 1996, p. 13), Bouchard écrit que les auteurs de naguère manifestaient une véritable «obsession de la différence».

Dans «La quête d'une société normale: critique de la réinterprétation de l'histoire du Québec» (*Bulletin d'histoire politique*, vol. 3, hiver 1995, p. 9-42), Ronald Rudin a fait le point sur la génération d'historiens qui ont mis en relief la ressemblance des Québécois francophones avec le reste de l'Occident. Ils «ont rejeté, écrit-il, le rôle directeur de l'Église [...] Libérés du besoin qu'éprouvaient leurs prédécesseurs d'expliquer la signification de la Conquête, ces révisionistes tendent à porter leur attention sur les XIXe et XXe siècles. Ils y ont trouvé un Québec en voie d'urbanisation ou profondément divisé par des conflits de classe, comme l'étaient la plupart des autres sociétés occidentales.» Bien que Bouchard ait étudié le monde paysan et reconnu sa résistance au changement en matière de reproduction biologique, il fait partie de ces historiens du pareil-comme-ailleurs.

Religion

Le Québec, soutiendront certains historiens du catholicisme, se distingue nettement du reste de l'Occident, parce qu'il s'est désacralisé ou sécularisé beaucoup plus tard qu'ailleurs. *Les Zouaves* (Boréal Express, 1980) de René Hardy (1943) retrace l'épopée de ces jeunes Québécois francophones, partis au secours du pape assiégé par les artisans de l'unité italienne au millieu du XIXe siècle. Hardy y perçoit une stragégie cléricale visant à maximiser la propagande ultramontaine, courant intégriste qui conférait au clergé un poids politique jugé exceptionnel à l'orée de la civilisation industrielle. Cette histoire de l'Église en tant que pouvoir qui affronte l'autorité de l'État a été reprise par Jean Hamelin et Nicole Gagnon (1938) au volume 3 (tome 1) de la collection «Histoire du catholicisme québécois»: *Le XXe siècle, 1898-1940* (Boréal, 1984). Il est assez peu question de la croyance, de la ferveur religieuse dans ce livre pourtant paru au moment où Jean-Paul II mettait le pied en sol québécois. Le catholicisme y est réduit au rang d'une idéologie. Aux dires des auteurs, les jeunes auraient choisi la prêtrise sous l'effet d'une «structure d'inconscient, de type incestueux» (p. 130), symbolisant la fidélité à la seule femme de leur vie, leur mère... Lucien Lemieux colle davantage à la réalité proprement religieuse dans le volume de la série intitulé *Les années difficiles, 1760-1839* (Boréal, 1989). Nive Voisine a signé avec Philippe Sylvain le volume 2, *Réveil et consolidation, 1840-1898* (Boréal, 1991). La partie écrite par Voisine innove en ce qu'elle trace le profil moral et religieux des prêtres et des fidèles, en tant que communauté croyante. De ce point de vue, le livre marque une réorientation de l'histoire religieuse. Collaborateur du collectif *L'Église catholique et la société québécoise* (Musée du Québec, 1984), Guy Laperrière (1942) a préfiguré l'avènement de cette nouvelle histoire religieuse, en écrivant que même si les vocations, nombreuses encore aux premières décennies du XXe siècle, «n'étaient pas exemptes de motivations extra-religieuses [...] le plus souvent, les entrées en religion étaient le fruit d'une ardente aspiration spirituelle, d'une volonté de consacrer sa vie à Dieu. Le nombre de vocations constitue un bon indicateur de la densité spirituelle du Québec» (p. 169). Avec de telles interprétations, l'historiographie du catholicisme, à la fin du XXe siècle, tente d'appréhender le «sentiment religieux», comme l'a écrit l'historienne des confréries, Brigitte Caulier[4] (1957), ce qui n'empêche pas la coexistence d'études remarquables étrangères à ces préoccupations.

En histoire des communautés religieuses, Laperrière a signé un ouvrage capital: *Les congrégations religieuses: de la France au Québec: 1880 à 1914* (P.U.L. 1996). Dans *Les dots des religieuses au Canada français, 1639-1800. Étude d'histoire économique et sociale* (Hurtubise-HMH, 1986), Micheline D'Allaire a retracé la provenance sociale des femmes entrées au couvent. Elle a découvert un changement du bassin

---

[4] Dans Pierre Hurtubise et collab., *Status Quæstionis. Actes du colloque [...] du 25e anniversaire du Centre de Recherche en Histoire Religieuse du Canada*, Ottawa, Université Saint-Paul, 1994, p. 47-59.

de recrutement: nombreuses aux origines, les filles de nobles et de bourgeois sont relayées par des enfants du peuple. Les historiens-démographes Yves Landry et Louis Pelletier (1959) soulignent l'apport scientifique de ce livre qui, disent-ils, «replace l'histoire religieuse dans sa juste perspective: au service de l'histoire économique et sociale» (*RHAF*, automne 1987, p. 253-256). Est-ce à dire que Marie-Aimée Cliche a raté la cible dans *Les pratiques de dévotion en Nouvelle-France* (PUL, 1988)? Il n'est pas facile, il est vrai, de distinguer le religieux du profane; François Rousseau (1946) s'est intéressé à l'un et à l'autre dans *La croix et le scalpel. Histoire des Augustines et de l'Hôtel-Dieu de Québec 1639-1892* (Septentrion, 1989). *Entre voisins* (Boréal,1992), le beau livre de Lucia Ferretti, étudie, pour sa part, la religion comme culture dans une paroisse montréalaise depuis le milieu du XIXe siècle jusqu'à la Grande dépression. Dépassant l'histoire anticléricale des années soixante, elle réussit à démontrer que l'Église n'opposait pas de résistance opiniâtre à la modernité urbaine et industrielle comme l'a écrit le tandem Hamelin/Gagnon.

L'histoire de la croyance en Dieu, au péché, à l'immortalité bienheureuse ou malheureuse est l'objet des deux livres de Serge Gagnon: *Mourir hier et aujourd'hui* (PUL, 1987), *Plaisir d'amour et crainte de Dieu* (PUL, 1990). Le second titre que le sociologue Raymond Lemieux suggère «comme outil de méditation, entre les mains des enseignants du secondaire et du collégial» (RS, septembre-décembre 1993, p. 544) étudie, dans un style accessible, l'aveu des fautes sexuelles; l'histoire de la confession, devenue un domaine de prédilection de la recherche, est également abordée par Christine Hudon (1966) dans un livre à la fois savant et captivant, *Prêtres et fidèles dans le diocèse de Saint-Hyacinthe 1820-1875* (Septentrion, 1996), remaniement d'une thèse dirigée par Jean Roy (1943), historien de la pratique religieuse à l'Université du Québec à Trois-Rivières.

Toutes ces œuvres en solo ne sauraient faire ombrage aux auteurs d'articles publiés dans les revues savantes, non plus qu'aux grandes enquêtes et publications collectives sur l'histoire des catéchismes sous la direction de Raymond Brodeur (1946) et Brigitte Caulier, ou encore aux travaux menés par Louis Rousseau (1939) et René Hardy dont les articles sont un avant-goût des livres qui diront la différence québécoise, au temps où le christianisme catholique tenait presque lieu de culture.

Culture

Rien de plus difficile à définir que la culture. Au premier chapitre de son *Histoire culturelle de la France* (Colin, 1974), Maurice Crubellier exprime son embarras devant cent soixante-trois définitions recensées par des ethnologues au milieu du XXe siècle. Il s'en est ajouté des dizaines depuis lors, par exemple, celle de la Déclaration de Mexico à la conférence mondiale de l'UNESCO sur les politiques culturelles (1982), qui englobe la religion, alors que d'autres l'excluent. L'histoire de la *culture matérielle* pratiquée par Paul-Louis Martin dans *La chasse au Québec* (Boréal, 1990) ou *Promenades dans les jardins anciens du Québec* (Boréal,1996), ouvrage en collaboration avec Pierre Morisset, se situe résolument en terrain profane. Mais la matérialité des œuvres d'art et des objets religieux reproduits dans *Les arts sacrés au Québec* (Éditions de Mortagne, 1989) par Jean Simard (1941) ne nous met-elle pas en présence d'une culture *spirituelle*? Refusant de se laisser paralyser par la polysémie du concept de culture, les historiens dépècent le secteur en multiples sous-objets de recherche: ils reconnaissent des traits culturels propres aux classes élitaires qui se distinguent par leurs goûts et dégoûts, leur sensibilité, le discours (l'idéologie) qui rend compte, voire justifie leur positionnement dans la structure sociale. La culture savante se distingue de la culture populaire. Celle-ci est dite à *usage populaire* lorsqu'il s'agit d'une culture de grande diffusion, comme la désignent Paul-André Linteau, René Durocher (1938), Jean-Claude Robert et François Ricard (1947) dans l'*Histoire du Québec contemporain* (2 volumes, Boréal, 1979, 1986). On l'appelle encore culture de masse, parce qu'elle est associée aux médias qui en diffusent les contenus. Cette culture de consommation, intégrée à l'économie marchande, se distingue de la création populaire: contes, légendes, proverbes, outils, arts décoratifs, etc.

L'histoire des idéologies, forme d'histoire culturelle pratiquée à profusion jusqu'aux années 1980, a été renouvelée par Fernande Roy dans *Progrès, harmonie, liberté: le libéralisme des milieux d'affaires francophones à Montréal au tournant du siècle* (Boréal, 1988). Cet ouvrage «brillamment conçu et vigoureusement documenté» (Ramsay Cook, *RHAF*, été 1989, p. 117) s'en tient au libéralisme économique. Or, il existe aussi un libéralisme politique et un libéralisme religieux: «on voit mal comment on pourrait exclure les notions de liberté de conscience, de liberté d'expression, de liberté de presse, etc., de la notion de libéralisme», écrit Jean de Bonville à propos de ce livre (*RS*, janv.-avr. 1990, p. 121). À vrai dire, Fernande Roy s'en est tenue à l'idéologie des milieux d'affaires à travers des périodiques s'adressant à cette classe. Son champ d'observation exclut les grands débats entre clergé et petits bourgeois, libéraux ou ultramontains, qui avaient auparavant fait l'objet de plusieurs livres, celui par exemple de Nadia Eid: *Le clergé et le pouvoir politique au Québec. Une analyse de l'idéologie ultramontaine au milieu du XIXe siècle* (Hurtubise, 1978).

L'histoire de l'éducation fait d'emblée partie de l'histoire culturelle. *Les collèges classiques au Canada français 1620-1970* (Fides, 1978) de Claude Galarneau (1925) étudie le milieu de formation des élites politico-religieuses jusqu'à l'avènement des cégeps. Les internautes pourront repérer d'autres ouvrages sur l'enseignement technique (Jean-Pierre Charland), l'enseignement ménager (Nicole Thivierge, 1940), les écoles normales (Thérèse Hamel, 1953) et l'enseignement universitaire (Hélène-Andrée Bizier, Lucia Ferretti, Jean Hamelin) en consultant les catalogues des grandes bibliothèques. *L'histoire de la faculté de médecine de l'Université de Montréal 1843-1993* (VLB, 1993) de Denis Goulet (1954) relève de l'histoire de l'enseignement et de celle de la science médicale à laquelle on a consacré plusieurs livres. *L'Histoire des sciences au Québec* (Boréal, 1987) de Luc Chartrand, Raymond Duchesne (1952) et Yves Gingras (1954) élargit le regard à l'ensemble des sciences naturelles, fondamentales ou appliquées. Cette histoire sociale de la culture savante ou élitaire a donné lieu à une floraison de travaux sur les conditions de production et de diffusion du livre *Édouard-Raymond Fabre libraire et patriote canadien 1799-1854* de J.-L. Roy (Hurtubise, 1974). Cet ouvrage est une étude pionnière d'agréable lecture sur la diffusion du produit culturel. Avec *Livre et politique au Bas-Canada 1791-1849* (Septentrion, 1991) de Gilles Gallichan, le genre s'est donné des œuvres de maturité.

Parmi les travaux sur la culture de grande diffusion, la seconde thèse de doctorat de Jean de Bonville, publiée sour le titre *La presse Québécoise de 1884 à 1914. Genèse d'un média de masse* (PUL, 1988) renouvelle les perspectives. À travers l'analyse des périodiques à grand tirage et les publications spécialisées ayant trait à la promotion publicitaire, l'auteur esquisse une histoire des prodrômes de la culture de masse. Fernande Roy a souligné les qualités de ce livre savant (*RHAF*, hiver 1990, p. 407), parfois agrémenté d'anecdotes savoureuses comme celle relatant la décision de fabriquer des affiches françaises pour la soupe Campbell...

S'il fallait nommer le chercheur le plus engagé, le plus prolifique en histoire de la culture, le nom d'Yvan Lamonde (1944) ferait probablement l'unanimité. Il a exploré à la fois le populaire et l'élitaire. Signées en solo ou en collaboration, ses nombreuses publications traitent d'histoire du livre, de la philosophie, de l'idéologie, du loisir populaire (les parcs urbains, le cinéma).

Ce bilan — trop court — comporte de nombreuses lacunes. L'histoire ethnoculturelle, celle des Amérindiens, des minorités québécoises d'implantation plus récente, a fait l'objet de plusieurs monographies. Reléguée dans l'ombre par l'histoire sociale, l'histoire politique cultivée par l'historien Réal Bélanger (1943) ou de nombreux politicologues est restée vigoureuse et s'est parfois transformée en *nouvelle histoire* de l'État. Enfin, d'importants travaux sur l'histoire québécoise ont été signés par des non-Québécois. John Irvine Little (1947) et Allan Greer, par exemple, se sont mérité le prix Lionel-Groulx pour le meilleur ouvrage en histoire de l'Amérique française décerné annuellement par l'Institut d'histoire de l'Amérique française.

L'époque où Léandre Bergeron (1933) pouvait endoctriner les cégépiens avec *Le petit manuel d'histoire du Québec* (Éditions québécoises, 1970) est révolue. L'hyperprésentisme des manuels aussi. Qu'on se souvienne du livre intitulé *Histoire 1534-1968* (Éditions du Renouveau pédagogique, 1968), collectif signé Denis Vaugeois (1935) et Jacques Lacoursière (1932), assistés de Jean Provancher (1943) et Paul-André Linteau. L'équipe remerciait Maurice Séguin parmi les personnes ayant «favorisé la réalisation» du manuel. Baliser l'itinéraire souverainiste était l'objectif visé des rédacteurs. Même l'histoire de l'indépendance américaine fut mise à contribution dans la promotion de cet objectif ultime (p. 233). L'ouvrage était rempli de perles idéologiques énoncées dans le texte ou par l'illustration. Alors que, dans les manuels hors Québec, les synthèses trouvaient, dans le récit de la participation canadienne aux guerres mondiales, une occasion de cultiver le patriotisme, les soldats d'*Histoire 1534-1968* sont défaits, humiliés par les nazis, comme les conquis de 1760... Dans un chapitre d'histoire contemporaine, la photographie d'un Pierre Elliot Trudeau au regard psychotique contraste avec la force tranquille que dégagent des clichés représentant ses vis-à-vis politiques québécois. Il est vrai que cette première édition fut aussitôt remplacée par une version révisée aux connotations idéologiques plus sobres. Cette histoire propagande a été relayée par des synthèses comme l'*Histoire du Québec contemporain* d'où a été banni le nationalisme ethnique: être Québécois, c'est aussi être juif, anglophone, musulman et citoyen de l'Occident.

BIBLIOGRAPHIE

BLAIN, Jean, «La moralité en Nouvelle-France: les phases de la thèse et de l'antithèse», RHAF, déc. 1973, p. 408-416.

BOUCHARD, Gérard, «La science historique comme anthropologie sociale: plaidoyer pour une méthodologique», En collab., *La philosophie de l'histoire et la pratique historienne d'aujourd'hui*, Éditions de l'Université d'Ottawa, 1982, p. 3-17.

BOUCHARD, Gérard, «Sur les mutations de l'historiographie québécoise: les chemins de la maturité», Fernand Dumont (dir.), *La société québécoise après 30 ans de changements*, IQRC, 1990, p. 253-272.

DUBUC, Alfred, «L'influence de l'École des Annales au Québec», *RHAF*, vol. 33, nº 3, décembre 1979, p. 357-386.

FAUCHER, Albert, «Pseudo-marxisme et révolution au Québec. Réflexions sur la propagande de Léandre Bergeron», Académie des sciences morales et politiques, *Travaux et communications*, vol. II, Bellarmin, 1974, p. 117-130.

GAGNON, Serge, *Quebec and its Historians: The Twentieth Century*, Harvest House, 1985.

LAMONDE, Yvan, «La recherche sur l'histoire socio-culturelle du Québec depuis 1970», *Loisir et société*, vol. 6, nº 1, printemps 1983, p. 9-41.

LAPERRIÈRE, Guy, «L'histoire religieuse du Québec: principaux courants, 1978-1988», *RHAF*, vol. 42, nº 4, printemps 1989, p. 563-578.

LAPERRIÈRE, Guy, «Vingt ans de recherches sur l'ultramontanisme. En hommage à Philippe Sylvain», *RS*, vol. 27, nº 1, 1986, p. 79-100.

LINTEAU, Paul-André et Fernand Harvey, «L'évolution de l'historiographie dans la *Revue d'histoire de l'Amérique française* 1947-1972», RHAF, septembre 1972, p. 163-183.

LINTEAU, Paul-André, «La nouvelle histoire du Québec vue de l'intérieur», *Liberté*, juin 1983, p. 34-47.

OUELLET, Fernand, «La modernisation de l'historiographie et l'émergence de l'histoire sociale», *RS*, vol. 26, n°s 1-2, 1985, p. 11-83.

ROBY, Yves et Nive Voisine (dir.), Érudition, humanisme et savoir. *Actes du colloque en l'honneur de Jean Hamelin*, PUL, 1996.

ROUILLARD, Jacques, dir., *Guide d'histoire du Québec; du Régime français à nos jours*, Montréal, Éditions du Méridien, 1993, 354 p.

RUDIN, Ronald, «La quête d'une société normale: Critique de la réinterprétation de l'histoire du Québec», *Bulletin d'histoire politique*, hiver 1995, p. 9-42.

SAVARD, Pierre, «Un quart de siècle d'historiographie québécoise», *RS*, vol. 15, nº 1, janvier-avril 1974, p. 77-96.

Serge Gagnon est né à Sainte-Agnès, en Charlevoix, le 4 novembre 1939. Après avoir enseigné au Collège de Sainte-Anne (La Pocatière) de 1963 à 1967, Gagnon est devenu professeur d'histoire à l'université d'Ottawa (1967-1976). Il enseigne à l'Université du Québec à Trois-Rivières (UQTR) depuis vingt ans; il est rattaché au Centre interuniversitaire d'études québécoises (CIEQ). Outre de nombreux articles parus dans des revues savantes et des périodiques culturels, il a publié quatre ouvrages sur l'histoire de l'historiographie; sa thèse de doctorat, parue sous le titre *Le Québec et ses historiens 1840-1920* (Presses de l'univ. Laval, 1978), lui a valu le prix Lionel Groulx, décerné par l'Institut d'histoire de l'Amérique française. Il a publié une trilogie consacrée au même sujet chez l'éditeur montréalais Harvest House: *Man and His Past. The Nature and Role of Historiography* (1982), *Quebec and his Historians 1840 to 1920* (1982), *Quebec and Its Historians. The Twentieth Century* (1985). Depuis le milieu des années 1980, Gagnon a entrepris un second cycle de recherche en histoire des mentalités. Il en a tiré trois livres parus aux Presses de l'Université Laval: *Mourir hier et aujourd'hui* (1987) a connu trois tirages; *Plaisir d'amour et crainte de Dieu. Sexualité et confession au Bas-Canada* (1990) a été salué par la critique française et canadienne. *Mariage et famille au temps de Papineau* (1993) a également reçu un accueil favorable de la communauté scientifique.

SIXIÈME PARTIE

L'ESSAI EN SCIENCES SOCIALES

MARCEL FOURNIER

Il n'est pas facile de donner une définition précise — et restrictive — de l'essai: écrit personnalisé et subjectif? ouvrage polémique et pamphlétaire? L'essai s'oppose en général à l'article scientifique ou à l'ouvrage savant par un recours à un style plus «littéraire» et par le caractère moins spécialisé de son argumentation. L'auteur-essayiste s'adresse non pas à ses pairs mais à un public large et aborde des problèmes qui ne relèvent pas spécifiquement de sa discipline ou de sa spécialité: c'est un intellectuel.

De l'intellectuel, Sartre disait qu'il est celui qui se mêlait «de ce qui ne le regarde pas». Selon une conception minimale, l'intellectuel apparaît comme «un homme d'esprit engagé d'une manière ou d'une autre, qu'elle soit directe ou indirecte, dans le débat civique»[1]. Il y a donc deux critères: il faut déjà s'occuper des choses de l'esprit, exercer une activité intellectuelle (art, science, littérature, philosophie, sciences humaines) et avoir acquis une certaine notoriété; il faut aussi être engagé, sans pour autant être membre d'un parti politique, et prendre part aux débats publics.

L'originalité de cet ouvrage, malgré ses lacunes — il faut le reconnaître, il y a de nombreux absents et donc des mécontents — est de joindre à la dimension biographique une présentation des lieux et aussi de moments jugés importants. Les lieux, ce sont des institutions (universités, académies), des revues, des maisons d'éditions, des journaux, des magazines, des

---

[1] JULLIARD, Jacques, et Michel Winock (sous la direction de). *Dictionnaire des intellectuels français*, Paris, Seuil, 1996.

associations ou des cercles; les grands événements vont de l'affaire Dreyfus à la guerre en Bosnie et en Croatie, en passant par la Première Guerre mondiale, la guerre d'Algérie et la guerre du Vietnam.

Des personnes, des lieux, des moments. Tout n'est donc pas seulement question de style: on ne naît pas intellectuel ou essayiste, on le devient, et souvent par la force des choses. Il faut des lieux de débats (revues, maisons d'éditions, etc.), il faut aussi et, surtout, des moments, des conjonctures politiques: crise du système d'enseignement, conflits sociaux ou nationaux. L'intellectuel est le produit de ces conjonctures, il en est aussi un des acteurs principaux.

Qui est essayiste?

En sciences sociales, la distinction entre l'ouvrage savant et l'essai est d'autant plus floue que le caractère scientifique de ces disciplines demeure précaire. Lorsque l'autonomie du champ scientifique est fragile, la frontière qui sépare les genres littéraires a de fortes chances, dès que la vie politique et sociale s'anime, de s'ouvrir provisoirement ou même d'éclater: c'est, selon l'expression de Pierre Bourdieu, le règne de l'hétéronomie. Il devient alors possible pour des universitaires et des chercheurs de quitter leurs laboratoires et leurs bureaux, d'intervenir directement dans les débats et de faire connaître leurs «opinions»; ils deviennent des intellectuels ou des «publicistes» et des propagandistes d'une cause ou d'un programme.

Dans leur *Dictionnaire des auteurs de langue française en Amérique du Nord*, Réginald Hamel, John Hare et Paul Wycynski recensent presque tous ceux et celles qui «ont, par leurs écrits, contribué à enrichir, au sens large, la civilisation du Québec, du Canada français et des États-Unis»: ce sont «les romanciers, les poètes, les dramaturges et les essayistes de marque». Les responsables du *Dictionnaire* reconnaissent comme allant de soi que cette catégorie d'auteurs constitue la majeure partie du (de leur) répertoire. Mais il paraît tout à fait légitime d'inclure aussi dans la population des auteurs «ceux qui ont pourtant produit des écrits valables et contribué sensiblement à l'épanouissement des connaissances dans différents domaines: histoire, sociologie, économie, science politique et religieuse, droit, géographie, journalisme...»[2]

Parmi les quelques 1600 auteurs répertoriés dans *Dictionnaire*, les spécialistes en sciences sociales sont relativement peu nombreux: 5 % de l'ensemble des auteurs. Ce pourcentage, qui n'a pas changé

[2] HAMEL, Réginald, John Hare et Paul Wycynski. *Dictionnaire des auteurs de langue française en Amérique du Nord*, Montréal, Fides, 1989, p. X.
Notre définition du champ des sciences sociales est restrictive: anthropologie, criminologie, démographie, relations industrielles, sciences économiques, sciences politiques, service social, sociologie. Sont exclues les sciences humaines «voisines», telles la géographie et l'histoire. Parmi les auteurs du *Dictionnaire*, les historiens font très bonne figure: Michel Brunet, René Durocher, Guy Frégault, Serge Gagnon, Claude Galarneau, Lionel Groulx, Jean Hamelin, P.-A. Linteau, Maurice Séguin, etc.

TABLEAU 1

Spécialistes en sciences sociales recensés dans le *Dictionnaire des auteurs de la langue française en Amérique du Nord*

SCIENCES SOCIALES	ANTROPOLOGIE	SCIENCES POLITIQUES	SCIENCES ÉCONOMIQUES	SOCIOLOGIE	AUTRES
Joseph-Papin Archambault	Pierre Anctil	André-J. Bélanger	François-Albert Angers	Richard Arès	Marie-Andrée Bertrand
Marius Barbeau	Bernard Arcand	Gérard Bergeron	Alfred Dubuc	Gilles Bourque	Hubert Charbonneau
Robert-Errol Bouchette	Jean-Claude Dupont	André Bernard	Maurice Lamontagne	Michel Brûlé	Pierre De Champlain
Benoît Brouillette	Luc Lacoursière	Denise Bombardier	Gilles Paquet	Dorval Brunelle	Jacques Henripin
Jean Bruchési	Germain Lemieux	Guy Bouthillier		Fernand Dumont	Camille Laverdière
Léon Gérin	Michel Noël	Jacques Brillant		Gabriel Dussault	Marc Leblanc
Esdras Minville	Remi Savard	André D'Allemagne		Jean-Charles Falardeau	Claude Morin
Édouard Montpetit	Robert-Lionel Séguin	Albert Faucher		Marcel Fournier	Alice Parizeau
Edmond de Nevers	Marc-Adélard Tremblay	Philippe Garigue		Jacques Grand'Maison	Gilbert Tarrab
Étienne Parent	Lionel Vallée	Gilles Lalonde		Émile Ollivier	
Jacques Rousseau		Daniel Latouche		Luc Racine	
		Laurier-L. Lapierre		Marcel Rioux	
		Michel Leclerc		Guy Rocher	
		Denis Monière			
		Jean-Marc Piotte			
		Jean-Louis Roy			
		Louis Sabourin			

en dix ans[3], apparaît encore plus faible s'il faut soustraire ceux qui n'ont qu'un faible attachement à l'une ou l'autre discipline en sciences sociales: Robert-Errol Bouchette, Léon Gérin, Étienne Parent et Edmond de Nevers sont des «précurseurs», Jacques Rousseau est un scientifique, Laurier-L. Lapierre, un journaliste et un historien, Denise

Jean-Claude Dupont

[3] En 1976, Réginald Hamel, John Hare et Paul Wycynski publient un premier *Dictionnaire pratique des auteurs québécois* (Montréal, Fides); parmi les sept cents auteurs dénombrés, une trentaine — 5 % de l'ensemble — sont des spécialistes en sciences sociales (Marcel Fournier, «Essai en sociologie: littérature sociale et luttes politiques au Québec», in Paul Wycynski, François Gallays et Sylvain Simard (sous la direction de), *L'essai et la prose au Québec*, Montréal, Fides, 1985, p. 143-179).

Bombardier, une journaliste, Jacques Grand'Maison, un professeur de théologie, Jacques Brillant, un homme d'affaires, etc. Par ailleurs, très peu de spécialistes en sciences sociales se voient attribués le titre d'«essayiste», titre qui est largement utilisé pour des journalistes ou des romanciers: ne portent ce titre que le sociologue Fernand Dumont, le professeur en théologie Jacques Grand'Maison, l'animateur social, éditeur et professeur en service social Claude Larivière, le romancier et professeur en andragogie Émile Ollivier, le politologue et fonctionnaire Michel Leclerc, le diplomate André Patry, le professeur en psychosociologie Gilbert Tarrab, et l'économiste Esdras Minville.

François-Albert Angers
archives des H.E.C.

La liste des «auteurs» en sciences sociales est manifestement partielle: en sont absents, pour ne donner que quelques exemples, Gilles Bibaud, Gérard Bouchard, Jean-Paul Brodeur, Gilles Dostaler, Michel Freitag, Jacques T. Godbout, Nicole Laurin, Vincent Lemieux, Régine Robin. Les chances, pour un spécialiste en sciences sociales, de voir son nom figurer dans le *Dictionnaire des auteurs de langue française* et d'être considéré comme un essayiste sont d'autant plus grandes que son œuvre comprend, en plus de travaux savants, des écrits proprement littéraires: Fernand Dumont est poète (*L'Ange du matin*, 1952, *Parler en septembre*, 1970), Philippe Garigue publie des poèmes et des essais (*Le Temps vivant*, 1973, *Famille humanisme*, 1973), Michel Leclerc est aussi poète (*Odes pour un matin public*, 1972, *Écrire ou la Disparition*, 1984), Émile Ollivier est romancier (*Mère-solitude*, 1983), Alice Parizeau est aussi romancière (*Fuir*, 1963, *Survivre*, 1964, *Les Militants*, 1974, *Les Lilas fleurissent à Varsovie*, 1981, etc.), Luc Racine est poète (*Les Dormeurs*, 1966, *Opus*, 1969, *Villes*, 1970, *L'Enfant des mages*, 1981).

Alfred Dubuc

Par ailleurs, toutes les disciplines des sciences sociales ne sont pas également représentées: viennent en premier lieu les sciences politiques (18), la sociologie (13) et l'anthropologie (10). C'est une question à la fois d'objet d'études et de degré de spécialisation et/ou de professionnalisation de la discipline. Le nombre d'«auteurs» provenant des disciplines les plus «professionnelles» des sciences sociales est en effet relativement petit: aucun spécialiste en relations industrielles, deux spécialistes en service social (Claude Morin[4], Claude Larivière), trois criminologues (Marie-Andrée Bertrand, Marc Leblanc, et Alice Parizeau). Mais où sont donc passés l'abbé Gérard Dion, fondateur de la revue *Relations industrielles* et Denis Szabo, fondateur de l'École de criminologie de l'Université de Montréal? Et que dire des économistes? Le *Dictionnaire* retient trois

Le politologue et ancien ministre
Claude Morin

[4] Claude Morin (né en 1929) a une double formation: d'abord en économie (B. A. et M. A., Université Laval) et ensuite en service social (maîtrise, Université Columbia, New York). Il entreprend une carrière dans l'enseignement supérieur (professeur à la faculté des Sciences sociales de l'université Laval, 1956-1963) pour ensuite s'orienter vers la haute administration publique.

économistes[5], dont un seul est né après 1925. Professeur du département d'économique et ancien doyen de la faculté d'Administration de l'université d'Ottawa, Gilles Paquet, né en 1936, est, il est vrai, historien et animateur d'émissions radiophoniques consacrées aux problèmes économiques. Les sciences économiques apparaissent comme la discipline la plus spécialisée ou la plus ésotérique: même s'ils sont souvent consultés (journaux, émissions de radio et de télévision), les économistes destinent habituellement leurs publications à leurs pairs, et le plus souvent sous forme d'articles dans des revues scientifiques.

Lieux de débat: les revues

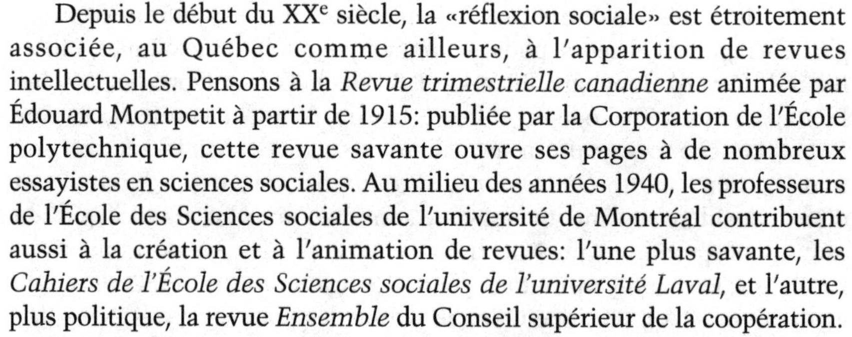

Depuis le début du XXe siècle, la «réflexion sociale» est étroitement associée, au Québec comme ailleurs, à l'apparition de revues intellectuelles. Pensons à la *Revue trimestrielle canadienne* animée par Édouard Montpetit à partir de 1915: publiée par la Corporation de l'École polytechnique, cette revue savante ouvre ses pages à de nombreux essayistes en sciences sociales. Au milieu des années 1940, les professeurs de l'École des Sciences sociales de l'université de Montréal contribuent aussi à la création et à l'animation de revues: l'une plus savante, les *Cahiers de l'École des Sciences sociales de l'université Laval*, et l'autre, plus politique, la revue *Ensemble* du Conseil supérieur de la coopération.

Non seulement pour la génération des fondateurs mais aussi pour les générations subséquentes de spécialistes en sciences sociales, la collaboration à des revues intellectuelles demeure importante et leur permet de jouer un rôle politique de premier plan: le meilleur exemple est la revue *Cité libre*, que fondent en 1952 Gérard Pelletier et Pierre E. Trudeau et qui s'assure, entre 1952 et 1960, la collaboration régulière de spécialistes en sciences sociales (Jean-Charles Falardeau, Léon Dion, Marcel Rioux, etc.).

Guy Rocher

C'est la Révolution tranquille. Période de grande transformation, les années 1960 sont le moment de l'apparition de nombreuses revues: *Maintenant* en 1962, *La Barre du Jour* en 1964, etc. Une cinquantaine de revues en tout: certes des revues savantes (*Recherches sociographiques* en 1960 et *Sociologie et sociétés* en 1969), mais aussi des revues politiques et intellectuelles: *Parti Pris*, (1963) *Socialisme 64* (1964), *Révolution québécoise* (1964), *Mobilisation* (1969), etc.[6] «La jonction s'est opérée, note Guy Rocher, pour la première fois au Québec entre l'analyse des problèmes politiques et celle des problèmes sociaux. La crise d'identité nationale s'est doublée d'une crise de conscience sociale».[7] Une nouvelle génération d'intellectuels formés en sciences

[5] Ce sont, en plus de Gilles Paquet, François Albert Angers (né en 1909) et Maurice Lamontagne (né en 1917). À cette liste, on pourrait ajouter Esdras Minville (né en 1891) et deux historiens économistes: Alfred Dubuc (né en 1929) et Albert Faucher (né en 1915).

[6] Voir Andrée Fortin, *Passages de la Modernité. Les intellectuels québécois et leurs revues*, Québec, PUL, 1993.

[7] ROCHER, Guy, *Le Québec en mutation*, Montréal, HMH, 1973.

sociales entres en scène: Jean-Marc Piotte, Gabriel Gagnon, Philippe Bernard à *Parti Pris*, Gilles Bourque, Dorval Brunelle, Nicole Laurin-Frenette, Céline Saint-Pierre à *Socialisme québécois*.

Jean-Marc Piotte

La décennie suivante, celle des années 1970, apparaît encore plus féconde. Plus de 105 nouvelles revues paraissent: de *Critère* (1970) à *Vie ouvrière* (1979). La vie sociale, politique et culturelle est en pleine effervescence. Tout se bouscule: la contre-culture (*Hobo-Québec* et *Mainmise* en 1970), la gauche (*Stratégies* en 1972, *Chroniques* en 1975. *Unité prolétarienne* et *Possibles* en 1976, *Interventions critiques* et *Les Cahiers du socialisme* en 1978), le mouvement féministe (*Québécoises deboutte!* en 1972. *Les Têtes de pioche* en 1976 et *Les luttes et des rires de femmes* en 1979). Un nouveau magazine, *Le Temps fou*, créé en 1978, constitue une sorte de carrefour de ces divers mouvements d'action et de pensée. Plus actifs que jamais, les professeurs de collèges et d'universités fondent de nouvelles revues spécialisées, dont plusieurs touchent au domaine des sciences sociales: *Études internationales* (1970), *Recherches amérindiennes* (1970), *Communication et information* (1975), *Anthropologie et sociétés* (1979), *Revue internationale d'action communautaire* (1979).

Le rythme de parution de nouvelles revues se maintient. Entre 1980 et 1990, sont créées plus d'une centaine de revues et magazines dont *La Vie en rose* et *Remue-Ménage* en 1980. *Vice-Versa* en 1983. Mais on observe un certain essoufflement du côté politique, plus précisément du côté de la gauche, tout se passant comme si les universitaires cherchaient à transformer les enjeux des luttes sociales et politiques en objets d'études: *Questions de culture* (1981), *Cahiers de recherche sociologique* (1983), *Coopératives et développement* (1983), *Nouvelles pratiques sociales* (1988), *Recherches féministes* (1988).

Tout bouge, rien ne change: la question nationale

On ne peut comprendre les années 1970 et 1980 que si on tient compte de la décennie précédente: la Révolution tranquille, le terrorisme (FLQ) et la création du RIN et, en 1968, du Parti québécois, la contestation étudiante. Une décennie riche en événements qui accompagnent d'importantes transformations structurelles: montée des classes moyennes[8], modernisation de l'État[9], réorganisation du système d'enseignement et rapide expansion de l'enseignement collégial et universitaire (création des cégeps et de l'Université du Québec). La contestation étudiante — mai 1968 — demeure limitée, mais elle annonce un changement profond des mentalités tant au plan des relations professeurs/étudiants qu'au plan des relations jeunes/adultes et

[8] Voir l'étude d'Hubert Guindon. *Tradition, modernité et aspiration nationale de la société québécoise*, Montréal, Éditions Saint-Martin, 1990.

[9] Voir l'étude de Jean-Jacques Simard. *La longue marche des technocrates*, Éditions Albert Saint-Martin, 1979.

hommes/femmes[10]. Non seulement un conflit de générations, mais aussi une véritable révolution culturelle, selon Marcel Rioux[11].

Dans chaque cégep ou université, on trouve des professeurs qui se laissent tenter par la contre-culture: certains abandonnent leur poste permanent bien rémunéré et s'installent à la campagne, d'autres font des compromis (travail à la ville/vie à la campagne; week-end et vacances dans des communes, etc.). Personne n'est épargné: les styles de vie changent et des conversions intellectuelles s'opèrent. En sciences sociales, on rejette la notion d'objectivité et on abandonne la méthodologie quantitative en faveur de la méthodologie qualitative et de nouvelles techniques de collecte de données (vidéo, récits de vie) et d'analyse. Place à la sociologie critique[12], place aussi au désir[13]! Le poète-anthropologue Luc Racine délaisse la perspective marxiste, quitte la revue *Parti pris* et devient un «sociologue stoned». On veut «changer la vie»[14]. Ce sont des années d'expérimentation: vie dans les communes et habitations coopératives, nouvelle valorisation de l'artisanat et de la culture populaire[15], retour à la campagne et écologie. Des «années de rêve», une période de «grands projets et d'espoir fou»: celle des *Possibles* et du *Temps fou*.

Pierre Anctil

Objet de réflexions et d'études[16], les étudiants et plus généralement les jeunes sont un enjeu politique; ils deviennent aussi des acteurs sociaux. Les perspectives d'action sont les suivantes: 1) les revendications réformistes et la recherche d'une mobilité sociale individuelle et collective (via le mouvement nationaliste); 2) l'affirmation d'une «culture jeune» et l'adoption d'un nouveau mode de vie identifiée à la «contre-culture» (*drop out*, drogues, communes et liberté sexuelle) telle que promue par le journal étudiant *Le Quartier*

[10] LAZURE, Jacques, *La jeunesse en révolution au Québec*, Montréal: Presses de l'Université du Québec, 1971. Lazure parle d'une triple révolution: une révolution de la personnalité, une révolution socio-politique et une révolution sexuelle (libération de la sexualité).

[11] RIOUX, Marcel, *Jeunesse et société contemporaine*, Montréal: Presses de l'Université du Québec, 1971.

[12] RIOUX, Marcel, *Essai de sociologie critique*, Montréal, HMH, 1978.

[13] RIOUX, Marcel, *Le Besoin et le Désir*, Montréal, L'Hexagone, 1984.

[14] RACINE, Luc, *Pour changer la vie*, Montréal, Éditions du Jour, 1973.

[15] Par exemple, Jean-Claude Dupont. *Le Sucre du pays*, Montréal, Léméac, 1975; Jean-Claude Dupont. *Habitation rurale au Québec*, Montréal, HMH, 1978; Jean-Claude Dupont et Jacques Mathieu. *Les Métiers de cuir*, Québec, PUL, 1982; Robert-Lionel Séguin. *Les Ustensiles en Nouvelle-France*, Montréal, Léméac, 1972; Robert-Lionel Séguin. *La Danse traditionnelle au Québec*, Sillery, PUQ, 1986; Robert-Lionel Séguin. *L'équipement aratoire et horticole du Québec ancien*, 2 vol., Montréal, Guérin, 1989.

[16] Par exemple «Le mouvement étudiant au Québec, 1964-1972», *Mobilisation*, vol. 4, nº 2, octobre 1974, p. 1-25; Louis Maheu et Paul R. Bélanger (avec François Béland et Michel Doré). «Pratique politique étudiante au Québec», *Recherches sociographiques*, vol. XIII:3 septembre, décembre 1972, p. 311-342; Pierre Dandurand et Marcel Fournier. *Conditions de vie de la population étudiante universitaire*, Québec, Ministère de l'Éducation, Québec, 1979; Marcel Fournier. *Entre l'école et l'usine*, Montréal, Éditions Albert Saint-Martin, 1980; Pierre Dandurand, Pierre et Marcel Fournier. «Développement de l'enseignement supérieur, classes sociales et question nationale au Québec», *Sociologie et Sociétés*, vol. 12, nº 2, avril 1980, p. 104-125.

latin et le magazine *Mainmise*; le militantisme politique dans des groupes populaires et des groupes d'extrême gauche (par exemple, les groupes maoïstes «en lutte» et «La Forge») afin d'établir une alliance entre la jeunesse étudiante et la classe ouvrière. Coincé entre ces trois perspectives d'action, le mouvement étudiant perd son autonomie et son pouvoir de mobilisation, principalement aux dépens du nationalisme, alors exacerbé par les actes terroristes du FLQ et par la réaction répressive du gouvernement du Canada en octobre 1970. Le Parti québécois devient le parti de la jeunesse québécoise.

Les intellectuels et des universitaires en sciences sociales cherchent pour leur part à joindre le «national» et le «social» et à développer une position qui soit à la fois nationaliste et socialiste. Dès le milieu des années 1960, les sociologues Jaques Dofny et Marcel Rioux se sont déclarés socialistes, ont fondé la revue *Socialisme 64* et ont adhéré au nouveau Parti socialiste du Québec. Dans *La Vigile du Québec*, Fernand Dumont se fait l'avocat d'un «socialiste d'ici»[17]. Tous sont à la recherche d'une troisième voie entre le totalitarisme et le libéralisme, dont le mot clé est celui de la «participation»[18] (dont la forme la plus visible est liée à l'animation, puis à l'autogestion). Une sorte de socialisme démocratique «à visage humain» apparaît: l'objectif est de développer entre l'État et l'individu tout un ensemble de groupements, d'associations, de mouvements qui insèrent les membres de la collectivité dans des réseaux de solidarité[19]. À l'extérieur des formations politiques se développent diverses formes d'appui et d'organisation des classes populaires: comités de citoyen, les Acelfs, l'APLQ, le Centre de formation populaire, etc. Cette action-mobilisation est à la base d'une nouvelle force politique sur la scène montréalaise: le Rassemblement des citoyens de Montréal.

Automne 1976: élection du Parti québécois. Chez les intellectuels et les universitaires, c'est l'enthousiasme. Même les plus critiques sont prêts à «laisser une chance au coureur». L'effervescence politique est grande: certains rêvent de l'indépendance, d'autres de la révolution. Dans les milieux de gauche, on lit et fait lire Marx, Lénine, Gramsci[20], Mao Althusser, Poulantzas; on parle de modes de production, de luttes de

SOCIOLOGIE CRITIQUE, CRÉATION ART
ET SOCIÉTÉ CONTEMPORAINE
COLLOQUE
MARCEL RIOUX
avec la participation de
EDGAR MORIN (CETSAP, Paris)
VENDREDI LE 20 NOVEMBRE 1987 À 9:30 HEURE
renseignements: (514) 343-7860 - 343-6620

Marcel Rioux

---

[17] DUMONT, Fernand, *La Vigile du Québec, octobre 1970, Impasse*, rom., Montréal, HMH, 1971.

[18] Le thème de la participation est central dans plusieurs ouvrages de Jacques Grand'Maison: *Vers un nouveau pouvoir*, Montréal, HMH, 1969, *Modèles sociaux et développement*, Montréal, HMH, 1972; *Le Privé et le public*, 2 vol., Montréal, Léméac, 1974; *Une tentative d'autogestion*, Montréal, PUM, 1975, *Quelle société?*, Montréal, Léméac, 1978; *Un nouveau contrat social*, Montréal, Léméac, 1980.

[19] FOURNIER, Marcel, «D'Esdras à Jean-Jacques ou la recherche d'une troisième voie», *Possibles*, vol. 4, n°s 3-4, printemps-été 1980, p. 252-273. Voir aussi Jacques T. Godbout. *La Démocratie contre l'État*, Boréal, 1987.

[20] PIOTTE, Jean-Marc, *La Pensée politique de Gramsci*, Montréal, Parti pris, 1970, Jean-Marc Piotte, *Sur Lénine*, Montréal, Parti pris, 1972.

Guy Bouthillier

classes et d'idéologies[21]. De nouveaux objets d'études apparaissent: l'histoire du syndicalisme[22] et du Parti communiste[23], les milieux populaires[24], les régions. C'est un véritable «parti pris politique»[25]. Les questions qui mobilisent les intellectuels progressistes sont les suivantes: quelle est la structure des classes au Québec?[26] Y a-t-il une bourgeoisie québécoise?[27] Quelle relation y a-t-il entre le développement du capitalisme des monopoles et la Révolution tranquille? Quelle est la nature (de classe) du nationalisme[28] et du Parti québécois?

À la lumière du matérialisme historique, on réévalue la «question nationale». Le modèle soviétique ou cubain est mis au rancart: l'on ne jure plus que par le modèle chinois ou albanais. Fort actif, le mouvement marxiste-léniniste entraîne un certain nombre de «travailleurs intellectuels» dans ses rangs et réussit à donner «mauvaise conscience» à tous les autres. L'heure est à la radicalisation… et aux exclusions[29]. Au nom du marxisme (ou marxisme-léninisme), les positions se durcissent. *La Question du Québec*, telle que définie par Marcel Rioux, apparaît dépassée: on lui substitue une version «plus» marxiste de l'histoire, celle du *Québec: la question nationale* de Gilles Bourque[30].

---

[21] Même si elles n'empruntent pas toutes une problématique marxiste, les études sur les idéologies sont nombreuses: A. J. Bélanger. *Ruptures et constantes, Quatre idéologies du Québec en éclatement: La Relève, la JEC, Cité libre, Parti pris*, Montréal, Hurtubise HMH, 1977; Fernand Dumont, Jean-Paul Montminy et Jean Hamelin (sous la direction de). *Les idéologies au Canada français*, 3 vol., Québec, PUL, 1974-1981; Denis Monière. *Le Développement des idéologies au Québec*, Montréal, Québec/Amérique, 1977; Yves Lamarche, Marcel Rioux et Robert Sévigny (sous la direction de). *Aliénation et idéologie dans la vie quotidienne des Montréalais*, 2 vol., Montréal, PUM, 1973.

[22] Histoire du syndicalisme au Québec, CEQ, CSN, FTQ, Jean-Marc Piotte. *Un Syndicalisme de combat*, Montréal, Éditions Saint-Martin, 1977; Jacques Rouillard.

[23] FOURNIER, Marcel, *Communisme et anticommunisme au Québec, 1920-1950*, Montréal, Éditions Albert Saint-Martin, 1979.

[24] PAGÉ, Pierre, On n'est pas des trous de cul: Marie Tellier.

[25] Selon le titre de l'ouvrage de Jean-Marc Piotte. *Un parti pris politique*, Montréal, VLB, éditeur, 1979. Voir aussi de Jean-Marc Piotte. *Les Travailleurs contre l'État bourgeois*, Montréal, Éditions de l'Autore, 1976 et *Un Syndicalisme de combat*, Montréal, Éditions Albert Saint-Martin, 1977.

[26] LÉGARÉ, Anne, *Les Classes sociales au Québec*, Montréal, PUQ, 1977.

[27] SALES, Arnaud, *La Bourgeoisie industrielle québécoise*, Montréal, PUM, 1978; J. Niosi. *La Bourgeoisie financière canadienne*, Montréal, Boréal, 1979; Pierre Fournier. *Le Capitalisme au Québec*, Montréal, Éditions Albert Saint-Martin, 1979.

[28] Voir Nicole Laurin-Frenette. Production de l'État et formes de la nation, Montréal, Nouvelle Optique, 1978.

[29] Au sujet de la mobilisation marxiste-léniniste et de la désillusion qui s'en suit, lire Jean-Marc Piotte. *La Communauté perdue*.

[30] Paris, Maspero, 1978, Gilles Bourque publie aussi un ouvrage théorique (*L'État capitaliste et la question nationale*, Montréal, PUM, 1977) et, en collaboration avec Gilles Dostaler, un essai sur *Indépendance et socialisme* (Montréal, Boréal, 1980).

«Fragmentation idéologique», «fin du consensus nationaliste», telles sont les expressions qu'utilisent les politologues Stephen Brooks et Alain G. Gagnon pour caractériser le monde des sciences sociales dans les années 1980[31]. S'ouvre ensuite, semble-t-il, une période de refroidissement, qui conduit à une «hibernation temporaire». On constate, avec un certain regret, la métamorphose de l'UQAM, le développement d'un certain conservatisme et la baisse de popularité des sciences sociales qui se voient, dans les universités, dépassées par les sciences administratives et commerciales. C'est la «révolution des affaires» et, avec le retour de Robert Bourassa au pouvoir en 1985, la «relève de la garde».

Le silence des intellectuels?

Force est cependant de reconnaître que les rapports entre le champ intellectuel et le champ politique se sont transformés avec la médiatisation du «monde des idées», qui est de plus en plus accaparé par les journalistes eux-mêmes et quelques intellectuels médiatiques: Pierre Bourgault déclare à nouveau son *Oui à l'indépendance du Québec*[32] et réunit ses *Écrits politiques*[33], Jean-François Lisée écrit *Dans l'oeil américain* que Robert Bourassa est un *Tricheur* et devient conseiller en communication des premiers ministres Parizeau et Bouchard. Les spécialistes en sciences sociales sont pour leur part toujours actifs, mais leurs publications prennent le plus souvent la forme d'articles et d'ouvrages spécialisés ou d'essais théoriques[34]. À chacun son métier! C'est le prix à payer pour la spécialisation et la professionnalisation des savoirs: les intellectuels deviennent des spécialistes de la vie intellectuelle et culturelle[35].

Peut-on parler, à la suite de Soulet, du «silence des intellectuels»[36]? Les intellectuels deviennent eux-mêmes l'objet de recherche[37]. Mais ce serait oublier tous les travaux inspirés de l'écologie (Michel Jourdan, Jean-Guy Vaillancourt) et du féminisme[38] ou portant sur la question

[31] BROOKS, Stephen et Alain G. Gagnon, *Les spécialistes des sciences sociales et la politique au Canada. Entre l'ordre des clercs et l'avant-garde*, Montréal, Boréal, 1994.

[32] Montréal, Quinze, 1977.

[33] 2 vol., Montréal, VLB éditeur, 1982-1983.

[34] Par exemple, les essais de Gérard Bergeron (*La Gouverne politique*, 1977, *Pratique de l'État au Québec*, 1984), Fernand Dumont (*Chantiers*, 1974, *Les Idéologies*, 1974, *L'Anthropologie en l'absence de l'homme*, 1981, *Le Sort de la culture*, 1987), Michel Freitag (*Dialectique et société*, 2 vol.), etc.

[35] Voir Andrée Fortin, *Le Passage de la Modernité*, op. cit.: Marcel Fournier, *L'Entrée dans la modernité, Sciences, culture et société*, Montréal, Éditions Albert Saint-Martin, 1986, Marcel Fournier, *Générations d'artistes*, Québec, IQRC, 1986; Léon Bernier et Isabelle Perreault, *L'Artiste ou l'oeuvre à faire*, Québec, IQRC, 1988.

[36] SOULET, Marc-Henri, *Le silence des intellectuels*, Montréal, Éditions Albert Saint-Martin, 1987.

[37] FOURNIER, Marcel, *L'Entrée dans la modernité, Sciences, culture et société*, Montréal, Éditions Albert Saint-Martin, 1986; Marcel Fournier. *Générations d'artistes*, Québec, IQRC, 1986; Léon Bernier et Isabelle Perrault. *L'Artiste ou l'œuvre à faire*, Québec, IQRC, 1988.

[38] Par exemple le numéro de Sociologie et Sociétés dirigé par Nicole Laurin et consacré aux femmes, les ouvrages de Yolande Cohen (*Femmes et politique*, Montréal, Éditions du Jour, 1987), de Diane Lamoureux (*Fragments et collages*. Histoire du mouvement féministe au Québec), Louise Vandelac (*Du travail et de l'amour*), etc.

amérindienne[39]. Et que dire de la question nationale? De la crise d'octobre 1970 au Référendum (et après) en passant par l'élection du Parti québécois, l'avenir du Québec demeure au centre des débats: Fernand Dumont a écrit *La Vigile du Québec*, il écrira *La Genèse de la société québécoise*; Marcel Rioux a écrit *La Question du Québec*, il écrira *Deux pays pour vivre* (1980). Anthropologues et politologues sont plus perplexes que jamais; certains sont même pessimistes: l'identité québécoise semble en péril[40], tout apparaît ambigu[41], l'indépendance, c'est oui mais[42]. Un vrai bazar (des idées et des opinions)![43] En bref, on est, hélas, toujours à la recherche du Québec[44]. Et puis vient le second Référendum...

[39] Voir Rémi Savard. *Destins d'Amérique, Les Autochtones et nous*, Montréal, L'Hexagone, 1979; Georges E. Sioui. *Pour une autohistoire amérindienne*. Essai sur les fondements d'une morale sociale, Québec, Les Presses de l'Université Laval.
[40] TREMBLAY, M.-A., *L'Identité québécoise en péril*, Sainte-Foy, Éditions Saint-Yves, 1983.
[41] LATOUCHE, Daniel, *La Société de l'ambiguïté*, Montréal, Boréal, 1979. Voir aussi l'ouvrage en collaboration avec Philip Reiznik.
[42] Titre de l'ouvrage de Gérard Bergeron (Montréal, Quinze, 1977).
[43] LATOUCHE, Daniel, *Le Bazar. Des Anciens Canadiens aux nouveaux Québécois*, Montréal, Boréal, 1990.
[44] DION, Léon, *Québec 1945-2000. À la recherche du Québec*, Québec, PUL, 1987.

Marcel Fournier, né en 1945.
1973-: Professeur titulaire, Département de sociologie, Université de Montréal.
1991-1996: Directeur du Département de sociologie, Université de Montréal.
Est membre du comité organisateur et du comité du programme du Congrès de l'Association internationale de sociologie qui se tiendra à Montréal en 1998.
A été secrétaire de la revue *Sociologie et Sociétés* et membre du comité de rédaction de *Recherches sociographiques*.
Est membre du comité de rédaction de la revue *Possibles* et de *Durkheimian Studies*.
Est collaborateur au journal *Le Devoir* (Le plaisir des livres).
Domaine de recherche: sociologie de la culture et de la connaissance; sociologie du système d'enseignement; théorie sociologique et histoire de la sociologie.
Auteur de nombreux articles et livres, dont: *Communisme et anticommunisme au Québec, 1920-1950* (Saint-Martin, 1979), *L'Entrée dans la modernité, Sciences, culture et société au Québec* (Saint-Martin, 1986), *Générations d'artistes* (IQRC, 1986), (en collaboration avec Michelle Lamont) *Cultivating Differences*, University of Chicago Press, 1992), *Marcel Mauss* (Fayard, 1994).

guérin éditeur limitée

4574, rue SAINT-DENIS • MONTRÉAL H2J 2L3
TÉL.: 849-2303/9201

Principaux signes de correction typographique

~~	L'INVENTION DE L'IMPRIMERIE	*Caractère noir*
	C'est un fait digne de remarque, que l'invention	*Grandes capitales*
b.c.	qui a contribué le Plus puissamment à perpétuer	*Bas de casse*
rom.	les souvenirs *historiques* n'ait pu jusqu'à ce jour	*Mettre en romain*
w.f.	résoudre le mystère qui enveloppe sa propre ori-	*Lettre d'un autre oeil*
tr./tr./tr.	gine. Trios villes, Maeynce, Strasbourg Harlem et	*Transposer*
Ital	se disputent l'honneur d'avoir été le berceau de	*Mettre en italique*
	l'imprimerie. Quant à l'époque de sa sa naissance	*Deleatur (enlever)*
	on la fait généralement remonter à la moitié du	*Sortir vers la gauche*
XV	XVe siècle. Il résulte néanmoins de l'hésitation des	*Petites capitales*
	érudits sur ce point une incertitude qui porte à la fois	*Rentrer vers la droite*
	u et sur l'année de la décou-	*A retourner*
	e la proximité des temps et	*Lettre abîmée*
	t événement, on s'expliquera	*Espacer*
	s qui suspendent encore la	*Employer une ligature*
Nd	e triple problème.	*Pas de paragraphe*
	raditions contem poraines et	*Pas d'espace*
	vestigations n'a donné pour	*Espacer également*
	pabilités plus ou moins fon-	*Correction nulle*
	évidence suffisante pour une	*Redresser*
	ules de l'histoire. Depuis le	*Faire un paragraphe*
	siècle jusqu'au nôtre, un	*Lettre supérieure*
V.	ges ont été sur cette matière	*Voir copie*
	es Les historiens et les biblio-	*Mettre un point*
	trangers se sont livrés aux	*Un tiret*
	orieuses sans parvenir à une	*Une virgule*
(/)	certitude irréfragable *sic* sur aucun des trois points	*Parenthèses ou crochets*
	controversés. Etant dans impossibilité de jeter une	*Apostrophe*
=	lueur nouvelle par nous mêmes, sur une question	*Trait d'union*
a	discutée par les écrivains les plus éclrés ; nous nous	*Lettre oubliée*
	bornerons à rapporter une interview récente et qui	*Entre guillemets*

Chapitre X

L'ÉDITION ET L'AVENIR DU LIVRE AU QUÉBEC:

DES CHIFFRES ET DES LETTRES[1]

SYLVIE BÉRARD

> On cherche un coupable. Les uns accusent les instances de production et de diffusion (auteur, éditeur, libraire), les autres tiennent les gouvernements responsables de la situation. La fonction culturelle doit-elle être prépondérante? Doit-elle l'emporter sur la fonction économique? Mais encore, le livre de littérature québécoise, comme bien de consommation soumis aux lois de l'offre et de la demande, est-il concurrentiel sur le marché et dans quelle mesure?
>
> Pierrette Dionne
> «La littérature québécoise comme pratique de lecture de loisir. Enquêtes sur les lieux: librairies et bibliothèques», dans *Le poids des politiques: livres, lecture et littérature,* p. 45-46.

Chaque rentrée littéraire amène son flot de nouveautés qui témoignent de la vitalité de l'édition québécoise. Chaque tribune culturelle, chaque salon du livre soulignent la richesse et la multiplicité des parutions québécoises et l'énergie des agents culturels qui les produisent. Et pourtant, tout réajustement budgétaire fédéral ou provincial amène son lot de récriminations du côté des agents culturels; le moindre bouleversement socioculturel fait automatiquement des vagues dans le secteur des arts et lettres. Le milieu même de l'édition est touché périodiquement par des perturbations financières plus ou moins profondes et de durée variable qui parfois ont fait craindre le pire pour son avenir. De toute évidence, l'édition

[1] Pour une certaine conversation fructueuse que nous avons eue sur le sujet, je remercie chaleureusement Hélène Girard, directrice littéraire aux éditions du Boréal et grande passionnée d'édition québécoise. Je remercie également Gaëtan Lévesque et André Vanasse avec qui les discussions récentes et passées m'ont permis de forger quelques-unes de mes idées actuelles sur l'édition québécoise.

(Page de gauche) *Feuille de correction et écran d'ordinateur Tradition et contemporanéité (Photo: Guérin)*

québécoise n'en sera jamais, pas plus qu'elle ne l'a été au cours de son histoire, au bout de ses déchirements, de ses rapports contradictoires à l'État et de ses affrontements internes.

En effet, si l'on observe l'édition québécoise de manière diachronique, l'on constate qu'elle a été habitée par un tiraillement constant entre l'infiniment grand et l'infiniment petit: entre l'amplitude de ses ambitions et l'exiguïté de son marché; entre l'attrait des grands regroupements et le charme des petites boîtes plus ou moins artisanales; entre l'assurance tranquille de la maturité et la séduction de la jeunesse. L'édition québécoise apparaît certes circonscrite dans une espace francophone sur un continent anglophone et confrontée constamment aux barrières commerciales et linguistiques. Un certain impérialisme culturel français et un protectionnisme culturel certain du côté de notre voisin du Sud compliquent considérablement une diffusion outre-Atlantique et une pénétration du marché états-unien du produit culturel québécois, dont le livre. Pour ces raisons peut-être, parce que l'étroitesse du marché commande de petits moyens alors même que les nécessités de survie appellent une solidarité prudente, elle a toujours gardé effectivement un équilibre entre les maisons de petite taille et les plus grandes, entre les éditeurs indépendants et les consortiums d'éditeurs, voire entre l'individualisme et le regroupement politique; il semble aussi que la manière dont elle s'est développée a aussi contribué à maintenir constamment une proportion raisonnable de jeunes éditeurs par rapport aux maisons établies. Et peut-être parce que sa relative jeunesse (par rapport à l'histoire du livre, disons) pouvait toujours laisser croire à une certaine immaturité de sa production et de son fonctionnement, l'édition québécoise et les agents qui la conditionnent ont mené une lutte de tous les instants pour doter le milieu d'infrastructures viables et de programmes efficaces. Ces trois aspects (taille des éditeurs et de leur regroupements, jeunesse absolue et relative des maisons d'édition, remaniement perpétuel du milieu) font de l'édition québécoise un milieu constamment en effervescence, mais ils ont aussi l'inconvénient peu productif d'en faire un secteur en constant requestionnement sur ses propres motivations. L'hésitation du monde de l'édition entre de grandes visées et une petite situation s'est traduite dans le statut qu'il s'est accordé, qu'on lui a accordé dans le champ culturel québécois. En effet, son petit marché, sa jeunesse proportionnelle et son individualisme relatif, considérés en rapport avec ses buts et objectifs (survivre, oui, mais à quel prix?), lui ont semblé commander tour à tour un discours visant à obtenir toujours un plus grand appui symbolique et financier de la part de l'État, voire l'ont incité à se méfier de tout encadrement étatique et à être tenté de voler de ses propres ailes.

Figure 1
Sources sur l'édition québécoise

Les données concernant le livre au Québec ne manquent pas et c'est à partir de ces données qu'il convient de l'observer. Chaque année depuis plus de dix ans, le premier de la série ayant rendu compte des années 1968 à 1982, un rapport nous livre les chiffres les plus récents touchant le commerce du livre (données non vérifiables toutefois puisque provenant des éditeurs eux-mêmes). Durant la décennie 1983-1992, ces données statistiques se sont accompagnées d'une vaste étude sur le livre (Hardy et Vachon, 1995). Quelques autres rapports gouvernementaux l'ont précédé[2]. Du côté des études touchant l'édition québécoise, si les documents sont en nombre plus restreint, il est possible de s'appuyer néanmoins sur les travaux de plusieurs chercheurs: les recherches du GRELQ (1985) livrent des informations précieuses sur l'édition québécoise d'avant l'ère télévisuelle; d'autres travaux, tel la monographie essentielle d'Ignace Cau[3] (1981), s'intéressant à l'édition des années soixante et soixante-dix, et l'article sélectif de Jean Jonassaint (1985), faisant le point sur l'édition au mitan des années quatre-vingt, constituent aussi des sources utiles de renseignements sur la question. En ce qui concerne la situation contemporaine des éditeurs de livre, la revue *Livre d'ici* donne l'heure juste. À cela, il faut ajouter divers ouvrages où l'édition est analysée dans une optique plus vaste touchant la littérature québécoise (*Dictionnaire des œuvres littéraires du Québec*, 1980-) ou *L'institution littéraire* (Lemire, 1986).

Dans une étude où il sera question de l'édition et de l'avenir du livre au Québec, il apparaît essentiel, avant même d'examiner les perspectives touchant ce secteur, de revenir sur son histoire récente. En fait, il importe de se rappeler l'*ensemble* de son histoire, mais comme d'autres l'ont fait avec soin auparavant — les histoires littéraires bien sûr, mais aussi le *Rapport de la Commission d'enquête sur le commerce du livre dans la province de Québec*, qui donnait le pouls de l'édition scolaire, technique et scientifique en 1963 en définissant ses problèmes et ses problématiques, ainsi que l'ouvrage d'Ignace Cau *L'édition au Québec de 1960 à 1977*, qui décrit plus le milieu de l'édition qu'il ne traite de la petite histoire de chacun des éditeurs —, il est nécessaire d'accorder une attention particulière à la période s'étendant de 1968 à nos jours. Ce millésime, outre qu'elle est motivée par l'orientation donnée à l'ouvrage où cette recherche s'insère, est aussi emblématique en rapport avec le sujet traité: 1968 est la première année où des *Statistiques de l'édition au Québec* (Allard, Lépine et Tessier, 1984) sont rendues disponibles. À partir de ces constats sur le milieu (l'ensemble des conditions dans lesquelles évolue et se développe l'édition), il sera possible de tirer des conclusions sur sa nature

[2] La publication du rapport de Hardy et Vachon sur *Les maisons d'édition agréées. 1983 à 1992* (1995) a été précédée par la parution des *Résultats de l'enquête auprès des éditeurs de livres* (Hardy, 1992). Auparavant, l'enquête du Comité d'étude sur le fonctionnement et l'évolution du commerce au Québec s'était penchée sur le secteur librairie (Prost, 1978).

[3] C'est d'ailleurs cet ouvrage qui, pour la période s'étendant jusqu'à 1977, m'a servi pour le présent article de référence de base.

profonde et son orientation, et de discerner les avenues potentielles s'ouvrant à elle en cette fin de deuxième millénaire et ce début de règne de l'autoroute électronique.

Il semblait pertinent de diviser cette étude en deux grands volets, le premier ayant une vocation historique, le second ayant des visées analytiques. Après un bref rappel des événements précédant le brouhaha du début des années soixante (1.1), je m'emploie à dresser de l'édition québécoise un historique nécessairement succinct et forcément sélectif. Afin de mieux repérer les tendances, et même si une telle segmentation est toujours inévitablement artificielle, j'ai tenu à diviser la période observée en segments plus restreints de manière à attirer l'attention sur de grands moments ayant agi sur l'histoire de l'édition au Québec, segments que j'ai donc fait graviter autour de faits socioculturels marquants: des suites de la Révolution tranquille jusqu'à la résorption de la Crise d'octobre (1.2); de la cristallisation de la crise linguistique jusqu'à la désaffection des intellectuels face au Parti québécois (1.3); des années postréférendaires aux années préréférendaires (1.4). Ce volet a été articulé grâce à une série d'ouvrages parus ponctuellement (les statistiques annuelles, par exemple) ou plus diachroniques (l'ouvrage d'Ignace Cau), synchroniques (l'article de Jean Jonassaint présentant un instantané de l'édition au début des années quatre-vingt) ou de référence (*L'Annuaire des éditeurs*).

Dans le second volet de cette étude, je me consacre à l'époque contemporaine. Comme on le verra, la situation de l'édition québécoise depuis le dépôt des *Résultats de l'enquête auprès des éditeurs de livres* (Hardy, 1992) et du rapport sur *Les maisons d'éditions agrées. 1983 à 1992* (Hardy et Vachon, 1995) est à la fois problématique et pleine de promesses. Quiconque veut se livrer à une telle démarche, celle consistant à tracer le portrait de l'édition contemporaine, dispose pour ce faire d'une information *à chaud*, soit celle diffusée régulièrement dans le périodique *Livre d'ici*, magazine mensuel de l'édition québécoise, et d'une série d'autres interventions dans différents journaux et revues touchant par exemple les politiques gouvernementales du moment. Après avoir croqué sur le vif ce portrait de l'édition, il sera intéressant de formuler certaines hypothèses quant à son avenir et aux grandes tangentes qu'elle empruntera — ou devrait emprunter si elle veut survivre — au cours des prochaines années.

Poste d'accueil
Guérin, éditeur ltée
4501, rue Drolet

1. DE L'AVENIR À L'INSTANT PRÉSENT

1.1. ÉDITION DE LA PREMIÈRE HEURE ET SIGNES AVANT-COUREURS

En 1963, *Le rapport de la Commission d'enquête sur le commerce du livre dans la province de Québec* marque la fin d'une époque dans l'édition québécoise. Il s'agit là de la première enquête de fond sur le milieu, qui met en relief certaines aberrations au sein du marché du livre; on y parle notamment de la diffusion du livre scolaire, dont la vente directe aux écoles prive les libraires d'une part essentielle du marché. Cette enquête, d'une certaine manière, donne le ton à tous les requestionnements inlassables qui auront cours par la suite. La solution passe alors par la promulgation d'une loi qui peut être considérée comme la première d'une série de mesures visant à encadrer l'édition québécoise.

Toutefois, si ce document vient formuler en chiffres concrets la situation désordonnée qui prévaut alors dans le milieu de la diffusion et de la distribution du livre, force est de constater que le livre québécois ne naît pas avec la Révolution tranquille. Bien que l'édition apparaisse d'abord de manière modeste dans l'histoire du Québec[4] et bien qu'elle soit à ses tout débuts surtout marquée par les publications à compte d'auteur, elle a aussi une histoire, que d'autres avant moi se sont chargés de retracer. Alors que, peut-être par une sorte de frustration face à la tournure des événements, les années soixante ont inscrit les années antérieures dans une sorte de Moyen Âge culturel, les travaux du GRELQ (1985) ont depuis mis en évidence tout un bouillonnement éditorial[5] des années précédentes, en particulier de la Seconde Guerre mondiale à la naissance de la télévision. Un tel retour sur les années antérieures permet de comprendre que si l'édition se réajuste dans les années soixante, c'est peut-être un peu par la force des choses, pour s'extirper d'une nostalgie face aux années financièrement prospères qui précèdent. Il est bon de se rappeler en effet que si l'édition québécoise

[4] Jean Jonassaint décrit ainsi le développement de l'édition littéraire québécoise durant la première moitié du XXe siècle: «Il semble évident que l'édition littéraire québécoise naît avec le XXe siècle, portée par le grand dynamisme culturel des années 1900-1940 avec, entre autres, la fondation du *Devoir* (1910), du Musée des Beaux-Arts (1912), de l'Université de Montréal (1920), de l'ACFAS (1934), de la Société des concerts symphoniques de Montréal (1934) et de l'ONF (1930). L'activité éditoriale de cette période ne fut pas moins marquante et florissante. Elle est la première, du moins, à laisser des traces vivantes jusqu'à aujourd'hui. On n'a qu'à penser aux éditions Fides fondées en 1937 [...]; ou encore aux éditions du Bien Public à Trois-Rivières (1909), Bellarmin à Montréal (1920), Richelieu à Saint-Jean (1935) qui sont encore actives. Mais aussi à d'autres maisons, aujourd'hui disparues, comme les éditions Albert Lévesque (1926-1960?), ou du Totem (1933-1936?) qui ont publié *Les Demi-civilisés* de Harvey» (Jonassaint, 1985, p. 138).

[5] *Éditorial* n'est pas employé ici dans son sens journalistique mais en rapport aux pratiques touchant l'édition.

est sensiblement ébranlée par l'arrivée de la télévision venue s'accaparer une partie du marché qu'occupait auparavant le livre populaire; cette morosité tranche sur la relative prospérité des deux décennies précédentes. Jacques Michon décrit l'effervescence du secteur de l'édition au moment de la Seconde Guerre mondiale et durant l'immédiat après-guerre, en soulignant qu'elle est due en partie à une licence spéciale et fort généreuse accordée aux éditeurs et les autorisant à «réimprimer tous les titres français qui ne sont pas disponibles sur le marché» (Michon, 1985, p. 5), et note qu'on a vu alors émerger toute une série de nouveaux éditeurs venus profiter de cette conjoncture favorable. Dès la reprise des activités économiques européennes, les éditeurs voient se tarir cette source providentielle et certains ne s'en remettent pas et doivent fermer leurs portes (les éditeurs de fascicules, notamment[6]). D'autres éditeurs plus établis, tels ceux se concentrant dans le livre scolaire (Beauchemin) ou religieux (Fides) seront plus chanceux et survivront. Ce ne sera pas le cas des éditeurs de romans populaires français (Petit Format et Petit Lapin, Paris Tour-Eiffel), qui ne se remettront pas de ces transformations. Il est jusqu'aux éditeurs de littérature dite *plus grande* (Cercle du Livre de France, L'Hexagone, Leméac) qui, nées durant cette période faste de l'édition, auront à souffrir de cette situation et qui, dit Jacques Michon, se verront délaissés eux aussi par le public et les créateurs au profit des nouveaux médias électroniques pénétrant de plus en plus les foyers québécois (la radio existe alors depuis de nombreuses années déjà; c'est la télévision qui apparaît comme le spectre le plus menaçant). Cette révolution a d'ailleurs son côté positif puisque les éditeurs apprennent aussi à composer avec ces médias qui parfois confèrent un second souffle aux œuvres publiées[7]. Ces considérations et ce dernier constat prendront tout leur sens plus loin dans la présente étude lorsqu'il sera question des médias électroniques revus et corrigés à la manière contemporaine.

Les années soixante s'ouvrent donc sur un milieu québécois du livre dont la morosité tranche sur le bouillonnement socioéconomique qui caractérise cette époque[8]. Les années suivantes ne rétabliront jamais entièrement la situation: jusqu'à la fin des années soixante, et même jusqu'en 1976 «le développement global de la société québécoise

[6] D'autres éditeurs s'ajustent en réorientant leur production; c'est ainsi que les éditions Police-Journal continuent de se consacrer à l'édition de journaux jaunes.

[7] C'est le cas d'*Un homme et son péché* de Claude-Henri Grignon (1933) qui, non seulement est porté au grand écran, mais est adapté par CBF (1939-1962) et par CBFT/Radio-Canada (1956 à 1970; 1972; 1977-1978). Le Survenant de Germaine Guèvremont (1945) connaît la même fortune médiatique avec une adaptation à CKVL et CBF (1952-1955) et à CBFT (1954-1957; 1959-1960). C'est également ce qui se produit avec *Les Plouffe* de Roger Lemelin (1948) qui «a connu un grand succès à la radio, à la télévision et au cinéma» (Hamel, Hare et Wyczynski, 1989, p. 866).

[8] La tenue, en 1967, de l'exposition universelle à Montréal le confirme: la Culture avec un grand *C* est désormais une affaire de gros sous.

Librairie Guérin
4560, rue Saint-Denis

a été dominé par les impératifs du développement économique» (Cau, 1981, p. 15), le développement culturel ne figurant pas à l'avant-plan dans les priorités sociales. La situation de l'édition s'inscrit dans ce contexte, comme en témoignent quatre indicateurs éloquents liés à: 1° la mainmise étrangère sur la distribution du livre; 2° la situation critique des bibliothèques publiques; 3° le système très strict encadrant la production du livre et son financement par l'État; 4° la pauvreté des budgets consacrés à la culture (cf. Cau, 1981, p. 15-16). En 1977, une politique du livre se faisait toujours attendre; elle s'est concrétisée dix ans plus tard, consacrant la production livresque comme un secteur culturel important, mais survenant dans un contexte socioéconomique de crise, où les budgets ne peuvent plus être à la hauteur des attentes culturelles.

1.2. DE L'ÉDITION POPULAIRE À L'ACTION POPULAIRE

La *Commission d'enquête sur le commerce du livre dans la province de Québec* (Bouchard, 1963) survient dans un moment de crise où le livre semble menacé en raison du piètre développement du réseau des librairies et, en général, par la situation inconfortable dans laquelle l'édition, la diffusion et la distribution se trouvent alors[9]. Parmi les recommandations de la commission, dont le rapport est déposé en 1964, on retrouve d'ailleurs une demande au

[9] L'enquête a d'ailleurs à sa source une situation conflictuelle entre la Commission des écoles catholiques de Montréal et le réseau des libraires de la ville de Montréal, l'un et l'autre parti reprochant à l'autre de lui dérober une part de marché. En 1963, «seulement 30 % des ventes totales aux consommateurs sont faites à des acheteurs individuels; le reste, soit 70 % des ventes totales, se partage entre les commissions scolaires et les bibliothèques des écoles publiques (43 %) et les autres institutions comme les bibliothèques publiques et le Gouvernement» (p. 138). Si l'on ajoute à cela «que 85 % à 90 % des ouvrages vendus par nos librairies sont importés» (p. 140), on constate la pauvreté des ressources en livres québécois offerts au grand public, d'autant que selon les chiffres de la Commission, ce dernier dispose d'à peine une librairie pour 32 000 habitants francophones (cf. p. 164)!

gouvernement du Québec de faire en sorte de rendre disponibles toutes les données statistiques sur le livre. Cette recommandation ne sera suivie que bien plus tard, soit en 1984, alors que Pierre Allard, Pierre Lépine et Louise Tessier livreront les *Statistiques de l'édition au Québec, 1968-1982*, statistiques qui, à compter de ce jour et sur la foi des données fournies par les éditeurs, seront livrées annuellement. Plus qu'une étude socioéconomique sur le commerce du livre, ce rapport trace un portrait d'ensemble d'un secteur qui repose d'abord et avant tout sur ses enjeux culturels:

> «L'option qu'il faut faire, en ce qui a trait aux besoins de livres du grand public, entre un véritable commerce de librairie et un système de distribution non spécialisé dépend immédiatement de notre orientation culturelle comme communauté nationale» (Bouchard, 1963, p. 129).

Durant les années soixante, bien que ces stratégies passent surtout par le développement économique[10], différents mécanismes s'établissent, destinés à appuyer le milieu culturel. Ce sont des années importantes sur le plan culturel parce que la culture prend une place dans les politiques gouvernementales faute de s'inscrire concrètement dans les budgets. Le ministère des Affaires culturelles (1961) est une institution toute neuve que les agents culturels peuvent encore espérer modeler selon leurs attentes. Du côté des arts et lettres québécoises, une foule d'institutions voient aussi le jour, dont le CEAD (1965) et le Syndicat des écrivains du Québec (1967). Le secteur de l'enseignement, avec la création des cégeps (1967) et la fondation de l'Université du Québec (1968), fait aussi miroiter un marché important pour les éditeurs. Au chapitre des préoccupations culturelles, la question linguistique revêt désormais une nouvelle importance et, en 1971, on assiste à la création du Mouvement Québec français, organisme politique ayant pour but de protéger la langue française. L'aide à l'édition s'inscrit alors dans un contexte interventionniste global où tous les champs de la culture obtiennent graduellement un soutien de l'État, tout en bénéficiant de manière particulière de l'aide gouvernementale:

> [...] bourses à la création, aide à l'édition, loi de l'agrément des éditeurs et des libraires, aide à la diffusion, enseignement de la littérature québécoise, subventions aux revues, aux bibliothèques et autres institutions. (Lemire *et al.*, 1987, p. XVI).

[10] Pour attester de cet attachement aux facteurs économiques au détriment des composantes culturelles, Ignace Cau compare la réception, côté gouvernement, du Rapport de la Commission d'enquête sur le commerce du livre dans la province de Québec, s'intéressant surtout aux enjeux commerciaux, et du Livre Blanc déposé par le ministre Pierre Laporte portant sur les grandes orientations culturelles de l'État: «Décidément, le Livre Blanc n'était pas en harmonie avec les responsables politiques de la société québécoise des années 60 qui semblent avoir inconsciemment opté pour le bien-être contre la culture» (Cau, 1981, p. 34).

C'est durant ces années que les entreprises culturelles ont été habituées graduellement à inclure dans les budgets de fonctionnement une aide substantielle de l'État... et ce sont les plus fastes de ces années qui, vraisemblablement, serviront de point de référence lorsque plus tard l'aide de l'État fera de plus en plus cruellement défaut. Comme le dit Jean Jonassaint:

> Avec la révolution tranquille, les éditeurs ont plus d'argent pour produire, et s'adressent à un public plus large, plus instruit et plus riche. On assiste alors à un accroissement incroyable du nombre des maisons et des titres publiés, mais une baisse constante des tirages moyens[11] depuis 1970 [...]. (Jonassaint, 1985, p. 139)

On aurait tort toutefois d'accorder le crédit au seul État québécois; dans les faits, l'aide financière de l'époque vient tout autant sinon plus du Conseil des arts du Canada — en lequel d'ailleurs les artisans des arts et lettres placent leur confiance[12].

Figure 2
Types de production
(d'après Hardy et Vachon, 1995)

1) Scolaire uniquement
2) Scolaire + autre
3) Jeunesse
4) Jeunesse + autre
5) Littéraire
6) Littérature générale (= autres écrits)
7) Autre (ex.: partitions)

Dès les années suivant la Révolution tranquille, on note une effervescence dans le milieu de l'édition québécoise qui doit se réajuster, comme on le voyait en 1.1, en pleine hémorragie provoquée par l'avènement du média télévisuel. De 1963 à 1967, on assiste à l'émergence d'une série d'éditeurs dont plusieurs sont encore très actifs aujourd'hui. En 1963, naissent les Presses laurentiennes et les éditions du Boréal. En 1964, c'est au tour des Entreprises culturelles (FIC) et de

---

[11] Cette affirmation paraît farfelue car elle semble devoir mener les éditeurs directement à leur perte, et pourtant elle est confirmée par Statistiques de l'édition au Québec, 1968-1982: «le tirage moyen diminue presque chaque année» (Allard, Lépine et Tessier, 1984, p. 14). Ce qui explique la survie paradoxale des éditeurs, voire leur multiplication, est le fait qu'ils se rattrapent par le nombre de titres publiés chaque année.

[12] Cau décrit ainsi l'importance que revêt l'aide fédérale pour le milieu culturel québécois: «Après avoir posé, par la création du MAC, un jalon sur la voie d'une politique nationale, voilà que le gouvernement du Québec laisse à Ottawa le soin de régler les problèmes culturels des Québécois. Depuis 1969 déjà, le monde du livre a conscience que le salut ne peut venir que d'Ottawa. Les éditeurs québécois qui ont participé à l'enquête Ernst & Ernst sur l'industrie de l'édition au Canada en 1969 devaient en outre répondre à la question suivante: «Qui peut aider l'industrie de l'édition à résoudre certains de ses problèmes?» [...] 78 % des répondants pensent qu'Ottawa est plus apte à résoudre leurs problèmes» (Cau, 1981, p. 57).

Papeterie Guérin
351, rue Mont-Royal

Marcel Didier éditeur. L'année suivante sera une année particulièrement faste, du côté de l'édition générale comme du côté de l'édition scolaire, avec la naissance des éditions Julienne, de Lidec éditeur et des éditions du Renouveau pédagogique (Erpi); cette année-là également est fondée la revue la *Barre du Jour* qui deviendra la *Nouvelle Barre du Jour* et finira par se faire également éditeur. En 1966 alors que Holt, Reinhart et Winston (Ontario et New York) s'établissent au Québec, sont fondées les Éditions HRW. L'année 1967 voit la naissance de Guérin éditeur (qui sera incorporé officiellement en 1970) et de deux maisons plus modestes, les Éditions Frégate et les éditions Intermonde MC. Cette année-là est aussi marquée par la naissance du groupe Sogides[13]. C'est également en 1967, année particulièrement symbolique en raison de la tenue de l'Exposition universelle à Montréal, qu'est créée la Bibliothèque nationale du Québec qui s'imposera comme un important diffuseur de la culture québécoise et de recherches sur celle-ci.

L'année 1963 avait connu une crise de la distribution du livre, 1967 s'ouvre sur une nouvelle perturbation, celle affectant cette fois directement les librairies, durement touchées par l'invasion de livres venus de l'étranger et dont le marché est menacé en raison des monopoles verticaux (c'est-à-dire tentant de contrôler toutes les étapes de production du livre) que visent et parviennent à établir certaines entreprises. Il semble bien que, soudain, au beau milieu des années soixante, les éditeurs étrangers et les distributeurs qui leur sont rattachés ont découvert que le marché québécois pouvait être lucratif pour eux et se sont mis à distribuer des cargaisons de livres au Québec. Il s'agit bien sûr

[13] Le groupe Sogides viendra bientôt chapeauter les Éditions de l'Homme, Le Jour, Utilis et les Éditions françaises et, au début des années quatre-vingt-dix, il absorbera également les éditions de l'Hexagone, les Quinze, VLB et Typo à l'enseigne du Groupe Ville-Marie.

d'éditeurs français comme Hachette, mais aussi de grands éditeurs états-uniens qui s'imposent sur le marché en faisant l'acquisition de maisons québécoises. Ces maisons étrangères profitent d'un vide législatif pour acquérir des maisons québécoises ou s'associer à celles-ci et ainsi profiter des structures en place; c'est le cas de Chenelière et McGraw-Hill dès 1965, de Robert Laffont Ltée (ensuite à capitaux britanniques) installé au Québec en 1968 et de Flammarion Ltée qui fait son entrée en 1971. Ignace Cau évoque les dossiers particulièrement éloquents de l'Encyclopédie Britannique et de Hachette:

> L'Encyclopédie Britannique [...] se porte acquéreur, en juillet 1968, du Centre de psychologie et de pédagogie (CPP), une coopérative groupant 139 membres dont la majorité sont des auteurs de manuels scolaires [...]. Au moment de la transaction de juillet 1968, le CPP produit environ la moitié des manuels scolaires et son actif est évalué à plus de 4 000 000 $. (Cau, 1981, p. 45)
>
> [...]
>
> En 1969, Hachette est présent dans tous les secteurs de l'industrie du livre, de l'édition à la librairie générale, de la distribution à la vente de livres par correspondance.
>
> [...]
>
> En 1968, Hachette [...] ouvre une deuxième librairie à Montréal, crée les Messageries internationales du livre et rompt le contrat signé en 1965 avec un éditeur québécois de manuels scolaires auquel il apportait l'appui de ses services techniques pour la réalisation de manuels tirés du fonds Hachette. Avec la création des Messageries internationales du livre (MIL), tous les grossistes et tous les libraires québécois doivent s'approvisionner auprès des MIL en ce qui a trait au livre de poche et aux collections de grande diffusion. (Cau, 1981, p. 46)

La pilule est d'autant plus difficile à avaler que ces grosses maisons jettent leur dévolu surtout sur le marché du livre scolaire, secteur prospère s'il en est. Les libraires et grossistes seront d'autant plus courroucés que c'est bientôt avec l'accord tacite du gouvernement libéral de l'époque, dirigé par Robert Bourassa, que Hachette fera l'achat du plus grand éditeur scolaire québécois, soit le Centre éducatif et culturel, «et, sous le couvert du Centre éducatif et culturel dont il possède 45 % des actions, se porte[ra] acquéreur, en janvier 1972, de la Librairie Garneau (avec cinq succursales), la plus ancienne librairie du Québec» (Cau, 1981, p. 47). L'ironie du sort, c'est que Hachette coupait ainsi l'herbe sous le pied aux autres éditeurs scolaires qui eux aussi tentaient subrepticement de contourner l'intermédiaire que constituait la librairie et d'augmenter leur marge de profit en vendant directement aux établissement scolaires!

On comprend que le milieu de l'édition soit alors sur un pied d'alerte et que, dès avril 1968, la Société des librairies du Québec se mette à réclamer une enquête sur le livre québécois; durant les mois suivants, ce genre de demandes s'intensifie, cependant que les abus, eux, se multiplient. Le soutien législatif tarde pourtant à venir. Enfin, histoire peut-être d'appliquer un baume sur les plaies du milieu du livre, en 1971 «[l]e ministère des Affaires culturelles décide d'agréer les libraires compétents; ils auront seuls le droit de vendre aux groupes subventionnés par l'État» (Lemire, 1987, p. LXXXI). Cependant, comme à toute chose malheur est (parfois) bon, c'est dans le sillage de cette crise que l'État québécois se met à considérer l'idée d'une politique du livre, concept qui mettra vingt ans à éclore.

Toutefois, pendant que ce raz-de-marée secoue le secteur du livre scolaire, les autres domaines de l'édition québécoise n'ont pas cessé de bouillonner. Durant les cinq années qui vont suivre (1968-1972), pendant que le Québec est ébranlé par la Crise d'octobre, on assistera à la fondation d'une série de maisons d'édition qui changeront en profondeur le paysage culturel québécois. En effet, à la liste des éditeurs plus modestes ou à l'existence plus brève tels que Ré-édition Québec (fondée en 1968, cette maison prendra le nom de Robert Davies en 1995), le Sablier (fondée par les Préfontaine en 1968), Cosmos (fondées en 1969 et qui, en 1973, donnera naissance aux éditions Naaman), MCQ (1969), C. Langevin (1970), Éditions québécoises (1970), Actuelle (1970), Aquila (1970), Mirabel (fondée par Pierre Tisseyre en 1972), Saint-Yves (1972), il faut ajouter les éditeurs encore actifs aujourd'hui. C'est ainsi qu'en 1968 sont fondées les éditions Multimondes. En 1969, les éditions FM[14], le Griffon d'argile et les éditions Thémis se joignent aux rangs des éditeurs québécois. L'année 1970 accueille l'Agence d'Arc (Nouvelles éditions de l'arc) et les éditions la Liberté. Il en va de même de l'année 1972 qui voir surgir une série d'éditeurs: les éditions Art Global, les éditions de l'Étincelle, les éditions Marie-France. Ces années-là naissent aussi des maisons qui seront très influentes sur le milieu culturel et intellectuel de l'époque; il s'agit par exemple des Herbes Rouges (1968) qui, découlant d'une revue à l'instar de la (*Nouvelle*) *Barre du Jour*, contribueront à diffuser un nouveau discours contre-culturel. En 1971 sont également fondées deux maisons qui feront leur place dans l'édition de poésie québécoise, soit les Écrits des forges et les éditions du Noroît. Ironiquement, le plus grand succès québécois de librairie de l'époque, *Kamouraska* (1970) qui en 1973 sera porté au grand écran par Claude Jutra, est publié au Seuil; ce n'est qu'en 1977 que le titre est repris à Montréal par Art global[15].

[14] En fait, les Frères Maristes s'adonnaient depuis longtemps à l'édition scolaire lorsque fut fondée cette maison.

[15] Parmi les éditeurs ayant vu le jour de 1968 à 1972, certaines ont fermé leurs portes depuis: Ré-édition Québec, Sablier, Cosmos, MCQ, Actuelle, Aquila, Éditions québécoises, C. Langevin, La presse, Mirabel, Saint-Yves. Les circonstances dans lesquelles les maisons d'édition cessent leurs activités, consolident les dettes accumulées ou voient leurs fonds transférés à d'autres éditeurs ne sont pas toujours honorables et se réalisent parfois au détriment des auteurs qui se voient alors privés de leurs cachets. Ce dossier à lui seul mériterait une recherche exhaustive.

L'un des éditeurs influençant sensiblement le milieu intellectuel de cette décennie est la maison Parti-pris, fondée en 1963 et à laquelle la *Barre du Jour* consacrera d'ailleurs un numéro spécial en 1972. Les éditions du Jour (dirigées par Jacques Hébert) sont aussi parmi les maisons dominant cette époque, de manière qualitative et quantitative; cette maison fondée en 1958 et destinée à être intégrée au groupe Sogides, avec ses 176 titres déposés entre 1962 et 1967 se révèle comme étant la plus prolifique de l'époque, devancée seulement par un éditeur spécialisé dans le livre pratique, soit les éditions de l'Homme et ses 191 titres. Dans un domaine similaire, les éditions Héritage (1968) étendent leur rayon d'action dans tout le secteur de la littérature populaire (roman, bande dessinée, etc.). Il en va de même des éditions La Presse (fondées en 1971 et qui en 1975 sont dirigées par nul autre qu'Hubert Aquin), qui, durant ces années, se révèlent comme un important diffuseur populaire. On ne saurait par ailleurs passer sous silence la création, en 1969, des Presses de l'Université du Québec dans le sillage de la fondation de l'université du même nom. Trois ans plus tard, soit en 1972, est d'ailleurs créée l'Association québécoise des presses universitaires (Presses de l'université de Montréal, Presses de l'Université Laval, Presses de l'université du Québec).

1.3. SÉQUELLES D'UNE CRISE POLITIQUE AU CŒUR D'UNE CRISE ÉCONOMIQUE

La décennie soixante-dix en son entier est marquée par la lutte linguistique québécoise en faveur du français et par les efforts fédéraux visant à promouvoir le bilinguisme. La question linguistique fait et défait les gouvernements: Jean-Jacques Bertrand de l'Union nationale et Robert Bourassa du Parti libéral en savent quelque chose, eux qui ont été successivement défaits, qui en 1969 pour la loi 69, qui en 1976 en raison, dit-on, de la loi 22. Si l'on considère les élections de 1976 comme une *victoire pour* et non *une victoire contre* (ou

Presse Miehle Roland
40" 4 couleurs

comme un accident de l'histoire), il nous faut alors inscrire les luttes linguistiques dans le contexte global des luttes souverainistes québécoises et comprendre que ces années trouvent le Québec plus tricoté serré que jamais. Cette donnée explique la prospérité relative de l'édition ou, du moins, son activité intensive; elle est portée par un succès sans précédent de la culture et du livre québécois à l'étranger, qui contribue à l'orgueil national(iste).

L'édition québécoise est encore toute jeune, c'est peut-être ce qui explique les quelques réajustements qui s'opèrent en son sein durant cette période, réajustements la touchant à la fois dans son fonctionnement interne par le biais de sa diffusion et de manière externe, en relation avec l'édition mondiale. Dans la foulée de cette ouverture sur le monde se tient en 1975, à Montréal, la première Foire internationale d'éditeurs en Amérique du Nord (créée par J.-Z. Léon Patenaude). Cette initiative allait bientôt donner naissance aux salons du livre tels qu'on les connaît. La diffusion du livre est d'ailleurs au cœur des préoccupations de ce temps-là. À cette époque, la crise des librairies s'est résorbée, mais maintenant c'est le secteur de la distribution qui est touché par la mainmise étrangère et par une politique de prix de vente excessif pratiquée par ces distributeurs étrangers en sol québécois. Le problème est que, hormis le Groupe Sogides, les distributeurs québécois ne sont pas de taille face à ces géants de la distribution et que, par conséquent, les éditeurs québécois sont souvent contraints de se rabattre sur ces entreprises qui se trouvent à les distribuer en même temps que les livres que leurs filiales produisent. Et si ces compagnies étrangères mettent tant d'énergie sur le petit marché québécois, c'est qu'il est à l'époque fort prospère.

La création des cégeps a donné un bon coup de pouce à l'édition québécoise. En faisant figurer des œuvres québécoises dans les programmes collégiaux de français, le ministère de l'Éducation stimule l'établissement d'un répertoire d'œuvres québécoises devant demeurer disponibles aux fins de l'enseignement, d'où la multiplication des rééditions ou réimpressions, de même que la parution d'éditions critiques ou didactiques de classiques québécois. Dans la décennie soixante-dix, les cégeps sont là pour rester et les œuvres littéraires québécoises (surtout celles du terroir) ont plus que jamais la faveur. Cette situation perdurera jusqu'au début des années quatre-vingt-dix, alors qu'une réforme des programmes collégiaux réservera la portion congrue aux œuvres québécoises en favorisant les œuvres françaises. L'engouement de l'époque dépasse d'ailleurs les frontières du Québec puisque, rapporte Gilles Dorion et son équipe, la demande étrangère est très forte, et le milieu se donne les moyens d'y satisfaire:

Même les universités étrangères en redemandent, et des professeurs vont, avec l'appui des ministères québécois, comme celui des Relations internationales et de l'Éducation, ou les instances fédérales canadiennes, porter la «bonne parole» qui saura satisfaire l'horizon d'attente des étudiants et professeurs presque partout dans le monde, en particulier dans les pays de langue française (France et Belgique), mais également au Canada anglais, aux États-Unis, en Allemagne, en Italie, en Amérique du Sud (Brésil, Argentine, Colombie). Des accords-cadres prennent forme et concrétisent, en plus de les ordonner, les efforts individuels consentis à cet effet. Un important réseau d'échange, tant des universitaires que des écrivains eux-mêmes, appuyé par l'envoi de documentation et de livres, propage une connaissance diversifiée de la littérature québécoise, que soutiennent efficacement les instances officielles, entre autres les diverses délégations du Québec et les ambassades du Canada. (Dorion, 1994, p. XV)

En dépit des déclarations de certains intellectuels qui, comme Jacques Godbout, (cf. Lemire 1987, p. XVI) soutiennent que le livre d'ici s'adresse en priorité au lectorat d'ici et que sa popularité à l'étranger n'est qu'un accident, ces succès internationaux créent un sentiment d'euphorie dans le milieu de l'édition et dans l'imaginaire populaire.

Au milieu des années soixante-dix, l'édition québécoise en son ensemble vit une croissance effrénée. Les titres se multiplient et, certaines années, leur nombre double et triple celui prévalant dix ans auparavant. Ainsi, si en 1968 le nombre de titres publiés est de 815, en 1978, il est passé à 4 020, ce qui représente une hausse de près de 500 % (si l'on en croit Allard, Lépine et Tessier, 1984)! Ces chiffres sont impressionnants et ils font rêver. Il faut cependant leur adjoindre une autre donnée, celle touchant la modestie des tirages de chaque ouvrage pris individuellement: on offre peut-être beaucoup de titres différents au lectorat québécois, mais on les lui offre au compte-gouttes. Ainsi, durant cette période (1973-1982), le tirage moyen tourne autour de 2 500. Le tirage réel d'une œuvre littéraire, *a fortiori* s'il s'agit d'un ouvrage de poésie, se situe bien en-deça de cette moyenne puisque les livres scolaires, tirés à plusieurs dizaines de milliers d'exemplaires, sont comptabilisés dans ces chiffres (cf. Allard, Lépine et Tessier, 1984). Et encore faut-il considérer que ces tirages lilliputiens côté livres littéraires sont loin d'être entièrement épuisés! On constate que l'édition vit des moments ambigus, partagée entre la poussée de ses ambitions et un certain frein du côté des attentes du public: beaucoup de titres sont produits pour un public qui représente une part réduite de la population québécoise. Maurice Lemire décrit en ces termes la situation équivoque de qui publie des livres à l'époque:

Entre 1970 et 1975, on publie près de deux mille ouvrages littéraires au Québec et, pourtant, l'écriture est parfois considérée en haut lieu comme une sorte de «maladie honteuse», selon la formule de Gilles Archambault (*la Presse*, 15 décembre 1973, p. 17). Avec un brin d'ironie, l'auteur de *La Fleur aux dents* se livre à un petit examen de conscience qui n'a pas du tout le même ton que celui de Godbout, «Un livre, c'est un casier judiciaire qui vous suit. À la masse effroyable d'imprimés qui inondent le marché, vous ajoutez votre contribution. Vous avez la prétention de croire que des histoires inventées par vous peuvent intéresser vos semblables. Pourtant... »(*Le Devoir*, 15 décembre 1973, p. 17). (Lemire, 1987, p. LXIV)

L'édition québécoise s'éclate tous azimuts et prolifère dans tous les secteurs, que ce soit celui du livre scolaire, des productions littéraires ou des ouvrages pratiques. Deux maisons naissent même en 1977 pour se consacrer exclusivement à l'édition de partitions, soit les éditions Chant de mon pays, consacrées à l'édition de livres et de livrets de musique populaire, et Doberman-Yppan vouée à l'édition de partitions de musique classique et contemporaine de même qu'à la production de disques compacts. Le Québec ne voit pas grand seulement en ce qui a trait aux titres offerts, mais dans la multiplication des maisons d'édition elles-mêmes. C'est ainsi que de 1973 à 1982, pas moins de soixante-dix maisons d'édition voient le jour. Plusieurs, telles les éditions de l'Aurore (fondées en 1973 par Victor-Lévy Beaulieu et Léandre Bergeron), Naaman (fondées en 1973 à partir du fonds des éditons Cosmos), de l'Élysée (1973), éditions du Premier pas (1974), du Coin (1975), Maheux (1975), Projets (1975), Sherbrooke (1975), France-Amérique (1975), Préambule (1975), Nouvelle optique (1976) ont depuis fermé leurs portes. D'autres cependant sont encore très actives. Parmi celles se consacrant à la production littéraire, mentionnons les éditions Québec/Amérique (1974), les Quinze (1974), Éditions internationales Alain Stanké (1975), de la Tombée (1976), VLB éditeur (1976), Triptyque (1977), Ceres (1979).

Cependant, beaucoup des éditeurs qui voient le jour à l'époque sont, encore une fois, des entreprises qui se consacrent uniquement ou en partie au livre scolaire. Il s'agit de maisons telles que Modulo éditeur (1974), Études vivantes (1976), Gaétan Morin éditeur (1977), publications Graficor (1978, par les Préfontaine et Gaétan Morin), JML (fondée en 1978 par Jean-Marc Letarte), Décarie éditeur (1979), SMG (1979), Musiphone (1980), Sodilis (1981), Mondia éditeurs (1981), Bo-pré (1982), Septembre (1982). À cette liste il faut ajouter des maisons spécialisées dans l'édition savante ou relative à un domaine de recherche que sont les éditions EDISEM (1973) se consacrant à l'édition d'ouvrages scientifiques et médicaux, de l'IQRC/PUL (1979), de l'ACFAS (1979), de l'École polytechnique (1980) ou encore la Société québécoise d'information juridique (1976).

D'après la classification de Vachon et Hardy (cf. Figure 2), toutes les autres maisons apparues durant cette époque donnent dans la catégorie de la littérature générale, c'est-à-dire dans cette sorte d'ouvrage qui n'est ni de la littérature ni du livre scolaire. Souvent, les activités de ce secteur se résument à diffuser des manuels de psychologie populaire ou des livres pratiques. Les éditeurs ayant fait leur apparition dans ce champ sont, par exemple, en 1973, Fleurbec; en 1974, ASTED et Prosveta; en 1975, éditions Sciences et culture; en 1976, Intrinsèque, Libre expression et Linguatech éditeur; en 1977, CL et un Monde différent; en 1978, éditions Gamesha, éditions de Mortagne; en 1979, Broquet et Phidal; en 1980, Actualisation et Ulysse; en 1981, Louise Courteau éditrice, Éditeq, éditions du Méridien, Guy Saint-Jean éditeur (reprenant le fonds des éditions de l'Aurore); en 1982, les éditions du Trécarré. Dans cette catégorie un peu fourre-tout, les éditions Anne Sigier (fondées en 1974) et les éditions Yvon Blais (fondées en 1978) se démarquent, la première maison se consacrant à l'édition d'ouvrage de théologie, la seconde étant vouée à la publication d'ouvrages juridiques.

Relieuse Sulby compact 4000

L'édition franco-canadienne hors Québec s'organise elle aussi. Il y a eu les livres Toundra (1967), maison qui s'est dès le départ spécialisée dans les albums illustrés en français comme en anglais. Les éditions d'Acadie viennent elles aussi d'être fondées (par Marguerite Maillet, à Moncton, en 1972); elles se consacreront d'abord à la littérature acadienne, puis elles élargiront leurs horizons et s'imposeront sur le marché québécois dans le secteur de la littérature générale, des guides pratiques et des manuels scolaires. Tout une série d'autres maisons font leur entrée à cette époque. Il s'agit, en Ontario, des éditions Prise de parole (1973), du Centre franco-ontarien de ressources pédagogiques (1974), Asticou (1975), de Guernica (1978) et des éditions du Vermillon (1982). Au Manitoba, on assiste à la naissance des éditions du Blé (1974) et des éditions des Plaines (1979). Les éditions Perce-neige sont fondées quant à elles au Nouveau-Brunswick (1980). Plus tard viendront la coopérative Louis-Riel (Saskatchewan, 1985), les éditions du Nordir (Ontario, 1988) et le centre Fora (Ontario, 1989). Au nombre des activités de ces maisons d'édition, le secteur scolaire occupe une place importante, mais on peut dire qu'elles sont actives dans tous les domaines du livre, en particulier dans le secteur littéraire[16].

Avec la naissance des Éditions de la courte échelle (1978), on n'assiste peut-être pas à l'invention de la littérature jeunesse québécoise, puisque les éditions Paulines (rebaptisées Médiaspaul) avaient fait ce boulot depuis 1947, initiant à la littérature toute la jeunesse catholique de l'époque, mais on est témoin de son émergence sur le monde contemporain. D'autres maisons viennent nourrir le jeune public tout en menant des activités dans d'autres secteurs de l'édition; il s'agit des éditions Saint-Martin (1974), de Phidal (1979) et d'Éditeq (1981).

L'un des faits marquants de cette période est sûrement la création pratiquement coup sur coup de deux maisons d'édition au féminin. La première, les Éditions de la pleine lune (1974), se concentrera sur la création des femmes. L'autre, les Éditions du remue-ménage (1976), optera pour une orientation plus militante. Cette coïncidence n'en est certainement pas une, considérant que l'ONU a proclamé 1975 «Année internationale de la femme» et que la décennie soixante-dix est le théâtre d'une effervescence sans précédent des forces féministes. C'est aussi durant ces années que des revues comme *Québécoises deboutte!* et *Les têtes de pioche* sont créées.

En ce qui a trait à la poésie, l'Hexagone (fondée par Miron et administrée par Royer) est désormais une maison solidement établie qui fête ses 25 ans en 1977. Le rythme de publication des éditeurs de poésie s'accélère alors que le genre lui-même demeure lié aux grands rassemblements sociopolitiques — courants en ce milieu des années soixante-dix. On assiste à l'émergence de plusieurs maisons: L'Aurore (*nouvelle culture*), le Noroît (poésie et beaux livres), les Écrits des forges (jeunes auteurs, souvent de la Mauricie). De très petits éditeurs font leur entrée sur le marché «encouragés par une prise de parole sans précédent (plus de 125 titres littéraires paraissent chaque année), [mais] renoncent à l'édition après un ou deux recueils» (Lemire, 1987, p. XXXV). Il faut dire que, de ce côté-ci de la production littéraire comme ailleurs, l'éditique est en train de voir le jour et commence à faciliter la vie aux éditeurs; la typographie sera bientôt remplacée par la dactylographie électronique et les techniques et frais de reproduction seront grandement améliorés, ce qui favorisera aussi l'émergence de petits éditeurs.

[16] Parmi les maisons d'édition ayant été fondées durant la période 1973-1982, plusieurs ont maintenant cessé leurs opérations: Aurore, Naaman, Élysée, Premier pas, du Coin, Maheux, Projets, Asticou, Sherbrooke, France-Amérique, Préambule, Nouvelle optique.

Lidec inc.
4350, avenue de l'Hôtel-de-Ville

1.4. UNE MATURITÉ INQUIÈTE ET FRILEUSE?

Les lendemains référendaires trouvent le Québec fort morose, d'autant que s'amorce une longue crise économique. Après les années fastes qui précèdent, où l'on créait dans l'allégresse générale *sans regarder à la dépense*, les gouvernements se retrouvent avec des budgets d'opération bien au-delà de leurs moyens. La plus radicale des mesures que prend le Parti québécois au sortir du référendum de 1980 et de la sale histoire du rapatriement de la Constitution canadienne affecte durement le secteur de la fonction publique, en particulier les enseignants. Ceux-ci ne le pardonneront pas au Parti québécois, ce qui explique en partie sa désaffection. Cette conjoncture n'affecte pas, bien sûr, directement l'édition, mais elle marque clairement l'entrée historique dans une période de compressions budgétaires motivées par une succession de récessions économiques; elle explique l'état d'abattement dans lequel sombrent les milieux culturels.

La croissance des différents secteurs culturels ralentit, ce qui ne signifie pas que c'est la fin de l'intense activité. En fait, si l'on considère le seul domaine de l'édition et si l'on regarde les chiffres dans leur globalité, on constate que, de 1983 à 1992, les maisons d'édition sont en légère croissance, du moins si l'on considère les chiffres touchant le nombre de maisons d'édition agréées:

> La loi a permis le développement et la consolidation des entreprises québécoises. En 1992, 93 entreprises possédaient un certificat d'agrément, comparativement à 70 en 1983, ce qui correspond à une augmentation de 33 % du nombre de maisons d'édition agréées au cours des 10 dernières années et à une croissance annuelle moyenne de 3,2 %. (Hardy et Vachon, 1995, p. 37).

Si l'on en croit les chiffres du rapport Hardy et Vachon sur *Les maisons d'édition agréées. 1983 à 1992*, les maisons québécoises jouissent également d'un bon soutien de la part de l'État[17]. Si l'on combine cette aide financière aux revenus générés de manière autonome, on constate que les recettes des maisons d'édition se sont accrues durant cette période, avec un léger infléchissement toutefois de 1989-1992 (cf Hardy et Vachon 1995, p. 59-61).

Selon les statistiques touchant les années 1983 à 1992, on assiste à un phénomène similaire à celui marquant le vieillissement de la population: il y a proportionnellement de moins en moins de jeunes maisons d'édition (cf. Hardy et Vachon, 1995, p. 41), alors que le nombre de d'anciennes maisons a crû ou du moins est resté stable. On constate par ailleurs également que les grosses maisons d'édition sont plus abondantes alors que le nombre des autres est demeuré à peu près inchangé (p. 42). Un nouveau constat surgit: les maisons d'édition agréées sont plus nombreuses, mais l'aide financière en soutient une moins grande proportion. La situation d'autosuffisance de certaines maisons (celles à vocation scolaire, par exemple, ou alors les très grandes entreprises, voire les consortiums) sera citée en exemple au cours de la décennie suivante lorsque, les finances de l'État devenant de plus en plus incertaines et accaparées par le remboursement du déficit, on insistera sur la nécessité pour les maisons d'édition de se diriger de plus en plus vers l'autosuffisance.

Ces chiffres touchant l'âge et les dimensions des éditeurs indiquent que l'édition québécoise est en pleine maturation, fût-elle frileuse; l'effervescence de la jeunesse est passée, le temps est maintenant venu de consolider les acquis. Peut-être le secteur de l'édition est-il sorti d'une quête de la quantité (des maisons, des titres) pour se diriger vers un véritable développement qualitatif... Si l'on considère l'envers de la médaille, on est cependant en droit de se demander si tout n'a pas été mis en place pour doter les maisons bien établies de structures qui, tout en favorisant légitimement leur survie et leur prospérité, compromettent les chances de la jeune génération d'éditeurs d'accéder un jour à un statut institutionnel, de se tailler une place dans le milieu. C'est le cas par exemple de la *Loi sur le développement des entreprises québécoises dans le domaine du livre* (dont la dernière refonte date de mai 1995) qui, en confirmant la notion d'agrément, protège le secteur de l'édition de ponctions malvenues de la part des forces étrangères, mais aussi fonde sur une production d'au moins quinze titres la qualité d'éditeur

[17] D'après le rapport de Hardy et Vachon sur *Les maisons d'édition agréées. 1983 à 1992*, les subventions totales augmentent de 81 % durant ces dix années, passant de 5,3 millions à 9,5 millions, ce qui révèle une croissance annuelle de 6,8 %. Toutefois, là où ces chiffres sont moins loquaces, c'est sur le fait que le nombre de maisons étant passé de 70 à 93, cela ne représente qu'une hausse de 25 %, que l'indice des prix à la consommation vient encore atténuer. De même, la moyenne des recettes par maison d'édition révèle que la croissance des revenus, si l'on tient compte de l'augmentation des prix, est inférieure à 2 %.

agréé. Cet agrément est important, car il détermine l'admissibilité de l'éditeur à certaines subventions gouvernementales; cela, à toute fin pratique, place la barre très haute pour les jeunes maisons désireuses de passer de la subvention ponctuelle au titre à une véritable subvention de fonctionnement, de s'extirper de la production à la petite semaine pour esquisser des projets d'avenir[18]. On peut se demander également si la Loi sur l'agrément des éditeurs ne contraint pas les jeunes maisons à publier à toute vitesse un très grand nombre de titre et, ce faisant, à lésiner sur la qualité des productions.

Au chapitre de l'édition exclusivement ou majoritairement littéraire, les nouveaux éditeurs sont nettement moins nombreux, ce qui confirmerait peut-être la thèse à l'effet que la nouvelle loi, par-delà les talents d'administrateurs des artisans de ces jeunes maisons, empêcherait les jeunes éditeurs d'accéder à une certaine sécurité financière et, partant, de naître et survivre (je reviendrai sur la question en 2.1). Cela est d'autant plus crucial touchant ce secteur que, contrairement à l'édition scolaire qui peut être produite de manière relativement autonome[19], par exemple, il a absolument besoin d'une aide financière étatique pour subsister. Outre les micro-éditeurs et les petites entreprises créées aux fins d'une publication à compte d'auteur, les éditeurs qui émergent durant la décennie 1983-1992 et qui subsistent jusqu'à nous sont le Passeur (fondée par Jean Pettigrew en 1985) et les éditions Trois (fondée par Anne-Marie Alonzo en 1985).

On peut se demander également si ce processus de maturation ne se fait pas dans le sens d'une rentabilisation des secteurs les plus sûrs au détriment de domaines de l'édition plus hasardeux, moins rentables. Les maisons ne seraient-elles pas en train, durant cette période, de perdre leur belle diversité? En effet, l'étude de la répartition des maisons d'édition par secteur révèle que la littérature et le scolaire (j'utilise les catégories de Vachon et Hardy telles qu'établies à la Figure 2) sont en croissance alors que les maisons se consacrant aux *autres* productions se font de moins en moins nombreuses. Ainsi, durant les dix années observées ici, seulement deux maisons voient le jour pour se consacrer à des productions plus *marginales*: Utilis (1989), publiant des ouvrages sans dépôt légal (agendas et calendriers), et Illustrations papier Carbo (1992), spécialisée dans la bande dessinée. La maison Jocelyne Benoît (1990), vouée à la diffusion de livres rares ou de bibliophilie à tirage

[18] Soulignons que l'aide financière des gouvernements représente à peine plus de 7 % des recettes totales. De plus, les maisons versent de plus en plus de cachets aux auteurs. Si les maisons d'édition ont 7 % de leurs recettes en subvention, et si 8 % des recettes vont aux auteurs, autant dire que l'argent ne fait que changer de mains!

[19] Il faut nuancer cette affirmation, toutefois. L'édition scolaire peut profiter financièrement du programme fédéral PADIÉ (Programme d'aide au développement de l'industrie de l'édition).

restreint, pourrait également s'ajouter à cette courte liste. On peut se demander si cette homogénéisation n'est pas due au fait que les jeunes maisons plus atypiques (se consacrant à la publication d'albums, par exemple, ou d'ouvrages multidisciplinaires) ne sont pas agréées et, partant, non recensées par les études. C'est ainsi que de petites maisons, telles que Paje éditeur, fondé au milieu des années quatre-vingt et se consacrant à la fois au livre littéraire et au livre d'artiste, n'arrivent pas à franchir le cap de la subvention à long terme et finissent par péricliter.

Si, comme on l'a déjà noté, les nouvelles maisons sont moins nombreuses durant la période s'étendant de 1983 à 1992, celles qui parviennent à s'établir semblent plus durables puisqu'au moment d'écrire ces lignes la plupart était encore en activité. Toutefois, les faits sont trop récents pour qu'on puisse se prononcer avec certitude. Encore une fois, de ce côté-là, c'est la catégorie fourre-tout de la littérature générale et des livres pratiques qui domine avec plus d'une trentaine de nouveaux éditeurs. Il faut dire que ce sont les seules catégories qui permettent à l'éditeur de vivre et de prendre des risques du côté de la création. Ainsi, en 1983 sont fondées les éditions Humanitas. En 1984, ce sont les éditions Fleurs sociales et du Roseau qui voient le jour. L'année 1986 est marquée par la fondation des éditions Édiforma, de la Paix et la Pensée. En 1987, c'est au tour des maisons Adage, l'Essentiel, d'Ici et d'ailleurs et Transcontinental. Édimag, Nuit blanche éditeur et le Septentrion naissent en 1988. L'année suivante, on assiste à la fondation des éditions Asclépiade, FG, le Loup de gouttière, Mille-Îles et Sedes. Les maisons d'édition qui voient le jour en 1990 sont l'éditeur Berger, les éditions Liber et les éditions de Varennes. Le Dauphin blanc émerge en 1991. Enfin, 1992 voit naître six nouvelles maisons: l'Art de s'apprivoiser, Écosociété, LEV (Levain), groupe d'édition et de diffusion, Modus vivendi, Primavesi et Sans âge.

Le secteur général n'est pas le seul à s'enrichir d'un très grand nombre de nouvelles maisons d'édition. Les éditeurs qui consacrent une partie de leurs activités au livre pour l'enfance et la jeunesse ou au livre scolaire se multiplient également. La courte échelle et les collections jeunesse de gros éditeurs comme Québec/Amérique et Sogides dominent toujours le marché, mais on assiste à l'entrée en scène de plusieurs nouvelles maisons de littérature pour la jeunesse dont certaines se consacrent exclusivement à cette activité (éditions du Raton laveur, 1984; Alliage éditeur, 1986; éditions Chouette, 1987; Coïncidence/jeunesse, 1988; éditions Bibi et Geneviève, 1990; Presses d'or, 1991) alors que d'autres s'y adonnent parmi d'autres activités (Michel Quintin, 1983; Brimar, 1984; Arion, 1986; Tormont, 1988; CERRDOC, 1989; Balzac, 1991). Le versant scolaire, quant à lui, voit naître une quinzaine de nouveaux éditeurs (1983: éditions du CIDIHCA, éditions du Phare;

1984: Behaviora; 1985: Vermette; 1986: GGC Productions, Odile Germain, Reynald Goulet, Jeux de mots; 1987: Logiques, éditions de l'Artichaut; 1988: éditions du Cram, Fischer Presses; 1990: éditions En marge; 1992: éditions À reproduire). Dans ce secteur, la maison Éditons d'enseignement religieux — FPR, appartenant à Québécor, vient en 1985 regrouper à la même enseigne les éditeurs déjà établis que sont Fides, les éditions Paulines, les éditions du Richelieu (d'où le signe FPR) ainsi que l'Office de catéchèse du Québec. On peut ajouter à cette liste les Presses interuniversitaires, qui en 1992 viennent se consacrer à la publication d'ouvrages didactiques destinés surtout au niveau collégial, et les publications du Musée canadien des civilisations (1986) qui consistent essentiellement en des catalogues d'exposition et livres d'accompagnement.

Le phénomène marquant cette époque, bien que son poids économique soit plutôt faible en regard de l'édition scolaire ou même de l'édition jeunesse qui n'ont cessé d'être fort rentables, touche l'édition de la nouvelle en tant que genre littéraire. Au milieu de la décennie quatre-vingt, deux revues, *XYZ. La revue de la nouvelle* et *Stop*, voient le jour pour se consacrer exclusivement au récit bref. En ce qui a trait à l'édition, fondées l'une et l'autre en 1985, deux maisons viennent jouer le même rôle: les éditions l'Instant même et XYZ éditeur (prolongement de la revue du même nom et qui acquerra bientôt son autonomie et sa vitesse de croisière). Si l'on peut parler d'un âge d'or de cette forme littéraire, on peut aussi parler d'un triomphe éphémère; en effet, XYZ éditeur a depuis jugé bon de raréfier sa production de recueils de nouvelles au profit d'une diversité d'ouvrages alors que l'Instant même s'ouvrait récemment à d'autres types de parutions.

Trois phénomènes surviennent montrant que l'ère du bel individualisme est révolu, que l'avenir est aux productions conjointes. En 1984, différents éditeurs s'associent pour livrer, en petit format bien pensé, bien choisi, mais aux tirages assez limités, quelques succès contemporains, classiques dits «d'aujourd'hui et de demain», de la littérature québécoise que différents éditeurs (VLB éditeur, Québec/Amérique, l'Hexagone, XYZ éditeur, etc.) publieront sous l'étiquette Typo. En 1988, la Bibliothèque québécoise, maison de réédition née des éditions Fides, Leméac et Hurtubise HMH, vient remplir le même office du côté des classiques de la littérature québécoise; avec 120 titres publiés à la fin de 1996, on peut dire que la maison a rempli son mandat. Les tirages sont peut-être modestes, mais les présentoirs de la Bibliothèque québécoise sont bien en vue dans plusieurs librairies. Regroupement répondant cette fois à des impératifs plus financiers que culturels, le groupe Ville-Marie littérature est fondé en 1990 et vient chapeauter, après les avoir achetés, des éditeurs autrefois indépendants: l'Hexagone, les Quinze, VLB et Typo. Cette transaction confirme un empire dont les bases ont été jetées avec l'acquisition, plusieurs années auparavant, des éditions de l'Homme, Le Jour, Utilis et les éditions Françaises. Hésitant à dénoncer avec trop de fracas cet achat qui venait assurer la survie de petits éditeurs plus fragiles, le milieu culturel s'est néanmoins inquiété de l'autonomie respective de ces maisons. Cette autonomie n'a depuis cessé d'être réaffirmée avec véhémence, de la part des directeurs littéraires et par l'exemple. Force est de constater en outre que ces maisons n'avaient pas vraiment le choix au moment de ces transactions: ou elles acceptaient d'être absorbées ou, vraisemblablement, elles se voyaient condamnées à disparaître à plus ou moins brève échéance.

En ce qui concerne le regroupement sociopolitique et économique des éditeurs, cette fois, on assiste en 1992 à la fondation de l'Association nationale des éditeurs de livres (ANEL), issue de la fusion de l'Association des éditeurs (1943) et de la Société des éditeurs de manuels scolaires (1960). Elle regroupe une centaine de maisons d'édition qui œuvrent dans différents secteurs. La majorité des membres de l'association ont leur siège social au Québec, mais d'autres sont situés dans d'autres provinces canadiennes (Ontario, Manitoba, Nouveau-Brunswick). Le but premier de l'ANEL est de promouvoir les intérêts des éditeurs et de cette profession au sein du grand public.

Les éditeurs établis s'entendent aussi sur une chose: la pratique prudente de leur art! Les tirages continuent de diminuer et, encore une fois, c'est ce qui ajoute un bémol à la multiplication des titres tout en expliquant que les réimpressions augmentent. En ce sens, il n'y aurait pas matière à se réjouir, il faudrait simplement noter la prudence toujours croissante des éditeurs qui hésitent à lancer massivement un ouvrage. Il y a aussi proportionnellement plus de rééditions par rapport aux nouveaux titres (qui demeurent plus nombreux, toutefois), ce qui témoigne cette fois de l'existence d'un fonds d'édition dans la production littéraire québécoise..

2. QU'EST-CE QUI FAIT COURIR LES ÉDITEURS QUÉBÉCOIS?

Il y a eu la crise des libraires — et selon des experts, elle existe toujours (cf. Vanasse, 1995) —, il y a eu celle des distributeurs. À l'heure actuelle, le milieu de l'édition traverse une autre période critique, celle qui touche tous les organismes dépendant en tout ou en partie des fonds publics — même si tous ses agents ne le clament pas très fort, peut-être parce qu'une image prospère est peut-être la plus sûre clé menant à la prospérité, mais aussi parce qu'ils ne vivent pas tous une seule et même réalité. La disette, toutefois, n'est pas du côté culturel, en ce sens qu'elle ne touche pas la vivacité des forces créatives brutes. Les textes affluent chaque année aux portes des éditeurs, leur nombre du côté littéraire étant amplifié encore par la prolifération des ateliers et programmes universitaires de création et, du côté du livre scolaire, par la récente réforme des cégeps qui a nécessité la production de manuels adaptés[20]. Les éditeurs le savent, puisant volontiers à cette matière première de choix. La plus grande difficulté est au contraire économique. D'une part, les éditeurs existants voient diminuer leur marge de manœuvre en même temps que rétrécissent les subventions; d'autre part, les jeunes maisons d'édition se voient soutenues à la pièce sans entrevoir le jour où leurs subventions au titre se transformeront en véritable subvention de fonctionnement qui leur permettra autre chose qu'une pratique à courte vue.

2.1. SUR LES CHEMINS DE TRAVERSE

La création récente d'un ministère provincial de la Culture venu en 1994 remplacer celui des Affaires culturelles et surtout celle d'un Conseil des arts et des lettres (CALQ, issu des travaux de la Commission parlementaire de 1991), la redéfinition des buts et fonctions de l'organisme appelé, depuis le 1er avril 1995, Société de développement des entreprises culturelles (SODEC, autrefois SOGIC) et, au fédéral, le remaniement fébrile et empreint de désespoir du Conseil des arts du Canada du printemps 1995 n'ont certes pas été pour rasséréner les milieux culturels; selon de nombreux éditeurs, ces changements sont des miroirs aux alouettes. À une époque où tout, dans le fonctionnement des entreprises et du milieu, appellerait la stabilité ou, du moins, l'évolution tranquille, les impératifs économiques criants sévissant actuellement forcent les instances décisionnelles à ficeler des projets hâtifs plus préoccupés de livres comptables que de productions littéraires. Dans un article portant sur «Les ratés de la Culture», Francine Bordeleau s'interroge d'ailleurs sur la vision et la *sensibilité* prévalant à l'ensemble de ces initiatives gouvernementales touchant en profondeur la culture:

> «Maître d'œuvre» de la politique culturelle québécoise, le ministère de la Culture aurait décidé d'examiner tous les problèmes du secteur: financement, diffusion, formation et perfectionnement, développement des publics, conditions de vie des artistes et des créateurs, salaires des «travailleurs» culturels (là, c'est plutôt mal parti)... Tout un programme! Dont la réalisation dépend essentiellement d'une chose: de la volonté politique. (Bordeleau 1995, p. 16)

[20] Il faut toutefois noter à cet égar que, en dépit d'une réforme visant à uniformiser l'enseignement au collégial, il subsiste encore des écarts énormes entre les programmes de français que chaque cégep dispense.

Une telle attitude équivoque de l'État paraît entrer en contradiction avec les conclusions du Rapport Arpin (cf. Arpin, 1992) qui insistait justement sur l'instauration d'une sécurité financière dans les entreprises éditoriales. C'est de cette manière paradoxale qu'elle s'inscrit toutefois dans la lignée des stratégies proposées par ce même Rapport, préconisant à court terme l'évaluation serrée pour fonder, à moyen terme, l'autonomie de ces entreprises: «Le financement des industries culturelles domestiques est devenu une urgence. À terme, l'état pourrait être minoritaire dans le financement des entreprises, ce qui n'est pas une hérésie, bien au contraire» (Arpin, 1992, p. 197-198). Sur la scène fédérale, le scénario est à l'avenant. Certains éditeurs, quant à eux, ne font pas montre d'un enthousiasme et d'une confiance sans bornes; ils ne sont pas emballés à l'idée, comme cela circule depuis 1995, de voir leurs subventions transformées en crédits d'impôt et du même coup leur dossier balayé sur le terrain de Revenu Canada. D'autres pourraient fort bien s'accomoder de ces mesures fiscales. Comme le dit André Giroux, «ce sont les petits et moyens éditeurs qui pourraient y gagner parce que ce sont souvent les plus dynamiques» (Giroux, 1995, p. 15).

Peut-être parce que l'édition fait le dos rond en attendant que surviennent les coups durs, depuis le dépôt de l'étude sur *Les Maisons d'édition agréées. 1983 à 1992*, il n'a pas semblé se passer grand-chose de ce côté. Peu de nouvelles maisons ont vu le jour jusqu'à maintenant alors qu'il y a dix ans on était encore dans le rayonnement du boum survenu dans l'édition, mais il est encore trop tôt pour juger s'il s'agit là d'une tendance provoquée par la disette économique ou d'un simple accident de parcours. La littérature générale semble prospère, du moins, puisqu'on a assisté encore récemment à la naissance de plusieurs nouvelles maisons d'édition: Duguesclin (1993); Diff-édit international (1994); Ariane publications (1994); Mnémosyne (1994); Publications financières internationales PFI (1994); éditions du Bois-de-Coulonge (1995); Inédi-éditeur (1995); Robert Davies (c'est le nom que prend Ré-édition Québec en 1995). Le secteur jeunesse et scolaire aurait-il atteint le point de saturation, si l'on considère qu'une seule maison pour la jeunesse a vu le jour durant les dernières années soit les éditions les 400 coups (1993)? En serait-il de même pour le secteur scolaire qui ne s'est enrichi que de quatre nouvelles maisons (productions Éditions nouvelles ASMS, nommées d'après le nom de leurs fondatrices, Martine Selva et Annie Sentieri, 1995; Harmattan ltée, 1996; Hélio, 1993; École nouvelle, 1994? On aurait tort toutefois de ne considérer que le nombre de maisons pour juger de la santé d'un secteur qui, «après avoir régressé en 1991, a poursuivi sa croissance» (Fournier, 1996, p. 34) et qui, de 1993 à 1994, a vu le nombre des titres touchant exclusivement l'éducation augmenter de 55,4 % (cf. Fournier, 1996, p. 21)!

En revanche, on peut sans doute dresser des pronostics à partir de l'apparition récente des éditeurs voués en priorité à la production littéraire. J'ai dit un peu plus haut (et d'autres ont dit) que l'édition québécoise était née de l'autoédition dont la survie était assurée par des appels de souscription. Cette pratique, loin de disparaître, est toujours demeurée présente dans le paysage québécois. Bon an mal an, plusieurs auteurs s'autoéditent parce que les maisons établies n'ont pas accueilli favorablement leur production ou simplement parce qu'ils veulent contourner l'écueil des exigences éditoriales qui ne manquent pas de survenir après l'acceptation d'un manuscrit. À cette pratique il faut également ajouter le phénomène de la micro-édition par lequel des éditeurs aux moyens réduits et autonomes en éditent d'autres à titre essentiellement bénévole; c'est la vocation, par exemple, de Ashem fiction du côté de la littérature fantastique. Comme c'était le cas durant la décennie précédente, les jeunes maisons ne sont créées que parcimonieusement ou alors ne parviennent pas à dépasser la parution du premier ouvrage consistant souvent en une publication à compte d'auteur ou bien à adopter un fonctionnement de type professionnel en ce qui a trait aux micro-éditeurs. C'est tout le contraire qui s'est passé avec les éditions Les Intouchables, créées en 1993 par Michel Brûlé désireux d'éditer son propre *Manifeste des Intouchables* et qui depuis ont publié une série d'ouvrages-chocs. Les choses vont vite également pour les éditions Trois-Pistoles fondées en 1995 et pour Lanctôt éditeur fondé en 1996, dont le nombre de titres au catalogue s'approche du nombre de titres requis pour obtenir l'agrément en tant qu'éditeurs.

On constate une chose lorsqu'on observe les années récentes de l'édition à la lueur de trente années d'histoire: parmi tous les dilemmes qui s'offraient à elle, l'édition québécoise a été motivée par une volonté de s'installer dans le paysage québécois sur la foi de la quantité sans toutefois s'adapter totalement au marché réel. C'est ainsi que les maisons se sont multipliées et que les titres offerts chaque année ont bientôt décuplé par rapport au début des années soixante. Cette quête s'est-elle toujours faite dans le plus pur respect de la qualité? Il ne m'appartient pas d'en juger, ce serait là déborder sur des questions littéraires qui n'ont pas leur place ici; peut-être à la limite faudrait-il parler de la fonction de la direction littéraire qui s'attire régulièrement les foudres de la critique littéraire[21]. Ce qu'il est possible de faire,

[21] On ne saurait régler ici le sort de la question de la direction littéraire. Cette fonction, située à mi-chemin entre les beaux principes et les dures contingences, s'inscrit dans une problèmatique complexe qui touche à l'essence même de la finalité de l'activité éditoriale (diffuser les *bons* ouvrages). On trouvera dans un article de Francine Bordeleau, intitulé «Le Dr Frankenstein de l'édition» (1994), d'intéressantes pistes de réflexion.

toutefois, c'est d'attirer l'attention sur les faits, sur la modestie inversement proportionnelle des tirages qui bien sûr attestent du réalisme des éditeurs, mais qui montrent aussi que ceux-ci ne sont pas sans savoir que leur produit n'est pas le plus en demande sur le marché québécois.

2.2. VOIES MULTIPLES

Après ce survol de l'édition québécoise, démarche nécessairement parcellaire et sélective, il convient de s'interroger sur le chemin parcouru: quelles ont été les grandes orientations du milieu de l'édition au Québec, quelles ont été ses motivations et quels facteurs externes sont venus infléchir son parcours? L'édition québécoise est-elle engagée dans un processus cohérent qui la mènera à terme à profiter de structures d'une fonctionnalité et d'une polyvalence correspondant à la maturité à laquelle elle sera alors parvenue ou n'a-t-elle pas au contraire été soumise à une série de forces indépendantes sur lesquelles elle se serait laissée porter et qu'elle n'est pas près d'endiguer? Quels ont été les bons coups des éditeurs québécois, et quel enseignement devraient-ils tirer de leur erreurs? De quoi sera tissée l'édition de l'an 2000?

On a vu dans les pages qui précèdent que, dans un Québec en mutation, le milieu de l'édition des années soixante ne peut plus tabler sur les mêmes stratégies qui avaient signé son succès par le passé. D'une part, en s'extirpant des années de Duplessis, la société québécoise vient alors d'entrer de plain-pied dans la modernité (plus massivement, s'entend). D'autre part, face au géant que représente l'appareil télévisuel qui appâte ses créateurs et séduit son public potentiel, elle est contrainte de se réajuster, de partir en quête de sa spécificité dans un monde de plus en plus influencé par l'image. Il n'est pas anodin que le best-seller des années soixante-dix du côté de l'écriture romanesque soit *Kamouraska* dont l'adaptation pour le cinéma a relancé les ventes. Dix ans plus tard, avec la version pour petit et grand écran du *Matou* et surtout, encore une décennie plus tard, avec le succès télévisuel des *Filles de Caleb*, on comprendra que rien n'a trop changé sous le soleil.

D'autres facteurs contribuent également, à la fin des années soixante, à resserrer ce marché déjà petit face aux titans français et états-uniens, et c'est justement le revenu d'appoint que constitue, pour ces grosses entreprises étrangères, le livre québécois et sa distribution. Cependant, alors que l'avènement de la télé avait motivé des remaniements touchant l'essence de l'édition (tirages et nature des publications), cette nouvelle menace force le milieu à réclamer de l'État de nouvelles infrastructures plus protectionnistes. C'est cette philosophie qui animera, deux décennies plus tard, les artisans de l'entente de libre-échange avec les États-Unis (devenue depuis l'ALENA), pour qui il sera impératif d'exclure la culture canadienne et québécoise de cette libre circulation des biens entre les deux pays.

C'est là une arme à deux tranchants qui se profile, puisque le protectionnisme de l'État ouvre aussi, d'une certaine manière, la porte à l'interventionnisme. On ne peut affirmer d'emblée que, dans le monde culturel qui donne naissance à ces mesures, l'un découle nécessairement de l'autre. Une chose est sûre, cependant: l'une et l'autre tentations se font jour en cette même fin des années soixante. C'est ainsi que les éditeurs et autres créateurs qui réclamaient un appui financier se retrouvent du même coup avec, sur les bras, les exigences qui y sont associées, et contraints de composer avec de nouveaux devoirs. De nos jours, alors que les budgets gouvernementaux s'amenuisent, il y a lieu de se demander si les contraintes n'outrepassent pas les inconvénients. Cependant, comme le montre Arpin, étant donné que nos petites entreprises culturelles sont extrêmement fragiles face aux forces d'un marché auquel elles ne sont pas de taille à se mesurer, il faut se demander, si abandonnant le contrôle étatique, elles ne le troqueraient pas automatiquement pour une mainmise extérieure (et si l'on n'assisterait pas à une répétition de l'histoire).

Les années soixante-dix, si elles sont marquées par une activité sans précédent dans tous les secteurs culturels (qu'on songe simplement au cinéma), sont aussi, aux dires de plusieurs, les années de tous les excès, sur le plan budgétaire. Par opposition, il semble que c'est parce que nos gouvernements d'hier ont voulu trop longtemps maintenir un train de vie qu'ils n'avaient plus les moyens de s'offrir que, aujourd'hui, les discours d'économistes gomment plus souvent qu'autrement tous les autres discours (passons rapidement sur le fait que l'argument économique est devenu le prétexte par excellence). Pourtant, ce système de soutien aux industries culturelles paraît viable durant les années soixante et les différents acteurs culturels ont matière à se réjouir: le milieu est prospère, ses tirages et le nombre des éditeurs grimpent en flèche. Le seul cas de la montée, par-delà nos frontières, de la demande en œuvres québécoises est éloquent: il s'agit d'années cruciales en ce qui a trait au rayonnement international de la culture québécoise et, avec les subsides des instances officielles, il y a moyen d'en accentuer encore les effets. À l'échelle locale, l'euphorie de cette époque laisse croire également que le Québec est en voie de se réconcilier avec ses intellectuels, que la tribune que représente pour eux le livre est un site important pour le brassage des idées. C'est d'ailleurs la position d'Ignace Cau qui, dans le droit fil d'une pensée marxiste, considère que les différents acteurs culturels ont un rôle immense à jouer dans la définition d'un imaginaire social.

> Il s'ensuit que le métier d'éditeur n'est pas une occupation innocente, un moyen comme un autre de gagner sa vie. Si l'on devait résumer d'un mot le métier d'éditeur, on pourrait dire que sa fonction consiste à gérer l'imaginaire de la société. Le domaine dans lequel l'éditeur agit est celui de la pensée humaine; sa matière première est la création culturelle qui a pour fonction de nourrir et de transformer l'imaginaire social. La mise en forme de la création culturelle de la part de l'éditeur, assure le passage de la communication qui transforme l'œuvre en médium. Sans la décision de publier de l'éditeur, «Gatekeeper of Ideas» selon l'expression de Lewis A. Coser, la création n'accéderait pas à l'existence. (Cau, 1981, p. 4)

Mais voilà: attendu que les tirages moyens ne cessent de baisser, attendu que le nombre d'éditeurs s'est maintenant stabilisé, attendu que l'État peut faire des coupes à blanc dans certains secteurs de la culture sans que tout le Québec ne sorte dans la rue pour protester, peut-on encore, en 1997, continuer d'affirmer que l'éditeur a un tel pouvoir?

Bien sûr, on peut continuer de souligner combien est répandu dans la société québécoise le mépris envers l'intellectuel, qui se traduit par une méfiance envers tout le champ des idées. Maurice Lemire formule en des termes semblables à ceux d'Ignace Cau la situation prévalant durant les années soixante-dix et qui ne s'est certes pas transfigurée à l'époque présente:

> Ainsi apparaît au Québec, comme ailleurs, un «homme moyen», portant en lui les éléments culturels découlant de la culture de masse et propres à la civilisation moderne. Cet homme moyen veut participer au pouvoir. [...] La lutte pour l'identité québécoise se double ainsi d'un combat culturel en même temps que social: une lutte contre l'homogénéisation globale opérée par la culture de masse, d'inspiration surtout américaine, mais aussi une lutte fondamentale contre la réduction du rôle des intellectuels dans la société. Il ne faut pas s'étonner que l'État apparaisse comme le seul pouvoir capable de promouvoir les intérêts culturels aussi bien que les intérêts économiques de la collectivité. (Lemire, p. XVI)

On peut cependant voir dans ce manque d'audience des éditeurs québécois une cause plus profonde, liée à la nature même des institutions contemporaines. Il apparaît en effet que si celles-ci se sont transformées, c'est moins dans leur essence que dans la perception qu'on doit en avoir. Dans un marché où la circulation des idées dépend des moyens mis à la disposition des diffuseurs pour les disséminer plus ou moins loin, plus ou moins longtemps, il est difficile d'affirmer sérieusement que l'éditeur agit seulement sur la pensée. Sans sombrer dans la tendance inverse et soutenir que l'éditeur vend des livres comme d'autres vendent des produits maraîchers, il faut néanmoins constater que la capacité de porter une pensée est conditionnée par la capacité de survivre financièrement.

En revanche, sans nier complètement l'importance symbolique du livre, certains penseurs engagés dans les études culturelles font montre d'un peu plus de cynisme en soulignant que les intellectuels ont surtout tendance à penser et à discourir pour leur propre milieu et que la véritable pensée intellectuelle, celle qui modèle les sociétés, n'est peut-être pas où on l'attendrait:

> Cela a donc pour résultat apparent d'exclure les productions des médias dits de masse hors du champ culturel, alors qu'il est évident que leurs fonctions de divertissement et d'information jouent pour le grand public un rôle équivalent à celui que les arts et les sciences jouent pour le public intellectuel. (Saint-Jacques et de la Garde, 1992, p. 7)

Il ne faut pas oublier que le livre, en même temps qu'il est une activité intellectuelle, est aussi une activité de loisir. La société lui servant de contexte s'appauvrit-elle, qu'elle se voit aussitôt contrainte de rogner sur son budget loisir, de conserver seulement les loisirs les plus... essentiels et ce choix lui revient de plein droit. Cela fonctionne en mode privé comme en mode politique. Considérant que les Québécois, à l'instar de beaucoup de leurs contemporains, lisent peu, on peut aussi en conclure que le livre n'est qu'un lieu marginal par rapport aux autres sites où le grand public peut puiser matière à réflexion.

Quand un éditeur décide de s'inscrire comme exposant à un Salon du livre, il pense autant en fonction des stratégies du marché qu'aux idées qu'il diffuse. Les salons du livre ont une importance dans le milieu de l'édition québécoise ne serait-ce que parce qu'ils rejoignent le public. Comme le dit Hélène Baril, le public lecteur est en constante mouvance, il importe donc de se réajuster:

> Les habitudes d'achat ont changé d'une catégorie de livres à une autre. Les acheteurs se sont déplacés. La librairie n'est plus le seul endroit où acheter des livres. Les clubs Price ont des prix impossibles à battre pour les plus gros vendeurs. Sans les best-sellers, les librairies ne peuvent plus soutenir des fonds coûteux d'ouvrages moins populaires. (Baril, 1996, p. B1)

On a beau les critiquer en disant que les livres y ont moins d'importance que les personnalités qui y sont médiatisées, on a beau dénigrer le public qu'on y croise et brandir des chiffres de vente misérables, les neuf salons québécois sont une porte ouverte sur le monde de l'édition et, pour certains, représente la sortie annuelle dans une librairie. Si la tenue d'un stand dans un salon du livre ne se transforme pas pour l'éditeur en ventes directes, il lui est toujours permis d'espérer que cet événement tient toutefois à la vitrine démesurée dont y jouissent les grands éditeurs, au détriment des petits; ces derniers, en raison de leur moyens financiers restreints, sont condamnés à réserver de petits emplacements et relégués dans les allées périphériques du salon, dont le cœur est occupé par les vastes étalages des maisons les mieux nanties[22]. Mais si elles n'y étaient pas...

[22] C'est une question très complexe. Rien n'empêche en effet les grandes maisons d'édition de s'offrir la visibilité que leur permettent leurs moyens financiers, d'autant que c'est leur apport financier qui, en partie, assure la tenue d'événements tels que les Salons du livre.

2.3. À L'OMBRE D'UNE AUTOROUTE

La vitrine par excellence en ce moment n'est pas d'encre et de papier. Elle est au contraire virtuelle et mouvante, tout comme l'information qui y réside. Elle semble effrayer les éditeurs autant qu'elle les fascine. En effet, s'il est vrai que l'édition québécoise a eu une histoire semée d'embûches, pour le monde du livre, les années récentes ont introduit un spectre encore plus menaçant peut-être, celui de l'obsolescence de l'imprimé, condamné selon certaines sources à disparaître ou du moins à se transformer au profit d'un média nouveau genre. On notera ici la récurrence du mauvais sort: n'oublions pas qu'au tournant des années soixante, l'édition avait dû se réorienter suite à l'introduction de la télévision dans les foyers québécois. Il ne faut pas oublier d'ailleurs que l'avènement de la télévision n'avait pas eu que ses mauvais côté et avait été bénéfique en ce qui a trait notamment à la vente des ouvrages des auteurs de téléromans (Grignon, Lemelin, Guèvremont, etc.). L'histoire serait-elle en trait de se répéter, en n'apportant ni du bon ni du mauvais à l'édition, mais en y provoquant de nouvelles et profondes mutations?

Alors que d'autres acteurs culturels sont à l'avant-plan des moyens de diffusion électronique, les éditeurs québécois, à l'heure actuelle, sont curieusement absents du média électronique, en particulier de la fameuse autoroute de l'information qui durant la dernière année a fait les gorges chaudes (et les budgets chauds). Ils se font bien discrets, les éditeurs sur la fameuse toile mondiale, ce fameux *web* dont on vante les charmes sur toutes les tribunes! Les éditeurs sont-ils ignorants des bienfaits du mode de diffusion ou à juste titre méfiants devant une telle diffusion incontrôlée de leurs biens culturels[23]? En tout cas, ils ne procèdent pas en ce domaine différemment de leurs homologues francophones de par le vaste monde et leurs pratiques se distinguent des stratégies anglosaxonnes et surtout états-uniennes qui consistent à diffuser au moins leurs données de catalogue à défaut de diffuser du contenu[24]. Déjà, certaines initiatives québécoises telles que la Bibliothèque d'Alexandrie ou la librairie Octavie qu'elle héberge sont presque trop peu, trop tard!

[23] Une chose est sûre, l'accès aux documents digitalisés risque de rogner la part de revenus que retirent les éditeurs de la réédition de grands classiques. En effet, en autant que le texte soit saisi à nouveau à partir d'une version tombée dans le bien public, rien n'interdit aux responsables de sites de rendre disponibles des grands classiques à coûts nuls pour les consommateurs.

[24] Certaines ressources virtuelles culturelles sont, encore à l'heure actuelle, conçues comme de belles coquilles vides. On y retrouve de l'information... sur l'information disponible sur support non électronique (c'est-à-dire des catalogues virtuels) sans pouvoir accéder à un véritable contenu. Certains sites, telle la Bibliothèque d'Alexandrie (site consacré aux écrits québécois), tendent lentement à conjuguer le contenant électronique avec de véritables documents complémentaires à l'imprimé.

Figure 3
Quelques bonnes adresses électroniques

Association nationale des éditeurs de livre:
http ://www.cam.org/~anel/index.htm
Loi canadienne sur le droit d'auteur:
http ://www.unites.uqam.ca/bib/Service/doc/drauteur.html
Bibliothèque nationale du Québec:
http ://www.biblinat.gouv.qc.ca/
Bibliothèque d'Alexandrie:
http ://www.alexandrie.com/index.html#Debut
Librarie électronique Octavie:
http ://www.alexandrie.com/alex2/pagealex/librairi/librairi.html

La survie de l'édition au Québec apparaît de plus en plus conditionnée par les choix qu'elle fera face au média électronique. L'édition québécoise de l'an 2000 sera faite d'une matière semblable, mais d'une manière différente, sûrement, si elle veut survivre. Il importe donc que l'édition québécoise se redéfinisse, une fois de plus. Elle en a bien l'habitude, elle qui a mûri en préservant l'aura d'une éternelle jeunesse!

On voit ici que parmi les dilemmes se présentant à la porte de l'édition québécoise, outre ceux mettant en cause son marché, ses visées et sa maturité, un autre enjeu de taille se trame touchant la capacité de se dépoussiérer face aux nouveaux modes de transmission des récits et des idées sans sombrer dans un futurisme dévastateur, de se moderniser (de se postmoderniser) sans y perdre son âme. En effet, les avenues multimédiatique que devra emprunter l'édition ne sont pas qu'une affaire de gros sous, elles risquent fort de bouleverser en profondeur la perception et la conception du support écrit. Déjà on entend des discours dénonçant l'impérialisme américain, l'anglophilie, la malhonnêteté sévissant sur le média électronique. On peut bien critiquer le médium, mais cette fois l'évolution par réaction ne fonctionnera pas, il ne servira à rien de protéger l'édition contre la grosse bête électronique, il semble plutôt qu'il faudra apprivoiser celle-ci.

* * *

D'une certaine manière, les nouvelles technologies de communication font surgir plusieurs démons du passé, pour l'édition québécoise. Elle retrouve là la même menace d'un autre média, tout aussi puissant et séduisant que la télévision des premières années. Le remaniement face à cette nouvelle composante du champ culturel passera à la fois par une redéfinition en profondeur de l'édition[25], de même que par un

[25] Ce spectre de la diffusion électronique est à la fois extrêmement attirant en raison des perspectives qu'il ouvre, et inquiétant car il risque de constituer une ponction non désirée à même des budgets minuscules, quand il ne représente pas, en raison du manque de scrupules de certains, un véritable pillage intellectuel. Dire qu'on vient à peine de refermer le dossier du droit d'auteur et qu'il faudra sans doute le rouvrir pour y intégrer certaines questions de droits multimédiatiques!

réajustement des structures qui la portent. À ce niveau, elle a tout intérêt à user de finesse dans son recours aux subsides gouvernementaux, disponibles à l'heure actuelle parce qu'un fonds pour l'autoroute de l'information a bonne presse par les temps qui courent, mais qui risquent de se tarir une fois passé le premier engouement. Il lui faudra adapter ses formes et contenus aux nouvelles exigences multimédiatiques sans se dissoudre dans ce nouveau média. Il sera aussi nécessaire qu'elle se situe entre une stratégie visant à protéger sa spécificité culturelle et une nécessité accessibilité à la toile mondiale. En fait, elle devra faire montre de sagesse, comme cela s'est souvent produit par le passé, entre l'euphorie de croire aux lendemains qui chantent et les moyens techniques de réaliser ces projets. Et surtout, dès à présent, elle ne doit pas regarder passer le train virtuel, elle doit s'ouvrir aux perspectives qu'offrent ces nouveaux médias, elle ne doit pas les bouder.

BIBLIOGRAPHIE SÉLECTIVE

ALLARD, Pierre, Pierre Lépine et Louise Tessier, *Statistiques de l'édition au Québec, 1968-1982*, Montréal, Bibliothèque nationale du Québec, 1984.

ARPIN, Roland, «Notes sur les industries culturelles», dans Denis Saint-Jacques et Roger de la Garde (dir. publ.) *Les pratiques culturelles de grande consommation*, Québec, Nuit Blanche éditeur, 1992, p. 245-251.

BARIL, Hélène. «L'industrie du livre est fragile mais saine», dans *Le soleil*, samedi 12 octobre 1996, p. B1.

BORDELEAU, Francine, «Les ratés de la culture», dans *Lettres québécoises*, n° 80 (hiver 1995), p. 13-16.

BORDELEAU, Francine, «Le Dr Frankenstein de l'édition», dans *Lettres québécoises*, n° 80 (été 1994), p. 12-15.

BOUCHARD, Maurice, *Rapport de la Commission d'enquête sur le commerce du livres dans la province de Québec*, Gouvernement du Québec, 1963.

CAU, Ignace, *L'édition au Québec de 1960 à 1977*, Québec, ministère des Affaires culturelles, coll. «Civilisation du Québec», 1981.

DIONNE, Pierrette, «La littérature québécoise comme pratique de lecture de loisir. Enquêtes sur les lieux: librairies et bibliothèques», dans Maurice Lemire, Pierrette Dionne et Michel, *Le poids des politiques: livres, lecture et littérature*, Québec, IQRC, 1986, p. 45-79.

DORION, Gilles (dir. publ.), *Dictionnaire des œuvres littéraires du Québec. Tome VI. 1976-1980*. Saint-Laurent, Fides, 1994.

FOURNIER, Claude, *Statistiques de l'édition au Québec en 1994*, Montréal, Bibliothèque nationale du Québec, 1996.

GIROUX, André, «Des principes comptables», dans *Livre d'ici*, octobre 1995, p. 15.

GRELQ, *L'édition littéraire au Québec de 1940 à 1960*, Sherbrooke, Université de Sherbrooke (Département d'études françaises, Faculté des arts), 1985.

HAMEL, Réginald, John Hare et Paul Wyczynski, *Dictionnaire des auteurs de langue française en Amérique du Nord*, Montréal, Fides, 1989.

HARDY, Gaétan et Hélène Vachon, *Les maisons d'édition agréées. 1983 à 1992*, Québec, Ministère de la culture et des communications, 1995.

HARDY, Gaétan, *Résultats de l'enquête auprès des éditeurs de livres*, Québec, Ministère de la culture et des communications, 1992.

JONASSAINT, Jean, «L'édition québécoise actuelle, portrait(s)», dans Lise Gauvin et Jean-Marie Klinkenberg, *Littérature et institutions au Québec et en Belgique francophone*, Bruxelles, Presses de l'Université de Montréal/Éditions Labor, 1985.

LEMIRE, Maurice (dir. publ.), *Dictionnaire des œuvres littéraires du Québec. Tome IV. 1960-1969*. Montréal, Fides, 1984.
LEMIRE, Maurice. (dir. publ.). *Dictionnaire des œuvres littéraires du Québec. Tome V. 1970-1975*. Montréal, Fides, 1987.
LEMIRE, Maurice, Pierrette Dionne et Michel Lord, *Le poids des politiques: livres, lectture et littérature*, Québec, IQRC, 1986.
LÉVESQUE, Robert, «La petite maison dans la librairie», dans *Elle Québec*, février 1997, p. 56-57.
MARCOTTE, Gilles, «Institution et Courants d'air», dans *Liberté*, n° 134 (mars-avril 1981).
MELANÇON, Benoît, «Théorie institutionnelle et littérature québécoise», dans Lemire, Maurice, *L'institution littéraire*, Québec, IQRC, 1986, p. 27-38.
MICHON, Jacques, «L'édition littéraire au Québec, 1940-1960», dans GRELQ, *L'édition littéraire au Québec de 1940 à 1960*, Sherbrooke, Université de Sherbrooke (Département d'études françaises, Faculté des arts), 1985.
NADEAU, Vincent, «Ce n'est pas la distribution des prix», dans Denis Saint-Jacques et Roger de la Garde (dir. publ.) *Les pratiques culturelles de grande consommation*, Québec, Nuit Blanche éditeur, 1992, p. 245-251.
PROST, Marie-Hélène, *Le commerce et la distribution au Québec. Série 2 — Les secteurs d'activités commerciales au Québec. 2.9 — Le secteur librairie*, Québec, Comité d'étude sur le fonctionnement et l'évolution du commerce au Québec, 1978.
QUÉBEC, Comité consultatif du livre. *Mémoire sur une politique du livre et de la lecture au Québec*, Québec, Comité consultatif du livre, 1977.
SAINT-JACQUES, Denis et Roger De La Garde, «Une culture pour l'Amérique francophone d'aujourd'hui et de demain. Arlette Cousture, Roch Voisine, CROC et Bernard Derome», dans Denis Saint-Jacques et Roger de la Garde (dir. publ.) *Les pratiques culturelles de grande consommation*, Québec, Nuit Blanche éditeur, 1992, p. 7-29.
VADNAIS, Ginette). *Statistiques de l'édition au Québec en 1987*, Montréal, Bibliothèque nationale du Québec, 1988, 38 p.
VANASSE, André, «Remettre les pendules à l'heure», dans *Lettres québécoises*, n° 79 (automne 1995), p. 5-6.

Sylvie Bérard est née à Montréal en 1965, a complété une thèse intitulée *Je pense* or *je suis: Discours et identité dans la SF côté femmes: Entre la* New Wave *et le* cyberpunk (Ph. D. sémiologie, UQAM, 1997). Elle poursuit présentement une recherche postdoctorale sur *Le repos des guerrières: Conquêtes amoureuses et militaires au champ de bataille science-fictionnel* à l'Université de Toronto où elle est également chargée de cours pour le département de français. Elle est membre du collectif de rédaction chez *XYZ. La revue de la nouvelle* et responsable de la section «Théâtre» pour la revue *Lettres québécoises.* Ses articles ont paru dans des revues telles que *Études théâtrales/Essays in Theatre, Frontières, Post, Protée* et *Tessera*; on peut lire ses textes de fiction dans des périodiques telles que *Imagine...*, *Mœbius*, *Regart* (Belgique), *Solaris* et *Tesseracts.* Elle a aussi organisé ou collaboré à plusieurs colloques et différentes publications collectives dont *Polytechnique, 6 décembre* (Remue-ménage, 1990), *La nouvelle: écriture(s) et lecture(s)* (GREF/XYZ éditeur, 1993), *Littérature québécoise. Les nouvelles voix de la recherche* (Nuit blanche éditeur, 1994). Elle est la coauteure, avec Brigitte Caron, du roman interdisciplinaire *Elle meurt à la fin*, paru en 1993 chez Paje éditeur, ainsi que, avec Julia Bettinotti et Gaëlle Jeanneson, du guide *Les 50 romans d'amour qu'il faut lire*, paru en 1996 chez Nuit blanche éditeur.

CONCLUSION

«Fin-de-siècle» et postmodernisme

Réginald Hamel

Au-delà des différentes interprétations — c'est ce qui fait de cet ouvrage sa couleur et son originalité — à travers les écrits de nos collaborateurs, le lecteur pourra noter que durant ces quarante années de manifestations socioculturelles et littéraires, s'est forgé, au Québec, une identité puissante qui dépasse largement toutes les promesses contenues dans les ouvrages des années 1900.

Les analyses éclairées des divers genres et des divers moments de cette écriture québécoise, contrairement à ce que nous avions pressenti dans les années 80, comme le dernier feu d'artifice, nous ont convaincu que notre destinée culturelle est irréversible. En tant que latins, noyés dans cet ensemble anglo-saxon de l'Amérique du Nord, notre survie sera toujours inconfortable. La situation serait-elle meilleure si nous vivions en tant que francophones dans un univers hispanique?

Ce qui est essentiel dans toute appartenance culturelle minoritaire, c'est d'être toujours de son temps, de saisir instinctivement tous les paramètres qui conditionnent l'apparition de phénomènes nouveaux. À cet égard, nous nous sommes réservé l'évaluation de quatre notions: «fin-de-siècle», modernisme, avant-gardisme et postmodernisme, notions dont nous tenterons de préciser les fonctions pédagogiques.

Être «fin-de-siècle»

Pour bien nous ancrer dans l'esprit ces concepts propres à notre «fin-de-siècle», il faut établir une chronologie. Le découpage du temps est fondé sur des mouvements (et des moments)

(Page de gauche)
Montréal: une porte sur l'Amérique (Photo: Pierrette Méthé)

politico-socio-culturels. Cinq temps forts marquent les années qui vont de 1959 à 1997 (2000).

UNE CHRONOLOGIE

Entre 1959 et 1965

Nous assistons au décès de Maurice Duplessis et à l'avènement de Jean Lesage. Pour le premier, c'est la fin d'un règne sur une société qui n'en pouvait plus de supporter l'intrusion dans sa vie quotidienne des interventions de l'Église et de l'État; pour le second, c'est un nouveau départ, par la modernisation de l'appareil étatique, qui donne l'illusion aux masses populaires de vivre une **Révolution tranquille**. Les jeunes politiques de Lesage attaquent sur tous les fronts: l'éducation nationale, les affaires culturelles, l'économie dont l'hydro-électricité sert de fer de lance. Insatisfaits du rythme de ces réformes et des compromissions qu'elles comportent, les intellectuels lancent des mouvements d'oppositions qui couvrent tout le spectre idéologique, de la droite à la gauche (R.I.N., F.L.Q., etc.), bref ces changements entraînent de la violence.

Entre 1966 et 1969

C'est le temps de l'exaltation nationale: l'Exposition universelle; «Vive le Québec libre»; à travers l'écriture une nouvelle identification à la culture urbaine et prolétarienne; fondation du M.S.A. suivi du P.Q.; contre-culture prônant le retour à la nature; «underground» et fêtes à Woodstock (États-Unis). À Ottawa s'installe le «triumvirat»: Trudeau-Marchand-Pelletier. Hyperactivité culturelle; nouvelle écriture engagée (théâtre-poésie-roman-essai); prospérité artificielle liée à l'Exposition universelle; un temps de repos ou le calme avant la tempête?

Entre 1970 et 1976

Les crises se multiplient: enlèvements, assassinats, scandales politiques; excès des policiers; loi des mesures de guerre; violence; anarchie apparente. La littérature est de plus en plus engagée et elle est médiatisée par la gauche; il y a peu de recherches originales de la part de l'avant-garde artistique; refuge évident dans la contre-culture; un nouveau précepte: noyer les Québécois dans le multiculturalisme — une minorité nationale comme les autres.

Entre 1976 et 1985

Le rapatriement de la Constitution; le référendum par le Parti québécois; il y a 101 raisons pour dire NON au Québec; départs de Trudeau et de Lévesque; Bourassa de retour au pouvoir poursuit l'expérience du «beau risque»; la violence se poursuit; la cour suprême dépèce la loi 101.

Entre 1986 et 1997 (2000)

Les Québécois devraient s'enrichir grâce au libre échange; nouvelles crises: constitutionnelle, d'Oka, des scandales politico-financiers; nouveau référendum: ni oui ni non, mais peut-être! Les démographes n'ont de cesse à prouver une baisse inquiétante de la population francophone au pays; le chômage, la pauvreté, les rues encombrées par les S.D.F., toutes ces calamités semblent les seules promesses d'avenir pour les Québécois.

Pour chacune de ces étapes, les textes écrits et audiovisuels pullulent. Une lecture attentive et chronologique de l'excellente bibliographie d'Aurélien Boivin démontre, sans l'ombre d'un doute, le bien fondé de nos propos. Toutefois, une approche critique de ces textes, selon les écoles de pensée, voudra y déceler des éléments de modernisme, d'avant-gardisme et de postmodernisme, le tout sur cette toile de fond dite «fin-de-siècle».

Principes généraux

Peut-on effectuer un rapprochement significatif entre deux fins de siècle, la nôtre et celle du siècle dernier? Pas nécessairement, de déclarer Gwenhaël Ponnau.

> «S'il est séduisant poursuit-elle, de considérer, après Huysmans **[elle traite du XIXe]** que "les queues de siècle se ressemblent", il n'est aucunement question de procéder par amalgame, de fondre dans un ensemble unique, monolithique, les diverses fins de siècle, ces fins effectivement **autres** telles qu'elles furent appréhendées et représentées en leur temps par les écrivains et par les artistes. Chaque siècle finissant ne suscite pas nécessairement les mêmes interrogations sur la **fin**: **sa** fin lui est d'abord propre.»
>
> (*Actes du congrès de Toulouse*, 1987, pub. 1989)

Par ailleurs, malgré le bien-fondé de ces propos, ceci ne devrait pas nous interdire, d'une part, de dégager les principales caractéristiques d'une fin de siècle donnée, d'autre part d'en établir une définition et de voir en quoi une **autre** fin diffère ou est équipolente à celle du point de départ. Ne serait-il pas absurde, en tenant compte de tels principes, parce qu'il s'agit d'autres pays, d'autres cultures, de réinventer d'autres instruments d'analyse, au lieu tout simplement d'adapter correctement ces instruments qui ont fait leurs preuves? En d'autres mots, rien n'interdit aux chercheurs d'explorer un système, de tenter d'en codifier les mécanismes et de mesurer ensuite en quoi — un siècle plus tard — un autre système déroge de la matrice originelle. À la limite — *mutatis mutandis* — ne seraient autorisés à traiter de fins de siècle que ceux d'un territoire donné et d'une culture donnée? Si l'on effectue un tour d'horizon des sujets traités par les conférenciers à ce colloque *Fins de siècle, terme-évolution-révolution*? (1987), l'on constate que ces derniers, venant des quatre coins de la planète, tentaient de fondre leurs propos dans le creuset des siècles, depuis le XVe jusqu'au XIXe. Il y avait tous azimuts, un brassage d'idées sur de multiples cultures. N'est-il pas curieux de noter que certains conférenciers à ce colloque de 1987, surent adroitement raccrocher les mêmes propos (titres variables) à d'autres colloques sur d'autres sujets.

En 1965, cette notion de «fin-de-siècle» a attiré tout particulièrement notre attention, après la lecture d'un texte de L. Sérizier paru dans *Le Voltaire*[1] (4 mai 1886), qui reprend à son compte une définition de «fin-de-siècle» déjà énoncée par Robert de Montesquiou (1855-1921). Ce dernier avait servi de modèle pour le personnage Des Esseintes d'*À rebours.*

> «Être fin-de-siècle, écrivait Sérizier-Montesquiou, c'est n'être plus responsable; c'est subir d'une façon presque fatale l'influence des temps et du milieu; c'est prendre tout simplement sa petite part de la lassitude et de la corruption générales; c'est pourrir avec son siècle et déchoir avec lui [...] Les consciences, complaisantes et molles, trouvent une complicité bienfaisante dans l'affaissement universel. C'est le règne des passions lâchées à toute bride, le triomphe insolent de la perversité.»

Cette définition fut citée, reprise et répétée par tous ceux qui ont approfondi cette notion. Cette définition rencontre toutes les exigences de ce que doit être une définition: claire, convertible, exprimée largement en des termes positifs et finalement a le bonheur d'être concise. Un siècle plus tard, Marc Angenot planchant sur cette notion, déclare:

> «Fin-de-siècle ne désigne pas la seule décrépitude de la civilisation, mais connote des mœurs faisandées, les doctrines contre-nature (le féminisme notamment), les littératures inintelligibles, phénomène dont il est entendu qu'ils préludent d'effondrement.»[2]

À notre humble avis, cette seconde définition de «fin-de-siècle» reprend largement les idées énoncées plus haut par Sérizier-Montesquiou. Il faut ajouter à ceci ce goût de la provocation, dans ces quelques mots «les doctrines contre-nature (le féminisme notamment)» surtout lâchés dans la société québécoise actuelle où le féminisme militantiste occupe une bonne place dans le discours moderne. Pour ceux qui sont attentifs au développement et à l'évolution du féminisme nord-américain, cette approche particulière est de nature à mettre le feu aux poudres. Est-ce vraiment faire le pont entre deux féminismes (XIXe et XXe) qui selon nous sont diamétralement opposés, ou est-ce, implicitement, affirmer qu'ils sont de même nature? Ne pourrait-on pas voir là, dans ce cas particulier du

---

1 *Le voltaire*, qui a succédé au *Bien Public*, fut fondé par Paul Degouy le 5 juillet 1878. Il paraît régulièrement jusqu'en août 1908, puis sporadiquement jusqu'en 1930. Il est démocrate et progressiste, parfois outrancier. Bien que non définie, cette notion de «fin-de-siècle» est dans l'air depuis 1880.

2 ANGENOT, Marc, *1889, un état du discours social*, Montréal, Préambule, 1989, p. 373.

féminisme, les effluves des «idéologies du ressentiment» (1996), titre même de l'ouvrage d'Angenot qui fit quelques bruits ces derniers mois? Loin de nous d'ailleurs, cette volonté de nous engager dans ce débat où l'on n'en finit plus de ressasser synchroniquement de vieilles cendres, sans examiner le tout à la lumière d'études diachroniques.

Méthode

Ce qui nous préoccupe maintenant et qui nous préoccupa dès les années 60, alors que nous n'avions aucun recul à ce sujet, c'est de déterminer les caractéristiques de notre fin de siècle. En explorant tous les champs de la littérature (culture et civilisation) nous devrions être en mesure de dégager un certain nombre de paramètres essentiels. Avant de porter notre regard sur le Québec en particulier et cette fin de siècle, nous nous sommes penchés sur de nombreux textes: littéraires, sociologiques, politico-financiers, de la fin du siècle dernier, textes éprouvés par la critique qui nous permettait de déblayer le champ opératoire. L'internet nous fournissait plus de 8 000 mentions à cet égard. Il était impensable que nous puissions, dans le cadre restreint de notre travail, explorer la totalité de cette bibliographie. Nous avons réduit notre champ d'enquête à quatre grandes catégories pour lesquelles nous avions suffisamment de documents:

1) la société économique, 2) la société morale et politique, 3) la société philosophique et religieuse, 4) la société: censure et contre-censure. La méthode est assez classique et elle réduit notre inventaire à des proportions raisonnables d'à peine cinq cents articles et ouvrages[3] portant sur la notion de fin-de-siècle. Il ne restait plus qu'à établir la fréquence des sujets traités dans chacune de ces quatre catégories. Très tôt, l'on se rendit compte que les auteurs se répétaient et l'on put réduire le tout à vingt-cinq thèmes. L'exercice devint intéressant lorsque l'on constata qu'entre les deux fins de siècle — la première de 1880 à 1914, soit 34 ans et la seconde de 1965 à 1997 (2000), soit 35 ans — *mutatis mutandis*, il était possible d'effectuer des rapprochements. Il est bien compris que, l'imagination des chercheurs étant illimitée, l'on peut emprunter d'autres voies; il s'agit là d'un cheminement qui pourrait déboucher sur une recherche fructueuse. Encore une fois, et nous insistons là-dessus, il ne s'agit pas pour nous de démontrer (par c.q.f.d.) indubitablement qu'il y a un transfert historique entre ces deux fins de siècle, mais une voie exploratoire.

[3] Plusieurs de ces articles sont déjà signalés dans les bibliographies de la revue *Europe*, 69e année, nos 751-752, novembre-décembre 1991; dans Gwenhaël Ponnau, *Fins de siècle* (colloque de 1987) (pub. 1989); dans *MLA Bibliography* 1981-1996; enfin dans les ouvrages des auteurs suivants: Sandford Ames, Rowland Cotterill, Michel Delm, Paula Fichtner, Françoise Gaillard, Rhonda Garelick, B. Hervoche, Melinda Knight, S.O'Brien, Debora Silverman, Mikuláš Teich, Barbara Timmons, Martha Vieinus, Michel Viegnes, Eugen Weber, Shaerer West. Il est aussi intéressant de noter le grand nombre de femmes qui ont consacré des travaux importants sur ce sujet.

Caractéristiques comparées

Caractéristiques «Fins-de-Siècle»

En France au XIXe 1880 à 1914	Au Québec au XXe 1965 à 1997 (2000)
Société *mutatis-mutandi*	Société
I) LES FONDEMENTS ÉCONOMIQUES	I) LES FONDEMENTS ÉCONOMIQUES
1) «Struggle for life»; il y a un chômage endémique chez les intellectuels depuis 1870. Ils formeront le gros des contingents à mourir sur les champs de bataille en 1914.	1) Comment survivre? Les bourses, le bien-être social, l'assurance chômage. Chômage endémique chez les diplômés depuis 1970. Bien-être social, recyclage et rechômage. Ex.: litt. *Le Cassé*
2) Scandales politico-financiers (la droite française): le canal de Suez; l'Affaire de Panama; les emprunts pour la construction du trans-sibérien	2) Depuis 1960, si l'on consulte les rapports des vérificateurs généraux et du protecteur du citoyen (ombudsman) nous avons: scandales du sang contaminé; pot-de-vins, scandales militaires; groupes d'intérêts et versements illégaux aux partis politiques. La liste est longue. Ex.: litt. *Le Feu dans l'amiante*
3) Concentration de la presse (la droite)	3) Idem au Québec et au Canada
4) Vagues nationalistes de la droite	4) Idem, mais à la gauche: R.I.N., M.N.Q., P.Q., F.L.Q., FRAP Ex.: litt. *Nègres blancs d'Amérique*
5) Racisme et antisémitisme Dans les colonies africaines et d'Asie; l'Affaire Dreyfus et montée anti-«Israélite»	5) Montée du racisme couplée au chômage, à l'immigration illégale de diverses sources et natures. S.O.S. racisme. Les sociétés sataniques recrutent chez des racistes pour exercer la violence. Les prises de positions propalestinienne à l'encontre d'Israël

II) LES FONDEMENTS MORAUX ET POLITIQUES	II) LES FONDEMENTS MORAUX ET POLITIQUES
1) Décadence. Il s'agit là d'un concept «littéraire» qui prône l'insouciance et le paraître.	**1)** Les dépenses et l'endettement; banalisation des faillites; l'immédiatisme dans l'acquisition des biens matériels.
2) Déliquescence. Un concept «littéraire» qui décrit la corruption généralisée de la vie publique et privée.	**2)** Prostitution avec fenêtre publicitaire; tourisme sexuel; signatures forgées; délits d'initiés; abus des biens sociaux; perte du sens de la famille.
3) Liberté sexuelle. Un concept «littéraire» qui donne un statut social aux courtisanes.	**3)** Liberté sexuelle avec l'avènement de la contraception scientifique, mais rapidement suivie de l'abstinence à cause des M.T.S.; manipulation génétique liée à l'infertilité.
4) Drogue. Surtout l'usage de la morphine; le paradis artificiel des fumeries héritées d'Asie. Cette pratique est limitée aux classes aisées. C'est l'alcoolisme chez les classes laborieuses.	**4)** Les drogues variées grâce au progrès de la science et l'ouverture des frontières. Les variétés ciblent diverses classes de la société à la recherche des paradis artificiels; les piqueries; ceci devient un marché lié à l'économie du Sud vers le Nord.
5) Perversions. Pratiques réelles, mais surtout décrites dans les œuvres littéraires.	**5)** Perversions: tourisme sexuel en Asie et dans les pays sous-développés. Pédophilie; crimes sexuels. Pratiques internationales: Suisse, France, Canada.
6) Les maladies vénériennes: la syphilis; des œuvres littéraires en font foi.	**6)** Les maladies vénériennes: les M.T.S. et surtout le Sida. Des œuvres sociales en décrivent les symptômes et les cheminements, mais n'arrivent pas à convaincre les gouvernants à investir dans la recherche.

III) LES FONDEMENTS PHILOSOPHIQUES ET RELIGIEUX	III) LES FONDEMENTS PHILOSOPHIQUES ET RELIGIEUX
1) Apocalypse, pessimisme et nihilisme. Remise à la mode des penseurs post kantiens: Kierkegaard, Schopenhauer, Nietzche et aussi renouvellement du thomisme	**1)** Psychose du nucléaire; diversités des sources philosophiques axées sur le pessimisme et l'immédiatisme; groupes anarcho-nihilistes; violence.
2) Névrose et hystérie: les études et les expériences de Charcot	**2)** Multiplication du suicide chez les jeunes; les causes sont toujours à l'étude ainsi que les palliatifs.
3) Ésotérisme et occultisme. Zoroastre, Mithra, Ohrmazd	**3)** Les tireuses de cartes et de bonne aventure; retrouvailles de religions anciennes et moyen-orientales; scientologie, témoins de Jéhovah; les nouveaux «papes» de diverses religions.
4) La psychanalyse: Freud et Jung, etc.	**4)** Le confesseur et le directeur de conscience est remplacé par une pléiade de psy.
5) Le fantastique. Ceci apparaît dans de nombreuses œuvres littéraires; chevauchement avec les psychologies populaires et la crédulité générale des masses.	**5)** Le fantastique qui était dans l'air au XIXe siècle, débouche sur la science-fiction où l'on effectue une synthèse entre la pensée européenne et la pensée américaine. Ex.: litt. *Solaris, Imagine*
6) Le satanisme: pratiques décrites dans des œuvres littéraires; pratiques réelles et restreintes à des initiés.	**6)** Le satanisme: résurgence chez les jeunes, accompagné de violence; chez les adultes dans des sociétés dites secrètes comme l'Ordre du Temple solaire; Société Vortex de l'étoile de David; assassinats rituels.

IV) LES FONDEMENTS DE LA CENSURE ET CONTRE-CENSURE	IV) LES FONDEMENTS DE LA CENSURE ET CONTRE-CENSURE
1) Contre-culture: se retrouve dans une gauche fragmentée	**1)** Les exemples de contre-culture sont nombreux: Mainmise, Berdache, Obscène Nyctalope, Mouvement Ti-Pop. Ex.: litt. *L'Afficheur hurle.*
2) Costumes excentriques: déranger les bourgeois	**2)** Idem mais geste politique et anarchique.
3) Underground de certains marginaux	**3)** Idem mais un geste politique de gauche.
4) Émancipation et féminisme: l'univers des gouines, des saphistes et des tribadistes	**4)** Différence marquée d'avec le XIXe: acquérir une identité réelle dans la société. Les autres pratiques associées plus ou moins à une variété d'underground.
5) Retour à la vie pastorale: reliquat du romantisme	**5)** «Small is beautiful» et la vie communautaire à la campagne; une nouvelle autosuffisance; une forme d'ailleurisme.
6) Antimilitarisme: après l'Affaire Dreyfus; refus de mourir pour les riches, et fraternité universelle; un mouvement de gauche	**6)** *Idem*. Anti Corée; Anti Vietnam Ex.: litt. *Neuf jours de haine.*

Cette petite grille n'a pas la prétention d'être exhaustive et d'explorer toutes les thématiques. Elle montre tout simplement que cette notion «fin-de-siècle» peut appartenir à une tradition sociale et littéraire, comme jadis le romantisme, le naturalisme et le réalisme. Les œuvres littéraires se recrutent dans tous les milieux de la droite à la gauche. Il nous semble toutefois que la gauche soit plus militante dans sa manière d'exprimer cette «fin-de-siècle». Ce n'est pas un **mouvement**, c'est un **moment** qui se situe avec une certaine précision dans le temps. L'Institution littéraire doit chercher sa voie critique ailleurs, à savoir ce qu'elle considère comme étant moderne, avant-gardiste, et postmoderne. C'est ce que nous tenterons de définir et de situer à travers cette période de trente-cinq années. Pour tout résumer, cette notion «fin-de-siècle» est semble-t-il plus liée à des phénomènes socio-politico-économiques qu'à des pratiques proprement littéraires. La critique devra en faire une lecture plurielle.

MODERNISME, AVANT-GARDISME ET POSTMODERNISME

Être moderne

Il est difficile de traiter d'avant-gardisme et de postmodernité si l'on ne situe pas quelque peu cette notion de modernisme ou de modernité. Il nous paraît un peu incongru de définir les seconds (l'un et l'autre comme un en soi) et de tenter de gommer le référent.

«Pour un homme du XIIIe siècle, écrit Malraux dans *Les Voix du Silence*, le gothique était moderne», et sans ajouter plus à cette conception de la modernité; implicitement, il laisse entendre à la fois qu'il y a mouvance, et à la fois une adéquation en ce qui a trait à une vérité logique identifiée par celui qui contemple cette cathédrale quotidiennement. En d'autres mots, l'ensemble de cette collectivité du XIIIe se sent confortable à vivre à l'ombre de sa cathédrale; et le passage du gothique ogival au gothique tardif ou flamboyant a dû déranger quelque peu la notion de modernité de cette collectivité. Si nous nous reportons dans le domaine littéraire, Hugo dérange les classiques avec sa préface de *Cromwell* (1827) suivie en 1830 de la bataille autour d'*Hernani* où il «cassait les reins à ce grand niais d'alexandrin». Mais en 1862, *Les Misérables* font partie sans conteste de la modernité des romantiques. Dès 1857, ce même Hugo avait compris qu'avec *Les Fleurs du mal*, Baudelaire «était un sang nouveau» par rapport à sa propre modernité. Ainsi pourrait-on répéter ce raisonnement à l'endroit des œuvres d'art, car l'historicité trouve ses fondements dans ces conflits perpétuels entre les créateurs et les sociétés auxquelles ils appartiennent.

Vers une définition

> «Peu importe, écrit Lukacs, que les artistes eux-mêmes le sachent ou qu'ils croient, en créant leur œuvre, créer quelque chose d'intemporel, continuer un style déjà existant ou réaliser un idéal «éternel» emprunté au passé; pourvu qu'elles soient artistiquement vraies, leurs œuvres sont le produit des tendances les plus profondes de leur époque; le contenu et la forme des véritables œuvres d'art ne peuvent être séparés — esthétiquement — du sol d'où ils sont nés.»
>
> (*Spécificité de l'esthétique*, 1965)

Ainsi les propos de Lukacs semblent être une réponse anticipée aux déclarations de Barthes:

> «Chaque fois, écrit ce dernier dans *Le degré zéro*, que l'écrivain trace un complexe de mots, c'est l'existence même de la **Littérature** qui est mise en question; ce que la modernité donne à lire dans la pluralité de ses écritures, c'est l'impasse de sa propre **Histoire**.» (p. 45, 1972)

D'ores et déjà l'on entrevoit toute la complexité à fournir un contenu cohérent à cette notion de «modernité». Pour Lukacs, «ce sont les tendances» d'une époque; pour Barthes, c'est «l'impasse de sa propre **Histoire**». Pourtant, il semble bien que sous ce concept de «modernité», transparaissent d'autres éléments, — même en les niant — qui se retrouvent dans les propos d'autres critiques. Chez Marcel Braunschvig, ce qui domine c'est cette notion d'identité.

> «La littérature contemporaine **[pour lui ceci veut dire moderne]**, écrit-il, est l'endroit où nous aimons retrouver l'image de nos mœurs, l'écho de nos pensées et de nos sentiments.»
>
> (*Littérature française contemporaine*, p. VII, 1949)

Il s'agit alors d'une sorte d'ethnocentrisme qui sera dénoncée par les postmodernes. Pour Malraux, lorsqu'il annote (note n° 10) le texte de Gaëtan Picon (1961), il ne faut pas que l'écrivain rivalise avec «l'état civil» mais soit le reflet d'un univers cohérent pour que le lecteur puisse s'y reconnaître.

> «L'autonomie des personnages, le vocabulaire particulier donné à chacun, sont des puissants moyens d'action romanesque, non des nécessités [...] Je ne crois pas vrai que le romancier doive créer des personnages; il doit créer un monde cohérent et particulier, comme tout autre artiste. Non faire concurrence à l'état civil, mais faire concurrence à la réalité qui lui est imposée, celle de «la vie[4]», tantôt en semblant s'y soumettre et tantôt en la transformant, pour rivaliser avec elle». (Paris, Seuil, p. 38)

Quant à Vattimo, dans *La Fin de la modernité* (1987), il s'agit de «l'acceptation de l'idée d'histoire et ses corollaires: les notions de progrès et de dépassement.»

Quelles sont brièvement les caractéristiques de la modernité[5]? Comme cette idée est fondée sur une sorte d'immobilisme esthétique (relatif), il faut que l'ensemble de cette mouvance demeure à un degré zéro de l'histoire, de telle sorte que de génération en génération, après les écarts sporadiques des divers avant-gardistes, la modernité retrouve cette adéquation avec la vérité.

[4] Jacques Maritain dans *Antimoderne* (p. 21) abordant cette notion de «Vérité et vie», à cause de son choix religieux et moral déclare: «Vérité et vie doivent donc être uniquement cherchées au dedans du sujet humain, toute action, toute aide, toute règle, tout mystère qui proviendrait de l'autre étant un attentat contre l'esprit» à la suite de quoi il conclut que «l'esprit moderne est laïc et naturaliste, et rationaliste.» Si l'on s'engage sur cette voie, on soupçonne sur quoi débouchera le débat.

[5] Pour dégager ces principales caractéristiques, nous avons eu recours aux travaux des auteurs suivants: Jacques Belmont, Y.-A. Bois, N. Chomsky, M. Fréderic, A. Giddens, Jürgen Habermas, Harry Levin, Henri Meschonnic, Diane Pacom, Paolo Portoghesi, Charles Taylor, Gianni Vattimo et R. Wolin.

Caractéristiques de la modernité

Science et technologie: progrès et dépassement — À l'image des contemporains: tendances vers la vérité et exclusion du dissemblable — Créer un consensus chez les masses populaires — Établir des valeurs déterminantes: culture élitiste, critères de beauté (unité, harmonie, homogénéité) — Société laïque fondée sur le rationalisme et le naturalisme — Établir les conditions idéales pour maintenir un degré zéro de l'histoire moderne.

À ces caractéristiques, l'on s'en doute bien, correspondent des notions critiques à l'égard des œuvres littéraires, notions que l'on retrouve chez les maîtres européens de la dissertation, comme Daniel Mornet, Gustave Lanson, Jean Suberville, Chassang et Senninger, Pierre de Boisdeffre, G. Fournier et son classique: *Comment composer mon devoir de français* (1934), pour ne nommer que quelques-uns de ces pédagogues dont nous sommes, Québécois, les héritiers depuis la fin du XIXe siècle. Ne pas évoquer ces faits historiques, c'est amputer en quelque sorte de nombreux éléments d'une meilleure compréhension de ce qu'est la modernité d'ici. Le discours critique se résume alors à voir dans un texte: la comédie humaine, la morale, la psychologie des personnages, la sincérité de l'engagement, l'analyse des descriptions des tableaux sur les vieilles familles, le sentiment de la nature, la description et le portrait, et quoi encore, bref tous les «beaux sujets de dissertation» où l'on doit forcément conclure sur «l'authenticité de l'expérience humaine», pour paraphraser Boisdeffre dans son *Histoire vivante de la littérature d'Aujourd'hui* (1960).

Être avant-gardiste

Être avant-gardiste d'ici ou d'ailleurs, voilà la véritable question qu'il faut se poser. Si l'on mène notre enquête sur ce que l'on pourrait qualifier d'avant-gardisme d'ici, il nous apparaît évident que cette tendance se loge aux enseignes de la peinture et de la musique, bien plus que du côté de la littérature comme telle, la poésie exceptée.

C'est grâce aux professeurs français et aux Québécois rentrés au pays à la suite d'études en France, que le lecteur d'ici découvre le «Nouveau roman» pratiqué par Butor, Lagrolet, Le Clézio, Robbe-Grillet ou Sarraute. Qu'en est-il tout au juste? Voyons ce que Sartre avance là-dessus — et il eut ses heures de gloire ici —. En 1947, dans *Portrait d'un Inconnu*, Jean-Paul Sartre définit ainsi l'anti-roman i.e. le nouveau roman:

Une définition

> «Les anti-romans conservent l'apparence et les contours du roman: ce sont des ouvrages d'imagination qui nous présentent des personnages fictifs et nous racontent leur histoire. Mais c'est pour mieux décevoir; il s'agit de contester le roman par lui-même, de le détruire sous nos yeux dans le temps qu'on semble l'édifier, d'écrire le roman d'un roman qui ne se fait pas, qui soit aux grands œuvres composées de Dostoievski et de Meredith ce qu'était aux tableaux de Rembrandt et de Rubens cette toile de Miro intitulée "Assassinat de la Peinture".»

En tenant compte de cette approche sartrienne et de celles d'autres critiques qui abordèrent semblablement le sujet, que peut-on dégager comme caractéristiques générales? Toutes ces caractéristiques ne se retrouvent pas évidemment dans toutes les œuvres romanesques.

Caractéristiques de l'avant-gardisme

> *Absence d'armature narrative et abandon de l'histoire — Abandon des peintures du milieu et de la création de personnages — Suppression du découpage et suppression du sens immédiat — À travers le non-dit et le désordre (anti-structure) renaîtra le sens — Intériorité éclatée — Hyper puissance du regard dans les descriptions minutieuses — Exploration de la totalité objective — Le roman comme recherche (Butor).*

Il faut bien avouer que si ces caractéristiques (et bien d'autres) furent minutieusement étudiées et commentées par les professeurs-critiques d'ici, elles n'eurent pas l'heur de déclencher de grandes vocations romanesques «à la manière de...».

> «Ce qui est remis en question, de conclure Boisdeffre, par ces écrivains [avant-gardistes], ce n'est pas le seul roman, c'est l'unité de l'esprit et de l'identité de l'homme. Leurs tentatives, parfois balbutiantes, disent bien l'inquiétude du siècle déchiré qui depuis bientôt vingt ans [nous sommes en 1960], vit sous le signe de la bombe, de l'absurde et de l'Apocalypse».
>
> (*idem* cité plus haut)

Comme l'a bien montré Clément Moisan dans son étude, l'avant-garde se retrouve surtout en poésie. Les approches à cet égard sont bien différentes de celles du roman.

Gilles Marcotte a parfaitement raison d'écrire en 1980, dans *La littérature et le Reste* (ce dialogue avec A. Brochu) qu'au «Québec, les puissances même de l'institution littéraire, eu égard au milieu restreint qui la nourrit tend à souligner plutôt qu'à masquer les faiblesses de la création» (p. 183) et il déclarait plus haut que notre littérature était «de plus en plus enlisée dans le travail théorique.»

Ainsi chercher une sorte d'avant-gardisme réel, ici, c'est perdre beaucoup de temps. Il faut en cette fin de siècle, porter toute notre attention sur ce qu'il est convenu d'appeler: **postmodernisme**.

Être postmoderne

Avant d'aborder cette «querelle des modernes et des postmodernes» qui ne se compare en rien à cette «Querelle des Anciens et des Modernes[6]» au XVIIe, il faut, croyons-nous, fournir quelques jalons chronologiques qui nous permettent d'encadrer ces deux notions.

Une chronologie

L'avènement du monde industriel marqué par l'usage des machines, par le travail en usine, par les revendications des masses

[6] GILLOT, H., *La Querelle des Anciens et des Modernes*, Paris, 1914.

laborieuses, bref tout ce que l'on met dans ce contenant étiquetté **La Révolution industrielle**, c'est le «modernisme». Ceci se produit avec l'avènement en Angleterre de la reine Victoria en 1837 et le libéralisme qui s'en suit. Le postmodernisme débute par une œuvre dénonciatrice et décapante (selon la gauche) avec *The Modern Times* (*Les Temps modernes)* de Chaplin cent ans plus tard, soit en 1936. Le modernisme ne s'arrête pas à cette date pour donner place au postmodernisme. Mais c'est à partir de cette œuvre artistique, humoriste, crue, et sur l'absurdité de la vie, que l'homme se rend compte qu'il a vécu durant plus de cent ans dans un univers kafkaïen, et qu'il est de plus en plus empêtré dans ses machines qui lui promettaient une vie meilleure. *Les Temps modernes*, c'est aussi une dénonciation de l'«American Dream». S'il y eut des millions d'Européens au siècle dernier qui furent attirés par ce «rêve», il y a aussi des centaines de milliers de Canadiens-français qui émigrèrent aux États-Unis afin de se donner un bout de pain. Dans la seconde partie du roman *Jeanne la fileuse* (1878), Honoré Beaugrand fait l'apologie du libéralisme américain. Il peint un tableau idyllique de ce qu'était la vie dans les «petits Canadas» autour des filatures de coton de la Nouvelle-Angleterre. Pierre Anctil a effectué des analyses très pertinentes à cet égard et tout particulièrement dans son essai *Identité de l'immigrant québécois en Nouvelle-Angleterre* (1981).

Notre but premier n'est pas de démontrer que dès 1936, les intellectuels québécois étaient conscients qu'ils étaient entrés dans l'ère postmoderne. Ce ne sont là que des repères pratiques (1837-1936) pour situer dans le temps ce qu'il est convenu d'appeler le modernisme.

À la remorque de l'Europe et des États-Unis

Comme nous le signalions plus haut, notre «avant-garde» ne s'est pas affirmée dans tous les domaines. Quant au postmodernisme, la critique d'ici, dès les années 1970, s'est mise à la remorque de la pensée européenne et américaine. Le champ étant plutôt flou, les postmodernistes se cherchent des modèles. Ce n'est pas par hasard que nous utilisons le mot «flou», car il s'agit de définir des concepts. Encore une fois l'on se reporte aux propos de Marcotte qui sait bien circonscrire le travail de la critique.

> «Formulons autrement la question: quel travail la critique fait-elle, qui ne soit pas celui de l'histoire, de la sociologie, de la philosophie? [...] nous faisons autre chose [...] mais le diable c'est d'arriver à définir cette autre chose avec un peu de précision. Des définitions, il en existe un grand nombre au comptoir de la théorie littéraire; elles sont, hélas, aussi changeantes et fragiles que l'idée même de littérature.» (*idem*, p. 146)

Ainsi, s'est-il abattu sur l'Institution littéraire québécoise, ces dernières années, pléthore de théories littéraires. Elles avaient pris racine dans ce terroir à la suite de thèses sérieuses sur l'originalité de «l'écriture textuelle» d'ici. C'est, qu'à la suite de l'anti-roman qui a à peine existé ici, est apparue, pour paraphraser Gaëtan Picon, «une pratique littéraire comme une forme de la connaissance scientifique et un moyen de l'action politique». Ce discours n'avait rien d'autochtone.

Les protagonistes

Où se loge le discours analytique[7] sur notre littérature? Chez Baktine, Barthes, Blanchot, Chomsky, Cixoux, Deleuze, Derrida, Foucault, Greimas, Jakobson, Lacan, Lyotard, Riffaterre, Sollers et Todorov, et la liste peut être beaucoup plus longue. Les littéraires, donc adeptes de telles pratiques analytiques, n'échappent pas à cette fièvre ou engouement, dans leurs recherches de la postmodernité à travers les œuvres.

La controverse

La controverse est bien engagée. Il est essentiel de citer à cet égard quelques lignes de Diane Pacom, sur «La querelle des modernes et des postmodernes», parues sans bruit dans *Possibles* (Vol. 13, hiver 1989). Dans son article, Pacom situe fort bien le problème et elle partage le pour et le contre avec une grande intelligence.

> «Depuis la fin des années 1970, un nouveau débat se poursuit, écrit-elle, des deux côtés de l'Atlantique. Ce débat oppose les adeptes d'une nouvelle théorie socio-politique, celle de la postmodernité, à leurs adversaires qui déploient une énergie surprenante à identifier mille et une raisons aussi politiques et idéologiques qu'esthétiques et parfois même éthiques pour condamner, infirmer ou refuter cette thèse, partiellement ou dans son ensemble.»

Épistémologie

L'auteure s'en tient au débat «épistémologique et politique qui entoure le concept de postmodernité». Il serait inutile ici de reprendre tous ses propos. D'autres études sur le même sujet ont poussé l'analyse beaucoup plus loin. Par exemple, coup sur coup, Yves Boisvert (à ne pas confondre avec celui qui publie chez XYZ.), politologue, a fait paraître à la suite de sa thèse, des ouvrages de première importance sur cette question: *Le Postmodernisme* (1995), *Le Monde postmoderne, analyse du discours sur la postmodernité* (1976) et *L'Analyse postmoderniste* (1997).

Le cheminement

Dans ces trois ouvrages, Boisvert, poursuivant sa réflexion à la suite de sa thèse de doctorat, tente de livrer une «grille d'analyse»

[7] Il faut être reconnaissant à Marc Angenot d'avoir eu l'idée de faire paraître un *Glossaire pratique de la critique contemporaine* (1979) où, clairement, il définit et démystifie à la fois, un langage qui n'était l'apanage que des «happy few». Certains critiques ont su utiliser cette langue spécialisée avec efficacité pour faire progresser la pensée analytique, mais d'autres la pratiquèrent pour mieux cacher le vide de leur pensée. Burnier/Rambaud se sont fort bien moqués (oh! sacrilège) des extravagances de ce discours dans *Le Roland Barthes sans peine*, Paris, Balland, 1978.

cohérente sur l'ensemble de la postmodernité. Il adopte une position extrêmement critique à l'égard de Derrida, Foucault et d'autres théoriciens de cette école.

> «De nombreux penseurs contemporains, affirme-t-il, ont aussi été classés comme postmodernistes uniquement parce qu'ils avaient une position critique à l'égard de la modernité ou face à la rationalisation moderne. [...] surtout de la nébulosité qu'aiment entretenir plusieurs penseurs postmodernistes» (*L'Analyse postmoderniste*, p. 48, 53)

À la suite de telles déclarations, il nous paraît essentiel de présenter la «technicité» de son approche (dans son étude de 1997) telle que fondée «sur des données spécifiques concrètes.» Ceci lui aurait permis de mettre au point «une nouvelle grille d'analyse qui pourrait être plus efficace dans l'étude du monde complexe et turbulent qui nous entoure». (p. 1)

Caractéristiques chez le politologue

Cette grille d'Yves Boisvert se résume de la manière suivante:

A) La méthode

> 1 — Établir une théorie du postmodernisme; 2 — une épistémologie, une philosophie et une méthodologie; 3 — déterminer les principaux paradigmes: le schéma, la mutation; 4 — établir le code langagier.

Ce qui intéresse évidemment les littéraires, c'est le code langagier. Ce dernier comporte huit caractéristiques.

B) Le code

> Le «je» qui valorise la personne — la puissance politique de la masse populaire — la déchéance des avant-gardes — la primauté du quotidien — la tribalité englobante — les intérêts d'ordre moral, spirituel et intellectuel — la primauté de la société sur l'état de la manière suivante: individu/société/état, ce qui force un retour à l'éthique — la décentralisation des décisions politiques.

Voici l'essentiel de son système, déclare-t-il, système qu'il se propose d'élaborer à travers ses futures recherches.

Caractéristiques chez les littéraires

Comme, semble-t-il, les littéraires ont emprunté le discours postmoderniste chez les autres (les exégètes ne s'entendent guère chez qui) et que ce discours «littéraire» est qualifié de «nébuleux», il faut effectuer un tour d'horizon de ce concept chez ces derniers. Voici ce qui se dégage d'un certain nombre d'articles sur cette «question».

> Les postmodernes sont contre l'avant-garde et aussi contre toute recherche de nouveauté chez les modernes.(?) — C'est la fin des grands récits et des métarécits modernes. — Il y a remise en question du savoir établi: sur

> l'unité, l'homogénéité et l'harmonie, sur le savoir prôné par les modernes. — C'est la promotion des jeux du langage. — La déconstruction des canons esthétiques — Le roman doit être considéré comme le lieu d'émancipation et de critique. — L'on démontre un intérêt pour les éléments déstabilisateurs, anarchiques et hétérogènes de la culture. — Il ne faut plus croire au progrès. — Il faut rejeter la science et le rationalisme. — Il faut dénoncer les utopies et combattre les chimères politiques. — Il faut aiguiser la lucidité afin d'explorer un nouvel imaginaire social et une nouvelle sensibilité sociohistorique. — Le discours ne sera pas nécessairement l'expression de la vérité. — Il faut privilégier l'usage de la parodie et de l'ironie. — Enfin en ce qui a trait à l'écrivain et son écriture, il faut qu'il s'établisse une sorte de confusion entre l'auteur et le narrateur.

De toute évidence, ce résumé des diverses caractéristiques du discours littéraire pourrait, *a fortiori*, tourner au ridicule, si le lecteur n'arrivait pas, avec un peu de bonne foi, à imaginer que dans cette démarche intellectuelle, il y avait une construction parfois fort complexe. Par ailleurs, les politologues dont Yves Boisvert et autres, évalués par Diane Pacom dans sa synthèse de cette «querelle», voient dans ce cheminement des postmodernes littéraires, une nouvelle forme de conservatisme, pour ne pas dire un retour en arrière.

À la recherche d'une formule

Au fur et à mesure que progressent les discours, que se multiplient les colloques, que se renouvellent les querelles, il nous semble que forcément les analyses se précisent. Voyons-en quelques exemples dans les discours de Michaud et de Paterson.

> «Utilisé d'une manière vague, écrit Ginette Michaud, le mot postmodernisme sert le plus souvent à désigner l'émergence d'une nouvelle "sensibilité", **tout en ayant préalablement averti le lecteur "qu'il n'y a aucune pertinence à prouver à tout prix que les récits, ici ceux de Poulin, sont bel et bien postmodernes"** [...] les lecteurs ne trouveront pas ici une discussion serrée, et encore moins une définition synthétique, de ce terme plus que nébuleux...»
>
> (*Récits postmodernes*? dans *Études françaises*, 21/3, hiver 1985-86, p. 67)

Le second exemple, nous le prenons du côté de Janet Paterson (éd. 1993) qui a consacré à cette question un ouvrage important, même cité comme **LA** référence: *Moments Postmodernes* où l'on retrouve à l'appui de sa thèse les penseurs classiques qui ont planché sur ce concept: Hans Bertens, Jean-François Lyotard, Walter Moser, Guy Scarpetta et d'autres auxquels nous avons fait allusion plus haut dans nos propos. Paterson conclut son introduction par ceci:

> «Au Québec, moderne et modernité ne désignent pas, comme dans le contexte anglo-américain, une période littéraire bien déterminée. Il s'agit au contraire, de mots élastiques utilisés généralement pour désigner soit une partie du vingtième siècle, soit des pratiques avant-gardistes [...] Mobile et élastique, approximatif et instable, le mot a donné lieu à plusieurs définitions quelques fois contradictoires.» (p. 2-5)

C'est ainsi que grâce à cette «élasticité mobile», l'on a pu voir, ces dernières années, de nombreux théoriciens de la critique postmoderne, tant chez les «Canadians» que chez les Québécois, éplucher littéralement les œuvres d'Aquin, de Bessette, de Brossard, de Ducharme, de Godbout et de Poulin à la recherche d'exemples concrets afin d'étayer ce concept et de lui donner une certaine épaisseur. Ces théoriciens veulent aussi nous faire collectivement accéder (ou accréditer) au postmodernisme. Se trouverait-il aux États-Unis ou en Europe une maison de courtage, ultimement, pour nous **«délivrer»** un certificat de postmodernité?

Le lectorat, celui qui pratique ce «castigat ridendo mores» nous reconnaîtra qu'en aucun moment nous n'avons osé prendre position dans ce débat qui dure depuis 1970 et davantage.

À travers toutes ces pages, nos collaborateurs et nous-mêmes, n'avons pas voulu influencer le lectorat, mais simplement l'informer afin qu'il puisse établir son propre cheminement, et ceci grâce à un discours vraiment d'ici. Nous sommes indéniablement «fin-de-siècle» et peut-être aussi postmodernes.

Réginald Hamel est né en 1931; il a fait ses études au collège Sainte-Marie-de-Beauce, au collège de Lévis et au collège de Saint-Laurent. Son cheminement universitaire s'est poursuivi à l'Université du Michigan, à l'Université d'Ottawa et à celle de Montréal. Il a détenu successivement des postes au Musée des Archives nationales, au Musée national du Canada, ainsi qu'au Ministère des Transports. Après la disparition de son Centre de documentation des lettres canadiennes-françaises, en 1969, il a poursuivi sa carrière d'enseignant aux Études françaises de l'Université de Montréal où il a pris sa retraite en tant que titulaire en 1991. Il est l'auteur d'une quarantaine de publications: bibliographies, biographies, dictionnaires et éditions critiques. Il est le coordonnateur du présent ouvrage.

LA POPULATION DE LANGUE MATERNELLE FRANÇAISE AU CANADA

Part de la population (en %)

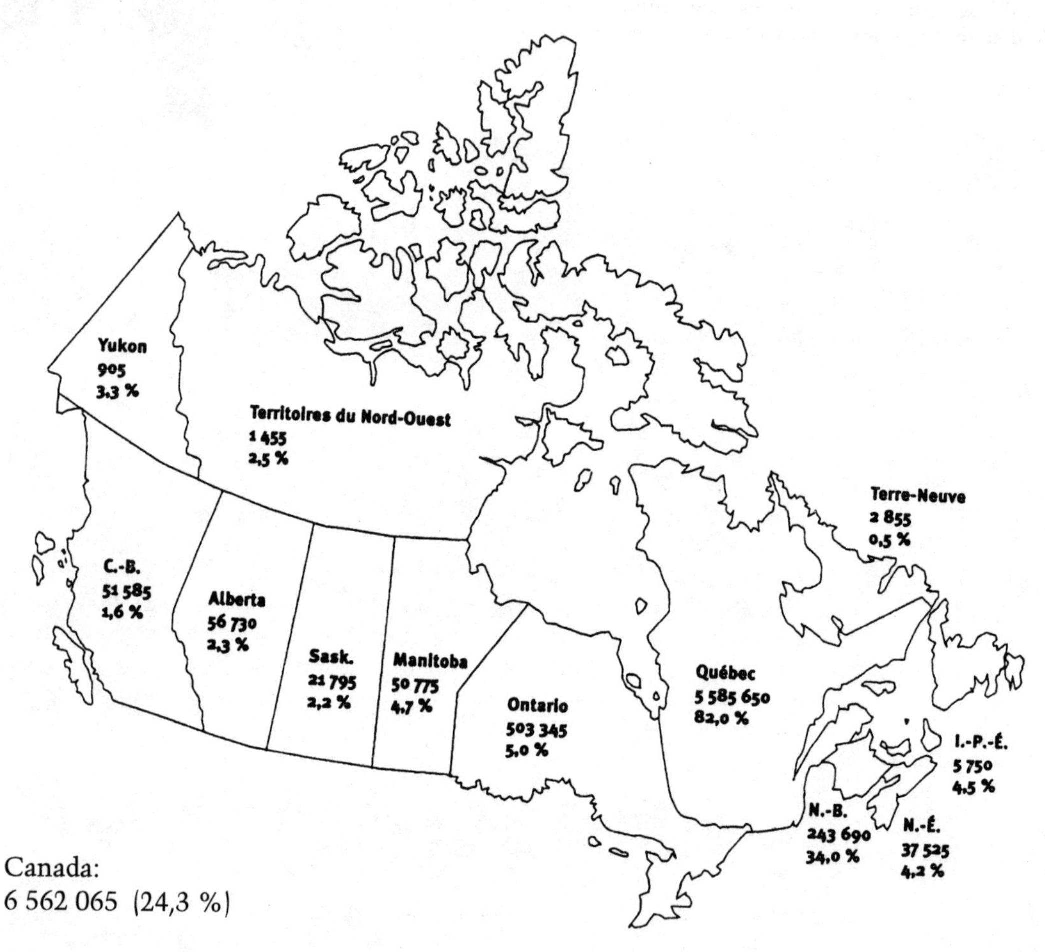

Canada:
6 562 065 (24,3 %)

Communautés francophones
et acadiennes (hors Québec)
976 415 (4, 8 %)

Source: Statistique Canada, Division de la démographie, 96-313. Les langues au Canada.

BIBLIOGRAPHIE SÉLECTIVE[1]

AURÉLIEN BOIVIN

1968-1996

Quelques critères ont servi à la préparation de cette bibliographie, compilée, à quelques rares exceptions, volumes en main pour éviter le plus possible les erreurs. Figurent d'abord dans cette bibliographie des œuvres qui ont reçu une consécration par la réédition, en particulier en livre de poche, et qui, de ce fait, sont devenues des classiques de la littérature québécoise, puis des œuvres qui ont été reconnues au moment de leur publication par l'attribution de prix prestigieux ou par l'accueil de la critique. D'autres œuvres ont été répertoriées par choix du compilateur. Car il a bien fallu faire des choix devant l'abondante production et l'espace alloué. Toutes les œuvres d'un même écrivain n'ont donc pas nécessairement été retenues. J'ai toujours préféré, par exemple, dans le cas de la poésie, une rétrospective à la publication d'un ou de quelques recueils. Puisse cette bibliographie être utile! Mes excuses auprès des écrivains qui pourraient se sentir lésés parce qu'ils ont été ignorés. L'astérisque (*) devant certains titres indique que l'œuvre a été rééditée en format poche.

N.B.: Les renseignements inscrits entre crochets n'apparaissent pas sur la page de titre. Les chiffres entre crochets, dans la pagination, indique le nombre de pages imprimées qui suivent la dernière page marquée. Les pages blanches n'ont pas été comptées.

1 Je remercie Dave Pepin, étudiant à la maîtrise en littérature à l'Université Laval, pour sa précieuse collaboration.

Roman

AMYOT, Geneviève, *L'absent aigu. Roman*, [Montréal], Quinze, [1976], 127 p.
—, *Journal de l'année passée. Roman*, [Montréal], VLB éditeur, [1978], 167 p.
APRIL, Jean-Pierre, *Le Nord électrique. Roman*, [Longueuil], Le Préambule, [1985], 240[2] p. (Chroniques du futur).
—, *Berlin-Bangkok. Roman*, [Montréal], Logiques, [1989], 340[1] p. (Fictions).
AQUIN, Emmanuel, *Incarnations. Roman*, [Montréal], Boréal, [1990], 163[2] p.
—, *Désincarnations. Roman*, [Montréal], Boréal, [1991], 205 p.
—, *Réincarnations. Roman*, [Montréal], Boréal, [1992], 172[1] p.
AQUIN, Hubert, *Neige noire. Roman*, [Montréal], La Presse, [1974], 254 p. (Écrivains des Deux Mondes).
—, *L'invention de la mort. Roman*, [Montréal], Leméac, [1991], 152 p.
*ARCHAMBAULT, Gilles, *Le tendre matin. Roman*, [Montréal], Le Cercle du livre de France, [1969], 146 p.
*—, *Parlons de moi. Récit complaisant, itératif, contradictoire et pathétique d'une auto-destruction*, Montréal, Le Cercle du livre de France ltée, [1970], 204 p.
*—, *La fuite immobile*, Montréal, L'Actuelle, [1974], 170 p.
*—, *Les pins parasols. Roman*, [Montréal], Quinze, [1980], 164 p. (Présence).
*—, *Le voyageur distrait. Roman*, Montréal-Paris, Stanké, [1981], 120 p.
—, *À voix basse*, [Montréal], Boréal Express, [1983], 157 p.
—, *Les choses d'un jour. Roman*, [Montréal], Boréal, [1991], 148[2] p.
—, *Un homme plein d'enfance. Roman*, [Montréal], Boréal, [1996], 126 p.
*AUDET, Noël, *Quand la voile faseille. Récit(s)*, [Montréal], HMH, [1980], 312[1] p. (L'Arbre).
*—, *Ah, l'amour, l'amour*, [Montréal], Quinze, [1981], 191 p. (Prose entière).
—, *La parade*, Montréal, Québec/Amérique, [1984], 226 p. (Littérature d'Amérique).
*—, *L'ombre et l'épervier. Roman*, Montréal, Québec/Amérique, [1988], 542 p. (Littérature d'Amérique).
*BAILLIE, Robert, *Des filles de beauté*, [Montréal], Quinze, [1982], 186[1] p. (Prose entière).
—, *La nuit de la Saint-Basile. Roman*, [Montréal], l'Hexagone, [1990], 534[2] p. (Fictions).
—, *Les voyants. Roman*, [Montréal], l'Hexagone, [1986], 207[1] p. (Fictions).
—, *Soir de danse à Varennes. Roman*, [Montréal], l'Hexagone, [1988], 208[2] p. (Fictions).
*BALZANO, Flora, *Soigne ta chute. Roman*, [Montréal], XYZ, [1991], 120 [2] p. (Romanichels).
*BARCELO, François, *Agénor, Agénor, Agénor et Agénor. Roman*, [Montréal], Quinze, [1980], 318[1] p. (Prose entière).
—, *La tribu. Roman*, [Montréal], Libre expression, [1981], 303[2] p.
—, *Ville-Dieu. Roman*, [Montréal], Libre expression, [1982], 269[1] p.
—, *Aaa, aâh, ha ou les amours malaisées. Romans*, [Montréal], l'Hexagone, [1986], 251[2] p.
—, *Nulle part au Texas*, [Montréal], Libre expression, [1989], 156[1] p.
—, *La plaine à l'envers*, [Montréal], Libre expression, [1989], 240 p.
—, *Je vous ai vue, Marie*, [Montréal], Libre expression, [1990], 200[1] p.
—, *Ailleurs en Arizona*, [Montréal], Libre expression, [1991], 154[1] p.

—, *Le voyageur à six roues*, [Montréal], Libre expression, [1991], 259[1] p.
—, *Pas tout à fait en Californie*, [Montréal], Libre expression, [1992], 179[1] p.
—, *Moi, le parapluie*, [Montréal], Libre expression, [1994], 269[1] p.
BASILE, Jean, *Le piano-trompette. Roman*, [Montréal], VLB éditeur, [1983], 404 p.
*BEAUCHEMIN, Yves, *Le matou*, Montréal, Québec/Amérique, [1981], 583 p.
*—, *Juliette Pomerleau*, Montréal, Éditions Québec/Amérique, [1989], 691 p.
—, *Le second violon*, Montréal, Éditions Québec/Amérique, [1996], 555[1] p.
BEAUDET, Raymond, *Passeport pour la mort*. Roman, [Montréal], Quinze, [1988], 293 p. [Prix Robert-Cliche].
BEAULIEU, Michel, *Je tourne en rond mais c'est autour toi. Roman*, Montréal, Éditions du Jour, [1969], 179[1] p. (Les Romanciers du Jour, n° R-49).
*—, *Sylvie Stone*. Postface critique de Jean-Marie Poupart, [Montréal], Quinze, [1980], 182[1] p. (Présence).
*BEAULIEU, Victor-Lévy, *Race de monde! Roman*, Montréal, Éditions du Jour, [1969], 186 p. (Les Romanciers du Jour, n° R-47).
—, *La nuitte de Malcolmm Hudd. Roman*, Montréal, Éditions du Jour, [1969], 229 p. (Les Romanciers du Jour, n° R-67).
*—, *Jos Connaissant. Roman*, Montréal, Éditions du Jour, [1970], 250 p. (Les Romanciers du Jour, n° R-67).
*—, *Les grands-pères. Récit*, Montréal, Éditions du Jour, [1971], 156[1] p. (Les Romanciers du Jour, n° R-78).
*—, *Un rêve québécois. Roman*, Montréal, Éditions du Jour, [1972], 172[1] p. (Les Romanciers du Jour, n° R-83).
*—, *Oh Miami Miami Miami. Roman*, Montréal, Éditions du Jour, [1973], 347[1] p. (Les Romanciers du Jour, n° R-99).
—, *Don Quichotte de la démanche*, [Montréal], L'Aurore, [1974], 277[1] p. (L'Amélanchier, n° 2).
—, *Blanche forcée. Récit*, [Montréal], VLB éditeur, [1976], 210[2] p.
—, *N'évoque plus que le désenchantement de ta ténèbre, mon si pauvre Abel. Lamentation*, [Montréal], VLB éditeur, [1976], 193[1] p. Ill.
—, *Sagamo Job J. Cantique*, [Montréal], VLB éditeur, [1977], 205[1] p.
—, *Monsieur Melville*, [Montréal], VLB éditeur, [1978], 3 vol.: t. I: *Dans les aveilles de Moby Dick*, 223 p.; t. II: *Lorsque souffle Moby Dick*, 297[1] p.; t. III: *L'après Moby Dick ou la souveraine poésie*, 237[1] p. Ill.
—, *Una. Romaman*, illustré par deux petites filles, [Montréal], VLB éditeur, [1980], 234 p.
—, *Satan Belhumeur. Roman*, [Montréal], VLB éditeur, [1981], 225 p. Illustré par Tibo.
—, *Discours de Samm. Comédie*, [Montréal], VLB éditeur, [1983], 242 p.
—, *Steven le hérault*, [Montréal], Stanké, [1985], 341[1] p.
—, *L'héritage. L'automne*, [Montréal], Stanké [et] Les entreprises Radio-Canada, [1987], 477 p.
—, *L'héritage. L'hiver*, [Montréal], Stanké, [1991], 315[1] p.
*BENOIT, Jacques, *Les voleurs. Roman*, Montréal, Éditions du Jour, [1969], 240 p. (Les Romanciers du Jour, n° R-54).
*—, *Les princes. Récit*, Montréal, Éditions du Jour, [1973], 172[1] p. (Les Romanciers du Jour, n° R-104).
*—, *Gisèle et le serpent. Roman*, [Montréal], Libre expression, [1981], 252 p.
*BERSIANIK, Louky, *L'Euguéléonne. Roman triptyque*, [Montréal], La Presse, [1976], 399 p.

*—, *Le pique-nique sur l'Acropole. Cahiers d'Ancyl.* Eaux-fortes et tailles-douces de Jean Letarte, [Montréal], VLB éditeur, [1979], 238 p.
BESSETTE, Gérard, *Le cycle. Roman*, Montréal, Éditions du Jour, [1971], 212[1] p. (Les Romanciers du Jour, nº R-73).
—, *La commensale. Roman*, [Montréal], A[lain] S[tanké] [et[Quinze, [1975], 155[1] p.
—, *Les anthropoïdes. Roman d'aventure(s)*, [Montréal], La Presse, [1977], 297 p.
—, *Le semestre. Roman*, [Montréal], Québec/Amérique, [1979], 278 p. (Littérature d'Amérique).
—, *Les dires d'Omer Marin. Roman/journal*, Montréal, Québec/Amérique, [1985], 129 p. (Littérature d'Amérique).
BIGRAS, Julien, *L'enfant dans le grenier. Roman*. [Préface d'Henry Bauchau], Montréal, Parti-pris [*sic*], [1976], 110 p. (Paroles, nº 45).
—, *Ma vie, ma folie. Roman*, [Paris], Mazerine, [et Montréal], Boréal Express, [1983], 212[1] p.
*BILLON, Pierre, *L'enfant du cinquième Nord. (Mamatowee Awashis)*, Montréal, Québec/Amérique, [1982], 323[1] p.
—, *L'ultime alliance. Roman*, Paris, Éditions du Seuil, [1990], 571[1] p.
BISSONNETTE, Lise, *Marie suivait l'été. Roman*, [Montréal], Boréal, [et Paris], Seuil, [1992], 125[2] p.
—, *Choses crues. Roman*, [Montréal], Boréal, [1995], 137[1] p.
*BLAIS, Marie-Claire, *Manuscrits de Pauline Archange*, Montréal, Éditions du Jour, [1968], 127 p. (Les Romanciers du Jour, nº R-33).
*—, *Vivre! vivre! Roman*. La suite des *Manuscrits de Pauline Archange*, Montréal, Éditions du Jour, [1969], 170 p. (Les Romanciers du Jour, nº R-53).
*—, *Les apparences. Roman*, Montréal, Éditions du Jour, [1970], 202[1] p. (Les Romanciers du Jour, nº R-63).
*—, *Le loup. Roman*, Montréal, Éditions du Jour, [1972], 243 p. (Les Romanciers du Jour, nº R-79).
*—, *Une liaison parisienne. Roman*, [Montréal], Stanké [et] Quinze, [1975], 175 p.
*—, *Les nuits de l'Underground. Roman*, [Montréal], Stanké, [1978], 267 p.
*—, *Le sourd dans la ville*, [Montréal], Stanké, [1979], 211 p.
*—, *Visions d'Anna ou le vertige*, Montréal-Paris, Stanké, [1982], 174 p.
*—, *Pierre. La guerre du printemps 81. Roman*, [Montréal], Primeur, [1984], 165 p. (L'Échiquier).
*—, *L'ange de la solitude*, [Montréal], VLB éditeur, [1989], 135 p.
—, *Soifs. Roman*, [Montréal], Boréal, [1995], 313[1] p.
BLONDEAU, Dominique, *Les visages de l'enfance*, Montréal, L'Actuelle, [1970], 191 p.
—, *Que mon désir soit ta demeure. Roman*, [Montréal], La Presse, [1975], 262 p.
*—, *L'agonie d'une salamandre*, [Montréal, Libre expression, 1979], 215 p.
—, *Les funambules*, [Montréal], Libre expression, [1980], 409 p.
—, *Les errantes. Roman*, Montréal, Québec/Amérique, [1983], 439 p. (Littérature d'Amérique).
—, *Un homme foudroyé*, Montréal, Québec/Amérique, [1985], 323 p. (Littérature d'Amérique).
—, *Les feux de l'exil. Roman*, [Montréal], La pleine lune, [1991], 236 p.
—, *Alice comme une rumeur*, [Montréal], Les Éditions de la pleine lune, [1996], 224[1] p.

*BOMBARDIER, Denise, *Une enfance à l'eau bénite*, Paris, Éditions du Seuil, [1985], 222[1] p.
BOSCO, Monique, *La femme de Loth. Roman*, Paris, Éditions Robert Laffont, [et] Montréal, Éditions HMH, [1970], 281[1] p.
—, *New Medea*, Montréal, L'Actuelle, [1974], 149 p.
—, *Charles Lévy, m. d.*, [Montréal], Quinze, [1977], 136 p.
—, *Portrait de Zeus peint par Minerve. Fiction*, [Ville LaSalle], HMH, [1982], 179 p. (L'Arbre).
—, *Sara Sage. Roman*, [Montrréal, HMH, 1986], 123 p. (L'Arbre).
BOUCHARD, Louise, *Décalage vers le bleu. Roman*, [Montréal], Les Herbes rouges, [1996], 233[1] p.
BOUCHER, Jean-Pierre, *Souvenirs d'enfant de chœur*, [Montréal], Libre expression, [1981], 153 p.
—, *Thérèse*, [Montréal], Libre expression, [1982], 183 p.
BOUGÉ, Réjane, *L'amour cannibale. Roman*, [Montréal], Boréal, [1992], 183[1] p.
—, *La voix de la sirène. Roman*, [Montréal], Boréal, [1994], 199 p.
BOURGUIGNON, Stéphane, *L'avaleur de sable. Roman*, Montréal, Éditions Québec/Amérique, [1995], 239[1] p. (Littérature d'Amérique).
—, *Le principe du geyser*, Montréal, Éditions Québec/Amérique, [1996], 208 p.
*BRAULT, Jacques, *Agonie. Roman*, [Montréal], Boréal, [1985], 77 p.
BROCHU, André, *Adéodat I. Roman*, Montréal, Éditions du Jour, [1973], 142 p. (Les Romanciers du Jour, n° R-91).
—, *La vie aux trousses. Roman*, [Montréal], XYZ éditeur, [1993], 249[2] p. (Romanichels).
—, *Les épervières. Roman*, [Montréal], XYZ éditeur, [1996], 240 p. (Romanichels).
BROSSARD, Jacques, *L'oiseau de feu. Roman*, [Montréal], Leméac, 3 vol. parus: 1. *Les années d'apprentissage*, [1989], 471 p.; 2a. *Le recyclage d'Adakham*, [1990], 533 p.; 2b. *Le grand projet*, [1993], 430 p.
*BROSSARD, Nicole, *L'amèr ou le chapitre effrité*, [Montréal], Quinze, [1977], 99 p.
—, *Amantes*, [Montréal], Quinze, [1980], 109[2] p. (Réelles).
—, *French Kiss. Étreintes/exploration. Roman*. Présentation de Yolande Villemaire, [Montréal], Quinze, [1980], 157 p.
*—, *Picture theory*, [Montréal], Nouvelle Optique, [1982], 207[2] p. (Fiction).
—, *Journal intime ou voilà donc un manuscrit*, [Montréal], Les Herbes rouges, [1984], 94 p.
—, *Baroque d'aube. Roman*, [Montréal], l'Hexagone, [1995], 260[3] p. (Fictions).
BROSSARD, Jacques, *Le sang du souvenir. Roman*, [Montréal], La Presse, [1976], 235[1] p.
*BROUILLET, Chrystine, *Chère voisine. Roman*, [Montréal], Quinze, [1982], 202 p. (Prose entière). [Prix Robert-Cliche].
—, *Le poison dans l'eau*, [Paris], Denoël, [et] [Montréal], Lacombe, [1987], 207[1] p.
—, *Préférez-vous les icebergs?*, [Paris], Denoël/Lacombe, [1988], 218[1] p.
—, *Marie Laflamme*, [Paris], Lacombe/Denoël, [1991], 369 p.
—, *Nouvelle-France*, [Paris], Lacombe/Denoël, [1992], 383 p. [*Marie Laflamme II*].
—, *La Renarde*, [Paris], Denoël, [1994], 397 p. [*Marie Laflamme III*].
—, *Le collectionneur*, [Montréal], La courte échelle, [1995], 214[1] p. (Roman 16/96).

—, *C'est pour mieux t'aimer, mon enfant*, [Montréal], La courte échelle, [1996], 277[2] p. (Roman 16/96).

*BRULOTTE, Gaétan, *L'emprise. Roman*, Montréal, Éditions de l'Homme, [1979], 207 p.

BUSSIÈRES, Paul, *Mais qui donc va consoler Mingo? Roman*, [Paris], Robert Laffont, 1992, 364[4] p.

*CARON, Louis, *L'emmitouflé. Roman*, Paris, Éditions Robert Laffont, [1977], 242 [1] p.

*—, *Le bonhomme Sept-heures. Roman*, Paris, Éditions Robert Laffont, [et] Montréal, Leméac, 1978, 251[1] p.

*—, *Le canard de bois. Les fils de la liberté*, [Montréal], Éditions du Boréal Express, [1981], 326[1] p.

*—, *La corne de brume. Les fils de la liberté II*, [Montréal], Éditions du Boréal Express, [1982], 271 p.

—, *Le coup de poing. Les fils de la liberté III*, [Montréal], Boréal, [1990], 364[2] p.

—, *La tuque et le béret. Les chemins du Nord 1*, Paris, L'Archipel, [et] Montréal, Édipresse, 1992, 201[1] p.

—, *Le bouleau et l'épinette. Les chemins du Nord 2*, Paris, Éditions de l'Archipel, [et Montréal, Édipresse, 1993], 185[1] p.

*CARPENTIER, André, *L'aigle volera à travers le soleil. Roman*. [Note préliminaire de l'éditeur, Montréal], HMH, [1978], 176 p. (L'Arbre).

*CARRIER, Roch, *La guerre, yes sir!*, Montréal, Éditions du Jour, [1968], 124 p. (Les Romanciers du Jour, n° R-28).

*—, *Floralie, où es-tu? Roman*, Montréal, Éditions du Jour, [1969], 170 p. (Les Romanciers du Jour, n° R-45).

*—, *Il est par là, le soleil. Roman*, Montréal, Éditions du Jour, [1970], 142 p. (Les Romanciers du Jour, n° R-65).

*—, *Le deux-millième étage. Roman*, Montréal, Éditions du Jour, [1973], 168[1] p. (Les Romanciers du Jour, n° R-65).

*—, *Le jardin des délices. Roman*, [Montréal], La Presse, [1975], 213 p.

*—, *Il n'y a pas de pays sans grand-père*, [Montréal], Stanké, [1977], 116 p.

*—, *Les fleurs vivent-elles ailleurs que sur la terre?*, [Montréal], Stanké, [1980], 127 p.

*—, *La dame qui avait des chaînes aux chevilles*, Montréal-Paris, Stanké, [1981], 153 p.

—, *De l'amour dans la ferraille*, [Montréal], Stanké, [1984], 543[1] p.

—, *Fin. Roman*, [Montréal], Stanké, [1992], 142[1] p.

—, *Petit Homme Tornade. Roman*, [Montréal], Stanké, [1996], 283[1] p.

CHAPUT, Sylvie, *Les cahiers d'Isabelle Forest. Roman*, [Québec], L'instant même, [1996], 295[1] p.

CHARBONNEAU-TISSOT, Claudette, *La chaise au fond de l'œil. Roman*, Montréal, Pierre Tisseyre, [1979], 173 p.

*CHEN, Ying, *La mémoire de l'eau. Roman*, [Montréal], Leméac, [1992], 135 p.

—, *Les lettres chinoises. Roman*, [Montréal], Leméac, [1993], 171 p.

—, *L'ingratitude. Roman*, [Montréal], Leméac, [et] Arles, Actes Sud, [1995], 132[1] p. (Générations).

CLAUDAIS, Marcellyne, *Comme un orage en février... Roman*, [Boucherville], Éditions de Mortagne, [1990], 407 p.

—, *Ne pleurez pas tant, Lysandre...*, [Montréal], Libre expression, [1993], 288 p.

__, *La grande Hermine avait deux sœurs*, [Montréal], Libre expression, [1995], 341[1] p.
CLICHE, Anne-Élaine, *La pisseuse. Roman*, [Montréal], Tryptique, [1992], 243 p.
__, *La sainte famille. Roman*, [Montréal], Triptyque, [1994], 242[1] p.
COCKE, Emmanuel, *Sexe pour sang*, Montréal. [Guérin éditeur, 1974], 177 p. (Le cadavre exquis, n° 2).
*COUSTURE, Arlette, *Les filles de Caleb. Roman*, Montréal, Québec/Amérique, 2 vol.: t. I: *Le chant du coq, 1892-1918*, [1985], 528 p.; t. II: *Le cri de l'oie blanche, 1918-1946*, [1986], 790 p. (2 Continents).
—, *Ces enfants d'ailleurs*. D'après une idée originale d'Arlette Cousture et de Daniel Larouche, [Montréal], Libre expression, 2 vol.: t. I: *Même les oiseaux se sont tus*, [1992], 599[1] p.; t. II: *L'envol des tourterelles*, [1994], 407[1] p.
CROTEAU-FLEURY, Marie-Danielle, *Jamais le vendredi. Roman*, [Montréal], La pleine lune, [1992], 234 p.
—, *Un trou dans le soleil. Roman*, [Montréal], La pleine lune, [1993], 166 p.
—, *Le grand détour*, [Montréal], La courte échelle, [1996], 222 p. (Roman 16/96).
*D'AMOUR, Francine, *Les dimanches sont mortels*, [Montréal], Guérin littérature, [1987], 185 p.
—, *Les jardins de l'enfer*. Roman, [Montréal], VLB éditeur, [1990], 193 p.
—, *Presque rien. Roman*, [Montréal], Boréal, [1996], 270[1] p.
DANDURAND, Anne, *La marquise ensanglantée. Roman*, [Montréal], XYZ éditeur, [1996], 112[1] p.
DELISLE, Jeanne-Mance, *Ses cheveux comme le soir et sa robe écarlate. Roman*, [Montréal], La pleine lune, [1983], 160 p.
—, *La bête rouge. Roman*, [Montréal], Éditions de la pleine lune, [1996], 215[1] p.
DESAUTELS, Jacques, *Le quatrième roi mage. Une enquête à Venise*, [Montréal], Quinze, [1993], 280 p. [Prix Robert-Cliche].
—, *La dame de Chypre. Roman*, [Montréal], l'Hexagone, [1996], 220 p. (Fictions).
DESJARDINS, Louise, *La love. Roman*, [Montréal], Leméac, [1993], 167 p.
DÉSY, Jean, *La saga de Freydis Karlsevni. Roman*, [Montréal], l'Hexagone, [1990], 101[1] p. (Fictions).
DOYON, Louise, *Les héritiers. Roman*, [Montréal], Quinze, [1987], 255 p. [Prix Robert-Cliche].
DUBÉ, Danielle, *Les olives noires*, [Montréal], Quinze, [1984], 271 p. [Prix Robert-Cliche].
*DUCHARME, Réjean, *L'océantume*, [Paris], Gallimard, [1968], 189[1] p. (NRF).
*—, *La fille de Christophe Colomb*, [Paris], Gallimard, [1969], 232[1] p. (NRF).
*—, *L'hiver de force*, [Paris], Gallimard, [1973], 282[1] p. (NRF).
*—, *Les enfantômes*, [Saint-Laurent], Lacombe, [et Paris], Gallimard, [1976], 283[3] p. (NRF).
*—, *Dévadé. Roman*, [Paris], Gallimard/Lacombe, [1990], 257 p. (NRF).
—, *Va savoir*, [Paris], Gallimard, [1994], 266[1] p. (NRF).
DUCHESNE, Christiane, *Anna, les cahiers noirs*, Montréal, Éditions Québec/Amérique, [1996], 137[1] p. (Littérature d'Amérique).

ÉTHIER-BLAIS, Jean, *Mater europa*, [Montréal], Le Cercle du livre de France, [1968], 170[1] p. [Également édité la même année chez Grasset, à Paris.]

—, *Les pays étrangers*, [Montréal], Leméac, [1982], 464 p. (Roman québécois, nº 61).

*FERRON, Jacques, *La charrette. Roman*, Montréal, Éditions HMH, 1968, 207 p. (L'Arbre, nº 14).

—, *Le ciel de Québec. Roman*, Montréal, Éditions du Jour, [1969], 404 p. (Les Romanciers du Jour, nº R-51).

*—, *L'amélanchier. Récit*, Montréal, Éditions du Jour, [1970], 163 p. (Les Romanciers du Jour, nº R-56).

—, *Le salut de l'Irlande*, Montréal, Éditions du Jour, [1970], 221[1] p. (Les Romanciers du Jour, nº R-69).

*—, *Les roses sauvages. Petit roman* suivi d'*Une lettre d'amour soigneusement présentée*, Montréal, Éditions du Jour, [1971], 177 p. (Les Romanciers du Jour, nº R-75).

—, *La chaise du maréchal ferrant. Roman*, Montréal, Éditions du Jour, [1972], 223[1] p. (Les Romanciers du Jour, nº R-80).

*—, *Le «Saint Élias». Roman*, Montréal, Éditions du Jour, [1972], 186 p. (Les Romanciers du Jour, nº R-85).

FERRON, Madeleine, *Sur le chemin Craig*, Montréal-Paris, Stanké, [1983], 191 p.

*FILION, Jean-Paul, *Saint-André Avellin... Le premier côté du monde. Roman*, [Montréal], Leméac, [1975], 282 p. (Roman québécois, nº 14).

FOLCH-RIBAS, Jacques, *Le démolisseur. Roman*, Paris, Robert Laffont, [1970], 225[1] p. [Premier tome de *La horde de Zamé*.]

—, *Le greffon. Roman*, Montréal,Éditions du Jour, [et] Paris, Robert Laffont, [1971], 309[1] p. [Deuxième tome de *La horde de Zamé*.]

*—, *Une aurore boréale. Roman*, Paris, Éditions Robert Laffont, [1974], 226[1] p.

—, *Le valet de plume*, Paris, Acropole, [1983], 246[1] p.

*—, *La chair de pierre. Roman*, [Paris], Robert Laffont, [1989], 233[1] p.

—, *Première nocturne. Roman*, [Paris], Robert Laffont, [1991], 174[1] p.

—, *Marie Blanc. Roman*, [Paris], Robert Laffont, [1994], 206[1] p.

FOURNIER, Roger, *La marche des grands cocus*, Montréal, L'Actuelle, [1972], 255[1] p.

—, *Les cornes sacrées. Roman*, [Paris], Albin Michel, [1977], 317[1] p.

—, *Le cercle des arènes*, [Paris], Albin Michel, [1982], 272[2] p.

—, *Pour l'amour de Sawinne*, [Montréal], Sand/Libre expression, [1984], 250[2] p.

—, *Les sirènes du Saint-Laurent. Récits en forme de cercle*, [Montréal], Primeur, [1984], 246[1] p.

—, *Chair Satan. Roman*, [Montréal], Boréal, [1989], 289[3] p.

—, *La danse éternelle. Roman*, [Laval], Trois, [1991], 187 p.

—, *Le retour de Sawinne. Roman*, [Montréal], Éditions Québec/Amérique, [1992], 229[1] p. (Littérature d'Amérique).

—, *Gaïagyne. Roman*, [Montréal], Éditions Québec/Amérique, [1994], 157 p. (Littérature d'Amérique).

GAGNON, Alain, *Le gardien des glaces. Roman*, Montréal, Pierre Tisseyre, [1984], 169 p.

—, *Sud. Roman*, [Montréal], La pleine lune, [1995], 165 p.

GAGNON, Cécile, *Le chemin Kénogami. Roman*, Montréal, Éditions Québec/Amérique, [1994, 297[1] p. (Collection 2 Continents, série Best-sellers).
GAGNON, Daniel, *Ô ma source! Roman*, [Montréal], Guérin littérature, [1983], 191 p.
—, *Rendez-moi ma mère!*, [Montréal], Leméac, [1994], 182[1] p.
GAGNON, Madeleine, *Lueur. Roman archéologique*, [Montréal], VLB éditeur, [1979], 165[2] p.
—, *Le vent majeur. Roman*, [Montréal], VLB éditeur, [1995], 200[1] p.
GAGNON, Robert, *La thèse. Roman*, [Montréal], Quinze, [1994], 233[2] p. [Prix Robert-Cliche].
GAGNON-THIBAUDEAU, Marthe, *Pure laine, pur coton*, [Chicoutimi], JCL, [1988], 526 p.
—, *Le mouton noir de la famille. Roman*, [Chicoutimi], JCL éditions, [1990], 504 p.
—, *La boiteuse*, [Chicoutimi], JCL éditions, [1994], 652 p.
—, *Au fil des jours. Roman*, [Chicoutimi], JCL éditions, [1995], 421 p.
*GARNEAU, Jacques, *La Mornifle. Roman*, Montréal, Pierre Tisseyre, [1976], 206[1] p.
GILBERT, Bernard, *CQFD*, [Montréal], VLB éditeur, [1994], 260 p. (Cahier noir, n° 13).
GIRARD, André, *Deux semaines en septembre. Roman*, [Montréal], Quinze, [1991], 156 p. [Prix Robert-Cliche].
—, *Orchestra. Roman*, [Montréal], VLB éditeur, [1994], 189 p.
GOBEIL, Pierre, *Tout l'été dans une cabane à bateau. Roman*, [Montréal], Québec/Amérique, [1988], 148 p.
—, *La mort de Marlon Brando*, [Montréal], Triptyque, [1989], 108 p. (La vague à l'âme).
—, *Dessins et cartes du territoire*, [Montréal], l'Hexagone, [1993], 140 p.
*GODBOUT, Jacques, *D'amour, P. Q. Roman*, [Montréal], Hurtubise HMH, [et Paris], Éditions du Seuil, [1972], 156[1] p.
*—, *L'isle au dragon. Roman*, Paris, Seuil, [1976], 157[1] p.
*—, *Les têtes à Papineau. Roman*, Paris, Éditions du Seuil, [1981], 155[1] p.
*—, *Une histoire américaine. Roman*, Paris, Éditions du Seuil, [1986], 182[1] p.
*—, *Le temps des Galarneau. Roman*, Paris, Seuil, [1993], 185[1] p. (Fiction et Cie).
GODIN, Marcel, *Maude et les fantômes*, [Montréal], l'Hexagone, [1985], 153[1] p.
*GRAVEL, François, *La note de passage*, [Montréal], Boréal Express, [1985], 199 p.
*—, *Benito*, [Montréal], Boréal, [1987], 215 p.
—, *L'effet Sommerhill. Roman*, [Montréal], Boréal, [1988], 224 p.
—, *Bonheur fou. Roman*, [Montréal], Boréal, [1990], 301[1] p.
—, *Les Blacks Stones vous reviendront dans quelques instants. Roman*, Montréal, Éditions Québec/Amérique, [1991], 216 p. (Littérature d'Amérique).
—, *Ostende. Roman*, Montréal, Éditions Québec/Amérique, [1994], 348 p. (Littérature d'Amérique).
—, *Miss Septembre*, Montréal, Éditions Québec/Amérique, [19963], 348 p. (Littérature d'Amérique).
GRAVEL, Pierre, *La fin de l'Histoire. Récit*, [Montréal], l'Hexagone, [1986], 141[2] p. (Fictions).

GUILBAULT, Anne, *Les citadines. Roman*, [Sillery], Septentrion, [1995], 192 p.

GUITARD, Agnès, *Les corps communicants. Roman*, Montréal, Québec/Amérique, [1981], 390 p. (Littérature d'Amérique).

*HAMELIN, Louis, *La rage. Roman*, Montréal, Éditions Québec/Amérique, [1989], 405 p. (Littérature d'Amérique).

*—, *Cowboy. Roman*, [Montréal], XYZ éditeur, [1992], 417[2] p. (Romanichels).

*—, *Ces spectres agités. Roman*, [Montréal,] XYZ, [et Paris], Flammarion, [1993], 282[1] p. (Romanichels).

—, *Betsi Larousse ou l'ineffable eccéité de la loutre. Roman*, [Montréal], XYZ éditeur, [1994], 270[1] p. (Romanichels).

—, *Le soleil des gouffres Roman*, [Montréal], Boréal, [1996], 372[1] p.

*HARVEY, Pauline, *Le deuxième monopoly des précieux*, [Montréal], Les éditions de la pleine lune, [1981], 223 p.

*—, *La ville aux gueux*, [Montréal], Les éditions de la pleine lune, [1982], 256 p.

*—, *Encore une partie pour Berri*, [Montréal], La pleine lune, [1985], 166 p.

—, *Pitié pour les salauds. Roman*, [Montréal], l'Hexagone, [1987], 184[3] p. (Fictions).

—, *Un homme est une valse. Roman*, [Montréal], Les Herbes rouges, [1992], 157[1] p.

*HÉBERT, Anne, *Kamouraska. Roman*, Paris, Éditions du Seuil, [1970], 249[1] p.

*—, *Les enfants du sabbat. Roman*, Paris, Éditions du Seuil, [1975], 186[1] p.

*—, *Héloïse. Roman*, Paris, Éditions Seuil, [1980], 123[1] p.

*—, *Les fous de Bassan. Roman*, Paris, Éditions Seuil, [1982], 248[3] p. [Prix Fémina].

*—, *Le premier jardin. Roman*, Paris, Éditions du Seuil, [1988], 188[1] p.

*—, *L'enfant chargé de songes. Roman*, Paris, Éditions du Seuil, [1992], 158[1] p.

—, *Aurélien, Clara, Mademoiselle et le Lieutenant anglais. Récit*, Paris, Éditions du Seuil, [1995], 90[1] p.

HOUDE, Nicole, *La malentendue*, [Montréal], Les éditions de la pleine lune, [1983], 104 p.

—, *La maison du Remous. Roman*, [Montréal], La pleine lune, [1986], 188 p.

—, *L'enfant de la batture. Roman*, La pleine lune, [1988], 151[1] p.

—, *Lettres à cher Alain*, [Montréal], La pleine lune, [1990], 93 p.

—, *Les inconnus du jardin. Roman*, [Montréal], La pleine lune, [1991], 154[1] p.

—, *Les oiseaux de Saint-John Perse*, [Montréal], La pleine lune, [1994], 201 p.

JACOB, Suzanne, *Laura Laur. Roman*, Paris, Éditions du Seuil, [1983], 180[2] p.

—, *La passion selon Galatée*, Paris, Éditions du Seuil, [1986], 240 p.

—, *Maude*, [Montréal], NBJ,]1988], 113[1] p. («Liberté grande»).

*—, *L'obéissance. Roman*, Paris, Éditions du Seuil, [1991], 249[3] p.

*JASMIN, Claude, *La petite patrie. Récit*, [Montréal], La Presse, [1972], 141 p.

—, *Pointe-Calumet boogie-woogie. Récit*, [Montréal], La Presse, [1973], 131 p.

—, *Sainte-Adèle-la-Vaisselle. Récit*, [Montréal], La Presse, [1974], 132 p. (Chroniqueurs des Deux Mondes).

*—, *La sablière. Roman*, [Montréal], Leméac, [et Paris, Robert Laffont,1979], 212 p.

*—, *Maman-Paris, maman-la-France. Roman*, [Montréal], Leméac, [1982], 344 p. (Roman québécois, n° 66).

—, *Le crucifié du Sommet bleu*, [Montréal], Leméac, [1984], 190 p. (Roman québécois).

*—, *Une duchesse à Ogonquit*, [Montréal], Leméac, [1985], 226 p. (Roman québécois).
—, *Des cons qui s'adorent*, [Montréal], Leméac, [1985], 190 p. (Roman québécois).
—, *Alice vous fait dire bonsoir*, [Montréal], Leméac, [1986], 142 p. (Roman québécois).
—, *Safari au centre-ville*, [Montréal], Leméac, [1987], 165 p. (Roman québécois).
—, *Le gamin. Roman*, [Montréal], l'Hexagone, [1990], 177[1] p. (Fictions).
JOBIN, François, *Max ou le sens de la vie. Roman*, Montréal, Éditions Québec/Amérique, [1992], 253 p.
—, *La deuxième vie de Louis Thibert*, Montréal, Éditions Québec/Amérique, [1996], 281 p. (Littérature d'Amérique).
*KATTAN, Naïm, *Adieu Babylone. Roman*, [Montréal], La Presse, [1975], 238 p.
—, *Les fruits arrachés. Roman*, [Montréal], HMH, [1977], 229[1] p. (L'Arbre).
—, *La fiancée promise*, [Montréal], HMH, [1983], 231 p. (L'Arbre).
*KOKIS, Sergio, *Le pavillon des miroirs*, [Montréal], XYZ éditeur, [1994], 372 p. (Romanichels).
—, *Negão et Doralice. Roman*, [Montréal], XYZ éditeur, [1995], 211[1] p. (Romanichels).
*LABERGE, Marie, *Juillet. Roman*, [Montréal], Boréal, [1989], 221[1] p.
—, *Quelques adieux. Roman*, [Montréal], Boréal, [1992], 396[2] p.
—, *Le poids des ombres. Roman*, [Montréal], Boréal, [1994], 458[1] p.
—, *Annabelle. Roman*, [Montréal], Boréal, [1996], 480[1] p.
LACHANCE, Micheline, *Le visage d'Antonine. Roman*, [Montréal], l'Hexagone, [1994], 199[1] p. (Fictions).
—, *Le roman de Julie Papineau*, Montréal, Éditions Québec/Amérique, [1995], 517[2] p. (Littérature d'Amérique).
*LAFERRIÈRE, Dany, *Comment faire l'amour avec un Nègre sans se fatiguer*, [Montréal], VLB éditeur, [1985], 151[2] p.
—, *Éroshima. Roman*, [Montréal], VLB éditeur, [1987], 168[2] p.
—, *Le goût des jeunes filles. Roman*, [Montréal], VLB éditeur, [1992], 206[1] p.
—, *Cette grenade dans la main du jeune Nègre est-elle une arme ou un fruit? Roman*, [Montréal], VLB éditeur, [1993], 200[4] p.
LAFRANCE, Micheline, *Le talent d'Achille. Roman*, [Montréal], Boréal, [1990], 201[2] p.
LALONDE, Robert, *La belle épouvante*, [Montréal], Quinze, [1981], 155 p. (Prose entière). [Prix Robert-Cliche].
—, *Le dernier été des Indiens*, Paris, Éditions du Seuil, [1982], 157[1] p.
—, *Le fou du père*, [Montréal], Boréal, [1988], 152 p.
—, *Le diable en personne*, Paris, Éditions du Seuil, [1989], 185[1] p.
—, *Le petit aigle à tête blanche. Roman*, Paris, Éditions du Seuil, [1992], 188[1] p.
—, *L'ogre de Grand Remous. Roman*, Paris, Éditions du Seuil, [1993], 156[1] p.
—, *Sept lacs plus au Nord. Roman*, Paris, Éditions du Seuil, [1994], 267[2] p.
LAMIRANDE, Claire de, *La baguette magique. Roman*, Montréal, Éditions du Jour, [1971], 198 p. (Les Romanciers du Jour, nº R-71).
—, *Jeu de clefs. Roman*, Montréal, Éditions du Jour, [1974], 139[1] p. (Les Romanciers du Jour, nº R-101).
—, *La pièce montée. Roman*, [Montréal], Éditions du Jour, [1975], 149 p. (Les Romanciers du Jour, nº R-117)
—, *Signé de biais. Roman*, [Montréal], Quinze, [1976], 133 p.

—, *Papineau ou l'épée à double tranchant*, [Montréal], Quinze, [1980], 187[1] p. (Roman).

—, *L'occulteur*, Montréal, Québec/Amérique, [1982], 259 p. (Littérature d'Amérique).

—, *Voir le jour*. Roman, Montréal, Québec/Amérique, [1986], 213 p. (Littérature d'Amérique).

—, *Neige de mai. Roman*, Montréal, Éditions Québec/Amérique, [1988], 235 p. (Littérature d'Amérique).

LAMY, Suzanne, *La convention. Récit*, [Montréal], VLB éditeur, [et Paris], Le Castor astral, [1985], 82[1] p.

LANGEVIN, André, *L'élan d'Amérique. Roman*, Montréal, Le Cercle du livre de France, [1972], 239 p.

—, *Une chaîne dans le parc*, Montréal, Le Cercle du livre de France, [1974], 316 p.

LARUE, Monique, *La cohorte fictive. Roman*, [Montréal], L'Étincelle, [1980], 121 p. (Littérature).

—, *Les faux fuyants. Roman*, Montréal, Québec/Amérique, 1982], 201 p. (Littérature d'Amérique).

—, *Copies conformes*, [Montréal, Lacombe, 1989], 189[1] p.

—, *La démarche du crabe. Roman*, [Montréal], Boréal, [1995], 220[2] p.

LA ROCQUE, Gilbert, *Le nombril. Roman*, Montréal, Éditions du Jour, [1970], 208[1] p. (Les Romanciers du Jour, n° R-60).

—, *Corridors. Roman*, Montréal, Éditions du Jour, [1971], 214 p. (Les Romanciers du Jour, n° R-74).

—, *Après la boue. Roman*, Montréal, Éditions du Jour, [1972], 207[1] p. (Les Romanciers du Jour, n° R-84).

*—, *Serge d'entre les morts. Roman*, [Montréal], VLB éditeur, [1976], 147[1] p.

—, *Les masques. Roman*, Montréal, Québec/Amérique, [1980], 191 p. (Littérature d'Amérique).

—, *Le passager. Roman*, Montréal, Québec/Amérique, [1984], 212 p. (Littérature d'Amérique).

LEBEAU, Hélène, *La chute du corps. Roman*, [Montréal], Boréal, [1992], 180[1] p.

—, *Adieu Agnès. Roman*, [Montréal], Boréal, [1993], 181 p.

*LEBLANC, Bertrand B., *Horace ou l'art de porter la redingote*, Montréal, Éditions du Jour, [1974], 213[2] p. (Les Romanciers du Jour, n° C-147).

*—, *Moi, Ovide Leblanc, j'ai pour mon dire*, [Montréal], Leméac, [1976], 239 p. (Roman québécois, n° 20).

—, *Les trottoirs de bois*, [Montréal], Leméac, [1978], 265 p. (Roman québécois, n° 27).

—, *Y sont fous le grand monde*, [Montréal], Leméac, [1979], 230 p. (Roman québécois, n° 34).

LECLERC, Rachel, *Noces de sable. Roman*, [Montréal], Boréal, [1995], 219[1] p.

*LEMELIN, Roger, *Le crime d'Ovide Plouffe*, Québec, ETR, [1982], 500 p.

*MAHEUX-FORCIER, Louise, *Une forêt pour Zoé. Roman*, Montréal, Le Cercle du livre de France, [1969], 203 p.

*—, *Paroles et musiques. Roman*, Montréal, Le Cercle du livre de France, [1973], 167 p.

—, *Appasionnata. Roman*, Montréal, Pierre Tisseyre, [1978], 159[2] p.

*MAILHOT, Michèle, *Le fou de la reine. Roman*, Montréal, Éditions du Jour, [1969], 126 p. (Les Romanciers du Jour, n° R-44).

*MAILLET, Andrée, *Le doux-mal*, Montréal, L'Actuelle, [1972], 206 p.
—, *Lettres à un surhomme. Roman*, [Montréal], La Presse, [1976], 221 p.
—, *Le passé composé. Roman*, [Montréal], Boréal, [1990], 193[1] p.
*MAILLET, Antonine, *Les cordes-de-bois. Roman*, [Montréal], Leméac, [1977], 351 p. (Roman québécois, nº 25). [Publié aussi à [Paris, Éditions Bernard Grasset, [1977], 252[1] p.].
*—, *Pélagie-la-charrette. Roman*, [Montréal], Leméac, [1979], 351 p. (Roman québécois, nº 30). [Prix Goncourt].
—, *Cent ans dans les bois*, [Montréal], Leméac, [1981], 358 p. (Roman québécois, nº 55).
—, *La gribouille. Roman*, Paris, Bernard Grasset, [1982], 276[1] p.
—, *Crache-à-Pic*, [Montréal], Leméac, [1984], 370 p. (Roman québécois).
—, *Le huitième jour*, [Montréal], Leméac, [1986], 292 p. (Roman québécois, nº 100).
—, *L'oursiade. Roman*, [Montréal], Leméac, [1986], 292 p.
—, *Les confessions de Jeanne Valois. Roman*, [Montréal], Leméac, [1992], 344 p.
—, *Le chemin Saint-Jacques. Roman*, [Montréal], Leméac, [1996], 370[1] p.
*MAJOR, André, *Le vent du diable. Roman*, Montréal, Éditions du Jour, [1968], 143 p. (Les Romanciers du Jour, nº R-34).
*—, *L'épouvantail. Roman*, Montréal, Éditions du Jour, [1974], 228[1] p. (Les Romanciers du Jour, nº R-103).
*—, *L'épidémie. Roman*, [Montréal], Éditions du Jour, [1975], 218 p. (Les Romanciers du Jour, nº R-116).
*—, *Les rescapés. Roman*, [Montréal], Quinze, [1976], 146[1] p.
—, *La vie provisoire. Roman*, [Montréal], Boréal, [1995], 234[2] p.
MALACCI, Robert, *La belle au gant noir*, Montréal, Éditions Québec/Amérique, [1994], 219 p. (Sextant, nº 5).
—, *Les filles du juge*, Montréal, Éditions Québec/Amérique, [1995], 211 p. (Sextant, nº 10).
MARCHESSAULT, Jovette, *Comme une enfant de la terre. 1. Le crachat solaire. Roman*, vol. 1, [Montréal], Leméac, [1975], 348[1] p.
—, *La mère des herbes*, [Montréal], Quinze, [1980], 241[1] p.
—, *Tryptique* [*sic*] *lesbien* [...] suivi d'une postface de Gloria Feman Orenstein, [Montréal, Les Éditions de la pleine lune, 1980], 123 p.
MARCOTTE, Gilles, *Une mission difficile, Roman*, [Montréal], Boréal, [1997], 108 p.
MARTEL, Émile, *Le dictionnaire de cristal. Roman*, [Montréal], l'Hexagone, [1993], 164 p. (Fictions).
MESSIER, Judith, *Dernier souffle à Boston*, [Montréal], La courte échelle, [1996], 236[2] p. (Roman 16/96).
MEUNIER, Sylvain, *Fleur-Ange ou les poètes n'ont pas de fils. Roman*, Montréal, Éditions Québec/Amérique, [1995], 235[1] p. (Littérature d'Amérique).
—, *Les noces d'eau. Roman*, Montréal, Éditions Québec/Amérique, [1995], 236[1] p. (Littérature d'Amérique).
*MISTRAL, *Vamp. Roman*, Montréal, Québec/Amérique, [1988], 345 p. (Littérature d'Amérique).
*—, *Vautour. Roman*, [Montréal], XYZ, [1990], 154 [1] p. (Romanichels).
*MONETTE, Madeleine, *Le double suspect. Roman*, [Montréal], Quinze, [1980], 241 p. (Prose entière). [Prix Robert-Cliche.]

*—, *Petites violences*, [Montréal], Quinze, [1982], 232 p. (Prose entière).

—, *Amandes et melon. Roman*, [Montréal], l'Hexagone, [1991], 466[2] p. (Fictions).

NADEAU, Vincent, *La fondue. Roman*, [Montréal], l'Hexagone, [1991], 161 p. (Fictions).

—, *Nous irons tous à Métis-sur-mer. Roman*, [Montréal], XYZ éditeur, [1993], 316[2] p.

NAUBERT, Yvette, *L'été de la cigale. Roman*, [Montréal], Le Cercle du livre de France, [1968], 209 p.

—, *Traits et portraits*, Montréal, Pierre Tisseyre, [1978], 163 p.

—, *Les Pierrefendre. Roman*, Montréal, 3 vol.: t. I: *Prélude et fugue à tant d'échos*, Le Cercle du livre de France, [1972], 316 p.; t. II: *Concerto pour un décor et quelques personnages*, Pierre Tisseyre, [1975], 317 p.; t. III: *Arioso sans accompagnement*, [1977], 298 p.

NEPVEU, Pierre, *L'hiver de Mira Christophe. Roman*, [Montréal], Boréal, [1986], 218[2] p.

—, *Des mondes peu habités. Roman*, [Montréal], Boréal, [1992], 192[1] p.

*NOËL, Francine, *Maryse. Roman*, [Montréal], VLB éditeur, [1983], 426 p.

—, *Myriam première. Roman*, [Montréal], VLB éditeur, [1987], 532 p.

OHL, Paul, *Katana. Le roman du Japon*, Montréal, Québec/Amérique, [1987], 526 p. (2 Continents, série Best-sellers).

*—, *Drakkar. Le roman des Vikings*, Montréal, Québec/Amérique, [1989], 542 p. (2 Continents, série Best-sellers).

—, *L'enfant dragon*. D'après une idée originale de Pierre Magny, [Montréal], Libre expression, [1994], 328[6] p.

OUELLET, Pierre, *L'attachement. Roman*, [Québec], L'instant même, [1995], 124[1] p.

*OUELLETTE, Fernand, *Tu regardais intensément Geneviève*. [Note de François Ricard, Montréal], Quinze, [1978], 184 p. (Prose entière, n° 5).

*—, *La mort vive. Roman*, [Montréal], Quinze, [1980], 208 p. (Prose entière, n° 10).

—, *Lucie ou un midi en novembre*, [Montréal], Boréal Express, [1985], 228 p.

OUELLETTE, Francine, *Au nom du père et du fils. Roman*, [Montréal], La Presse, [1984], 626[4] p.

—, *Au nom du père et du fils. Le sorcier. Roman*, [Montréal], La Presse, [1985], 563[3] p.

—, *Sir Gaby du lac. Roman*, [Montréal], Quinze, [1989], 856 p.

—, *Les ailes du destin. Roman*, [Montréal], Libre expression, [1992], 464 p.

—, *Le grand blanc. Roman*, [Montréal], Quinze, [1993], 890 p.

*OUELLETTE-MICHALSKA, Madeleine, *Le plat de lentilles. Roman*, [Montréal], Le Biocreux, [1979], 153 p.

*—, *La maison Trestler ou le 8e jour de l'Amérique*, Montréal, Québec/Amérique, [1984], 299 p. (Littérature d'Amérique).

—, *La fête du désir. Roman*, Montréal, Éditions Québec/Amérique, [1989], 149 p. (Littérature d'Amérique).

*—, *L'été de l'Île de Grâce. Roman*, Montréal, Éditions Québec/Amérique, [1993], 351 p. (2 Continents, série Best-sellers)

OUVRARD, Hélène, *Le corps étranger. Roman*, Montréal, Éditions du Jour, [1973], 141[1] p. (Les Romanciers du Jour, n° R-100).

—, *L'herbe et le varech. Roman*, [Montréal], Quinze, [1977], 169 p.

—, *La noyante. Roman*, Montréal, Québec/Amérique, [1980], 181 p. (Littérature d'Amérique).
PAQUETTE, Jean-Marcel, *Hypatie ou la fin des dieux. Roman*, [Montréal], Leméac, [1989], 226[1] p.
—, *Jérôme ou de la traduction. Roman*, [Montréal], Leméac, [1990], 241 p.
—, *Sidoine ou la dernière fête. Roman*, [Montréal], Leméac, [1993], 243 p.
PARADIS, Suzanne, *Un portrait de Jeanne Joron*, Québec, Éditions Garneau, [1977], 261 p. (Roman).
—, *Miss Charlie. Roman*, [Montréal], Leméac, [1979], 322 p. (Roman québécois, n° 32).
PARÉ, Yvon, *Le violoneux. Roman*, Montréal, Pierre Tisseyre, [1979], 203 p.
—, *La mort d'Alexandre. Roman*, [Montréal], VLB éditeur, [1982], 212 p.
—, *Les oiseaux de glace. Roman*, Montréal, Québec/Amérique, [1987], 269 p. (Littérature d'Amérique).
PARIS, Ginette, *Feux de brindilles. Roman*, [Montréal], Quinze, [1990], 298 p.
*PARIZEAU, Alice [née POZNANSKA], *Les lilas fleurissent à Varsovie*, Montréal, Éditions Pierre Tisseyre, [1981], 400 p.
*—, *La charge des sangliers*, Montréal, Pierre Tisseyre, [1982], 431 p.
*—, *Côte-des-Neiges. Roman*, Montréal, Pierre Tisseyre, [1983], 368 p.
—, *Ils se sont connus à Lwow*, Montréal, Pierre Tisseyre, [1985], 363 p.
—, *L'amour de Jeanne. Roman*, Montréal, Pierre Tisseyre, [1986], 251 p.
—, *Blizzard sur Québec. Roman*, Montréal, Québec/Amérique, [1987], 468 p. (2 Continents, série Best-sellers).
—, *Nata et le professeur. Roman*, Montréal, Éditions Québec/Amérique, [1988], 274 p. (2 Continents, série Best-sellers).
PÉAN, Stanley, *Le tumulte de mon sang. Roman*, Éditions Québec/Amérique, [1991], 175[1] p. (Littérature d'Amérique).
—, *Zombie*, [Montréal], La courte échelle, [1996], 288 p. (Roman 16/96).
PELCHAT, Jean, *Suspension. Roman*, [Québec], L'instant même, [1994], 231 p.
PELLETIER, Jean-Jacques, *L'homme trafiqué*, [Longueuil], Le Préambule, [1987], 297 p. (Paralittératures, série Thrillers et romans policiers).
—, *La femme trop tard*, Montréal, Éditions Québec/Amérique, [1994], 477 p. (Sextant, n° 7).
—, *Blunt les treize derniers jours*, [Beauport], Alire, [1996], 509 p.
POLIQUIN, Daniel, *L'écureuil noir. Roman*, [Montréal], Boréal, [1994], 195[2] p.
PONTAUT, Alain, *La Sainte-Alliance*, [Montréal], Leméac, [1977], 261 p. (Roman québécois, n° 21).
PORÉE-KURRER, Philippe, *Le retour de l'orchidée*, [Chicoutimi], JCL, [1990], 687 p.
—, *La promise du Lac. Suite du roman «Maria Chapdelaine»*, [Chicoutimi], JCL, [1992], 512 p.
*POULIN, Gabrielle, *Cogne la caboche. Récit*, [Montréal], Stanké, [1979], 245 p.
—, *Un cri trop grand. Roman*, Montréal, Les Éditions Bellarmin, 1980, 333[1] p.
—, *Les mensonges d'Isabelle. Roman*, Montréal, Québec/Amérique, [1983], 210 p. (Littérature d'Amérique).
—, *La couronne d'oubli. Roman*, Sudbury, Prise de parole, [1990], 178 p.
—, *Le livre de déraison. Roman*, Sudbury, Prise de parole, 1994, 193 p.
*POULIN, Jacques, *Jimmy. Roman*, Montréal, Éditions du Jour, [1969], 158 p. (Les Romanciers du Jour, n° R-39).

*—, *Le cœur de la baleine bleue. Roman*, Montréal, Éditions du Jour, [1970], 220[1] p. (Les Romanciers du Jour, nº R-66).
*—, *Faites de beaux rêves*, Montréal, L'Actuelle, [1974], 163 p.
*—, *Les grandes marées*, [Montréal], Leméac, [1978], 200[1] p. (Roman québécois, nº 24).
*—, *Volkswagen blues. Roman*, Montréal, Québec/Amérique, [1984], 290 p. (Littérature d'Amérique).
—, *Le vieux Chagrin*, [Montréal], Leméac [et Arles], Actes Sud, Hubert Nyssen éditeur, [1989], 155[3] p.
*—, *La tournée d'automne. Roman*, [Montréal], Leméac, [1993], 208[1] p.
POUPART, Jean-Marie, *Beaux draps. Roman*, [Montréal], Boréal, [1987], 394[1] p.
—, *La semaine du contrat*, [Montréal], Boréal, [1988], 280 p.
—, *L'accident du rang Saint-Roch. Roman*, [Montréal], Boréal, [1991], 88[1] p.
—, *Bon à tirer. Roman*, [Montréal], Boréal, [1993], 163[1] p.
PRATTE, Josette, *Les persiennes. Roman*, Paris, Éditions Robert Laffont, [1985], 276 p.
—, *Les honorables. Roman*, [Paris], Robert Laffont, [1996], 291[2] p.
PROULX, Monique, *Le sexe des étoiles. Roman*, Montréal, Québec/Amérique, [1987], 328 p.
—, *Homme invisible à la fenêtre. Roman*, [Montréal], Boréal, [1993], 238[3] p.
Renaud, Thérèse, *Une mémoire déchirée. Récit*. [Préface d'André Brochu, Montréal], HMH, [1978], 163 p. (L'Arbre).
RIOUX, Hélène, *Une histoire gitane. Roman*, Montréal, Québec/Amérique, [1982], 122 p. (Littérature d'Amérique).
—, *Les miroirs d'Éléonore. Roman*, [Montréal], Éditions Lacombe, [1990], 178 p.
—, *Chambre avec baignoire. Roman*, Montréal, Éditions Québec/Amérique, [1992], 283 p. (Littérature d'Amérique).
—, *Traductrice de sentiments. Roman*, [Montréal], XYZ éditeur, [1995], 209[1] p. (Romanichels).
*RIVARD, Yvon, *Mort et naissance de Christophe Ulric. Roman*, [Montréal], La Presse, [1976], 203 p.
—, *L'ombre et le double*, [Montréal], Stanké, [1979], 247 p.
—, *Le milieu du jour. Roman*, [Montréal], Boréal, [1995], 327[1] p.
RIVIÈRE, Sylvain, *L'errance est aussi un pays. Roman*, [Montréal], Guérin littérature, [1992], 255 p.
*ROBIN, Régine, *La Québécoite. Roman*, Montréal, Québec/Amérique, [1983], 200[1] p. (Littérature d'Amérique).
ROCHON, Esther, *Coquillages*, [Montréal], La pleine lune, [1985], 145 p.
—, *L'épuisement du soleil*, [Longueuil], Le Préambule, [1985], 270[1] p. (Chroniques du futur).
—, *L'espace du diamant*, [Montréal], La pleine lune, [1985], 361 p.
—, *Lame. [Fantasy]*, Montréal, Éditions Québec/Amérique, [1995], 243 p. (Sextant, nº 9).
—, *Aboli. Des chroniques infernales*, [Beauport], Alire, [1996], XIII,231 p.
*ROUSSEAU, Normand, *La tourbière. Roman*, [Montréal], La Presse, [1975], 174 p. (Écrivains des Deux continents).
*ROY, Gabrielle, *La rivière sans repos*, Montréal, Librairie Beauchemin limitée, 1970, 315[1] p.

*—, *Cet été qui chantait*. Illustrations de Guy Lemieux, Québec-Montréal, Les Éditions françaises, [1972], 207 p.
SANSFAÇON, Robert, *Loft story*, [Montréal], Quinze,[1986], 219 p. [Prix Robert-Cliche].
*SAVOIE, Jacques, *Les portes tournantes. Roman*, [Montréal], Boréal Express, [1984], 159 p.
*—, *Le récif du prince. Roman*, [Montréal], Boréal, [1986], 158[1] p.
*—, *Une histoire de cœur*, [Montréal], Boréal, [1988], 228[3] p.
—, *Le cirque bleu*, [Montréal], La courte échelle, [1995], 154[2] p. (Roman 16/96).
SERNINE, Daniel [né LORTIE], *Les méandres du temps. Roman*, [Longueuil], Le Préambule, [1983], 356[1] p. (Chroniques du futur, nº 6).
—, *Chronoreg. Roman*, Montréal, Éditions Québec/Amérique, [1992], 386 p. (Littérature d'Amérique).
—, *Manuscrit trouvé dans un secrétaire*, [Saint-Laurent], Pierre Tisseyre, [1994], 328 p.
SIMARD, Louise, *La très noble demoiselle*, [Montréal], Libre expression, [1992], 199[3] p.
SMITH, André, *Caine à Paris*, [Montréal], VLB éditeur, [1992], 182 p. (Cahier noir, nº 9).
SOMAIN, Jean-François, *Dernier départ. Roman*, Montréal, Éditions Pierre Tisseyre, [1989], 354 p.
—, *La vraie couleur du caméléon. Roman*, Montréal, Éditions Pierre Tisseyre, [1991], 292 p.
—, *Le soleil de Gauguin. Roman*, Montréal, Éditions Pierre Tisseyre, [1992], 252 p.
—, *Karine. Roman*, Montréal, Éditions Pierre Tisseyre, [1996], 212 p.
*SOUCY, Jean-Yves, *Un dieu chasseur. Roman*, Montréal, Les Presses de l'Université de Montréal, 1976, 203 p. (Collection Prix de la Revue «Études françaises»).
—, *Les chevaliers de la nuit*, [Montréal], La Presse, [1980], 329 p.
—, *Parc Lafontaine... et je mourrai sans être vieux*, [Montréal], Libre expression, [1983], 270 p.
—, *Le fruit défendu. Roman*, [Montréal], Les Herbes rouges, [1993], 228[1] p.
TARD, Louis-Martin, *Il y aura toujours des printemps en Amérique. Roman*, [Montréal], Libre expression, [1987], 492[2] p.
—, *Le bon Dieu s'appelle Henri*, [Montréal], Libre expression, [1992], 533 p.
THÉORET, France, *Nous parlerons comme on écrit. Roman*, [Montréal], Les Herbes rouges, [1982], 173[2] p. (Lecture en vélocipède).
—, *Laurence. Roman*, [Montréal], Les Herbes rouges, [1996], 313[1] p.
THÉRIAULT, Marie José, *Les demoiselles de Numidie*, [Montréal], Boréal Express, [1984], 244 p.
*THÉRIAULT, Yves, *Tayaout, fils d'Agaguk*, Montréal, Éditions de l'Homme, [1969], 158 p.
*—, *Agoak, l'héritage d'Agaguk*, [Montréal], Stanké [et] Quinze, [1975], 236 p.
*—, *Moi, Pierre Huneau. Narration*. Illustrations de Louisa Nicol, [Montréal], HMH, [1976], 135[1] p. (L'Arbre).
—, *Le partage de minuit*, [Montréal], Éditions Québécor, [1980], 203 p. (Roman).
—, *La quête de l'ourse*, [Montréal], Stanké, [1980], 384 p.

THÉRIO [né THÉRIAULT], Adrien, *La colère du père. Récit*, Montréal, Éditions Jumonville, [1974], 179 p.

—, *C'est ici que le monde a commencé. (Récit-reportage)*, Montréal, Éditions Jumonville, [1978], 324 p

—, *Marie-Ève, Marie-Ève*, [Montréal, Québec/Amérique, 1983], 139 p. (Littérature d'Amérique).

*TREMBLAY, Jean-Alain, *La Nuit des Perséides*, [Montréal], Quinze, [1989], 263 p. (Les Beaux Romans). [Prix Robert-Cliche].

—, *La grande chamaille. Roman*, [Montréal], Quinze, [1993], 343[1] p.

TREMBLAY, Lise, *L'hiver de pluie. Roman*, [Montréal,] XYZ éditeur, [1990], 108 p. (Collection Romanichels).

—, *La pêche blanche. Roman*, [Montréal], Leméac, [1994], 115[2] p.

*TREMBLAY, Michel, *La grosse femme d'à côté est enceinte*, [Montréal], Leméac, [1978], 329 p. (Roman québécois, nº 28).

*—, *Thérèse et Pierrette à l'école des Saints-Anges*, [Montréal], Leméac, [1980], 367[1] p. (Roman québécois, nº 42). (Chroniques du Plateau Mont-Royal, nº 2).

*—, *La duchesse et le roturier*, [Montréal], Leméac, [1982], 390 p. (Roman québécois, nº 60). (Chroniques du Plateau Mont-Royal, nº 3).

*—, *Des nouvelles d'Édouard*, [Montréal], Leméac, [1984], 312 p. (Roman québécois, nº 81). (Chroniques du Plateau Mont-Royal, nº 4).

*—, *Le cœur découvert. Roman d'amours*, [Montréal], Leméac, [1986], 318 p. (Roman québécois, nº 105).

*—, *Le premier quartier de la lune. Roman*, [Montréal], Leméac, [1989], 283 p.

*—, *Le cœur éclaté. Roman*, [Montréal], Leméac, [1993], 310[3] p.

*—, *Un ange cornu avec des ailes de tôle*, [Montréal], Leméac, [et Arles], Actes Sud, [1994], 245[2] p.

—, *La nuit des princes charmants. Roman*, [Montréal], Leméac, [et Arles], Actes Sud, [1995], 220[1] p.

—, *Quarante-quatre minutes quarante-quatre secondes. Roman*, [Montréal], Leméac, [et Arles], Actes Sud, [1997], 366[1] p.

*TRUDEL, Sylvain, *Le souffle de l'Harmattan*, [Montréal], Quinze, [1987], 142 p.

—, *Terre du roi Christian. Roman*, [Montréal], Quinze, [1989], 195 p.

—, *Zara ou la mer Noire. Récit*, [Montréal], Quinze, [1993], 126 p.

TURCOTTE, Élise, *Le bruit des choses vivantes. Roman*, [Montréal], Leméac, [1991], 227 p.

TURGEON, Pierre, *Le bateau d'Hitler*, [Montréal], Boréal, [1988], 221[1] p.

—, *Un dernier blues pour octobre. Roman*, [Montréal], Libre expression, [1990], 328 p.

—, *Les torrents de l'espoir. Roman, Les paradis perdus*, Montréal], Libre expression, [1995], 390[1] p.

*VANASSE, André, *La saga des Lagacé*, [Montréal], Libre expression, [1980], 166 p.

VEKEMAN, Lise, *Marie-Antoine. Roman*, [Chicoutimi], JCL, [1991], 195 p.

—, *Le troisième jour. Roman*, Montréal, Éditions Québec/Amérique, [1994], 168 p. (Littérature d'Amérique).

VÉZINA, France, *Osther, le chat criblé d'étoiles. Roman*, Montréal, Éditions Québec/Amérique, [1990], 340 p. (Littérature d'Amérique).

*VILLEMAIRE, Yolande, *L'arme à l'œil*, Montréal, [Guérin éditeur, 1974], 286 p. (Le cadavre exquis, nº 1) [sous le pseudonyme de VOUKIRAKIS].

—, *Meurtres à blanc*, Montréal, [Guérin éditeur, 1974], 164 p. (Le cadavre exquis, nº 4).
—, *La vie en prose*, [Montréal], Les Herbes rouges, [1980], 261[1] p. (Lecture en vélocipède).
*—, *La constellation du cygne. Roman*, [Montréal], Les Éditions de la pleine lune, [1985], 179 p.
—, *Vava. Roman*, [Montréal], l'Hexagone, [1989], 707[2] p. (Fictions).
VILLENEUVE, Paul, *J'ai mon voyage ! Roman*, Montréal, Éditions du Jour, [1969], 156 p. (Les Romanciers du Jour, nº R-48).
—, *Johnny Bungalow. Chronique québécoise, 1937-1963*, Montréal, Éditions du Jour, [1974], 400[1] p. (Les Romanciers du Jour, nº R-108).
VONARBURG, Élisabeth, *Le silence de la cité. Roman*, [Paris], Denoël, [1981], 283 p. (Présence du futur, nº 327).
—, *Chroniques du Pays des Mères. Roman*, Montréal, Éditions Québec/Amérique, [1992], 524 p. (Littérature d'Amérique).
—, *Les voyageurs malgré eux*, Montréal, Éditions Québec/Amérique, [1993], 422 p. (Sextant, nº 1).
—, *Les rêves de la mer. Tyranaël. 1*, [Beauport], Alire, [1996], [XIV],363 p.
—, *Le jeu de la perfection. Tyranaël 2*, [Beauport], Alire, [1996], [XXIV],320 p.
YERGEAU, Pierre, *1999. Roman*, [Québec], L'instant même, [1995], 220[1] p.
ZUMTHOR, Paul, *La fête de fous. Roman*, [Montréal], l'Hexagone, [1987], 232[2] p. (Fictions).
—, *La traversée. Roman*, [Montréal], l'Hexagone, [1991], 381[2] p. (Fictions).

II- Conte et Nouvelle

APRIL, Jean-Pierre, *La machine à explorer la fiction*, [Longueuil, Le Préambule, 1980], 248[2] p. (Chroniques du futur, nº 2).
—, *Télétotalité. Nouvelles*, [Montréal], HMH, [1984], 213[1] p. (L'Arbre).
*— *Chocs baroques. Anthologie de nouvelles de science-fiction*. Introduction de Michel Lord, [Montréal], BQ, [1991], 339 p. (Bibliothèque québécoise, Littérature).
—, *Les voyages thanatologiques de Yan Malter*, Montréal, Éditions Québec/Amérique, [1995], 253 p. (Sextant, nº 11).
ARCHAMBAULT, Gilles, *Enfances lointaines. Nouvelles*, Montréal, Le Cercle du livre de France, [1972], 120[1] p.
—, *Les plaisirs de la mélancolie. Petites proses presque noires*, [Montréal], Quinze, [1980], 133[2] p. (Prose entière).
—, *Tu me dis que je suis belle et autres nouvelles*, [Montréal], Boréal, [1994], 155[1] p.
AUBRY, Claude, *Le violon magique et autres légendes du Canada français*, [Ottawa], Éditions des Deux Rives, [1968], 100 p.
BÉLIL, Michel, *Le mangeur de livres. (Contes terre-neuviens)*, Montréal, Pierre Tisseyre, [1978], 213 [2] p.
—, *Déménagements*. [Illustrations de Pierre Djada Lacroix, Québec, Les éditions Chasse-galerie, 1981], 76[1] p.
BERGERON, Bertrand, *Parcours improbables. Nouvelles*, [Québec], L'instant même, [1986], 109[1] p
—, *Maisons pour touristes. Nouvelles*, [Québec], L'instant même, [1988], 133[1] p.
—, *Visa pour le réel*, [Québec], L'instant même, [1993], 121[1] p.
BERTHIAUME, André, *Incidents de frontière*, [Montréal, Leméac, 1984], 143 p.

—, *Presqu'îles dans la ville*, [Montréal], XYZ, [1991], 160[4] p. (L'ère nouvelle).

BESSETTE, Gérard, *Le garden-party de Christophine. Nouvelles*, Montréal, Québec/Amérique, [1980], 121[1] p. (Littérature d'Amérique).

BOSCO, Monique, *Boomerang. Nouvelles*, [Montréal, Hurtubise HMH, 1978], 144 p. (L'Arbre).

BOUCHER, Jean-Pierre, *La vie n'est pas une sinécure. Nouvelles*, [Montréal], Boréal, [1995], 171[2] p.

BOURNEUF, Roland, *Reconnaissance. Récits*, [Sainte-Foy], Les Éditions parallèles, [1981], 100 p.

—, *Mémoires du demi-jour*, [Québec], L'instant même, [1990], 152 p.

BROCHU, André, *La croix du Nord*, [Montréal], XYZ, [1991], 112[1] p. (Novella).

—, *L'esprit ailleurs*, [Montréal], XYZ, [1992], 134[1] p. (L'ère nouvelle).

—, *Fièvres blanches*, [Montréal], XYZ éditeur, [1994], 149[1] p. (Novella).

*BROSSARD, Jacques, *Le métamorfaux. Nouvelles*, [Montréal], HMH, [1974], 206 p. (L'Arbre).

*BRULOTTE, Gaétan, *Le surveillant*, [Montréal], Quinze, [1982], 122[1] p. (Prose entière).

*CARPENTIER, André, *Rue Saint-Denis. Contes fantastiques*, [Montréal], HMH, [1978], 143[2] p. (L'Arbre).

—, *Du pain des oiseaux. Récits*. Préface de André Belleau, [Montréal], VLB éditeur, [1982], 149[2] p.

—, *De ma blessure atteint et autres détresses*, [Montréal], XYZ, [1990], 155[2] p. (L'ère nouvelle).

—, *Carnets sur la fin possible d'un monde*, [Montréal], XYZ éditeur, [1992], 138[2] p. (L'ère nouvelle).

*CARRIER, Roch, *Prières d'un enfant très très sage*, [Montréal], Stanké, 1988], 149[1] p.

CHARBONNEAU-TISSOT, Claudette, *Contes pour hydrocéphales adultes*, Montréal, Le Cercle du livre de France, [1974], 147 p.

—, *La contrainte. Nouvelles*, Montréal, Pierre Tisseyre, [1976], 142[1] p.

*CHOQUETTE, Robert, *Le sorcier d'Anticosti et autres légendes canadiennes*, [Montréal], Fides, [1975], 123 [2] p. (Collection du Goéland).

CORRIVEAU, Hugues, *Autour des gares. Nouvelles*, [Québec], L'instant même, [1991], 217 p.

COTNOIR, Louise, *La déconvenue. Nouvelles*, [Québec], L'instant même, [1993], 105 p.

CROFT, Esther, *La mémoire à deux faces. Nouvelles*, [Montréal], Boréal, [1988], 132[1] p.

—, *Au commencement était le froid. Nouvelles*, [Montréal], Boréal, [1993], 102[2] p.

D'AMOUR, Francine, *Écrire comme un chat. Nouvelles*, [Montréal], Boréal, [1994], 129[2] p.

DANDURAND, Anne, *L'assassin de l'intérieur* [suivi de] *Diable d'espoir*, [Montréal, XYZ, [1988], 61[1] p. et 61[2] p. (L'ère nouvelle).

—, *La salle d'attente*, [Montréal], XYZ éditeur, [1994], 60[5] p. (Les vilains).

DAVIAU, Diane-Monique, *Dessins à la plume. Contes*, [Montréal], HMH, [1979], 146 p. (L'Arbre).

—, *Histoire entre quatre murs. Contes*, [Montréal], HMH, [1981], 131[2] p. (L'Arbre).

—, *Dernier accrochage*, [Montréal], XYZ, [1990], 169[2] p. (L'ère nouvelle).
DÉ, Claire, et Anne DANDURAND, *La louve-garou. Nouvelles*. [Encres de Micheline Rouillard, Montréal], La pleine lune, [1982], 154[1] p.
DÉSY, Jean, *Un dernier cadeau pour Cordélia*, [Montréal], XYZ, [1989], 110[1] p. (L'ère nouvelle).
—, *Urgences. Récits et anecdotes. Un médecin raconte*, [Sainte-Foy], Les Éditions La Liberté, [1990], 95[1] p.
—, *Docteur Wincot. Nouvelles*. Œuvres de Nicole Gagné Ouellet, [Québec], Le Loup de Gouttière, [1995], 134[1] p.
DUFOUR, Michel, *Circuit fermé. Nouvelles*, [Québec], L'instant même, [1989], 102[2] p.
—, *Passé la frontière. Nouvelles*, [Québec], L'instant même, [1991], 102[2] p.
—, *N'arrêtez pas la musique. Nouvelles*, [Québec], L'instant même, [1995], 99[1] p.
*[EN COLLABORATION], *Fuites et poursuites*. [Avant-propos d'André Major], [Montréal], Quinze, [1983], 199[2] p.
—, *Dix contes et nouvelles fantastiques par dix auteurs québécois*, [réunis par André Carpenteir, Montréal], Quinze, [1983], 204[1] p.
— *Les années-lumière. Dix nouvelles de science-fiction* réunies et présentées par Jean-Marc Gouanvic, [Montréal], VLB éditeur, [1983], 233[1] p.
—, *Dix nouvelles humoristiques par dix auteurs québécois*. Collectif sous la direction d'André Carpentier, [Montréal], Quinze, [1985], 221 p.
—, *Dix nouvelles de science-fiction québécoise*. Avant-propos d'André Carpentier, [Montréal], Quinze, [1985], 238[1] p.
—, *Crever l'écran. Le cinéma à travers 10 nouvelles*. Équipe dirigée par Marcel Jean, [Montréal], Quinze, [1985], 208[1] p.
—, *Aimer. 10 nouvelles par 10 auteurs québécois*. Équipe sous la direction d'André Carpentier, [Montréal], Quinze, [1986], 187[2] p.
ÉTHIER-BLAIS, Jean, *Le manteau de Rubén Dario. Nouvelles*, [Montréal], HMH, [1974], 158[1] p. (L'Arbre).
FERRON, Jacques, *Contes. Édition intégrale. Contes anglais/Contes du pays incertain/Contes inédits)*, Montréal, Éditions HMH, 1968, 210 p. (L'Arbre, nº G-4).
*—, *Les confitures de coings et autres textes*, [Montréal], Éditions Parti pris, [1972], 326 p. (Paroles, nº 21).
*FERRON, Madeleine, *Le chemin des dames. Nouvelles*, [Montréal], La Presse, [1977], 166 p.
—, *Histoires édifiantes. Nouvelles*, [Montréal], La Presse, [1981], 156[1] p.
—, *Un singulier amour. Nouvelles*, [Montréal], Boréal, [1987], 195[2] p.
—, *Le grand théâtre. Nouvelles*, [Montréal], Boréal, [1989], 151[2] p.
GAUVIN, Lise, *Fugitives. Nouvelles*, [Montréal], Boréal, [1990], 193[1] p.
GIRARD, Jean-Pierre, *Silences. Nouvelles*, [Québec], L'instant même, [1990] 145 p.
—, *Espaces à occuper. Nouvelles*, [Québec], L'instant même, [1992], 170[1] p.
GODIN, Marcel, *Confettis*. Illustrations de Louisa Nicol, [Montréal], Alain Stanké, [1976], 179 p.
—, *Après l'Éden. Nouvelles*, [Montréal], l'Hexagone, [1986], 96[2] p. (Fictions).
JACOB, Suzanne, *Les aventures de Pomme Douly*, [Montréal], Boréal, [1988], 151[1] p. (L'ère nouvelle).

JOLICŒUR, Louis, *L'araignée du silence*, [Québec], L'instant même, [1987], 127[1] p.

—, *Saisir l'absence*, [Québec], L'instant même, [1994], 135 p.

*KATTAN, Naïm, *Dans le désert. Nouvelles*, [Montréal], Leméac, [1974], 153[1] p. (Roman québécois, nº 9).

*—, *La traversée. Nouvelles*. Illustrations de Louise Dancoste, [Montréal], HMH, [1976], 152[1] p. (L'Arbre).

—, *Le rivage. Nouvelles*, [Montréal], HMH, [1979], 179[1] p. (L'Arbre). [Publié en même temps à [Paris], chez Gallimard].

—, *Le sable de l'île. Nouvelles*, [Montréal], HMH, [1981], 222[1] p. (L'Arbre).

—, *La distraction. Nouvelles*, [Montréal], Hurtubise HMH, [1994], 161 p. (L'Arbre).

LAFERRIÈRE, Dany, *Puis-je dans le réel m'évader? Récit*, [Montréal], VLB éditeur, [1992], [n. p.].

*LAFRANCE, Micheline, *Vol de vie. Nouvelles*, [Montréal], l'Hexagone, [1992], 101[2] p.

—, *Le fil d'Ariane et autres nouvelles*, [Montréal], La pleine lune, [1986], 148[1] p.

MAHEUX-FORCIER, Louise, *En toutes lettres. Nouvelles*, Montréal, Pierre Tisseyre, [1980], 302[3] p.

*MAJOR, André, *La folle d'Elvis. Nouvelles*, Montréal, Québec/Amérique, [1981], 137[1] p. (Littérature d'Amérique).

*—, *L'hiver au cœur*, [Montréal], XYZ éditeur, [1987], 72 p. (Novella).

MARTEL, Clément, *Magies du temps et de l'espace*, [Chicoutimi], JCL, [1988], 154 p.

MARTEL, Émile, *Les gants jetés*. [Illustrations de Collette Perron], [Montréal], Quinze, [1977], 168[2] p.

MASSICOTTE, Sylvie, *L'œil de verre. Nouvelles*, [1993], 115[3] p.

—, *Voyages et autres déplacements. Nouvelles*, [Québec], L'instant même, [1995], 116[2] p.

MICONE, Marco, *Le figuier enchanté*, [Montréal], Boréal, [1992], 116[3] p.

OUELLET, Pierre, *L'attrait. Nouvelles*, [Québec], L'instant même, [1994], 121[1] p.

PÉAN, Stanley, *La plage des songes et autres récits de l'exil*, Montréal, Les Éditions du CIDIHCA, [1988], 169[1] p.

—, *Sombres allées et autres endroits peu hospitaliers. Treize excursions en territoire de l'insolite*, [Montréal], Voix du Sud et CIDIHCA, [1992], 214 p.

PELCHAT, Jean, *Le levier du corps. Nouvelles*, [Québec], L'instant même, [1991], 125[1] p.

PELLERIN, Gilles, *Ni le lieu ni l'heure. Nouvelles*, [Québec], L'instant même, [1987], 172[2] p.

—, *Principes d'extorsion. Nouvelles*, [Québec], L'instant même, [1991], 179[1] p.

—, *Je reviens avec la nuit. Nouvelles*, [Québec], L'instant même, [1992], 163[1] p.

*PROULX, Monique, *Sans cœur et sans reproche*, Montréal, Québec/Amérique, 1983, 247[2] p.

—, *Les aurores montréales. Nouvelles*, [Montréal], Boréal, [1996], 238[4] p.

RIOUX, Hélène, *L'homme de Hong Kong. Nouvelles*, Montréal, Québec/Amérique, [1986], 130 p. (Littérature d'Amérique).

—, *Pense à mon rendez-vous, Nouvelles*, Montréal, Éditions Québec/ Amérique, [1994], 142 p. (Littérature d'Amérique).
RIVIÈRE, Sylvain, *La lune dans une manche de capot. Nouvelles*, [Montréal, Guérin littérature, 1988], 171 p. (Roman).
—, *Le Bon Dieu en culott' de velours. Nouvelles*, [Montréal], Guérin littérature, [1990], 294 p.
—, *Les faits et dicts de Cabert à Pierrot. Nouvelles*, [Montréal], Guérin littérature, [1994], 176 p.
ROCHON, Esther, *Le traversier*, [Montréal], La pleine lune, [1987], 188[1] p.
—, *Le piège à souvenir*, [Montréal], La pleine lune, [1991], 143 p.
*ROY, Gabrielle, *Ces enfants de ma vie*, [Montréal], Stanké, [1977], 212[1] p.
*—, *Fragiles lumières de la terre. Écrits divers 1942-1970*, [préface de François Ricard, Montréal], Quinze, [1978], 239 p. (Prose entière).
*—, *De quoi t'ennuies-tu, Évelyne?*, suivi de *Ély! Ély! Ély!*, [Montréal], Boréal Express, [1984], 122[1] p.
ROYER, Jean, *La main cachée. Récit*, [Montréal], l'Hexagone, [1991], 116[1] p. (Itinéraires).
—, *La main ouverte. Récits*, [Montréal], l'Hexagone, [1996], 262[1] p. (Itinéraires).
SAINT-MARTIN, Lori, *Lettre imaginaire à la femme de mon amant*, Montréal, l'Hexagone, [1991], 136 p. (Fictions).
SERNINE, Daniel [pseudonyme d'Alain LORTIE], *Les contes de l'ombre*, Montréal, Presses Sélect ltée, [1978], 190 p.
—, *Les légendes du vieux manoir*, Montréal, Presses Sélect ltée, [1979], 148[1] p.
—, *Quand vient la nuit. Contes*, [Longueuil], Le Préambule, [1983], 265[5] p.
SOMAIN, Jean-François, *Vivre en beauté. Nouvelles*, [Montréal], Logiques, [1989], 273[1] p. (Autres mers, autres mondes).
SOUCY, Jean-Yves, *L'étranger au ballon rouge. Contes*, [Montréal], La Presse, [1981], 157[2] p.
—, *La buse et l'araignée. Récits*, [Montréal], Les Herbes rouges, [1988], 213[2] p.
—, *Amen. Nouvelle*, [Montréal, Les Herbes rouges, n° 170, 1988], 62[1] p.
THÉORET, France, *L'homme qui peignait Staline. Récits*, [Montréal], Les Herbes rouges, [1989], 174[1] p.
THÉRIAULT, Marie José, *La cérémonie. Contes*, [Montréal], La Presse, [1978], 139[2] p.
*—, *L'envoleur de chevaux et autres contes*, [Montréal], Boréal, [1986], 174[2] p.
—, *Portraits d'Elsa et autres histoires*, [Montréal], Boréal, [1990], 174[1] p.
THÉRIAULT, Yves, *Œuvre de chair*. Illustrations de Louisa Nicol, [Montréal], Stanké, [1976], 170 p.
—, *La femme Anna et autres contes*, [Montréal], VLB éditeur, [1981], 321 p.
*—, *Valère et le grand canot*, [Montréal], VLB éditeur, [1981], 286 p.
*—, *L'herbe de tendresse. Récits*, [Montréal], VLB éditeur, [1983], 238[2] p.
TREMBLAY, Michel, *Les vues animées* [suivi de *Les loups se mangent entre eux*]. *Récits*, [Montréal], Leméac, [1990], 189 p.
—, *Douze coups de théâtre. Récits*, [Montréal], Leméac, [1992], 265[1] p.
TRUDEL, Sylvain, *Les prophètes. Nouvelles*, [Montréal], Quinze, [1994], 233[1] p.
VONARBURG, Élisabeth, *L'œil de la nuit*, [Longueuil], Le Préambule, [1980], 205[1] p. (Chroniques du futur, n° 1).
—, *Janus. Nouvelles*, [Paris], Denoël, [1984], 285 p. (Présence du futur, n° 388).

—, *Ailleurs est au Japon. Nouvelles*, Montréal, Éditions Québec/Amérique, [1991], 219 p. (Littérature d'Amérique).

YANCE, Claude-Émmanuelle, *Mourir comme un chat. Nouvelles*, [Québec], L'instant même, [1987], 118[1] p.

—, *Alchimie de la douleur. Nouvelles*, [Québec], L'instant même, [1991], 118[3] p.

ZUMTHOR, Paul, *Les contrebandiers. Nouvelles*, [Montréal], l'Hexagone, [1989], 274[2] p. (Fictions).

—, *La porte à côté. Nouvelles*, [Montréal], l'Hexagone, [1994], 189[1] p. (Fictions).

III- Théâtre

BARBEAU, Jean, *Le chemin de Lacroix* suivi de *Goglu*. [Présentation de Jean Royer], [Montréal], Leméac, [1971], 74[1] p. (Répertoire québécois, nº 7).

—, *Ben-Ur*. [Présentation d'Albert Millaire], [Montréal], Leméac, [1971], 108 p. (Théâtre québécois, nºs 11-12).

—, *Manon Lastcall* [suivi de] *Joualez-moi d'amour*. Introduction de Jacques Garneau, [Montréal], Leméac, [1972], 98 p. (Théâtre, nº 25).

—, *Le chant du sink*. Préface de Jean-Guy Sabourin, [Montréal], Leméac, [1973], 82[1] p. (Répertoire québécois, nº 28).

—, *La coupe Stainless. [Épopette-balai [sic] en deux parties*, suivi de] *Solange*. [*Monologue*, Montréal], Leméac, [1974], 115[1] p. (Répertoire québécois, nºs 47-48).

—, *Une brosse*. [Présentation de Jean Royer, Montréal], Leméac, [1975], 112[1] p. (Théâtre, nº 42).

—, *Citrouille*, [Montréal], Leméac, [1975], 105 p. (Répertoire québécois, nºs 53-54).

—, *Le théâtre de la maintenance*. [Présentation de Laurent Mailhot, Montréal], Leméac, [1979], 107 p. (Théâtre, nº 79).

—, *Le jardin de la maison blanche*. [Préface de Jean-Pierre Leroux, Montréal], Leméac, [1979], 127[1] p. (Théâtre, nº 80).

—, *Émile et une nuit*. [Préface de Michèle Marineau, Montréal], Leméac, [1979], 95 p. (Théâtre, nº 82).

—, *Une marquise de Sade et un lézard nommé King-Kong*. [Présentation de Jean Cléo Godin, Montréal], Leméac, [1979], 98 p. (Théâtre, nº 81).

—, *La Vénus d'Émilio*, [Montréal], Leméac, [1984], 139 p. (Théâtre, nº 128).

—, *Les gars*, [Montréal], Leméac, [1984], 155 p. (Théâtre, nº 132).

—, *Le grand Poucet*, [Montréal], Leméac, [1985], 172[1] p. (Théâtre, nº 138)

—, *Cœur de papa*, [Montréal], Leméac, [1986], 158 p. (Théâtre, nº 147).

—, *L'abominable homme des sables*. [Avant-propos de l'auteur, Montréal], Leméac, [1989], 126 p. (Théâtre, nº 174).

BARBEAU, Jean, et Marcel DUBÉ, *Dites-le avec des fleurs*, [Montréal], Leméac, [1976], 125 p. (Théâtre, nº 55).

BEAULIEU, Victor-Lévy, *En attendant Trudot*, [Montréal], L'Aurore, [1974], 73 p. (Entre le parvis et le boxon, nº 1). Photos.

—, *Monsieur Zéro. Théâtre*, [Montréal], VLB éditeur, [1977], 132 p. Photos.

—, *La tête de Monsieur Ferron ou les Chians. Une épopée drôlatique [sic] tirée du «Ciel de Québec», de Jacques Ferron*. [Introduction de l'auteur, Montréal], VLB éditeur, [1979], 113 p. Photos.

—, *La fille Peuplesse par inadvertance. Théâtre*, [Montréal], VLB éditeur [et] Stanké, [1990], 96 p. Photos.

—, *La maison cassée. Théâtre*, [Montréal], Stanké, [1991], 106[2] p. Photos.

—, *Sophie et Léon. Théâtre*, [Montréal], Stanké, [1992], 122[1] p. [suivi de *Seigneur Léon Tolstoï. Essai-journal*, 171 p.]. Photos.
—, *La nuit de la grande citrouille. Théâtre*, [Montréal], Stanké, [1993], 94[1] p. Ill.
—, *Le bonheur total. Vaudecampagne. Théâtre*. Illustrations de Yayo, [Montréal], Stanké, [1995], 93[2] p. Photos.
BLAIS, Marie-Claire, *L'océan*, suivi de *Murmures*, [Montréal], Quinze, [1977], 166 p. Photos.
—, *L'île. Théâtre*, [Montréal], VLB éditeur, [1988], 84 p. Photos.
BOUCHARD, Michel Marc, *La contre-nature de Chrysippe Tanguay, écologiste*. [Présentation de Yves Dubé, Montréal], Leméac, [1984], 70[1] p. (Théâtre, n° 129).
—, *La poupée de Pélopia*, [Montréal], Leméac, [1985], 84 p.
—, *Rock pour un faux-bourdon*. [Présentation de Claude Poissant, Montréal], Leméac, [1987], 127 p. (Théâtre, n° 165).
—, *Les feluettes ou la répétition d'un drame romantique*, [Montréal], Leméac, [1987], 125 p. (Théâtre, n° 168).
—, *Les muses orphelines*, [Montréal], Leméac, [1989], 117 p. (Théâtre).
—, *L'histoire de l'oie*, [Montréal], Leméac, [1991], 55 p. (Théâtre jeunesse).
—, *Les grandes chaleurs. Comédie*, [Montréal], Leméac, [1993], 97 p. (Comédie Leméac).
—, *Le voyage du Couronnement*, [Montréal], Leméac, [1995], 118[2] p. (Théâtre).
*BOUCHER, Denise, *Les fées ont soif*, [Montréal], Éditions Intermèdes, [1978], 157 p. [suivi d'un dossier de presse].
—, *Les divines*, [Montréal], Les Herbes rouges, [1996], 99 p. (Théâtre).
BOURGET, Élizabeth, *Bernadette et Juliette ou la vie, c'est comme la vaisselle, c'est toujours à recommencer. Théâtre*. [Préface de Gilbert Lepage, Montréal], VLB éditeur, [1979], 149 p.
—, *Eh! qu'mon chum est platte!* [Présentation de Pierre Monette, Montréal], Leméac, [1979], 87 p. (Théâtre, n° 84).
—, *Bonne fête maman. Théâtre*, [Montréal], VLB éditeur, [1982], 168 p.
—, *En ville. Théâtre*, [Montréal], VLB éditeur, [1984], 218 p. Photos.
—, *Appelle-moi. Théâtre*, [Montréal, VLB éditeur, [1996], 95 p.
BRAULT, Jacques, *Trois partitions*. Introduction de Alain Pontaut [et postface d'Antonine Maillet, Montréal], Leméac, [1972], 193[1] p. (Théâtre canadien, n° 23).
CARRIER, Roch, *La guerre, yes sir ! Pièce en quatre parties*, Montréal, Éditions du Jour, [1973], 164[1] p. (Théâtre, n° K-4).
—, *Floralie*, Montréal, Éditions du Jour, [1974], 157 p. (Théâtre, n° K-7).
*—, *La céleste bicyclette*. [Préface d'Albert Millaire, postface d'Henri Barras, Montréal], Stanké, [1980], 82 p. Ill.
—, *Le cirque noir*, Montréal-Paris, Stanké, [1982], 94 p. Photos.
CHAURETTE, Normand, *Rêve d'une nuit d'hôpital*. [Présentation de Jean Cléo Godin, Montréal], Leméac, [1980], 106 p. (Théâtre, n° 87).
—, *Fêtes d'automne*. [Présentation de René-Daniel Dubois, Montréal], Leméac, [1982], 138 p. (Théâtre, n° 112).
—, *La société de Métis*. [Portrait de l'artiste par Monic Robitaille, Montréal,] Leméac, [1983], 142[1] p. (Théâtre, n° 118).
—, *Fragment d'une lettre d'adieu lu par des géologues*. [Introduction de Michel Forgues, Montréal], Leméac, [1986], 105[1] p. (Théâtre, n° 155).
DAIGLE, Jean, *Coup de sang*, avec sept illustrations de Charles Lemay, [Saint-Lambert], Éditions du Noroît, [1976], 94 p.

—, *Le mal à l'âme*, avec la reproduction d'un tableau de l'auteur, Saint-Lambert], Éditions du Noroît, [1979], 89 p.
—, *Le jugement dernier*, avec sept illustrations de Charles Lemay, [Saint-Lambert], Éditions du Noroît, [1980], 93 p.
DANIS, Daniel, *Cendres de cailloux*, [Arles, Actes Sud, et Montréal, Leméac, 1992], 125[2] p. (Actes Sud—Papiers).
—, *Celle-là*, [Montréal], Leméac, [1993], 91 p. (Théâtre, nº 189).
DANSEREAU, Louis-Marie, *La trousse*. [Présentation de Doris-Michel Montpetit, Montréal], Leméac, [1981], 124 p. (Théâtre, nº 90).
—, *Chez Paul-ette, bière, vin, liqueur et nouveautés*, [Montréal], Leméac, [1981], 139 p. (Théâtre, nº 99).
—, *Ma maudite main gauche veut pus suivre*. [Présentation de Michel Larouche, Montréal], Leméac, [1982], 95 p. (Théâtre, nº 111).
DELISLE, Jeanne-Mance, *Un reel ben beau, ben triste. Théâtre*, [Montréal], Les éditions de la pleine lune, [1980], 176 p.
—, *Un oiseau vivant dans la gueule*. Préface de Jean-Pierre Scant-Amburlo, [Montréal, La pleine lune, [1987], 130 p. (Théâtre).
DUBÉ, Marcel, *Les beaux dimanches. Pièce en trois actes et dix tableaux*. [Présentation d'Alain Pontaut, Montréal], Leméac, [1968], 185[3] p. (Théâtre canadien, nº 3).
—, *Bilan. Pièce en deux parties*. [Présentation de Yves Dubé, Montréal], Leméac, [1968], 187 p. (Théâtre canadien, nº 4).
—, *Au retour des oies blanches. Pièce en deux parties et quatre tableaux*. [Présentation de Henri-Paul Jacques, Montréal], Leméac, [1969], 189 p. (Théâtre canadien, nº 10).
—, *Un matin comme les autres. Pièce en deux parties*. Présentation de Martial Dassylva, [Montréal], Leméac, [1971], 181[1] p. (Théâtre canadien, nº 14).
—, *L'impromptu de Québec ou le testament*. [Présentation de Robert Saint-Amour], [Montréal], Leméac, [1974], 201 p. (Théâtre canadien, nº 40).
—, *L'été s'appelle Julie*. [Présentation d'Alain Pontaut], [Montréal], Leméac, [1975], 154 p. (Théâtre canadien, nº 43).
—, *Le réformiste ou l'honneur des hommes*. [Préface de Pierre Filion], [Montréal], Leméac, [1977], 143 p. (Théâtre, nº 61).
—, *Octobre*. [Présentation de Jean-François Crépeau, Montréal], Leméac, [1977], 92 p. (Théâtre, nº 64).
DUBOIS, René-Daniel, *Panique à Longueuil...* [Présentation de Normand Chaurette, Montréal], Leméac, [1980], 121 p. (Théâtre, nº 88).
—, *Adieu, docteur Munch...*, [Montréal], Leméac, [1982], 80 p. (Théâtre, nº 110).
—, *26 bis, impasse du Colonel-Foisy*. [Présentation de Normand Chaurette, Montréal], Leméac, [1983], 80 p. (Théâtre, nº 122).
—, *Ne blâmez jamais les Bédouins*. [Présentation de Jean-Marie Lelièvre, Montréal], Leméac, [1985], 197 p. (Théâtre, nº 134).
—, *Being at home with Claude*. [Présentation de Yves Dubé, Montréal], Leméac, [1986], 125 p. (Théâtre, nº 150).
—, *Le printemps, monsieur Deslauriers. Théâtre*, [Montréal], Guérin littérature, [1987], 125 p. (Tragédies et quêtes).
—, *Le troisième fils du professeur Yourolov*, [Montréal], Leméac, [1990], 110 p. (Théâtre, nº 183).
—, *... Et Laura ne répondait rien*, [Montréal], Leméac, [1991], 60 p. (Théâtre, nº 191).

DUCHARME, Réjean, *Ines Pérée et Inat Tendu*. [Présentation d'Alain Pontaut, Montréal], Leméac [et] Parti pris, [1976], XIX,121 p. (Théâtre, n° 58).
—, *Ha ha...!* Préface de Jean-Pierre Ronfard, [Saint-Laurent], Éditions Lacombe, [et Paris], Gallimard, [1982], 108 p.
DUFRESNE, Guy, *Le cri de l'engoulevent*. [Présentation d'Alain Pontaut, Montréal], Leméac, [1969], 123[1] p. (Théâtre canadien, n° 9).
—, *Les traitants*. [Avant-propos de l'auteur, Montréal], Leméac, [1969], 176[1] p. (Théâtre canadien, n° 8).
—, *Cap-aux-Sorciers. 1. Fabienne*, [Montréal], Leméac, [1969], 268 p.
—, *Le quadrillé*. [Avant-propos de l'auteur, Montréal], Leméac, [1975], 190 p. (Théâtre, n° 48).
—, *Ce maudit lardier*. [Préface de Maurice Filion, Montréal], Leméac, [1975], 167 p. (Théâtre, n° 49).
*[EN COLLABORATION], *La nef des sorcières*, [Montréal], Quinze, [1976], 80 p.
*FERRON, Jacques, *Théâtre 2*, Montréal, Librairie Déom, [1975], 192[1] p.
—, *Les pièces radiophoniques*. Présentées par Laurent Mailhot. Édition préparée par Pierre Cantin, avec la collaboration de Luc Gauvreau et Marcel Olscamp, [Hull], Vents d'Ouest, [1993], 268[1] p.
GARNEAU, Michel, *Quatre à quatre*, [Montréal], L'Aurore, [1974], 61[1] p. (Entre le parvis et le boxon).
—, *Les célébrations*, suivi de *Adidou Adidouce. Théâtre*, [Montréal], VLB éditeur, [1977], 138[1] p. Photos.
—, *Les voyagements*, suivi de *Rien que la mémoire. Théâtre*, [Montréal], VLB éditeur, [1977], 116[1] p. Photos.
—, *Abriés désabriés* suivi de *L'usage du cœur dans le domaine réel. Théâtre*, [Montréal], VLB éditeur, [1979], 99[1] p. Photos.
—, *Émilie ne sera plus jamais cueillie par l'anémone. Théâtre*, [Montréal], VLB éditeur, [1981], 111 p. Photos.
—, *Sur le matelas. Théâtre*, [Montréal], VLB éditeur, [1981], 95 p. Photos.
—, *Petitpetan et le monde* suivi de *Le groupe. Théâtre*, [Montréal], VLB éditeur, [1982], 141 p. Photos.
—, *Les neiges*, suivi de *Le bonhomme Sept heures*. Théâtre, [Montréal], VLB éditeur, [1984], 121 p. Photos.
—, *Les guerriers. Théâtre*, [Montréal], VLB éditeur, [1989], 128 p. Photos.
—, *De la poussière d'étoiles dans les os. Théâtre*, [Montréal], VLB éditeur, [1991], 194[1] p. Photos.
GAUVREAU, Claude, *La charge de l'orignal épormyable*, [Montréal], l'Hexagone, [1992], 254 p.
GÉLINAS, Gratien, *Hier les enfants dansaient. Pièce en deux parties*, [Montréal], Leméac, [1968], 159 p. (Théâtre canadien, n° 2).
GERMAIN, Jean-Claude, *Le roi des mises à bas prix*, [Montréal], Leméac, [1972], 96[1] p. (Répertoire québécois, n° 24).
—, *Diguidi, diguidi, ha! ha! ha!*, suivi de *Si les Sansoucis s'en soucient, ces Sansoucis-ci s'en soucieront-ils? Bien parler, c'est se respecter!*, [Montréal], Leméac, [1972], 194[1] p. (Théâtre canadien, n° 24).
—, *Un pays dont la devise est je m'oublie*, [Montréal], VLB éditeur, [1976], 138 p. Photos.
—, *Les hauts et les bas d'la vie d'une diva: Sarah Ménard par eux-mêmes. (Une monologuerie bouffe)*, [Montréal], VLB éditeur, [1976], 150 p. Photos.

—, *Les faux brillants de Félix-Gabriel Marchand. Paraphrase*, [Montréal], VLB éditeur, [1977], 295[2] p. Photos.
—, *Mamours et conjugat. Scènes de la vie amoureuse québécoise. Théâtre*, [Montréal], VLB éditeur, [1979], 139[1] p. Photos.
—, *L'école des rêves. Théâtre*, [Montréal], VLB éditeur, [1979], 128[1] p. Photos.
—, *Les nuits de l'Indiva. Une mascarade*, [Montréal], VLB éditeur, [1983], 155 p. Photos.
—, *A canadian play/Une plaie canadienne. Théâtre*, [Montréal], VLB éditeur, [1983], 222 p. Photos.
GODBOUT, Jacques, et Pierre TURGEON, *L'interview. Texte radiophonique*, [Montréal], Leméac, [1973], 59 p. (Répertoire québécois, n° 37).
GOULET, Pierre, *Les lois de la pesanteur*. [Introduction d'Hélène Loiselle, Montréal], Leméac, [1978], 184[1] p. (Théâtre, n° 76).
GURIK, Robert, *Hamlet, prince du Québec. Pièce en deux actes*, Montréal, Les Éditions de l'Homme, [1968], 95 p.
—, *À cœur ouvert. Tragédie-bouffe*, [Montréal], Leméac, [1969], 82 p. (Répertoire québécois, n° 4).
—, *Le pendu*. [Introduction d'Hélène Bernier, Montréal], Leméac, [1970], 109 p. (Théâtre canadien, n° 12).
—, *Le tas de sièges*, [Montréal], Leméac, [1971], 52 p. (Répertoire québécois, n° 9).
—, *Api 2967*, suivi de *La palissade*. Introduction [et bibliographie] de Réginald Hamel, [Montréal], Leméac, [1972], 147[1] p. (Théâtre canadien, n° 20).
—, *Le procès de Jean-Baptiste M.*, [Montréal], Leméac, [1972], 91[1] p. (Répertoire québécois, n° 23).
—, *Le tabernacle à trois étages*, [Montréal], Leméac, [1972], 70[1] p. (Répertoire québécois, n° 25).
—, *Sept courtes pièces*. [Présentation de Pierre Filion, Montréal], Leméac, [1974], 119 p. (Répertoire québécois, n° 43).
—, *Lénine*. [Présentation de Marie-Rose Deprez, Montréal], Leméac, [1975], 111[3] p. (Théâtre, n° 47).
—, *Le champion*. [Présentation de Yves Dubé, Montréal], Leméac, [1977], XVII,79 p. (Théâtre, n° 67).
—, *La baie des Jacques*. [Introduction de l'auteur, Montréal], Leméac, [1978], 161 p. Ill. (Théâtre, n° 75).
HÉBERT, Anne, *La cage*, suivi de *L'Île de la Demoiselle*, [Montréal], Boréal, [et Paris], Seuil, [1990], 246[1] p.
LABERGE, Marie, *C'était avant la guerre à l'Anse à Gilles. Théâtre*, [Montréal], VLB éditeur, [1981], 119 p.
—, *Ils étaient venus pour. Théâtre*, [Montréal], VLB éditeur, [1981], 139 p.
—, *Avec l'hiver qui s'en vient. Théâtre*, [Montréal], VLB éditeur, [1981], 104 p.
—, *Jocelyne Trudelle trouvée morte dans ses larmes. Théâtre*, [Montréal], VLB éditeur, [1983], 127 p. Ill.
—, *Deux tangos pour toute une vie. Théâtre*, [Montréal], VLB éditeur, [1985], 161 p.
—, *L'homme gris*, suivi de *Éva et Évelyne. Théâtre*, [Montréal], VLB éditeur, [1986], 78 p.
—, *Le Night Cap Bar. Théâtre*, [Montréal], VLB éditeur, [1987], 176 p.
—, *Oublier. Théâtre*, [Montréal], VLB éditeur, [1987], 138 p.
—, *Aurélie, ma sœur. Théâtre*, [Montréal], VLB éditeur, [1988], 150 p.

—, *Pierre ou la consolation. Poème dramatique*, [Montréal], Boréal, [1992], 136 p.
—, *Le banc. Théâtre*, [Montréal], VLB éditeur, [1989], 118[1] p.
—, *Le faucon. Théâtre*, [Montréal], Boréal, [1991], 147 p. [suivi d'un dossier par l'auteure].
LEBLANC, Bertrand B., *Joseph-Philémon Sanschagrin, ministre*. [Avant-propos de Jean-Marie Poupart, Montréal], Leméac, [1977], 111 p. (Théâtre, n° 65).
—, *Faut divorcer!*, [Montréal], Leméac, [1981], 111 p. (Théâtre, n° 93).
—, *Faut placer pépère*, [Montréal], Leméac, [1986], 140[1] p. (Théâtre, n° 149).
—, *Au dernier vivant, les biens. Théâtre*, [Montréal], Guérin littérature, [1987], 111 p.
—, *Faut faire chambre à part. Théâtre*, [Montréal], Guérin littérature, [1988], 145[1] p.
LEGAULT, Anne, *La visite des sauvages ou l'île en forme de tête de vache. Théâtre*, [Montréal], VLB éditeur, [1986], 143 p. Photos.
—, *O'Neill. Théâtre*, [Montréal], VLB éditeur, [1990], 158 p. Photos.
—, *Conte d'hiver 70. Théâtre*, [Montréal], VLB éditeur, [1992], 127 p. Photos.
LEPAGE, Roland, *La complainte des hivers rouges*, [Montréal], Leméac, [1974], 101 p. (Répertoire québécois, n° 46).
—, *Le temps d'une vie*. [Présentation de François Ricard, Montréal], Leméac, [1974], 157 p. (Théâtre canadien, n° 38).
LORANGER, Françoise, *Le chemin du Roy. Comédie patriotique*. [Présentation de Françoise Loranger, Montréal], Leméac, [1969], 135 p. (Théâtre canadien, n° 13). [En collaboration avec Claude LEVAC.]
—, *Double jeu. Pièce en deux actes*. Notes de mise en scène d'André Brassard, [Montréal], Leméac, [1969], 212[1] p. (Théâtre canadien, n° 11).
—, *Médium Saignant*. Introduction d'Alain Pontaut, [Montréal], Leméac, [1970], 139 p. (Théâtre canadien, n° 18).
—, *Jour après jour* et *Un si bel automne*, [Montréal], Leméac, [1971], 94[1] p. (Répertoire québécois, n°s 14-15).
MAILLET, Antonine, *La Sagouine, Pièce pour une femme seule*, [Montréal], Leméac, [1971], 105 p.
—, *Les Crasseux. Pièce en trois actes*. Présentations de Rita Scalabrini et Jacques Ferron, [Montréal], Leméac, [1973], 91[2] p. (Répertoire acadien, n° 1).
—, *Évangéline deusse*. [Présentation d'Henri-Paul Jacques, Montréal], Leméac, [1975], 109 p. (Théâtre, n° 50).
—, *Gapi*. [Préface de Pierre Filion, Montréal], Leméac, [1976], 103 p. (Théâtre, n° 59).
—, *La veuve enragée*. [Présentation de Jacques Ferron, Montréal], Leméac, [1977], 177 p. (Théâtre, n° 69).
—, *Le bourgeois gentlemen. Comédie inspirée de Molière*, [Montréal], Leméac, [1978], 190 p. (Théâtre, n° 78).
—, *La contrebandière*, [Montréal], Leméac, [1981], 179 p. (Théâtre, n° 95).
—, *Les drôlatiques [sic], horrifiques et épouvantables aventures de Panurge, ami de Pantagruel, d'après Rabelais*, [Montréal], Leméac, [1983], 138[1] p. (Théâtre, n° 120).
—, *Garrochées en paradis*, [Montréal], Leméac, [1986], 109 p. (Théâtre, n° 154).
—, *Margot la folle*, [Montréal], Leméac, [1987], 126 p. (Théâtre, n° 166).
—, *William S*, [Montréal], Leméac, [1991], 112 p. (Théâtre, n° 190).
—, *L'Île-aux-Puces. Commérages*, [Montréal], Leméac, [1996], 223[1] p. (Théâtre).

MARCHESSAULT, Jovette, *La saga des poules mouillées*, [Montréal], Les Éditions de la pleine lune, [1981], 178[1] p. (Théâtre).
—, *La terre est trop courte, Violette Leduc*, [Montréal], Les Éditions de la pleine lune, [1982], 157[1] p. (Théâtre).
—, *Alice & Gertrude, Natalie & Renée et ce cher Ernest*, [Montréal], La pleine lune, [1984], 139 p. (Théâtre).
—, *Anaïs dans la queue de la comète*, [Montréal], La pleine lune, [1984],182 p. (Théâtre).
—, *Demande de travail sur les nébuleuses*. [Présentation de Pierre Filion, Montréal], Leméac, [1988], 114[1] p.
—, *Le voyage magnifique d'Emily Carr. Pièce de théâtre en dix tableaux dans le nouveau monde et trois Voyages dans le vieux monde*. [Présentation de François Tounissoux, Montréal], Leméac, [1990], 111 p. (Théâtre, nº 186).
NANTAIS, Aude, et Jean-Joseph TREMBLAY, *Le portrait déchiré de Nelligan. Fiction dramatique*. Préface de Jean Royer, [Montréal], l'Hexagone, [1992], 117 p. (Voies).
PEDNEAULT, Hélène, *La déposition. Théâtre*, [Montréal], VLB éditeur, [1988], 106 p. Photos.
PELLETIER, Maryse, *Du poil aux pattes comme les wacks. Théâtre*, [Montréal], VLB éditeur, [1983], 158 p. (Photos).
—, *À qui le p'tit cœur après neuf heures et demie? Théâtre*, [Montréal], VLB éditeur, [1984], 159 p. Photos.
—, *Duo pour voix obstinées. Théâtre*, [Montréal], VLB éditeur, [1985], 114 p. Photos.
—, *La rupture. Théâtre*, [Montréal], VLB éditeur, [1989], 158 p. Photos.
RICARD, André, *La vie exemplaire d'Alcide Ier, le pharamineux, et de sa descendance*. Introduction de Pierre Filion, [Montréal], Leméac, [1973], 174 p. (Théâtre canadien, nº 28).
—, *La gloire des filles à Magloire*. [Présentation de Pierre Filion, Montréal], Leméac, [1975], 156 p. (Théâtre, nº 46).
—, *Le casino voleur*. [Avant-propos de l'auteur, Montréal], Leméac, [1978], 168[1] p. (Théâtre, nº 71).
—, *Le tir à blanc*. [Avant-propos de l'auteur, Montréal], Leméac, [1983], 145 p. (Théâtre, nº 119).
—, *La longue marche dans les Avents*. [Introduction de Jean Royer, Montréal], Leméac, [1984], 193 p. (Théâtre, nº 133).
—, *Le tréteau des apatrides ou la veillée en armes. Théâtre*. Introduction de Lucien Martineau, [Sillery], Septentrion, [1995], 212[2] p.
RIVIÈRE, Sylvain, *Cœur de maquereau. Théâtre*, [Montréal], Humanitas, [1993], 114 p.
—, *Les chairs tremblantes. Théâtre*, [Montréal], Humanitas, [1994], 161 p.
—, *Sur la fête de l'eau. Théâtre*. [Préface de Renald Bérubé, Montréal], Guérin littérature, [1995], XXII, 644 p.
RONFARD, Jean-Pierre, *Vie et mort du Roi Boiteux*. [Introduction de Jean Cléo Godin et Pierre Lavoie, Montréal], Leméac, [1981], 2 vol.: t. I: 213 p. (Théâtre, nº 100) et t.: II: 307 p. (Théâtre, nº 101).
—, *Le mandragore*. [Présentation de l'auteur, Montréal], Leméac, [1982], 169 p. (Théâtre, nº 115).
—, *Don Quichotte*, [Montréal], Leméac, [1985], 169 p.
—, *Les Mille et une nuits*, [Montréal], Leméac, [1985], 108[1] p. (Théâtre, nº 144).

—, *Le Titanic*, Montréal], Leméac, [1986], 119[1] p. (Théâtre, nº 153).
—, *Cinq études*. [Prologue de l'auteur, Montréal], Leméac, [1994], 133[2] p. (Théâtre).
ROY, Louise, et Louis SAIA, *Une amie d'enfance*. [Préface de Laurent Mailhot, Montréal], Leméac, [1980], 132 p. (Théâtre, nº 89).
—, *Bachelor*, [Montréal], Leméac, [1981], 82 p. (Théâtre Leméac, nº 96). [Avec la participation de Michel Rivard].
SAUVAGEAU [pseudonyme d'Yves HÉBERT], *Wouf wouf. Machinerie-revue*. Présentation de Jean-Claude Germain, [Montréal], Leméac, [1970], 109 p. (Répertoire québécois, nº 6).
SIMARD, André, *La soirée du fockey. Le temps d'une pêche. Le vieil homme et la mort*. [Présentation de Normand Chouinard, Montréal], Leméac, [1974], 92 p. (Répertoire québécois, nº 40).
—, *Cinq pièces en un acte*. [Présentation de Robert Gurik, Montréal], Leméac, [1976], XV,151[1] p. (Théâtre, nº 56).
THÉÂTRE DES CUISINES (LE), *Mộman travaille pas, a trop d'ouvrage !*, précédé du «*Manifeste du théâtre des cuisines (1975)*», [Montréal], Les Éditions du Remue-ménage, [1976], 78 p. Notations musicales.
TREMBLAY, Michel, *Les Belles-Soeurs*. [Introduction d'André Brassard, Montréal], Holt, Reinhart et Winston, [1968], 71 p. (Théâtre vivant, nº 6).
—, *En pièces détachées*, suivi de *La Duchesse de Langeais*. Présentation de Jean-Claude Germain, [Montréal], Leméac, [1970], 94 p. (Répertoire québécois, nº 3).
—, *Trois petits tours. Triptyque composé de «Berthe», «Johnny Mangano and his astonoshing dogs»* [et de] *«Gloria Star»*, [Montréal], Leméac, [1971], 64 p. (Répertoire québécois, nº 8).
—, *A toi pour toujours, ta Marie-Lou*. [Introduction de Michel Bélair, Montréal], Leméac, [1971], 94 p. (Théâtre canadien, nº 21).
—, *Demain matin Montréal m'attend*, [Montréal], Leméac, [1972], 90 p. (Répertoire québécois, nº 17). Photos.
—, *Hosanna*, suivi de *La Duchesse de Langeais*, [Montréal], Leméac, [1973], 106[1] p. (Répertoire québécois, nºs 32-33).
—, *Bonjour là, bonjour*. [Présentation de Laurent Mailhot, Montréal], Leméac, [1974], 118 p. (Théâtre canadien, nº 41).
—, *Les héros de mon enfance*. [Préface de l'auteur, Montréal], Leméac, [1976], 101[1] p. (Théâtre, nº 54).
—, *Sainte Carmen de la Main*. [Présentation de Yves Dubé, Montréal], Leméac, [1976], XVIII,83 p. (Théâtre nº 57).
—, *Damnée Manon sacrée Sandra*, suivi de *Surprise! Surprise!* [Présentation de Pierre Filion, Montréal], Leméac, [1977], 125 p. (Théâtre, nº 62).
—, *L'impromptu d'Outremont*. [Présentation de Laurent Mailhot, Montréal], Leméac, [1980], 122 p. (Théâtre, nº 86).
—, *Les anciennes odeurs*. [Présentation de Guy Ménard, Montréal], Leméac, [1981], 103 p. (Théâtre, nº 106).
—, *Albertine en cinq temps*, [Montréal], Leméac, [1984], 103 p. (Théâtre, nº 135).
—, *Nelligan. Livret d'opéra*, [Montréal], Leméac, [1990], 90 p. (Théâtre, nº 181).
—, *La maison suspendue*, [Montréal], Leméac, [1990], 119[1] p. (Théâtre, nº 184).

—, *Marcel poursuivi par les chiens*, [Montréal], Leméac, [1992], 69 p. (Théâtre, nº 195).

—, *En circuit fermé*. [Présentation de Pierre Filion, Montréal], Leméac, [1994], 123[1] p. (Pamphlet).

—, *Messe solennelle pour une pleine lune d'été*, [Montréal], Leméac, [1996], 121 p. (Théâtre).

*VÉZINA, France, *L'hippocanthrope*, [Montréal], l'Hexagone, [1979], 130 p. Photos. (Théâtre).

—, *L'androgyne*, [Montréal], l'Hexagone, [1982], 141 p. Photos. (Théâtre).

IV- Poésie

ALONZO, Anne-Marie, *Le livre des ruptures. Poésie*, [Montréal], l'Hexagone, [1988], 121[1] p. (Poésie).

AMYOT, Geneviève, *La mort était extravagante*, avec trois dessins de Madeleine Morin, [Saint-Lambert], Éditions du Noroît, [1975], 91 p.

—, *Dans la pitié des chairs*, avec un dessin de Madeleine Morin, [Saint-Lambert], Éditions du Noroît, [1982], 117 p.

—, *Corps d'atelier*, avec neuf tableaux de Michel Pelchat, [Saint-Lambert], Éditions du Noroît, [1990], 96[2] p.

BEAULIEU, Michel, *Desseins. Poèmes 1961-1966*, [Montréal], Éditions de l'Hexagone, [1980], 246[3] p. (Rétrospectives).

—, *Oracle des ombres*, illustré par Sylvie Melançon, [Saint-Lambert], Éditions du Noroît, [1979], [89 p.].

—, *Visages* [...], [Saint-Lambert], Éditions du Noroît, [1981], 134[1] p.

BEAUSOLEIL, Claude, *Intrusion ralentie*, Montréal, Éditions du Jour, [1972], 132[1] p. (Les Poètes du Jour, nº M-39).

—, *Journal mobile*. [Préface de Denise Vanier], Montréal, Éditions du Jour, [1974], 87[1] p. (Les Poètes du Jour, nº M-53).

—, *Motilité*, [Montréal], L'Aurore, [1975], 83[2] p. (Lecture en vélocipède).

—, *Les marges du désir*, [Montréal], Éditions du Coin, 1977, 51 p.

—, *La surface du paysage. Textes et poèmes*, [Montréal], VLB éditeur, [1979], 149 p.

—, *Au milieu du corps l'attraction s'insinue. Poèmes (1975-1980)*. [Préfaces de Paul Chamberland et de Lucien Francœur], photographies de Daniel Dion, [Montréal], Éditions du Noroît, [1980], 234[2] p.

—, *Une certaine fin de siècle*, 2 vols: t. I: *Poésies 1972-1983*, [Saint-Lambert], Éditions du Noroît, [1983], 346[4] p.; t. II: *Poésies* avec des collages de Célyne Fortin, [Saint-Lambert], Éditions du Noroît, [et Paris], Castor Astral, [1991], 470 p.

—, *Il y a des nuits que nous habitons tous*, avec neuf dessins à l'ordinateur par Herménégilde Chiasson, [Saint-Lambert], Éditions du Noroît, [et Talence], Le Castor astral, [1986], 195[2] p.

—, *Fureur de Mexico*, Trois-Rivières, Écrits des Forges, Luxembourg, Phi, Nouveau-Brunswick, Perce-neige, [1992], 189 p.

—, *La manière d'être. Poésie*, [Montréal], Les Herbes rouges, [1994], 100[1] p.

—, *La vie singulière. Poésie*, [Montréal], Les Herbes rouges, [1994], 197[4] p.

—, *Rue du jour. Poésie*, [Montréal], Les Herbes rouges, [1995], 115[2] p.

—, *Le rythme des lieux*, Trois-Rivières, Écrits des Forges/L'Orange bleue, [1995], 212[1] p.

BÉLANGER, Marcel, *Saisons sauvages*, avec quatre dessins de Roland Bourneuf, [Sainte-Foy], Les Éditions Parallèles, [1976], 32 p.

—, *Fragments paniques*, [Sainte-Foy], Les Éditions Parallèles, [1978], 89 p.

—, *Infranoir*, [Sainte-Foy], Les Éditions Parallèles [et Montréal], l'Hexagone, [1978], 65 p.
—, *Migrations. Poèmes/1969-1975*, [Montréal], l'Hexagone, [1979], 148 p.
—, *D'où surgi. Poèmes*, [Montréal], l'Hexagone, [1994], 131[1] p.
BELLEFEUILLE, Normand de, *Le texte justement*, [Montréal, Les Herbes rouges, n° 34, 1976, 28 p.].
—, *Les grandes familles*, [Montréal, Les Herbes rouges, n° 52, 1977], 32 p.
—, *La belle conduite*, [Montréal, Les Herbes rouges, n° 63, 1978], 18[2] p.
—, *Dans la conversation et la diction des monstres*, [Montréal, Les Herbes rouges, n° 81, 1980], 26[1] p.
—, *Catégorie un deux trois*, Trois-Rivières, Écrits des Forges, [1986], 76 p. [Grand prix de poésie 1986 de la Fondation des Forges].
—, *Heureusement, ici il y a la guerre. Vingt suites mineures (1970-1987)*, [Montréal], Les Herbes rouges, [1987], 142[2] p.
—, *Obscènes. Poésie*, avec six sérigraphies de Pierre Fortin, [Montréal], Les Herbes rouges, [1991], 122 p.
BELLEFEUILLE, Normand de, et Roger DES ROCHES, *Pourvu que ça ait mon nom*, [Montréal], Les Herbes rouges, [1979], 71[1] p. (Lecture en vélocipède, n° 23).
BERSIANIK, Louky, *Maternative. Les Pré-Ancyl*, acides de Jean Letarte, [Montréal], VLB éditeur, [1980], 157[2] p.
BRAULT, Jacques, *Suite fraternelle*, Ottawa, Éditions de l'Université d'Ottawa, 1969, 39 p. (Voix vivantes-réimpression, n° 2).
—, *La poésie ce matin*, Paris, Grasset, [1971], 117 p.
—, *L'en dessous l'admirable*, Montréal, Les Presses de l'Université de Montréal, 1975, 51 p. (Lectures).
—, *Poèmes des quatre côtés*, [Saint-Lambert], Éditions du Noroît, [1975], 95 p.
—, *Trois fois passera*, précédé de *Jour et nuit*, avec quatorze collages de Célyne Fortin, [Saint-Lambert], Éditions du Noroît, [1981], 87 p.
—, *Poèmes I. Mémoire. La poésie ce matin. L'en dessous l'admirable*, [Saint-Lambert], Éditions du Noroît, [et Cesson], La Table rase, [1986], 241 p.
BROCHU, André, *Dans les chances de l'air. Poèmes*, [Montréal], l'Hexagone, [1990], 153[7] p.
BROSSARD, Nicole, *Le centre blanc. Poèmes 1965-1975*, [Montréal], l'Hexagone, [1978], 422 p. (Rétrospectives).
—, *Le sens apparent*, [Paris], Flammarion, [1980], 76 p. (Textes/Flammarion).
—, *Amantes*, [Montréal], Quinze, [1982], 109[2] p.
—, *Installation (avec ou sans prénoms)*, Trois-Rivières, Écrits des Forges, [et Talence], Le Castor astral, [1989], 125 p. [Grand prix de poésie 1989 de la Fondation des Forges].
CADET, Maurice, *Turbulences*, [Jonquière, Sagamie/Québec, [1990], 97 p.
—, *Haute dissidence*, Trois-Rivières, Écrits des Forges, [1991], 80 p. (Les rouges gorges).
—, *Itinéraires d'un enchantement*, Trois-Rivières, Écrits des Forges, [1992], 85[1] p.
—, *Réjouissances*, Trois-Rivières, Écrits des Forges, [1994], 72 p.
—, *L'illusoire éternité de l'été*, Trois-Rivières, Écrits des Forges, [1996], 65 p.
CHAMBERLAND, Paul, *Éclats de la pierre noire d'où rejaillit ma vie. Poèmes*, suivis d'*Une révélation (1966-1969)*, [Montréal], Les Éditions Danielle Laliberté, [1972], 108[8] p.

—, *Le prince de sexamour*. Préface de Denis Vanier et Josée Yvon, [Montréal], l'Hexagone, [1976], 332[1] p.
—, *Extrême survivance, extrême poésie*. Photos de Louis Pépin, [Montréal], Parti pris, [1978], 153[1] p. (Paroles, nº 59).
—, *Émergences de l'adulte. Poésies et essais*, [Montréal], Jean Basile éditeur, [1981], 263 p.
—, *Le multiple événement terrestre. Géogrammes 1 (1979-1985)*, [Montréal], l'Hexagone, [1991], 182[8] p. (Itinéraires).
—, *L'assaut contre les vivants. Géogrammes 2 (1986-1991)*, [Montréal], l'Hexagone, [1991], 205[4] p. (Itinéraires).
CHARLEBOIS, Jean, *Poèmes absolument circonstances incontrôlables*, [Saint-Lambert], Éditions du Noroît, [1972], 108[1] p.
—, *Corps cible*, avec une aquarelle de Marc-André Nadeau, [Saint-Lambert], Éditions du Noroît, [et Cesson], Table rase, [1973], 123[1] p.
—, *Tendresses*, [Saint-Lambert], Éditions du Noroît, [1975], [n. p.].
CHARRON, François, *Interventions politiques*, [Montréal], L'Aurore, [1974], 65[4] p. (Lecture en vélocipède).
—, *Littérature/Obscénités*, [Montréal], Les Éditions Danielle Laliberté, [1974], 85[2] p.
—, *Persister et se maintenir dans les vertiges de la terre qui demeurent sans fin*, [Montréal], L'Aurore, [1974], 60 p. (Lecture en vélocipède).
—, *Pirouette par hasard. Poésie*. Présentation de Gaétan Brulotte, [Montréal], L'Aurore, [1975], 128[3] p. (Lecture en vélocipède).
—, *Du commencement à la fin*, [Montréal, Les Herbes rouges, nºs 47-48, mars 1977], 60 p.
—, *Blessures*, [Montréal, Les Herbes rouges, nºs 67-68, septembre-octobre 1978], 67[1] p.
—, *Le monde comme obstacle. Poésie*, [Montréal], Les Herbes rouges, [1988], 209 p.
—, *La beauté des visages ne pèse pas sur la terre*, Trois-Rivières, Écrits des Forges, [1990], 137[1] p. [Grand prix de poésie 1990 de la Fondation des Forges].
—, *Clair-génie du vent. Poésie*, [Montréal], Les Herbes rouges, [et Saint-Florent-des-Bois (France)], Le dé bleu, [1994], 153[1] p.
CLOUTIER, Cécile, *L'écouté. Poèmes 1960-1983*, [Montréal], l'Hexagone, [1986], 371[12] p. (Rétrospectives).
—, *Chaleuils*, [Montréal], l'Hexagone, [1987], 78 p.
CORRIVEAU, Hugues, *Le grégaire inefficace*, [Montréal, Les Herbes rouges, nº 74, octobre 1979], 39[1] p.
—, *Apprendre à vivre. Poésie*, [Montréal], Les Herbes rouges, [1988], 89[4] p.
—, *L'âge du meurtre. Poésie*, [Montréal], Les Herbes rouges, [1992], 101[2] p.
COTNOIR, Louise, *L'audace des mains*, avec six dessins de Célyne Fortin, [Saint-Lambert], Éditions du Noroît, [1987], 93 p.
—, *Des nuits qui crient au déluge. Poésie*, [Montréal], l'Hexagone, [1994], 102 p.
—, *Dis-moi que j'imagine*, [Saint-Lambert], Éditions du Noroît, [1996], 102[1] p.
CYR, Gilles, *Andromède attendra*, [Montréal], l'Hexagone, [1991], 113 p. (Poésie).
—, *Songe que je bouge*, [Montréal], l'Hexagone, [1994], 119[1] p. (Poésie).

DÉRY, Francine, *En beau fusil*. Préface de Denise Boucher, collages de Célyne Fortin, [Saint-Lambert], Éditions du Noroît, [1978], [79 p.].
—, *Les territoires de l'excès*. Préface de Denis Vanier, avec un dessin de Patrick La Roque, [Saint-Lambert], Éditions du Noroît, [1990], 119 p.
DÉSAUTELS, Denise, *Comme miroirs en feuilles... Poèmes*, avec un dessin de Léon Bellefleur, [Saint-Laurent], Éditions du Noroît, [1975], 90[3] p.
—, *Marie, tout s'éteignait en moi...*, dessins de Léon Bellefleur, [Saint-Lambert], Éditions du Noroît, [1977], [89 p.].
—, *La promeneuse et l'oiseau*, suivi de *Journal de la promeneuse*, accompagné de gaufrage et dessin de Lucie Laporte, [Montréal], Éditions du Noroît, [1980], 86 p.
—, *Mais la menace est une belle extravagance*, suivi de *Le signe discret*, avec huit photos d'Ariane Thézé, [Saint-Lambert], Éditions du Noroît, [1989], 109 p.
DESGENT, Jean-Marc, *Transfigurations. Poésie et prose [1981-1989]*, [Montréal], Les Herbes rouges, [1995], 147[5] p.
DES ROCHES, Roger, *Corps accessoires. Poèmes*, Montréal, Éditions du Jour, [1970], 55 p. (Poètes du Jour, nº M-23).
—, *L'enfance d'yeux* suivi de *Interstice*. [Préface de François Charron], Montréal, Éditions du Jour, [1972], 118 p. (Les Poètes du Jour, nº M-38).
—, *Autour de Françoise Sagan indélébile. Poèmes en proses, 1969-1971*. Postface de François Charron, [Montréal], L'Aurore, [1975], 97[7] p.
—, *Le soleil tourne autour de la terre. Poèmes*, [Montréal], Les Herbes rouges, [1985], 73[1] p.
—, *La réalité. Poésie*, [Montréal], Les Herbes rouges, [1992], 66[1] p.
—, *Le propriétaire du présent*, [Montréal], Les Herbes rouges, [1996], 83[4] p.
DUGUAY, Raoul, *Manifeste de l'Infonie. Le toutartbel*, Montréal, Éditions du Jour, [1970], 111 p. (Les Poètes du Jour, nº C-30) [sous le pseudonyme de Duguay Yaugud Raoul Luoar].
—, *Kébèk à la porte. (Poèmes politiques: 1967-1993)*. Préface de Victor-Lévy Beaulieu, [Montréal], Stanké, [1993], 219[3] p. (Québec 10/10 Actuel).
DUMONT, Fernand, *Parler de septembre*, [Montréal], Éditions de l'Hexagone, [1970], 77 p.
—, *La part de l'ombre. Poèmes 1952-1993*, [Montréal], l'Hexagone, [1996], 215[7] p.
DUMONT, François, *Eau dure. Poésie*, dessins de Thomas Corriveau, [Montréal], l'Hexagone, [1989], 47[3] p. (Poésie).
FRANCŒUR, Lucien, *Drive-in*, [Montréal], Éditions de l'Hexagone, [1976], 59[2] p. [Publié aussi à [Paris], Éditions Seghers, [1976], 59[2] p. (Poésie, nº 76).
—, *Le calepin d'un menteur*, [Montréal], Éditions Cul-Q, [1977], [61 p.].
—, *Les néons las*, [Montréal], Éditions de l'Hexagone, [1978], 107 p.
—, *À propos de l'été du serpent*, [Talence], Éditions du Castor astral, [1980], 96[4] p. (Matin du monde).
—, *Les rockeurs sanctifiés (reptation impériale et pyramidale manie. Écritures restiliennes*, [Montréal], l'Hexagone, [1982], 350 p.
—, *Rock-désir. Chansons*. Préface de Bruno Roy, [Montréal], VLB éditeur, [1984], 188[1] p. Photos.
GAGNON, Madeleine, *Antre*, [Montréal, Les Herbes rouges, nºs 65-66, 1978], 51[1] p.
—, *Autographie I. Fictions*, [Montréal], VLB éditeur, [1982], 300[1] p.

—, *L'infante immémoriale*, [Trois-Rivières], Écrits des Forges, [et Cesson], Table rase, [1986], 68[2] p.

—, *Tout écriture est amour. Autographie II*. Textes réunis et présentés par Jeanne Maranda et Mair Verthuy, [Montréal], VLB éditeur, [1989], 193[2] p.

GARNEAU, Michel, *Poésies complètes 1955-1987*, [Montréal], Guérin littérature, [et Genève], L'Âge d'homme, [1988], 768[2] p.

—, *Le phénix de neige. Poésie*, [Montréal], VLB éditeur, [1992], 141[1] p.

GAUVREAU, Claude, *Œuvres créatrices complètes*, édition établie par l'auteur, [Montréal], Parti pris, [1977], 1 498[5] p. (Collection du Chien d'or, nº 2).

GIGUÈRE, Roland, *Forêt vierge folle*, [Montréal], Éditions de l'Hexagone, [1978], 217 p. (Parcours, nº 1).

—, *Temps et lieux. Poésie*, [avec douze sérigraphies de l'auteur et un dessin de Gérard Tremblay, Montréal], l'Hexagone, [1988], 81[19] p. (Poésie).

GODIN, Gérald, *Libertés surveillées*, Montréal, Éditions Parti pris, [1975], 50[2] p. (Paroles, nº 38).

—, *Ils ne demandaient qu'à brûler. Poèmes 1960-1986*. Préface de Réjean Ducharme, [Montréal], l'Hexagone, [1987], 332[10] p. (Rétrospectives).

*—, *Cantouques & Cie. Choix de poèmes* suivi d'un entretien par André Gervais, [Montréal], l'Hexagone, [1991], 207[1] p. (Typo, nº 62)

HALLAL, Jean, *Le songe de l'enfant-satyre. (Aventure verbale)*, [Montréal], l'Hexagone, [1973], [n. p.].

—, *La tranche sidérale. Hyperbole*, [Montréal], l'Hexagone, [1974], 49[2] p.

*HÉBERT, Anne, *Œuvre poétique 1950-1990*, [Montréal], Boréal, [1992],165[1] p. (Boréal compact, nº 40).

HÉNAULT, Gilles, *À l'écoute de l'écoumène. Poésie*, [Montréal], l'Hexagone, [1991], 149 p. (Poésie).

LALONDE, Michèle, *Défense et illustration de la langue québécoise*, suivie de *Prose et poèmes*. Préface de Jean-Pierre Faye, Paris, Éditions Seghers [et] Robert Laffont, [1979], 239 p. (Change).

LANGEVIN, Gilbert, *Ouvrir le feu*, Montréal, Éditions du Jour, [1971], 60 p. (Les Poètes du Jour, nº M-28).

—, *Origines 1959-1967*, Montréal, Éditions du Jour, [1971], 272[3] p. (Les Poètes du Jour, nº M-35).

—, *Chansons et poèmes*, [Montréal], Éditions Québécoises/Éditions Vert Blanc Rouge, [1973], 78 p.

—, *Chansons et poèmes 2*, [Montréal], Éditions Québécoises/Éditions Vert Blanc Rouge, [1974], 76 p.

—, *Mon refuge est un volcan*, avec neuf illustrations de Carl Daoust, [Montréal], Éditions de l'Hexagone, [1978], 89[1] p.

—, *Le fou solidaire*. Illustrations de Jocelyne Messier, [Montréal], l'Hexagone, [1980], 66[1] p.

—, *Le dernier nom de la terre. Poésie*, [Montréal], l'Hexagone, [1992], 86[1] p.

—, *Confidences aux gens de l'archipel. Quatrième série des écrits de Zéro Legel*, [Montréal], Triptyque, [1993], 85 p.

—, *Le cercle ouvert*, suivi de *Hors les murs. Chemin fragile. L'eau souterraine*, [Montréal], l'Hexagone, [1993], 173 p. (Poésie).

LAPOINTE, Gatien, *Arbre-radar*, [Montréal], Éditions de l'Hexagone, [1980], 139[7] p.

LAPOINTE, Paul-Marie, *Le réel absolu. Poèmes 1948-1965*, [Montréal], Éditions de l'Hexagone, [1971], 270 p. (Rétrospectives).

—, *Tableaux de l'amoureuse*, suivi de *Une, unique art égyptien voyage & autres poèmes*, [Montréal], Éditions de l'Hexagone, [1974], 101 p.
—, *Arbres*, avec cinq sérigraphies de Roland Giguère, Montréal, Éditions Erta, [1978], [29 p.].
—, *Écritures*, [Montréal], l'Obsidienne, [1980], 2 vol.: 836[74] p. [pagination continue].
LASNIER, Rina, *Poèmes*, Montréal, Fides, [1972], 2 vol.: t. I: *Images et proses. Madones canadiennes. Le chant de la montée. Escales. Présence de l'absence*, 322 p.; t. II: *Mémoires sans jours. Les gisants. L'arbre blanc. Poèmes anglais*, 322 p.
*—, *Les signes. Poèmes*, [Montréal], Hurtubise HMH, [1976], 130 p. (Sur parole).
—, *Matin d'oiseaux*, vol. I. *Poèmes*, [Montréal], Hurtubise HMH, [1978], 108 p. (Sur parole).
—, *Paliers de paroles*, vol. II. *Poèmes*, [Montréal], Hurtubise HMH, [1978], 107 p. (Sur parole).
LAVERDIÈRE, Camille, *De pierre des champs. Poèmes*, Montréal, Fides, [1976], 102[1] p. (Voix québécoises).
—, *Ce froid longuement descendu*, Trois-Rivières, Écrits des Forges, [1995], 124[1] p.
*LECLERC, Félix, *Cent chansons*, [Montréal], Fides, [1970], 255 p. (Bibliothèque canadienne-française).
—, *Tout Félix en chansons*. Établissement du texte Roger Chamberland, introduction André Gaulin, chronologie, discographie, bibliographie Aurélien Boivin, [Québec], Nuit blanche éditeur, [1996], 285[2] p. (Les Cahiers du CRELIQ).
LEFRANÇOIS, Alexis, *Calcaires*, avec 14 dessins de Miljenko Horvat, [Saint-Lambert], Éditions du Noroît, [1971], 69 p.
—, *La belle été*, suivi de *La tête*, avec neuf dessins d'Anne-Marie Decelles, [Saint-Lambert], Éditions du Noroît, [1977], 129[5] p.
—, *Comme tournant la page*, vol. I: *Poèmes 1968-1978*, avec six dessins de Miljenko Horvat, [Saint-Lambert], Éditions du Noroît, [1984], 151[1] p.
*LÉVESQUE, Raymond, *Quand les hommes vivront d'amour... Chansons et poèmes*. Préface de Bruno Roy, [Montréal, l'Hexagone, [1989], 378[2] p. (Typo, Poésie, n° 35).
LONGCHAMPS, Renaud, *Anticorps. Poèmes 1972-1978*. Préface de Claude Robitaille, [Montréal], VLB éditeur, [1982], 376[1] p.
MALENFANT, Paul Chanel, *Poèmes de la mer pays*, [Montréal], Hurtubise HMH, [1976], 76 p. (Sur parole).
—, *Forges froides. Poèmes*, dessins de Réal Dumais, [Montréal], Quinze, [1977], 144 p.
—, *Le verbe être. Poésie*, [Montréal], l'Hexagone, [1993], 120 p. (Poèmes).
—, *Hommes de profil*, Trois-Rivières, Écrits des Forges, [1994], 92[1] p.
MÉLANÇON, Robert, *Inscriptions*. Gravures de Gisèle Verreault, [Outremont], L'Obsidienne, [1978], [n. p.].
—, *Peinture aveugle. Poésie*, [Montréal], VLB éditeur, [1979], 88 p.
—, *L'avant-printemps à Montréal. Poésie*, [Montréal], VLB éditeur, [1994], 60[2] p.
*MIRON, Gaston, *L'homme rapaillé*, Montréal, Les Presses de l'Université de Montréal, 1970, 171 p.

MORENCY, Pierre, *Poèmes de la vie déliée*, [Sillery], Éditions de l'arc, [1968], 83[3] p. (L'escarfel).
—, *Au nord constamment de l'amour*, suivi de *Poèmes de la froide merveille de vivre*. (Seconde édition), [Québec], Éditions de l'arc, [1970], 129 p. (L'escarfel).
—, *Quand nous serons. Poèmes 1967-1978*, [Montréal], l'Hexagone, [1978], 65 p.
—, *Torrentiel. Poèmes*, [Montréal], l'Hexagone, [1988], 256[8] p. (Rétrospectives).
—, *Les paroles qui marchent dans la nuit. Poèmes*, précédé de *Ce que dit Tron. Récit*, [Montréal], Boréal, [1994], 109 p.
NEPVEU, Pierre, *Voies rapides. Poèmes*, [Montréal], HMH, [1971], 112 p. (Sur parole).
—, *Épisodes*, [Montréal], l'Hexagone, [1977], 70 p.
—, *Couleur chair*, avec quatre dessins de Francine Prévost, [Montréal], Éditions de l'Hexagone, [1980], 92 p.
OUELLETTE, Fernand, *Poésie. Poèmes 1953-1971*, suivi de *Le poème et la poétique*, [Montréal], Éditions de l'Hexagone, [1972], 283 p.
—, *Ici, ailleurs, la lumière*, avec trois dessins originaux de Jean-Paul Jérôme, [Montréal], Éditions de l'Hexagone, [1977], 93 p.
—, *À découvert*, avec deux dessins originaux de Gérard Tremblay, [Sainte-Foy], Éditions Parallèles, [1979], 40 p.
—, *En la nuit, la mer. Poèmes 1972-1980*, [Montréal], Éditions de l'Hexagone, [1981], 205[6] p. (Rétrospectives).
*—, *Les heures. Poèmes*, [Montréal], l'Hexagone [et Suyssie, France], Champ Vallon, [1987], 118 p.
PÉLOQUIN, Claude, *Mets tes raquettes*, [Montréal], La Presse, [1972],166 p.
—, *Œuvres complètes 1942-1975. Le premier tiers*, Montréal, Beauchemin, 1976, 3 vol.: t. I: *Les mondes assujettis. Manifeste*, suivi des *Émissions parallèles. Chômeurs de la mort*, 311[1] p.; t. II: *Jéricho. Manifeste subsiste. Les amuses crânes*, 148[1] p.; t. III: *Calorifère. Les essais rouges. Pour la grandeur de l'homme*, 290[1] p.
PERRAULT, Pierre, *Chouennes. Poèmes 1961-1971*, [Montréal], Éditions de l'Hexagone, [1975], 317 p. (Rétrospectives).
—, *Gélivures*, [Montréal], Éditions de l'Hexagone, [1977], 209 p.
*PILON, Jean-Guy, *Comme eau retenu. Poèmes 1954-1963*, [Montréal], l'Hexagone, [1968], 195 p.
PONTBRIAND, Jean-Noël, *Étreintes*, avec cinq gravures de Célyne Fortin, [Saint-Lambert], Éditions du Noroît, [1976], 93 p.
—, *Lieux de passage*, [Saint-Lambert], Éditions du Noroît, [1991], 75 p.
PRÉFONTAINE, Yves, *Pays sans parole*, [Montréal], l'Hexagone, 1967, 77 p.
—, *Nuaison. Poèmes 1964-1970*, [Montréal], l'Hexagone, [1981], 69[4] p.
RIVIÈRE, Sylvain, *Figures de proue. Poèmes et chansons*, [Montréal], Guérin littérature, [1991], 295 p.
—, *Poèmes*, Montréal, Guérin littérature, [1993], 225 p. (Kébéca).
ROY, André, *L'espace de voir*, [Montréal], L'Aurore, [1974], 51[2] p. (Lecture en vélocipède, n° 1).
—, *D'un corps à l'autre*, [Montréal, Les Herbes rouges, n°s 36-37, 1976], 55[4] p.
—, *Corps qui suivent*, [Montréal, Les Herbes rouges, n° 46, 1977], 42[2] p.
—, *Action writing. Vers et proses 1973-1984*, [Montréal], Les Herbes rouges, [1985], 110[1] p.

—, *Le cœur est un objet noir caché en nous. (L'accélérateur d'intensité 4). Poésie*, [Montréal], Les Herbes rouges, [1985], 110[1] p.
—, *De la nature des mondes armés et de ceux qui y habitent (Nuit 3). Poésie*, [Montréal], Les Herbes rouges, [1995], 78[4] p.
ROYER, Jean, *La parole vient de ton corps*, suivi de *Nos corps habitables. Poèmes 1969-1973*. [Illustrations] de Muriel Hamel, [Montréal], Nouvelles éditions de l'arc, [1974], 126 p.
—, *Faim souveraine. Poèmes*, avec un dessin de Roland Giguère, [Montréal], Éditions de l'Hexagone, [1980], 57[3] p.
—, *Depuis l'amour. Poème*, [Montréal], l'Hexagone, [et Cesson], La Table rase, [1987], 63[1] p.
*—, *Poèmes d'amour, 1966-1986*, [Montréal], l'Hexagone, [1988], 168 p.
—, *Le lien de la terre*, [Trois-Rivières], Écrits des Forges, [et] Europe Poésie, [1992], 60[2] p.
SAVARD, Félix-Antoine, *Le bouscueil. Poèmes et proses*, [Montréal], Fides, [1972], 249 p.
*THÉORET, France, *Blody mary. Poésie*. Illustrations de Marcel Saint-Pierre, [Montréal], Les Herbes rouges, n° 45, [1977], 23[1] p.
*—, *Nécessairement putain*. Illustrations de Azélie Zee Artand, [Montréal], Les Herbes rouges, n° 82, [1980], 52 p.
THÉRIAULT, Marie José, *Pourtant le sud... Poème*, [Montréal], Hurtubise HMH, [1976], 75 p. (Sur parole).
—, *Lettera amorosa. Poèmes*. Illustrations de Michelle Thériault, [Montréal], Hurtubise HMH, [1978], 89 p. (Sur parole).
UGUAY, Marie, *Signe et rumeur*. Calligraphie et dessins de l'auteur, [Saint-Lambert], Éditions du Noroît, [1976], [77 p.].
—, *L'Outre-vie*, avec six photographies de Stéphan Kovacs, [Saint-Lambert], Éditions du Noroît, [1979], 86[1] p.
—, *Autoportraits*, avec des photographies de Stéphan Kovacs, [Saint-Lambert], Éditions du Noroît, [1982], [n. p.].
VANIER, Denis, *Lesbiennes d'acid*, [Montréal], Éditions Parti pris, [1972], 62 p. (Paroles, n° 21).
—, *Le clitoris de la fée des étoiles*. [Préface de Patrick Straram, postface de José Yvon, Montréal], Les Herbes rouges, n° 17, février 1974, [n. p.].
—, *Œuvres poétiques complètes*. Tome I *(1965-1979)*. Préfaces de Jacques Lanctôt et d'André G. Bourassa, [Montréal], VLB éditeur [et] Parti pris, [1980], 336[1] p.
VAN SCHENDEL, Michel, *De l'œil et d'écoute. Poèmes 1956-1976*, [Montréal], Éditions de l'Hexagone, [1980], 249[5] p. (Rétrospectives).
—, *L'impression du souci ou l'étendue de la parole. Poésie*, [Montréal], l'Hexagone, [1993], 160 p. (Poésie).
VÉZINA, France, *Slingshot ou la petite Gargantua*. Illustré par Serge Otis, [Saint-Lambert], Éditions du Noroît, [1979], 189 p.
VIGNEAULT, Gilles, *Silences. Poèmes 1957-1977*, [Montréal], Nouvelles éditions de l'arc, [1978], 366[1] p.
—, *Tenir paroles, 2 vol.: Chansons 1958-1967* [et] *Chansons 1968-1983*, [Montréal], Nouvelles éditions de l'arc, [1978], 546[15] p. [pagination continue].
*—, *Le grand cerf-volant. Poèmes, contes et chansons*, [Montréal], Nouvelles éditions de l'arc, [1978], 366 [1] p.
VILLEMAIRE, Yolande, *Que du stage blood*, [Montréal], Éditions Cul-Q, [1977], 44 p. (Exit).

WARREN, Louise, *Notes et paysages*, [Montréal], Les Éditions du remue-ménage, [1990], 95[1] p.

—, *Terra incognita*, [Montréal], Les Éditions du remue-ménage, [1991], 75 p.

—, *Le lièvre de mars. Poésies*, [Montréal], l'Hexagone, [1994], 87[1] p.

YVON, Josée, *Filles-commandos bandées*, [Montréal, Les Herbes rouges, nº 35, juin 1976], [40 p.].

—, *La chienne de l'hôtel Tropicana*, [Montréal, Éditions Cul-Q, 1977], 40 p. (Exit).

—, *Travesties-Kamikaze*, [Montréal], Les Herbes rouges, [1980], [n. p.]. (Lecture en vélocipède).

V. Essai

1. Essai proprement dit

*AQUIN, Hubert, *Point de fuite*, Montréal, Le Cercle du livre de France, [1971], 159[1] p.

*—, *Blocs erratiques. Textes (1948-1977)*, rassemblés et présentés par René Lapierre, [préfaces de René Lapierre et de François Hébert, Montréal], Quinze, [1977], 284 p. (Prose entière).

BEAULIEU, Victor-Lévy, *Entre la sainteté et le terrorisme. Essais*, [Montréal], VLB éditeur, [1984], 493[5] p.

BOUCHER, Denise, *Cyprine. [Essai-collage pour être une femme]*. [Préface de Madeleine Gagnon, Montréal], l'Aurore, [1978], 109 p. (Connaissance des Pays québécois/L'expérience individuelle).

BOUCHER, Denise, et Madeleine GAGNON, *Retailles. Complaintes politiques*. [Préface des auteures, Montréal], Éditions l'Étincelle, [1977], 163 p.

*BOURGAULT, Pierre, *Écrits polémiques*, [Montréal], VLB éditeur, 2 vol.: t. I: *La politique: 1960-1981*; [1982], 365[4] p.; t. 2: *La culture: 1960-1983*, [1983], 316[4] p.

*BRAULT, Jacques, *Chemin faisant. Essais*, [Montréal], La Presse, [1975], 150 p. (Échanges).

CHAMBERLAND, Paul, *Terre souveraine*, [Montréal], l'Hexagone, [1980], 78[1] p. (Essai).

—, *Un livre de morale. Essais sur le nihilisme contemporain*, [Montréal], l'Hexagone, [1989], 206[3] p. (Essai).

DUFOUR, Christian, *Le défi québécois. Essai*, [Montréal,] l'Hexagone, [1989], 178[2] p. (Essai).

*DUMONT, Fernand, *Le lieu de l'homme. La culture comme distance et mémoire*, [Montréal], Hurtubise HMH, 1969, 234 p. (Collection H).

—, *La vigile du Québec. Octobre 1970: l'impasse?*, [Montréal], Hurtubise HMH, [1971], 234 p.

—, *Le sort de la culture*, [Montréal], l'Hexagone, [1987], 334 p. (Essai).

*—, *Genèse de la société québécoise*, [Montréal], Boréal, [1993], 393[3] p.

DUMONT, Fernand *et al.*, *Idéologies au Canada français*, Québec, Les Presses de l'Université Laval, 3 vol.: t. I: *1850-1900*, 1971, 327 p.; t. II: *1900-1929*, 1974, 377 p.; t. III: *1930-1939*, 1978, 361 p. (Histoire et sociologie de la culture).

FERRON, Jacques, *Escarmouches. La longue passe*. [Préface de Jean Marcel], [Montréal], Leméac, [1975], 2 vol.: t. I : 391 p.; t. II : 227 p.

*GAUVIN, Lise, *Lettres d'une autre. Essai-fiction*, [Montréal], l'Hexagone, [et Talence], Le Castor astral, [1984], 125 p.

GODBOUT, Jacques, *Le réformiste. Textes tranquilles*. [Préface d'André Major], [Montréal], Quinze [et] Stanké, [1975], 199[1] p.

—, *Le murmure marchand, 1976-1984*, [Montréal], Boréal Express, [1984], 153 p. (Papiers collés).

—, *L'écran du bonheur*, [Montréal], Boréal, [1990], 208 p.

GODIN, Gérald, *Écrits et parlés I*. [Édition préparée par André Gervais], [Montréal], l'Hexagone, [1993], 2vol.: t. I: *Culture*, 435[11] p.; t. II: *Politique*, 306 [10] p. (Itinéraires).

HAECK, Philippe, *Naissance. De l'écriture québécoise*, [Montréal], VLB éditeur, [1979], 410 p.

LAROSE, Jean, *La petite noirceur. Essais*, [Montréal], Boréal, [1987], 203[3] p. (Papiers collés).

—, *L'amour du pauvre*, [Montréal], Boréal, [1991], 254[2] p. (Papiers collés).

LECLERC, Félix, *Le petit livre bleu de Félix ou Nouveau calepin du même flâneur*, Montréal, Nouvelles éditions de l'arc, [1978], 302 p.

MAJOR, Robert, *Parti pris: idéologies et littérature*, [Montréal], Hurtubise HMH, [1979], 341 p. (Cahiers du Québec, Littérature, n° 45).

*MARCOTTE, Gilles, *Le roman à l'imparfait. Essais sur le roman québécois d'aujourd'hui*, [Montréal], La Presse, [1976], 194[1] p. (Échanges, n° 306).

*OUELLETTE, Fernand, *Les actes retrouvés. Essais*, Montréal, Éditions HMH, 1970, 226 p. (Constantes, n° 24).

*—, *Journal dénoué*, Montréal, Les Presses de l'Université de Montréal, 1974, 245 p.

—, *Écrire en notre temps. Essais*, [Montréal], Éditions HMH, [1979], 158 p. (Constantes, n° 39).

—, *Commencements. Essais*, [Montréal], l'Hexagone, [1992], 167 p. (Essais).

*OUELLETTE-MICHALSKA, Madeleine, *L'échappée du discours de l'œil*, Montréal, Nouvelle Optique, 1981, 327 p. (Matériaux).

PAQUETTE, Jean-Marcel, *Le joual de Troie*, Montréal, Éditions du Jour, [1973], 236 p. (Idées du Jour, n° D-65) [sous le pseudonyme Jean MARCEL].

—, *Pensées, passions et proses. Essais*, [Montréal], l'Hexagone, [1992], 399[2] p. (Essais littéraires).

PERRAULT, Pierre, *De la parole aux actes*, [Montréal], l'Hexagone, [1985], 428 p. (Essais).

RICARD, François, *La littérature contre elle-même*. [Préface de Milan Kundera, Montréal], Boréal Express, [1985], 193 p. (Papiers collés).

—, *La génération lyrique. Essai sur la vie et l'œuvre des premiers-nés du baby-boom*, [Montréal], Boréal, [1992], 282 p.

*RIOUX, Marcel, *La question du Québec*, Paris, Seghers, [1969], 184[8] p. (Événements).

—, *Les Québécois*, Paris, Seuil, [1974], 188 p.

ROY, Jean-Louis, *La marche des Québécois. Le temps des ruptures (1945-1960)*, [Montréal], Leméac, [1976], 383 p.

VADEBONCOEUR, Pierre, *La dernière heure et la première. Essai*, [Montréal], l'Hexagone [et] Parti pris, [1970], 78 p.

—, *Un amour libre. Récit*, Montréal, HMH, [1970], 104 p. (Sur parole).

—, *Indépendances. Essai*, [Montréal], l'Hexagone [et] Parti pris, [1972], 179 p.

—, *Un génocide en douce. Écrits polémiques*, [Montréal], l'Hexagone [et] Parti pris, [1976], 190 p. (Aspects, n° 36).

*—, *Les deux royaumes. Essais*, [Montréal], l'Hexagone, [1978], 239[1] p. (Essais).

—, *To be or not to be. That is the Question... Le peuple qui ne s'impose pas périra. Ce livre parle de pouvoir souverain de la première à la dernière ligne*, [Montréal], Éditions de l'Hexagone, [1980], 169[3] p.
—, *Trois essais sur l'insignifiance*, [Montréal], l'Hexagone, [1983], 114 p.
—, *L'absence. Essai à la deuxième personne*, [Montréal], l'Hexagone, [1985], 143 p.
—, *Essais inactuels*, [Montréal], Boréal, [1987], 197[1] p. (Papiers collés).
—, *Essais sur une pensée heureuse*, [Montréal], Boréal, [1989], 168[1] p.
*—, *Gouverner ou disparaître*, [Montréal], l'Hexagone, [1993], 272[2] p. (Typo, nº 82).
*VALLIÈRES, Pierre, *Nègres blancs d'Amérique*, Montréal, Parti pris, 1969, 402 p. (Paroles).
VAN SCHENDEL, Michel, *Rebonds critiques 1. Questions de littérature. Essais*, [Montréal], l'Hexagone, 2 vol.: t. I: [1992], 354[2] p.; t. II: [1993], 378 p. (Essais littéraires).
ZUMTHOR, Paul, *Écriture et nomadisme. Entretiens et essais*, [Montréal], l'Hexagone, [1990], 164 p. (Essais).

2. Études sur la littérature québécoise

ALLARD, Jacques, *Traverses. De la critique littéraire au Québec*, [Montréal], Boréal, [1991], 212 p. (Papiers collés).
ANDRÈS, Bernard, *Écrire le Québec: de la contrainte à la contrariété. Essais sur la constitution des Lettres*, [Montréal], XYZ éditeur, [1990], 225 p. (Études et documents).
ARGUIN, Maurice, *Le roman québécois de 1944 à 1965. Symptômes du colonialisme et signes de libération*, Québec, Université Laval, Centre de recherche en littérature québécoise (CRELIQ), 1985, 225[1] p. (Les Cahiers du CRELIQ, nº 1).
ARCHIVES DES LETTRES CANADIENNES, t. VI: *L'essai et la prose d'idées au Québec. Naissance et évolution d'un discours d'ici. Recherche et érudition. Forces de la pensée et de l'imaginaire. Bibliographie*, [sous la direction de Paul Wyczynski, François Gallays et Sylvain Simard, Montréal], Fides, [1985], 921[3] p. [Publication du Centre de recherche en civilisation canadienne-française de l'Université d'Ottawa].
ARCHIVES DES LETTRES CANADIENNES, t. VIII: *Le roman contemporain au Québec (1960-1985)*, [Montréal], Fides, [1992], 548 p. [Publication du Centre de recherche en civilisation canadienne-française de l'Université d'Ottawa].
BALTAZAR, Louis, *Bilan du nationalisme au Québec*, [Montréal], l'Hexagone, [1986], 212[3] p. (Politique et société).
BEAUDET, Marie-Andrée, *Langue et littérature au Québec 1895-1914. L'impact de la situation linguistique sur la formation du champ littéraire. Essai*, [Montréal], l'Hexagone, [1991], 221[2] p. (Essais littéraires).
*BEAUDOIN, Réjean, *Le roman québécois*, [Montréal], Boréal, [1991], 125[1] p. (Boréal Express, nº 3).
BÉLANGER, Marcel, *Libre cours. Essais 1962-1983*, Montréal, Primeur, [1983], 174[1] p. (L'Échiquier).
BELLEAU, André, *Le romancier fictif. Essai sur la représentation de l'écrivain dans le roman québécois*. [Préface de Marc Angenot], Sillery, Les Presses de l'Université du Québec, 1980, 155 p. (Genres et discours).

—, *Y a-t-il un intellectuel dans la salle? Essais*, [Montréal], Primeur, [1984], 206 p. (L'échiquier).
—, *Surprendre les voix. Essais*, [Montréal], Boréal, [1986], 237[1] p.
BELLEMARE, Yvon, *Jacques Godbout, romancier*, [Montréal], Parti pris, [1984], 241[2] p. (Frères chasseurs).
BERTRAND, Claudine, et Josée BONNEVILLE [directrices], *La passion au féminin*, Montréal, XYZ éditeur, [1994], 127 p. (Documents/Entretiens).
BESSETTE, Gérard, *Une littérature en ébullition*, Montréal, Éditions du Jour, [1968], 315[1] p. (Essais, S-4).
BLAIS, Jacques, *De l'ordre et de l'aventure. La poésie au Québec de 1934 à 1944*, Québec, Les Presses de l'Université Laval, 1975, 410 p. (Vie des lettres québécoises, n° 14).
BOIVIN, Aurélien, *Pour une lecture du roman québécois. De* Maria Chapdelaine *à* Volkswagen blues, [Québec], Nuit blanche éditeur, [1996, 365[3] p. (Collection Littératures).
BONENFANT, Joseph, *Passions du poétique. Essais*, [Montréal, l'Hexagone, [1992], 232[2] p. (Essais littéraires).
*BOURASSA, André-G., *Surréalisme et littérature québécoise. Histoire d'une révolution culturelle. Essai*, [Montréal], Éditions l'Étincelle, 1977, 375[4] p.
BOURNEUF, Roland, et Réal OUELLET, *L'univers du roman*, Paris, Presses universitaires de France, 1972, 232 p. (Littératures modernes).
BOYNARD-FROT, Janine, *Un matriarcat en procès. Analyse systématique des romans canadiens-français 1860-1960*, Montréal, Les Presses de l'Université de Montréal, 1982, 231[3] p. (Lignes québécoises).
BROCHU, André, *L'instance critique, 1961-1973*. Présentation de François Ricard, [Montréal], Leméac, [1974], 375[1] p. (Indépendances).
—, *La visée critique. Essais autobiographiques et littéraires*, [Montréal], Boréal, [1988], 249[1] p. (Papiers collés).
—, *Le singulier pluriel. Essais*, [Montréal], l'Hexagone, [1992], 232[2] p. (Essais littéraires).
—, *Tableau du poème*, Montréal, XYZ éditeur, [1994], 240 p.
CAMBRON, Micheline, *Une société, un récit. Discours culturel au Québec (1967-1976)*, [Montréal], l'Hexagone, [1989], 201[2] p. (Essais littéraires).
CHAMBERLAND, Paul, *Un livre de morale*, Montréal, l'Hexagone, 1989, 210 p. (Essais).
CHASSAY, Jean-François, *L'ambiguïté américaine. Le roman québécois face aux États-Unis*, [Montréal], XYZ éditeur, [1995], 197 p. (Théorie et littérature).
CLICHE, Anne-Élaine, *Le désir du roman. (Hubert Aquin et Réjean Ducharme)*, [Montréal], XYZ éditeur, [1992], 214 p. (Théorie et littérature).
COSTISELLA, Joseph, *L'esprit révolutionnaire dans la littérature canadienne-française, de 1837 à la fin du dix-neuvième siècle*, Montréal, Librairie Beauchemin limitée, 1968, 316 p.
COTNAM, Jacques, *Le théâtre québécois instrument de contestation sociale et politique*, Montréal, Fides, [1976], 124[1] p.
COTNAM, Jacques, et Agnès WHITFIELD, *La nouvelle: écriture(s) et lecture(s)*, Montréal, XYZ éditeur, [1993], 228 p.
DAME, Hélène, et Robert GIROUX, *Poésie québécoise. Évolution des formes*, [Montréal], Triptyque, [1990], 213[1] p.
DES RIVIÈRES, Marie-Josée, *Châtelaine et la littérature (1960-1975). Essai*. Préface de Micheline Lachance, [Montréal], l'Hexagone, [1992], 378 p. (CRELIQ).

DIONNE, René [éditeur], *Le Québécois et sa littérature*, Sherbrooke, Éditions Naaman, [et] Paris, Agence de Coopération Culturelle et Technique, [1984], 462 p.

DORION, Gilles, et Irène BELLEAU [éditeurs], *Les œuvres de création et le français au Québec. Actes du congrès «Langue et société»*, t. III, [Québec, Éditeur officiel du Québec, 1984], 248 p.

DOSTALER, Yves, *Les infortunes du roman dans le Québec du XIXe siècle*, [Montréal], Hurtubise HMH, [1977], 175 p. (Cahiers du Québec, Littérature, n° 30).

DUCROCQ-POIRIER, Madeleine, *Le roman canadien de langue française de 1860 à 1958. Recherche d'un esprit romanesque*. [Préface de Charles Dedeyan], Paris, A. G. Nizet, 1978, 908 p.

DUPRÉ, Louise, *Stratégies du vertige. Trois poètes: Nicole Brossard, Madeleine Gagnon, France Théoret*, [Montréal], Les Éditions du remue-ménage, [1989], 265 p.

ÉMOND, Maurice, *La femme à la fenêtre. L'univers symbolique d'Anne Hébert dans «Les chambres de bois», «Kamouraska» et «Les enfants du sabbat»*, Québec, Les Presses de l'Université Laval, 1984, 390 p. (Vie des lettres québécoises, n° 22).

ÉMOND, Maurice [directeur], *Les voies du fantastique québécois*, [Québec], Nuit blanche éditeur, [1990], 243[3] p. (Séminaire, n° 3).

*FALARDEAU, Jean-Charles, *Imaginaire social et littérature*. Préface de Gilles Marcotte, [Montréal], Hurtubise HMH, [1974], 152 p. (Reconnaissances).

FORTIN, Nicole, *Une littérature inventée. Littérature québécoise et critique universitaire (1965-1975)*, Sainte-Foy, Les Presses de l'Université Laval, [1994], 353 p. (Vie des lettres québécoises, n° 33).

FRANCŒUR, Louis, *Les signes s'envolent. Pour une sémiotique des actes de langage culturels*, Québec, Les Presses de l'Université Laval, 1985, 236[1] p. (Vie des lettres québécoises, n° 24).

Gasquy-Resch, Yannick [directrice], *Littérature du Québec*, Vanves (France), EDICEF, [1994], 287[1] p. (Histoire littéraire de la francophonie, Universités francophones AUPELF/UREF).

GAUDET, Gérald, *Voix d'écrivains. Entretiens*, Montréal, Québec/Amérique, [1985], 293 p. (Littérature d'Amérique).

GAUVIN, Lise, *«Parti pris» littéraire*, Montréal, Les Presses de l'Université de Montréal, 1975, 217 p. (Lignes québécoises).

GÉROLS, Jacqueline, *Le roman québécois en France*, Montréal, Hurtubise HMH, [1984], 363 p. (Cahiers du Québec, Littérature, n° 76).

GIROUX, Robert [directeur], *Les aires de la chanson québécoise*, [Montréal], Triptyque, [1984], 213 p.

—, *La chanson en question(s)*, [Montréal], Triptyque, [1985], 194[2] p.

*GODIN, Jean Cléo, et Laurent MAILHOT, *Le théâtre québécois. Introduction à dix dramaturges contemporains*, [Montréal], Hurtubise HMH, [1970], 254 p.

—, *Théâtre québécois II. Nouveaux auteurs, autres spectacles*, [Montréal], Hurtubise HMH, [1980], 247[1] p.

GRANDPRÉ, Pierre de [dir.], *Histoire de la littérature française du Québec*, Montréal, Librairie Beauchemin limitée, 4 vol.: t. I: 1967, 368 p.; t. II: *(1900-1945)*, 1968, 390 p.; t. III: *(1945 à nos jours). — La poésie*, 1969, 407 p.; t. IV: *Roman, théâtre, histoire, journalisme, essai, critique (de 1945 à nos jours)*, 1969, 428 p.

HAECK, Philippe, *La table d'écriture. Poéthique et modernité. Essais*, [Montréal], VLB éditeur, [1984], 386[2] p.
HAREL, Simon, *L'écriture réparatrice. Le défaut autobiographique (Leiris, Crevel, Artaud)*, [Montréal], XYZ éditeur, [1994], 231 p. (Théorie et littérature).
HAREL, Simon [directeur], *L'étranger dans tous ses états. Enjeux culturels et littéraires*, [Montréal], XYZ éditeur, [1992], 190 p. (Théorie et littérature).
KWATERKO, Josef, *Le roman québécois de 1960 à 1975. Idéologie et représentation littéraire*, [Longueuil], Le Préambule, [1989], 268 p. (L'univers des discours).
LAFORTUNE, Monique, *Le roman québécois, reflet d'une société*, Laval, Mondia, [1985], 333[3] p.
LAMY, Suzanne, *Quand je lis je m'invente. Essai*, [Montréal], l'Hexagone, [1984], 111[1] p.
LAMY, Suzanne, et Irène PAGES [compilatrices], *Féminité, subversion, écriture*, [Montréal], Les Éditions du remue-ménage, [1983], 286[2] p.
LEMIRE, Maurice, *Formation de l'imaginaire littéraire québécois (1764-1867). Essai*, [Montréal], l'Hexagone, [1993], 280[1] p. (Essais littéraires).
LEVER, Yves, *Histoire générale du cinéma au Québec*, [Montréal], Boréal, [1988], 551[3] p.
LORD, Michel, *La logique de l'impossible. Aspects du discours fantastique québécois*, [Québec], Nuit blanche éditeur, [1995], 360[1] p. (Cahiers du Centre de recherche en littérature québécoise, Série Études).
MAILHOT, Laurent, *La littérature québécoise*, Paris, Presses Universitaires de France, 1974, 127 p. («Que sais-je?», nº 579).
—, *Ouvrir le livre. Essais*, [Montréal], l'Hexagone, [1992], 351[2] p. (Essais littéraires).
MAJOR, Jean-Louis, *Le jeu en étoiles. Études et essais*, Ottawa, Éditions de l'Université d'Ottawa, 1978, 185[2] p. (Cahiers du Centre de recherche en civilisation canadienne-française, nº 17).
MARCOTTE, Gilles, *Le temps des poètes. Description critique de la poésie actuelle au Canada français*, [Montréal], HMH, [1969], 247[4] p.
*—, *Le roman à l'imparfait. Essais sur le roman québécois d'aujourd'hui*, [Montréal], La Presse, [1976], 194[1] p.
—, *Littérature et circonstances. Essais*, [Montréal], l'Hexagone, [1989], 350[2] p. (Essais littéraires).
MARTEL, Réginald, *Le premier lecteur. Chroniques du roman québécois 1968-1994*, [Montréal], Leméac, [1994], 335 p.
MARTINEAU, Jacques, *Les 100 romans québécois qu'il faut lire*, [Québec], Nuit blanche éditeur, 1994, 151[2] p.
MELANÇON, Benoît, et Pierre POPOVIC [directeurs], *Montréal 1642-1992. Le grand passage*, [Montréal], XYZ éditeur, [1994], 229 p. (Théorie et littérature).
MILOT, Louise, et Jaap LINTVELT [directeurs], *Le roman québécois depuis 1960. Méthodes et analyses*. [Publication du Centre de recherche en littérature québécoise], Sainte-Foy, Les Presses de l'Université Laval, 1992, 318 p.
MILOT, Louise, et Fernand ROY [directeurs], *La littérarité*, Sainte-Foy, Les Presses de l'Université Laval, 1991, 280 p. (Centre de recherche en littérature québécoise).
MOISAN, Clément, *Poésie des frontières. Étude comparée des poésies canadienne et québécoise*, [Montréal], Éditions HMH, [1979], 346 p. (Constances, nº 38).

—, *Comparaison et raison. Essais sur l'histoire et l'institution des littératures canadienne et québécoise*, [Montréal], Éditions Hurtubise HMH, [1986], 180 p. (Constances).

—, *Le phénomène de la littérature, Essai*, [Montréal], l'Hexagone, [1996], 261[2] p. (Essais littéraires).

MONIÈRE, Denis, *Le développement des idéologies au Québec des origines à nos jours*, Montréal, Éditions Québec/ Amérique, [1977], 381 p.

MORENCY, Jean, *Le mythe américain dans les fictions d'Amérique. De Washington Irving à Jacques Poulin*, [Québec], Nuit blanche éditeur, [1994], 258[2] p. (Terre américaine).

NEPVEU, Pierre, *Les mots à l'écoute. Poésie et silence chez Fernand Ouellette, Gaston Miron et Paul-Marie Lapointe*, Québec, Les Presses de l'Université Laval, 1979, 292[1] p. (Vie des lettres québécoises, n° 17).

—, *L'écologie du réel. Mort et naissance de la littérature québécoise contemporaine. Essais*, [Montréal], Boréal, [1988], 243[1] p.

NEPVEU, Pierre, et Gilles MARCOTTE [directeurs], *Montréal imaginaire. Ville et littérature*, [Montréal], Fides, [1992], 424[1] p.

OUELLET, Pierre, *Chutes. La littérature et ses fins. Essai*, [Montréal], l'Hexagone, [1990], 269[2] p. (Essais littéraires).

PASCAL, Gabriel [directrice], *Le roman québécois au féminin (1980-1995)*, [Montréal], Triptyque, [1995], 193[3] p.

*PATERSON, Janet M., *Moments postmodernes dans le roman québécois*, [Ottawa], Les Presses de l'Université d'Ottawa, [1990], 126 p.

PELLETIER, Jacques [directeur], *Lecture politique du roman québécois contemporain. Essais*, [Montréal], Université du Québec à Montréal, 1984, 150[1] p. (Les Cahiers du Département d'études littéraires, n° 1) [réédité avec variantes sous le titre *Le roman national. Essais. néo-nationalisme et roman québécois contemporain*, [Montréal], VLB éditeur, [1991], 237[3] p. (Essais critiques)].

—, *L'avant-garde culturelle et littéraire des années 70 au Québec*, Montréal, UQAM, 1986, 193 p. (Les cahiers du Département d'études littéraires, n° 5).

—, *Le poids de l'histoire. Littérature, idéologies, société du Québec moderne*, [Québec], Nuit blanche éditeur, [1995], 346 p. (Essais critiques).

POULIN, Gabrielle, *Romans du pays 1968-1979*, avec des textes de René Dionne, Montréal, Éditions Bellarmin, 1980, 454 p.

QUÉBEC FRANÇAIS, *Romanciers du Québec*, [Québec], Québec français, [1980], 224 p.

ROBIN, Régine, *Le naufrage du siècle*, suivi de *Le cheval blanc de Lénine ou l'histoire autre*, [Montréal], XYZ éditeur, [1995], 244 p. (Histoire des idées).

ROY, Bruno, *Panorama de la chanson au Québec*, [Montréal], Leméac, [1977], 169 p. (Les Beaux-Arts, n° 4).

ROY, Paul-Émile, *Études littéraires. Germaine Guèvremont, Réjean Ducharme, Gabrielle Roy*, [Montréal], Méridien littérature, [1989], 145 p.

ROYER, Jean, *Écrivains contemporains*. [Montréal], l'Hexagone, 5 vol.: *Entretiens I: 1976-1979*, [1982], 247[3] p.; *Entretiens 2: 1977-1980*, [1983], 215[3] p.; *Entretiens 3: 1980-1983*, [1985], 320[3] p.; *Entretiens 4: 1981-1986*, [1987], 280[3] p.; *Entretiens 5: 1986-1989*, [1989], 228[1] p.

*—, *Introduction à la poésie québécoise. Les poètes et les œuvres des origines à nos jours*, [Montréal], BQ, [1989], 295 p. (Bibliothèque québécoise, Littérature).

*—, *Poètes québécois. Entretiens. Essais*. Préface d'André Brochu, [Montréal], l'Hexagone, [1991], 278[2] p. (Typo Essais, n° 55).

*—, *Romanciers québécois. Entretiens.* Préface d'André Brochu, [Montréal], l'Hexagone, [1991], 334[2] p. (Typo Essais, nº 56).

SAINT-MARTIN, Lori [directrice], *L'autre lecture. La critique au féminin et les textes québécois*, [Montréal], XYZ éditeur, 2 vol.: t. I: [1992], 215 p.; t. II: [1994], 194 p. (Documents).

SERVAIS-MAQUOI, Mireille, *Le roman de la terre au Québec*, Québec, Les Presses de l'Université Laval, 1974, 267[1] p. (Vie des lettres québécoises, nº 12).

SIMON, Sherry, *Le trafic des langues. Traduction et culture dans la littérature québécoise*, [Montréal], Boréal, [1994], 224 p.

SING, Pamela V., *Villages imaginaires. Édouard Montpetit, Jacques Ferron et Jacques Poulin*, [Montréal], Fides-CÉTUQ, [1995], 272[3] p. (Nouvelles études québécoises).

SIROIS, Antoine, *Mythes et symboles dans la littérature québécoise*, [Montréal], Triptyque, [1992], 154 p.

SMART, Patricia, *Écrire dans la maison du père. L'émergence du féminin dans la tradition littéraire du Québec*, Montréal, Éditions Québec/Amérique, [1988], 337 p. (Littérature d'Amérique).

SMITH, André [éditeur], *Marie Laberge, dramaturge. Actes du Colloque international*, [Montréal], VLB éditeur, [1989], 145[2] p.

SMITH, Donald, *L'écrivain devant son œuvre*, Montréal, Québec/Amérique, 1983, 358 p. (Littérature d'Amérique).

TÉTU DE LABSADE, Françoise, *Le Québec. Un pays, une culture.* [Préface de Fernand Dumont, Montréal], Boréal, [1989], 458 p. Ill.

TOUGAS, Gérard, *Destin littéraire du Québec*, Montréal, Québec/Amérique, [1982], 208 p.

TREMBLAY, Victor-Laurent, *Au commencement était le mythe. Introduction à une mythanalyse globale avec application à la culture traditionnelle québécoise à partir de quelques textes romanesques*, Ottawa [et] Paris, Les Presses de l'Université d'Ottawa, [1991], 362 p.

VANASSE, André, *Le père vaincu, la méduse et les fils castrés. Psychocritique d'œuvres québécoises contemporaines*, [Montréal], XYZ, [1990], 126 p.

VAN ROEY-ROUX, Françoise, *La littérature intime du Québec*, [Montréal], Boréal Express, [1983], 254[2] p.

VINCENTHIER, Georges [pseudonyme de Georges-Vincent FOURNIER], *Histoire des idées au Québec. Des troubles de 1837 au référendum de 1980*, [Montréal], VLB éditeur, [1983], 468[7] p.

WHITFIELD, Agnès, *Le je(u) illocutoire. Forme et contestation dans le nouveau roman québécois*, Québec, Les Presses de l'Université Laval, 1987, 342 p. (Vie des lettres québécoises, nº 25).

*YOKEN, Mel B., *Entretiens québécois*, Montréal, Éditions Pierre Tisseyre, 2 vol.: t. I: avant-propos de Jean-Cléo Godin, [1986], 187 p. Ill.; t. II: avant-propos d'Alice Parizeau, [1989], 329[1] p.

Dictionnaires

COULOMBE, Michel, et Marcel JEAN, *Dictionnaire du cinéma québécois*, [Montréal], Boréal, [1988], XXV,530 p.

DORION, Gilles [directeur], *Dictionnaire des œuvres littéraires du Québec*, t. VI: *1976-1980*, Montréal, Fides, [1994], LIII, 1 087 p.

HAMEL, Réginald, Paul WYCZYNSKI et John HARE, *Dictionnaire pratique des auteurs québécois*, Montréal, Fides, [1975], 723 p.

—, *Dictionnaire des auteurs de langue française en Amérique du Nord*, Montréal, Fides, [1989], XXVI,1 364 p.
LEMIRE, Maurice *et alii*, *Dictionnaire des œuvres littéraires du Québec*, Montréal, Fides, 5 vol.: vol.: I: *Des origines à 1900*, 1978, LXVI, 918 p.; vol. II: *1900-1939*, 1980, XCVI,1 363 p.; vol. III: *1940-1959*, 1982, XCII,1 252 p.; vol. IV *1960-1969*, 1984, LXII,1 123 p.; vol. V: *1970-1975*, 1987, LXXXVIII,1 133 p.
UNION DES ÉCRIVAINS QUÉBÉCOIS, *Dictionnaire des écrivains contemporains*, Montréal, Québec/Amérique, [1983], 399 p.

Anthologies

BOIVIN, Aurélien, *Poésies, Contes et Nouvelles du Québec*, Montréal, Mondia, [1987], 112 p. (+ 2 disques ou 2 cassettes).
BROSSARD, Nicole, et Lisette GIROUARD, *Anthologie de la poésie des femmes au Québec*, [Montréal], Les Éditions du remue-ménage, [1991], 379 p. (Connivences).
CHAMBERLAND, Roger, et André GAULIN, *La chanson québécoise. De la Bolduc à aujourd'hui. Anthologie*, [Québec] Nuit blanche éditeur, [1994], 593[1] p.
*COTNAM, Jacques, *Poètes du Québec*, [Montréal], Fides, [1982], 251 p. (Bibliothèque québécoise).
ÉRMAN, Michel, *Littérature canadienne-française et québécoise*, Laval, Éditions Beauchemin, [1992], 570 p.
*ÉMOND, Maurice, *Anthologie de la nouvelle et du conte fantastiques québécois au XXe siècle*, [Montréal], Fides, [1987], 276[2] p. (Bibliothèque québécoise).
FRANCŒUR, Lucien, *Vingt-cinq poètes québécois 1968-1978*, [Montréal], l'Hexagone, [1989], 192[3] p. (Anthologies).
FREDETTE, Nathalie, *Montréal en prose 1892-1992*, [Montréal], l'Hexagone, [1992], 507 p.
GALLAYS, François, *Anthologie de la nouvelle au Québec*, [Montréal], Fides, [1993], 427[3] p.
GAUVIN, Lise, et Gaston MIRON, *Écrivains contemporains du Québec depuis 1950*, [Paris], Seghers, [1989], 579 p.
*LORD, Michel, *Anthologie de la science-fiction québécoise contemporaine*, [Montréal], BQ, [1988], 265[2] p. (Bibliothèque québécoise, Littérature).
*MAILHOT, Laurent, et Pierre NEPVEU, *La poésie québécoise des origines à nos jours. Anthologie*, Montréal, Les Presses de l'Université du Québec [et] Les Éditions de l'Hexagone, 1980, 714 p.
MAILHOT, Laurent, et Benoît MELANÇON, *Essais québécois 1837-1983. Anthologie littéraire*, [Montréal], Hurtubise HMH, [1984], 658 p. (Cahiers du Québec, Textes et documents littéraires).
MARCOTTE, Gilles, *et alii*, *Anthologie de la littérature québécoise*, [Montréal,] La Presse, 4 vol.: t. I: *Écrits de la Nouvelle-France, 1534-1760*, par Léopold Leblanc, [1978], 317 p.; t. II: *La première patrie littérarie, 1760-1895*, par René Dionne, [1978], 516 p.; t. III: *Vaisseau d'or et croix de chemin, 1895-1935*, par Gilles Marcotte et François Hébert, [1979], 488 p.; t. IV: *L'âge de l'interrogation, 1937-1954*, par René Dionne et Gabrielle Poulin, [1979], 463 p.
PELLERIN, Gilles, *Dix ans de nouvelles. Une anthologie québécoise*. Textes réunis et présentées par Gilles Pellerin, [Québec], L'instant même, [1996], 257[4] p.
*ROYER, Jean, *Le Québec en poésie*, [Paris], Lacombe, [1987], 142 p. (Folio Junior).

—, *La poésie québécoise contemporaine*, [Montréal], l'Hexagone, [et Paris], La Découverte, [1987], 255 p.
THÉRIO [né THÉRIAULT], Adrien, *Conteurs canadiens-français. Époque contemporaine*, Montréal, Librairie Déom, [1970], 377 p.

Histoire du Québec et Question linguistique

BERGERON, Léandre, *Petit manuel d'histoire du Québec*, [Montréal], Éditions Québécoises, [1970], 253 p. III.
COMEAU, R[obert], D[aniel] COOPER et P[ierre] VALLIÈRES [compilateurs], *FLQ: un projet révolutionnaire. Lettres et écrits felquistes (1963-1982)*, [Montréal], VLB éditeur, [1990], 275[2] p. (Études québécoises, n° 1).
DION, Léon, *Québec 1945-2000*, tome I: *À la recherche du Québec*, Québec, Les Presses de l'Université Laval, 1987, 182 p.
[EN COLLABORATION], *Le Québec 1967-1987. Du Général de Gaulle au Lac Meech*, Montréal [et] Toronto, Guérin, [1987], 237 p.
GOBEIL, Pierre, *La poudrière linguistique*, [Montréal], Boréal, [1990], 384 p.
*GODIN, Pierre, *La Révolution tranquille*, [Montréal], Boréal, 2 vol.: t. I: *La fin de la Grande Noirceur*, [1991], 502[1] p.; t. II: *La difficile recherche de l'égalité*, 408[1] p. (Boréal Compact, nos 27-28). [Parut d'abord sous le titre *Daniel Johnson*, aux Éditions de l'Homme en 1980.]
HAMELIN, Jean, et Jean PROVENCHER, *Brève histoire du Québec*, [Montréal], Boréal Express, [1981], 169[2] p.
LAVIGNE, Marie, et Yolande PINARD, *Les femmes dans la société québécoise. Aspects historiques*, Montréal, Boréal Express, [1977], 214[1] p. (Études d'histoire du Québec, n° 8).
*LINTEAU, Paul-André, René DUROCHER, Jean-Claude ROBERT et François RICARD, *Histoire du Québec contemporain*. tome II: *Le Québec depuis 1930*, Montréal, Boréal, 1989, 834 p [v. «Sous le signe de la Révolution tranquille de 1960 à nos jours», p. [391] -726].
MONIÈRE, Denis, *Le développement des idéologies au Québec, des origines à nos jours*, Montréal, Québec/Amérique, [1977], 381 p.
MORIN, Claude, *Le combat québécois. La diplomatie québécoise depuis 1960*, [Montréal], Boréal, [1973], 192 p.
—, *L'art impossible*, [Montréal,] Boréal, [1987], 476[2] p.
—, *Lendemains piégés. Du référendum à la nuit des longs couteaux*, [Montréal], Boréal, [1988], 395[3] p.
—, *Mes premiers ministres. Lesage, Johnson, Bertrand, Bourassa et Lévesque*, [Montréal], Boréal, [1991], 632 p.
MORISSONNEAU, Christian, *La terre promise: le mythe du Nord québécois*. Préface[s] de Jean-Charles Falardeau [et de Jean-Claude Dupont, Montréal], Hurtubise HMH, [1978], 212[6] p. Ill. (Cahiers du Québec, Ethnologie, n° 39).
PLOURDE, Michel, *La politique linguistique du Québec, 1977-1987*, [Québec], Institut québécois de recherche sur la culture, 1988, 143 p. (Diagnostic, n° 6).
RAJOTTE, Pierre, *Les mots du pouvoir ou le pouvoir des mots. Essai d'analyse des stratégies discursives ultramontaines au XIXe siècle*, [Montréal], l'Hexagone, [1991], 211[3] p.
VINCENTHIER, Georges [pseudonyme de Georges-Henri FOURNIER], *Une idéologie québécoise. De Louis-Joseph Papineau à Pierre Vallières*, [Montréal], Hurtubise HMH, [1979], [XII], 119 p. (Cahiers du Québec, Histoire, n° 48).

Bibliographie

FORTIN, Marcel, Yvan LAMONDE et François RICARD, *Guide de la littérature québécoise*, [Montréal], Boréal, [1988], 155[1] p.

Guide culturel

GAUVIN, Lise, et Laurent MAILHOT [directeurs], *Guide culturel du Québec*, [Montréal], Boréal Express, [1982], 533 p. Ill.

QUÉBEC FRANÇAIS, *Découvrir le Québec. Un guide culturel*, [Québec, Les publications Québec français, 1986], 100 p. Ill.

Chronologie

*PROVENCHER, Jean, *Chronologie du Québec*, [Montréal], Boréal, [1991], 217[2] p.

Aurélien Boivin est né à Saint-Edmond-les-Plaines (Lac-Saint-Jean) le 18 juillet 1945, mais a grandi à Normandin. Bachelier ès arts du Petit Séminaire de Chicoutimi (1957-1965), licencié ès lettres (modernes) de l'Université Laval (1965-1968) et diplômé de l'École normale supérieure, il détient une maîtrise ès arts de la même université avec un mémoire portant sur l'inventaire des récits narratifs brefs du XIXe siècle, mémoire publié sous le titre *Le conte littéraire québécois au XIXe siècle. Essai de bibliographie critique et analytique* (Fides, 1976). Docteur ès lettres (1984), il a œuvré pendant près de quinze ans comme professionnel de recherche au *Dictionnaire des œuvres littéraires du Québec* (Fides, 1978-1994), responsable du roman, conte et nouvelle. Il a codirigé le tome VI et s'apprête à diriger le tome VII.

Spécialiste de Louis Hémon, il a publié les *Œuvres complètes* de l'écrivain brestois en trois volumineux tomes (Guérin littérature, 1990-1996), après voir édité les *Récits sportifs* (Alma, Éditions du Royaume, 1982) et publié de nombreux textes sur l'homme et sur son œuvre, en particulier sur *Maria Chapdelaine.* Aurélien Boivin a aussi compilé quelques anthologies, dont *Le conte fantastique québécois du XIXe siècle* (Fides, 1987), *Poésies, contes et nouvelles du Québec* (Mondia, 1988), prix de l'Académie Charles-Cros et de l'Office de protection du consommateur du Québec, *Les meilleures nouvelles québécoises du XIXe siècle* (Fides, 1997) et *Les meilleurs contes fantastiques québécois du XIXe siècle* (Fides, 1997). On lui doit encore une *Bibliographie analytique de la science-fiction et du fantastique québécois* (1960-1985) (Nuit blanche éditeur, 1992, en collaboration), de même que *Littérature du Saguenay – Lac-Saint-Jean. Répertoire des œuvres et des auteurs* (2e édition, Éditions du Royaume, 1986). Il préside depuis 1979, l'année de sa création, le jury du Prix littéraire de la Bibliothèque centrale de prêt du Saguenay – Lac-Saint-Jean, devenu le Centre régional de services aux bibliothèques publiques. Il a publié un essai, *Pour une lecture du roman québécois. De* Maria Chapdelaine *à* Volkswagen Blues (Nuit blanche, 1996), qui regroupe quinze fiches de lecture des meilleurs romans québécois contemporains, dont plusieurs ont paru dans la revue *Québec français*, où il œuvre depuis 1974 comme membre du collectif et, depuis 1983, comme rédacteur en chef de l'équipe «Littérature, langue et société». Il a publié des centaines d'articles et d'études dans des collectifs et dans des revues savantes et de vulgarisation, ici au Québec et à l'étranger où il a participé à plusieurs colloques et congrès nationaux et internationaux. Il a, en outre, effectué des missions d'enseignement en Belgique, en Allemagne, en Côte d'Ivoire, en Algérie, en Thaïlande, au Brésil et en Sardaigne. Spécialiste de

l'édition, il a préparé plus de cent bibliographies et chronologies pour la collection Bibliothèque québécoise (Fides) et BQ.
Directeur des programmes de littératures française et québécoise, il est membre du Centre de recherche en littérature québécoise et membre de l'équipe de recherche chargée de la préparation de l'«Histoire littéraire du Québec», dont les trois premiers tomes ont paru sous le titre *La vie littéraire au Québec* (Les Presses de l'Université Laval). Il prépare l'édition critique des *Anciens Canadiens* de Philippe Aubert de Gaspé, dans le cadre du projet «Corpus d'éditions critiques» de l'Université d'Ottawa. Il a aussi été maître-d'œuvre de quelques expositions consacrées à des auteurs d'ici, dont Louis Hémon (1980), Damase Potvin (1983), Félix Leclerc (1994) et à la littérature québécoise («Recent Trends in Quebec Literature», montrée en Grande-Bretagne, en Italie, en Allemagne et en Suisse).
Aurélien Boivin a mérité le prix Air Canada (1978), le titre de «Communicateur de l'année» (1991) au Gala du livre du Saguenay – Lac-Saint-Jean et il a été nommé chevalier dans l'ordre des Palmes académiques (1996) du gouvernement français. Il est professeur titulaire au Département des littératures de l'Université Laval où il enseigne la littérature québécoise depuis 1984.

INDEX ONOMASTIQUE

– B –

– C –

– D –

– G –

– K –

– L –

– N –

– O –

– P –

– Q –

– R –

– S –

– T –

– U –

Table analytique des matières[1]

INTRODUCTION
La littérature québécoise de 1960 à 1990
par Maurice Lemire

CHAPITRE I
Littérature des médias

1. Note de la rédaction. Il faut noter que chaque collaborateur a préparer sa propre table analytique. Ainsi le lectorat sera-t-il en mesure de bien saisir le plan et le contenu de chacun des chapitres de ce Panorama.

CHAPITRE 2
Le cinéma québécois 1969-1996
Appartenance et exploration

par Yves Lever

CHAPITRE 3
Les revues

par Lucie Robert

CHAPITRE 4
Le théâtre

CHAPITRE 5
Fantastique, science-fiction et bande dessinée

CHAPITRE 6
La prose romanesque

CHAPITRE 7
La poésie et la chanson

CHAPITRE 8
La critique (1968-1996)

par Robert Dion et Nicole Fortin

CHAPITRE 9
Les essais

CHAPITRE 10
L'édition et l'avenir du livre au Québec
par Sylvie Bérard

CONCLUSION
«Fin-de-siècle» et postmodernisme
par Réginald Hamel

BIBLIOGRAPHIE SÉLECTIVE

par Aurélien Boivin

TABLE DES ILLUSTRATIONS

CHAPITRE I

CHAPITRE II

CHAPITRE III

CHAPITRE IV

CHAPITRE V

CHAPITRE VI

CHAPITRE VII

CHAPITRE IX

CHAPITRE X